圖書在版編目(CIP)數據

國家圖書館藏敦煌遺書・第五册/中國國家圖書館編;任繼愈主編.—北京:北京圖書館出版社,2005.12

ISBN 7-5013-2947-8

Ⅰ.國… Ⅱ.①中…②任… Ⅲ.敦煌學—文獻 Ⅳ.K870.6

中國版本圖書館 CIP 數據核字(2005)第 117120 號

書　名 國家圖書館藏敦煌遺書・第五册
著　者 中國國家圖書館編　任繼愈主編
責任編輯 徐　蜀　孫　彦
封面設計 李　璀

出　版 北京圖書館出版社 (100034　北京西城區文津街7號)
發　行 010-66139745　66151313　66175620　66126153
66174391(傳真)　66126156(門市部)
E-mail cbs@nlc.gov.cn(投稿)　btsfxb@nlc.gov.cn(郵購)
Website www.nlcpress.com
經　銷 新華書店
印　刷 北京文津閣印務有限責任公司

開　本 八開
印　張 64.5
版　次 2005年12月第1版第1次印刷
印　數 1-150册(套)

書　號 ISBN 7-5013-2947-8/K・1230
定　價 990.00圓

編輯委員會

主　　編　任繼愈

常務副主編　方廣錩

副 主 編　李際寧　張志清

編委（按姓氏筆畫排列）　王克芬　王姿怡　吳玉梅　胡新英　陳　穎　黄　霞（常務）　劉玉芬

出版委員會

主　任　詹福瑞

副主任　陳　力

委　員（按姓氏筆畫排列）　李　健　郭又陵　徐　蜀　孫　彦

攝製人員（按姓氏筆畫排列）

于向洋　王富生　王遂新　谷韶軍　張　軍　張紅兵　張　陽　曹　宏　郭春紅　楊　勇　嚴　平

目錄

至如是我昔欲令
年日月以无價寶珠繫
而汝不知勤苦憂惱以求自
今可以此寶貿易所須常
佛亦如是爲菩薩時教化我
心而尋廢忘不知不覺既得阿
滅度資生艱難得少爲足一切智願猶在不
失今者世尊覺悟我等作如是言諸比丘汝
等所得非究竟滅我久令汝等種佛善根以
方便故示涅槃相而汝謂爲實得滅度世尊
我今乃知實是菩薩得受阿耨多羅三藐三
菩提記以是因緣甚大歡喜得未曾有尒時
阿若憍陳如等欲重宣此義而說偈言

我等聞无上　安隱授記聲　歡喜未曾有　礼无量智佛
今於世尊前　自悔諸過咎　於无量佛寶　得少涅槃分
如无智愚人　便自以爲足　譬如貧窮人　往至親友家
其家甚大富　具設諸餚饍　以无價寶珠　繫著內衣裏
嘿與而捨去　時臥不覺知　是人既已起　遊行詣他國
求衣食自濟　資生甚艱難　得少便爲足　更不願好者
不覺內衣裏　有无價寶珠　與珠之親友　後見此貧人
苦切責之已　示以所繫珠　貧人見此珠　其心大歡喜
富有諸財物　五欲而自恣　我等亦如是　世尊於長夜
常愍見教化　令種无上願　我等无智故　不覺亦不知

BD00274號　妙法蓮華經卷四　（3–1）

不覺內衣裏　有无價寶珠　與珠之親友　後見此貧人
苦切責之已　示以所繫珠　貧人見此珠　其心大歡喜
富有諸財物　五欲而自恣　我等亦如是　世尊於長夜
常愍見教化　令種无上願　我等无智故　不覺亦不知
得少涅槃分　自足不求餘　今佛覺悟我　言非實滅度
得佛无上慧　尒乃爲真滅　我今從佛聞　受記莊嚴事
及轉次受決　身心遍歡喜

妙法蓮華經授學无學人記品第九

尒時阿難羅睺羅而作是念我等每自思惟
設得受記不亦快乎即從座起到於佛前頭
面礼足俱白佛言世尊我等於此亦應有分
唯有如來我等所歸又我等爲一切世間天
人阿脩羅所見知識阿難常爲侍者護持法
藏羅睺羅是佛之子若佛見授阿耨多羅三
藐三菩提記者我願既滿衆望亦足尒時學
无學聲聞弟子二千人皆從座起偏袒右肩
到於佛前一心合掌瞻仰世尊如阿難羅睺
羅所願住立一面尒時佛告阿難汝於來世
當得作佛号山海慧自在通王如來應供正
遍知明行足善逝世間解无上士調御丈夫
天人師佛世尊當供養六十二億諸佛護持
法藏然後得阿耨多羅三藐三菩提教化二
十千万億恒河沙諸菩薩等令成阿耨多羅
三藐三菩提國名常立勝幡其土清淨琉璃
爲地劫名妙音遍滿其佛壽命无量千万億
阿僧祇劫若人於千万億无量阿僧祇劫中

BD00274號　妙法蓮華經卷四　（3–2）

藐三菩提記者我願既滿衆望亦足尒時學
无學聲聞弟子二千人皆從座起偏袒右肩
到於佛前一心合掌瞻仰世尊如阿難羅睺
羅所願住立一面尒時佛告阿難汝於來世
當得作佛号山海慧自在通王如來應供正
遍知明行足善逝世間解无上士調御丈夫
天人師佛世尊當供養六十二億諸佛護持
法藏然後得阿耨多羅三藐三菩提教化二
十千万億恒河沙諸菩薩等令成阿耨多羅
三藐三菩提國名常立勝幡其土清淨琉璃
為地劫名妙音遍滿其佛壽命无量千万億
阿僧祇劫若人於千万億无量阿僧祇劫中
笇數校計不能得知正法住世倍於壽命像
法住世復倍正法阿難是山海慧自在通王
佛為十方无量千万億恒河沙等諸佛如來
所共讚歎稱其功德尒時世尊欲重宣此義
而說偈言
我今僧中說　阿難持法者　當供養諸佛　然後成正覺
号曰山海慧　自在通王佛　其國土清淨　名常立勝幡
教化諸菩薩　其數如恒沙　[illegible]大威德　名聞滿十方
壽命无有量　以愍衆生[illegible]

BD00274號　妙法蓮華經卷四　（3–3）

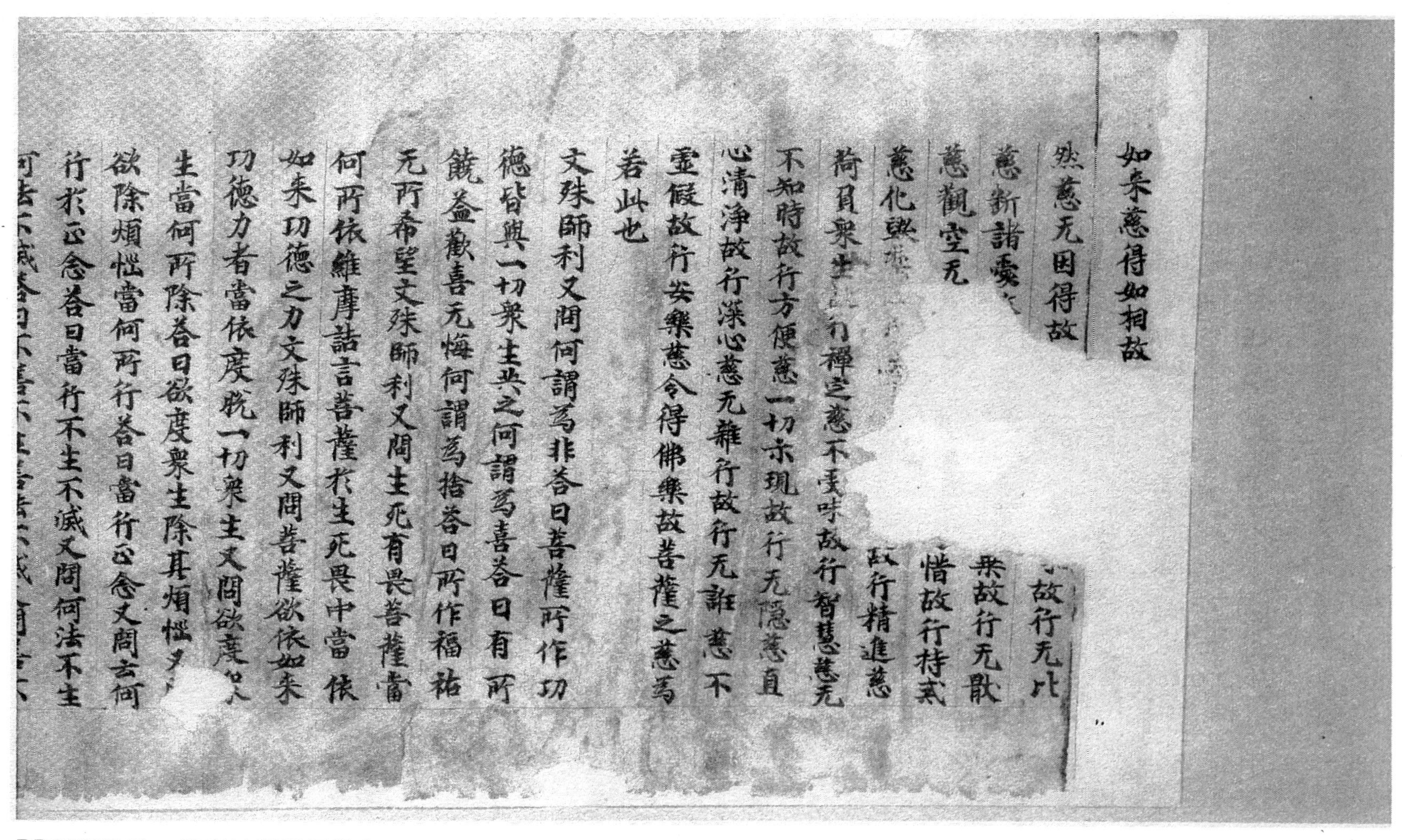
如來慈得如相故
然慈无因得故[illegible]故行无比
慈斷諸愛[illegible]乘故行无猒
慈觀空无[illegible]惜故行持戒
慈化毀禁[illegible]故行精進慈
荷負衆生[illegible]禪定慈不受味故行智慧慈无
不知時故行方便慈一切示現故行无隱慈直
心清淨故行深心慈无雜行故行无誑慈不
虛假故行安樂慈令得佛樂故菩薩之慈為
若此也
文殊師利又問何謂為悲荅曰菩薩所作功
德皆與一切衆生共之何謂為喜荅曰有所
饒益歡喜无悔何謂為捨荅曰所作福祐
无所希望文殊師利又問生死有畏菩薩當
何所依維摩詰言菩薩於生死畏中當依
如來功德之力文殊師利又問菩薩欲依如來
功德力者當依度脫一切衆生又問欲度衆
生當何所除荅曰欲度衆生除其煩惱又
欲除煩惱當何所行荅曰當行正念又問云何
行於正念荅曰當行不生不滅又問何法不生
何法不滅荅曰不善不生善法不滅又問善不[illegible]

BD00275號　維摩詰所說經卷中　（3–1）

如来功德之力文殊師利又問菩薩欲依如来
功德力者當依度脫一切衆生又問欲度衆
生當何所除荅曰欲度衆生除其煩惱又
欲除煩惱當何所行荅曰當行正念又問云何
行於正念荅曰當行不生不滅又問何法不生
何法不滅荅曰不善不生善法不滅又問善不
善孰為本荅曰身為本又問身孰為本荅曰
欲貪為本又問欲貪孰為本荅曰虚妄分
別為本又問虚妄分別孰為本荅曰顛倒想
為本又問顛倒想孰為本荅曰无住為
問无住孰為本荅曰无住則无本〻
利從无住本立一切法
時維摩詰室有一天女見諸大人聞所說法
便現其身即以天華散諸菩薩大弟子上華
至諸菩薩即皆墮落至大弟子便著不墮一
切弟子神力去華不能令去尒時天問舍利
弗何故去華荅曰此華不如法是以去之天曰
勿謂此華為不如法所以者何是華无所分別
仁者自生分別想耳若於佛法出家有所分
別為不如法荅无分別是則如法觀諸菩薩
華不著者以斷一切分別想故譬如人畏時
非人得其便如是弟子畏生死故色聲香味
觸得其便已離畏者一切五欲无能為也結
習未盡華著身耳結習盡者華不著也舍
利弗言天止此室其已久如荅曰我止此室

BD00275號　維摩詰所說經卷中　（3–2）

仁者自生分別想耳若於佛法出家有所分
別為不如法荅无分別是則如法觀諸菩薩
華不著者以斷一切分別想故譬如人畏時
非人得其便如是弟子畏生死故色聲香味
觸得其便已離畏者一切五欲无能為也結
習未盡華著身耳結習盡者華不著也舍
利弗言天止此室其已久如荅曰我止此室
如耆年解脫舍利弗言止此久耶天曰耆年
解脫亦何如久舍利弗默然不荅天曰如何耆
舊大智而默荅解脫者无所言說故吾於是
不知所云天曰言說文字皆解脫相所以者
何解脫者不內不外不在兩閒文字亦不內
不外不在兩閒是故舍利弗无離文字說
解脫也所以者何一切諸法是解脫相舍利
弗言不復以離婬怒癡為解脫乎天曰佛
為增上慢人說離婬怒癡為解脫耳若无
增上慢者佛說怒[illegible]性即是解脫舍利
弗言善哉善哉天女汝何所得以何為證辯
乃如是天曰我无得无證故辯如是所以者
何若有得有證者則於佛法為增上慢
舍利弗問天汝於三乘為何志求天曰以聲
聞法化衆生故我為聲[illegible]

BD00275號　維摩詰所說經卷中　（3–3）

伏其心佛
多羅三藐三菩提者當生如是心我應滅
一切衆生滅度一切衆生已而无有一衆生
實滅度者何以故菩薩有我相人相衆生
相壽者相則非菩薩所以者何須菩提實无
有法發阿耨多羅三藐三菩提者
須菩提於意云何如來於然燈佛所有法得
阿耨多羅三藐三菩提不不也世尊如我解
佛所說義佛於然燈佛所无有法得阿耨多
羅三藐三菩提佛言如是如是須菩提實无
有法如來得阿耨多羅三藐三菩提須菩提
若有法如來得阿耨多羅三藐三菩提然燈
佛則不與我受記汝於來世當得作佛号釋
迦牟尼以實无有法得阿耨多羅三藐三菩
提是故然燈佛與我受記作是言汝於來世
當得作佛号釋迦牟尼何以故如來者即諸
法如義若有人言如來得阿耨多羅三藐三
菩提須菩提實无有法佛得阿耨多羅三藐
三菩提須菩提如來所得阿耨多羅三藐三
菩提於是中无實无虛是故如來說一切法
皆是佛法須菩提所言一切法者即非一切
法是故名一切法

BD00276號　金剛般若波羅蜜經　（7-1）

三菩提須菩提如來所得阿耨多羅三藐三
菩提於是中无實无虛是故如來說一切法
皆是佛法須菩提所言一切法者即非一切
法是故名一切法
須菩提譬如人身長大須菩提言世尊如來
說人身長大則為非大身是名大身
須菩提菩薩亦如是若作是言我當滅度无
量衆生則不名菩薩何以故須菩提實无有
法名為菩薩是故佛說一切法无我无人无
衆生无壽者須菩提若菩薩作是言我當莊
嚴佛土是不名菩薩何以故如來說莊嚴佛
土者即非莊嚴是名莊嚴須菩提若菩薩通
達无我法者如來說名真是菩薩
須菩提於意云何如來有肉眼不如是世尊
如來有肉眼須菩提於意云何如來有天眼
不如是世尊如來有天眼須菩提於意云何
如來有慧眼不如是世尊如來有慧眼須菩
提於意云何如來有法眼不如是世尊如來
有法眼須菩提於意云何如來有佛眼不如
是世尊如來有佛眼須菩提於意云何恒河
中所有沙佛說是沙不如是世尊如來說是
沙須菩提於意云何如一恒河中所有沙有
如是等恒河是諸恒河所有沙數佛世界如
是寧為多不甚多世尊佛告須菩提尒所國

BD00276號　金剛般若波羅蜜經　（7-2）

中所有沙佛說是沙不如是世尊如來說是
沙須菩提於意云何如一恒河中所有沙有
如是等恒河是諸恒河所有沙數佛世界如
是寧為多不甚多世尊佛告須菩提尒所國
土中所有衆生若干種心如來悉知何以故
如來說諸心皆為非心是名為心所以者何
須菩提過去心不可得現在心不可得未來
心不可得須菩提於意云何若有人滿三千
大千世界七寶以用布施是人以是因緣得
福多不如是世尊此人以是因緣得福甚多
須菩提若福德有實如來不說得福德多以
福德无故如來說得福德多
須菩提於意云何佛可以具足色身見不不
也世尊如來不應以具足色身見何以故如
來說具足色身即非具足色身是名具足色
身須菩提於意云何如來可以具足諸相見
不不也世尊如來不應以具足諸相見何以
故如來說諸相具足即非具足是名諸相具
足須菩提汝勿謂如來作是念我當有所說
法莫作是念何以故若人言如來有所說法
即為謗佛不能解我所說故須菩提說法者
无法可說是名說法
須菩提白佛言世尊佛得阿耨多羅三藐三
菩提為无所得耶如是如是須菩提我於阿
耨多羅三藐三菩提乃至无有少法可得是

BD00276號　金剛般若波羅蜜經　（7–3）

法莫作是念何以故若人言如來有所說法
即為謗佛不能解我所說故須菩提說法者
无法可說是名說法
須菩提白佛言世尊佛得阿耨多羅三藐三
菩提為无所得耶如是如是須菩提我於阿
耨多羅三藐三菩提乃至无有少法可得是
名阿耨多羅三藐三菩提復次須菩提是法
平等无有高下是名阿耨多羅三藐三菩提
以无我无人无衆生无壽者脩一切善法則
得阿耨多羅三藐三菩提須菩提所言善法
者如來說非善法是名善法
須菩提若三千大千世界中所有諸須弥山
王如是等七寶聚有人持用布施若人以此
般若波羅蜜經乃至四句偈等受持讀誦為
他人說於前福百分不及一百千万億分乃
至筭數譬喻所不能及
須菩提於意云何汝等勿謂如來作是念我
當度衆生須菩提莫作是念何以故實无有
衆生如來度者若有衆生如來度者如來則
有我人衆生壽者須菩提如來說有我者則
非有我而凡夫之人以為有我須菩提凡夫
者如來說則非凡夫
須菩提於意云何可以三十二相觀如來不
須菩提言如是如是以三十二相觀如來佛

BD00276號　金剛般若波羅蜜經　（7–4）

者如來說則非凡夫
須菩提於意云何可以三十二相觀如來不
須菩提言如是如是以三十二相觀如來佛
言須菩提若以三十二相觀如來者轉輪聖
王則是如來須菩提白佛言世尊如我解佛
所說義不應以三十二相觀如來尒時世尊
而說偈言
若以色見我　以音聲求我　是人行邪道　不能見如來
須菩提汝若作是念如來不以具足相故得
阿耨多羅三藐三菩提須菩提莫作是念如
來不以具足相故得阿耨多羅三藐三菩提
須菩提汝若作是念發阿耨多羅三藐三菩
提者說諸法斷滅莫作是念何以故發阿耨
多羅三藐三菩提者於法不說斷滅相須菩
提若菩薩以滿恒河沙等世界七寶布施若
復有人知一切法无我得成於忍此菩薩勝
前菩薩所得功德須菩提以諸菩薩不受福
德故須菩提白佛言世尊云何菩薩不受福
德須菩提菩薩所作福德不應貪著是故說
不受福德
須菩提若有人言如來若來若去若坐若臥
是人不解我所說義何以故如來者无所從
來亦无所去故名如來
須菩提若善男子善女人以三千大千世界

BD00276號　金剛般若波羅蜜經　（7–5）

是人不解我所說義何以故如來者无所從
來亦无所去故名如來
須菩提若善男子善女人以三千大千世界
碎為微塵於意云何是微塵衆寧為多不甚
多世尊何以故若是微塵衆實有者佛則不
說是微塵衆所以者何佛說微塵衆則非微
塵衆是名微塵衆世尊如來所說三千大千
世界則非世界是名世界何以故若世界實
有者則是一合相如來說一合相則非一合
相是名一合相須菩提一合相者則是不可
說但凡夫之人貪著其事須菩提若人言佛
說我見人見衆生見壽者見須菩提於意云
何是人解我所說義不世尊是人不解如來
所說義何以故世尊說我見人見衆生見壽
者見即非我見人見衆生見壽者見是名我
見人見衆生見壽者見須菩提發阿耨多羅
三藐三菩提心者於一切法應如是知如是
見如是信解不生法相須菩提所言法相者
如來說即非法相是名法相須菩提若有人
以滿无量阿僧祇世界七寶持用布施若有
善男子善女人發菩薩心者持於此經乃至
四句偈等受持讀誦為人演說其福勝彼云
何為人演說不取於相如如不動何以故
一切有為法　如夢幻泡影　如露亦如電　應作如是觀

BD00276號　金剛般若波羅蜜經　（7–6）

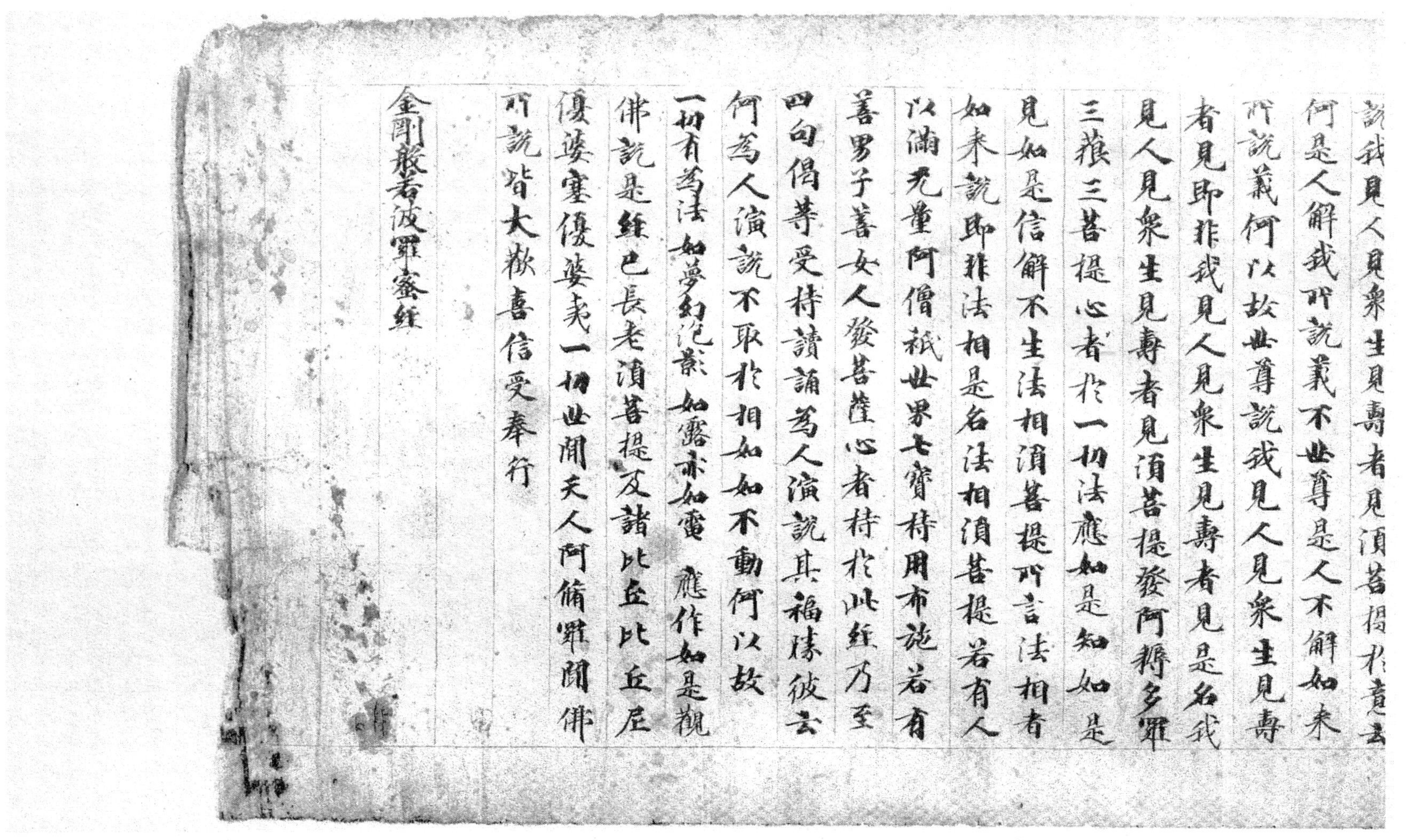

BD00276 號　金剛般若波羅蜜經　（7–7）

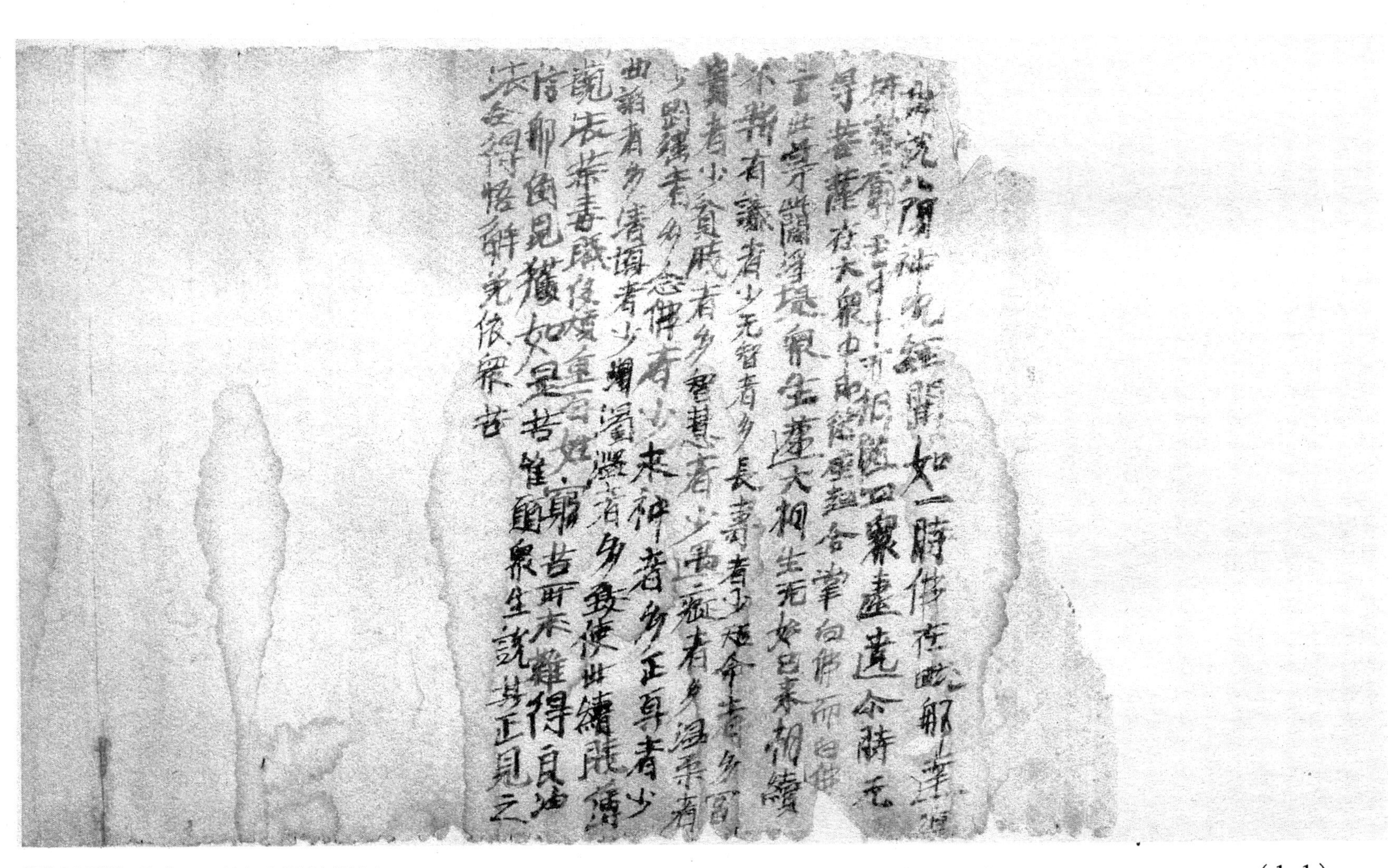

BD00276 號背　天地八陽神咒經　（1–1）

生无作行意成
非自名種類俱生无
身相當勤觀察尒
解非解脫　亦非无相境
種種意成身　自在花莊嚴
摩訶薩復白佛言世尊如世
身說
業何者為五若人作已墮阿鼻
獄佛言諦聽當為汝說大慧言唯佛告大慧
五无間者所謂煞母煞父煞阿羅漢破和合僧
懷惡逆心出佛身血大慧何者為衆生母謂
引生愛與貪喜俱如母養育何者為父所
謂无明令生六處聚落中故斷二根本名
煞父母云何煞阿羅漢謂隨眠為怨如鼠毒
發究竟斷彼是故說名煞阿羅漢云何破和
合僧謂諸蘊異相和合積聚究竟斷彼名為
破僧云何惡心出佛身血謂八識身妄生思覺
見自心外自相共相以三解脫无漏惡心究
竟斷彼八識身佛名為惡心出佛身血大慧
是為內五无間若有作者无間即得現證實
法復次大慧今為汝說外五无間令汝及餘

見自心外自相共相以三解脫无漏惡心究
竟斷彼八識身佛名為惡心出佛身血大慧
是為內五无間若有作者无間即得現證實
法復次大慧今為汝說外五无間令汝及餘
菩薩聞是義已於未來世不生疑惑云何外
五无間謂餘教中所說无間若有作者於三
解脫不能現證唯除如來諸大菩薩及大聲
聞見其有造无間業者為欲勸發令其改過
以神通力示同其事尋即悔除證於解脫此
皆化現非是實造若有實造无間業者終
无現身而得解脫唯除覺了自心所現身資所
住離我我所分別執見或於來世餘處受生
遇善知識離分別過方證解脫尒時世尊重
說偈言
貪愛名為母　无明則是父　識了於境界　此則名為佛
隨眠阿羅漢　蘊聚和合僧　斷彼无餘間　是名无間業
尒時大慧菩薩摩訶薩復白佛言世尊願為
我說諸佛體性佛言大慧覺二无我除二種
障離二種死斷二煩惱是佛體性大慧聲聞
緣覺得此法已亦名為佛我以是義但說一
乘尒時世尊重說頌言
善知二无我　除二障二惱　及不思議死　是故名如來
尒時大慧菩薩摩訶薩復白佛言世尊如來
以何密意於大衆中唱如是言我是過去一切
諸佛及說百千本生之事我於尒時作頂生

以何密意於大衆中唱如是言我是過去一切
諸佛及說百千本生之事我於尒時作頂生
王大烏鵰鷲月光妙眼仙人如是等佛言大慧
如來應正等覺依四平等秘密意故於大
衆中作如是言我於昔時作拘留孫佛拘那
含牟尼佛迦葉佛云何爲四所謂字平等語
平等身平等法平等云何字平等謂我名佛
一切如來亦名爲佛佛名无別是謂字等云
何語平等謂我作六十四種梵音聲語一切如
來亦作此語迦陵頻伽梵音聲性不增不減
无有差別是名語等云何身平等謂我與諸
佛法身色相及隨形好等无差別除爲調伏
種種衆生現隨類身是謂身等云何法平等
謂我與諸佛皆同證得卅七種菩提分法是
謂法等是故如來應正等覺於大衆中作
如是說尒時世尊重說頌言
迦葉拘留孫　拘那含是我　依四平等故　爲諸佛子說
尒時大慧菩薩摩訶薩復白佛言世尊如世
尊說我於某夜成最正覺乃至某夜當入湼
槃於其中間不說一字亦不已說亦不當說亦
不今說是佛說世尊依何密意作如是語佛
言大慧依二密法故作如是說云何二法謂自
證法及本住法云何自證法謂諸佛所證我
亦同證不增不減證智所行離言說相離分
別相離名字相云何本住法謂法本性如金

亦同證不增不減證智所行離言說相離分
別相離名字相云何本住法謂法本性如金
等在鑛若佛出世若不出世法住法位法界
法性皆悉常住大慧譬如有人行曠野中見
向古城平坦舊道即便隨入止息遊戲大慧
於汝意云何彼作是道及以城中種種物耶
白言不也佛言大慧我及諸佛所證真如常
住法性亦復如是是故說言始從成佛乃至
湼槃於其中間不說一字亦不已說亦不當
說尒時世尊重說頌言
某夜成覺　某夜般湼槃　於此二中間　我都无所說
自證本住法　故作是密語　我及諸如來　无有少差別
尒時大慧菩薩摩訶薩復白佛言世尊願說
一切法有无相令我及諸菩薩摩訶薩離此
相疾得阿耨多羅三藐三菩提佛言諦聽
當爲汝說大慧言唯佛言大慧世間衆生多
墮二見謂有見无見墮二見故非出出想云何
有見謂實有因緣而生諸法非不實有實有
諸法從因緣生非无法生大慧如是說者則說
无因云何无見謂知受貪瞋癡已而妄計言
无大慧及彼分別有相而不受諸法有復有
知諸如來聲聞緣覺无貪瞋癡性而計爲非
有此中誰爲壞者大慧白言謂有貪瞋癡
性後取於无名爲壞者佛言善哉汝解我問
此人非止无貪瞋癡名爲壞者亦壞如來聲

性後取於无名為壞者佛言善哉汝解我問
此人非但无貪瞋癡名為壞者亦壞如來聲
聞緣覺何以故煩惱內外不可得故體性非
異非不異故大慧貪瞋癡性若內若外皆不
可得无體性故无可取故聲聞緣覺及以如
來本性解脫无有能縛及縛因故大慧若有
能縛及以縛因則有所縛作如是說名為壞
者是為无有相我依此義密意而說寧起我
見如須弥山不起空見懷增上慢若起此見
名為壞者墮自共見樂欲之中不了諸法唯
心所現以不了故見有外法剎那无常展轉
差別蘊界處相相續流轉起已還滅虛妄分
別離文字相亦成壞者尒時世尊重說頌言
有无是二邊　乃至心所行　淨除彼所行　平等心寂滅
不取於境界　非滅无所有　有真如妙物　如諸聖所行
本无而有生　生已而復滅　因緣有及无　彼非住我法
非外道非佛　非我非餘衆　能以緣成有　云何而得无
誰以緣成有　而復得言无　惡見說為生　妄想計有无
若知无所生　亦復无所滅　觀世悉空寂　有无二俱離
尒時大慧菩薩摩訶薩復請佛言世尊唯願
為說宗趣之相令我及諸菩薩摩訶薩善達
此義不隨一切衆邪妄解疾得阿耨多羅三
藐三菩提佛言諦聽當為汝說大慧言唯
佛言大慧一切二乘及諸菩薩有二種宗法

BD00277 號　大乘入楞伽經卷四　（25–5）

藐三菩提佛言諦聽當為汝說大慧言唯
佛言大慧一切二乘及諸菩薩有二種宗法
相何等為二謂宗趣法相言說法相宗趣法
相者謂自所證殊勝之相離於文字語言分
別入无漏界成自地行超過一切不正思覺伏
魔外道生智慧光是名宗趣法相言說法
相者謂說九部種種教法離於一異有无等
相以巧方便隨衆生心令入此法是名言說
法相汝及諸菩薩當勤修學尒時世尊重
說頌言
宗趣與言說　自證及教法　若能善知見　不隨他妄解
如愚所分別　非是真實相　彼豈不求度　无法而可得
觀察諸有為　生滅等相續　增長於二見　顛倒无所知
涅槃離心意　唯此一法實　觀世悉虛妄　如幻夢芭蕉
无有貪恚癡　亦復无有人　從愛生諸蘊　如夢之所見
尒時大慧菩薩摩訶薩復白佛言世尊願為
我說虛妄分別相此虛妄分別云何而生是
何而生因何而生誰之所生何故名為虛妄
分別佛言大慧善哉善哉汝為哀愍世間天
人而問此義多所利益多所安樂諦聽諦聽
善思念之當為汝說大慧言唯佛言大慧一
切衆生於種種境不能了達自心所現計能
所取虛妄執著起諸分別墮有无見增長外
道妄見習氣心心所法相應起時執有外義

BD00277 號　大乘入楞伽經卷四　（25–6）

所取虛妄執著起諸分別隨有无見增長外
道妄見習氣心心所法相應起時執有外義
種種可得計著於我及以我所是故名為虛妄
分別大慧自言若如是者外種種義性離有
无起諸見相世尊第一義諦亦復如是離諸
根量宗因譬喻世尊何故於種種義言起
分別第一義中不言起耶將无世尊所言乖
理一處言起一不言故世尊又說虛妄分別
隨有无見譬如幻事種種非實分別亦尒有
无相離云何而說隨二見耶此說豈不隨於
世見佛言大慧分別不生不滅何以故不
起有无分別相故所見外法皆无有故了
唯自心之所現故但以愚夫分別自心種種
諸法著種種相而作是說令知所見皆是
自心斷我我所一切見著離作所作諸惡因
緣覺唯心故轉其意樂善明諸地入佛境界
捨五法自性諸分別見是故我說虛妄分別
執著種種自心所現諸境界生如實了知則
得解脫尒時世尊重說頌言
諸因及與緣　從此生世間　與四句相應　不知於我法
世非有无生　亦非俱不俱　云何諸愚夫　分別因緣起
非有亦非无　亦復非有无　如是觀世間　心轉證无我
一切法不生　以從緣生故　諸緣之所作　所作法非生
果不自生果　有二果失故　无有二果故　非有性可得

BD00277號　大乘入楞伽經卷四　（25–7）

一切法不生　以從緣生故　諸緣之所作　所作法非生
果不自生果　有二果失故　无有二果故　非有性可得
觀諸有為法　離能緣所緣　決定唯是心　故我說心量
量之自性處　緣法二俱離　究竟妙淨事　我說名心量
施設假名我　而實不可得　諸蘊蘊假名　亦皆无實事
有四種平等　相因及所生　无我為第四　脩行者觀察
離一切諸見　及能所分別　无得亦无生　我說是心量
非有亦非无　有无二俱離　如是心亦離　我說是心量
真如空實際　涅槃及法界　種種意成身　我說是心量
妄想習氣縛　種種從心生　眾生見為外　我說是心量
外所見非有　而心種種現　身資及所住　我說是心量
尒時大慧菩薩摩訶薩復白佛言世尊如來
說言如我所說汝及諸菩薩不應依語而取
其義世尊何故不應依語取義云何為語云
何為義佛言諦聽當為汝說大慧言唯佛言
大慧語者所謂分別習氣而為因依於喉
舌脣齶齒輔而出種種音聲文字相對談說
是名為語云何為義大慧菩薩摩訶薩住獨一靜
處以聞思脩慧思惟觀察向涅槃道自智境
界轉諸習氣行於諸地種種行相是名為義
復次大慧菩薩摩訶薩善於語義知語與義
不一不異義之與語亦復如是若義異語則
不應因語而顯於義而因語見義如燈照色
大慧譬如有人持燈照物知此物如是在如
是處菩薩摩訶薩亦復如是因語言燈入

BD00277號　大乘入楞伽經卷四　（25–8）

不應因語而顯於義而因語見義如燈照色
大慧譬如有人持燈照物知此物如是在如
是處菩薩摩訶薩亦復如是因語言燈入
離言說自證境界復次大慧若有於不生不
滅自性涅槃三乘一乘五法諸心自性等中如
言取義則隨建立及誹謗見以異於彼起分
別故如見幻事計以為實是愚夫見非賢聖
也尒時世尊重說頌言
若隨言取義　建立於諸法　以彼建立故　死隨地獄中
蘊中无有我　非蘊即是我　不如彼分別　亦復非无有
如愚所分別　一切皆有性　若如彼所見　皆應見真實
一切染淨法　悉皆无體性　不如彼所見　亦非无所有
復次大慧我當為汝說智識相汝及諸菩薩
摩訶薩若善了知智識之相則能疾得阿耨
多羅三藐三菩提大慧智有三種謂世間智
出世間智出世間上上智云何世間智謂一
切外道凡愚計有无法云何出世間智謂一
切二乘著自共相云何出世間上上智謂諸
佛菩薩觀一切法皆无有相不生不滅非有
非无證法无我入如來地大慧復有三種智
謂知自相共相智知生滅智知不生不滅智
復次大慧生滅是識不生滅是智隨相无相
及以有无種種相因是識離相无相及有无
因是智有積集相是識无積集相是智著境
界相是識不著境界相是智三和合相應生

BD00277號　大乘入楞伽經卷四　（25–9）

謂知自相共相智知生滅智知不生不滅智
復次大慧生滅是識不生滅是智隨相无相
及以有无種種相因是識離相无相及有无
因是智有積集相是識无積集相是智著境
界相是識不著境界相是智三和合相應生
是識无㝵相應自性相是智有得相是識无
得相是智證自聖智所行境界如水中月不
入不出故尒時世尊重說頌言
積集業為心　觀察法為智　慧能證无相　逮自在威光
境界縛為心　覺想生為智　无相及增勝　智慧於中起
心意及與識　離諸分別想　得无分別法　佛子非聲聞
寂滅殊勝忍　如來淨清智　生於善勝義　遠離諸所行
我有三種智　聖者能明照　分別於諸相　開示一切法
我智離諸相　超過於二乘　以諸聲聞等　執著諸法有
如來智无垢　了達唯心故
復次大慧諸外道有九種轉變見所謂形轉
變相轉變因轉變相應轉變見轉變生轉變
物轉變緣明了轉變所作明了轉變是為九
一切外道因是見故起有无轉變論此中形
轉變者謂形別異見譬如以金作莊嚴具鐶
釧瓔珞種種不同形狀有殊金體无易一切
法變亦復如是諸餘外道種種計著皆非如
是亦非別異但分別故一切轉變如是應知譬
如乳酪酒果等熟外道言此皆有轉變而實
无有若有若无自心所見无外物故如此皆

BD00277號　大乘入楞伽經卷四　（25–10）

法變亦復如是諸餘外道種種計著皆非如
是亦非別異但分別故一切轉變如是應知譬
如乳酪酒果等熟外道言此皆有轉變而實
无有若有若无自心所見无外物故如此皆
是愚迷凡夫從自分別習氣而起實无一法
若生若滅如因幻夢所見諸色如石女兒說
有生死尒時世尊重說頌言
形處時轉變　大種及諸根　中有漸次生　妄想非明智
諸佛不分別　緣起及世間　但諸緣世間　如乾闥婆城
尒時大慧菩薩摩訶薩復白佛言世尊唯願
如來爲我解說於一切法深密義及解義相
令我及諸菩薩摩訶薩善知此法不墮如言
取義深密執著離文字語言虛妄分別普
入一切諸佛國土力通自在揔持所印覺惠
善住十无盡願以无功用種種變現光明照
曜如日月摩尼地水火風住於諸地離分別
見知一切法如幻如夢入如來位普化衆生令
知諸法虛妄不實離有无品斷生滅執不著
言說令轉所依佛言諦聽當爲汝說大慧
於一切法如言取義執著深密其數无量所謂
相執著緣執著有非有執著生非生執著滅
非滅執著乘非乘執著爲无爲執著地地
自相執著自分別現證執著外道宗有无品
執著三乘一乘執著大慧此等密執有无量
種皆是凡愚自分別執而密執著此諸分別

非滅執著乘非乘執著爲无爲執著地地
自相執著自分別現證執著外道宗有无品
執著三乘一乘執著大慧此等密執有无量
種皆是凡愚自分別執而密執著此諸分別
如蠶作繭以妄想絲自纏纏他執著有无欲樂
堅密大慧此中實无密非密相以菩薩摩訶
薩見一切法住寂靜故无分別故若了諸法
唯心所見无有外物皆同无相隨順觀察於
若有若无分別密執悉見寂靜是故无有密
非密相大慧此中无縛亦无有解不了實者
見縛解耳何以故一切諸法若有若无求其
體性不可得故復次大慧愚癡凡夫有三種
密縛謂貪瞋癡及愛來生與貪喜俱以此
密縛令諸衆生續生五趣密縛若斷是則无
有密非密相復次大慧若有執著三和合識
諸識密縛次第而起有執著故則有密縛若
見三解脫離三和合識一切諸密皆悉不生
尒時世尊重說頌言
不實妄分別　是名爲密相　若能如實知　諸密網皆斷
凡愚不能了　隨言而取義　譬如蠶處繭　妄想自纏縛
尒時大慧菩薩摩訶薩復白佛言世尊如世
尊說由種種心分別諸法非諸法有自性此
但妄計耳世尊若但妄計无諸法者染淨諸
法將无悉壞佛言大慧如是如是如汝所說

尊說由種種心分別諸法非諸法有自性此
但妄計耳世尊若但妄計无諸法者染淨諸
法將无悉壞佛言大慧如是如是如汝所說
一切凡愚分別諸法而諸法性非如是有此但
妄執无有性相然諸聖者以聖慧眼如實知
見有諸法自性大慧白言若諸聖人以聖慧
眼見有諸法性非天眼肉眼不同凡愚之所
分別云何凡愚得離分別不能覺了諸聖法
故世尊彼非顛倒非不顛倒何以故不見聖
人所見法故聖見遠離有无相故聖亦不如
凡所分別如是得故非自所行境界相故彼
亦見有諸法性相如妄執性而顯現故不說
有因及无因故墮於諸法性相見故世尊其
餘境界既不同此如是則成无窮之失孰能
於法了知性相世尊諸法性相不因分別云
何而言以分別故而有諸法世尊分別相異
諸法相異因不相似云何諸法而由分別復
以何故凡愚分別不如是有而作是言爲令
衆生捨分別故說如分別所見法相无如是
法世尊何故令諸衆生離有无見所執着
法而復執着聖智境界墮於有見何以故不
說寂靜空无之法而說聖智自性事故佛言
大慧我非不說寂靜空法墮於有見何以故
已說聖智自性事故我爲衆生无始時來計
着於有於寂靜法以聖事說令其聞已不生

BD00277號　大乘入楞伽經卷四　（25–13）

衆生捨分別故說如分別所見法相无如是
法世尊何故令諸衆生離有无見所執着
法而復執着聖智境界墮於有見何以故不
說寂靜空无之法而說聖智自性事故佛言
大慧我非不說寂靜空法墮於有見何以故
已說聖智自性事故我爲衆生无始時來計
着於有於寂靜法以聖事說令其聞已不生
恐怖能如實證寂靜空法離惑亂相入唯識
理知其所見无有外法悟三脫門獲如實印
見法自性了聖境界遠離有无一切諸着復
次大慧菩薩摩訶薩不應成立一切諸法皆
悉不生何以故一切諸法本无有故及彼宗因
生相故復次大慧一切法不生此言自壞何
以故彼宗有待而生故又彼宗即入一切法
中不生相亦不生故又彼宗諸分而成故又
彼宗有无法皆不生此宗即入一切法中有
无相亦不生故是故一切法不生此宗自
壞不應如是立諸分多過故展轉因異相
故如不生一切法空无自性亦如是大慧菩
薩摩訶薩應說一切法如幻如夢見不見
故一切皆是惑乱相故除爲愚夫而生恐怖
大慧凡夫愚癡墮有无見莫令於彼而生
驚恐遠離大乘尒時世尊重說偈言
无自性无說　无事无依處　凡愚妄分別　惡覺如死屍
一切法不生　外道所成立　以彼所有生　非緣所成故

BD00277號　大乘入楞伽經卷四　（25–14）

大慧凡夫愚癡隨有无見莫令於彼而生
驚怖遠離大乘尒時世尊重說偈言
无自性无說　无事无依處　凡愚妄分別　惡覺如死屍
一切法不生　外道所成立　以彼所有生　非緣所成故
一切法不生　智者不分別　彼宗因生故　此覺則便壞
辟如目有翳　妄想見毛輪　諸法亦如是　凡愚妄分別
三有唯假名　无有實法體　由此假施設　分別妄計度
假名諸事相　動亂於心識　佛子悉超過　遊行无分別
无水取水相　斯由渴愛起　凡愚見法尒　諸聖則不然
聖人見清淨　生於三解脫　遠離於生滅　常行无相境
脩行无相境　亦復无有无　有无悉平等　是故生聖果
云何法有无　云何成平等　若心不了法　內外斯動亂
了已則平等　亂相尒時滅
尒時大慧菩薩摩訶薩復白佛言世尊如佛
所說若知境界但是假名都不可得則无所取
无所取故亦无能取能取所取二俱无故不
起分別說名為智世尊何故彼智不得於
境為不能了一切諸法自相共相一異義故
言不得耶為以諸法自相共相種種不同更
相隱蔽而不得耶為山巖石壁簾幔帷障
之所覆隔而不得耶為極遠極近老小盲冥
諸根不具而不得耶若不了諸法自相共相一
異義故言不得者此不名智應是无智以有
境界而不知故若以諸法自相共相種種不同
更相隱蔽而不得者此亦非智以知於境說

BD00277號　大乘入楞伽經卷四　（25–15）

境界而不知故若以諸法自相共相種種不同
更相隱蔽而不得者此亦非智以知於境說
名為智非不知故若山巖石壁簾幔帷障之
所覆障極遠極近老小盲冥而不知者彼
亦非智以有境界智不具足而不知故佛言
大慧此實是智非如汝說我之所說非隱覆
說我言境界唯是假名不可得者以了但是
自心所見外法有无智慧於中畢竟无得以
无得故尒焰不起入三脫門智體亦忘非如
一切覺想凡夫无始已來戲論熏習計著
外法若有若无種種形相如是而知名為不
知不了諸法唯心所見著我我所分別境智
不知外法是有是无其心住於斷見中故為
令捨離如是分別說一切法唯心建立尒時
世尊重說頌言
若有於所緣　智慧不觀見　彼无智非智　是名妄計者
无邊相互隱　障礙及遠近　智慧不能見　是名為邪智
老小諸根冥　而實有境界　不能生智慧　是名為邪智
復次大慧愚癡凡夫无始虛偽惡邪分別之
所幻惑不了如實及言說法計心外相著方
便說不能脩習清淨真實離四句法大慧白
言如是如是誠如尊教願為我說如實之法
及言說法令我及諸菩薩摩訶薩於此二法
而得善巧非外道二乘之所能入佛言諦聽
當為汝說大慧三世如來有二種法謂言說

BD00277號　大乘入楞伽經卷四　（25–16）

便說不能脩習清淨真實離四句法大慧白
言如是誠如尊教願爲我說如實之法
及言說法令我及諸菩薩摩訶薩於此二法
而得善巧非外道二乘之所能入佛言諦聽
當爲汝說大慧三世如來有二種法謂言說
法及如實法言說法者謂隨衆生心爲說種
種諸方便教如實法者謂脩行者於心所現
離諸分別不墮一異俱不俱品超度一切心
意意識於自覺聖智所行境界離諸因緣相
應見相一切外道聲聞緣覺墮二邊者所不
能知是名如實法此二種法汝及諸菩薩摩
訶薩當善脩學尒時世尊復說頌言
我說二種法　言教及如實　教法示凡夫　實爲脩行者
尒時大慧菩薩摩訶薩復白佛言世尊如來
一時說盧迦耶陀呪術詞論但能攝取世間財
利不得法利不應親近承事供養世尊何故
作如是說佛言大慧盧迦耶陀所有詞論但
飾文句誑惑凡愚隨順世間虛妄言說不如
於義不稱於理不能證入真實境界不能
覺了一切諸法恒墮二邊自失正道亦令他
失輪迴諸趣永不出離何以故不了諸法唯
心所見執著外境增分別故是故我說世論
文句因喻莊嚴但誑愚夫不能解脫生老病
死憂悲苦惱大慧釋提桓因廣解衆論自
造諸論彼世論者有一弟子現作龍身詣釋

BD00277號　大乘入楞伽經卷四　（25-17）

心所見執著外境增分別故是故我說世論
文句因喻莊嚴但誑愚夫不能解脫生老病
死憂悲苦惱大慧釋提桓因廣解衆論自
造諸論彼世論者有一弟子現作龍身詣釋
天宮而立論宗作是要言憍尸迦我共汝論汝
若不如我當破汝千輻之輪我若不如斷一
一頭以謝所屈說是語已即以論法摧伏帝
釋壞千輻輪還來人間大慧世間言論因喻
莊嚴乃至能現畜生之形以妙文詞迷惑諸
天及阿脩羅令其執著生滅等見而況於人
是故大慧不應親近承事供養以彼能作
生苦因故大慧世論唯說身覺境界大慧彼
世論有百千字句後末世中惡見乖離邪
衆崩散分成多部各執自因大慧非餘外道
能立教法唯盧迦耶以百千句廣說無量差
別因相非如實理亦不自知是惑世法尒時
大慧白言世尊若盧迦耶所造之論種種文
字因喻莊嚴執著自宗非如實法名外道者
世尊亦說世間之事謂以種種文句言詞廣
說十方一切國土天人等衆而來集會非是自
智所證之法世尊亦同外道說邪佛言大慧
我非世說亦無來去我說諸法不來不去大
慧來者集生去者壞滅不來不去此則名爲
不生不滅大慧我之所說不同外道墮分別
中何以故外法有無無所著故了唯自心不見

BD00277號　大乘入楞伽經卷四　（25-18）

我非世說亦无來去我說諸法不來不去大
慧來者集生去者壞滅不來不去此則名為
不生不滅大慧我之所說不同外道墮分別
中何以故外法有无无所著故了唯自心不見
二取不行相境不生分別入空无相无願之
門而解脫故大慧我憶有時於一處住有世
論婆羅門來至我所遽問我言瞿曇一切是
所作邪我時報言婆羅門一切所作是初世
論又問我言一切非所作邪我時報言一切
非所作是第二世論彼復問言一切常邪
一切无常邪一切生邪一切不生邪我時報
言是第六世論彼復問言一切一邪一切異
邪一切俱邪一切不俱邪一切皆由種種因
緣而受生邪我時報言是第十一世論彼復
問言一切有記邪一切无記邪有我邪无我
邪有此世邪无此世邪有他世邪无他世邪
有解脫邪无解脫邪是剎那邪非剎那邪虛
空涅槃及非擇滅是所作邪非所作邪有中
有邪无中有邪我時報言婆羅門如是皆是
汝之世論非我所說婆羅門我說因於无始
戲論諸惡習氣而生三有不了唯是自心所
見而取外法實无可得如外道說我及根境
三合知生我不如是我不說因不說无因唯
依妄心似能所取而說緣起非汝及餘取著
我者之所能測大慧虛空涅槃及非擇滅但

BD00277號　大乘入楞伽經卷四　（25–19）

汝之世論非我所說婆羅門我說因於无始
戲論諸惡習氣而生三有不了唯是自心所
見而取外法實无可得如外道說我及根境
三合知生我不如是我不說因不說无因唯
依妄心似能所取而說緣起非汝及餘取著
我者之所能測大慧虛空涅槃及非擇滅但
有三數本无體性何況而說作與非作大慧尒
時世論婆羅門復問我言无明愛業為因緣
故有三有邪為无因邪我言此二亦是世論
又問我言一切諸法皆入自相及共相邪我
時報言此亦世論婆羅門乃至少有心識
流動分別外境皆是世論大慧尒時彼婆羅
門復問我言頗有非是世論者不一切外道
所有詞論種種文句因喻莊嚴莫不皆從我法
中出我報言有非汝所許非世不許非不說
種種文句義理相應非不相應彼復問言豈
有世許非世論邪我荅言有但非於汝及以
一切外道能知何以故於外法虛妄分別生
執著故若能了達有无等法一切皆是自心
所見不生分別不取外境於自處住自處住
者是不起義不起於何不起分別此是我
法非汝有也婆羅門略而言之隨何處中心
識往來死生求戀若受若見若觸若住取種
種相和合相續於愛於因而生計著皆汝世
論非是我法大慧世論婆羅門作如是問我

BD00277號　大乘入楞伽經卷四　（25–20）

識往來死生求戀若受若見若觸若住取種
種相和合相續於愛於因而生計著皆汝世
論非是我法大慧世論婆羅門作如是問我
如是答不問於我自宗實法嘿然而去作是
念言沙門瞿曇无可尊重説一切法无生无
相无因无緣唯是自心分別所見若能了此分
別不生大慧汝今亦復問我是義何故親
近諸世論者唯得財利不得法利大慧白
言所言財法是何等義佛言善哉汝乃能
爲未來衆生思惟是義諦聽諦聽當爲汝
説大慧所言財者可觸可受可取可味令著外
境墮在二邊增長貪愛生老病死憂悲苦惱
我及諸佛説名財利親近世論之所獲得云何法
利謂了法是心見二无我不取於相无有分別
善知諸地離心意識一切諸佛所共灌頂具
足受行十无盡願於一切法悉得自在是名
法利以是不墮一切諸見戲論分別常斷二
邊大慧外道世論令諸癡人墮在二邊謂常
及斷受无因論則起常見以因壞滅則生
斷見我説不見生住滅者名得法利是名財
法二差別相汝及諸菩薩摩訶薩應勤觀
察尒時世尊重説頌言
調伏攝衆生 以戒降諸惡 智慧滅諸見 解脱得增長
外道虚妄説 皆是世俗論 横計作所作 不能自成立
唯我一自宗 不著於能所 爲諸弟子説 令離於世論

BD00277號　大乘入楞伽經卷四　（25–21）

察尒時世尊重説頌言
調伏攝衆生 以戒降諸惡 智慧滅諸見 解脱得增長
外道虚妄説 皆是世俗論 横計作所作 不能自成立
唯我一自宗 不著於能所 爲諸弟子説 令離於世論
能取所取法 唯心无所有 二種皆心現 斷常不可得
乃至心流轉 是則爲世論 分別不起者 是人見自心
來者見事生 去者事不現 明了知來去 不起於分別
有常及无常 所作无所作 此世他世等 皆是世論法
尒時大慧菩薩摩訶薩復白佛言世尊佛説
涅槃説何等法以爲涅槃而諸外道種種分別
佛言大慧如諸外道分別涅槃皆不隨順涅
槃之相諦聽諦聽當爲汝説大慧或有外
道言見法无常不貪境界蘊界處滅心心所
法不現在前不念過現未來境界如燈盡如
種敗如火滅諸取不起分別不生起涅槃想
大慧非以見壞名爲涅槃或謂至方名得涅
槃境界想離猶如風止或謂不見能覺所覺
名爲涅槃或謂不起分別常无常見名得
涅槃或有説言分別諸相發生於苦而不能
知自心所現以不知故怖畏於相以求无相
深生愛樂執爲涅槃或謂覺知内外諸法自
相共相去來現在有性不壞作涅槃想或計
我人衆生壽命及一切法无有壞滅作涅槃想
復有外道无有智慧計有自性及以士夫求
那轉變作一切物以爲涅槃或有外道計福

BD00277號　大乘入楞伽經卷四　（25–22）

相共相去來現在有性不壞作涅槃想或計
我人衆生壽命及一切法无有壞滅作涅槃想
復有外道无有智慧計有自性及以士夫求
那轉變作一切物以爲涅槃或有外道計福
非福盡或計不由智慧諸煩惱盡或計自
在是實作者以爲涅槃或謂衆生展轉相生
以此爲因更无異因彼无智故不能覺了以
不了故執爲涅槃或計證於諦道虛妄分別
以爲涅槃或計求那與求那者而共和合一
性異性俱及不俱執爲涅槃或計諸物從自
然生孔雀文彩棘針銛利生寶之處出種種
寶如此等事是誰能作即執自然以爲涅槃
或謂能解廿五諦即得涅槃或有說言能受
六分守護衆生斯得涅槃或有說言時生世
間時即涅槃或執有物以爲涅槃或計无物
以爲涅槃或有計著有物无物爲涅槃者或
計諸物與涅槃无別作涅槃想大慧復有
異彼外道所說以一切智大師子吼說能了達
唯心所現不取外境遠離四句住如實見不
墮二邊離能所取不入諸量不著真實住於
聖智所現證法悟二无我離二煩惱淨二種
障轉脩諸地入於佛地得如幻等諸大三昧永
超心意及以意識名得涅槃大慧彼諸外道
虛妄計度不如於理智者所棄皆墮二邊作

BD00277 號　大乘入楞伽經卷四　（25–23）

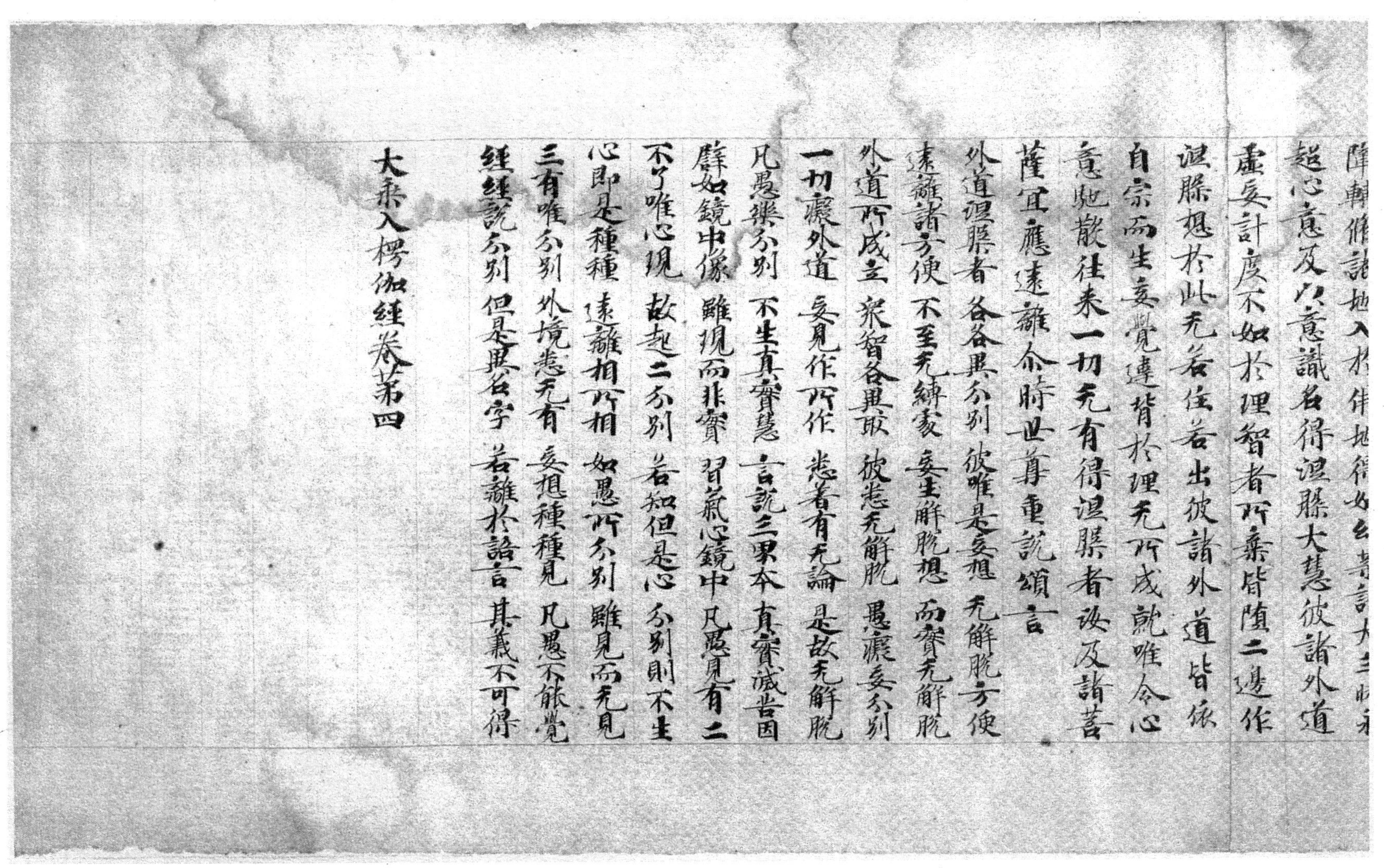
障轉脩諸地入於佛地得如幻等諸大三昧永
超心意及以意識名得涅槃大慧彼諸外道
虛妄計度不如於理智者所棄皆墮二邊作
涅槃想於此无若住若出彼諸外道皆依
自宗而生妄覺違背於理无所成就唯令心
意馳散往來一切无有得涅槃者汝及諸菩
薩宜應遠離今時世尊重說頌言
外道涅槃者　各各異分別　彼唯是妄想　无解脫方便
遠離諸方便　不至无縛處　妄生解脫想　而實无解脫
外道所成立　衆智各異取　彼悉无解脫　愚癡妄分別
一切癡外道　妄見作所作　悉著有无論　是故无解脫
凡愚樂分別　不生真實慧　言說三界本　真實滅苦因
譬如鏡中像　雖現而非實　習氣心鏡中　凡愚見有二
不了唯心現　故起二分別　若知但是心　分別則不生
心即是種種　遠離相所相　如愚所分別　雖見而无見
三有唯分別　外境悉无有　妄想種種見　凡愚不能覺
經經說分別　但是異名字　若離於語言　其義不可得
大乘入楞伽經卷第四

BD00277 號　大乘入楞伽經卷四　（25–24）

一切癡外道 妄見作所作 悉著有無論 是故無解脫
凡愚樂分別 不生真實慧 言說三界本 真實滅苦因
譬如鏡中像 雖現而非實 習氣心鏡中 凡愚見有二
不了唯心現 故起二分別 若知但是心 分別則不生
心即是種種 遠離相所相 如愚所分別 雖見而無見
三有唯分別 外境悉無有 妄想種種見 凡愚不能覺
經經說分別 但是異名字 若離於語言 其義不可得

大乘入楞伽經卷第四

BD00277 號　大乘入楞伽經卷四　（25–25）

BD00278 號　梵網經盧舍那佛說菩薩心地戒品第十卷下　（18–1）

略開心地竟復從天[illegible]
切衆生凡夫癡闇之人說本盧舍那佛心地中初發心中常所誦一
戒光明金剛寶戒是一切佛本源一切菩薩本源佛性種子一
切衆生皆有佛性一切意識色心是情是心皆入佛性戒中當
常有因故有當當常住法身如是十波羅提木叉出於世界
是法戒是三世一切衆生頂戴受持吾今當為此大衆重說十
无盡藏戒品是一切衆生戒本源自性清淨我今盧舍那方坐
蓮花臺周迊千花上復現千釋迦一葉百億國一國一釋迦各
坐菩提樹一時成佛道如是千百億盧舍那本身千百億釋
迦各接微塵衆俱來至我所聽我誦佛戒甘露門則開是時千百億
還至本道場　各坐菩提樹　誦我本師戒　十重四十八
戒如明日月　亦如瓔珞珠　微塵菩薩衆　由是成正覺
是盧舍那誦　我亦如是誦　汝新學菩薩　頂戴受持戒
受持是戒已　轉授諸衆生　諦聽我正誦　佛法中戒藏
波羅提木叉　大衆心諦信　汝是當成佛　我是已成佛
常作如是信　戒品已具足　一切有心者　皆應攝佛戒
衆生受佛戒　即入諸佛位　位同大覺已　真是諸佛子
大衆皆恭敬　至心聽我誦
爾時釋迦牟尼佛初坐菩提樹下成无上覺初結菩薩
波羅提木叉孝順父母師僧三寶孝順至道之法孝名為
戒亦名制止即口放无量光明是時百萬億大衆諸菩薩十
八梵六欲天子十六大國王合掌至心聽佛誦一切佛大乘
戒告諸菩薩言我今半月半月自誦諸法戒汝等一切發
心菩薩亦誦乃至十發趣十長養十金剛十地諸菩薩亦
誦是故戒光從口出有緣非无因故光光非青黃赤白黑非色
非心非有非无非因果法諸佛之本源行菩薩道之根本
是大衆諸佛子之根本是故大衆諸佛子應受持應讀誦善
學佛子諦聽若受佛戒者國王王子百官宰相比丘比丘尼
十八梵六欲天子庶人黃門婬男婬女奴婢八部鬼神金剛

BD00278號　梵網經盧舍那佛說菩薩心地戒品第十卷下　（18–2）

學佛子諦聽若受佛戒者國王王子百官宰相比丘比丘尼
十八梵六欲天子庶人黃門婬男婬女奴婢八部鬼神金剛
神畜生乃至變化人但解法師語盡受得戒皆名第一清淨者
佛告諸佛子言有十重波羅提木叉若受菩薩戒不誦此
戒者非菩薩非佛種子我亦如是誦一切菩薩已學一切
菩薩當學一切菩薩今學已略說波羅提木叉相貌
當學敬心奉持
佛告佛子若自殺教人殺方便讚歎殺見作隨喜乃至呪
殺殺因殺緣殺法殺業乃至一切有命者不得故殺是菩薩
應起常住慈悲心孝順心方便救護而自恣心快意殺生
是菩薩波羅夷罪
若佛子自盜教人盜方便盜呪盜盜因盜緣盜法盜業乃
至鬼神有主劫賊物一切財物一針一草不得故盜而菩薩應
生佛性孝順心慈悲心常助一切人生福生樂而反更盜人財
物是菩薩波羅夷罪
若佛子自婬教人婬乃至一切女人不得故婬婬因婬緣婬
法婬業乃至畜生女諸天鬼神女及非道行婬而菩薩應
生孝順心救度一切衆生淨法與人而反更起一切人婬不擇
畜生乃至母女姊妹六親行婬无慈悲心是菩薩波羅夷罪
若佛子自妄語教人妄語方便妄語妄語因妄語緣妄語法
妄語業乃至不見言見見言不見身心妄語而菩薩常生
正語正見亦生衆生正語正見而反更起一切衆生邪語邪
見邪業是菩薩波羅夷罪
若佛子自酤酒教人酤酒酤酒因酤酒緣酤酒法酤酒業
一切酒不得酤是酒起罪因緣而菩薩應生一切衆生
明達之慧而反更生衆生顛倒之心是菩薩波羅夷罪

BD00278號　梵網經盧舍那佛說菩薩心地戒品第十卷下　（18–3）

正語正見亦生衆生正語正見而反更起一切衆生邪語邪
見邪業是菩薩波羅夷罪
若佛子自酤酒教人酤酒酤酒因酤酒緣酤酒法酤酒業
一切酒不得酤是酒起罪因緣而菩薩應生一切衆生
明達之慧而反更生衆生顛倒之心是菩薩波羅夷罪
若佛子自說出家在家菩薩比丘比丘尼罪過教人說
罪過因罪過緣罪過法罪過業而菩薩聞外道
惡人及二乘惡人說佛法中非法非律常生悲心教化是
惡人輩令生大乘善信而菩薩反更自說佛法中罪過
者是菩薩波羅夷罪
若佛子自讚毀他亦教人自讚毀他毀他因毀他緣毀他
法毀他業而菩薩應代一切衆生加毀辱惡事自向己
好事与他人若自揚己德隱他人好事令他人受毀者是
菩薩波羅夷罪
若佛子自慳教人慳慳因慳緣慳法慳業而菩薩見
一切貧窮人來乞者隨前人所須一切給与而菩薩以惡心
瞋心乃至不施一錢一針一草有求法者不為說一句一偈一
微塵許法而反更罵辱是菩薩波羅夷罪
若佛子自瞋教人瞋瞋因瞋緣瞋法瞋業而菩薩應生
一切衆生中善根无諍之事常生悲心而反更於一切衆生
中乃至於非衆生中以惡口罵辱加以手打及以刀杖意猶
不息前人求悔善言懺謝猶瞋不解是菩薩波羅夷罪
若佛子自謗三寶教人謗三寶謗因謗緣謗法謗業而
菩薩見外道及以惡人一言謗佛音聲如三百矛刺
心況口自謗不生信心孝順心而反更助惡人邪見人謗是
菩薩波羅夷罪

BD00278號　梵網經盧舍那佛說菩薩心地戒品第十卷下　（18–4）

若佛子自謗三寶教人謗三寶謗因謗緣謗法謗業而
菩薩見外道及以惡人一言謗佛音聲如三百矛刺
心況口自謗不生信心孝順心而反更助惡人邪見人謗是
菩薩波羅夷罪
善學諸仁者是菩薩十波羅提木叉應當學於中不應一一
犯如微塵許何況具足犯十戒若有犯者不得現身發菩
提心亦失國王位轉輪王位亦失比丘比丘尼位失十發趣十
長養十金剛十地佛性常住妙果一切皆失墮三惡道中二
劫不聞父母三寶名字以是不應一一犯汝等一切諸菩薩
今學當學已學如是十戒應當學敬心奉持八萬威儀品
當明佛告諸菩薩言已說十波羅提木叉竟四十八輕今當說
若佛子欲受國王位時受轉輪王位時百官受位時應先
受菩薩戒一切鬼神救護王身百官之身諸佛歡喜既得
戒已生孝順心恭敬心見上坐和上阿闍梨大同學同見同行
者應起承迎禮拜問訊而菩薩反生憍心癡心慢心不起承
迎礼拜一一不如法供養以自賣身國城男女七寶百物而
供給之若不爾者犯輕垢罪
若佛子故飲酒而生酒過失无量若自身手過酒器与人飲酒
者五百世无手何況自飲不得教一切人飲及一切衆生飲酒
況自飲酒若故自飲教人飲者犯輕垢罪若佛子故食肉一切
不得食斷大慈悲性種子一切衆生見而捨去是故一切菩薩
不得食一切衆生肉食肉得无量罪若故食者犯輕垢罪
若佛子不得食五辛大蒜革葱慈葱蘭葱興渠是五種
一切食中不得食若故食者犯輕垢罪
若佛子見一切衆生犯八戒五戒十戒毀禁七逆八難一切犯戒罪
應教懺悔而菩薩不教懺悔共住同僧利養而共布薩
一衆住說戒而不舉其罪教悔過者犯輕垢罪
若佛子見大乘法師大乘同學同見同行來入僧坊舍宅

BD00278號　梵網經盧舍那佛說菩薩心地戒品第十卷下　（18–5）

若佛子見一切衆生犯八戒五戒十戒毀禁七逆八難一切犯戒罪
應教懺悔而菩薩不教懺悔共住同僧利養而共布薩
一衆住說戒而不舉其罪教悔過者犯輕垢罪
若佛子見大乘法師大乘同學同見同行来入僧坊舍宅
城邑若百里千里来者即起迎来送去礼拜供養日日三
時供養日食三兩金百味飲食牀坐醫藥供事法師一
切所須盡給与之常請法師三時說法日日三時礼拜不生
瞋心患惱之心為法滅身請法不懈者犯輕垢罪
若佛子一切處有講法毗尼經律大宅舍中講法處是新
學菩薩應持經律卷至法師所聽受諮問若山林樹下
僧地房中一切說法處悉至聽受若不至彼聽受者犯輕垢罪
若佛子心背大乘常住經律言非佛說而受持二乘外
道惡見一切禁戒邪見經律者犯輕垢罪
若佛子見一切疾病人應供養如佛无異八福田中看病福
田第一福田若父母師僧弟子病諸根不具百種病苦皆養
令差而菩薩以瞋恨心不至僧房中城邑曠野山林道路
中見病不救濟者犯輕垢罪
若佛子不得畜一切刀杖弓箭矛斧鬪戰之具及惡網
羅煞生之器一切不得畜而菩薩乃至煞父母尚不加報
况煞一切衆生若故畜刀杖者犯輕垢如是十戒應當學
敬心奉持下六品中當廣明
佛言佛子為利養惡心故通國使命軍陣合會興師相
伐煞无量衆生而菩薩不得入軍中往来况故作國賊
若故作者犯輕垢罪
若佛子故販賣良人奴婢六畜市易棺材板木盛死之具
若故自作教人作者犯輕垢罪
若佛子以惡心故無事謗他良人善人法師師僧國王
貴人言犯七逆十重於父母兄弟六親中應生孝順心慈悲

若故自作教人作者犯輕垢罪
若佛子以惡心故無事謗他良人善人法師師僧國王
貴人言犯七逆十重於父母兄弟六親中應生孝順心慈悲
心而反更加於逆害墮不如意處者犯輕垢罪
若佛子以惡心故放大火燒山林曠野四月乃至九月放火
若燒他人家屋宅城邑僧房田木及鬼神官物一切有
主物不得故燒若故燒者犯輕垢罪
若佛子自佛弟子及外道惡人六親一切善知識應一
一教受持大乘經律應教解義理使發菩提心十
發趣心十長養心十金剛心一一解其次第法用而菩
薩以惡心瞋心橫教二乘聲聞經律外道邪見論
等犯輕垢罪
若佛子應好心先學大乘威儀經律廣開解義
味見後新學菩薩有從百里千里来求大乘經律應
如法為說一切苦行若燒身燒臂燒指若不燒身
臂指供養諸佛非出家菩薩乃至餓虎狼師子一
切餓鬼悉應捨身肉手足而供養之然後一一次第
為說正法使心開意解而菩薩為利養故應荅不荅
倒說經律文字无前无後謗三寶說者犯輕垢罪
若佛子自為飲食錢物利養名譽故親近國王
王子大臣百官恃作形勢乞索打拍牽挽橫取
錢物一切求利名為惡求多求教他人求都无慈
心无孝順心犯輕垢罪
若佛子學誦戒者日夜六時菩薩戒解其義理佛
性之性而菩薩不解一句一偈戒律因緣詐言能解
者即為自欺誑亦欺誑他人一一不解一切法而為
他人作師授戒者犯輕垢罪

性之性而菩薩不解一句一偈戒律因緣詐言能解
者即為自欺誑亦欺誑他人一一不解一切法而為
他人作師授戒者犯輕垢罪
若佛子以惡心故見持戒比丘手捉香鑪行菩薩行
而鬪構■頭謗欺賢人无惡不造者犯輕垢罪
若佛子以慈心故行放生業一切男子是我父一切女
人是我母我生生无不從之受生故六道衆生皆是我
父母而殺而食者即殺我父母亦殺我故身一切地水是
我先身一切火風是我本體故常行放生生生受生 若
見世人殺畜生時應方便救護解其苦難常教化講
說菩薩戒救度衆生若父母兄弟死亡之日應請法師
講菩薩戒經福資亡者得見諸佛生人天上若不介
者犯輕垢罪如是十戒應當學敬心奉持如滅罪品廣
明一一戒相
佛言佛子以瞋報瞋以打報打若殺父母兄弟六親
不得加報若國主為他人殺者亦不得加報殺生
報生不順孝道尚不畜奴婢打拍罵辱日日起三業
口罪无量况故作七逆之罪而菩薩无慈報酬乃至六
親中故報者犯輕垢罪
若佛子初始出家未有所解而自恃聰明有智或恃高
貴年宿或恃大姓高門大解大福饒財七寶以此驕慢而
不諮受先學法師經律其法師者或小姓年少卑門貧
窮諸根不具而實有德一切經律盡解而新學菩薩
不得觀法師種姓而不來諮受法師第一義諦者犯輕
垢罪 若
佛子佛滅度後欲以好心受菩薩戒時於佛菩薩形

垢罪 若
佛子佛滅度後欲以好心受菩薩戒時於佛菩薩形
像前自誓受戒當七日佛前懺悔得見好相便得戒若
不好相應二七三七乃至一年要得好相得好相已便得■
佛菩薩形像前受戒若不得好相雖佛像前受戒不
得戒若現前先受菩薩戒法師前受戒時不須要見好
相是法師師相授故不須好相是以法師前受戒即得
戒以生重心故便得戒若千里內无能授戒師得佛菩薩
形像前受得戒而要見好相若法師自倚解經律大乘
學戒與國王太子百官以為善友而新學菩薩來問
若經義律義輕心惡心慢新學菩薩來問若經義律
義輕心慢心一一不好答問者犯輕垢罪若
佛子有佛經律大乘法正見正性正法身而不能勤學
修習而捨七寶反學邪見二乘外道俗典阿毗曇■
新論書記是斷佛性障道因緣非行菩薩道若故作者
犯輕垢罪
若佛子佛滅度後為說法主為僧房主教化主坐禪
主行來主應生慈心善和鬪訟善守三寶物莫无度用
如自己有而反亂衆鬪諍恣心用三寶物犯輕垢罪
若佛子先在僧房中住後見客菩薩比丘來入僧房舍宅
城邑國王宅舍中乃至夏坐■安居處及大會中先住僧應
迎來送去飲食供養房舍臥具繩牀事事給與若无物
應自賣身及男女身供給所須悉以與之若有檀越來
請衆僧客僧有利養分僧坊主應次第差客僧受請
而先住僧獨受請而不差客僧房主得無量罪畜生
无異非沙門非釋種姓犯輕垢罪

而先住僧獨受請而不差客僧房主得無量罪畜生
无異非沙門非釋種姓犯輕垢罪
若佛子一切不得受別請利養入已而此利養屬十方僧而
別受請即取十方僧物入已八福田中諸佛聖人一一師僧
父母病人物自已用者犯輕垢罪
若佛子有出家菩薩在家菩薩及一切檀越請僧福
田求願之時應入僧坊問知事人今欲次第請者即得
十方賢聖僧而世人別請五百羅漢菩薩僧不如僧
次一凡夫僧若別請僧者是外道法七佛无別請法不順
孝道若故別請僧者犯輕垢罪
若佛子以惡心故為利養販賣男女色自手作食自磨自
舂占相男女解夢吉凶是男是女呪術工巧調鷹方法和
合百種毒藥千種毒藥蛇毒生金銀蠱毒都无慈心
犯輕垢罪
若佛子以惡心故自身謗三寶詐現親附口便說空行在
有中為白衣通致男女交會婬色縛著於六齋日年三長
齋月作煞生劫盜破齋犯戒者犯輕垢罪
如是十戒應當學敬心奉持制戒品中廣解佛言佛子佛滅
度後於惡世中若見外道一切惡人劫賊賣佛菩薩父母形
像販賣經律販賣比丘比丘尼亦賣發心菩薩或為官使
與一切人作奴婢者而菩薩見是事已應生慈心方便救護
處處教化取物贖佛菩薩形像及比丘比丘尼發心菩薩
一切經律若不贖者犯輕垢罪
若佛子不得畜刀杖弓箭販賣輕秤小斗因官形勢取
人財物害心繫縛破壞成功長養猫狸猪狗若故養者
犯輕垢罪

BD00278號　梵網經盧舍那佛說菩薩心地戒品第十卷下　（18–10）

人財物害心繫縛破壞成功長養猫狸猪狗若故養者
犯輕垢罪
若佛子以惡心故觀一切男女等鬪軍陣兵將劫賊等鬪
亦不得聽吹貝鼓角琴瑟箏笛箜篌歌叫伎樂之聲
不得樗蒲圍碁波羅塞戲彈碁六博拍毬擲石投壺
牽道八道行城爪鏡芝草楊枝鉢盂髑髏而作卜筮不
得作盜賊使命一一不得若故作者犯輕垢罪
若佛子護持禁戒行住坐卧日夜六時讀誦是戒猶如金
剛如帶浮囊欲度大海如草繫比丘常生大乘信自知我
是未成之佛諸佛是已成之佛發菩提心念念不去心若
起一念二乘外道心者犯輕垢罪
若佛子常應發一切願孝順父母師僧願得好師同學
善友知識常教我大乘經律十發趣十長養十金剛
十地使我開解如法修行堅持佛戒寧捨身命念念不去
若一切菩薩不發是願者犯輕垢罪
若佛子發十大願已持佛禁戒作是願言寧以此身投熾
然猛火大坑刀山終不毀犯三世諸佛經律與一切女人作
不淨行復作是願寧以熱鐵羅網千重周帀纏身終不以
破戒之身受於信心檀越一切衣服
復作是願寧以此口吞熱鐵丸及大流猛火經百千劫終不
以破戒之口食信心檀越百味飲食
復作是願寧以此身卧大猛火羅網熱鐵地上終不以破
戒之身受信心檀越百種牀坐
復作是願寧以此身受三百矛刺經一劫二劫終不以破
戒之身受信心檀越百味醫藥
復作是願寧以此身投熱鐵鑊經百千劫終不以破戒之
身受信心檀越千種房舍屋宅園林田地

BD00278號　梵網經盧舍那佛說菩薩心地戒品第十卷下　（18–11）

戒之身受信心檀越百種床坐
復作是願寧以此身受三百矛刺經一劫二劫終不以破
戒之身受信心檀越百味醫藥
復作是願寧以此身投熱鑊經百千劫終不以破戒之
身受信心檀越千種房舍屋宅園林田地
復作是願寧以鐵鎚打碎此身從頭至足令如微塵終
不以破戒之身受信心檀越恭敬礼拜
復作是願寧以百千熱鐵刀矛挑其兩目終不以破戒
之眼他好色
復作是願寧以百千鐵錐徧劖刺耳根經一劫二劫終不
以破戒之心聽好音聲
復作是願寧以百千刃刀割去其鼻終不以破戒之心
貪嗅諸香
復作是願寧以百千刃刀割斷其舌終不以破戒之心
食人百味淨食
復作是願寧以利斧斬斫其身終不以破戒之心貪
著好觸復作是願願一切衆生悉得成
佛菩薩若不發是願者犯輕垢罪
若佛子常應二時頭陀冬夏坐禪結夏安居常用楊枝
澡豆三衣瓶鉢坐具錫杖香爐漉水囊手巾刀子火燧
鑷子繩床經律佛像菩薩形像而菩薩行頭陀時
及遊方時行來百里千里此十八種物常隨其身頭陀者
從正月十五日至三月十五日八月十五日至十月十五日是二
時中此十八種物常隨其身如鳥二翼若布薩日新學
菩薩半月半月布薩誦十重四十八輕戒時於諸佛菩
薩形像前一人布薩即一人誦若二人三人乃至百千人
亦一人誦誦者高坐聽者下坐各各披九條七條五條袈

BD00278號　梵網經盧舍那佛說菩薩心地戒品第十卷下

（18–12）

從正月十五日至三月十五日八月十五日至十月十五日是二
時中此十八種物常隨其身如鳥二翼若布薩日新學
菩薩半月半月布薩誦十重四十八輕戒時於諸佛菩
薩形像前一人布薩即一人誦若二人三人乃至百千人
亦一人誦誦者高坐聽者下坐各各披九條七條五條袈
裟結夏安居二如法若頭陀時莫入難處若國難
惡王土地高下草木深邃師子虎狼水火風難及以
劫賊道路毒蛇一切難處悉不得入若頭陀行道乃至
夏坐安居是諸難處皆不得入若故入者犯輕垢罪
若佛子應如法次第坐先受戒者在前坐後受戒者
在後坐不問老少比丘比丘尼貴人國王王子乃至黃門
奴婢皆應先受戒者在前坐後受戒者次第而坐莫如外
道癡人若老若少無前無後坐無次第兵奴之法我
佛法中先者先坐後者後坐而菩薩不次第坐者犯輕垢罪
若佛子常應教化一切衆生建立僧坊山林園田立作
佛塔冬夏安居坐禪處所一切行道處皆應立之而菩
薩應爲一切衆生講說大乘經律若疾病國難賊難
父母兄弟和上阿闍梨亡滅之日及三七日乃至七七日亦
應讀誦講說大乘經律齋會求福行來治生大火所
燒大水所漂黑風所吹船舫江河大海羅剎之難亦讀
誦講說此經律乃至一切罪報三惡七逆八難杻械枷鎖繫
縛其身多婬多瞋多愚癡多疾病皆應讀誦講說此經
律而新學菩薩若不爾者犯輕垢罪
如是九戒應當學敬心奉持梵壇品當說佛言佛子與
人受戒時不得簡擇一切國王王子大臣百官比丘比丘
尼信男信女婬男婬女十八梵六欲天無根二根黃門奴
婢一切鬼神盡得受戒應教身所著袈裟皆使壞色與

BD00278號　梵網經盧舍那佛說菩薩心地戒品第十卷下

（18–13）

[illegible]
如是九戒應當學敬心奉持梵壇品當說佛言佛子与
人受戒時不得簡擇一切國王王子大臣百官比丘比丘
尼信男信女婬男婬女十八梵六欲天无根二根黃門奴
婢一切鬼神盡得受戒應教身所著袈裟皆使壞色与
道相應皆染使青黃赤黑紫色一切染衣乃至卧具盡
以壞色身所著衣一切染色若一切國土中國人所著衣
服比丘皆應与其俗服有異若欲受戒時師應問言汝
現身不作七逆罪耶菩薩法師不得与七逆人現身
受戒七逆者出佛身血煞父煞母煞和上煞阿闍梨破羯
磨轉法輪僧煞聖人若具七遮即身不得戒餘一切人
盡得受戒出家人法不向國王礼拜不向父母礼拜六
親不敬鬼神不礼但解法師語有百里千里來求法者
菩薩法師以惡心瞋心而不即与授一切衆生戒者犯
輕垢罪
若佛子教化人起信心時菩薩与他人作教戒法師者
見欲受戒人應教請二師和上阿闍梨二師應問言汝
有七遮罪不若現身有七遮師不應与受戒无七遮者
得受若有犯十戒者應教懺悔在佛菩薩形像
前日夜六時誦十重卌八輕戒若到礼三世千佛得見好相
若一七日二七三七日乃至一年要見好相好相者佛來摩
頂見光華種種異相便得滅罪若无好相雖懺无益
是人現身亦不得戒而得增受戒若犯卌八輕戒者對
首懺罪滅不同七遮而教誡師於是法中一一好解若
不解大乘經律若輕重是非之相不解弟一義
諦習種性長養性不可壞性道種性正法性其中多
少觀行出入十禪支一切行法一一不得此法中意而菩
薩為利養故為名聞故惡求貪利弟子而詐現

BD00278 號　梵網經盧舍那佛說菩薩心地戒品第十卷下　（18–14）

諦習種性長養性不可壞性道種性正法性其中多
少觀行出入十禪支一切行法一一不得此法中意而菩
薩為利養故為名聞故惡求貪利弟子而詐現
解一切經律是自欺誑亦欺誑他人故与人受戒
者犯輕垢罪
若佛子不得為利養故於未受菩薩戒者前外
道惡人前說此千佛大戒邪見人前亦不得說除
國王餘一切不得說是惡人輩不受佛戒名為畜
生生生不見三寶如木石无心名為外道邪見人輩
木頭无異而菩薩於是惡人前說七佛教戒者
犯輕垢罪
若佛子信心出家受佛正戒故起心毀犯聖戒者
不得受一切檀越供養亦不得國王地上行不得
飲國王水五千大鬼常遮其前鬼言大賊若入
房舍城邑宅中鬼復常掃其腳跡一切世人罵言
佛法中賊一切衆生眼不欲見犯戒之人畜生无
異木頭无異若毀正戒者犯輕垢罪
若佛子常應一心受持讀誦大乘經律剥皮
為紙刺血為墨以髓為水析骨為筆書寫佛戒
木皮穀紙絹素竹帛亦應悉書持常以七寶无
價香華一切雜寶為箱囊盛經律卷若不如法
供養者犯輕垢罪
若佛子常起大悲心若入一切城邑舍宅見一切衆生應
唱言汝等衆生盡應受三歸十戒若見牛馬猪羊一切
畜生應心念口言汝是畜生發菩提心而菩薩入
一切處山川林野皆使一切衆生發菩提心是菩薩若
不發化衆生心者犯輕垢罪
若佛子常行教化起大悲心入檀越貴人家一切衆中

BD00278 號　梵網經盧舍那佛說菩薩心地戒品第十卷下　（18–15）

口言汝等衆生盡應受三歸十戒若見牛馬猪羊一切
畜生應心念口言汝是畜生發菩提心而菩薩入
一切處山川林野皆使一切衆生發菩提心是菩薩若
不發化衆生心者犯輕垢罪
若佛子常行教化起大悲心入檀越貴人家一切衆中
不得立為白衣說法應白衣衆前高坐上坐法師比
丘不得地立為四衆說法若說法時法師高坐香花供
養四衆聽者下坐如孝順父母敬順師教如事火婆羅
門其說法者若不如法說犯輕垢罪
若佛子皆以信心受佛戒者若國王太子百官四部弟
子自恃高貴破滅佛法戒律明作制法制我四部弟
子不聽出家行道亦復不聽造立形像佛塔經律破三
寶之罪而菩薩故作破法者犯輕垢罪
若佛子以好心出家而為名聞利養於國王百官前
說七佛戒橫與比丘比丘尼菩薩戒弟子繫縛如師子
身中蟲自食師子肉非外道天魔能破壞若受佛戒
者應護佛戒如念一子如事父母而聞外道惡人以惡
言謗佛戒時如三百矛刺心千刀萬杖打拍其身等
无有異寧自入地獄百劫而不用聞一惡言破佛戒之
聲而況自破佛戒教人破法因緣亦无孝順之心若故
作者犯輕垢罪
如是九戒應學敬心奉行
諸佛子是卌八輕戒汝等受持過去諸菩薩已學
未來諸菩薩當學現在諸菩薩今學諸佛子諦
聽此十重卌八輕戒三世諸佛已誦當誦今誦我今亦
如是誦汝等一切大衆若國王王子百官比丘比丘尼

BD00278號　梵網經盧舍那佛說菩薩心地戒品第十卷下　（18–16）

如是九戒應學敬心奉行
諸佛子是卌八輕戒汝等受持過去諸菩薩已學
未來諸菩薩當學現在諸菩薩今學諸佛子諦
聽此十重卌八輕戒三世諸佛已誦當誦今誦我今亦
如是誦汝等一切大衆若國王王子百官比丘比丘尼
信男信女受持菩薩戒者應受持讀誦解說書
寫佛性常住戒卷流通三世一切衆生化化不絕得
見千佛佛佛授手世世不墮惡道八難常生人道
天中我今在此樹下略開七佛法戒汝等當一心學波
羅提木叉歡喜奉行如无相天王品勸學中一一廣
明三千學士時坐聽者聞佛自誦心心頂戴喜躍受持
尒時釋迦牟尼佛說上蓮華臺藏世界盧舍
那佛心地法門品中十无盡戒法品竟千百億
釋迦亦如是說從摩[illegible]醯首羅天王宮至此
道樹下十住處說法品為一切菩薩不可說
大衆受持讀誦解說其義亦如是千百億世界
蓮藏世界微塵世界一切佛心心藏地[illegible]藏戒
藏无量行願藏因果佛性常住藏如如一切佛說无
量一切法竟千百億世界中一切衆生受持歡喜行
若廣開心地相相如佛華光王七行品中說
梵網經盧舍那佛說菩薩心地戒品

BD00278號　梵網經盧舍那佛說菩薩心地戒品第十卷下　（18–17）

羅提木叉歡喜奉行如无相天王品勸學中一一廣
明三千學士時生聽者聞佛自誦心心頂戴喜躍受持
尒時釋迦牟尼佛說上蓮華臺藏世界盧舍
那佛心地法門品中十无盡戒法品竟千百億
釋迦亦如是說從摩醯道羅天王宮至此
道樹下十住處說法品為一切菩薩不可說
大衆受持讀誦解說其義亦如是千百億世界
蓮華藏世界微塵世界一切佛心心藏地藏戒
藏无量行願藏因果佛性常住藏如如一切佛說无
量一切法竟千百億世界中一切衆生受持歡喜行
表廣開心地相相如佛華光王七行品中說
梵網經盧舍那佛說菩薩心地戒品

BD00278號　梵網經盧舍那佛說菩薩心地戒品第十卷下　（18–18）

佛說佛名經第二
南无多摩羅葉旃檀香通佛
南无常觀佛　南无常圓遠佛
南无常不輕佛　南无常憂佛
南无常喜佛　南无常笑歡喜根佛
南无常滿足手佛　南无常舉手佛
南无常黠慧佛　南无常脩行佛
南无常精進佛　南无尼拘律佛
南无阿州迦佛　南无金色佛
南无華開佛　南无善決定佛
南无波頭摩光佛　南无華身佛
南无手脚柔耎觸身佛　南无日輪佛
南无闍滿足佛　南无相身身佛
南无勝威德佛　南无无垢身佛
南无波頭摩華身佛　南无得无礙佛
南无得願滿足佛　南无得普照清淨佛
南无得大无畏佛　南无至大佛
南无至大精進究竟佛　南无大境界佛

BD00279號　佛名經（十六卷本）卷二　（5–1）

南无得願滿足佛　南无得普照清淨佛
南无得大无畏佛　南无聖大佛
南无聖大精進究竟佛　南无大境界佛
南无大海佛　南无大樂說佛
南无大藥王佛　南无大功德佛
南无无量香佛　南无无量精進佛
南无无量行佛　南无无量功德佛
南无寶生佛　南无无邊功德寶作佛
南无法作佛　南无金色作佛
南无勝作佛　南无自在作佛
南无日作佛　南无光作佛
南无火作佛　南无无畏作佛
南无樂作佛　南无燈作佛
南无賢作佛　南无覺作佛
南无華作佛　南无華勝藏佛
南无俱蘇摩勝藏佛　南无憂波羅勝藏佛
南无波頭摩勝藏佛　南无功德勝藏佛
南无使勝藏佛　南无福德勝藏佛
南无天勝藏佛　南无香勝藏佛
南无大雲藏佛　南无那羅延藏佛
南无如來藏佛　南无功德藏佛
南无根藏佛　南无如意藏佛
南无金剛藏佛　南无德藏佛
南无勢羅藏佛　南无山藏佛

BD00279號　佛名經（十六卷本）卷二　（5–2）

南无根藏佛　南无如意藏佛
南无金剛藏佛　南无德藏佛
南无勢羅藏佛　南无山藏佛
南无波頭摩藏佛　南无俱蘇摩藏佛
從此以上一千佛十二部經一切賢聖
南无香藏佛　南无摩尼藏佛
南无賢藏佛　南无普藏佛
南无月无垢藏佛　南无日藏佛
南无照藏佛　南无光明幢佛
南无月幢佛　南无功德幢佛
南无離世間幢佛　南无華幢佛
南无寶幢佛　南无法幢佛
南无自在幢佛　南无寶幢佛
南无无垢幢佛　南无大幢佛
南无月无垢幢佛　南无普照幢佛
南无弥留幢佛　南无讃妙法幢佛
南无放光明幢佛　南无善清淨无垢照幢佛
南无善清淨光明幢佛　南无香光明佛
南无虛空光明佛　南无大光明光明佛
南无寶光明佛　南无火光明佛
南无日光明佛　南无月光明佛
南无日月光明佛　南无无垢光明佛
南无火輪光明佛　南无寶照佛
南无寶光明佛　南无勝威德香光明佛

BD00279號　佛名經（十六卷本）卷二　（5–3）

南无善清淨光明幢佛　南无香光明佛
南无虛空光明佛　南无大光明光明佛
南无寶光明佛　南无火光明佛
南无日光明佛　南无月光明佛
南无日月光明佛　南无无垢光明佛
南无火輪光明佛　南无寶照佛
南无寶光明佛　南无勝威德香光明佛
南无種種多威德王勝光明佛
南无虛空清淨金色莊嚴威德光明佛
南无一法幻奮迅威德光明佛
南无清淨光明佛
南无功德寶光明佛　南无金光光明佛
南无高光明佛　南无放光光明佛
南无俱穌摩光明佛　南无香光明佛
南无甘露光明佛　南无无量寶化光明佛
南无水月光明佛　南无寶月光明佛
南无弥留光明佛　南无聚集日輪佛
南无雲光明佛　南无臊頭耆婆伽華佛
南无无畏光明佛　南无法力光明佛
南无无垢光明佛　南无清淨光明佛
南无月光明佛　南无日光明佛
南无樹提光明佛　南无然火光明佛
南无焚燒光明佛　南无羅網光明佛
南无大光明佛　南无稱光明佛

BD00279號　佛名經（十六卷本）卷二　（5–4）

南无虛空清淨金色莊嚴威德光明佛
南无一法幻奮迅威德光明佛
南无清淨光明佛
南无功德寶光明佛　南无金光光明佛
南无高光明佛　南无放光光明佛
南无俱穌摩光明佛　南无香光明佛
南无甘露光明佛　南无无量寶化光明佛
南无水月光明佛　南无寶月光明佛
南无弥留光明佛　南无聚集日輪佛
南无雲光明佛　南无臊頭耆婆伽華佛
南无无畏光明佛　南无法力光明佛
南无无垢光明佛　南无清淨光明佛
南无月光明佛　南无日光明佛
南无樹提光明佛　南无然火光明佛
南无焚燒光明佛　南无羅網光明佛
南无大光明佛　南无稱光明佛
南无普光明佛　南无无邊光明佛
南无色光明聲佛　南无虛空聲佛
南无妙鼓聲佛　南无師子聲佛
南无雲聲佛　南无天聲佛
南无妙聲佛　南无梵聲佛
南无雲妙鼓聲佛　南无法鼓聲佛

BD00279號　佛名經（十六卷本）卷二　（5–5）

妙法蓮華經安樂行品第十四　五
尒時文殊師利法王子菩薩摩訶薩白佛言
世尊是諸菩薩甚為難有敬順佛故發大誓
願於後惡世護持讀誦說是法華經世尊菩薩
摩訶薩於後惡世云何能說是經佛告文殊
師利若菩薩摩訶薩於後惡世欲說是經
當安住四法一者安住菩薩行處親近處能
為衆生演說是經文殊師利云何名菩薩摩
訶薩行處若菩薩摩訶薩住忍辱地柔和善
順而不卒暴心亦不驚又復於法無所行而觀
諸法如實相亦不行不分別是名菩薩摩訶
薩行處云何名菩薩摩訶薩親近處菩薩
摩訶薩不親近國王王子大臣官長不親近
諸外道梵志尼揵子等及造世俗文筆讚詠
外書及路伽耶陀逆路伽耶陀者亦不親近諸
有凶戲相扠相撲及那羅等種種變現之戲
又不親近旃陀羅及畜猪羊雞狗畋獵漁捕
諸惡律儀如是人等或時來者則為說法
無所悕望又不親近求聲聞比丘比丘尼優
婆塞優婆夷亦不問訊若於房中若經行
處若在講堂中不共住止或時來者隨宜說
法無所希求文殊師利又菩薩摩訶薩不應

BD00280號　妙法蓮華經卷五　（28–1）

法無所希求文殊師利又菩薩摩訶薩不應
於女人身取能生欲想相而為說法亦不樂見
若入他家不與小女處女寡女等共語亦復不
近五種不男之人以為親厚不獨入他家若
有因緣須獨入時但一心念佛若為女人說
法不露齒笑不現胸臆乃至為法猶不親
厚況復餘事不樂畜年少弟子沙彌小兒亦
不樂與同師常好坐禪在於閑處脩攝其心
文殊師利是名初親近處復次菩薩摩訶薩
觀一切法空如實相不顛倒不動不退不轉
如虛空無所有性一切語言道斷不生不出
不起無名無相實無所有無量無邊無礙無
障但以因緣有從顛倒生故說常樂觀如是
法相是名菩薩摩訶薩第二親近處尒時世
尊欲重宣此義而說偈言
若有菩薩　於後惡世　無怖畏心　欲說是經
應入行處　及親近處　常離國王　及國王子
大臣官長　凶險戲者　及旃陀羅　外道梵志
亦不親近　增上慢人　貪著小乘　三藏學者
破戒比丘　名字羅漢　及比丘尼　好戲笑者
深著五欲　求現滅度　諸優婆夷　皆勿親近
若是人等　以好心來　到菩薩所　為聞佛道
菩薩則以　無所畏心　不懷希望　而為說法

BD00280號　妙法蓮華經卷五　（28–2）

菩薩則以 無所畏心 不悕希望 而為說法
寡女處女 及諸不男 皆勿親近 以為親厚
亦莫親近 屠兒魁膾 畋獵漁捕 為利殺害
販肉自活 衒賣女色 如是之人 皆勿親近
凶險相撲 種種嬉戲 諸婬女等 盡勿親近
莫獨屏處 為女說法 若說法時 無得戲笑
入里乞食 將一比丘 若無比丘 一心念佛
是則名為 行處近處 以此二處 能安樂說
又復不行 上中下法 有為無為 實不實法
亦不分別 是男是女 不得諸法 不知不見
是則名為 菩薩行處 一切諸法 空無所有
無有常住 亦無起滅 是名智者 所親近處
顛倒分別 諸法有無 是實非實 是生非生
在於閑處 修攝其心 安住不動 如須彌山
觀一切法 皆無所有 猶如虛空 無有堅固
不生不出 不動不退 常住一相 是名近處
若有比丘 於我滅後 入是行處 及親近處
說斯經時 無有怯弱 菩薩有時 入於靜室
以正憶念 隨義觀法 從禪定起 為諸國王
王子臣民 婆羅門等 開化演暢 說斯經典
其心安隱 無有怯弱 文殊師利 是名菩薩
安住初法 能於後世 說法華經
又文殊師利如來滅後於末法中欲說是經
應住安樂行若口宣說若讀經時不樂說

BD00280號　妙法蓮華經卷五　　（28–3）

應住安樂行若口宣說若讀經時不樂說人
及經典過亦不輕慢諸餘法師不說他人好
惡長短於聲聞人亦不稱名說其過惡亦不
稱名讚歎其美又亦不生怨嫌之心善修如
是安樂心故諸有聽者不逆其意有所難問
不以小乘法答但以大乘而為解說令得一
切種智尒時世尊欲重宣此義而說偈言
菩薩常樂 安隱說法 於清淨地 而施床座
以油塗身 澡浴塵穢 著新淨衣 內外俱淨
安處法座 隨問為說 若有比丘 及比丘尼
諸優婆塞 及優婆夷 國王王子 群臣士民
以微妙義 和顏為說 若有難問 隨義而答
因緣譬喻 敷演分別 以是方便 皆使發心
漸漸增益 入於佛道 除嬾惰意 及懈怠想
離諸憂惱 慈心說法 晝夜常說 無上道教
以諸因緣 無量譬喻 開示眾生 咸令歡喜
衣服臥具 飲食醫藥 而於其中 無所希望
但一心念 說法因緣 願成佛道 令眾亦尒
是則大利 安樂供養 我滅度後 若有比丘
能演說斯 妙法華經 心無嫉恚 諸惱障礙
亦無憂愁 及罵詈者 又無怖畏 加刀杖等
亦無擯出 安住忍故 智者如是 善修其心
能住安樂 如我上說 其人功德 千万億劫

BD00280號　妙法蓮華經卷五　　（28–4）

能任安樂 如我上說 其人功德 千万億劫
筭數譬喻 說不能盡
又文殊師利菩薩摩訶薩於後末世法欲滅
時受持讀誦斯經典者無懷嫉妬諂誑之心
亦勿輕罵學佛道者求其長短若比丘比丘
尼優婆塞優婆夷求聲聞者求辟支佛者
求菩薩道者無得惱之令其疑悔語其人言
汝等去道甚遠終不能得一切種智所以者何
汝是放逸之人於道懈怠故又亦不應戲論
諸法有所諍競當於一切衆生起大悲想於
諸如來起慈父想於諸菩薩起大師想於
十方諸大菩薩常應深心恭敬禮拜於一切衆
生平等說法以順法故不多不少乃至深愛
法者亦不爲多說 文殊師利是菩薩摩訶薩
於後末世法欲滅時有成就是第三安樂行
者說是法時無能惱亂得好同學共讀誦是
經亦得大衆而來聽受聽已能持持已能誦
誦已能說說已能書若使人書供養經卷恭
敬尊重讚歎 尒時世尊欲重宣此義而說
偈言
若欲說是經 當捨嫉恚慢 諂誑邪偽心 常修質直行
不輕蔑於人 亦不戲論法 不令他疑悔 云汝不得佛
是佛子說法 常柔和能忍 慈悲於一切 不生懈怠心
十方大菩薩 愍衆故行道 應生恭敬心 是則我大師

十方大菩薩 愍衆故行道 應生恭敬心 是則我大師
於諸佛世尊 生無上父想 破於憍慢心 說法無障礙
第三法如是 智者應守護 一心安樂行 無量衆所敬
又文殊師利菩薩摩訶薩於後末世法欲滅
時有持是法華經者於在家出家人中生大
慈心於非菩薩人中生大悲心應作是念如
是之人則爲大失如來方便隨宜說法不聞
不知不覺不問不信不解其人雖不問不信
不解是經我得阿耨多羅三藐三菩提時隨
在何地以神通力智慧力引之令得住是法
中文殊師利是菩薩摩訶薩於如來滅後有
成就此第四法者說是法時無有過失常爲
比丘比丘尼優婆塞優婆夷國王王子大臣人
民婆羅門居士等供養恭敬尊重讚歎虛
空諸天爲聽法故亦常隨侍若在聚落城邑
空閑林中有人來欲難問者諸天晝夜常爲
法故而衛護之能令聽者皆得歡喜所以者
何此經是一切過去未來現在諸佛神力所
護故 文殊師利是法華經於無量國中乃至
名字不可得聞何況得見受持讀誦 文殊師
利譬如強力轉輪聖王欲以威勢降伏諸國
而諸小王不順其命時轉輪王起種種兵而往討
伐王見兵衆戰有功者即大歡喜隨功賞

伐王見兵衆戰有功者即大歡喜隨功賞
賜或與田宅聚落城邑或與衣服嚴身之具
或與種種珍寶金銀瑠璃車𤦲馬腦珊瑚虎
珀象馬車乘奴婢人民唯髻中明珠不以與
之所以者何獨王頂上有此一珠若以與之
王諸眷屬必大驚怪文殊師利如來亦復
如是以禪定智慧力得法國土王於三界而
諸魔王不肯順伏如來賢聖諸將與之共戰
其有功者心亦歡喜於四衆中為說諸經令
其心悅賜以禪定解脫無漏根力諸法之財
又復賜與涅槃之城言得滅度引導其心皆
令歡喜而不為說是法華經文殊師利如轉
輪王見諸兵衆有大功者心甚歡喜以此難
信之珠久在髻中不妄與人而今與之如來
亦復如是於三界中為大法王以法教化一切
衆生見賢聖軍與五陰魔煩惱魔死魔共
戰有大功勳滅三毒出三界破魔網尒時如
來亦大歡喜此法華經能令衆生至一切智
一切世間多怨難信先所未說而今說之文
殊師利此法華經是諸如來第一之說於諸
說中最為甚深末後賜與如彼強力之王久
護明珠今乃與之文殊師利此法華經諸佛
如來秘密之藏於諸經中最在其上長夜守

BD00280號　妙法蓮華經卷五　（28–7）

如來秘密之藏於諸經中最在其上長夜守
護不妄宣說始於今日乃與汝等而敷演之
尒時世尊欲重宣此義而說偈言
常行忍辱　哀愍一切　乃能演說　佛所讚經
後末世時　持此經者　於家出家　及非菩薩
應生慈悲　斯等不聞　不信是經　則為大失
我得佛道　以諸方便　為說此法　令住其中
譬如強力　轉輪之王　兵戰有功　賞賜諸物
象馬車乘　嚴身之具　及諸田宅　聚落城邑
或與衣服　種種珍寶　奴婢財物　歡喜賜與
如有勇健　能為難事　王解髻中　明珠賜之
如來亦尒　為諸法王　忍辱大力　智慧寶藏
以大慈悲　如法化世　見一切人　受諸苦惱
欲求解脫　與諸魔戰　為是衆生　說種種法
以大方便　說此諸經　既知衆生　得其力已
末後乃為　說是法華　如王解髻　明珠與之
此經為尊　衆經中上　我常守護　不妄開示
今正是時　為汝等說
我滅度後　求佛道者　欲得安隱　演說斯經
應當親近　如是四法　讀是經者　常無憂惱
又無病痛　顏色鮮白　不生貧窮　卑賤醜陋
衆生樂見　如慕賢聖　天諸童子　以為給使
刀杖不加　毒不能害　若人惡罵　口則閉塞

BD00280號　妙法蓮華經卷五　（28–8）

刀仗不加　毒不能害　若人惡罵　口則閉塞
遊行無畏　如師子王　智慧光明　如日之照
若於夢中　但見妙事　見諸如來　坐師子座
諸比丘衆　圍繞說法　又見龍神　阿脩羅等
數如恒沙　恭敬合掌　自見其身　而為說法
又見諸佛　身相金色　放無量光　照於一切
以梵音聲　演說諸法　佛為四衆　說無上法
見身處中　合掌讚佛　聞法歡喜　而為供養
得陁羅尼　證不退智　佛知其心　深入佛道
即為授記　成最正覺　汝善男子　當於來世
得無量智　佛之大道　國土嚴淨　廣大無比
亦有四衆　合掌聽法　又見自身　在山林中
脩習善法　證諸實相　深入禪定　見十方佛
諸佛身金色　百福相莊嚴　聞法為人說　常有是好夢
又夢作國王　捨宮殿眷屬　及上妙五欲　行詣於道場
又菩提樹下　而處師子座　求道過七日　得諸佛之智
成無上道已　起而轉法輪　為四衆說法　經千万億劫
說無漏妙法　度無量衆生　後當入涅槃　如烟盡燈滅
若後惡世中　說是第一法　是人得大利　如上諸功德

妙法蓮華經從地踊出品第十五

尒時他方國土諸來菩薩摩訶薩過八恒河
沙數於大衆中起立合掌作礼而白佛言世
尊若聽我等於佛滅後在此娑婆世界勤加

BD00280號　妙法蓮華經卷五　（28–9）

沙數於大衆中起立合掌作礼而白佛言世
尊若聽我等於佛滅後在此娑婆世界勤加
精進護持讀誦書寫供養是經典者當於此
土而廣說之尒時佛告諸菩薩摩訶薩衆
止善男子不須汝等護持此經所以者何我娑
婆世界自有六万恒河沙等菩薩摩訶薩
一一菩薩各有六万恒河沙眷屬是諸人等能
於我滅後護持讀誦廣說此經佛說是語時
娑婆世界三千大千國土地皆震裂而於其中
中有無量千万億菩薩摩訶薩同時踊出是
諸菩薩身皆金色三十二相無量光明先盡
在此娑婆世界之下此界虛空中住是諸菩
薩聞釋迦牟尼佛所說音聲從下發來一一菩
薩皆是大衆唱導之首各將六万恒河沙眷
屬況將五万四万三万二万一万恒河沙等
眷屬者況復乃至一恒河沙半恒河沙四分
之一乃至千万億那由他分之一況復千万
億那由他眷屬況復億万眷屬況復千万百
万乃至一万況復一千一百乃至一十況復
將五四三二一弟子者況復單己樂遠離行
如是等比無量無邊筭數譬喻所不能知是
諸菩薩從地出已各詣虛空七寶妙塔多寶
如來釋迦牟尼佛所到已向二世尊頭面礼足

BD00280號　妙法蓮華經卷五　（28–10）

如是等比無量無邊筭數譬喻所不能知是
諸菩薩從地出已各詣虛空七寶妙塔多寶
如來釋迦牟尼佛所到已向二世尊頭面礼足
及至諸寶樹下師子座上佛所亦皆作礼
右繞三帀合掌恭敬以諸菩薩種種讚法而
以讚嘆住在一面欣樂瞻仰於二世尊是諸
菩薩摩訶薩從初踊出以諸菩薩種種讚法
而讚於佛如是時間經五十小劫是時釋迦
牟尼佛默然而坐及諸四衆亦皆默然五十
小劫佛神力故令諸大衆謂如半日尒時四
衆亦以佛神力故見諸菩薩遍滿無量百千
万億國土虛空是菩薩衆中有四導師一名
上行二名無邊行三名淨行四名安立行是
四菩薩於其衆中最為上首唱導之師在
大衆前各共合掌觀釋迦牟尼佛而問訊言
世尊少病少惱安樂行不所應度者受教易不
不令世尊生疲勞耶尒時四大菩薩而說偈
言
世尊安樂　少病少惱　教化衆生　得無疲倦
又諸衆生　受化易不　不令世尊　生疲勞耶
尒時世尊於菩薩大衆中而作是言如是如是
諸善男子如來安樂少病少惱諸衆生等
易可化度無有疲勞所以者何是諸衆生世

易可化度無有疲勞所以者何是諸衆生世
世已來常受我化亦於過去諸佛供養尊重
種諸善根此諸衆生始見我身聞我所說即
皆信受入如來慧除先脩習學小乘者如是
之人我今亦令得聞是經入於佛慧尒時諸
大菩薩而說偈言
善哉善哉　大雄世尊　諸衆生等　易可化度
能問諸佛　甚深智慧　聞已信行　我等隨喜
於時世尊讚嘆上首諸大菩薩善哉善哉
善男子汝等能於如來發隨喜心尒時弥勒菩
薩及八千恒河沙諸菩薩衆皆作是念我等
從昔已來不見不聞如是大菩薩摩訶薩衆
從地踊出住世尊前合掌供養問訊如來時
弥勒菩薩摩訶薩知八千恒河沙諸菩薩等
心之所念并欲自決所疑合掌向佛以偈問曰
無量千万億　大衆諸菩薩　昔所未曾見　願兩足尊說
是從何所來　以何因緣集　巨身大神通　智慧叵思議
其志念堅固　有大忍辱力　衆生所樂見　為從何所來
一一諸菩薩　所將諸眷屬　其數無有量　如恒河沙等
或有大菩薩　將六万恒沙　如是諸大衆　一心求佛道
是諸大師等　六万恒河沙　俱來供養佛　及護持是經
將五万恒沙　其數過於是　四万及三万　二万至一万
一千一百等　乃至一恒沙　半及三四分　億万分之一

一千一百等　乃至一恒沙　半及三四分　億万分之一
千万那由他　万億諸弟子　乃至於半億　其數復過上
百万至一万　一千及一百　五十與一十　乃至三二一
單己無眷屬　樂於獨處者　俱來至佛所　其數轉過上
如是諸大衆　若人行籌數　過於恒沙劫　猶不能盡知
是諸大威德　精進菩薩衆　誰為其說法　教化而成就
從誰初發心　稱揚何佛法　受持行誰經　修習何佛道
如是諸菩薩　神通大智力　四方地震裂　皆從中踊出
世尊我昔來　未曾見是事　願說其所從　國土之名号
我常遊諸國　未曾見是衆　我於此衆中　乃不識一人
忽然從地出　願說其因緣　今此之大會　無量百千億
是諸菩薩等　皆欲知此事　是諸菩薩衆　本末之因緣
無量德世尊　唯願決衆疑
尒時釋迦牟尼佛分身諸佛從无量千万億
他方國土來者在於八方諸寶樹下師子座
上結跏趺坐其佛侍者各各見是菩薩大衆
於三千大千世界四方從地踊出住於虛空
各白其佛言世尊此諸无量无邊阿僧祇菩
薩大衆從何所來尒時諸佛各告侍者諸善
男子且待須臾有菩薩摩訶薩名曰弥勒釋
迦牟尼佛之所授記次後作佛已問斯事佛
今荅之汝等自當因是得聞尒時釋迦牟尼
佛告弥勒菩薩善哉善哉阿逸多乃能問佛

BD00280號　妙法蓮華經卷五　（28–13）

佛告弥勒菩薩善哉善哉阿逸多乃能問佛
如是大事汝等當共一心被精進鎧發堅固
意如來今欲顯發宣示諸佛智慧諸佛自
在神通之力諸佛師子奮迅之力諸佛威
猛大勢之力尒時世尊欲重宣此義而說偈言
當精進一心　我欲說此事　勿得有疑悔　佛智叵思議
汝今出信力　住於忍善中　昔所未聞法　今皆當得聞
我今安慰汝　勿得懷疑懼　佛无不實語　智慧不可量
所得第一法　甚深叵分別　如是今當說　汝等一心聽
尒時世尊說此偈已告弥勒菩薩我今於此
大衆宣告汝等阿逸多是諸大菩薩摩訶薩
无量无數阿僧祇從地踊出汝等昔所未見
者我於是娑婆世界得阿耨多羅三藐三菩
提已教化示導是諸菩薩調伏其心令發道
意此諸菩薩皆於是娑婆世界之下此界虛
空中住於諸經典讀誦通利思惟分別正憶
念阿逸多是諸善男子等不樂在衆多有所
說常樂靜處勤行精進未曾休息亦不依止
人天而住常樂深智无有障礙亦常樂於諸
佛之法一心精進求无上慧尒時世尊欲重
宣此義而說偈言
阿逸汝當知　是諸大菩薩　從无數劫來　修習佛智慧
悉是我所化　令發大道心　此等是我子　依止是世界
常行頭陀事　志樂於靜處　捨大衆憒鬧　不樂多所說

BD00280號　妙法蓮華經卷五　（28–14）

悉是我所化　令發大道心　此等是我子　依止是世界
當行頭陁事　志樂於静處　捨大衆憒閙　不樂多所說
如是諸子等　學習我道法　晝夜常精進　為求佛道故
在娑婆世界　下方空中住　志念力堅固　常勤求智慧
說種種妙法　其心无所畏　我於伽耶城　菩提樹下坐
得成最正覺　轉无上法輪　尒乃教化之　令初發道心
今皆住不退　悉當得成佛　我今說實語　汝等一心信
我從久遠來　教化是等衆
尒時弥勒菩薩摩訶薩及无數諸菩薩等心
生疑惑怪未曾有而作是念云何世尊於少
時間教化如是无量无邊阿僧祇諸大菩薩
令住阿耨多羅三藐三菩提即白佛言世尊
如來為太子時出於釋宮去伽耶城不遠坐
於道場得成阿耨多羅三藐三菩提從是已
來始過四十餘年世尊云何於此少時大作
佛事以佛勢力以佛功德教化如是无量大
菩薩衆當成阿耨多羅三藐三菩提世尊此
大菩薩衆假使有人於千万億劫數不能盡
不得其邊斯等久遠已來於无量无邊諸佛
所殖諸善根成就菩薩道常脩梵行世尊如
此之事世所難信譬如有人色美髮黑年二
十五指百歲人言是我子其百歲人亦指年
少言是我父生育我等是事難信佛亦如

十五指百歲人言是我子其百歲人亦指年
少言是我父生育我等是事難信佛亦如
是得道已來其實未久而此大衆諸菩薩
等已於无量千万億劫為佛道故勤行精進
善入出住无量百千万億三昧得大神通久脩
梵行善能次第習諸善法巧於問荅人中之
寶一切世間甚為希有今日世尊方云得佛
道時初令發心教化示導令向阿耨多羅三
藐三菩提世尊得佛未久乃能作此大功德
事我等雖復信佛隨宜所說佛所出言未
曾虛妄佛所知者皆悉通達然諸新發意菩
薩於佛滅後若聞是語或不信受而起破法罪
業因緣唯然世尊願為解說除我等疑及未來
世諸善男子聞此事已亦不生疑尒時弥勒
菩薩欲重宣此義而說偈言
佛昔從釋種　出家近伽耶　坐於菩提樹　尒來尚未久
此諸佛子等　其數不可量　久已行佛道　在神通智力
善學菩薩道　不染世間法　如蓮華在水　從地而踊出
皆起恭敬心　住於世尊前　是事難思議　云何而可信
佛得道甚近　所成就甚多　願為除衆疑　如實分別說
譬如少壯人　年始二十五　示人百歲子　髮白而面皺
是等我所生　子亦說是父　父少而子老　舉世所不信
世尊亦如是　得道來甚近　是諸菩薩等　志固无怯弱
從无量劫來　而行菩薩道　巧於難問荅　其心无所畏
忍辱心決定　端正有威德　十方佛所讚　善能分別說

從无量劫來　而行菩薩道
忍辱心決定　端正有威德　十方佛所讚　善能分別說
不樂在人眾　常好在禪定　為求佛道故　於下空中住
我等從佛聞　於此事无疑　願佛為未來　演說令開解
若有於此經　生疑不信者　即當墮惡道　願今為解說
是无量菩薩　云何於少時　教化令發心　而住不退地

妙法蓮華經如來壽量品第十六

尒時佛告諸菩薩及一切大眾諸善男子汝
等當信解如來誠諦之語復告大眾汝等當
信解如來誠諦之語又復告諸大眾汝等當
信解如來誠諦之語是時菩薩大眾弥勒為
首合掌白佛言世尊唯願說之我等當信受
佛語如是三白已復言唯願說之我等當信
受佛語尒時世尊知諸菩薩三請不止而告
之言汝等諦聽如來秘密神通之力一切世
間天人及阿脩羅皆謂今釋迦牟尼佛出釋
氏宮去伽耶城不遠坐於道場得阿耨多羅
三藐三菩提然善男子我實成佛已來无量
无邊百千万億那由他劫譬如五百千万億
那由他阿僧祇三千大千世界假使有人抹為
微塵過於東方五百千万億那由他阿僧祇
國乃下一塵如是東行盡是微塵諸善男子
於意云何是諸世界可得思惟校計知其數不
弥勒菩薩等俱白佛言世尊是諸世界无量
无邊非筭數所知亦非心力所及一切聲聞
辟支佛以无漏智不能思惟知其限數我等
住阿惟越致地於是事中亦所不達世尊如

BD00280 號　妙法蓮華經卷五

（28–17）

住阿惟越致地於是事中亦所不達世尊如
是諸世界无量无邊尒時佛告大菩薩眾諸
善男子今當分明宣語汝等是諸世界若著
微塵及不著者盡以為塵一塵一劫我成佛已
來復過於此百千万億那由他阿僧祇劫自從
是來我常在此娑婆世界說法教化亦於餘
處百千万億那由他阿僧祇國導利眾生諸
善男子於是中間我說然燈佛等又復言其
入於涅槃如是皆以方便分別諸善男子若
有眾生來至我所我以佛眼觀其信等諸根
利鈍隨所應度處處自說名字不同年紀大
小亦復現言當入涅槃又以種種方便說微妙
法能令眾生發歡喜心諸善男子如來見諸
眾生樂於小法德薄垢重者為是人說我少
出家得阿耨多羅三藐三菩提然我實成佛
已來久遠若斯但以方便教化眾生令入佛
道作如是說諸善男子如來所演經典皆為
度脫眾生或說己身或說他身或示己身或
示他身或示己事或示他事諸所言說皆實
不虛所以者何如來如實知見三界之相无有
生死若退若出亦无在世及滅度者非實
非虛非如非異不如三界見於三界如斯之
事如來明見无有錯謬以諸眾生有種種
性種種欲種種行種種憶想分別故欲令
生諸善根以若干因緣譬喻言辭種種

BD00280 號　妙法蓮華經卷五

（28–18）

生諸善根以若干因緣譬喻言辭種種
說法所作佛事未曾暫廢如是我成佛
已來甚大久遠壽命无量阿僧祇劫常住不
滅諸善男子我本行菩薩道所成壽命今猶未
盡復倍上數然今非實滅度而便唱言當取
滅度如來以是方便教化衆生所以者何若
佛久住於世薄德之人不種善根貧窮下賤
貪著五欲入於憶想妄見網中若見如來常
在不滅便起憍恣而懷厭怠不能生難遭之
想恭敬之心是故如來以方便說比丘當知
諸佛出世難可值遇所以者何諸薄德人過
无量百千万億劫或有見佛或不見者以
此事故我作是言諸比丘如來難可得見斯衆
生等聞如是語必當生於難遭之想心懷戀
慕渴仰於佛便種善根是故如來雖不實滅
而言滅度又善男子諸佛如來法皆如是為
度衆生皆實不虛譬如良醫智慧聰達明練
方藥善治衆病其人多諸子息若十二十乃
至百數以有事緣遠至餘國諸子於後飲他
毒藥藥發悶亂宛轉于地是時其父還來歸
家諸子飲毒或失本心或不失者遙見其父
皆大歡喜拜跪問訊善安隱歸我等愚癡誤
服毒藥願見救療更賜壽命父見子等苦惱
如是依諸經方求好藥草色香美味皆悉具
足擣篩和合與子令服而作是言此大良藥

足擣篩和合與子令服而作是言此大良藥
色香美味皆悉具足汝等可服速除苦惱无
復衆患其諸子中不失心者見此良藥色香
俱好即便服之病盡除愈餘失心者見其父
來雖亦歡喜問訊求索治病然與其藥而不
肯服所以者何毒氣深入失本心故於此好
色香藥而謂不美父作是念此子可愍為毒
所中心皆顛倒雖見我喜求索救療如是好
藥而不肯服我今當設方便令服此藥即作
是言汝等當知我今衰老死時已至是好良
藥今留在此汝可取服勿憂不差作是教已
復至他國遣使還告汝父已死是時諸子聞
父背喪心大憂惱而作是念若父在者慈愍
我等能見救護今者捨我遠喪他國自惟孤
露无復恃怙常懷悲感心遂醒悟乃知此藥
色香味美即取服之毒病皆愈其父聞子悉
已得差尋便來歸咸使見之諸善男子於意
云何頗有人能說此良醫虛妄罪不不也世
尊佛言我亦如是成佛已來无量无邊百千
万億那由他阿僧祇劫為衆生故以方便力
言當滅度亦无有能如法說我虛妄過者尒
時世尊欲重宣此義而說偈言
自我得佛來　所經諸劫數　无量百千万　億載阿僧祇
常說法教化　无數億衆生　令入於佛道　尒來无量劫
為度衆生故　方便現涅槃　而實不滅度　常住此說法

為度衆生故　方便現涅槃　而實不滅度　常住此說法
我常住於此　以諸神通力　令顛倒衆生　雖近而不見
衆見我滅度　廣供養舍利　咸皆懷戀慕　而生渴仰心
衆生既信伏　質直意柔軟　一心欲見佛　不自惜身命
時我及衆僧　俱出靈鷲山　我時語衆生　常在此不滅
以方便力故　現有滅不滅　餘國有衆生　恭敬信樂者
我見諸衆生　沒在於苦惱　故不為現身　令其生渴仰
因其心戀慕　乃出為說法　神通力如是　於阿僧祇劫
常在靈鷲山　及餘諸住處　衆生見劫盡　大火所燒時
我此土安隱　天人常充滿　園林諸堂閣　種種寶莊嚴
寶樹多華果　衆生所遊樂　諸天擊天鼓　常作衆伎樂
雨曼陀羅華　散佛及大衆　我淨土不毀　而衆見燒盡
憂怖諸苦惱　如是悉充滿　是諸罪衆生　以惡業因緣
過阿僧祇劫　不聞三寶名　諸有脩功德　柔和質直者
則皆見我身　在此而說法　或時為此衆　說佛壽无量
久乃見佛者　為說佛難值　我智力如是　慧光照无量
壽命无數劫　久脩業所得　汝等有智者　勿於此生疑
當斷令永盡　佛語實不虛　如醫善方便　為治狂子故
實在而言死　无能說虛妄　我亦為世父　救諸苦患者
為凡夫顛倒　實在而言滅　以常見我故　而生憍恣心
放逸著五欲　墮於惡道中　我常知衆生　行道不行道
隨所應可度　為說種種法　每自作是意　以何令衆生
得入无上道　速成就佛身

妙法蓮華經分別功德品第十七

BD00280號　妙法蓮華經卷五　（28-21）

妙法蓮華經分別功德品第十七

尒時大會聞佛說壽命劫數長遠如是无量
无邊阿僧祇衆生得大饒益於時世尊告彌
勒菩薩摩訶薩阿逸多我說是如來壽命長
遠時六百八十万億那由他恒河沙衆生得
无生法忍復千倍菩薩摩訶薩得聞持陀
羅尼門復有一世界微塵數菩薩摩訶薩得
樂說无礙辯才復有一世界微塵數菩薩摩
訶薩得百千万億无量旋陀羅尼復有三千大
千世界微塵數菩薩摩訶薩能轉不退法輪復
有二千中國土微塵數菩薩摩訶薩能轉
清淨法輪復有小千國土微塵數菩薩摩訶
薩八生當得阿耨多羅三藐三菩提復有四
四天下微塵數菩薩摩訶薩四生當得阿耨
多羅三藐三菩提復有三四天下微塵數菩
薩摩訶薩三生當得阿耨多羅三藐三菩提
復有二四天下微塵數菩薩摩訶薩二生當得
阿耨多羅三藐三菩提復有一四天下微塵
數菩薩摩訶薩一生當得阿耨多羅三藐
三菩提復有八世界微塵數衆生皆發阿
耨多羅三藐三菩提心佛說是諸菩薩摩訶
薩得大法利時於虛空中雨曼陀羅華摩訶
曼陀羅華以散无量百千万億寶樹下師子座
上諸佛并散七寶塔中師子座上釋迦牟尼

BD00280號　妙法蓮華經卷五　（28-22）

上諸佛并散七寶塔中師子座上釋迦牟尼
佛及久滅度多寶如來亦散一切諸大菩薩
及四部衆又雨細末栴檀沈水香等於虚空
中天鼓自鳴妙聲深遠又雨千種天衣垂諸
瓔珞真珠瓔珞摩尼珠瓔珞如意珠瓔珞遍
於九方衆寶香爐燒无價香自然周至供養
大會一一佛上有諸菩薩執持幡蓋次第而
上至于梵天是諸菩薩以妙音聲歌无量頌
讚歎諸佛尒時彌勒菩薩從座而起偏袒右
肩合掌向佛而說偈言
佛說希有法　昔所未曾聞　世尊有大力　壽命不可量
无數諸佛子　聞世尊分別　說得法利者　歡喜充遍身
或住不退地　或得陁羅尼　或无礙樂說　万億旋揔持
或有大千界　微塵數菩薩　各各皆能轉　不退之法輪
或有中千界　微塵數菩薩　各各皆能轉　清淨之法輪
復有小千界　微塵數菩薩　餘各八生在　當得成佛道
復有四三二　如是四天下　微塵諸菩薩　隨數生成佛
或一四天下　微塵數菩薩　餘有一生在　當成一切智
如是等衆生　聞佛壽長遠　得无量无漏　清淨之果報
復有八世界　微塵數衆生　聞佛說壽命　皆發无上心
世尊說无量　不可思議法　多有所饒益　如虚空无邊
雨天曼陁羅　摩訶曼陁羅　釋梵如恒沙　无數佛土來
雨栴檀沈水　繽紛而亂墜　如鳥飛空下　供散於諸佛
天鼓虚空中　自然出妙聲　天衣千万種　旋轉而來下

天鼓虚空中　自然出妙聲　天衣千万種　旋轉而來下
衆寶妙香爐　燒无價之香　自然悉周遍　供養諸世尊
其大菩薩衆　執七寶幡蓋　高妙万億種　次第至梵天
一一諸佛前　寶幢懸勝幡　亦以千万偈　歌詠諸如來
如是種種事　昔所未曾有　聞佛壽无量　一切皆歡喜
佛名聞十方　廣饒益衆生　一切具善根　以助无上心
尒時佛告彌勒菩薩摩訶薩阿逸多其有
衆生聞佛壽命長遠如是乃至能生一念信解
所得功德无有限量若有善男子善女人為
阿耨多羅三藐三菩提於八十万億那由他
劫行五波羅蜜檀波羅蜜尸羅波羅蜜羼
提波羅蜜毗梨耶波羅蜜禪波羅蜜除般若
波羅蜜以是功德比前功德百分千分百千万
億分不及其一乃至筭數譬喻所不能知若
善男子有如是功德於阿耨多羅三藐三菩
提退者无有是處尒時世尊欲重宣此義而
說偈言
若人求佛慧　於八十万億　那由他劫數　行五波羅蜜
於是諸劫中　布施供養佛　及緣覺弟子　并諸菩薩衆
珍異之飲食　上服與臥具　栴檀立精舍　以園林莊嚴
如是等布施　種種皆微妙　盡此諸劫數　以迴向佛道
若復持禁戒　清淨无缺漏　求於无上道　諸佛之所歎
若復行忍辱　住於調柔地　設衆惡來加　其心不傾動
諸有得法者　懷於增上慢　為此所輕惱　如是亦能忍
若復勤精進　志念常堅固　於无量億劫　一心不懈息

若復勤精進　志念常堅固　於无量億劫　一心不懈息
又於无數劫　住於空閑處　若坐若經行　除睡常攝心
以是因緣故　能生諸禪定　八十億万劫　安住心不亂
持此一心福　願求无上道　我得一切智　盡諸禪定際
是人於百千　万億劫數中　行此諸功德　如上之所說
有善男女等　聞我說壽命　乃至一念信　其福過於彼
若人悉无有　一切諸疑悔　深心須臾信　其福為如此
其有諸菩薩　无量劫行道　聞我說壽命　是則能信受
如是諸人等　頂受此經典　願我於未來　長壽度眾生
如今日世尊　諸釋中之王　道場師子吼　說法无所畏
我等未來世　一切所尊敬　坐於道場時　說壽亦如是
若有深心者　清淨而質直　多聞能總持　隨義解佛語
如是諸人等　於此无有疑
又阿逸多若有聞佛壽命長遠解其言趣是
人所得功德无有限量能起如來无上之慧
何況廣聞是經若教人聞若自持若教人持若
自書若教人書若以華香瓔珞幢幡繒蓋香
油蘇燈供養經卷是人功德无量无邊能生
一切種智阿逸多若善男子善女人聞我說
壽命長遠深心信解則為見佛常在耆闍
崛山共大菩薩諸聲聞眾圍繞說法又見此
娑婆世界其地瑠璃坦然平正閻浮檀金以
界八道寶樹行列諸臺樓觀皆悉寶成其
菩薩眾咸處其中若有能如是觀者當知是
為深信解相又復如來滅後若聞是經而不

BD00280號　妙法蓮華經卷五　（28–25）

為深信解相又復如來滅後若聞是經而不
毀呰起隨喜心當知已為深信解相何況讀
誦受持之者斯人則為頂戴如來阿逸多是善
男子善女人不須為我復起塔寺及作僧坊
以四事供養眾僧所以者何是善男子善女
人受持讀誦是經典者為已起塔造立僧坊
供養眾僧則為以佛舍利起七寶塔高廣漸
小至于梵天懸諸幡蓋及眾寶鈴華香瓔珞
末香塗香燒香眾鼓伎樂簫笛箜篌種種舞
戲以妙音聲歌唄讚頌則為於无量千万億
劫作是供養已阿逸多若我滅後聞是經典
有能受持若自書若教人書則為起立僧坊
以赤栴檀作諸殿堂三十有二高八多羅樹
高廣嚴好百千比丘於其中止園林浴池經
行禪窟衣服飲食床褥湯藥一切樂具充
滿其中如是僧坊堂閣若干百千万億其
數无量以此現前供養於我及比丘僧是故我
說如來滅後若有受持讀誦為他人說若自
書若教人書供養經卷不須復起塔寺及造
僧坊供養眾僧况復有人能持是經兼行布
施持戒忍辱精進一心智慧其德最勝无量
无邊譬如虛空東西南北四維上下无量无
邊是人功德亦復如是无量无邊疾至一切種
智若人讀誦受持是經為他人說若自書若教

BD00280號　妙法蓮華經卷五　（28–26）

邊是人功德亦復如是无量无邊疾至一切種
智若人讀誦受持是經為他人說若自書若教
人書復能起塔及造僧坊供養讚歎聲聞衆
僧亦以百千万億讚歎之法讚歎菩薩功德
又為他人種種因緣隨義解說此法華經復
能清淨持戒與柔和者而共同止忍辱无瞋
志念堅固常貴坐禪得諸深定精進勇猛攝
諸善法利根智慧善荅問難阿逸多若我滅
後諸善男子善女人受持讀誦是經典者復
有如是諸善功德當知是人已趣道場近阿
耨多羅三藐三菩提坐道樹下阿逸多是善
男子若坐若立若行處此中便應起塔一切
天人皆應供養如佛之塔尒時世尊欲重宣
此義而說偈言
若我滅度後　能奉持此經　斯人福无量　如上之所說
是則為具足　一切諸供養　以舍利起塔　七寶而莊嚴
表刹甚高廣　漸小至梵天　寶鈴千万億　風動出妙音
又於无量劫　而供養此塔　華香諸瓔珞　天衣衆伎樂
然香油蘇燈　周帀常照明　惡世法末時　能持是經者
則為已如上　具足諸供養　若能持此經　則如佛現在
以牛頭栴檀　起僧坊供養　堂有三十二　高八多羅樹
上饌妙衣服　床臥皆具足　百千衆住處　園林諸流池
經行及禪窟　種種皆嚴好　若有信解心　受持讀誦書
若復教人書　及供養經卷　散華香末香　以須曼瞻蔔
阿提目多伽　薰油常然之　如是供養者　得无量功德

BD00280號　妙法蓮華經卷五　　（28–27）

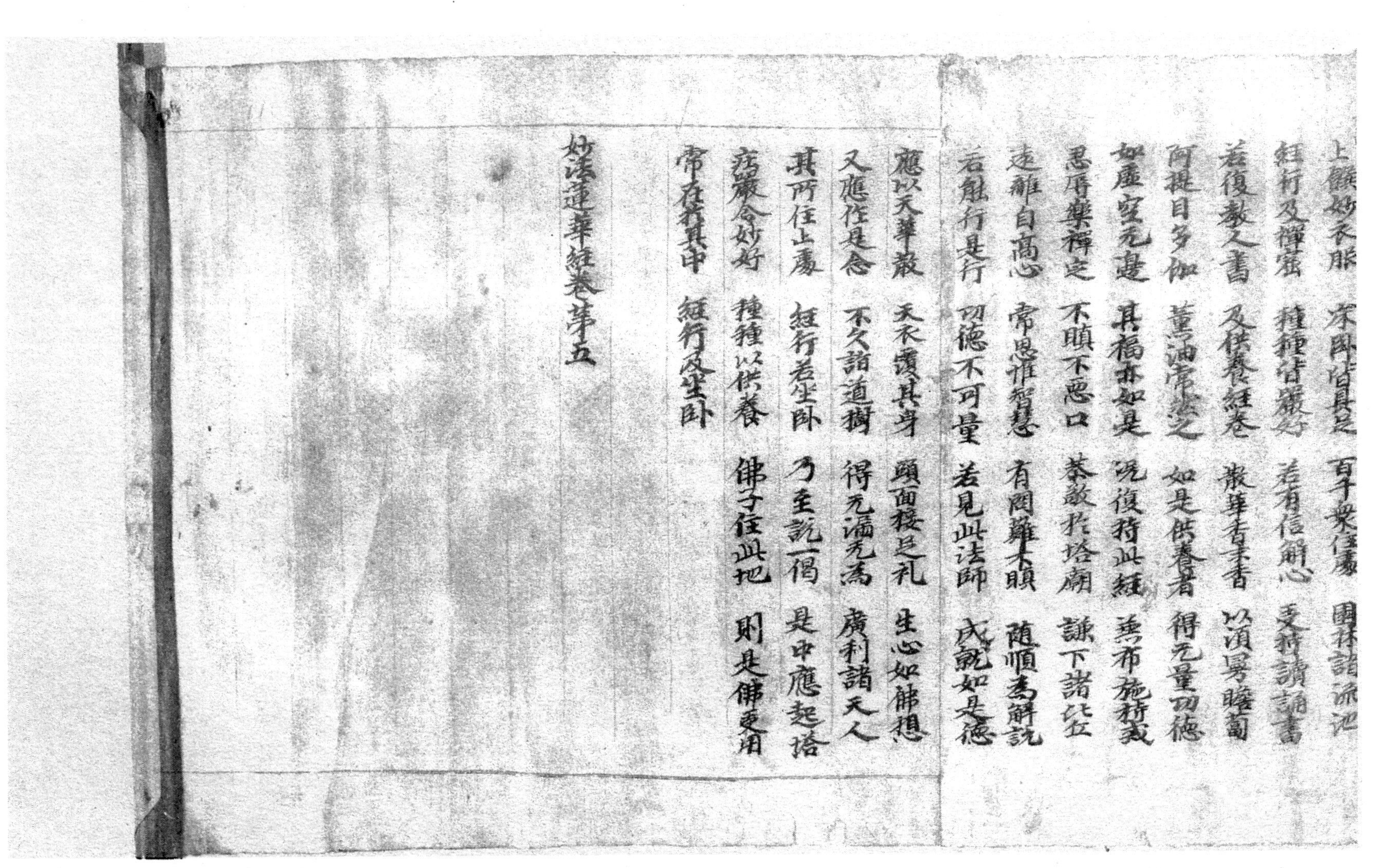

上饌妙衣服　床臥皆具足　百千衆住處　園林諸流池
經行及禪窟　種種皆嚴好　若有信解心　受持讀誦書
若復教人書　及供養經卷　散華香末香　以須曼瞻蔔
阿提目多伽　薰油常然之　如是供養者　得无量功德
如虛空无邊　其福亦如是　況復持此經　兼布施持戒
忍辱樂禪定　不瞋不惡口　恭敬於塔廟　謙下諸比丘
遠離自高心　常思惟智慧　有問難不瞋　隨順為解說
若能行是行　功德不可量　若見此法師　成就如是德
應以天華散　天衣覆其身　頭面接足礼　生心如佛想
又應作是念　不久詣道樹　得无漏无為　廣利諸天人
其所住止處　經行若坐臥　乃至說一偈　是中應起塔
莊嚴令妙好　種種以供養　佛子住此地　則是佛受用
常在於其中　經行及坐臥
妙法蓮華經卷第五

BD00280號　妙法蓮華經卷五　　（28–28）

不能。
菩薩如可眷
屬還歸自宮愁憂不
波羅蜜多甚
彈指頃心有速惑何況能
猛如是菩薩修行般若……方
功德智慧大威神……世界龍
有情類皆變為魔……魔衆為擾
亂故往菩薩所盡其……不能障所修行
若波羅蜜多何以故善勇猛爾時菩薩成就
如是甚深般若力故亦復成就不可思
議不可測量般若力故不為一切暴
惡魔軍之所降伏善勇猛夫大力者謂般若
力夫大勢者謂般若勢夫大力者謂般若力
是故般若波羅蜜多非諸惡魔所行境地復
次善勇猛諸有外仙得四靜慮四無色定超
欲魔境生諸梵天四無色地彼於菩薩常所
成就世間妙慧尚非行境況所成般若波羅蜜
多何況惡魔能行此境彼於所得色無色定
外仙妙慧尚非行境況於般若波羅蜜多善
勇猛若時菩薩成就般若波羅蜜多爾時菩
薩名為成就大威力者若有成就般若威力
即名成就利慧刀若有成就般若利刀即
名成就利慧劍者諸惡魔軍不能降伏而
能降伏一切魔軍

BD00281號　大般若波羅蜜多經卷五九九　（8–1）

勇猛若時菩薩成就般若波羅蜜多爾時菩
薩名為成就大威力者若有成就般若威力
即名成就利慧刀若有成就般若利刀即
名成就利慧劍者諸惡魔軍不能降伏而
能降伏一切魔軍
復次善勇猛若諸菩薩成就般若波羅蜜
多利刀劍具大勢力是諸菩薩於一切處無
所依止諸有所作亦無所依何以故善勇猛
若有所依則有移轉若有移轉則有動搖若
有動搖則有戲論善勇猛若諸有情有依有
轉動搖戲論是諸有情隨魔力行未脫魔境
善勇猛若諸有情雖復乃至上生有頂有所
依止繫屬所依依所依處彼必還墮魔境界
中未脫惡魔所有羂網惡魔索縛常所隨逐
如猛喜子及阿邏茶迦邏摩子并餘一切依
止無色繫屬所依依所依處諸仙外道善勇
猛若諸菩薩行深般波羅蜜多修深般若
波羅蜜多會深般若波羅蜜多是諸菩薩
於一切處無所依止諸有所作亦無所依善勇
猛若諸菩薩勇猛精進修行般若波羅蜜多
隨順安住爾時菩薩不依止色亦不依止受
想行識不依止眼亦不依止耳鼻舌身意不
依止色亦不依止聲香味觸法不依止眼識
亦不依止耳鼻舌身意識不依止名色不依
止顛倒見趣諸蓋及諸愛行不依止緣起不
依止欲色無色界不依止我有情命者生者
養者士夫補特伽羅意生儒童作者受者知
者見者及彼諸想不依止地水火風空識界

BD00281號　大般若波羅蜜多經卷五九九　（8–2）

正顛倒見纏諸蓋及諸愛行不依止緣起不
依止欲色無色界不依止我有情命者生者
養者士夫補特伽羅意生儒童作者受者知
者見者及於諸想不依止地水火風空識界
不依止有情界法界不依止初靜慮乃至非
想非非想處不依止有愛不依止無有愛不
依止斷常不依止有性不依止無性不依止
布施慳貪持戒犯戒安忍忿恚精進懈怠靜
慮散亂般若惡慧不依止念住正斷神足根
力覺支道支不依止斷顛倒等不依止靜慮
解脫等持等至不依止苦集滅道不依止盡
智無生智無造作智不依止無著智見不依
止明及解脫不依止解脫智見不依止異生
聲聞獨覺菩薩佛地不依止異生聲聞獨覺
菩薩佛法不依止涅槃不依止過去未來現
在智見不依止三世平等性不依止佛智力
無畏等不依止一切智智不依止相好圓滿
不依止佛土圓滿不依止聲聞衆圓滿不依
止菩薩衆圓滿不依止一切法不依止移轉
不依止動搖不依止戲論由無依止除遣一切
亦不執著無依止道於無依止亦不恃執亦
復不得此是依止亦復不得在此依止亦
復不得屬此依止亦復不得依此依止於所
依止亦無恃執如是菩薩於諸依止無恃無
得無執無取無説無欲無著而住不爲一切
依止所染於諸依止亦無滯礙證得一切依
止淨法善勇猛此諸菩薩依一切法依止請
淨微妙智見脩行般若波羅蜜多由此惡魔
不能得便惡魔軍衆不能降伏而能降伏一

BD00281號　大般若波羅蜜多經卷五九九　（8–3）

止淨法善勇猛此諸菩薩依一切法依止請
淨微妙智見脩行般若波羅蜜多由此惡魔
不能得便惡魔軍衆不能降伏而能降伏一
切魔軍
復次善勇猛若諸菩薩未發無上正等覺心
先應積集無量無數善根資糧多供養佛
事多善友於多佛所請問法要發弘誓願意樂
具足於諸有情樂行布施於清淨戒尊重護
持忍辱柔和善皆具足勇猛精進離諸懈怠
尊重修行鮮白靜慮於清淨慧恭敬脩學是
諸菩薩既發無上正等覺心復應精勤脩
學般若波羅蜜多以智慧力伏諸魔衆恒作
是念勿謂惡魔伺求我短作擾亂事由斯力
故令諸惡魔不能得便障所脩學亦令魔
衆不起是心我當伺求此菩薩便爲擾亂事障
礙所修設起是心即令自覺我作斯事必遭
大苦由斯發起大怖畏心勿我今時喪失身命
故應息此擾亂之心於是魔軍惡心隱沒善
勇猛由此因緣惡魔軍衆不能障礙菩薩所
學甚深般若波羅蜜多復次善勇猛若諸菩
薩聞説般若波羅蜜多起純淨欲增上意樂
深心尊重稱讚功德起大師想聞説六種波
羅蜜多相應法教亦不發起猶豫疑惑聞甚
深法心不迷謬亦復不起猶豫疑惑終不造
作感匱法業亦不發起感匱法心勸導無量
無邊有情信受脩學甚深般若波羅蜜多
讚勵無量無邊有情亦令信受脩學六種波
羅蜜多是諸菩薩先意樂淨一切意樂皆無

BD00281號　大般若波羅蜜多經卷五九九　（8–4）

無邊有情信受修學甚深般若波羅蜜多
讚勵無量無邊有情亦令信受修學六種波
羅蜜多是諸菩薩先意樂淨一切意樂皆無
雜染諸惡魔軍不能障礙伺求其便亦不能得
衆魔事業皆能覺知一切惡魔不能引奪
不隨魔力自在而行善勇猛由此因緣是諸
菩薩惡魔眷屬不能擾亂
復次善勇猛若諸菩薩修行般若波羅蜜多
不行色合相不行色離相不行受想行識合
相不行受想行識離相不行眼合相不行眼
離相不行耳鼻舌身意合相不行耳鼻舌身
意離相不行色合相不行色離相不行聲香
味觸法合相不行聲香味觸法離相不行眼
識合相不行眼識離相不行耳鼻舌身意識
合相不行耳鼻舌身意識離相不行色相合
離相不行受想行識相合離相不行眼相合
離相不行耳鼻舌身意相合離相不行色相
合離相不行聲香味觸法相合離相不行眼
識相合離相不行耳鼻舌身意識相合離相
不行色清淨不清淨相不行受想行識清淨
不清淨相不行眼清淨不清淨相不行耳鼻
舌身意清淨不清淨相不行色清淨不清淨
相不行聲香味觸法清淨不淨相不行眼
識清淨不清淨相不行耳鼻舌身意識清淨
不清淨相不行緣色清淨不清淨相不行緣
受想行識清淨不清淨相不行緣眼清淨不
清淨相不行緣耳鼻舌身意清淨不清淨相
不行緣色清淨不清淨相不行緣聲香味觸

BD00281號　大般若波羅蜜多經卷五九九　（8-5）

受想行識清淨不清淨相不行緣眼清淨不
清淨相不行緣耳鼻舌身意清淨不清淨相
不行緣色清淨不清淨相不行緣聲香味觸
法清淨不清淨相不行緣眼識清淨不清淨
相不行緣耳鼻舌身意識清淨清淨相不
行起色清淨不清淨合離相不行起受想行
識清淨不清淨合離相不行起眼清淨不清
淨合離相不行起耳鼻舌身意清淨不清淨
合離相不行起色清淨不清淨合離相不行
起聲香味觸法清淨不清淨合離相不行起
眼識清淨不清淨合離相不行起耳鼻舌身
意識清淨不清淨合離相不行緣色自性清
淨不淨清合離相不行緣受想行識自性清
淨不清淨合離相不行緣眼自性清淨不清
淨合離相不行緣耳鼻舌身意自性清淨不
清淨合離相不行緣色自性清淨不清淨合
離相不行緣聲香味觸法自性清淨不清淨
合離相不行緣眼識自性清淨不清淨合離
相不行緣耳鼻舌身意識自性請淨不清淨
合離相不行色本性清淨不清淨合離相不
行受想行識本性清淨不清淨合離相不行
眼本性清淨不清淨合離相不行耳鼻舌身
意本性清淨不清淨合離相不行色本性清
淨不清淨合離相不行聲香味觸法本性清
淨不清淨合離相不行眼識本性清淨不清
淨合離相不行耳鼻舌身意識本性清淨不
清淨合離相不行緣色本性清淨不清淨合
離相不行緣受想行識本性清淨不清淨合

BD00281號　大般若波羅蜜多經卷五九九　（8-6）

淨不清淨合離相不行聲香味觸法本性清
淨不清淨合離相不行眼識本性清淨不清
淨合離相相不行耳鼻舌身意識本性清淨不
清淨合離相不行緣色本性清淨不清淨合
離相不行緣受想行識本性清淨不清淨合
離相不行緣眼本性清淨不清淨合離相不
行緣耳鼻舌身意本性清淨不清淨合離相
不行緣色本性清淨不清淨合離相行緣
聲香味觸法本性清淨不清淨合離相不行
緣眼識本性清淨不清淨合離相不行緣耳
鼻舌身意識本性清淨不清淨合離相不行
色過去未來現在清淨不清淨合離相不行
受想行識過去未來現在清淨不清淨合離
相不行眼過去未來現在清淨不淨清合離
相不行耳鼻舌身意過去未來現在清淨不
清淨合離相不行色過去未來現在清淨不
清淨合離相不行聲香味觸法過去未來現
在清淨不清淨合離相不行眼識過去未來
現在清淨不清淨合離相不行耳鼻舌身意
識過去未來現在清淨不清淨合離相不行
緣色過去未來現在清淨不清淨合離相不
行緣受想行識過去未來現在清淨不清淨
合離相不行緣眼過去未來現在清淨不清
淨合離相不行緣耳鼻舌身意過去未來現
在清淨不清淨合離相不行緣色過去未來
現在清淨不清淨合離相不行緣聲香味觸
法過去未來現在清淨不清淨合離相不行
緣眼識過去未來現在清不清淨合離相

BD00281號　大般若波羅蜜多經卷五九九　（8–7）

受想行識過去未來現在清淨不清淨合離
相不行眼過去未來現在清淨不淨清合離
相不行耳鼻舌身意過去未來現在清淨不
清淨合離相不行色過去未來現在清淨不
清淨合離相不行聲香味觸法過去未來現
在清淨不清淨合離相不行眼識過去未來
現在清淨不清淨合離相不行耳鼻舌身意
識過去未來現在清淨不清淨合離相不行
緣色過去未來現在清淨不清淨合離相不
行緣受想行識過去未來現在清淨不清淨
合離相不行緣眼過去未來現在清淨不清
淨合離相不行緣耳鼻舌身意過去未來現
在清淨不清淨合離相不行緣色過去未來
現在清淨不清淨合離相不行緣聲香味觸
法過去未來現在清淨不清淨合離相不行
緣眼識過去未來現在清不清淨合離相
不行緣耳鼻舌身意識過去未來現在清淨
不清淨合離相善勇猛若諸菩薩能如是行
則不與色若合若離亦不與受想行識若合
若離不與眼若合若離亦不與耳鼻舌身意
若合離不與色若合若離亦不與聲香味
觸法若合若離不與眼識若合離亦不與
耳鼻舌身意識若合若離不與色若合若
離不與顛倒見趣諸蓋及諸愛行若合若離

BD00281號　大般若波羅蜜多經卷五九九　（8–8）

BD00281號　雜寫　（1–1）

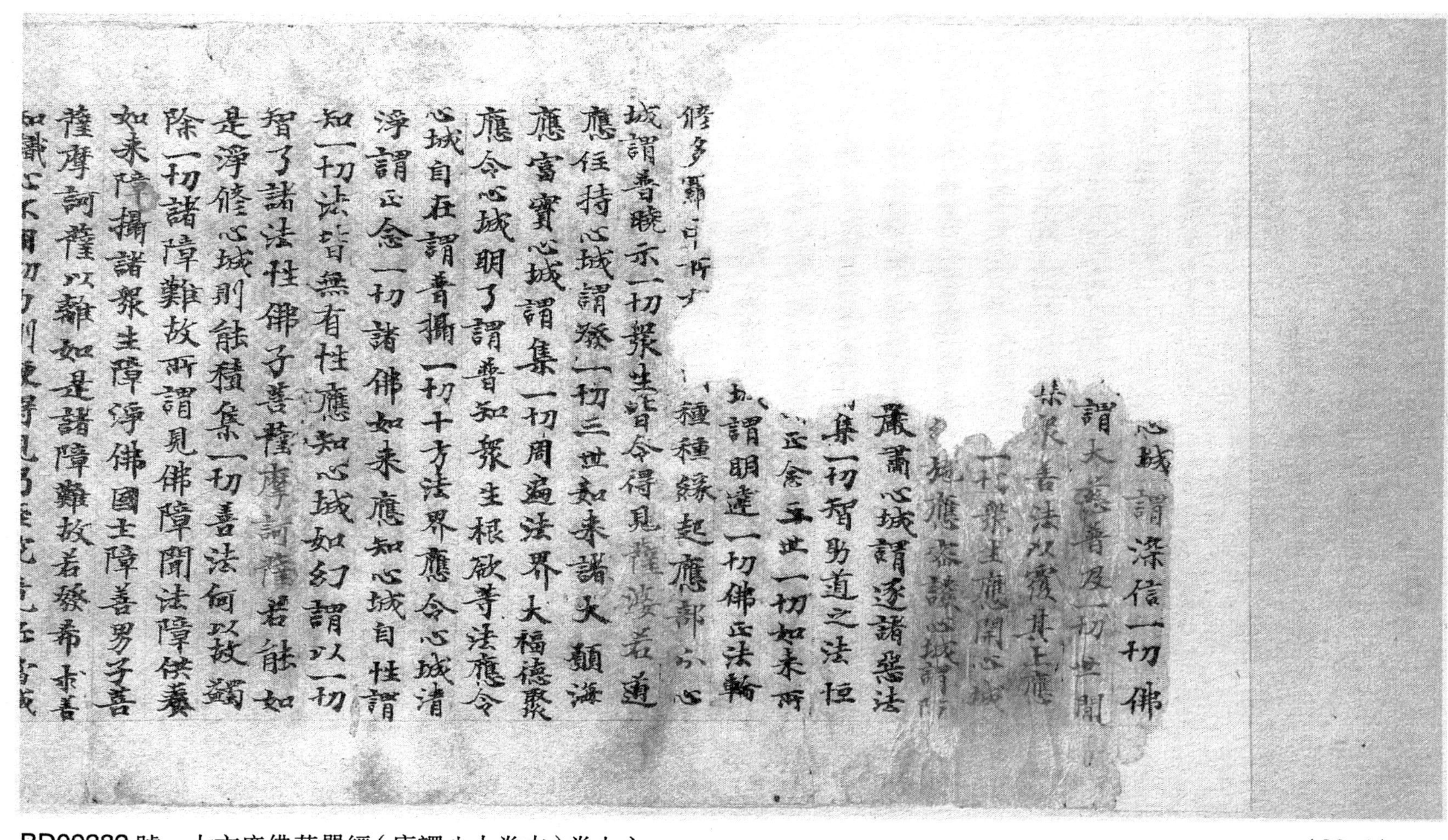

心城謂深信一切佛
謂大慈普及一切世間
集衆善法以覆其上應
一切衆生應開心城
捨應密護心城謂防
嚴肅心城謂逐諸惡法
集一切智助道之法恒
正念三世一切如來所
城謂明達一切佛正法輪
修多羅中所有法門種種緣起應部分心
城謂普曉示一切衆生皆令得見薩婆若道
應住持心城謂發一切三世如來諸大願海
應富實心城謂集一切周遍法界大福德聚
應令心城明了謂普知衆生根欲等法應令
心城自在謂普攝一切十方法界應令心城清
淨謂正念一切諸佛如來應知心城自性謂
知一切法皆無有性應知心城如幻謂以一切
智了諸法性佛子菩薩摩訶薩若能如
是淨修心城則能積集一切善法何以故蠲
除一切諸障難故所謂見佛障聞法障供養
如來障攝諸衆生障淨佛國土障善男子菩
薩摩訶薩以離如是諸障難故若發希求善
知識心不用功力則便得見乃至究竟必當成

BD00282號　大方廣佛華嚴經（唐譯八十卷本）卷七六　（20–1）

[illegible]一[illegible]業[illegible]不可說見佛障聞法障供養
如來障攝諸眾生障淨佛國土障善男子菩
薩摩訶薩以離如是諸障難故若發希求善
知識心不用功力則便得見乃至究竟必當成
佛尒時有身眾神名蓮花法德及妙花光
明無量諸神前後圍遶從道場出住虛空中
於善財前以妙音聲種種稱歎摩耶夫人從其
耳璫放無量色相光明網普照無邊諸佛世
界令善財見十方國土一切諸佛其光明網右
遶世間經一帀已然後還來入善財頂乃至
遍入身諸毛孔善財即得淨光明眼永離一
切愚癡闇故得離翳眼能了一切眾生性故
得離垢眼能觀一切法性門故得淨慧眼能
觀一切佛國性故得毗盧遮那眼見佛法身
故得普光明眼見佛平等不思議身故得無
礙光眼觀察一切剎海成壞故得普照眼見
十方佛起大方便轉正法輪故得普境界眼
見無量佛以自在力調伏眾生故得普見
眼覩一切剎諸佛出興故時有守護菩薩法
堂羅剎鬼王名曰善眼與其眷屬萬羅剎俱
於虛空中以眾妙花散善財上作如是言善
男子菩薩成就十法則得親近諸善知識何
等為十所謂其心清淨離諸諂誑大悲平等
普攝眾生知諸眾生無有真實趣一切智心
不退轉以信解力普入一切諸佛道場得淨
慧眼了諸法性大慈平等普覆眾生以智光
明廓諸妄境以甘露雨滌生死熱以廣大眼徹
鑒諸法心常隨順諸善知識是為十復次佛

BD00282號　大方廣佛華嚴經（唐譯八十卷本）卷七六　（20–2）

慧眼了諸法性大慈平等普覆眾生以智光
明廓諸妄境以甘露雨滌生死熱以廣大眼徹
鑒諸法心常隨順諸善知識是為十復次佛
子菩薩成就十種三昧門則常現見諸善知
識何等為十所謂法空清淨輪三昧觀察十
方海三昧於一切境界不捨離不缺減三昧普
見一切佛出興三昧集一切功德藏三昧心
恒不捨善知識三昧常見一切善知識生
諸佛功德三昧常不離一切善知識三昧常
供養一切善知識三昧常於一切善知識所
無過失三昧佛子菩薩成就此十三昧門
常得親近諸善知識又得善知識轉一切佛
法輪三昧得此三昧已悉知諸佛體性平等
處處值遇諸善知識說是語時善財童子
仰視空中而荅之言善哉善哉汝為哀愍攝
受我故方便教我見善知識願為我說去何往
詣善知識所於何方處城邑聚落求善知識
羅剎荅言善男子汝應普禮十方求善知識
正念思惟一切境界求善知識勇猛自在遍遊十
方求善知識觀身觀心如夢如影求善知識
尒時善財受行其教即時覩見大寶蓮花從
地踊出金剛為莖妙寶為藏摩尼為葉光
明寶王以為其臺眾寶色香以為其鬚無數
寶網彌覆其上於其臺上有一樓觀名普納
十方法界藏奇妙嚴飾金剛為地千柱行列
一切皆以摩尼寶成閻浮檀金以為其壁眾
寶瓔珞四面垂下階陛欄楯周帀莊嚴其樓
觀中有如意寶蓮花之座種種眾寶以為嚴

BD00282號　大方廣佛華嚴經（唐譯八十卷本）卷七六　（20–3）

寶纓絡四面垂下階陛欄楯周帀莊嚴其樓
閣中有如意寶蓮花之座種種衆寶以爲嚴
飾妙寶欄楯寶衣閒列寶帳寶網以覆其上
衆寶繒幡周帀垂下微風徐動光流響發
寶花幢中雨衆妙花寶鈴鐸中出美音聲
寶戶牖閒垂諸纓絡摩尼身中流出香水寶象口
中出蓮花網寶師子口吐妙香雲梵形寶輪
出隨樂音金剛寶鈴出諸菩薩大願之音寶
月幢中出佛化形淨藏寶王現三世佛受生次
第日藏摩尼放大光明遍照十方一切佛剎
摩尼寶王放一切佛圓滿光明毗盧遮那
摩尼寶王興供養雲供養一切諸佛如來如
意珠王念念示現普賢神變充滿法界須彌
寶王出天宮殿天諸采女種種妙音歌讚如來
不可思議微妙功德尒時善財見如是座復
有無量衆座圍繞摩耶夫人在彼座上於
一切衆生前現淨色身所謂超三界色身已
出一切諸有趣故隨心樂色身於一切世間無
所著故普周遍色身等於一切衆生數故無
等比色身令一切衆生滅倒見故無量種
色身隨衆生心種種現故無邊相色身普現
種種諸形相故普對現色身以大自在而示
現故化一切色身隨其所應而現前故恒示
現色身盡衆生界而無盡故無去色身於一
切趣無所滅故無來色身於諸世間無所出
故不生色身無生起故不滅色身離語言故非
實色身得如實故非虛色身隨世現故無動

BD00282號　大方廣佛華嚴經（唐譯八十卷本）卷七六　（20–4）

實色身得如實故非虛色身隨世現故無動
色身生滅永離故不壞色身法性不壞故無相
色身言語道斷故一相色身無相爲相故
如像色身隨心應現故如幻色身幻智所生
故如燄色身但想所持故如影色身隨願
現生故如夢色身隨心而現故法界色身性
淨如空故大悲色身常護衆生故無礙色身
念念周遍法界故無邊色身普淨一切衆生
故無量色身超出一切語言故無住色身願
度一切世間故無處色身恒化衆生不斷故
無生色身幻願所成故無勝色身超諸世間故
如實色身定心所現故不生色身隨衆生業
而出現故如意珠色身普滿一切衆生願
故無分別色身但隨衆生分別起故離分別
色身一切衆生不能知故無盡色身盡諸衆
生生死際故清淨色身同於如來無分別故如
是身者非色所有色相如影像故非受世間苦
受究竟滅故非想但隨衆生想所現故非行
依如幻業而成就故離識菩薩願智空無性
故一切衆生語言斷故已得成就寂滅身故
尒時善財童子又見摩耶夫人隨諸衆生心
之所樂現超過一切世間色身所謂或現超
過他化自在天女身乃至超過四大天王天女身
或現超過龍女身乃至超過人女身
現如是等無量色身饒益衆生集一切
智助道之法行於平等檀波羅蜜大悲普覆
一切世間出生如來無量功德修習增長
一切智心觀察思惟諸法實性獲深忍海具

BD00282號　大方廣佛華嚴經（唐譯八十卷本）卷七六　（20–5）

一切世間出生如來無量功德修習增長
一切智心觀察思惟諸法實性獲深忍海具
衆定門住於平等三昧境界得如來定圓滿
光明銷竭衆生煩惱巨海心常正定未嘗動
亂恒轉清淨不退法輪善能了知一切佛法
恒以智慧觀法實相見諸如來心無猒足知
三世佛出興次第見佛三昧常現在前了達
如來出現於世無量無數諸清淨道行於諸
佛虛空境界普攝衆生各隨其心教化成熟
入佛無量清淨法身成就大願淨諸佛剎究
竟調伏一切衆生心恒遍入諸佛境界出生
菩薩自在神力已得法身清淨無染而恒示
現無量色身摧一切魔力成大善根力出生
正法力具足諸佛力得諸菩薩自在之力速
疾增長一切智力得佛智光普照一切悉知
無量衆生心海根性欲解種種差別其身普
遍十方剎海悉知諸剎成壞之相以廣大眼
見十方海以周遍智知三世海身普承事一
切佛海心恒納受一切法海修習一切如來功德
出生一切菩薩智慧常樂觀察一切菩薩
從初發心乃至成就所行之道常勤守護一
切衆生常樂稱揚諸佛功德願為一切菩
薩之母爾時善財童子見摩耶夫人現如是
等閻浮提微塵數諸方便門既見是已如摩
耶夫人所現身數善財亦現住爾許身於一
切處摩耶之前恭敬禮拜即時證得無量無
數諸三昧門分別觀察修行證入從三昧起

BD00282號　大方廣佛華嚴經（唐譯八十卷本）卷七六　（20-6）

數諸三昧門分別觀察修行證入從三昧起
右遶摩耶并其眷屬合掌而立白言大聖文
殊師利菩薩教我發阿耨多羅三藐三菩提
心求善知識親近供養我於一一善知識所
皆往承事無空過者漸來至此願為我說菩
薩云何學菩薩行而得成就答言佛子我已
成就菩薩大願智幻解脫門是故常為諸菩
薩母佛子如我於此閻浮提中迦羅城淨飯
王家右脇而生悉達太子現不思議自在神
變如是乃至盡此世界海所有一切毗盧遮
那如來皆入我身示現誕生自在神變又善
男子我於淨飯王宮菩薩將欲下生之時見
菩薩身一一毛孔咸放光明名一切如來受
生功德輪一一毛孔皆現不可說不可說佛
剎微塵數菩薩受生莊嚴彼諸光明皆悉
普照一切世界照世界已來入我頂乃至一切
諸毛孔中又彼光中普現一切菩薩名號受
生神變宮殿眷屬五欲自娛又見出家往
詣道場成等正覺坐師子座菩薩圍遶諸
王供養為諸大衆轉正法輪又見如來往昔
修行菩薩道時於諸佛所恭敬供養發菩提心
淨佛國土念念示現無量化身充遍十方一
切世界乃至最後入般涅槃如是等事靡不
皆見又善男子彼妙光明入我身時我身形
量雖不踰本然其實已超諸世間所以者何
我身爾時量同虛空悉能容受十方菩薩受
生莊嚴諸宮殿故爾時菩薩從兜率天將降

BD00282號　大方廣佛華嚴經（唐譯八十卷本）卷七六　（20-7）

我身尒時量同虛空悉能容受十方菩薩受
生莊嚴諸宮殿故尒時菩薩從兜率天將降
神時有十佛刹微塵數諸菩薩皆與菩薩同
願同行同善根同莊嚴同解脫同智慧諸地
諸力法身色身乃至普賢神通行願悉皆同
等如是菩薩前後圍繞又有八萬諸龍王等
一切世主乘其宮殿俱來供養菩薩尒時以
神通力與諸菩薩普現一切兜率天宮一一
宮中悉現十方一切世界閻浮提內受生影像
方便教化無量衆生令諸菩薩離諸懈怠
無所執著又以神力放大光明普照世間破
諸黑闇滅諸苦惱令諸衆生皆識宿世所有
業行永出惡道又為救護一切衆生普現其
前作諸神變現如是等諸奇特事與眷屬俱
來入我身彼諸菩薩於我腹中遊行自在或
以三千大千世界而為一步或以不可說不
可說佛刹微塵數世界而為一步又念念中
十方不可說不可說一切世界諸如來所菩薩
衆會及四天王天三十三天乃至色界諸梵
天王欲見菩薩處胎神變恭敬供養聽
受正法皆入我身雖我腹中悉能容受如是衆
會而身不廣大亦不迫窄其諸菩薩各見自
處衆會道場清淨嚴飾善男子如此四天下
閻浮提中菩薩受生我為其母三千大千世
界百億四天下閻浮提中悉亦如是然我此身
本來無二非一處住非多處住何以故以修菩
薩大願智幻莊嚴解脫門故善男子如今

本來無二非一處住非多處住何以故以修菩
薩大願智幻莊嚴解脫門故善男子如今
世尊我為其母往昔所有無量諸佛悉亦如
是而為其母善男子我昔曾作蓮花池神時
有菩薩於蓮花藏忽然化生我即捧持瞻侍
養育一切世間皆共号我為菩薩母又我昔
為菩提場神時有菩薩於我懷中忽然化生
世亦号我為菩薩母善男子有無量最後身
菩薩於此世界種種方便示現受生我皆為母
善男子如此世界賢劫之中過去世時拘
留孫佛拘那含牟尼佛迦葉佛及今世尊
釋迦牟尼佛現受生時我為其母未來世中彌勒
菩薩從兜率天將降神時放大光明普照
法界示現一切諸菩薩衆受生神變乃於人
間生大族家調伏衆生我於彼時亦為其母
如是次第有師子佛法幢佛善眼佛淨花佛
花德佛提舍佛弗沙佛善意佛金剛佛離
垢佛月光佛持炬佛名稱佛金剛楯佛清淨
義佛紺身佛到彼岸佛寶燄山佛持炬佛蓮
花德佛名稱佛無量功德佛最勝燈佛莊嚴
身佛善威儀佛慈德佛無住佛大威光佛無
邊音佛勝怨敵佛離疑惑佛清淨佛大光佛淨
心佛雲德佛莊嚴頂髻佛樹王佛寶璫佛海
慧佛妙寶佛花冠佛滿願佛大自在佛妙德
王佛最尊勝佛栴檀雲佛紺眼佛勝慧佛觀
察慧佛熾盛王佛堅固慧佛自在名佛師子
王佛自在佛最勝頂佛金剛智山佛妙德藏
佛寶網嚴身佛善慧佛自在天佛大天王佛

王佛自在佛最勝頂佛金剛智山佛妙德藏
佛寶網嚴身佛善慧佛自在天佛大天王佛
無依德佛善施佛餤慧佛水天佛得上味佛
出生無上功德佛仙人侍衛佛隨世語言佛
功德自在幢佛光幢佛觀身佛妙身佛香餤
佛金剛寶嚴佛喜眼佛離欲佛高大身佛財
天佛無上天佛順寂滅佛智覺佛滅貪佛大
餤王佛寂諸有佛毗舍佉天佛金剛山佛智
餤德佛安隱佛師子出現佛圓滿清淨佛清
淨賢佛第一義佛百光明佛最增上佛深自
在佛大地王佛莊嚴王佛解脫佛妙音佛殊勝
佛自在佛無上醫王佛功德月佛無礙光佛
佛功德聚佛月現佛日天佛出諸有佛勇猛
名稱佛光明門佛娑羅王佛最勝佛藥王佛
寶勝佛金剛慧佛無能勝佛無能暎蔽佛
佛眾會王佛大名稱佛敏持佛無量光佛大願光
佛法自在不虛佛不退地佛淨天佛善天佛
堅固苦行佛一切善友佛解脫音佛遊戲王
佛滅邪曲佛瞻蔔淨光佛具眾德佛最勝月
佛執明炬佛殊妙身佛不可說佛最清淨佛
友安眾生佛無量光佛無畏音佛水天德佛
不動慧光佛花勝佛月餤佛不退慧佛離愛
佛無着慧佛集功德蘊佛滅惡趣佛普散花
佛師子吼佛第一義佛無礙見佛破他軍佛
不着相佛離分別海佛端嚴海佛須弥山佛
無着智佛無邊座佛清淨住佛隨師行佛
最上施佛常月佛饒益王佛不動聚佛普攝
受佛饒益慧佛持壽佛無滅佛具足名稱佛

最上施佛常月佛饒益王佛不動聚佛普攝
受佛饒益慧佛持壽佛無滅佛具足名稱佛
大威力佛種種色相佛無相慧佛不動天佛妙
德難思佛滿月佛解脫月佛無上王佛希有
身佛梵供養佛不瞬佛順先古佛最上業佛
順法智佛無勝天佛不思議功德光佛隨法
行佛無量賢佛普隨順自在佛最尊天佛
如是乃至樓至如來在賢劫中於此三千大千
世界當成佛者悉為其母如於此三千大千
世界如是於此世界海十方無量諸世界一切
劫中諸有修行普賢行願為化一切諸眾生
者我自見身悉為其母尒時善財童子白
摩耶夫人言大聖得此解脫經今幾時荅言
善男子乃往古世過不可思議非最後身菩
薩神通道眼所知劫數尒時有劫名淨光世
界名須弥德雖有諸山五趣雜居然其國土
眾寶所成清淨莊嚴無諸穢惡有千億四天
下有一四天下名師子幢於中有八十億王城有
一王城名自在幢有轉輪王名大威德彼王
城北有一道場名滿月光明其道場神名曰
慈德時有菩薩名離垢幢坐於道場將成
正覺有一惡魔名金色光與其眷屬無量
眾俱至菩薩所彼大威德轉輪聖王已得菩
薩神通自在化作兵眾其數倍多圍繞道場諸
魔惶怖悉自奔散故彼菩薩得成阿耨多羅
三藐三菩提時道場神見是事已歡喜無量
便於彼王而生子想頂禮佛足作是願言此
轉輪王在在生處乃至成佛願我常得與其

轉輪王在在生處乃至成佛願我常得與其
為母作是願已於此道場復曾供養十那由他
佛善男子於汝意云何彼道場神豈異人
乎我身是也轉輪王者今世尊毗盧遮那是
我從於彼發願已來此佛世尊於十方剎一
切諸趣處處受生種種諸善根修菩薩行教
化成就一切眾生乃至示現住最後身念念普
於一切世界示現菩薩受生神變常為我子
我常為母善男子過去現在十方世界無量
諸佛將成佛時皆於齋中放光明來照我
身及我所住宮殿屋宅彼最後生我悉為母
善男子我唯知此菩薩大願智幻解脫門如
諸菩薩摩訶薩具大悲藏教化眾生常無猒
足以自在力一一毛孔示現無量諸佛神變
我今云何能知能說彼功德行善男子於此
世界三十三天有王名正念其王有女名天主
光汝詣彼問菩薩云何學菩薩行修菩薩道
時善財童子敬受其教頭面作禮遶無數帀
戀慕瞻仰卻行而退遂往天宮見彼天女禮
足圍遶合掌前住白言聖者我已先發阿耨多
羅三藐三菩提心而未知菩薩云何學菩
薩行云何修菩薩道我聞聖者善能誘誨
願為我說天女答言善男子我得菩薩解脫
名無礙念清淨莊嚴善男子我以此解脫力
憶念過去有最勝劫名青蓮花我於彼劫中
供養恒河沙數諸佛如來彼諸如來從初出
家我皆瞻奉守護供養造僧伽藍營辦什物

供養恒河沙數諸佛如來彼諸如來從初出
家我皆瞻奉守護供養造僧伽藍營辦什物
又彼諸佛從為菩薩住母胎時誕生之時行七
步時大師子吼時住童子位在宮中時向菩
提樹成正覺時轉正法輪現佛神變教化調
伏眾生之時如是一切諸所作事從初發心
乃至法盡我皆明憶無有遺餘常現在前
念持不忘又憶過去劫名善地我於彼供養十
恒河沙數諸佛如來又過去劫名為妙德我
於彼供養一佛世界微塵數諸佛如來又劫
名無所得我於彼供養八十四億百千那由
他諸佛如來又劫名善光我於彼供養閻浮
提微塵數諸佛如來又劫名無量光我於彼
供養二十恒河沙數諸佛如來又劫名最勝
德我於彼供養一恒河沙數諸佛如來又劫
名善悲我於彼供養八十恒河沙數諸佛如來
又劫名勝遊我於彼供養六十恒河沙數諸
佛如來又劫名妙月我於彼供養七十恒河沙
數諸佛如來善男子如是憶念恒河沙劫我
常不捨諸佛如來應正等覺從彼一切諸如
來所聞此無礙念清淨莊嚴菩薩解脫受
持修行恒不忘失如是先劫所有如來從初
菩薩乃至法盡一切所住我以淨嚴解脫之
力皆隨憶念明了現前持而順行曾無懈廢
善男子我唯知此無礙念清淨解脫如諸菩
薩摩訶薩出生死夜朗然明徹永離癡冥未
嘗惛寐心無諸蓋身行輕安於諸法性清淨

薩摩訶薩出生死夜朗然明徹永離癡冥未
嘗惛寐心無諸蓋身行輕安於諸法性清淨
覺了成就十力開悟群生而我云何能知能說
彼功德行善男子此毗羅城有童子師名曰
遍友汝詣彼問菩薩云何學菩薩行修菩
薩道時善財童子以聞法故歡喜踊躍不思議
善根自然增廣頂禮其足遶無數帀辭退
而去從天宮下漸向彼城至遍友所禮足圍
遶合掌恭敬於一面立白言聖者我已先發
阿耨多羅三藐三菩提心而未知菩薩云何
學菩薩行云何修菩薩道我聞聖者善能誘
誨願為我說遍友答言善男子此有童子名
善知眾藝學菩薩字智汝可問之當為汝
說尒時善財即至其所頭頂禮敬於一面立白
言聖者我已先發阿耨多羅三藐三菩提心
而未知菩薩云何學菩薩行云何修菩薩道
我聞聖者善能誘誨願為我說時彼童子告
善財言善男子我得菩薩解脫名善知眾藝
我恒唱持此之字母唱阿字時入般若波羅
蜜門名以菩薩威力入無差別境界唱多字
時入般若波羅蜜門名普輪斷差別唱那字時
入般若波羅蜜門名得無依無上唱邏字時
入般若波羅蜜門名離依止無垢唱拖（音輕呼）字時
入般若波羅蜜門名不退轉方便唱婆（音蒲我反）
字時入般若波羅蜜門名金剛場唱荼（音徒解反）
字時入般若波羅蜜門名曰普輪唱沙（音史我反）
字時入般若波羅蜜門名為海藏唱縛（音房可反）

BD00282號　大方廣佛華嚴經（唐譯八十卷本）卷七六　（20–14）

字時入般若波羅蜜門名曰普輪唱沙（音史我反）
字時入般若波羅蜜門名為海藏唱縛（音房可反）
字時入般若波羅蜜門名普生安住唱哆（音都我反）
字時入般若波羅蜜門名圓滿光唱也（音以可反）
字時入般若波羅蜜門名差別積聚唱瑟
吒字時入般若波羅蜜門名普光明息煩惱
唱迦字時入般若波羅蜜門名無差別雲唱
娑（音蘇我反）字時入般若波羅蜜門名降霔大
雨唱麼字時入般若波羅蜜門名大流湍激眾
峯齊峙唱伽（音上聲輕呼）字時入般若波羅蜜門
名普安立唱他（音他可反）字時入般若波羅蜜門
名真如平等藏唱社字時入般若波羅蜜門
名入世間海清淨唱鎖字時入般若波羅蜜
門名念一切佛莊嚴唱柂字時入般若波羅蜜
門名觀察簡擇一切法聚唱奢（音尸苛反）字時
入般若波羅蜜門名隨順一切佛教輪光明
唱佉字時入般若波羅蜜門名修因地智慧
藏唱叉（音楚我反）字時入般若波羅蜜門名息諸
業海藏唱娑（音蘇紇反）多（音上聲）字時入般若波羅蜜
門名蠲諸惑障開淨光明唱壤字時入般若波
羅蜜門名作世間智慧門唱曷攞多（音上聲）字
時入般若波羅蜜門名生死境界智慧輪唱
婆（音蒲我反）字時入般若波羅蜜門名一切宮殿
圓滿莊嚴唱車（上聲）字時入般若波羅蜜門
名修行方便藏各別圓滿唱娑（音蘇訖反）麼字時
入般若波羅蜜門名隨十方現見諸佛唱
訶婆（訶婆字並上聲呼之）字時入般若波羅蜜門名觀察

BD00282號　大方廣佛華嚴經（唐譯八十卷本）卷七六　（20–15）

入般若波羅蜜門名隨十方現見諸佛唱
訶婆（訶婆字並上聲呼之）字時入般若波羅蜜門名觀察
一切無緣衆生方便攝受令出生無礙力唱縒（音七可反）
字時入般若波羅蜜門名修行趣入一
切功德海唱伽（上聲）字時入般若波羅蜜門名
持一切法雲堅固海藏唱吒字時入般若波羅
蜜門名隨願普見十方諸佛唱拏（音嫋可反）字時
入般若波羅蜜門名觀察字輪有無盡諸
億字唱娑（音蘇訖反）頗字時入般若波羅蜜門名
化衆生究竟處唱娑（同前音）伽字時入般若波羅
蜜門名廣大藏無礙辯光明輪遍照唱也
（音素舸反）娑（音蘇舸）字時入般若波羅蜜門名宣說
一切佛法境界唱室者字時入般若波羅
蜜門名於一切衆生界法雷遍吼唱侘（音郖加反）
字時入般若波羅蜜門名以無我法開曉
衆生唱陀字時入般若波羅蜜門名一切法
輪差別藏善男子我唱如是字母時此四十
二般若波羅蜜門為首入無量無數般若波
羅蜜門善男子我唯知此善知衆藝菩薩
解脫如諸菩薩摩訶薩能於一切世出世
間善巧之法以智通達到於彼岸殊方異
藝咸綜無遺文字筭數蘊其深解醫方呪
術善療衆病有諸衆生鬼魅所持怨憎呪詛
惡星變怪死屍奔逐癲癇羸瘦種種諸疾
咸能救之使得痊愈又善別知金玉珠貝珊
瑚瑠璃摩尼車渠雞薩羅等一切寶藏出生
之處品類不同價直多少村營鄉邑大小都城

BD00282號　大方廣佛華嚴經（唐譯八十卷本）卷七六　（20–16）

瑚瑠璃摩尼車渠雞薩羅等一切寶藏出生
之處品類不同價直多少村營鄉邑大小都城
宮殿苑囿巖泉藪澤凡是一切人衆所居菩
薩咸能隨方攝護又善觀察天文地理人相
吉凶鳥獸音聲雲霞氣候年穀豐儉國土
安危如是世間所有技藝莫不該練盡其源
本又能分別出世之法正名辯義觀察體相
隨順修行智入其中無疑無礙無愚暗無頑
鈍無憂惱無沉沒無不現證而我云何能知
能說彼功德行善男子此摩竭提國有一聚
落彼中有城名婆呾那有優婆夷號曰賢勝
汝詣彼問菩薩云何學菩薩行修菩薩道
時善財童子頭面敬礼知藝之足遶無數帀
戀仰辭去向聚落城至賢勝所礼足圍遶合
掌恭敬於一面立白言聖者我已先發阿耨多
羅三藐三菩提心而未知菩薩云何學菩
薩行云何修菩薩道我聞聖者善能誘誨願
為我說賢勝答言善男子我得菩薩解脫名
無依處道場既自開解復為人說又得無盡
三昧非彼三昧法有盡無盡以能出生一切智性
眼無盡故又能出生一切智性耳無盡故又能
出生一切智性鼻無盡故又能出生一切智性
舌無盡故又能出生一切智性身無盡故又
能出生一切智性意無盡故又能出生一切
智性功德波濤無盡故又能出生一切智性
智慧光明無盡故又能出生一切智性速疾神
通無盡故善男子我唯知此無依處道場解
脫如諸菩薩摩訶薩一切無著功德行而我

BD00282號　大方廣佛華嚴經（唐譯八十卷本）卷七六　（20–17）

智性功德波濤無盡故又能出生一切智性
智慧光明無盡故又能出生一切智性速疾神
通無盡故善男子我唯知此無依處道場解
脫如諸菩薩摩訶薩一切無著功德行而我
云何盡能知說善男子南方有城名爲沃田
彼有長者名堅固解脫汝可往問菩薩云
何學菩薩行修菩薩道尒時善財礼賢勝足
繞無數帀戀慕瞻仰辭退南行到於彼城詣
長者所礼足圍繞合掌恭敬於一面立白言
聖者我已先發阿耨多羅三藐三菩提心而
未知菩薩云何學菩薩行云何修菩薩道
我聞聖者善能誘誨願爲我說長者答言
善男子我得菩薩解脫名無著念清淨莊嚴我
自得是解脫已來於十方佛所勤求正法無有
休息善男子我唯知此無著念淨莊嚴解脫
如諸菩薩摩訶薩獲無所畏大師子吼安住
廣大福智之聚而我云何能知能說彼功德行
善男子即此城中有一長者名爲妙月其長
者宅常有光明汝詣彼問菩薩云何學菩
薩行修菩薩道時善財童子礼堅固足繞無數
帀辭退而行向妙月所礼足圍繞合掌恭敬
於一面立白言聖者我已先發阿耨多羅三
藐三菩提心而未知菩薩云何學菩薩行云
何修菩薩道我聞聖者善能誘誨願爲我說
妙月答言善男子我得菩薩解脫名淨智光
明善男子我唯知此智光解脫如諸菩薩摩
訶薩證得無量解脫法門而我云何能知能

BD00282號　大方廣佛華嚴經（唐譯八十卷本）卷七六　（20–18）

妙月答言善男子我得菩薩解脫名淨智光
明善男子我唯知此智光解脫如諸菩薩摩
訶薩證得無量解脫法門而我云何能知能
說彼功德行善男子於此南方有城名出生
彼有長者名無勝軍汝詣彼問菩薩云何學
菩薩行修菩薩道是時善財礼妙月足繞無
數帀戀仰辭去漸向彼城至長者所礼足圍
繞合掌恭敬於一面立白言聖者我已先發
阿耨多羅三藐三菩提心而未知菩薩云何
學菩薩行云何修菩薩道我聞聖者善能誘
誨願爲我說長者答言善男子我得菩薩解
脫名無盡相我以證此菩薩解脫見無量佛
得無盡藏善男子我唯知此無盡相解脫如
諸菩薩摩訶薩得無限智無礙辯才而我云
何能知能說彼功德行善男子於此城南有
一聚落名之爲法彼聚落中有婆羅門名最
寂靜汝詣彼問菩薩云何學菩薩行修菩薩
道時善財童子礼無勝軍足繞無數帀戀仰
辭去漸次南行詣彼聚落見最寂靜礼足圍
繞合掌恭敬於一面立白言聖者我已先發
阿耨多羅三藐三菩提心而未知菩薩云何
學菩薩行云何修菩薩道我聞聖者善能誘
誨願爲我說婆羅門答言善男子我得菩薩
解脫名誠願語過去現在未來菩薩以是語
故乃至於阿耨多羅三藐三菩提無有退轉
無已退無現退無當退善男子我以住於誠
願語故隨意所作莫不成滿善男子我唯知
此誠語解脫如諸菩薩摩訶薩與誠願語行

BD00282號　大方廣佛華嚴經（唐譯八十卷本）卷七六　（20–19）

寂靜汝詣彼問菩薩云何學菩薩行修菩薩
道時善財童子禮無勝軍足繞無數帀戀仰
辭去漸次南行詣彼聚落見寂靜禮足圍
繞合掌恭敬於一面立白言聖者我已先發
阿耨多羅三藐三菩提心而未知菩薩云何
學菩薩行云何修菩薩道我聞聖者善能誘
誨願為我說婆羅門答言善男子我得菩薩
解脫名誠願語過去現在未來菩薩以是語
故乃至於阿耨多羅三藐三菩提無有退轉
無已退無現退無當退善男子我以住於誠
願語故隨意所作莫不成滿善男子我唯知
此誠語解脫如諸菩薩摩訶薩與誠願語行
止無違言必以誠未曾虛妄無量功德因之
出生而我云何能知能說善男子於此南方
有城名妙意花門彼有童子名曰德生復
有童女名為有德汝詣彼問菩薩云學菩
薩行修菩薩道時善財童子於法尊重禮
婆羅門足繞無數帀戀仰而去

BD00282號　大方廣佛華嚴經（唐譯八十卷本）卷七六　（20–20）

…數菩薩　餘各八生在　當得成佛道
二　如是四天下　微塵諸菩薩　隨數生成佛
或一四天下　微塵數菩薩　餘有一生在　當成一切智
如是等眾生　聞佛壽長遠　得无量无漏　清淨之果報
復有八世界　微塵數眾生　聞佛說壽命　皆發无上心
世尊說无量　不可思議法　多有所饒益　如虛空无邊
雨天曼陀羅　摩訶曼陀羅　釋梵如恒沙　无數佛土來
雨栴檀沉水　繽紛而亂墜　如鳥飛空下　供散於諸佛
天鼓虛空中　自然出妙聲　天衣千万種　旋轉而來下
眾寶妙香爐　燒无價之香　自然悉周遍　供養諸世尊
其大菩薩眾　執七寶幡蓋　高妙万億種　次第至梵天
一一諸佛前　寶幢懸勝幡　亦以千万偈　歌詠諸如來
如是種種事　昔所未曾有　聞佛壽无量　一切皆歡喜
佛名聞十方　廣饒益眾生　一切具善根　以助无上心
尒時佛告弥勒菩薩摩訶薩阿逸多其有眾
生聞佛壽命長遠如是乃至能生一念信解
所得功德无有限量若有善男子善女人為
阿耨多羅三藐三菩提於八十万億那由他
劫行五波羅蜜檀波羅蜜尸羅波羅蜜羼提
波羅蜜毗梨耶波羅蜜禪波羅蜜除般若波
羅蜜以是功德比前功德百分千分百千万
億分不及其一乃至筭數譬喻所不能知若
善男子有如是功德於阿耨多羅三藐三菩
提退者无有是處尒時世尊欲重宣此義
而說偈言

BD00283號　妙法蓮華經卷五　（6–1）

羅蜜以是功德比前功德百分千分百千万
億分不及其一乃至算數譬喻所不能知若
善男子有如是功德於阿耨多羅三藐三菩
提退者无有是處尒時世尊欲重宣此義
而說偈言
若人求佛慧　於八十万億　那由他劫數　行五波羅蜜
於是諸劫中　布施供養佛　及緣覺弟子　并諸菩薩眾
珎異之飲食　上服與卧具　栴檀立精舍　以園林莊嚴
如是等布施　種種皆微妙　盡此諸劫數　以迴向佛道
若復持禁戒　清淨无缺漏　求於无上道　諸佛之所歎
若復行忍辱　住於調柔地　設眾惡來加　其心不傾動
諸有得法者　懷於增上慢　為此所輕惱　如是亦能忍
若復勤精進　志念常堅固　於无量億劫　一心不懈息
又於无數劫　住於空閑處　若坐若經行　除睡常攝心
以是因緣故　能生諸禪定　八十億万劫　安住心不亂
持此一心福　願求无上道　我得一切智　盡諸禪定際
是人於百千　万億劫數中　行此諸功德　如上之所說
有善男女等　聞我說壽命　乃至一念信　其福過於彼
若人悉无有　一切諸疑悔　深心須臾信　其福為如此
其有諸菩薩　无量劫行道　聞我說壽命　是則能信受
如是諸人等　頂受此經典　願我於未來　長壽度眾生
如今日世尊　諸釋中之王　道場師子吼　說法无所畏
我等未來世　一切所尊敬　坐於道場時　說壽亦如是
若有深心者　清淨而質直　多聞能總持　隨義解佛語
如是諸人等　於此无有疑
又阿逸多若有聞佛壽命長遠解其言趣

BD00283號　妙法蓮華經卷五　（6–2）

又阿逸多若有聞佛壽命長遠解其言趣
是人所得功德无有限量能起如來无上之慧
何況廣聞是經若教人聞若自持若教人持
若自書若教人書若以華香瓔珞幢幡繒蓋
香油蘇燈供養經卷是人功德无量无邊能
生一切種智阿逸多若善男子善女人聞我
說壽命長遠深心信解則為見佛常在耆闍
崛山共大菩薩諸聲聞眾圍繞說法又見此
娑婆世界其地瑠璃坦然平正閻浮檀金以
界八道寶樹行列諸臺樓觀皆悉寶成其
菩薩眾咸處其中若有能如是觀者當知是為
深信解相又復如來滅後若聞是經而不毀
呰起隨喜心當知已為深信解相何況讀誦
受持之者斯人則為頂戴如來阿逸多是善
男子善女人不須為我復起塔寺及作僧坊
以四事供養眾僧所以者何是善男子善女
人受持讀誦是經典者為已起塔造立僧坊
供養眾僧則為以佛舍利起七寶塔高廣漸
小至于梵天懸諸幡蓋及眾寶鈴華香瓔珞
末香塗香燒香眾鼓伎樂簫笛箜篌種種
儛戲以妙音聲歌唄讚頌則為於无量千万億
劫作是供養已阿逸多若我滅後聞是經典
有能受持若自書若教人書則為起立僧坊
以赤栴檀作諸殿堂三十有二高八多羅樹

BD00283號　妙法蓮華經卷五　（6–3）

以赤栴檀作諸殿堂三十有二高八多羅樹
高廣嚴好百千比丘於其中止園林流池經
行禪窟衣服飲食床褥湯藥一切樂具充滿
其中如是僧坊堂閣若干百千万億其數无
量以此現前供養於我及比丘僧是故我說
如來滅後若有受持讀誦為他人說若自書
若教人書供養經卷不須復起塔寺及造
僧坊供養衆僧況復有人能持是經兼行布
施持戒忍辱精進一心智慧其德最勝无量无
邊譬如虚空東西南北四維上下无量无邊
是人功德亦復如是无量无邊疾至一切種智
若人讀誦受持是經為他人說若自書若教
人書復能起塔及造僧坊供養讚歎聲聞衆
僧亦以百千万億讚歎之法讚歎菩薩功德
又為他人種種因緣隨義解說此法華經復
能清淨持戒與柔和者而共同止忍辱无
瞋志念堅固常貴坐禪得諸深定精進勇猛
攝諸善法利根智慧善荅問難阿逸多若
我滅後諸善男子善女人受持讀誦是經典者
復有如是諸善功德當知是人已趣道場近
阿耨多羅三藐三菩提坐道樹下阿逸多
是善男子若坐若立若行處此中便應起
塔一切天人皆應供養如佛之塔尒時世尊
欲重宣此義而說偈言

BD00283號　妙法蓮華經卷五　（6–4）

塔一切天人皆應供養如佛之塔尒時世尊
欲重宣此義而說偈言
若我滅度後　能奉持此經　斯人福无量　如上之所說
是則為具足　一切諸供養　以舍利起塔　七寶而莊嚴
表刹甚高廣　漸小至梵天　寶鈴千万億　風動出妙音
又於无量劫　而供養此塔　華香諸瓔珞　天衣衆伎樂
然香油酥燈　周帀常照明　惡世法末時　能持是經者
則為已如上　具足諸供養　若能持此經　則如佛現在
以牛頭栴檀　起僧坊供養　堂有三十二　高八多羅樹
上饌妙衣服　床臥皆具足　百千衆住處　園林諸流池
經行及禪窟　種種皆嚴好　若有信解心　受持讀誦書
若復教人書　及供養經卷　散華香末香　以須曼瞻蔔
阿提目多伽　薰油常然之　如是供養者　得无量功德
如虚空无邊　其福亦如是　況復持此經　兼布施持戒
忍辱樂禪定　不瞋不惡口　恭敬於塔廟　謙下諸比丘
遠離自高心　常思惟智慧　有問難不瞋　隨順為解說
若能行是行　功德不可量　若見此法師　成就如是德
應以天華散　天衣覆其身　頭面接足禮　生心如佛想
又應作是念　不久詣道樹　得无漏无為　廣利諸人天
其所住止處　經行若坐臥　乃至說一偈　是中應起塔
莊嚴令妙好　種種以供養　佛子住此地　則是佛受用
常在於其中　經行及坐臥

妙法蓮華經卷第五

BD00283號　妙法蓮華經卷五　（6–5）

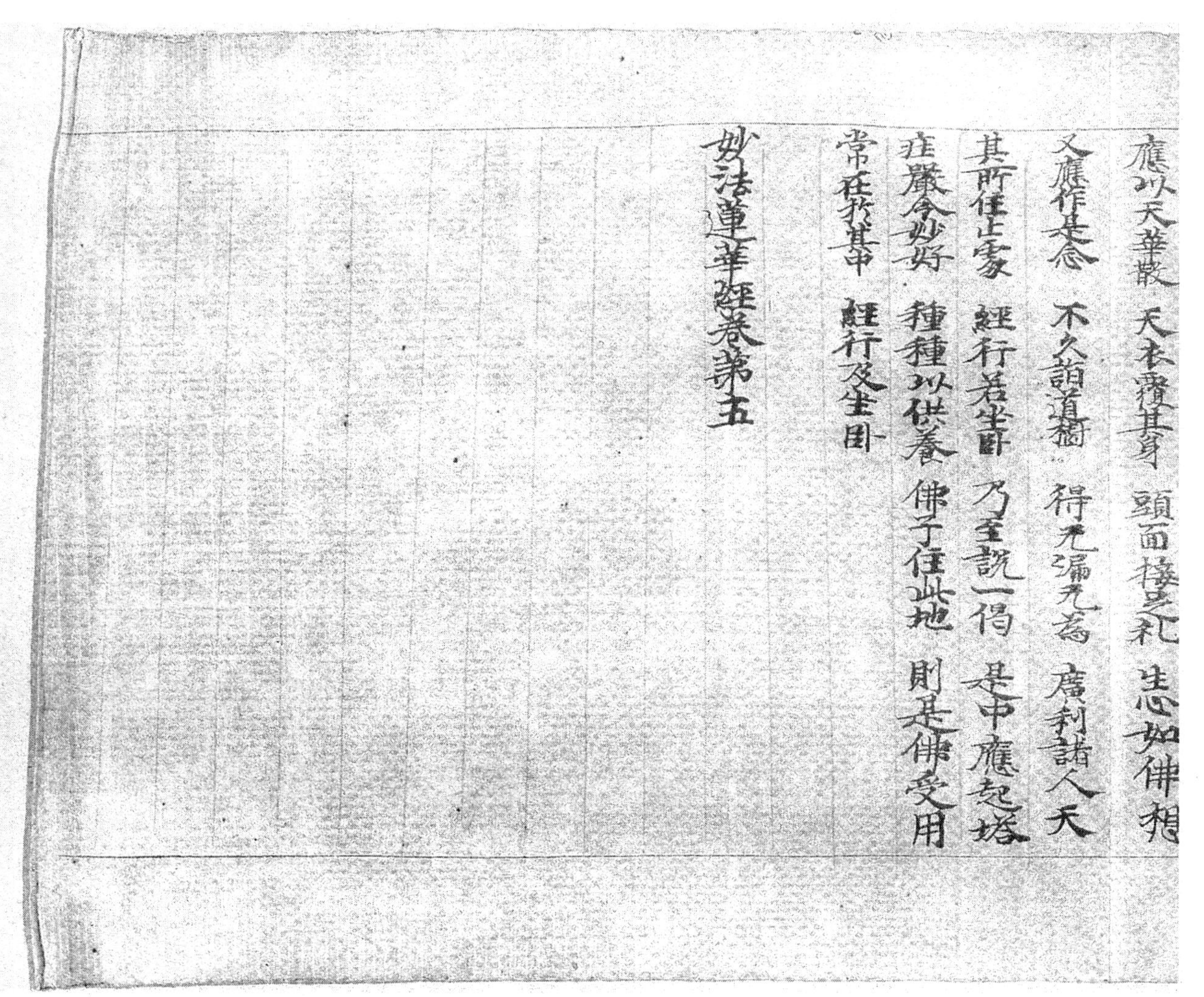
應以天華散 天衣覆其身 頭面接足礼 生心如佛想
又應作是念 不久詣道樹 得无漏无為 廣利諸人天
其所住止處 經行若坐臥 乃至說一偈 是中應起塔
莊嚴令妙好 種種以供養 佛子住此地 則是佛受用
常在於其中 經行及坐臥

妙法蓮華經卷第五

BD00283號　妙法蓮華經卷五　（6–6）

佛坐其上 光明嚴飾 如夜闇中 燃大炬火
身出妙香 遍十方國 眾生蒙薰 喜不自勝
譬如大風 吹小樹枝 以是方便 令法久住
告諸大眾 我滅度後 誰能護持 讀誦斯經
今於佛前 自說誓言 其多寶佛 雖久滅度
以大誓願 而師子吼 多寶如來 及與我身
所集化佛 當知此意 諸佛子等 誰能護法
當發大願 令得久住 其有能護 此經法者
則為供養 我及多寶 此多寶佛 處於寶塔
常遊十方 為是經故 亦復供養 諸來化佛
莊嚴光耀 諸世界者 若說此經 則為見我
多寶如來 及諸化佛 諸善男子 各諦思惟
此為難事 宜發大願 諸餘經典 數如恒沙
雖說此等 未足為難 若接須彌 擲置他方
无數佛土 亦未為難 若以足指 動大千界
遠擲他國 亦未為難 若立有頂 為眾演說
无量餘經 亦未為難 若佛滅後 於惡世中
能說此經 是則為難 假使有人 手把虛空
而以遊行 亦未為難 於我滅後 若自書持
若使人書 是則為難 若以大地 置足甲上
昇於梵天 亦未為難 佛滅度後 於惡世中
暫讀此經 是則為難 假使劫燒 擔負乾草
入中不燒 亦未為難 我滅度後 若持此經
為一人說 是則為難 若持八万 四千法藏

BD00284號　妙法蓮華經卷四　（4–1）

入中不燒　亦未為難　我滅度後　若持此經
為一人說　是則為難　若持八萬　四千法藏
十二部經　為人演說　令諸聽者　得六神通
雖能如是　亦未為難　於我滅後　聽受此經
問其義趣　是則為難　若人說法　令千萬億
无量无數　恒沙衆生　得阿羅漢　具六神通
雖有是益　亦未為難　於我滅後　若能奉持
如斯經典　是則為難　我為佛道　於无量土
從始至今　廣說諸經　而於其中　此經第一
若有能持　則持佛身　諸善男子　於我滅後
誰能受持　讀誦此經　今於佛前　自說誓言
此經難持　若暫持者　我則歡喜　諸佛亦然
如是之人　諸佛所歎　是則勇猛　是則精進
是名持者　行頭陁者　則為疾得　无上佛道
能於來世　讀持此經　是真佛子　住淳善地
佛滅度後　能解其義　是諸天人　世間之眼
於恐畏世　能須臾說　一切天人　皆應供養
妙法蓮華經提婆達多品第十二
尒時佛告諸菩薩及天人四衆　吾於過去无
量劫中求法華經无有懈惓　於多劫中常作
國王　發願求於无上菩提　心不退轉　為欲滿
足六波羅蜜　懃行布施　心无悋惜　象馬七珍
國城妻子　奴婢僕從　頭目髓腦　身肉手足　不
惜軀命　時世人民　壽命无量　為於法故　捐捨
國位　委政太子　擊鼓宣令　四方求法　誰能為

BD00284號　妙法蓮華經卷四　（4–2）

國位　委政太子　擊鼓宣令　四方求法　誰能為
我說大乘者　吾當終身供給走使　時有仙人
來白王言　我有大乘　名妙法華經　若不違我
當為宣說　王聞仙言　歡喜踊躍　即隨仙人　供
給所須　採菓汲水　拾薪設食　乃至以身而為
床座　身心无惓　于時奉事　經於千歲　為於法
故　精勤給侍　令无所乏　尒時世尊欲重宣此
義而說偈言
我念過去劫　為求大法故　雖作世國王　不貪五欲樂
椎鐘告四方　誰有大法者　若為我解說　身當為奴僕
時有阿私仙　來白於大王　我有微妙法　世間所希有
若能修行者　吾當為汝說　時王聞仙言　心生大喜悅
即便隨仙人　供給於所須　採薪及菓蓏　隨時恭敬與
情存妙法故　身心无懈惓　普為諸衆生　勤求於大法
亦不為己身　及以五欲樂　故為大國王　勤求獲此法
遂致得成佛　今故為汝說
佛告諸比丘　尒時王者　則我身是　時仙人者
今提婆達多是　由提婆達多善知識故　令我
具足六波羅蜜　慈悲喜捨　三十二相　八十種
好　紫磨金色　十力　四无所畏　四攝法　十八不
共神通道力　成等正覺　廣度衆生　皆因提婆
達多善知識故　告諸四衆　提婆達多却後過
无量劫　當得成佛　号曰天王如來　應供　正遍
知　明行足　善逝　世間解　无上士　調御丈夫　天
人師　佛　世尊　世界名天道　時天王佛住世二

BD00284號　妙法蓮華經卷四　（4–3）

佛告諸比丘：尒時王者，則我身是；時仙人者，
今提婆達多是。由提婆達多善知識故，令我
具足六波羅蜜、慈悲喜捨、三十二相、八十種
好、紫磨金色、十力、四无所畏、四攝法、十八不
共、神通道力，成等正覺，廣度衆生，皆因提婆
達多善知識故。告諸四衆：提婆達多却後過
无量劫，當得成佛，号曰天王如來、應供、正遍
知、明行足、善逝、世間解、无上士、調御丈夫、天
人師、佛、世尊。世界名天道。時天王佛住世二
十中劫，廣爲衆生說於妙法，恒河沙衆生得
阿羅漢果，无量衆生發緣覺心，恒河沙衆生
發无上道心，得无生法忍，至不退轉。時天王
佛般涅槃後，正法住世二十中劫，全身舍利
起七寶塔，高六十由旬，縱廣四十由旬。諸天人
民悉以新華、末香、燒香、塗香、衣服、瓔珞、幢幡、
寶蓋、伎樂、歌頌，礼拜供養七寶妙塔。无量衆
生得阿羅漢果，无量衆生悟辟支佛，不可思
議衆生發菩提心，至不退轉。佛告諸比丘：未
來世中，若有善男子、善女人，聞妙法華經提
婆達多品，淨心信敬，不生疑惑者，不墮地獄、
餓鬼、畜生，生十方佛前，所生之處，常聞此經。
若生人天中，受勝妙樂；若在佛前，蓮華化生。

BD00284 號　妙法蓮華經卷四　（4–4）

男生是故菩
次菩薩觀察五陰
常懷害心，五陰亦尒常
如人无足刀杖侍從，當知
之所致害衆生，亦尒无足无
從，則爲五陰之所致害，是名爲羸
名爲慧，侍從名爲善知識也。无此三事，故
爲五陰之所賊害。是故菩薩觀於五陰如栴
陁羅。復次，善男子！菩薩摩訶薩觀察五陰過
栴陁羅。何以故？衆生若爲五栴陁羅之所致
者，不墮地獄；爲陰致者，則墮地獄。以是義故，菩
薩觀陰過栴陁羅。作是觀已，而作願言：我寧
終身近栴陁羅，不能暫時近於五陰。栴陁羅
者，唯能害於欲界癡人；是五陰賊，遍害三界
凡夫衆生。栴陁羅人唯能致煞有罪之人；是
五陰賊不問衆生有罪无罪，悉能害之。栴陁
羅人不害襄抱婦女稚小；是五陰賊不問衆
生老稚婦女，一切悉害。是名菩薩深觀此陰
過栴陁羅。是故發願：寧當終身近栴陁羅，不
能暫時親近五陰。復次，善男子！栴陁羅者，唯
害他人，終不自害；五陰之賊，自害害他。及栴
陁羅，栴陁羅人可以善言、錢財、寶貨求而得

BD00285 號　大般涅槃經（北本）卷二三　（18–1）

[illegible]
過栴陀羅是故菩薩寧當終身近栴陀羅不
能暫時親近五陰復次善男子栴陀羅者唯
害他人終不自害五陰之賊自害害他及栴
陀羅栴陀羅人可以善言錢財寶貨求而得
脫五陰不尒不可強以善言請𧶼錢財寶貨
求而得脫栴陀羅人於四時中不必常殺五
陰不尒常於念念害諸衆生栴陀羅人唯在
一處可有逃避五陰不尒遍一切處无可逃
避栴陀羅人雖復害人害已不隨五陰不尒
殺衆生已隨逐不離是故菩薩寧以終身近
栴陀羅不能暫時近於五陰有智之人以善
方便得脫五陰善方便者即八聖道六波羅
蜜四无量心以是方便而得解脫身心不為
五陰所害何以故身如金剛心如虛空是故
身心難可沮壞以是義故菩薩觀陰成就種
種諸不善法生大怖畏脩八聖道亦如彼人
畏四毒蛇五栴陀羅涉道而去无所顧留詐
親善者名為貪愛菩薩摩訶薩深觀愛結
如怨詐親若知實者則无能為若不能知必
為所害貪愛亦尒若知其性則不能令衆生
輪轉生死苦中如其不知輪迴六趣具受衆
苦何以故愛之為病難捨離故如怨詐親難

BD00285號　大般涅槃經（北本）卷二三　（18–2）

[illegible]
為所害貪愛亦尒若知其性則不能令衆生
輪轉生死苦中如其不知輪迴六趣具受衆
苦何以故愛之為病難捨離故如怨詐親難
可遠離怨詐親者常伺人便令愛別離怨憎
合會愛亦如是令人遠離一切善法近於一
切不善之法以是義故菩薩摩訶薩深觀貪
愛如怨詐親見不見故聞不聞故如凡夫人
見生死過雖有智慧以癡覆故後還不見聲
聞緣覺亦復如是雖見不見雖聞不聞何以
故以愛心故所以者何見生死過不能疾至
阿耨多羅三藐三菩提以是義故菩薩摩訶
薩觀此愛結如怨詐親云何名為怨詐親相
如怨不實詐現實相不可親近詐現近相實
是不善詐現善相實是不愛詐為愛相何
以故常伺人便欲為害故愛亦如是常為衆
生非實詐實非近詐近非善詐善非愛詐愛
常誑一切輪迴生死以是義故菩薩觀愛如
怨詐親怨詐親者但見身口不覩其心是故
能誑愛亦如是唯為虛誑實不可得是故能
惑一切衆生怨詐親者有始有終易可遠
離愛不如是无始无終難可遠離怨詐親者
遠則難知近則易知愛不如是近尚難知況

BD00285號　大般涅槃經（北本）卷二三　（18–3）

遠則難知近則易知愛不如是近尚難知況
復遠耶以是義故菩薩觀愛過於詐親一切
衆生以愛結故遠大涅槃近於生死遠常樂
我淨近无常苦无我不淨是故我於處處經
中說爲三垢於現在事以无明故不見過患
不能捨離愛怨詐親終不能害有智之人是
故菩薩深觀此愛生大怖畏脩八聖道猶如
彼人畏四毒虵五旃陁羅及一詐親涉路不
迴空聚落者即是六入菩薩摩訶薩觀是內
入空无所有猶如空聚如彼怖人既入聚已
乃至不見有一居人遍捉瓶器不得一物菩
薩亦尒諦觀六入空无所有不見衆生一物
之實是故菩薩觀內六入空无所有如彼空
聚善男子彼空聚落羣賊遠洭終不生於虛
空之想凡夫之人亦復如是於六入聚不生
空想以其不能生空想故輪迴生死受无量
苦善男子羣賊既至乃生空想菩薩亦尒觀
此六入常生空想生空想故則不輪迴生死
受苦菩薩摩訶薩於此六入常无顛倒无顛
倒故是故不復輪迴生死復次善男子如有
羣賊入此空聚則得安樂煩惱諸賊亦復如
是入此六入則得安樂如賊住空聚心无所
畏煩惱羣賊亦復如是住是六入亦无所畏

羣賊入此空聚則得安樂煩惱諸賊亦復如
是入此六入則得安樂如賊住空聚心无所
畏煩惱羣賊亦復如是住是六入亦无所畏
如彼空聚乃是師子虎狼種種惡獸之所住
處是內六入亦復如是一切衆惡煩惱惡獸
之所住處是故菩薩深觀六入空无所有純
是一切不善住處復次善男子菩薩摩訶薩
觀內六入空无所有如彼空聚何以故虛誑
不實故空无所有作有想故實无有樂作樂
想故實无有人作人想故內六入者亦復如
是空无所有而作有想實无有樂而作樂想
實无有人而作人想唯有智人乃能知之得
其真實復次善男子如空聚落或時有人或
時无人六入不尒一向无人何以故性常空
故智者所知非是眼見是故菩薩觀內六入
多諸怨害脩八聖道不休不息猶如彼人畏四
毒虵五旃陁羅一詐親善及六大賊怖著正
道六大賊者即外六塵菩薩摩訶薩觀此六
塵如六大賊何以故能劫一切諸善法故如
六大賊能劫一切人民財寶是六塵賊亦復
如是能劫一切衆生善財如六大賊若入人
舍則能劫奪現家所有不擇好惡令巨富者

如是能劫一切衆生善財如六大賊若入人
舍則能劫奪現家所有不擇好惡令巨富者
卒尒貧窮是六塵賊亦復如是若入人根則
能劫奪一切善法善法既盡貧窮孤露作一
闡提是故菩薩諦觀六塵如六大賊復次善
男子如六大賊欲劫人時要因內人若无內
人則便中還是六塵賊亦復如是欲劫善法
要因內有衆生知見常樂我淨不空等相若
內无有如是等相六塵惡賊則不能劫一切
善法有智之人內无是相凡夫則有是故六
塵常來侵奪善法之財不善護故為其所劫
護者名慧有智之人能善防護故不被劫是
故菩薩觀是六塵如六大賊等无差別復次
善男子如六大賊能為人民身心苦惱是六
塵賊亦復如是常為衆生身心苦惱六大賊
者唯能劫人現在財物是六塵賊常劫衆生
三世善財六大賊者夜則歡樂六塵惡賊亦
復如是處无明闇則得歡樂是六大賊唯有
諸王乃能遮止六塵惡賊亦復如是唯佛菩
薩乃能遮止是六大賊凡欲劫奪不擇端政
種姓聰哲多聞博學豪貴貧賤六塵惡賊亦
復如是欲劫善法不擇端政乃至貧賤是六

BD00285號　大般涅槃經（北本）卷二三　（18–6）

種姓聰哲多聞博學豪貴貧賤六塵惡賊亦
復如是欲劫善法不擇端政乃至貧賤是六
大賊雖有諸王截其手足猶故不能令其心
息六塵惡賊亦復如是雖須陁洹斯陁含阿
那含截其手足亦不能令不劫善法如勇健
人乃能摧伏是六大賊諸佛菩薩亦復如是
乃能摧伏六塵大賊譬如有人多諸種族宗
黨熾盛則不為彼六賊所劫衆生亦尒有善
知識不為六塵惡賊所劫是六大賊若見人
物則能偷劫六塵不尒若見若知若聞若嗅
若觸若覺皆悉能劫六大賊者唯能劫奪欲
界人財不能劫奪色无色界六塵惡賊則不
如是能劫三果一切善寶是故菩薩諦觀六
塵過彼六賊作是觀已脩八聖道直往不迴
如彼怖人畏四毒蛇五旃陁羅一詐親者及
六大賊捨空聚落涉路而去路值河者即是
煩惱云何菩薩觀此煩惱猶如大河如彼駛
河能漂香象煩惱駛河亦復如是能漂緣覺
是故菩薩深觀煩惱猶如駛河深難得底故
名為河邊不可得故名為大其中多有種種
惡魚煩惱大河亦復如是唯佛菩薩能得底
故故名極深唯佛菩薩得其邊故故名廣大

BD00285號　大般涅槃經（北本）卷二三　（18–7）

名爲河邊不可得故名爲大其中多有種種
惡魚煩惱大河亦復如是唯佛菩薩能得底
故故名爲深唯佛菩薩得其邊故故名廣大
常害一切癡衆生故故名惡魚是故菩薩觀
此煩惱猶如大河如大河水能長一切草木
叢林煩惱大河亦復如是能長衆生二十五
有是故菩薩觀此煩惱猶如大河譬如有人
墮大河水无有慚愧衆生亦尒墮煩惱河无
有慚愧如墮河者未得其底即便命終墮煩
惱河亦復如是未盡其底周迴輪轉二十五
有所言底者名爲空相若有不脩如是空相
當知是人不得出離二十五有一切衆生不
能善脩空无相故常爲煩惱駛河所漂如彼
大河唯能壞身不能漂没一切善法煩惱大
河則不如是能壞一切身心善法彼大暴河
唯能漂没欲界中人煩惱大河乃能漂没三
界人天世間大河手抱脚蹹則到彼岸煩惱
大河唯有菩薩因六波羅蜜乃能得度如大
河水難可得度煩惱大河亦復如是難可得
度云何名爲難可得度乃至十住諸大菩薩
猶故未能畢竟得度唯有諸佛乃畢竟度是
故名爲難可得度譬如有人爲河所漂不能

故名爲難可得度譬如有人爲河所漂不能
脩習豪末善法衆生亦尒爲煩惱河所漂没
者亦復不能脩習善法如人隨河爲水所漂
餘有力者則能拔濟墮煩惱河爲一闡提聲
聞緣覺乃至諸佛不能拔濟世間大河劫盡
之時七日並照能令枯涸煩惱大河則不如
是聲聞緣覺雖脩七覺猶不能乾是故菩薩
觀諸煩惱猶如暴河譬如彼人畏四毒蛇五
旃陁羅一詐親善及六大賊捨空聚落隨路
而去既至河上取草爲栰者菩薩亦尒畏四
大蛇五陰旃陁羅愛詐親善六入空聚六塵
惡賊至煩惱河脩戒定慧解脫解脫知見六
波羅蜜三十七品以爲船栰依乘此栰度煩
惱河到於彼岸常樂涅槃菩薩脩行大涅槃
者作是思惟我若不能忍受如是身苦心苦
則不能令一切衆生度煩惱河以是思惟雖
有如是身心苦惱嘿然忍受以忍受故則不
生漏如是菩薩尚无諸漏況佛如來而當有
漏是故諸佛不名有漏云何如來非无漏也
如來常行有漏中故有漏即是二十五有是
故聲聞凡夫之人言佛有漏諸佛如來真實
无漏善男子以是因緣諸佛如來无有定相

故聲聞凡夫之人言佛有漏諸佛如来真實
无漏善男子以是因緣諸佛如来无有定相
善男子是故犯四重禁謗方等經及一闡提
悉皆不定
尒時光明遍照高貴德王菩薩摩訶薩言如
是如是誠如聖教一切諸法皆悉不定以不
定故當知如来亦不畢竟入於涅槃如佛先
說菩薩摩訶薩脩大涅槃聞不聞中涅槃
大涅槃云何涅槃云何大涅槃尒時佛讚光
明遍照高貴德王菩薩摩訶薩言善哉善哉
善男子若有菩薩得念揔持乃能如汝之所
諮問善男子如世人言有海大海有河大河
有山大山有地大地有城大城有衆生大衆
生有王大王有人大人有天天中天有道大
道涅槃亦尒有涅槃有大涅槃云何涅槃善
男子如人飢餓得少飯食名為安樂如是安
樂亦名涅槃如病得差則名安樂如是安樂
亦名涅槃如人怖畏得歸依處則得安樂如
是安樂亦名涅槃如貧窮人獲七寶物則得
安樂如是安樂亦名涅槃如人觀骨不起貪
欲則得安樂如是安樂亦名涅槃如是涅槃
不得名為大涅槃也何以故以飢渴故病故
怖故生貪著故是名涅槃非大涅槃善男子

BD00285號　大般涅槃經（北本）卷二三　（18–10）

不得名為大涅槃也何以故以飢渴故病故
怖故生貪著故是名涅槃非大涅槃善男子
若凡夫人及以聲聞或因世俗或因聖道斷
欲界結則得安樂如是安樂亦名涅槃不得
名為大涅槃也能斷初禪乃至能斷非想非
非想處結則得安樂如是安樂亦名涅槃不
得名為大涅槃也何以故還生煩惱有習氣
故云何名為煩惱習氣聲聞緣覺有煩惱氣
所謂我身我衣我去我來我說我聽諸佛如
来入於涅槃涅槃之性无我无樂唯有常淨
是則名為煩惱習氣佛法衆僧有差別相如
来畢竟入於涅槃聲聞緣覺諸佛如来所得
涅槃等无差別以是義故二乘所得非大涅
槃何以故无常樂我淨故常樂我淨乃得名
為大涅槃也善男子譬如有處能受衆水名
為大海隨有聲聞緣覺菩薩諸佛如来所入
之處名大涅槃四禪三三昧八背捨八勝處
十一切處隨能攝取如是无量諸善法者名
大涅槃善男子譬如有河第一香象不能得
底則名為大聲聞緣覺至十住菩薩不見佛
性名為涅槃非大涅槃若能了了見於佛性
則得名為大涅槃也是大涅槃唯大象王能

BD00285號　大般涅槃經（北本）卷二三　（18–11）

底則名為大聲聞緣覺至十住菩薩不見佛
性名為涅槃非大涅槃若能了了見於佛性
則得名為大涅槃也是大涅槃唯大鳥王能
盡其底大鳥王者謂諸佛也善男子若摩訶
那伽及鉢揵陁大力士等逕歷多時所不能
上乃名大山聲聞緣覺及諸菩薩摩訶那
伽大力士等所不能見如是乃名大涅槃也
復次善男子隨有小王之所住處名曰小城
轉輪聖王所住之處乃名大城聲聞緣覺八
万六万四万二万一万住處名為涅槃无上
法主聖王住處乃得名為大般涅槃以是故
名大般涅槃善男子辟如有人見四種兵不
生怖畏當知是人名大衆生若有衆生於三
惡道煩惱惡業不生怖畏而能於中廣度衆
生當知是人得大涅槃若有人能供養父母
恭敬沙門及婆羅門脩治善法所言誠實无
有欺誑能忍諸惡惠施貧乏名大丈夫菩薩
亦尒有大慈悲憐愍一切於諸衆生猶如父
母能度衆生於生死河普示衆生一實之道
是則名為大般涅槃善男子大名不可思議
若不可思議一切衆生所不能信是則名為
大般涅槃唯佛菩薩之所見故名大涅槃以
何因緣復名為大以无量因緣然後乃得故

BD00285 號　大般涅槃經（北本）卷二三　（18–12）

若不可思議一切衆生所不能信是則名為
大般涅槃唯佛菩薩之所見故名大涅槃以
何因緣復名為大以无量因緣然後乃得故
名為大善男子如世間人以多因緣之所得
者則名為大涅槃亦尒以多因緣之所得故
故名為大云何復名為大涅槃有大我故名
大涅槃无我大自在故名為大我云何
名為大自在耶有八自在則名為我何等為
八一者能示一身以為多身身數大小猶如
微塵充滿十方无量世界如來之身實非
微塵以自在故現微塵身如是自在則為大
我二者示一塵身滿於三千大千世界如來
之身實不滿於三千大千世界何以故以无
㝵故直以自在故滿三千大千世界如是自
在名為大我三者能以滿此三千大千世界
之身輕舉飛空過於二十恒河沙等諸佛世
界而无鄣㝵如來之身實无輕重以自在故
能為輕重如是自在名為大我四者以自在
故而得自在云何自在如來一心安住不動
所可示化无量形類各令有心如來或時有
造一事而令衆生各各成辦如來之身常住
一土而令他土一切悉見如是自在名為大

BD00285 號　大般涅槃經（北本）卷二三　（18–13）

所可示化无量形類各令有心如来或時有
造一事而令衆生各各成辦如来之身常住
一土而令他土一切悉見如是自在名為大
我五者根自在故云何名為根自在耶如来
一根亦能見色聞聲嗅香別味覺觸知法如
来六根亦不見色聞聲嗅香別味覺觸知法
以自在故令根自在如是自在名為大我六
者以自在故得一切法如来之心亦无得想
何以故无所得故若是有者可名為得實无
所有云何名得若使如来計有得想是則諸
佛不得涅槃以无得故名得涅槃以自在故
得一切法得諸法故名為大我七者說自在
故如来演說一偈之義逕无量劫義亦不盡
所謂若戒若定若施若慧如来尒時都不生
念我說彼聽亦復不生一偈之想世間之人
以四句為偈随世俗故說名為偈一切法性
亦无有說以自在故如来演說以演說故名
為大我八者如来遍滿一切諸處猶如虛空
虛空之性不可得見如来亦尒實不可見以
自在故令一切見如是自在名為大我如是
大我名大涅槃以是義故名大涅槃復次善
男子譬如寶藏多諸珍異百種具足故名大
藏諸佛如来甚深奧藏亦復如是多諸奇異

BD00285號　大般涅槃經（北本）卷二三　（18–14）

大我名大涅槃以是義故名大涅槃復次善
男子譬如寶藏多諸珍異百種具足故名大
藏諸佛如来甚深奧藏亦復如是多諸奇異
具足无缺名大涅槃復次善男子无邊之物
乃名為大涅槃无邊是故名大復次善男子
有大樂故名大涅槃涅槃无樂以四樂故名大
涅槃何等為四一者断諸樂故不断樂者則
名為苦若有苦者不名大樂以断樂故則无
有苦无苦无樂乃名大樂涅槃之性无苦无
樂是故涅槃名為大樂以是義故名大涅槃
復次善男子樂有二種一者凡夫二者諸佛
凡夫之樂无常敗壞是故无樂諸佛常樂
无有變異故名大樂復次善男子有三種受
一者苦受二者樂受三者不苦不樂受不苦
不樂是亦為苦涅槃雖同不苦不樂然名大
樂以大樂故名大涅槃二者大寂靜故名為
大樂涅槃之姓是大寂靜何以故遠離一切憒
丙法故以大寂故名大涅槃三者一切知故名
為大樂非一切智不名為樂諸佛如来一切
智故名為大樂以大樂故名大涅槃四者身
不壞故名為大樂身若可壞則不名樂如来
之身金剛无壞非煩惱身无常之身故名大
樂以大樂故名大涅槃善男子世間名字或

BD00285號　大般涅槃經（北本）卷二三　（18–15）

不壞故名為大槃身若可壞則不名槃如来
之身金剛无壞非煩惱身无常之身故名大
槃以大槃故名大涅槃善男子世間名字或
有因緣或无因緣有因緣者如舍利弗母名
舍利因母立字故名舍利弗如摩鍮羅道人
生摩鍮羅國因國立名故名摩鍮羅道人如
目揵連目揵連者即是姓也因姓立名故名
目揵連如我生於瞿曇種姓因姓立名稱為
瞿曇如毗舍佉道人毗舍佉者即是星名因
星為名名毗舍佉如有六指因六指故名六
指人如佛奴天奴因佛因天故名佛奴天奴
因濕生故故名濕生如因聲故名為迦迦名
究究羅哩哩邏如是等名是因緣名无因緣
者如蓮華地水火風虛空如曼陁婆一名二
實一名鑒堂二者飲漿堂不飲漿亦復得名
為曼陁婆如薩遮尼揵名為蝕蓋實非蝕蓋
是名无因強立名字如坻羅婆夷名為食油
實不食油強為立名名為食油是名无因強
立名字善男子是大涅槃亦復如是无有因
緣強為立名善男子辟如虛空不因小空名
為大也涅槃亦尒不因小相名大涅槃善男
子辟如有法不可稱量不可思議故名為大
涅槃亦尒不可稱量不可思議故得名為大

緣強為立名善男子辟如虛空不因小空名
為大也涅槃亦尒不因小相名大涅槃善男
子辟如有法不可稱量不可思議故名為大
涅槃亦尒不可稱量不可思議故得名為大
般涅槃以純淨故名大涅槃云何純淨淨有
四種何等為四一者二十五有名為不淨能
永斷故得名為淨淨即涅槃如是涅槃亦得
名有而是涅槃實非是有諸佛如来隨世俗
故說涅槃有辟如世人非父言父非母言母
實非父母而言父母涅槃亦尒隨世俗故說
言諸佛有大涅槃二者業清淨故一切凡夫
業不清淨故无涅槃諸佛如来業清淨故故
名大淨以大淨故名大涅槃三者身清淨故
身若无常則名不淨如来身常故名大淨以
大淨故名大涅槃四者心清淨故心若有漏
名曰不淨佛心无漏故名大淨以大淨故名
大涅槃善男子是名善男子善女人脩行如
是大涅槃經具足成就初分功德

大般涅槃經卷第廿三

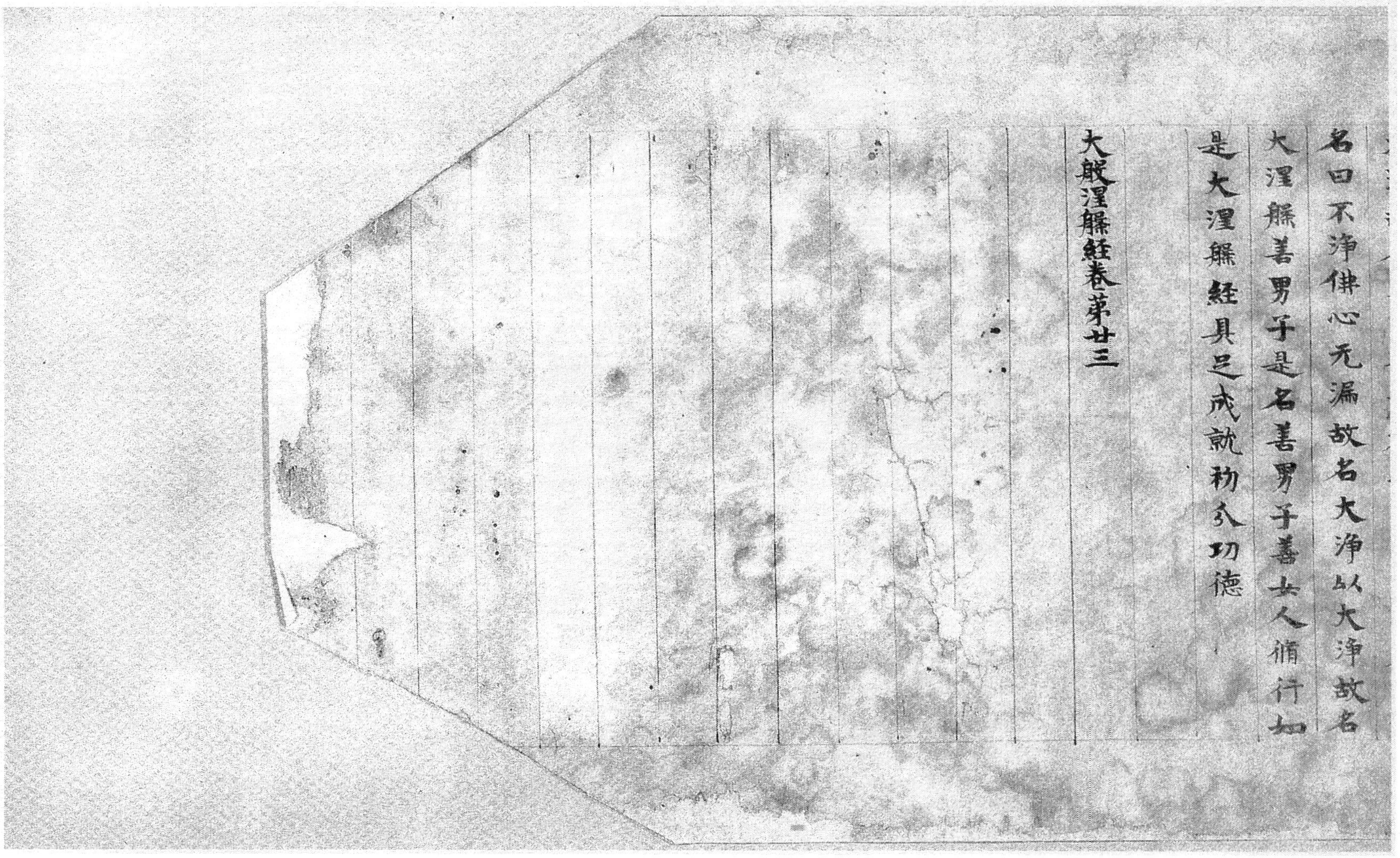

名曰不淨俱心无漏故名大淨以大淨故名
大涅槃善男子是名善男子善女人脩行如
是大涅槃經具足成就初分功德

大般涅槃經卷第廿三

BD00285號　大般涅槃經（北本）卷二三　（18–18）

常增語是菩
舌身意界常
世尊即眼界无常增語是
薩不不也世尊即耳鼻舌身意界
是菩薩摩訶薩不不也世尊即眼
是菩薩摩訶薩不不也世尊即耳
界樂增語是菩薩摩訶薩不不
界苦增語是菩薩摩訶薩不不也世
鼻舌身意界苦增語是菩薩摩訶薩
世尊即眼界我增語是菩薩摩訶薩不不
世尊即耳鼻舌身意界我增語是菩薩摩
薩不不也世尊即眼界无我增語是菩薩摩
訶薩不不也世尊即耳鼻舌身意界无我增
語是菩薩摩訶薩不不也世尊即眼界淨增
語是菩薩摩訶薩不不也世尊即耳鼻舌身
意界淨增語是菩薩摩訶薩不不也世尊即
眼界不淨增語是菩薩摩訶薩不不也世尊
即耳鼻舌身意界不淨增語是菩薩摩訶薩
不不也世尊即眼界空增語是菩薩摩訶薩
不不也世尊即耳鼻舌身意界空增語是菩
薩摩訶薩不不也世尊即眼界不空增語是
菩薩摩訶薩不不也世尊即耳鼻舌身意
界不空增語是菩薩摩訶薩不不也世尊即眼
界有相增語是菩薩摩訶薩不不也世尊即

BD00286號　大般若波羅蜜多經卷一八　（25–1）

不不也世尊即耳鼻舌身意界空增語是善
薩摩訶薩不不也世尊即眼界不空增語是
菩薩摩訶薩不不也世尊即耳鼻舌身意
界不空增語是菩薩摩訶薩不不也世尊即眼
界有相增語是菩薩摩訶薩不不也世尊即
耳鼻舌身意界有相增語是菩薩摩訶薩不
不也世尊即眼界无相增語是菩薩摩訶薩
不不也世尊即耳鼻舌身意界无相增語是
菩薩摩訶薩不不也世尊即眼界有願增語
是菩薩摩訶薩不不也世尊即耳鼻舌身意
界有願增語是菩薩摩訶薩不不也世尊即
眼界无願增語是菩薩摩訶薩不不也世尊
即耳鼻舌身意界无願增語是菩薩摩訶薩
不不也世尊即眼界寂靜增語是菩薩摩訶
薩不不也世尊即耳鼻舌身意界寂靜增語
是菩薩摩訶薩不不也世尊即眼界不寂靜
增語是菩薩摩訶薩不不也世尊即耳鼻舌
身意界不寂靜增語是菩薩摩訶薩不不也
世尊即眼界遠離增語是菩薩摩訶薩不不
也世尊即耳鼻舌身意界遠離增語是菩薩
摩訶薩不不也世尊即眼界不遠離增語是
菩薩摩訶薩不不也世尊即耳鼻舌身意界
不遠離增語是菩薩摩訶薩不不也世尊即眼
界有為增語是菩薩摩訶薩不不也世尊即
耳鼻舌身意界有為增語是菩薩摩訶薩
不不也世尊即眼界无為增語是菩薩摩訶

BD00286 號　大般若波羅蜜多經卷一八　（25–2）

界有為增語是菩薩摩訶薩不不也世尊即
耳鼻舌身意界有為增語是菩薩摩訶薩
不不也世尊即眼界无為增語是菩薩摩訶
薩不不也世尊即耳鼻舌身意界无為增語
是菩薩摩訶薩不不也世尊即眼界有漏增
語是菩薩摩訶薩不不也世尊即耳鼻舌身意
界有漏增語是菩薩摩訶薩不不也世尊
即眼界无漏增語是菩薩摩訶薩不不也世
尊即耳鼻舌身意界无漏增語是菩薩摩訶
薩不不也世尊即眼界生增語是菩薩摩訶
薩不不也世尊即耳鼻舌身意界生增語是
菩薩摩訶薩不不也世尊即眼界滅增語是
菩薩摩訶薩不不也世尊即耳鼻舌身意界
滅增語是菩薩摩訶薩不不也世尊即眼界善
增語是菩薩摩訶薩不不也世尊即耳鼻
舌身意界善增語是菩薩摩訶薩不不也世
尊即眼界非善增語是菩薩摩訶薩不不也
世尊即耳鼻舌身意界非善增語是菩薩摩
訶薩不不也世尊即眼界有罪增語是菩薩
摩訶薩不不也世尊即耳鼻舌身意界有罪
增語是菩薩摩訶薩不不也世尊即眼界无
罪增語是菩薩摩訶薩不不也世尊即耳鼻
舌身意界无罪增語是菩薩摩訶薩不不也世
尊即眼界有煩惱增語是菩薩摩訶薩不
不也世尊即耳鼻舌身意界有煩惱增語是

BD00286 號　大般若波羅蜜多經卷一八　（25–3）

舌身意界无罪增語是菩薩摩訶薩不不也世
尊耶眼界有煩惱增語是菩薩摩訶薩不
不也世尊耶耳鼻舌身意界有煩惱增語是
菩薩摩訶薩不不也世尊耶眼界无煩惱增
語是菩薩摩訶薩不不也世尊耶耳鼻舌身
意界无煩惱增語是菩薩摩訶薩不不也世
尊耶眼界世間增語是菩薩摩訶薩不不也
世尊耶耳鼻舌身意界世間增語是菩薩摩
訶薩不不也世尊耶眼界出世間增語是菩薩
摩訶薩不不也世尊耶耳鼻舌身意界出
世間增語是菩薩摩訶薩不不也世尊耶眼
界雜染增語是菩薩摩訶薩不不也世尊耶
耳鼻舌身意界雜染增語是菩薩摩訶薩不
不也世尊耶眼界清淨增語是菩薩摩訶薩
不不也世尊耶耳鼻舌身意界清淨增語是
菩薩摩訶薩不不也世尊耶眼界屬生死增
語是菩薩摩訶薩不不也世尊耶耳鼻舌身
意界屬生死增語是菩薩摩訶薩不不也世
尊耶眼界屬涅槃增語是菩薩摩訶薩不不
也世尊耶耳鼻舌身意界屬涅槃增語是菩
薩摩訶薩不不也世尊耶眼界在內增語是
菩薩摩訶薩不不也世尊耶耳鼻舌身意
界在內增語是菩薩摩訶薩不不也世尊耶眼
界在外增語是菩薩摩訶薩不不也世尊耶
耳鼻舌身意界在外增語是菩薩摩訶薩不
不也世尊耶眼界在兩間增語是菩薩摩訶

BD00286號　大般若波羅蜜多經卷一八　　（25–4）

菩薩摩訶薩不不也世尊耶耳鼻舌身意
界在內增語是菩薩摩訶薩不不也世尊耶眼
界在外增語是菩薩摩訶薩不不也世尊耶
耳鼻舌身意界在外增語是菩薩摩訶薩不
不也世尊耶眼界在兩間增語是菩薩摩訶
薩不不也世尊耶耳鼻舌身意界在兩間增
語是菩薩摩訶薩不不也世尊耶眼界可得
增語是菩薩摩訶薩不不也世尊耶耳鼻
舌身意界可得增語是菩薩摩訶薩不不也世
尊耶眼界不可得增語是菩薩摩訶薩不不
也世尊耶耳鼻舌身意界不可得增語是菩
薩摩訶薩不不也世尊
復次善現所言菩薩摩訶薩者於意云何耶
色界增語是菩薩摩訶薩不不也世尊耶聲
香味觸法界增語是菩薩摩訶薩不不也世
尊耶色界常增語是菩薩摩訶薩不不也世
尊耶聲香味觸法界常增語是菩薩摩訶薩
不不也世尊耶色界无常增語是菩薩摩訶
薩不不也世尊耶聲香味觸法界无常增語
是菩薩摩訶薩不不也世尊耶色界樂增語
語是菩薩摩訶薩不不也世尊耶聲香味觸
法界樂增語是菩薩摩訶薩不不也世尊耶
色界苦增語是菩薩摩訶薩不不也世尊耶聲
香味觸法界苦增語是菩薩摩訶薩不不也世
尊耶色界我增語是菩薩摩訶薩不不也世尊
耶聲香味觸法界我增語是菩薩摩訶薩不

BD00286號　大般若波羅蜜多經卷一八　　（25–5）

香味觸法界苦增語是菩薩摩訶薩不不也世
尊即色界我增語是菩薩摩訶薩不不也世尊
即聲香味觸法界我增語是菩薩摩訶薩不
不也世尊即色界无我增語是菩薩摩訶薩
不不也世尊即聲香味觸法界无我增語是
菩薩摩訶薩不不也世尊即色界淨增語是
菩薩摩訶薩不不也世尊即聲香味觸法
界淨增語是菩薩摩訶薩不不也世尊即色
界不淨增語是菩薩摩訶薩不不也世尊即
聲香味觸法界不淨增語是菩薩摩訶薩不
不也世尊即色界受增語是菩薩摩訶薩不
不也世尊即聲香味觸法界受增語是菩
薩摩訶薩不不也世尊即色界不受增語是
菩薩摩訶薩不不也世尊即聲香味觸法
界不受增語是菩薩摩訶薩不不也世尊即
色界有相增語是菩薩摩訶薩不不也世尊即
聲香味觸法界有相增語是菩薩摩訶薩不不
也世尊即色界无相增語是菩薩摩訶薩不
不也世尊即聲香味觸法界无相增語是菩
薩摩訶薩不不也世尊即色界有願增語
是菩薩摩訶薩不不也世尊即聲香味觸法
界有願增語是菩薩摩訶薩不不也世尊即
色界无願增語是菩薩摩訶薩不不也世尊
即聲香味觸法界无願增語是菩薩摩訶薩
不不也世尊即色界寂靜增語是菩薩摩訶

BD00286 號　大般若波羅蜜多經卷一八　（25–6）

不不也世尊即色界寂靜增語是菩薩摩訶
薩不不也世尊即聲香味觸法界寂靜增語
是菩薩摩訶薩不不也世尊即色界不寂靜
增語是菩薩摩訶薩不不也世尊即聲香味
觸法界不寂靜增語是菩薩摩訶薩不不也
世尊即色界遠離增語是菩薩摩訶薩不不
也世尊即聲香味觸法界遠離增語是菩薩
摩訶薩不不也世尊即色界不遠離增語是菩
薩摩訶薩不不也世尊即聲香味觸法界不
遠離增語是菩薩摩訶薩不不也世尊即
色界有為增語是菩薩摩訶薩不不也世尊
即聲香味觸法界有為增語是菩薩摩訶薩
不不也世尊即色界无為增語是菩薩摩訶
薩不不也世尊即聲香味觸法界无為增語是
菩薩摩訶薩不不也世尊即色界有漏增語
是菩薩摩訶薩不不也世尊即聲香味觸
法界有漏增語是菩薩摩訶薩不不也世尊
即色界无漏增語是菩薩摩訶薩不不也世
尊即聲香味觸法界无漏增語是菩薩摩訶
薩不不也世尊即色界生增語是菩薩摩訶
薩不不也世尊即聲香味觸法生增語是菩
薩摩訶薩不不也世尊即色界滅增語是
菩薩摩訶薩不不也世尊即聲香味觸法界
滅增語是菩薩摩訶薩不不也世尊即色界
善增語是菩薩摩訶薩不不也世尊即聲香
味觸法界善增語是菩薩摩訶薩不不也世

BD00286 號　大般若波羅蜜多經卷一八　（25–7）

菩薩摩訶薩不不也世尊即聲香味觸法界
滅增語是菩薩摩訶薩不不也世尊即色界
善增語是菩薩摩訶薩不不也世尊即聲香
味觸法界善增語是菩薩摩訶薩不不也世
尊即色界非善增語是菩薩摩訶薩不不也
世尊即聲香味觸法界非善增語是菩薩摩
訶薩不不也世尊即色界有罪增語是菩薩
摩訶薩不不也世尊即聲香味觸法界有
罪增語是菩薩摩訶薩不不也世尊即色界无
罪增語是菩薩摩訶薩不不也世尊即聲香
味觸法界无罪增語是菩薩摩訶薩不不也
世尊即色界有煩惱增語是菩薩摩訶薩不
不也世尊即聲香味觸法界有煩惱增語是
菩薩摩訶薩不不也世尊即色界无煩惱
增語是菩薩摩訶薩不不也世尊即聲香味觸
法界无煩惱增語是菩薩摩訶薩不不也世
尊即色界世間增語是菩薩摩訶薩不不也
世尊即聲香味觸法界世間增語是菩薩摩
訶薩不不也世尊即色界出世間增語是菩
薩摩訶薩不不也世尊即聲香味觸法界出
世間增語是菩薩摩訶薩不不也世尊即色
界雜染增語是菩薩摩訶薩不不也世尊即
聲香味觸法界雜染增語是菩薩摩訶薩不
不也世尊即色界清淨增語是菩薩摩訶薩
不不也世尊即聲香味觸法界清淨增語是
菩薩摩訶薩不不也世尊即色界屬生死增
語是菩薩摩訶薩不不也世尊即聲香味觸

不也世尊即色界清淨增語是菩薩摩訶薩
不不也世尊即聲香味觸法界清淨增語是
菩薩摩訶薩不不也世尊即色界屬生死增
語是菩薩摩訶薩不不也世尊即聲香味觸
法界屬生死增語是菩薩摩訶薩不不也世
尊即色界屬涅槃增語是菩薩摩訶薩不不
也世尊即聲香味觸法界屬涅槃增語是菩
薩摩訶薩不不也世尊即色界在內增語是
菩薩摩訶薩不不也世尊即聲香味觸法界
在內增語是菩薩摩訶薩不不也世尊即色
界在外增語是菩薩摩訶薩不不也世尊即
聲香味觸法界在外增語是菩薩摩訶薩不
不也世尊即色界在兩間增語是菩薩摩
訶薩不不也世尊即聲香味觸法界在兩間增
訶是菩薩摩訶薩不不也世尊即色界可得
增語是菩薩摩訶薩不不也世尊即聲香味
觸法界可得增語是菩薩摩訶薩不不也世
尊即色界不可得增語是菩薩摩訶薩不不
也世尊即聲香味觸法界不可得增語是菩
薩摩訶薩不不也世尊
復次善現所言菩薩摩訶薩者於意云何即
眼識界增語是菩薩摩訶薩不不也世尊即
耳鼻舌身意識界增語是菩薩摩訶薩不不
也世尊即眼識界常增語是菩薩摩訶薩不
不也世尊即耳鼻舌身意識界常增語是菩
薩摩訶薩不不也世尊即眼識界无常增語

也世尊耶眼識界常[illegible]
不也世尊耶耳鼻舌身意識界常增語是菩
薩摩訶薩不不也世尊耶眼識界无常增語
是菩薩摩訶薩不不也世尊耶耳鼻舌身意
識界无常增語是菩薩摩訶薩不不也世尊
耶眼識界樂增語是菩薩摩訶薩不不也世
訶薩不不也世尊耶眼識界苦增語是菩薩摩
訶薩不不也世尊耶耳鼻舌身意識界苦增
語是菩薩摩訶薩不不也世尊耶眼識界我
增語是菩薩摩訶薩不不也世尊耶耳鼻舌
身意識界我增語是菩薩摩訶薩不不也世
尊耶眼識界无我增語是菩薩摩訶薩不不

訶薩不不也世尊耶聲香味觸法界在兩間增
語是菩薩摩訶薩不不也世尊耶色界可得
增語是菩薩摩訶薩不不也世尊耶聲香味
觸法界可得增語是菩薩摩訶薩不不也世
尊耶色界不可得增語是菩薩摩訶薩不不
也世尊耶聲香味觸法界不可得增語是菩
薩摩訶薩不不也世尊
復次善現所言菩薩摩訶薩者於意云何

BD00286號　大般若波羅蜜多經卷一八　（25–10）

也世尊耶聲香味觸法界不可得增語是菩
薩摩訶薩不不也世尊
復次善現所言菩薩摩訶薩者於意云何
耶眼識界增語是菩薩摩訶薩不不也世尊耶
耳鼻舌身意識界增語是菩薩摩訶薩不不
也世尊耶眼識界常增語是菩薩摩訶薩不
不也世尊耶耳鼻舌身意識界常增語是菩
薩摩訶薩不不也世尊耶眼識界无常增語
是菩薩摩訶薩不不也世尊耶耳鼻舌身意
識界无常增語是菩薩摩訶薩不不也世尊
耶眼識界樂增語是菩薩摩訶薩不不也世
尊耶耳鼻舌身意識界樂增語是菩薩摩訶
訶薩不不也世尊耶眼識界苦增語是菩薩摩
訶薩不不也世尊耶耳鼻舌身意識界苦增
語是菩薩摩訶薩不不也世尊耶眼識界我
增語是菩薩摩訶薩不不也世尊耶耳鼻舌
身意識界我增語是菩薩摩訶薩不不也世
尊耶眼識界无我增語是菩薩摩訶薩不不
也世尊耶耳鼻舌身意識界无我增語是菩
薩摩訶薩不不也世尊耶眼識界淨增語是
菩薩摩訶薩不不也世尊耶耳鼻舌身意識
界淨增語是菩薩摩訶薩不不也世尊耶眼
識界不淨增語是菩薩摩薩不不也世尊
耶耳鼻舌身意識界不淨增語是菩薩摩訶
薩不不也世尊耶眼識界空增語是菩薩摩
訶薩不不也世尊耶耳鼻舌身意識界空增

BD00286號　大般若波羅蜜多經卷一八　（25–11）

即耳鼻舌身意識界不淨增語是菩薩摩訶
薩不不也世尊即眼識界空增語是菩薩摩
訶薩不不也世尊即耳鼻舌身意識界空增
語是菩薩摩訶薩不不也世尊即眼識界不
空增語是菩薩摩訶薩不不也世尊即耳鼻
舌身意識界不空增語是菩薩摩訶薩不不
也世尊即眼識界有相增語是菩薩摩訶薩
不不也世尊即耳鼻舌身意識界有相增語
是菩薩摩訶薩不不也世尊即眼識界无相
增語是菩薩摩訶薩不不也世尊即耳鼻舌
身意識界无相增語是菩薩摩訶薩不不也
世尊即眼識界有願增語是菩薩摩訶薩不
不也世尊即耳鼻舌身意識界有願增語是
菩薩摩訶薩不不也世尊即眼識界无願增
語是菩薩摩訶薩不不也世尊即耳鼻舌身
意識界无願增語是菩薩摩訶薩不不也世
尊即眼識界寂靜增語是菩薩摩訶薩不不
也世尊即耳鼻舌身意識界寂靜增語是菩
薩摩訶薩不不也世尊即眼識界不寂靜增
語是菩薩摩訶薩不不也世尊即耳鼻舌身
意識界不寂靜增語是菩薩摩訶薩不不也
世尊即眼識界遠離增語是菩薩摩訶薩不
不也世尊即耳鼻舌身意識界遠離增語是
菩薩摩訶薩不不也世尊即眼識界不遠離
增語是菩薩摩訶薩不不也世尊即耳鼻舌
身意識界不遠離增語是菩薩摩訶薩不不

BD00286 號　大般若波羅蜜多經卷一八　（25–12）

菩薩摩訶薩不不也世尊即眼識界不遠離
增語是菩薩摩訶薩不不也世尊即耳鼻舌
身意識界不遠離增語是菩薩摩訶薩不不
也世尊即眼識界有為增語是菩薩摩訶
薩不不也世尊即耳鼻舌身意識界有為增語
是菩薩摩訶薩不不也世尊即眼識界无為
增語是菩薩摩訶薩不不也世尊即耳鼻舌
身意識界无為增語是菩薩摩訶薩不不也
世尊即眼識界有漏增語是菩薩摩訶薩不
不也世尊即耳鼻舌身意識界有漏增語是
菩薩摩訶薩不不也世尊即眼識界无漏增
語是菩薩摩訶薩不不也世尊即耳鼻舌身
意識界无漏增語是菩薩摩訶薩不不也世尊
即眼識界生增語是菩薩摩訶薩不不也世
尊即耳鼻舌身意識界生增語是菩薩摩訶
薩不不也世尊即眼識界滅增語是菩薩摩
訶薩不不也世尊即耳鼻舌身意識界滅增
語是菩薩摩訶薩不不也世尊即眼識界善
增語是菩薩摩訶薩不不也世尊即耳鼻舌
身意識界善增語是菩薩摩訶薩不不也世
尊即眼識界非善增語是菩薩摩訶薩不不
也世尊即耳鼻舌身意識界非善增語是菩
薩摩訶薩不不也世尊即眼識界有罪增語
是菩薩摩訶薩不不也世尊即耳鼻舌身意
識界有罪增語是菩薩摩訶薩不不也世尊
即眼識界无罪增語是菩薩摩訶薩不不也

BD00286 號　大般若波羅蜜多經卷一八　（25–13）

識界有罪增語是菩薩摩訶薩不不也世尊
即眼識界無罪增語是菩薩摩訶薩不不也
世尊即耳鼻舌身意識界無罪增語是菩薩
摩訶薩不不也世尊即眼識界有煩惱增語
是菩薩摩訶薩不不也世尊即耳鼻舌身意
識界有煩惱增語是菩薩摩訶薩不不也世
尊即眼識界無煩惱增語是菩薩摩訶薩不
不也世尊即耳鼻舌身意識界無煩惱增語
是菩薩摩訶薩不不也世尊即眼識界世間
增語是菩薩摩訶薩不不也世尊即耳鼻舌
身意識界世間增語是菩薩摩訶薩不不也
世尊即眼識界出世間增語是菩薩摩訶薩
不不也世尊即耳鼻舌身意識界出世間增
語是菩薩摩訶薩不不也世尊即眼識界雜
染增語是菩薩摩訶薩不不也世尊即耳鼻
舌身意識界雜染增語是菩薩摩訶薩不不
也世尊即眼識界清淨增語是菩薩摩訶薩
不不也世尊即耳鼻舌身意識界清淨增語
是菩薩摩訶薩不不也世尊即眼識界屬生
死增語是菩薩摩訶薩不不也世尊即耳鼻
舌身意識界屬生死增語是菩薩摩訶薩不
不也世尊即眼識界屬涅槃增語是菩薩摩
訶薩不不也世尊即耳鼻舌身意識界屬涅
槃增語是菩薩摩訶薩不不也世尊即眼識

BD00286號　大般若波羅蜜多經卷一八　（25–14）

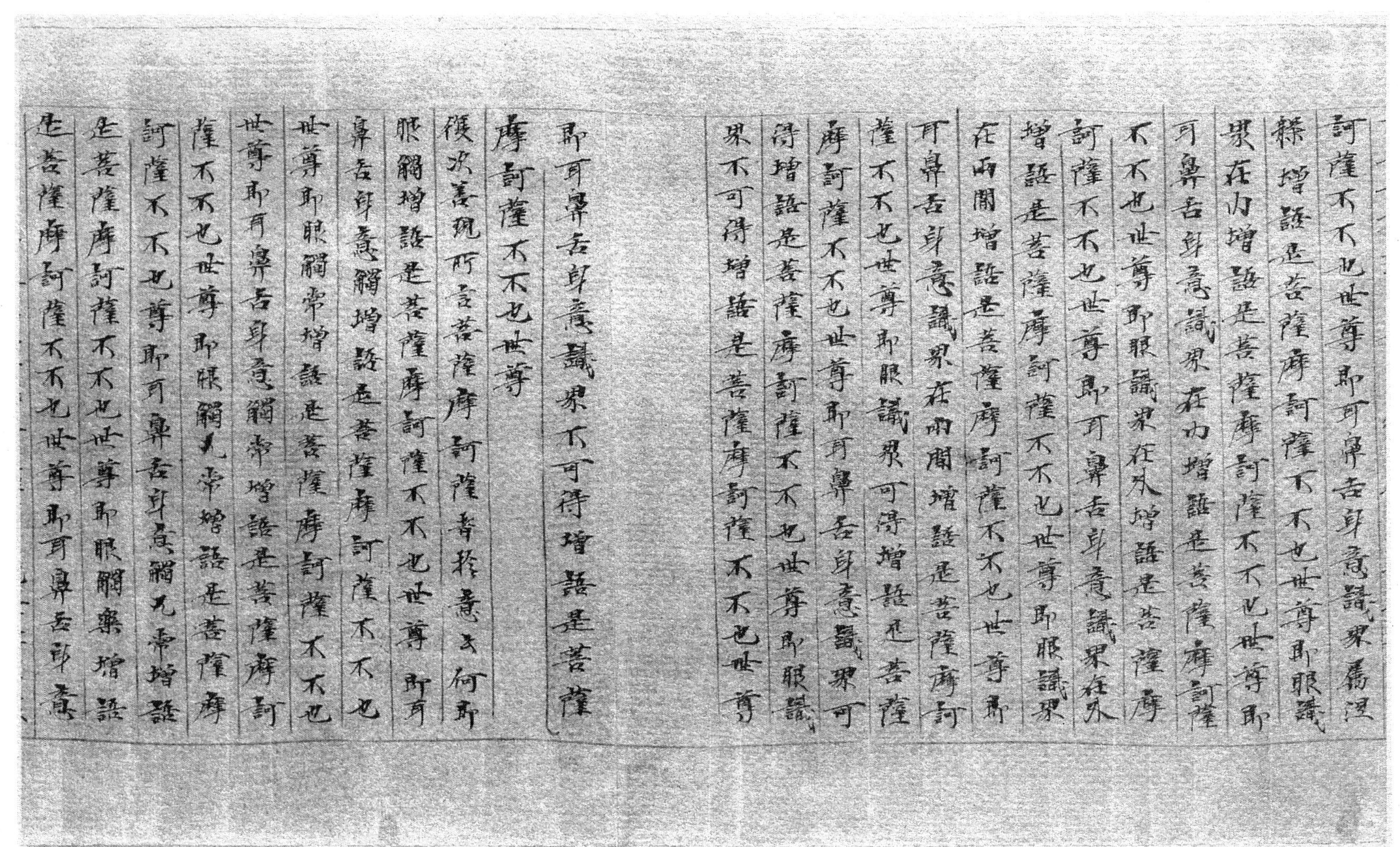
訶薩不不也世尊即耳鼻舌身意識界屬涅
槃增語是菩薩摩訶薩不不也世尊即眼識
界在內增語是菩薩摩訶薩不不也世尊即
耳鼻舌身意識界在內增語是菩薩摩訶薩
不不也世尊即眼識界在外增語是菩薩摩
訶薩不不也世尊即耳鼻舌身意識界在外
增語是菩薩摩訶薩不不也世尊即眼識界
在兩間增語是菩薩摩訶薩不不也世尊即
耳鼻舌身意識界在兩間增語是菩薩摩訶
薩不不也世尊即眼識界可得增語是菩薩
摩訶薩不不也世尊即耳鼻舌身意識界可
得增語是菩薩摩訶薩不不也世尊即眼識
界不可得增語是菩薩摩訶薩不不也世尊
即耳鼻舌身意識界不可得增語是菩薩
摩訶薩不不也世尊
復次善現所言菩薩摩訶薩者於意云何即
眼觸增語是菩薩摩訶薩不不也世尊即耳
鼻舌身意觸增語是菩薩摩訶薩不不也
世尊即眼觸常增語是菩薩摩訶薩不不也
世尊即耳鼻舌身意觸常增語是菩薩摩訶
薩不不也世尊即眼觸無常增語是菩薩摩
訶薩不不也世尊即耳鼻舌身意觸無常增語
是菩薩摩訶薩不不也世尊即眼觸樂增語
是菩薩摩訶薩不不也世尊即耳鼻舌身意

BD00286號　大般若波羅蜜多經卷一八　（25–15）

是菩薩摩訶薩不不也世尊耶眼觸樂增語
是菩薩摩訶薩不不也世尊耶耳鼻舌身意
觸樂增語是菩薩摩訶薩不不也世尊耶眼
觸苦增語是菩薩摩訶薩不不也世尊耶耳
鼻舌身意觸苦增語是菩薩摩訶薩不不
也世尊耶眼觸我增語是菩薩摩訶薩不不
也世尊耶耳鼻舌身意觸我增語是菩薩摩
訶薩不不也世尊耶眼觸无我增語是菩薩摩
訶薩不不也世尊耶耳鼻舌身意觸无我增
語是菩薩摩訶薩不不也世尊耶眼觸淨增
語是菩薩摩訶薩不不也世尊耶耳鼻舌身
意觸淨增語是菩薩摩訶薩不不也世尊耶
眼觸不淨增語是菩薩摩訶薩不不也世尊
耶耳鼻舌身意觸不淨增語是菩薩摩訶薩
不不也世尊耶眼觸空增語是菩薩摩訶薩
不不也世尊耶耳鼻舌身意觸空增語是菩
薩摩訶薩不不也世尊耶眼觸不空增語是
菩薩摩訶薩不不也世尊耶耳鼻舌身意觸
不空增語是菩薩摩訶薩不不也世尊耶眼
觸有相增語是菩薩摩訶薩不不也世尊耶
耳鼻舌身意觸有相增語是菩薩摩訶薩不
不也世尊耶眼觸无相增語是菩薩摩訶薩
不不也世尊耶耳鼻舌身意觸无相增語是
菩薩摩訶薩不不也世尊耶眼觸有願增語
是菩薩摩訶薩不不也世尊耶耳鼻舌身意

BD00286 號　大般若波羅蜜多經卷一八　（25–16）

菩薩摩訶薩不不也世尊耶眼觸有願增語
是菩薩摩訶薩不不也世尊耶耳鼻舌身意
觸有願增語是菩薩摩訶薩不不也世尊耶
眼觸无願增語是菩薩摩訶薩不不也世尊
耶耳鼻舌身意觸无願增語是菩薩摩訶薩
不不也世尊耶眼觸寂靜增語是菩薩摩訶
薩不不也世尊耶耳鼻舌身意觸寂靜增語
是菩薩摩訶薩不不也世尊耶眼觸不寂靜
增語是菩薩摩訶薩不不也世尊耶耳鼻舌
身意觸不寂靜增語是菩薩摩訶薩不不也
世尊耶眼觸遠離增語是菩薩摩訶薩不不
也世尊耶耳鼻舌身意觸遠離增語是菩薩
摩訶薩不不也世尊耶眼觸不遠離增語是菩
薩摩訶薩不不也世尊耶耳鼻舌身意觸不
遠離增語是菩薩摩訶薩不不也世尊耶
眼觸有為增語是菩薩摩訶薩不不也世尊
耶耳鼻舌身意觸有為增語是菩薩摩訶薩
不不也世尊耶眼觸无為增語是菩薩摩訶
薩不不也世尊耶耳鼻舌身意觸无為增語
是菩薩摩訶薩不不也世尊耶眼觸有漏增
語是菩薩摩訶薩不不也世尊耶耳鼻舌身
意觸有漏增語是菩薩摩訶薩不不也世尊
耶眼觸无漏增語是菩薩摩訶薩不不也世
尊耶耳鼻舌身意觸无漏增語是菩薩摩訶
薩不不也世尊耶眼觸生增語是菩薩摩訶

BD00286 號　大般若波羅蜜多經卷一八　（25–17）

薩不不也世尊即眼觸生增語是菩薩摩訶
薩不不也世尊即耳鼻舌身意觸生增語是
菩薩摩訶薩不不也世尊即眼觸滅增語是
菩薩摩訶薩不不也世尊即耳鼻舌身意觸
滅增語是菩薩摩訶薩不不也世尊即眼觸
善增語是菩薩摩訶薩不不也世尊即耳鼻
舌身意觸善增語是菩薩摩訶薩不不也世
尊即眼觸非善增語是菩薩摩訶薩不不也
世尊即耳鼻舌身意觸非善增語是菩薩摩
訶薩不不也世尊即眼觸有罪增語是菩薩
摩訶薩不不也世尊即耳鼻舌身意觸有罪
增語是菩薩摩訶薩不不也世尊即眼觸無
罪增語是菩薩摩訶薩不不也世尊即耳鼻
舌身意觸無罪增語是菩薩摩訶薩不不也
世尊即眼觸有煩惱增語是菩薩摩訶薩不
不也世尊即耳鼻舌身意觸有煩惱增語是
菩薩摩訶薩不不也世尊即眼觸無煩惱增
語是菩薩摩訶薩不不也世尊即耳鼻舌身
意觸無煩惱增語是菩薩摩訶薩不不也世
尊即眼觸世間增語是菩薩摩訶薩不不也
世尊即耳鼻舌身意觸世間增語是菩薩摩
訶薩不不也世尊即眼觸出世間增語是菩薩
摩訶薩不不也世尊即耳鼻舌身意觸出
世間增語是菩薩摩訶薩不不也世尊即眼
觸雜染增語是菩薩摩訶薩不不也世尊即
耳鼻舌身意觸雜染增語是菩薩摩訶薩
不不也世尊即眼觸清淨增語是菩薩摩訶薩

BD00286號　大般若波羅蜜多經卷一八　（25–18）

世間增語是菩薩摩訶薩不不也世尊即眼
觸雜染增語是菩薩摩訶薩不不也世尊即
耳鼻舌身意觸雜染增語是菩薩摩訶薩
不不也世尊即眼觸清淨增語是菩薩摩訶薩
不不也世尊即耳鼻舌身意觸清淨增語是
菩薩摩訶薩不不也世尊即眼觸屬生死增
語是菩薩摩訶薩不不也世尊即耳鼻舌
身意觸屬生死增語是菩薩摩訶薩不不
也世尊即眼觸屬涅槃增是菩薩摩訶薩
不不也世尊即耳鼻舌身意觸屬涅槃增語是
菩薩摩訶薩不不也世尊即眼觸在內增語
是菩薩摩訶薩不不也世尊即耳鼻舌身意
觸在內增語是菩薩摩訶薩不不也世尊即眼
觸在外增語是菩薩摩訶薩不不也世尊即
耳鼻舌身意觸在外增語是菩薩摩訶薩
不不也世尊即眼觸在兩間增語是菩薩摩訶
薩不不也世尊即耳鼻舌身意觸在兩間增
語是菩薩摩訶薩不不也世尊即眼觸可得
增語是菩薩摩訶薩不不也世尊即耳鼻舌
身意觸可得增語是菩薩摩訶薩不不也世
尊即眼觸不可得增語是菩薩摩訶薩不不
也世尊即耳鼻舌身意觸不可得增語是
菩薩摩訶薩不不也世尊
復次善現所言菩薩摩訶薩者於意云何即
眼觸為緣所生諸受增語是菩薩摩訶薩不
不也世尊即耳鼻舌身意觸為緣所生諸受

BD00286號　大般若波羅蜜多經卷一八　（25–19）

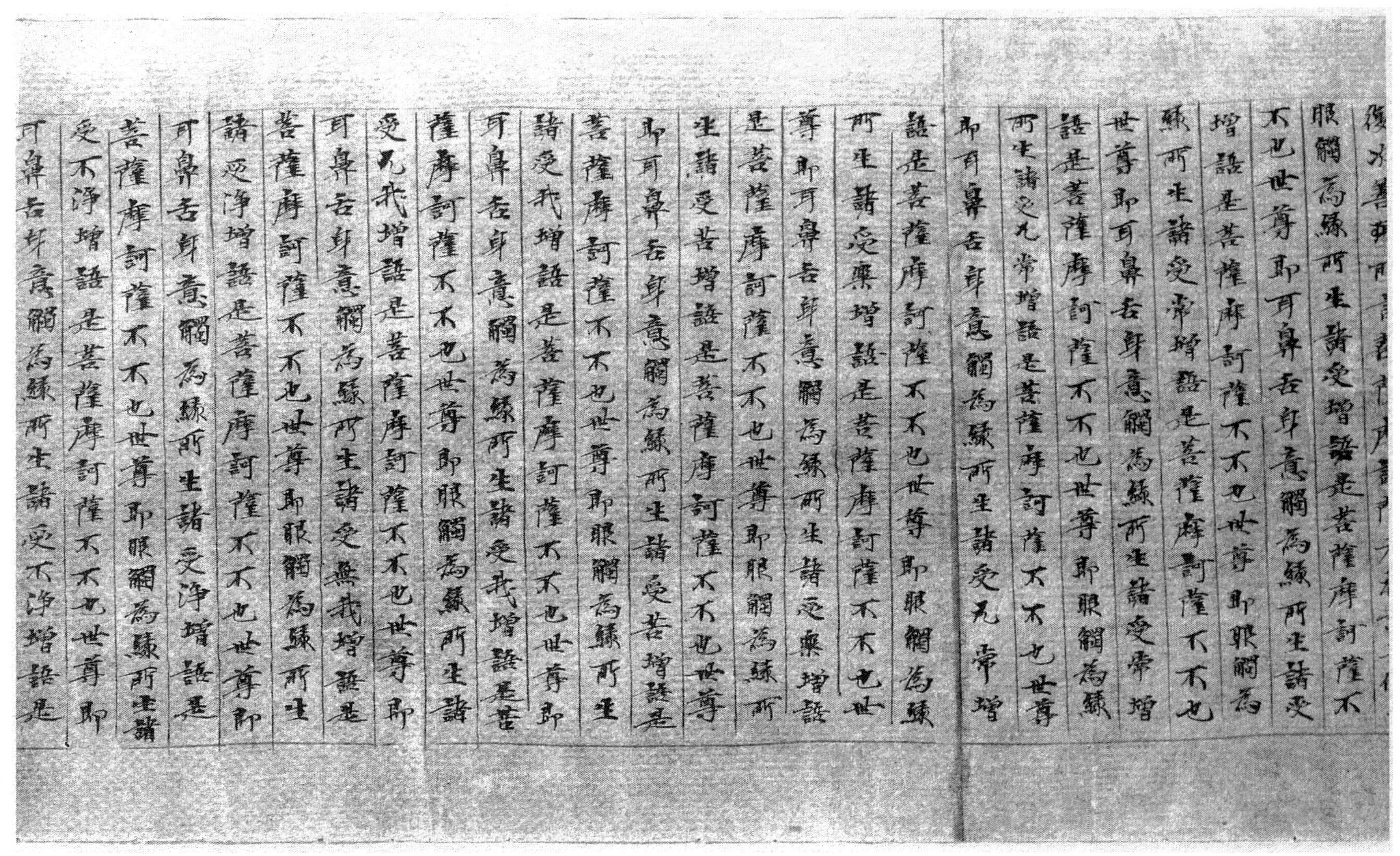

BD00286號　大般若波羅蜜多經卷一八　（25–20）

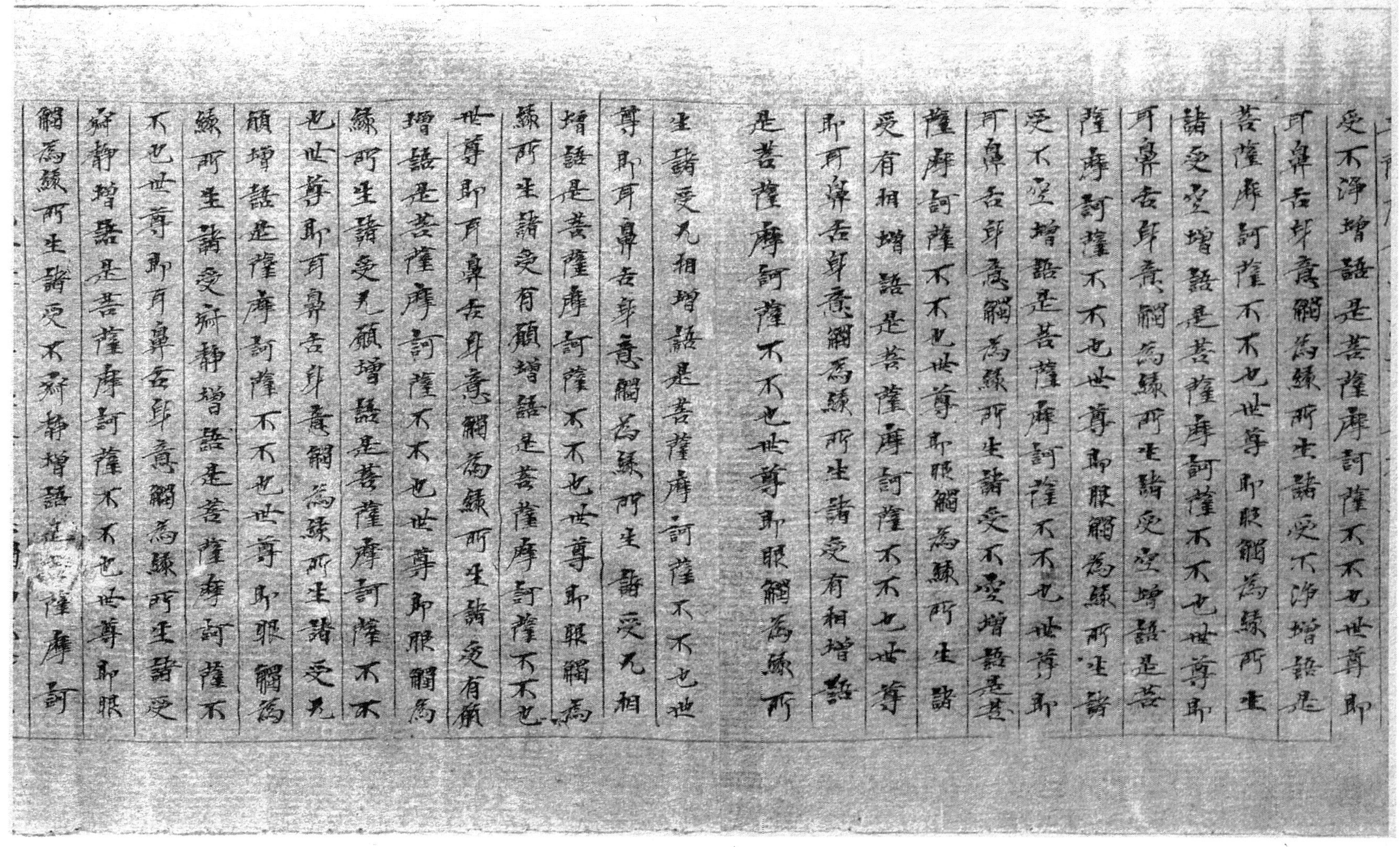

BD00286號　大般若波羅蜜多經卷一八　（25–21）

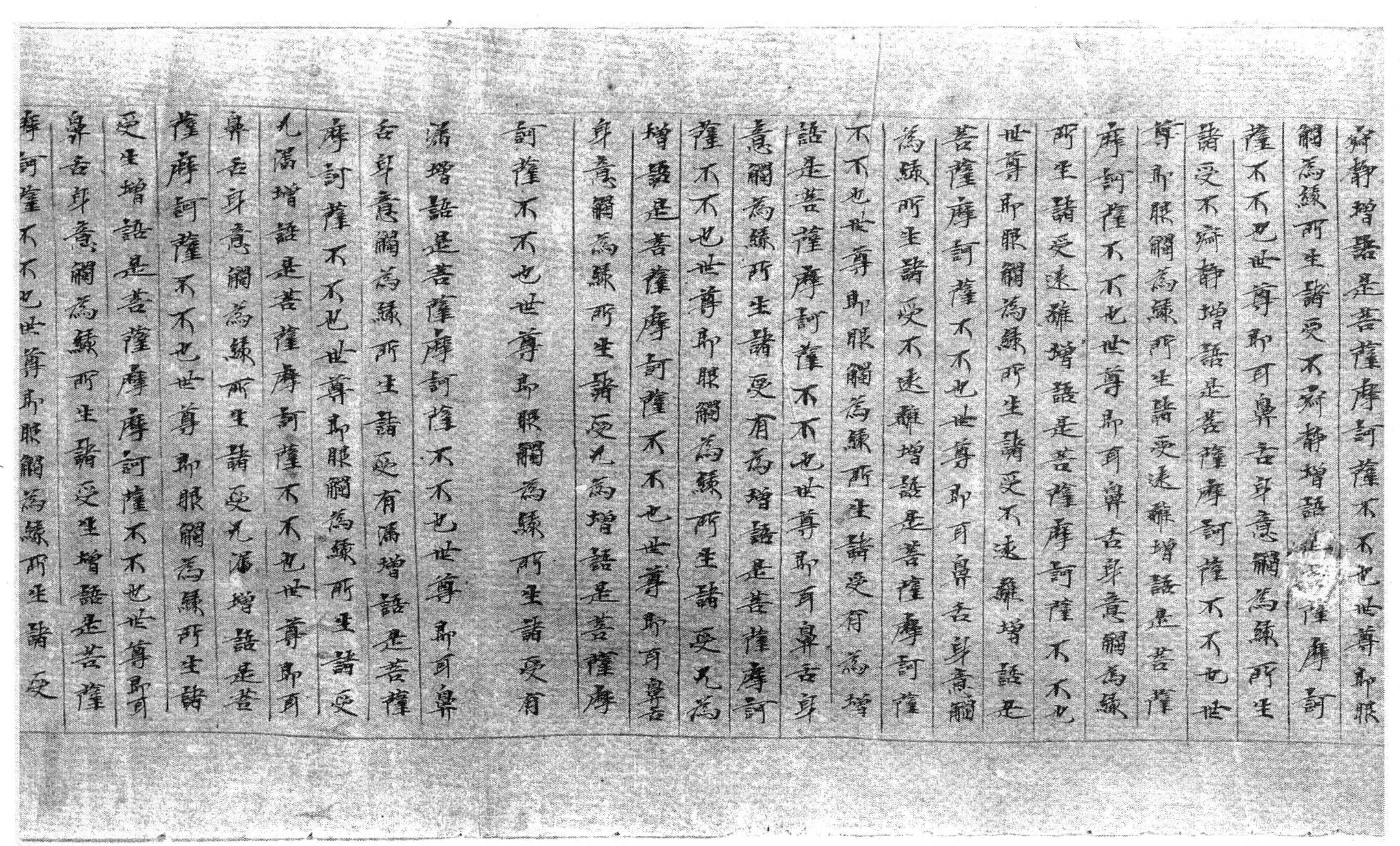
寂靜增語是菩薩摩訶薩不不也世尊即眼
觸為緣所生諸受不寂靜增語是菩薩摩訶
薩不不也世尊即耳鼻舌身意觸為緣所生
諸受不寂靜增語是菩薩摩訶薩不不也世
尊即眼觸為緣所生諸受遠離增語是菩薩
摩訶薩不不也世尊即耳鼻舌身意觸為緣
所生諸受遠離增語是菩薩摩訶薩不不也
世尊即眼觸為緣所生諸受不遠離增語是
菩薩摩訶薩不不也世尊即耳鼻舌身意觸
為緣所生諸受不遠離增語是菩薩摩訶薩
不不也世尊即眼觸為緣所生諸受有為增
語是菩薩摩訶薩不不也世尊即耳鼻舌身
意觸為緣所生諸受有為增語是菩薩摩訶
薩不不也世尊即眼觸為緣所生諸受无為
增語是菩薩摩訶薩不不也世尊即耳鼻舌
身意觸為緣所生諸受无為增語是菩薩摩
訶薩不不也世尊即眼觸為緣所生諸受有
漏增語是菩薩摩訶薩不不也世尊即耳鼻
舌身意觸為緣所生諸受有漏增語是菩薩
摩訶薩不不也世尊即眼觸為緣所生諸受
无漏增語是菩薩摩訶薩不不也世尊即耳
鼻舌身意觸為緣所生諸受无漏增語是菩
薩摩訶薩不不也世尊即眼觸為緣所生諸
受生增語是菩薩摩訶薩不不也世尊即耳
鼻舌身意觸為緣所生諸受生增語是菩薩
摩訶薩不不也世尊即眼觸為緣所生諸受

BD00286號　大般若波羅蜜多經卷一八　（25–22）

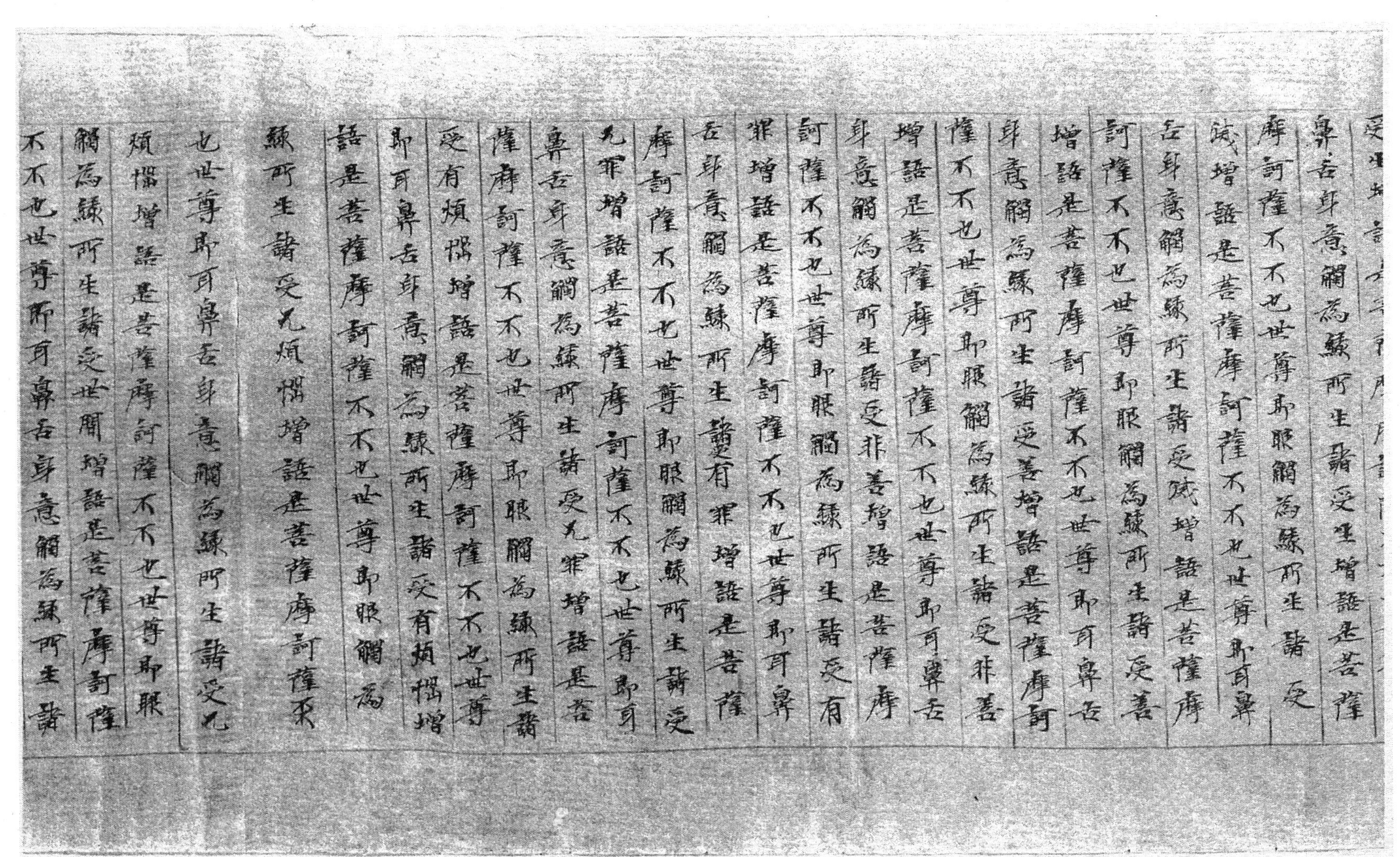
鼻舌身意觸為緣所生諸受生增語是菩薩
摩訶薩不不也世尊即眼觸為緣所生諸受
滅增語是菩薩摩訶薩不不也世尊即耳鼻
舌身意觸為緣所生諸受滅增語是菩薩摩
訶薩不不也世尊即眼觸為緣所生諸受善
增語是菩薩摩訶薩不不也世尊即耳鼻舌
身意觸為緣所生諸受善增語是菩薩摩訶
薩不不也世尊即眼觸為緣所生諸受非善
增語是菩薩摩訶薩不不也世尊即耳鼻舌
身意觸為緣所生諸受非善增語是菩薩摩
訶薩不不也世尊即眼觸為緣所生諸受有
罪增語是菩薩摩訶薩不不也世尊即耳鼻
舌身意觸為緣所生諸受有罪增語是菩薩
摩訶薩不不也世尊即眼觸為緣所生諸受
无罪增語是菩薩摩訶薩不不也世尊即耳
鼻舌身意觸為緣所生諸受无罪增語是菩
薩摩訶薩不不也世尊即眼觸為緣所生諸
受有煩惱增語是菩薩摩訶薩不不也世尊
即耳鼻舌身意觸為緣所生諸受有煩惱增
語是菩薩摩訶薩不不也世尊即眼觸為
緣所生諸受无煩惱增語是菩薩摩訶薩不
也世尊即耳鼻舌身意觸為緣所生諸受无
煩惱增語是菩薩摩訶薩不不也世尊即眼
觸為緣所生諸受世間增語是菩薩摩訶薩
不不也世尊即耳鼻舌身意觸為緣所生諸

BD00286號　大般若波羅蜜多經卷一八　（25–23）

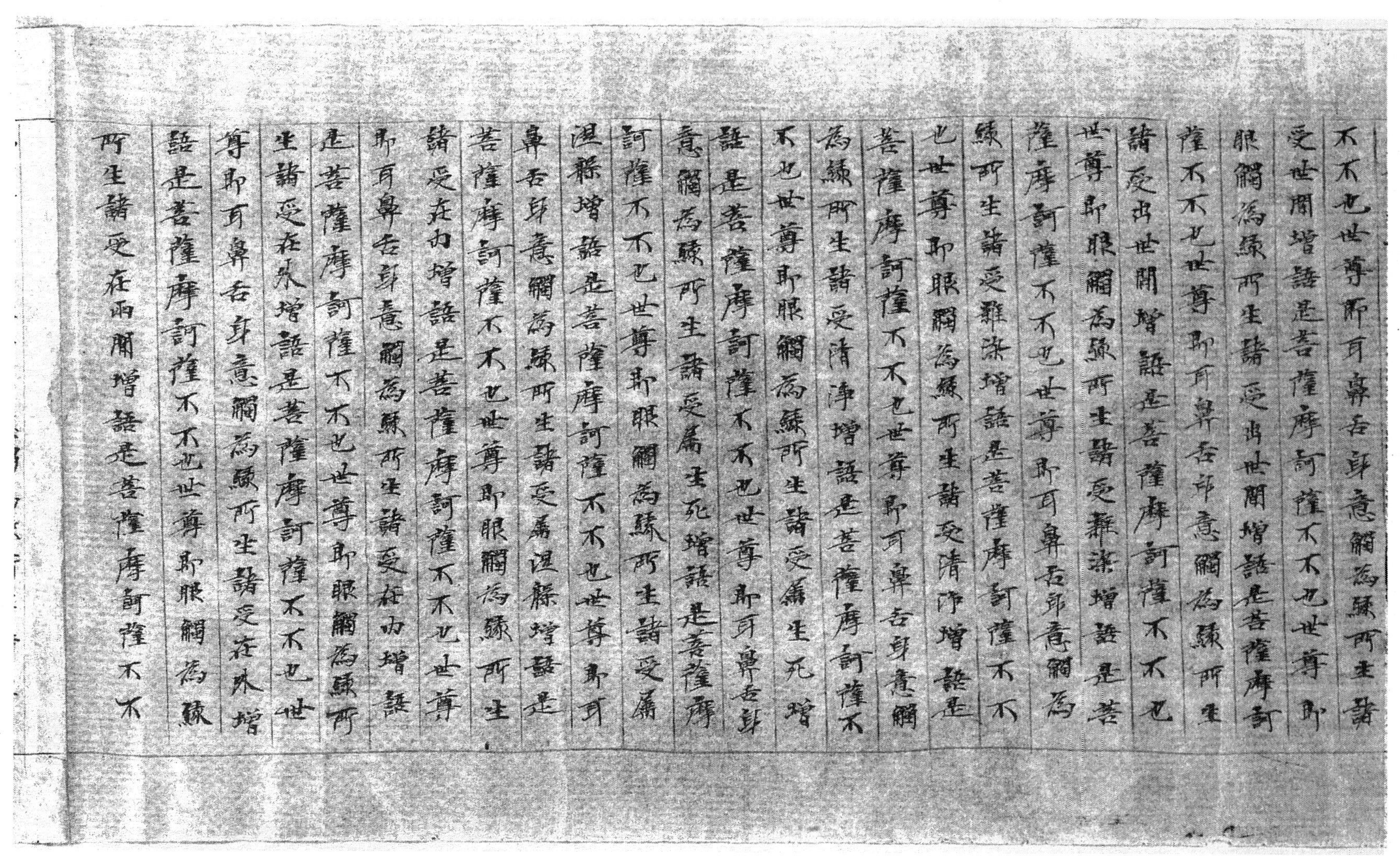
不不也世尊即耳鼻舌身意觸為緣所生諸
受世間增語是菩薩摩訶薩不不也世尊即
眼觸為緣所生諸受出世間增語是菩薩摩訶
薩不不也世尊即耳鼻舌身意觸為緣所生
諸受出世間增語是菩薩摩訶薩不不也
世尊即眼觸為緣所生諸受雜染增語是菩
薩摩訶薩不不也世尊即耳鼻舌身意觸為
緣所生諸受雜染增語是菩薩摩訶薩不不
也世尊即眼觸為緣所生諸受清淨增語是
菩薩摩訶薩不不也世尊即耳鼻舌身意觸
為緣所生諸受清淨增語是菩薩摩訶薩不
不也世尊即眼觸為緣所生諸受屬生死增
語是菩薩摩訶薩不不也世尊即耳鼻舌身
意觸為緣所生諸受屬生死增語是菩薩摩
訶薩不不也世尊即眼觸為緣所生諸受屬
涅槃增語是菩薩摩訶薩不不也世尊即耳
鼻舌身意觸為緣所生諸受屬涅槃增語是
菩薩摩訶薩不不也世尊即眼觸為緣所生
諸受在內增語是菩薩摩訶薩不不也世尊
即耳鼻舌身意觸為緣所生諸受在內增語
是菩薩摩訶薩不不也世尊即眼觸為緣所
生諸受在外增語是菩薩摩訶薩不不也世
尊即耳鼻舌身意觸為緣所生諸受在外增
語是菩薩摩訶薩不不也世尊即眼觸為緣
所生諸受在兩間增語是菩薩摩訶薩不不

BD00286 號　大般若波羅蜜多經卷一八　（25–24）

是菩薩摩訶薩不不也世尊即眼觸為緣所
生諸受在外增語是菩薩摩訶薩不不也世
尊即耳鼻舌身意觸為緣所生諸受在外增
語是菩薩摩訶薩不不也世尊即眼觸為緣
所生諸受在兩間增語是菩薩摩訶薩不不
也世尊即耳鼻舌身意觸為緣所生諸受在
兩間增語是菩薩摩訶薩不不也世尊即眼
觸為緣所生諸受可得增語是菩薩摩訶薩
不不也世尊即耳鼻舌身意觸為緣所生諸
受可得增語是菩薩摩訶薩不不也世尊即
眼觸為緣所生諸受不可得增語是菩薩摩
訶薩不不也世尊即耳鼻舌身意觸為緣所
生諸受不可得增語是菩薩摩訶薩不不也
世尊

大般若波羅蜜多經卷第十八

BD00286 號　大般若波羅蜜多經卷一八　（25–25）

BD00286 號背　勘記　　（1–1）

於善法堂會有一天子名曰善住與諸大天
遊於園觀又與大天受勝尊貴與諸天女前
後圍繞歡喜遊戲種種音樂共相娛樂受諸
快樂尒時善住天子即於夜分聞有聲言善
住天子却後七日命將欲盡命終之後生贍
部洲受七返畜生身即受地獄苦從地獄出
希得人身生於貧賤處於母胎即无兩目尒
時善住天子聞此聲已即大驚怖身毛皆竪
愁憂不樂速疾往詣天帝釋所悲啼號哭
惶怖无計頂礼帝釋二足尊已白帝釋言聽
我所說我與諸天女共相圍繞受諸快樂聞
有聲言善住天子却後七日命將欲盡命終之
後生贍部洲七返受畜生身受七身已即生
諸地獄從地獄出希得人身生貧賤家而无
兩目天帝云何令我得免斯苦
尒時帝釋聞善住天子語已甚大驚愕即
自思惟此善住天子受何七返惡道之身尒
時帝釋須臾靜住入定諦觀即見善住當受
七返惡道之身所謂猪狗野干獼猴蟒虵烏
鷲等身食諸穢惡不淨之物尒時帝釋觀
見善住天子當墮七返惡道之身極助苦惱痛
割於心諦思无計何所歸依唯有如來應正
等覺令其善住得免斯苦
尒時帝釋即於此日初夜分時以種種花鬘塗香
末香以妙天衣莊嚴執持往詣誓多林園於世
尊所到已頂礼佛足右遶七匝即於佛前

BD00287 號　佛頂尊勝陀羅尼經（佛陀波利本）　　（8–1）

割於心識思无計何所歸依唯有如來應正
等覺令其善住得免斯苦
尒時帝釋即於此日初夜分時以種種花鬘塗香
末香以妙天衣莊嚴執持往詣誓多林園於世
尊所到已頂礼佛足右遶七匝即於佛前廣大
供養佛前胡跪而白佛言世尊善住天子云何
當受七返畜生惡道之身具如上說
尒時如來頂上放種種光遍滿十方一切世
界已其光還來遶佛三匝從佛口入佛便微
笑告帝釋言天帝有陀羅尼名為如來佛頂
尊勝能淨一切惡道能淨除一切生死苦惱
又能淨除諸地獄閻羅王界畜生之苦又破
一切地獄能迴向善道天帝此佛頂尊勝陀
羅尼若有人聞一經於耳先世所造一切地獄
惡業皆悉消滅當得清淨之身隨所生處憶
持不忘從一佛剎至一佛剎從一天界至一
天界遍歷三十三天所生之處憶持不忘天
帝若人命欲將終須臾憶念此陀羅尼還得
增壽得身口意淨身无苦痛隨其福利隨
處安隱一切如來之所觀視一切天神恒常侍
衛為人所敬惡鄣消滅一切菩薩同心覆護
天帝若人能須臾讀誦此陀羅尼者此人所
有一切地獄畜生閻羅王界餓鬼之苦破壞
消滅无有遺餘諸佛剎土及諸天宮一切
菩薩所住之門无有鄣礙隨意遊入
尒時帝釋白佛言世尊唯願如來為衆生說
增益壽命之法
尒時世尊知帝釋意心之所念樂聞

BD00287 號　佛頂尊勝陀羅尼經（佛陀波利本）

（8–2）

尒時帝釋白佛言世尊唯願如來為衆生說
增益壽命之法
尒時世尊知帝釋意心之所念樂聞佛說是
陀羅尼法即說呪曰

BD00287 號　佛頂尊勝陀羅尼經（佛陀波利本）

（8–3）

瑟耻帝(一切佛知)薩婆怛他蘖多(一切如来)揭婆摩溫婆婆迯都
(一切佛盡得)慕尸(二合)馱夜慕戶馱夜(菩薩毗)部馱夜毗部馱(未成菩薩)
娑揭多(一切)波哩戒帝(清淨)娑縛怛他蘖多(一切如来)地瑟咒
耶地瑟耻帝吒地夜(一切佛心地呪)摩訶慕帝剃娑婆訶(成就)
佛告帝釋言此呪名淨除一切惡道佛頂尊
勝陁羅尼能除一切罪業等鄣能破一切
穢惡道苦天帝此陁羅尼八十八殑伽沙俱
胝百千諸佛同共宣說隨喜受持大如来
智印印之為破一切衆生穢惡道義故為一切
地獄畜生閻羅王界衆生得解脫故臨急苦
難墮生死海中衆生得解脫故短命薄福无
救護衆生樂造雜染惡業衆生故說又此陁羅
尼於贍部洲住持力故能令地獄惡道衆生
種種流轉生死薄福衆生不信善惡業失正
道衆生等得解脫義故
佛告天帝我說此陁羅尼付囑於汝汝當授
與善住天子復當受持讀誦思惟愛樂憶念
供養於贍部洲一切衆生廣為宣說此陁羅
尼亦為一切諸天子故說此陁羅尼印付囑
於汝天帝汝當善持守護勿令忘失
天帝若人須臾得聞此陁羅尼千劫已来積造
惡業重鄣應受種種流轉生死地獄餓鬼
畜生閻羅王界阿脩羅身夜叉羅剎鬼神
布單那羯吒布單那阿波娑摩羅蚊盲龜狗
蟒虵一切諸鳥及諸猛獸一切蠢動含靈乃
至蟻子之身更不重受即得轉生諸佛如来
一生補處菩薩同會處生或得大姓婆羅門

BD00287 號　佛頂尊勝陀羅尼經(佛陀波利本)　(8–4)

一生補處菩薩同會處生或得大姓婆羅門
家生或得剎利種家生或得豪貴最勝家生
天帝此人身如上貴處生者皆由聞此陁羅尼
故轉所生處皆得清淨天帝乃至得到菩提
道場最勝之處皆由讚歎此陁羅尼功德
如是
天帝此陁羅尼名吉祥能淨一切惡道此佛
頂尊勝陁羅尼猶如日藏摩尼之寶淨无
瑕穢淨等虛空光焰照徹无不周遍若諸衆
生持此陁羅尼亦復如是亦如閻浮檀金明
淨柔軟令人喜見不為穢惡之所染著天帝
若有衆生持此陁羅尼亦復如是乘斯善事
得生善道天帝此陁羅尼所在之處若能書
寫流通受持讀誦聽聞供養能如是者一切
惡道皆得清淨一切地獄苦惱皆消滅
佛告天帝若人能書寫此陁羅尼安高幢上
或安高山或安樓上乃至安置窣堵波中天
帝若有苾蒭苾蒭尼優婆塞優婆夷族姓
男族姓女於幢等上或見或與相近其影映
身或風吹陁羅尼上幢等上塵落在身上天
帝彼諸衆生所有罪業應墮惡道地獄畜生
閻羅王界餓鬼阿脩羅身惡道之苦皆悉不受
亦不為罪垢染汙天帝此等衆生為一切諸佛
之所授記皆得不退轉於阿耨多羅三藐三菩
提天帝何況更以多諸供具花鬘塗香末香幢
幡蓋等衣服瓔珞作諸莊嚴於四衢道造窣
堵波安置陁羅尼合掌恭敬旋遶行道歸命

BD00287 號　佛頂尊勝陀羅尼經(佛陀波利本)　(8–5)

視天帝何況更以多諸供具花鬘塗香末香幢
幡蓋等衣服瓔珞作諸莊嚴於四衢道造窣
堵波安置陁羅尼合掌恭敬旋遶行道歸命
礼拜天帝彼人能如是供養者名摩訶薩埵真
是佛子持法棟梁又是如來全身舍利窣堵
波塔
尒時閻摩羅法王於時夜分來詣佛所到已
以種種天衣妙花塗香莊嚴供養佛已遶佛
七匝頂礼佛足而作是言我聞如來演說讚
持大力陁羅尼者我常隨逐守護不令持者
墮於地獄以彼隨順如來言教而護念之
尒時護世四天大王遶佛三匝白佛言世尊唯
願如來為我廣說持陁羅尼法尒時佛告
四天王汝今諦聽我當為汝宣說受持此陁
羅尼法亦為短命諸眾生說當先洗浴著新
淨衣白月圓滿十五日時持齋誦此陁羅尼
滿其千遍令短命眾生還得增壽永離病
苦一切業鄣悉皆消滅一切地獄苦亦得解脫諸
飛鳥畜生含靈之類聞此陁羅尼一經於耳盡此
一身更不復受
佛言若遇大惡病聞此陁羅尼即得永離一切
諸病亦得消滅應墮惡道亦得除斷即得往
生極樂世界從此身已後不受胞胎之身所生
之處蓮華化生一切生處憶持不忘常識宿命
佛言若人先造一切極重罪業遂即命終乘斯
惡業應墮地獄或墮畜生閻羅王界或墮餓
鬼乃至墮大阿鼻地獄或生水中或生禽獸
異類之身取其亡者隨身分骨以土一把誦此

BD00287 號　佛頂尊勝陀羅尼經（佛陀波利本）　（8–6）

惡業應墮地獄或墮畜生閻羅王界或墮餓
鬼乃至墮大阿鼻地獄或生水中或生禽獸
異類之身取其亡者隨身分骨以土一把誦此
陁羅尼二十一遍散亡者骨上即得生天
佛言若人能日日誦此陁羅尼二十一遍應消一切世
間廣大供養捨身往生極樂世界若常誦念
得大涅槃復增壽命受勝快樂捨此身已即
得往生種種微妙諸佛剎土常與諸佛俱會一
處一切如來恒為演說微妙之義一切世尊即授
其記身光照曜一切剎土佛言若誦此陁羅尼
法於其佛前先取淨土作壇隨其大小方四角作
以種種草花散於壇上燒眾名香右膝著地胡跪
心常念佛作慕陁羅尼印屈其頭指以大母指
押合掌當其心上誦此陁羅尼一百八遍訖於其
壇中如雲王雨花能遍供養八十八俱胝殑伽沙那
庾多百千諸佛彼佛世尊咸共讚言善哉希有
真是佛子即得无鄣礙智三昧得大菩提心莊嚴
三昧持此陁羅尼法應如是
佛言天帝我以此方便一切眾生應墮地獄道
令得解脫一切惡道亦得清淨復令持者增
益壽命天帝汝去將我陁羅尼授與善住
天子滿其七日汝與善住俱來見我
尒時天帝於世尊所受此陁羅尼法奉持還
於本天授與善住天子
尒時善住天子受此陁羅尼已滿六日六夜依
法受持一切願滿應受一切惡道等苦即得
解脫住菩提道增壽无量甚大歡喜高
聲歎言希有如來希有妙法希有明驗甚為

BD00287 號　佛頂尊勝陀羅尼經（佛陀波利本）　（8–7）

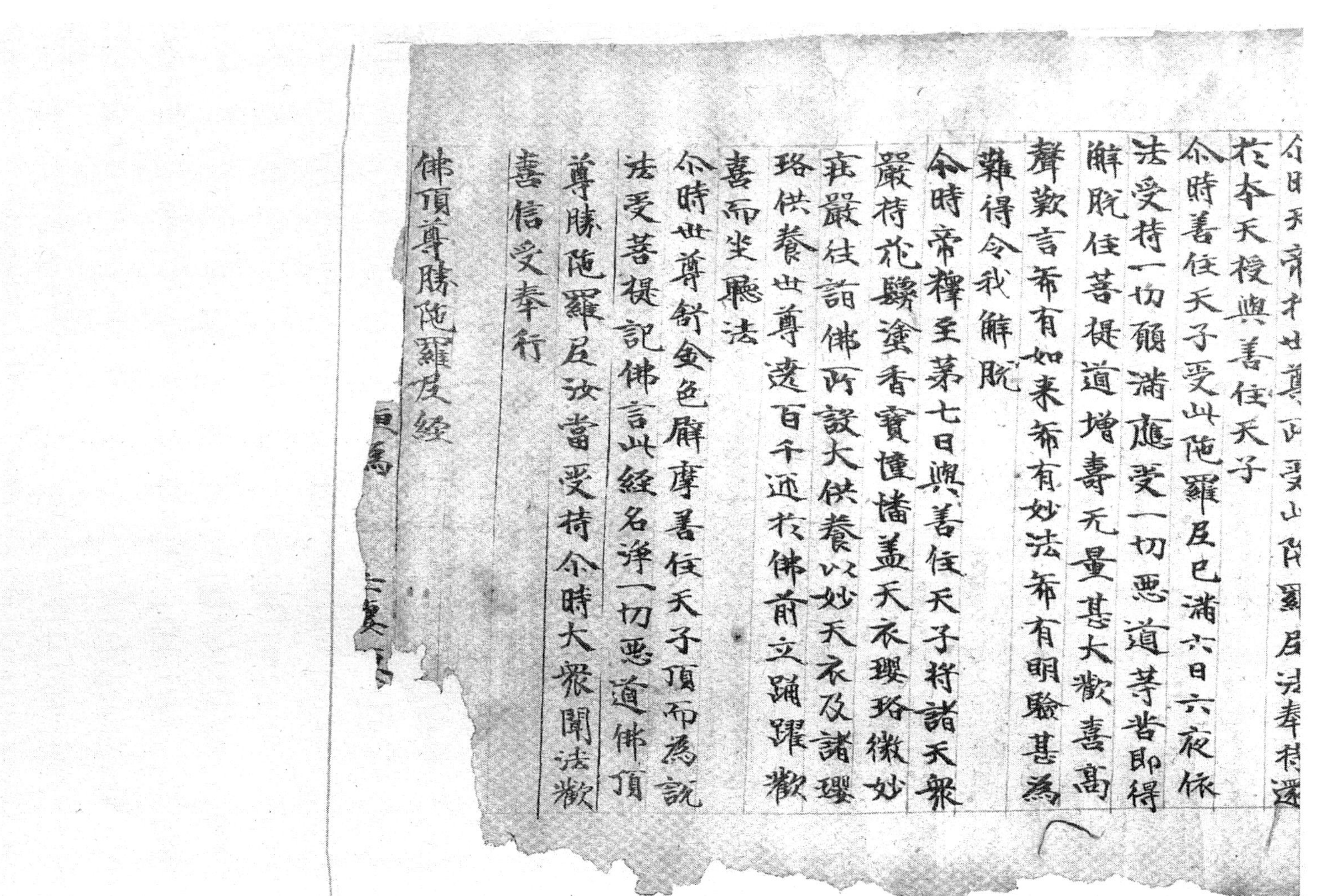

尒時帝釋於世尊所受此陀羅尼法奉持還
於本天授與善住天子
尒時善住天子受此陀羅尼已滿六日六夜依
法受持一切願滿應受一切惡道等苦即得
解脫住菩提道增壽无量甚大歡喜高
聲歎言希有如來希有妙法希有明驗甚爲
難得令我解脫
尒時帝釋至第七日與善住天子將諸天衆
嚴持花鬘塗香寶幢旛蓋天衣瓔珞微妙
莊嚴往詣佛所設大供養以妙天衣及諸瓔
珞供養世尊遶百千匝於佛前立踊躍歡
喜而坐聽法
尒時世尊舒金色臂摩善住天子頂而爲說
法受菩提記佛言此經名淨一切惡道佛頂
尊勝陀羅尼汝當受持尒時大衆聞法歡
喜信受奉行
佛頂尊勝陀羅尼經

BD00287 號　佛頂尊勝陀羅尼經（佛陀波利本）　（8–8）

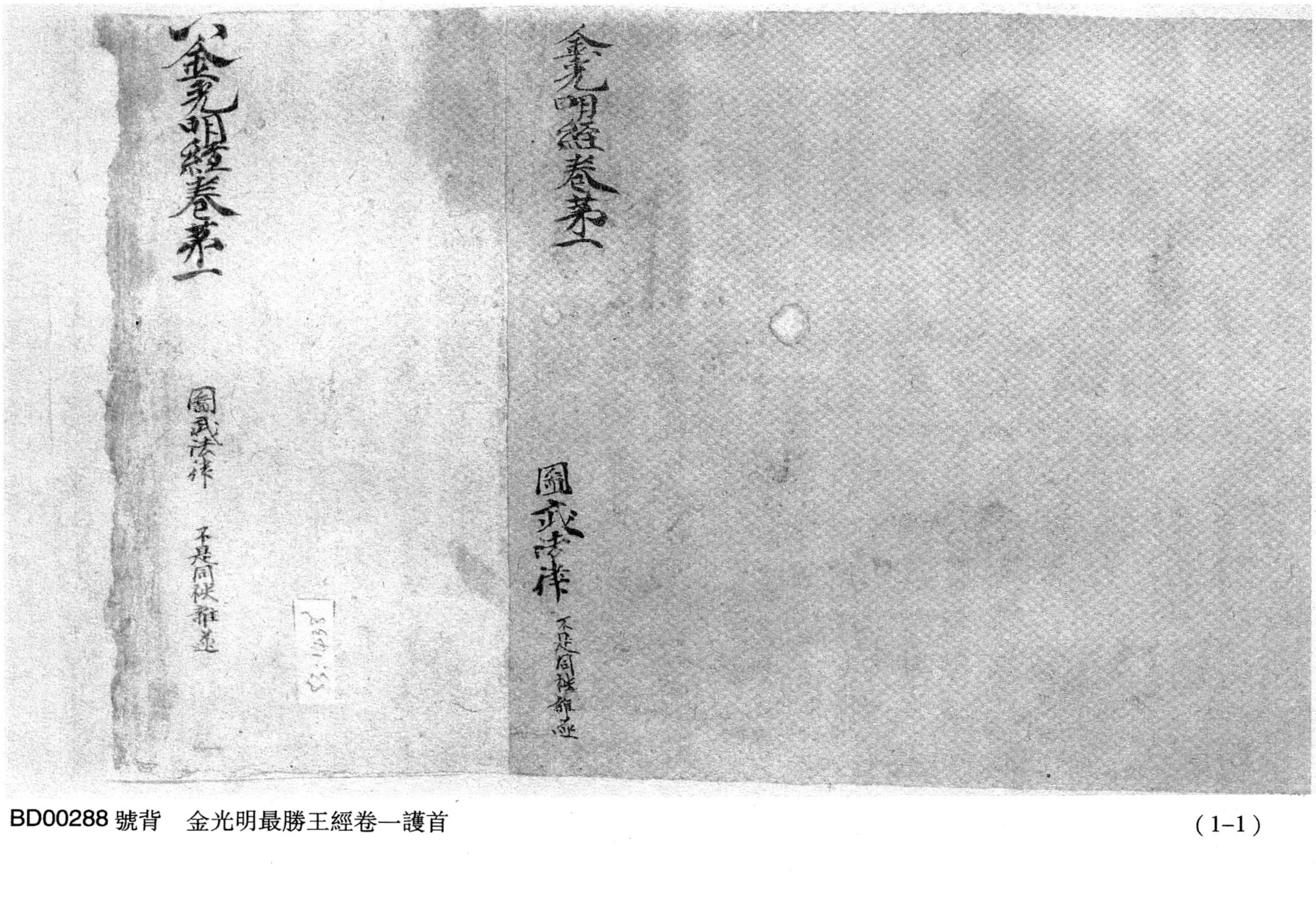

BD00288 號背　金光明最勝王經卷一護首　（1–1）

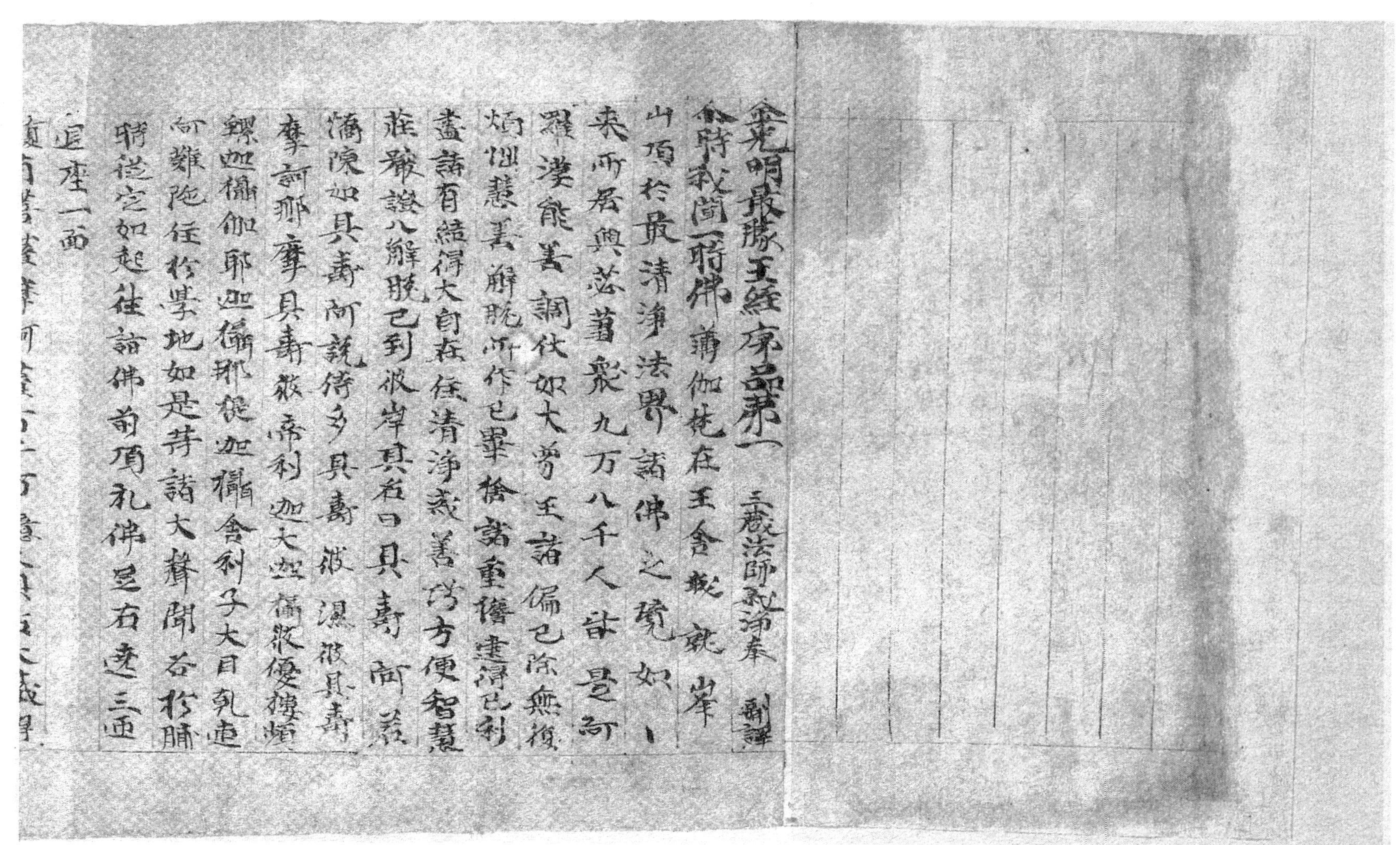

金光明最勝王經序品第一　三藏法師義淨奉　制譯
如是我聞一時薄伽梵在王舍城鷲峯
山頂於最清淨甚深法界諸佛之境如
來所居與大苾芻衆九万八千人皆是阿
羅漢能善調伏如大象王諸漏已除無復
煩惱慧善解脫所作已畢捨諸重擔逮得己利
盡諸有結得大自在住清淨戒善巧方便智慧
莊嚴證八解脫已到彼岸其名曰具壽阿若
憍陳如具壽阿說侍多具壽婆濕婆具壽
摩訶那摩具壽婆帝利迦大迦攝波優樓頻
螺迦攝波伽耶迦攝波那提迦攝波舍利子大目乾連
阿難陀住於學地如是等諸大聲聞各於晡
時從定而起往詣佛所頂禮佛足右遶三匝
退坐一面
復有菩薩摩訶薩百千万億人具足大威德

BD00288號　金光明最勝王經卷一　（17–1）

時從定而起往詣佛所頂禮佛足右遶三匝
退坐一面
復有菩薩摩訶薩百千万億人具有大威德
如大龍王名稱普聞衆所知識施戒清淨常
樂奉持忍行精勤經無量劫超諸靜慮繫
念現前開闡慧門善修方便自在遊戲獲妙神
通逮得總持辯才無盡斷諸煩惱累染皆已
制諸外道令起淨心轉妙法輪度人天衆十方
不久當成一切種智降伏魔軍擊法鼓
佛土悉已莊嚴六趣有情無不蒙益成就大
智具足大慈悲心有大堅固力歷事諸
非不般涅槃發弘誓心盡未來際普於佛所
深種淨因於三世法悟无生忍趣於二乘所
行境界以大善巧化世間衆能大師教能演
秘密之法甚深空性皆已了知無復疑惑
其名曰無障礙轉法輪菩薩常發心轉法輪菩薩
常精進菩薩不休息菩薩慈氏菩薩妙吉
祥菩薩觀自在菩薩總持自在王菩薩大辯莊
嚴王菩薩妙高山王菩薩大海深王菩薩寶幢菩
薩大寶幢菩薩地藏菩薩虛空藏菩薩寶手
自在菩薩金剛手菩薩歡喜力菩薩大法力菩
薩大莊嚴光菩薩大金光莊嚴菩薩淨戒菩
薩常定菩薩極清淨慧菩薩堅固精進菩薩心
如虛空菩薩不斷大願菩薩施藥菩薩療諸
煩惱病菩薩醫王菩薩歡喜高王菩薩得上授記
菩薩大雲淨光菩薩大雲持法菩薩大雲名稱

BD00288號　金光明最勝王經卷一　（17–2）

菩薩大雲淨光菩薩大雲持法菩薩大雲名稱
喜樂菩薩大雲現无邊稱菩薩大雲師子吼菩
薩大雲牛王吼菩薩大雲吉祥菩薩大雲寶德菩
薩大雲日藏菩薩大雲月藏菩薩大雲星光菩
薩大雲火光菩薩大雲電光菩薩大雲雷音
菩薩大雲慧雨充遍菩薩大雲清淨雨王菩薩
大雲花樹王菩薩大雲青蓮華香菩薩大雲寶
栴檀香清淨身菩薩大雲除闇菩薩大雲破翳
菩薩如是等无量大菩薩眾各於晡時從定而起
往詣佛所頂禮佛足右遶三帀退坐一面
復有梨車毗童子五億八千其名曰師子光童
子師子慧童子法授童子因陀羅授童子大光
童子大猛童子佛護童子法護童子僧護童
子金剛護童子虛空護童子虛空吼童子寶
藏童子吉祥妙藏童子如是等人而為上首悉
皆安住无上菩提於大乘中深信歡喜各於晡時
往詣佛所頂禮佛足右遶三帀退坐一面
復有四万二千天子其名曰喜見天子喜悅天子日
光天子月髻天子明慧天子虛空淨慧天子除煩
惱天子吉祥天子如是等天子而為上首皆發弘願
護持大乘紹隆正法能使不絕各於晡時往詣佛
所頂禮佛足右遶三帀退坐一面
復有二万八千龍王蓮華龍王翳羅葉龍王
大力龍王大吼龍王小波龍王持駃水龍王
金面龍王如意龍王如是等龍王而為上首於大

BD00288號　金光明最勝王經卷一　（17–3）

大力龍王大吼龍王小波龍王持駃水龍王
金面龍王如意龍王如是等龍王而為上首於大
乘法常樂受持發深信心稱揚擁護各於晡時
往詣佛所頂禮佛足右遶三帀退坐一面
復有三万六千諸藥叉眾毗沙門天王而為
上首其名曰菴婆藥叉持菴婆藥叉蓮華光
藏藥叉蓮華面藥叉嚬眉藥叉現大怖藥叉動地
藥叉吞食藥叉是等藥叉悉皆愛樂如來正法
深心護持不生疲懈各於晡時往詣佛所頂禮
佛足右遶三帀退坐一面
復有四万九千揭路荼王香象勢力王而為上
首及餘健闥婆阿蘇羅緊那羅莫呼洛伽等山
林河海一切神仙并諸大國所有王眾中宮后妃淨
信男女人天大眾悉皆雲集咸願擁護无上大乘
讀誦受持書寫流布各於晡時往詣佛所頂禮佛
足右遶三帀退坐一面如是等聲聞菩薩人天大
眾龍神八部既雲集已各各至心合掌恭敬瞻
仰尊容目未曾捨願樂欲聞殊勝妙法尒時薄伽
梵於日晡時從定而起觀察大眾而說頌曰
金光明妙法　最勝諸經王　甚深難得聞　諸佛之境界
我當為大眾　宣說如是經　并四方四佛　威神共加護
東方阿閦尊　南方寶相佛　西方无量壽　北方天鼓音
我復演妙法　吉祥懺中勝　能滅一切罪　淨除諸惡業
及消眾苦患　常與无量樂　一切智根本　諸功德莊嚴

BD00288號　金光明最勝王經卷一　（17–4）

東方阿閦尊　南方寶相佛　西方无量壽　北方天鼓音
我復演妙法　吉祥懺中勝　能滅一切罪　淨除諸惡業
及消衆苦患　常與无量樂　一切智根本　諸功德莊嚴
衆生身不具　壽命將損減　諸惡相現前　天神皆捨離
親友懷瞋恨　眷屬悉分離　彼此共乖違　珎財皆散失
惡星爲變怪　或被邪蠱侵　若復多憂愁　衆苦之所逼
睡眠見惡夢　因此生煩惱　是人當澡浴　應著鮮潔衣
於此妙經王　甚深佛所讚　專注心不亂　讀誦聽受持
由此經威力　能離諸災橫　及餘衆苦難　无不皆除滅
護世四王衆　及大臣眷屬　无量諸藥叉　一心皆擁護
大辯才天女　尼連河水神　訶利底母神　堅牢地神衆
梵王帝釋主　龍王緊那羅　及金翅鳥王　阿蘇羅天衆
如是天神等　并將其眷屬　皆來護是人　晝夜常不離
我當說是經　甚深佛行處　諸佛秘密教　千万劫難逢
若有聞是經　能爲他演說　若心生隨喜　或設於供養
如是諸人等　當於无量劫　常爲諸天人　龍神所恭敬
此福聚无量　數過於恒河　讀誦是經者　當獲斯功德
亦爲十方尊　深行諸菩薩　擁護持經者　令離諸苦難
供養是經者　如前澡浴身　飲食及香花　恒起慈悲意
若欲聽是經　令心淨无垢　常生歡喜念　能長諸功德
若人尊重心　聽聞是經者　善生於人趣　遠離諸苦難
彼人善根熟　諸佛之所讚　方得聞是經　及以懺悔法

金光明最勝王經如來壽量品第二

尒時王舍大城有一菩薩摩訶薩名曰妙幢已
於過去无量俱胝那庾多百千佛所承事供
養殖諸善根是時妙幢菩薩獨於靜處作是

BD00288號　金光明最勝王經卷一　（17–5）

尒時王舍大城有一菩薩摩訶薩名曰妙幢已
於過去无量俱胝那庾多百千佛所承事供
養殖諸善根是時妙幢菩薩獨於靜處作是
思惟以何因緣釋迦牟尼如來壽命短促唯八
十年復作是念如佛所說有二因緣得壽命長
云何爲二一者不害生命二者施他飲食然釋
迦牟尼如來曾於无量百千万億无數大劫不
害生命行十善道常以飲食惠施一切飢餓衆
生乃至己身血肉骨髓亦持施與令得飽滿况
復飲食時彼菩薩於世尊所作是念時以佛威
力其室忽然廣博嚴淨帝青琉璃種種衆寶
雜彩間飾如佛淨土有妙香氣過諸天香芬
馥充滿於其四面各有上妙師子之座四寶所
成以天寶衣而敷其上復於此座有妙蓮華
種種珎寶以爲嚴飾量等如來自然現出於
蓮華上有四如來東方不動南方寶相西方无
量壽北方天鼓音是四如來各於其座跏趺而
坐放大光明周遍照耀王舍大城及此三千大
千世界乃至十方恒河沙等諸佛國土雨諸天
華奏諸天樂尒時於此贍部洲中及三千大
千世界所有衆生以佛威力受勝妙樂无有乏少
若身不具皆蒙具足盲者能視聾者能聞瘂
者能言愚者得智若心亂者得本心若衣无者
得衣服被惡賤者人所敬有垢穢者身清潔於
此世間所有利益未曾有事悉皆顯現
尒時妙幢菩薩見四如來及希有事歡喜踊躍

BD00288號　金光明最勝王經卷一　（17–6）

此世間所有利益未曾有事悉皆顯現
尒時妙幢菩薩見四如來及希有事歡喜踊躍
合掌一心瞻仰諸佛殊勝之相亦復思惟釋迦牟
尼如來无量功德唯於壽命生疑惑心云何如來
功德无量壽命短促唯八十年尒時四佛告妙
幢菩薩言善男子汝今不應思忖如來壽命
長短何以故善男子我等不見諸天世人梵摩
沙門婆羅門等人及非人有能算知佛之壽量
知其齊限唯除无上正遍知者時四如來欲說釋
迦牟尼佛所有壽量以佛威力欲色界天諸龍
鬼神揵闥婆阿蘇羅揭路荼緊那羅莫呼洛
伽及无量百千万億那庾多菩薩摩訶薩悉
來集會入妙幢菩薩淨妙室中尒時四佛於大
衆中欲顯釋迦牟尼如來所有壽命而說頌曰
一切諸海水　可知其渧數　无有能數知　釋迦之壽量
坼諸妙高山　如芥可知數　无有能數知　釋迦之壽量
一切大地土　可知其塵數　无有能筭知　釋迦之壽量
假使量虛空　可得盡邊際　无有能度知　釋迦之壽量
若人住億劫　盡力常筭數　亦復不能知　世尊之壽量
不害衆生命　及施於飲食　由斯二種因　得壽命長遠
是故大覺尊　壽命難知數　如劫无邊際　壽命亦如是
妙幢汝當知　不應起疑惑　最勝壽无量　莫能知數者
尒時妙幢菩薩聞四來說釋迦牟尼佛壽量
无限白言世尊云何如來示現如是短促壽量時
四世尊告妙幢言善男子彼釋迦牟尼佛於五
濁世出現之時人壽百歲稟性下劣善根微薄

BD00288號　金光明最勝王經卷一　（17–7）

尒時妙幢菩薩聞四來說釋迦牟尼佛壽量
无限白言世尊云何如來示現如是短促壽量時
四世尊告妙幢言善男子彼釋迦牟尼佛於五
濁世出現之時人壽百歲稟性下劣善根微薄
復无信解此諸衆生多有我見人見衆生見
壽者見養育邪見我我所見斷常見等爲欲
利益此諸異生及衆外道如是等類令生正解
速得成就无上菩提是故釋迦牟尼如來示現如
是短促壽命善男子然彼如來欲令衆生見涅
槃已生難遭想憂苦等想於佛世尊所說經教速
當受持讀誦通利爲人解說不生謗毀是故
如來現斯短壽何以故彼諸衆生若見如來不般
涅槃不生恭敬難遭之想如來所說甚深經典亦
不受持讀誦通利爲人宣說所以者何以常見
佛不尊重故善男子譬如有人見其父母多
有財產珍寶豊盈便於財物不生希有難遭之
想所以者何於父財物生常想故善男子彼諸
衆生亦復如是若見如來不入涅槃不生希有
難遭之想所以者何由常見故善男子譬如有人
父母貧窮資財乏少然彼貧人或詣王家或大臣
舍見其倉庫種種珍寶悉皆盈滿生希有心難
遭之想時彼貧人爲欲求財廣設方便策勤无
怠所以者何爲捨貧窮受安樂故善男子彼諸
衆生亦復如是若見如來入於涅槃生難遭想
乃至憂苦等想復作是念於无量劫諸佛如來

BD00288號　金光明最勝王經卷一　（17–8）

意所以者何為捨有窮受安樂故善男子彼諸
衆生亦復如是若見如來入於涅槃生難遭想
乃至憂苦等想復作是念於無量劫諸佛如來
出現於世如烏曇跋花時乃一現彼諸衆生發
希有心起難遭想若遇如來心生敬信聞說正
法生實語想所有經典悉皆受持不生毀謗善
男子以是因緣彼佛世尊不久住世速入涅槃
善男子是諸如來以如是等善巧方便成就衆
生爾時四佛說是語已忽然不見
爾時妙幢菩薩摩訶薩與無量百千菩薩及
無量億那庾多百千衆生俱共往詣鷲峯山
中釋迦牟尼如來正遍知所頂禮佛足在一面立
時妙幢菩薩以如上事具白世尊時四如來亦
詣鷲峯至釋迦牟尼佛所各隨本方就座而
坐告侍者菩薩言善男子汝今可詣釋迦牟
尼佛所為我致問少病少惱起居輕利安樂行
不復作是言善哉善哉釋迦牟尼如來今可演
說金光明經甚深法要為欲饒益一切衆生除
其飢饉令得安樂我當隨喜時彼侍者各詣釋
迦牟尼佛所頂禮雙足却住一面俱白佛言彼
天人師致問無量少病少惱起居輕利安樂行
不復作是言善哉善哉釋迦牟尼如來今可
演說金光明經甚深法要為利一切衆生除
去飢饉令得安樂爾時釋迦牟尼如來應正等
覺告彼侍者諸菩薩言善哉善哉彼四如來

BD00288號　金光明最勝王經卷一　（17–9）

去飢饉令得安樂爾時釋迦牟尼如來應正等
覺告彼侍者諸菩薩言善哉善哉彼四如來
乃能為諸衆生饒益安樂勸請於我宣揚正
法爾時世尊而說頌曰
我常在鷲山　宣說此經寶　成就衆生故　示現般涅槃
凡夫起邪見　不信我所說　為成就彼故　示現般涅般
時大會中有婆羅門姓憍陳如名曰法師授記與
無量百千婆羅門衆供養佛已聞世尊若實如
來於諸衆生有大慈悲憐愍利益令得安樂猶
如父母餘無等者能與世間作歸依處如淨滿
月以大智慧能為照明如日初出普觀衆生愛
無偏黨如羅怙羅唯願世尊施我一願
爾時世尊默然而止佛威力故於此衆中有梨
車毗童子名一切衆生喜見語婆羅門憍陳
如言大婆羅門汝今從佛欲乞何願我能與汝
婆羅門言童子我欲供養無上世尊今從如來
求諸舍利如芥子許何以故我曾聞說若善男
子善女人得佛舍利如芥子許供養恭敬是人
當生三十三天而為帝釋是時童子語婆羅門
曰若欲願生三十三天受勝報者應當至心聽
是金光明最勝王經於諸經中最為殊勝難
解難入聲聞獨覺所不能知此經能生無量無
邊福德果報乃至成辦無上菩提我今為汝略說
其事婆羅門言善哉童子此金光明甚深最上
難解難入聲聞獨覺尚不能知何況我等邊
鄙之人智慧微淺而能解了是故我今求

BD00288號　金光明最勝王經卷一　（17–10）

其事婆羅門言善哉童子此金光明甚深最上
難解難入聲聞獨覺尚不能知何况我等邊
鄙之人智慧微淺而能解了是故我今求佛
舍利如芥子許持還本處置寶函中恭敬供
養命終之後得為帝主常受安樂云何汝今
不能為我從明行之求斯一願作是語已尒時
童子即為婆羅門而說頌曰
恒河駃流水　可生白蓮華　黃鳥作白形　黑烏變為赤
假使贍部樹　可生多羅葉　朅羅樹枝中　能出菴羅菓
斯等希有物　或容可轉變　世尊之舍利　畢竟不可得
假使用龜毛　織成上妙服　寒時可披著　方求佛舍利
假使蚊蚋足　可使成樓觀　堅固不動搖　方求佛舍利
假使水蛭蟲　口中生白齒　長大利如鋒　方求佛舍利
假使持兔角　用成於梯蹬　可昇上天宮　方求佛舍利
鼠緣此梯上　除去阿蘇羅　能障空中月　方求佛舍利
若蠅飲酒醉　周行村邑中　廣造於舍宅　方求佛舍利
若使驢脣色　赤如頻婆菓　善作於歌舞　方求佛舍利
烏與鵂鶹鳥　同共一處遊　彼此相順從　方求佛舍利
假使波羅葉　可成於傘蓋　能遮於大雨　方求佛舍利
假使大舩舶　盛滿諸財寶　能令陸地行　方求佛舍利
假令鷦鷯鳥　以嘴銜香山　隨處任遊行　方求佛舍利
尒時法師授記婆羅門聞此頌已亦以伽他荅一
切衆生喜見童子曰
善哉大童子　此衆中吉祥　善巧方便心　得佛无上記
如來大威德　能救護世間　仁可至心聽　我今次第說
諸佛境難思　世間无與等　法身性常住　脩行无差別

善哉大童子　此衆中吉祥　善巧方便心　得佛无上記
如來大威德　能救護世間　仁可至心聽　我今次第說
諸佛境難思　世間无與等　法身性常住　脩行无差別
諸佛體皆同　所說法亦尒　諸佛无作者　亦復本无生
世尊金剛體　權現於化身　是故佛舍利　无如芥子許
佛非血肉身　云何有舍利　方便留身骨　為益諸衆生
法身是正覺　法界即如來　此是佛真身　亦說如是法
尒時會中三万二千天子聞說如來壽命長遠
皆發阿耨多羅三藐三菩提心歡喜踊躍得未
曾有異口同音而說頌曰
佛不般涅槃　正法亦不滅　為利衆生故　示現有滅盡
世尊不思議　妙體无異相　為利衆生故　現種種莊嚴
尒時妙幢菩薩親於佛前及四如來并二大士
諸天子所聞說釋迦牟尼如來壽量事已復從
座起合掌恭敬白佛言世尊若實如是諸佛如
來不般涅槃无舍利者云何經中說有涅槃及
佛舍利令諸人天恭敬供養過去諸佛現有身
骨流布於世人天供養得福无邊今復言无致
生疑惑唯願世尊哀愍我等廣為分別
尒時佛告妙幢菩薩及諸大衆汝等當知云
般涅槃有舍利者是密意說如是之義當一心
聽善男子菩薩摩訶薩如是之義有其十法能
解如來應正等覺真實理趣說有究竟大般
涅槃云何為十一者諸佛如來究竟斷盡諸煩
惱障所知障故名為涅槃二者諸佛如來善能
解了有情无性及法无性故名為涅槃三者性

脫善男子菩薩摩訶薩如是之義有其十法能
解如來應正等覺真實理趣說有究竟大般
涅槃云何爲十一者諸佛如來究竟斷盡諸煩
惱障所知障故名爲涅槃二者諸佛如來善能
解了有情无性及法无性故名爲涅槃三者能
轉身依及法依故名爲涅槃四者於諸有情任
運休息化因緣故名爲涅槃五者證得真實无
差別相平等法身故名爲涅槃六者了知生死
及以涅槃无二性故名爲涅槃七者於一切法了
其根本證清淨故名爲涅槃八者於一切法无生
无滅善修行故名爲涅槃九者真如法界實際
平等得正智故名爲涅槃十者於諸法性及涅槃
性得无差別故名爲涅槃是謂十法說有涅槃
復次善男子菩薩摩訶薩如是應知復有十法能
解如來應正等覺真實理趣說有究竟大般涅
槃云何爲十一者一切煩惱以樂爲欲本本從樂欲
生諸佛世尊斷樂欲故名爲涅槃二者以諸如來
斷諸樂欲不取一法以不取故无去无來无所取故
名爲涅槃三者以无去來及无所取是則法身不
生不滅无生无滅故名爲涅槃四者此无生滅非言
所宣言語斷故名爲涅槃五者无有我人唯法生
滅得轉依故名爲涅槃六者煩惱隨惑皆是客塵
法性无生无來无去佛了知故名爲涅槃七者真
如是實餘皆虛妄實性體者即是真如真如性
者即是如來名爲涅槃八者實際之性无有戲
論唯獨如來證實際法戲論永除名爲涅槃九

BD00288號　金光明最勝王經卷一　（17–13）

如是實餘皆虛妄實性體者即是真如真如性
者即是如來名爲涅槃八者實際之性无有戲
論唯獨如來證實際法戲論永除名爲涅槃九
者生是實生是虛妄愚癡之人漂溺生死如來體
實无有虛妄名爲涅槃十者不實之法是從緣生
真實之法不從緣起如來法身體是真實名爲涅槃
善男子是謂十法說有涅槃
復次善男子菩薩摩訶薩如是應知復有十法
能解如來應正等覺真實理趣說有究竟大
般涅槃云何爲十一者如來善知施及施果无我
我所此施及果不正分別永除滅故名爲涅槃二者
如來善知戒及戒果无我我所此戒及果不正分
別永除滅故名爲涅槃三者如來善知忍及忍果
无我我所此忍及果不正分別永除滅故名爲涅
槃四者如來善知勤及勤果无我我所此勤及果
不正分別永除滅故名爲涅槃五者如來善知定
及定果无我我所此定及果不正分別永除滅故
名爲涅槃六者如來善知慧及慧果无我我所
此慧及果不正分別永除滅故名爲涅槃七者諸
佛如來善能了知一切有情非有情一切諸法皆
无自性不正分別永除滅故名爲涅槃八者若自愛
者便起追求由追求故受諸苦惱諸佛如來除自
愛故永絕追求无追求故名爲涅槃九者有爲
之法皆有數量无爲法者數量皆除佛離有爲證无
爲法无數量故名爲涅槃十者如來了知有情

BD00288號　金光明最勝王經卷一　（17–14）

者便起追求由追求故受諸苦惱諸佛如來除自
愛故永絕追求无追求故名為涅槃九者有為
之法皆有數量无為法者數量皆除佛離有為證无
為法无數量故名為涅槃十者如來了知有情及
法體性皆空離空非有為性即是真法身故名為
涅槃善男子是謂十法說有涅槃
復次善男子豈唯如來不般涅槃是為希有復
有十種希有之法是如來行云何為十一者生死
過失涅槃寂靜由於生死及以涅槃證平等故
不處流轉不住涅槃於諸有情不生厭背是如來
行二者佛於衆生不作是念此諸愚夫行顛倒見
為諸煩惱之所纏迫我今開悟令其解脫然由
往昔慈善根力於彼有情隨所根性意樂勝
解不起分別任運濟度示教利喜盡未來際无
有窮盡是如來行三者佛无是念我今演說十
二分教利益有情然由往昔慈善根力於彼有
情廣說乃至盡未來際无有窮盡是如來行
四者佛无是念我今往彼城邑聚落王及大臣婆
羅門剎帝利薜舍戍達羅等舍從其乞食然由
往昔身語意行串習力故任運詣彼為利益事
而行乞食是如來行五者如來之身无有飢渴亦
无便利羸憊之相雖行乞食而无所食亦无分
別然為任運利益有情示有食相是如來行六者
佛无是念此諸衆生有上中下隨彼機性而為說
法然佛世尊无有分別隨其器量善應機緣為
起念此類有情不

別然為任運利益有情是有食相是如來行六者
佛无是念此諸衆生有上中下隨彼機性而為說
法然佛世尊无有分別隨其器量善應機緣為
起念此類有情不
不能與彼共為
我常於我所共讚歎我
為言說然而如來起慈悲心平等无
二是如來行八者諸佛如來无有愛憎憍慢貪
惜及諸煩惱然而如來常樂寂靜讚歎少欲離
諸諠閙是如來行九者如來无有一法不知不善
通達於一切處鏡智現前无有分別然而如來
見彼有情所作事業隨彼意轉方便誘引令
得出離是如來行十者如來若見一分有情得富
歡喜見其衰損不起憂戚然而如來
行无是之慈自然救攝若見
然救攝是如來行
等覺說有如是无
涅槃真實之相或時
涅槃者是權方便乃留舍利令諸有情
恭敬供養皆是如來慈善根力若供養者於未
來世遠離八難逢事諸佛遇善知識不失善心
福報无邊速當出離不為生死之所纏縛如
是妙行汝等勤脩勿為放逸
尒時妙幢菩薩聞佛親說不般涅槃及甚深
行合掌恭敬白佛言我今始知如來大師不般
涅槃及留舍利普益有情身心踊躍歎未

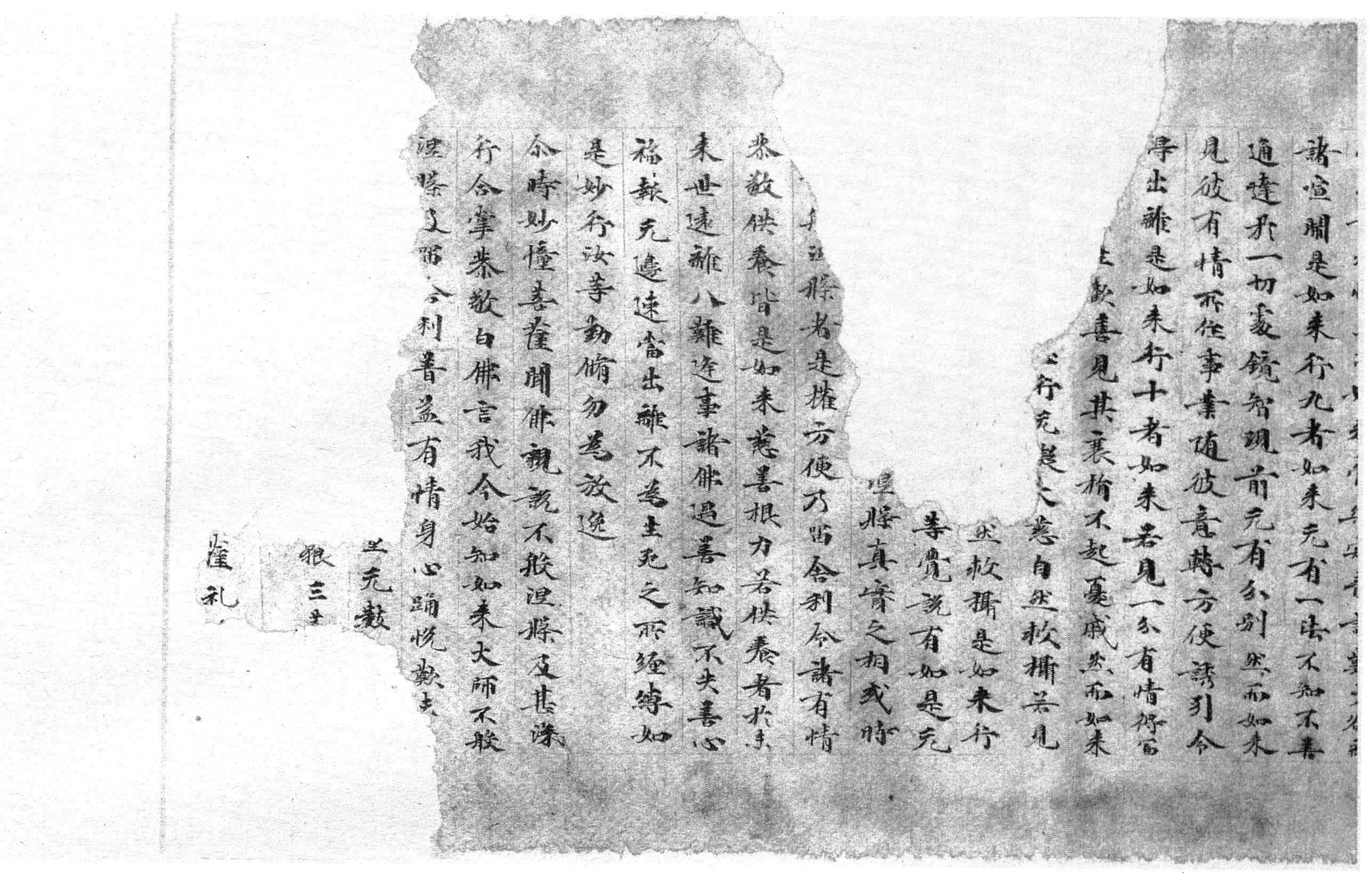

BD00288號　金光明最勝王經卷一　（17–17）

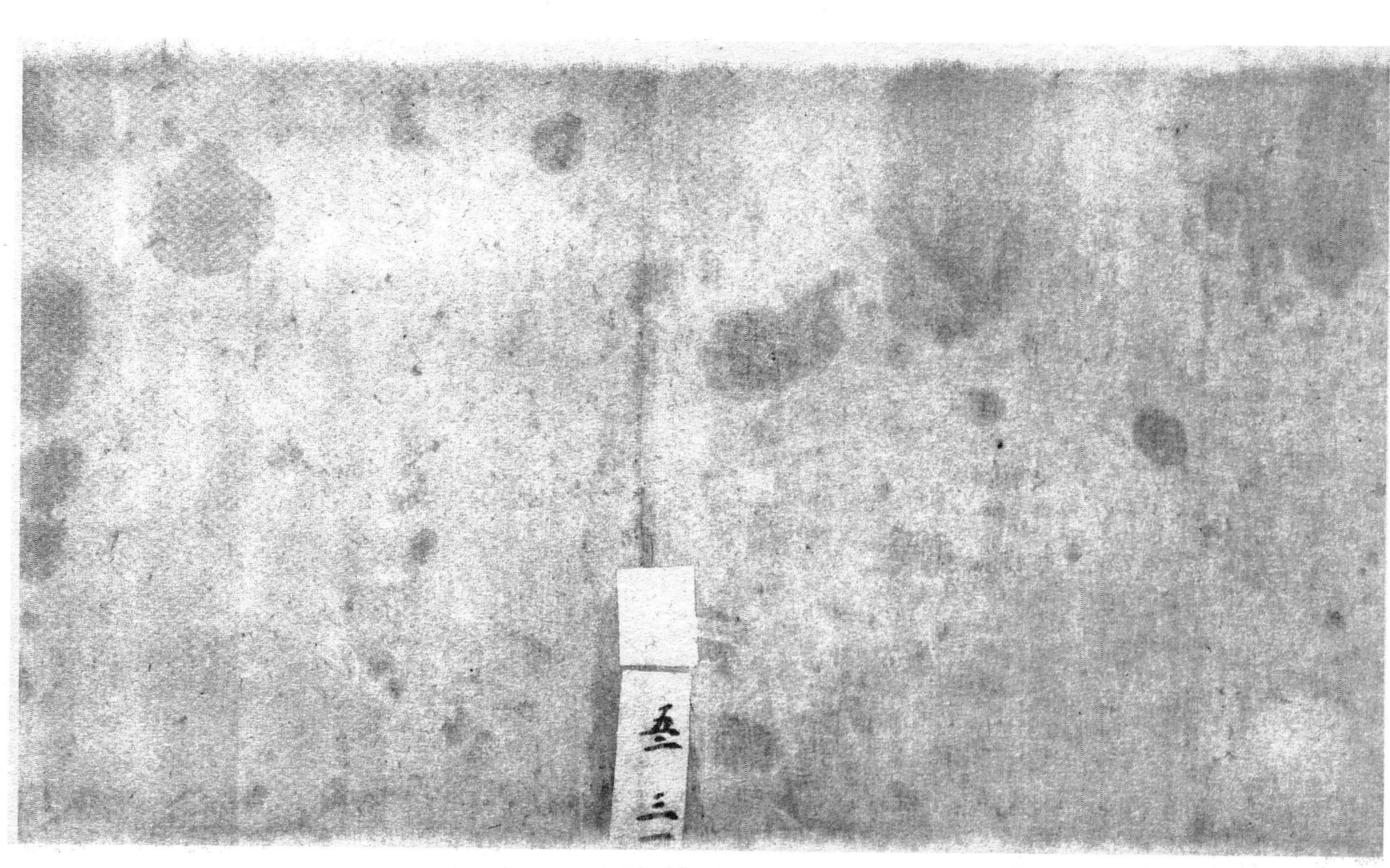

BD00288號背　雜寫　（2–1）

BD00288 號背　殘佛畫、雜寫　（2–2）

妙法蓮華經譬喻品第三
尒時舍利弗踊躍歡喜即起合掌瞻仰尊
顔而白佛言今從世尊聞此法音心懷踊躍
得未曾有所以者何我昔從佛聞如是法見諸
菩薩受記作佛而我等不預斯事甚自感傷
失於如來无量知見世尊我常獨處山林樹
下若坐若行每作是念我等同入法性云何
如來以小乘法而見濟度是我咎非世尊
也所以者何若我等待說所因成就阿耨多
羅三藐三菩提者必以大乘而得度脫然我
等不解方便隨宜所說初聞佛法遇便信受
思惟取證世尊我從昔來終日竟夜每自剋
責而今從佛聞所未聞未曾有法斷諸疑悔
身意泰然快得安隱今日乃知真是佛子從
佛口生從法化生得佛法分尒時舍利弗欲
重宣此義而說偈言
我聞是法音　得所未曾有　心懷大歡喜　疑網皆已除
昔來蒙佛教　不失於大乘　佛音甚希有　能除衆生惱
我已得漏盡　聞亦除憂惱　我處於山谷　或在林樹下
若坐若經行　常思惟是事　嗚呼深自責　云何而自欺
我等亦佛子　同入无漏法　不能於未來　演說无上道

BD00289 號　妙法蓮華經卷二　（8–1）

昔來蒙佛教 不失於大乘 佛音甚希有 能除衆生惱
我已得漏盡 聞亦除憂惱 我處於山谷 或在林樹下
若坐若經行 常思惟是事 嗚呼深自責 云何而自欺
我等亦佛子 同入无漏法 不能於未來 演說无上道
金色三十二 十力諸解脫 同共一法中 而不得此事
八十種妙好 十八不共法 如是等功德 而我皆已失
我獨經行時 見佛在大衆 名聞滿十方 廣饒益衆生
自惟失此利 我為自欺誑 我常於日夜 每思惟是事
欲以問世尊 為失為不失 我常見世尊 稱讚諸菩薩
以是於日夜 籌量如此事 今聞佛音聲 隨宜而說法
无漏難思議 令衆至道場 我本著邪見 為諸梵志師
世尊知我心 拔邪說涅槃 我悉除邪見 於空法得證
尒時心自謂 得至於滅度 而今乃自覺 非是實滅度
若得作佛時 具三十二相 天人夜叉衆 龍神等恭敬
是時乃可謂 永盡滅无餘 佛於大衆中 說我當作佛
聞如是法音 疑悔悉已除 初聞佛所說 心中大驚疑
將非魔作佛 惱亂我心耶 佛以種種緣 譬喻巧言說
其心安如海 我聞疑網斷 佛說過去世 无量滅度佛
安住方便中 亦皆說是法 現在未來佛 其數无有量
亦以諸方便 演說如是法 如今者世尊 從生及出家
得道轉法輪 亦以方便說 世尊說實道 波旬无此事
以是我定知 非是魔作佛 我墮疑網故 謂是魔所為
聞佛柔軟音 深遠甚微妙 演暢清淨法 我心大歡喜
疑悔永已盡 安住實智中 我定當作佛 為天人所敬

BD00289號　妙法蓮華經卷二　（8–2）

聞佛柔軟音 深遠甚微妙 演暢清淨法 我心大歡喜
疑悔永已盡 安住實智中 我定當作佛 為天人所敬
轉无上法輪 教化諸菩薩
尒時佛告舍利弗吾今於天人沙門婆羅門
等大衆中說我昔曾於二万億佛所為无上
道故常教化汝汝亦長夜隨我受學我以方
便引導汝故生我法中舍利弗我昔教汝志
願佛道汝今悉忘而便自謂已得滅度我今
還欲令汝憶念本願所行道故為諸聲聞說
是大乘經名妙法蓮華教菩薩法佛所護念
舍利弗汝於未來世過无量无邊不可思議
劫供養若干千万億佛奉持正法具足菩薩
所行之道當得作佛号曰華光如來應供正
遍知明行足善逝世間解无上士調御丈夫
天人師佛世尊國名離垢其土平正清淨嚴
飾安隱豐樂天人熾盛琉璃為地有八交道
黃金為繩以界其側其傍各有七寶行樹常
有華菓華光如來亦以三乘教化衆生舍利
弗彼佛出時雖非惡世以本願故說三乘法
其劫名大寶莊嚴何故名曰大寶莊嚴其國
中以菩薩為大寶故彼諸菩薩无量无邊不
可思議筭數譬喻所不能及非佛智力无能
知者若欲行時寶華承足此諸菩薩非初發
意皆久殖德本於无量百千万億佛所淨脩

BD00289號　妙法蓮華經卷二　（8–3）

知者若欲行時寶華承足此諸菩薩非初發
意皆久殖德本於无量百千万億佛所淨脩
梵行恒為諸佛之所稱歎常脩佛慧具大神
通善知一切諸法之門質直无偽志念堅固
如是菩薩充滿其國舍利弗華光佛壽十二
小劫除為王子未作佛時其國人民壽八小
劫華光如来過十二小劫授堅滿菩薩阿耨
多羅三藐三菩提記告諸比丘是堅滿菩薩
次當作佛号曰華足安行多陁阿伽度阿羅
訶三藐三佛陁其佛國土亦復如是舍利弗
是華光佛滅度之後正法住世三十二小劫
像法住世亦三十二小劫尒時世尊欲重宣
此義而說偈言
舍利弗來世　成佛普智尊　号名曰華光　當度无量衆
供養无數佛　具足菩薩行　十力等功德　證於无上道
過无量劫已　劫名大寶嚴　世界名離垢　清淨无瑕穢
以琉璃為地　金繩界其道　七寶雜色樹　常有華菓實
彼國諸菩薩　志念常堅固　神通波羅蜜　皆已悉具足
於无數佛所　善學菩薩道　如是等大士　華光佛所化
佛為王子時　棄國捨世榮　於㝡末後身　出家成佛道
華光佛住世　壽十二小劫　其國人民衆　壽命八小劫
佛滅度之後　正法住於世　三十二小劫　廣度諸衆生
正法滅盡已　像法三十二　舍利廣流布　天人普供養
華光佛所為　其事皆如是　其兩足聖尊　㝡勝无倫匹

華光佛所為　其事皆如是　其兩足聖尊　㝡勝无倫匹
彼即是汝身　宜應自欣慶
尒時四部衆比丘比丘尼優婆塞優婆夷天
龍夜叉乾闥婆阿脩羅迦樓羅緊那羅摩睺
羅伽等大衆見舍利弗於佛前受阿耨多羅
三藐三菩提記心大歡喜踊躍无量各各脫
身所著上衣以供養佛釋提桓因梵天王等
與无數天子亦以天妙衣天曼陁羅華摩訶
曼陁羅華等供養於佛所散天衣住虛空中
而自迴轉諸天伎樂百千万種於虛空中一
時俱作雨衆天華而作是言佛昔於波羅㮈
初轉法輪今乃復轉无上㝡大法輪尒時諸
天子欲重宣此義而說偈言
昔於波羅㮈　轉四諦法輪　分別說諸法　五衆之生滅
今復轉㝡妙　无上大法輪　是法甚深奧　少有能信者
我等從昔来　數聞世尊說　未曾聞如是　深妙之上法
世尊說是法　我等皆隨喜　大智舍利弗　今得受尊記
我等亦如是　必當得作佛　於一切世間　㝡尊无有上
佛道叵思議　方便隨宜說　我所有福業　今世若過世
及見佛功德　盡迴向佛道
尒時舍利弗白佛言世尊我今无復疑悔親
於佛前得受阿耨多羅三藐三菩提記是諸
千二百心自在者昔住學地佛常教化言我
法能離生老病死究竟涅槃是學无學人亦

千二百心自在者昔住學地佛常教化言我
法能離生老病死究竟涅槃是學无學人亦
各自以離我見及有无見等謂得涅槃而今
於世尊前聞所未聞皆墮疑惑善哉世尊願
為四衆說其因緣令離疑悔尒時佛告舍利
弗我先不言諸佛世尊以種種因緣譬喻言
辝方便說法皆為阿耨多羅三藐三菩提耶
是諸所說皆為化菩薩故然舍利弗今當復
以譬喻更明此義諸有智者以譬喻得解舍
利弗若國邑聚落有大長者其年衰邁財富
无量多有田宅及諸僮僕其家廣大唯有一
門多諸人衆一百二百乃至五百人止住其
中堂閣朽故墻壁頹落柱根腐敗梁棟傾危
周帀俱時欻然火起焚燒舍宅長者諸子若
十二十或至三十在此宅中長者見是大火
從四面起即大驚怖而作是念我雖能於此
所燒之門安隱得出而諸子等於火宅內樂
著嬉戲不覺不知不驚不怖火來逼身苦痛
切己心不猒患无求出意舍利弗是長者作
是思惟我身手有力當以衣裓若以几案從
舍出之復更思惟是舍唯有一門而復狹小
諸子幼稚未有所識戀著戲處或當墮落為
火所燒我當為說怖畏之事此舍已燒宜時
疾出无令為火之所燒害作是念已如所思

BD00289號　妙法蓮華經卷二　（8–6）

火所燒我當為說怖畏之事此舍已燒宜時
疾出无令為火之所燒害作是念已如所思
惟具告諸子汝等速出父雖憐愍善言誘喻
而諸子等樂著嬉戲不肯信受不驚不畏了
无出心亦復不知何者是火何者為舍云何
為失但東西走戲視父而已尒時長者即作
是念此舍已為大火所燒我及諸子若不時
出必為所焚我今當設方便令諸子等得免
斯害父知諸子先心各有所好種種珎玩奇異
之物情必樂著而告之言汝等所可玩好希
有難得汝若不取後必憂悔如此種種羊
車鹿車牛車今在門外可以遊戲汝等於此
火宅宜速出來隨汝所欲皆當與汝尒時諸
子聞父所說珎玩之物適其願故心各勇銳
互相推排競共馳走爭出火宅是時長者見
諸子等安隱得出皆於四衢道中露地而坐
无復障礙其心泰然歡喜踊躍時諸子等各
白父言父先所許玩好之具羊車鹿車牛車
願時賜與舍利弗尒時長者各賜諸子等一
大車其車高廣衆寶莊校周帀欄楯四面懸
鈴又於其上張設幰蓋亦以珎奇雜寶而嚴
飾之寶繩交絡垂諸華瓔重敷綩綖安置丹
枕駕以白牛膚色充潔形體姝好有大筋力
行步平正其疾如風又多僕從而侍衛之所

BD00289號　妙法蓮華經卷二　（8–7）

大車其車高廣衆寶莊校周帀欄楯四面懸
鈴又於其上張設幰蓋亦以珎奇雜寶而嚴
餝之寶繩交絡垂諸華瓔重敷綩綖安置丹
枕駕以白牛膚色充潔形體姝好有大筋力
行步平正其疾如風又多僕從而侍衛之所
以者何是大長者財冨无量種種諸藏悉皆
充溢而作是念我財物无極不應以下劣小
車與諸子等今此幼童皆是吾子愛无偏黨
我有如是七寶大車其數无量應當等心各
各與之不宜差別所以者何以我此物周給
一國猶尚不匱何況諸子是時諸子各乘大
車得未曾有非本所望舍利弗於汝意云何
是長者等與諸子珎寶大車寧有虛妄不
舍利弗言不也世尊是長者但令諸子得免火
難全其軀命非爲虛妄何以故若全身命便
爲已得玩好之具況復方便於彼火宅而拔
濟之世尊若是長者乃至不與最小一車猶
不虛妄何以故是長者先作是意我以方便
令子得出以是因緣无虛妄也何況長者自
知財冨无量欲饒益諸子等與大車佛告舍

BD00289號　妙法蓮華經卷二　（8–8）

佛言[illegible]室利如是如是有諸菩薩入一
門能[illegible]方便須說無量字句如是一字
無所增減有諸菩薩方便證入一法門中亦
復能令一切法門皆現在前相續說法辯才
無斷具足清淨梵音聲相有諸菩薩方便
能於一法句中入於一切無量法門亦復能
以無量法門入一法門法性圓融虛通無
曼殊室利天之境界天之相貌及一切法即
是清淨陀羅尼印所行足跡曼殊室利白
佛言世尊云何說言天之境界天之相貌則
是清淨陀羅尼性佛言曼殊室利一切諸法
從無始際法尒具足真如淨界無差別相能
與一切三界六道爲所依緣以是因緣天之
境界天之相貌當知則是入一切法陀羅尼
性曼殊室利龍之境界龍之相貌及一切
法即是清淨陀羅尼印所行足跡曼殊室
利白佛言世尊云何說言龍之境界龍之
相貌則是清淨陀羅尼性佛言曼殊室利一切
諸法性離名字及言說相要因名字及諸言
說而能證顯一切法性當知即是龍之境界
龍之相貌入一切法陀羅尼性曼殊室利藥
叉境界藥叉相貌及一切法即是清淨陀羅

BD00290號　金剛壇廣大清淨陀羅尼經　（6–1）

相貌則是清淨陁羅尼性佛言曼殊室利一切
諸法性離名字及言說相要因名字及諸言
說而能證顯一切法性當知即是龍之境界
龍之相貌入一切法陁羅尼性曼殊室利藥
叉境界藥叉相貌及一切法即是清淨陁羅
尼印所行足跡曼殊室利白佛言世尊以何
因緣說言藥叉境界藥叉相貌則是清淨陁
羅尼性佛言曼殊室利藥叉體相依於法性
建立差別無有真實所以者何一切法性本
來寂滅無生處故無定性故當知即是藥
叉境界藥叉相貌入一切法陁羅尼性曼殊
室利乾闥縛界乾闥縛相及一切法即是清
淨陁羅尼印所行足跡曼殊室利白佛言世
尊以何因緣乾闥縛界乾闥縛相即是清淨
陁羅尼性佛言曼殊室利一切諸法過於筭
數不可筭數不可稱量猶如虛空離分別故
當知即是乾闥縛界乾闥縛相入一切法陁羅
尼性曼殊室利阿蘇洛界阿蘇洛相及一切法
即是清淨陁羅尼印所行足跡曼殊室利白
佛言世尊以何因緣阿蘇洛界阿蘇洛相即
是清淨陁羅尼性佛言曼殊室利一切諸法
無有相貌無有名字無有色聲香味觸法
乃至無有佛法僧相無聲聞相無緣覺相無

BD00290 號　金剛壇廣大清淨陀羅尼經　（6–2）

乃至無有佛法僧相無聲聞相無緣覺相無
凡夫相一切法無動無生起滅故當知即是
阿蘇洛界阿蘇洛相入一切法陁羅尼性曼
殊室利揭路吒界揭路吒相及一切法即是
清淨陁羅尼印所行足跡曼殊室利白佛言
世尊以何因緣揭路吒界揭路吒相即是清
淨陁羅尼性佛言曼殊室利一切諸法實
無去來而於其中有來去相無速疾相無遲
緩相無定來相無定去相無生無滅無有漏
失無住著相無縛解相離於瞋恚不墮愚癡
遠離貪欲亦復無有行住坐卧四威儀相曼
殊室利一切諸法猶如虛空無有繫縛當知
即是揭路吒界揭路吒相入一切法陁羅尼
性曼殊室利緊捺洛界緊捺落相及一切法
則是清淨陁羅尼印所行足跡曼殊室利白
佛言世尊以何因緣緊捺洛界緊捺洛相即是
清淨陁羅尼性佛言曼殊室利一切諸法於遍
造作无造作者求於作者不可得故當知即是
緊捺洛界緊捺洛相入一切法陁羅尼性曼殊
室利莫呼洛伽境界相貌及一切法即是清
淨陁羅尼印所行足跡曼殊室利白佛言世尊
以何因緣莫呼洛伽境界相貌即是清淨陁
羅尼性佛言曼殊室利一切諸法是常是遍

BD00290 號　金剛壇廣大清淨陀羅尼經　（6–3）

淨陀羅尼印所行足跡曼殊室利白佛言世尊
以何因緣莫呼洛伽境界相貌即是清淨陀
羅尼性佛言曼殊室利一切諸法是常是遍
性自淨故一切垢觸無能染汙一切衆生同於
法性亦無能染無能淨故所以者何一切諸法
常寂滅故無生起性故無終始異故當知則
是莫呼洛伽境界相貌入一切法陀羅尼性曼
殊室利當知女相及一切法即是清淨陀羅
尼印所行足跡曼殊室利白佛言世尊以何
因緣女之相貌即是清淨陀羅尼性佛言曼
殊室利一切諸法虛誑不實同於幻化無男
相無女相空無得故無依住故無定實故當
知即是女之相貌入一切法陀羅尼性曼殊
室利當知男之相貌及一切法即是清淨陀
羅尼印所行足跡曼殊室利白佛言世尊以
何因緣男之相貌即是清淨陀羅尼性佛言
曼殊室利一切法中求於男相無所得故過
現未來無住處故以是因緣無男女相但以
假名因緣和合是男是女若離假名因緣和
合即無男女所以者何究竟空中無差別故
復次當知男之色相女之色相因依四大之所
成就如是四大同於法性無生起故究竟歸
依空寂滅故當知則是男之相貌入一切法陀
羅尼性曼殊室利肥勒伽界肥勒伽相及一

BD00290 號　金剛壇廣大清淨陀羅尼經　（6–4）

成就如是四大同於法性無生起故究竟歸
依空寂滅故當知則是男之相貌入一切法陀
羅尼性曼殊室利肥勒伽界肥勒伽相及一
切法即是清淨陀羅尼印所行足跡曼殊室
利白佛言世尊以何因緣肥勒伽界肥勒伽相
則是清淨陀羅尼性佛言曼殊室利於意
云何肥勒伽界以何等法曼殊室利而白佛言
肥勒伽界与虛空等佛言曼殊室利於意云
何肥勒伽界為從衆生差別業緣識心變現
分別而起為是自性離衆生外造作而有曼
殊室利而白佛言肥勒伽界皆從衆生差別業
緣自心現起世尊是諸衆生愚癡闇妄想
分別不了自心影像虛幻見有地獄餓鬼畜
生便於其中計著堅執以為真實如是衆生
妄想空中建立地獄而復於中輪迴受苦世
尊我若見有地獄真實亦見衆生受諸苦
惱我若不見地獄真實亦不見衆生受苦世
尊譬如有人於眠夢中見諸地獄縱廣正等
猛炎交熾鑊湯涌沸爐炭炎歘刀山劒林
鐵床銅柱熖煨焚熏種種苦具廣大無邊
乃見自身墮在其中受無量苦於是夢中
心懷怖懼迷悶熱惱戰汗交流生於種種
苦痛之想一念之中怛然驚悟高聲唱言
[illegible]

BD00290 號　金剛壇廣大清淨陀羅尼經　（6–5）

分别不了自心影像虚妄見有地獄餓鬼畜
生便於其中計著堅執以為真實如是衆生
妄想空中建立地獄而復於中輪迴受苦世
尊我若見有地獄真實亦見衆生受諸苦
惱我若不見地獄真實亦不見衆生受苦世
尊辟如有人於眠夢中見諸地獄縱廣正等
猛焰交熾鑊湯涌沸爐炭炎然刀山劒林
鐵床銅柱熖煨屎糞種種苦具廣大無邊
乃見自身墮在其中受無量苦於是夢中
心懷怖懼迷悶熱惱戰汗交流生於種種
苦痛之想一念之中怛然驚悟高聲唱言
大苦大苦悲啼號哭不能自安時諸眷屬
父母兄弟妻子近親及諸隣友咸共問言
汝今何因有是愁苦是人聞已心懷惱恚告
諸人曰我今現受地獄之苦云何問言有何愁
苦是諸親眷便共報言汝今不須自生憂
怖種種悲惱如向所見皆是夢中妄想分別
無有真實汝乃未曾離於本處乃至亦無
一念增損當自安慰勿生驚懼是人聞已方
便醒覺咸悟本心了彼夢中都無真實乃

BD00290號　金剛壇廣大清淨陀羅尼經　（6–6）

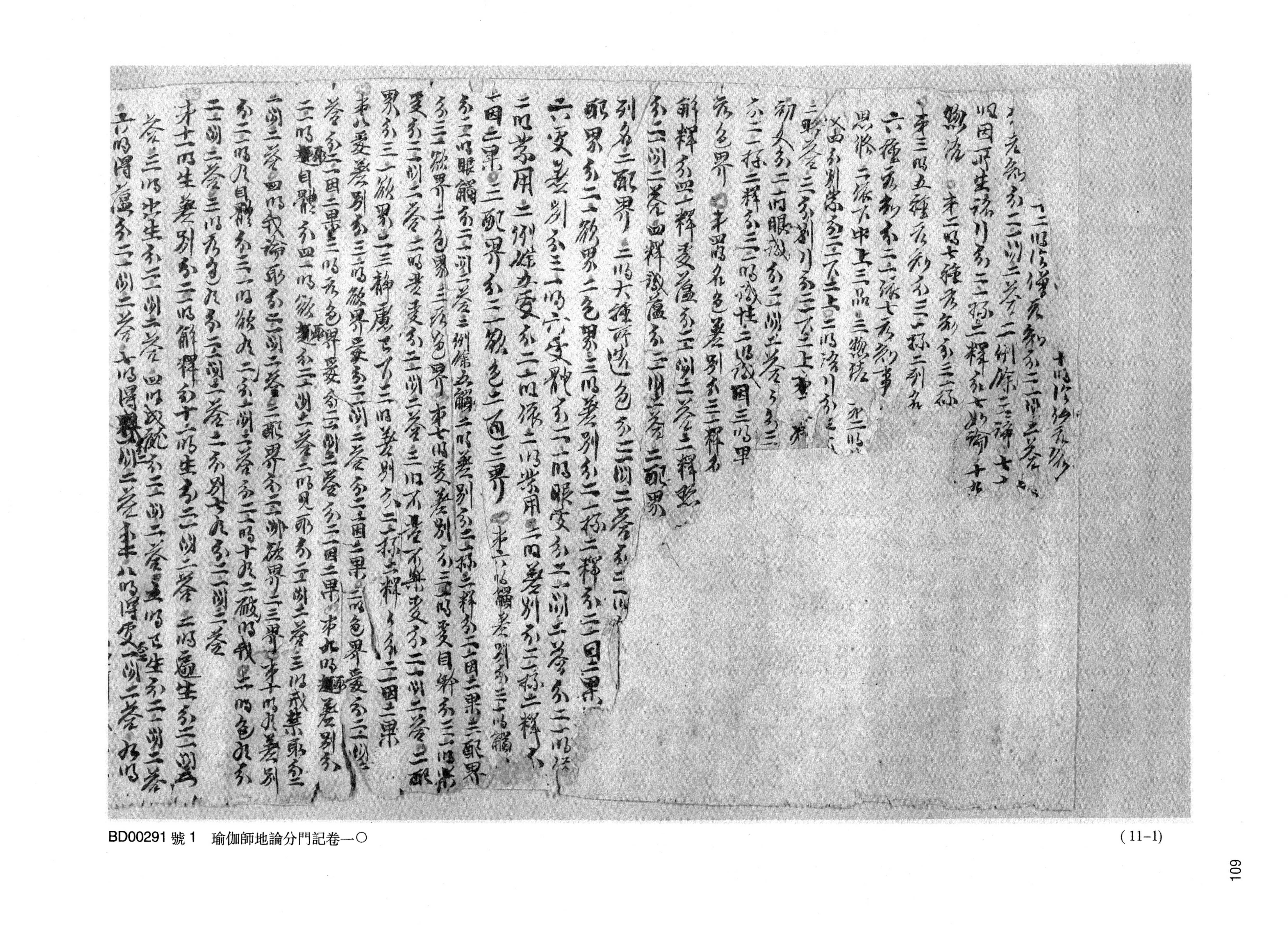

BD00291 號 1　瑜伽師地論分門記卷一〇

（11–1）

分二：一明凡自體，分二：一明欲，次二，分二：一問，二答，分二：一明十，次二破明我，二一明色，次分……
二：一問，二答。三明存邑，次分二：一問，二答。二，分別七，次分二：一問，二答。
第十一明生差別，分二：一明解釋，分十：一明生，分二：一問，二答。二明遍生，分二：一問，二
答。三明出生，分二：一問，二答。四明成就，分二：一問，二答。五明下生，分二：一問，二答。
六明得蘊，分二：一問，二答。七明得界處，一問，二答。第八明得受，一問，二答。九明
成蘊，分二：一問，二答。十明命根，分二：一問，二答。第二明生攝義，分三：
一問，二答，分六妙論。三結。第十二明老死差別，分二：一明老，分二：一解釋，
分七妙論。二明老攝義，分三：一問，二答，三結。二明死，分二：一解釋，次二異門，初
次十一法中初二名所死，餘九名能死。後次一義異門。二明死攝義，分三：一問，二答，三結。
第四明雜染。第五明雜染次第，分二：一雜染次第，二淨品次第。初雜染次第中
次三異門：一緣生起次第，第一緣生，第二緣三聚，建立初文，分三：一問，二答，
分十妙論。三結。第二緣二緣立次第，分四：一雜緣，二列名，三配二緣，四前次
解釋，分二：一明身緣，分二：一因，二果。三明受境界緣，分二：一因，二果。

弟十九卷

弟九明十二支法三種有緣門及六問答。弟一問答緣有明三，分二：一問，二答。分二：一總答，二別釋。分三：一明俱生緣，二明滅已有明緣，三明滅已經久緣。二答。分二：一總答，二別釋。分三：一明俱生緣，二明滅已有明緣，三明滅已經久緣。弟二問答有緣中五依建立。分二：一明引識作三種緣。分三：一答俱生，二答有明，三答經久。二例餘。分四：一明識作名色緣，二名色作六處緣，三六處作觸緣，四觸作受緣。弟三解答有緣受建立。分二：一問，二答。分三：一答俱生，二答有明，三答經久。弟四問答有緣愛建立。分二：一問，二答。分三：一答俱生，二答有明，三答經久。弟五問答有緣取建立。分二：一問，二答。分三：一答俱生，二答有明，三答經久。弟六問答有緣有建立。分二：一問，二答。分三：一答俱生，二答有明，三答經久。二例餘。三分別支。分二：一標，二釋。分二：一明上首支，二明遍攝支。弟十明有三業門。弟十一明上有不緣門及一問答。分四：一問，二標有明勝答，三例餘，四不有上緣。分四：一略標，二廣，三答所以，四結。弟十二明諸支彼支生彼生門及二問答

BD00291號 1　瑜伽師地論分門記卷一〇

（11–4）

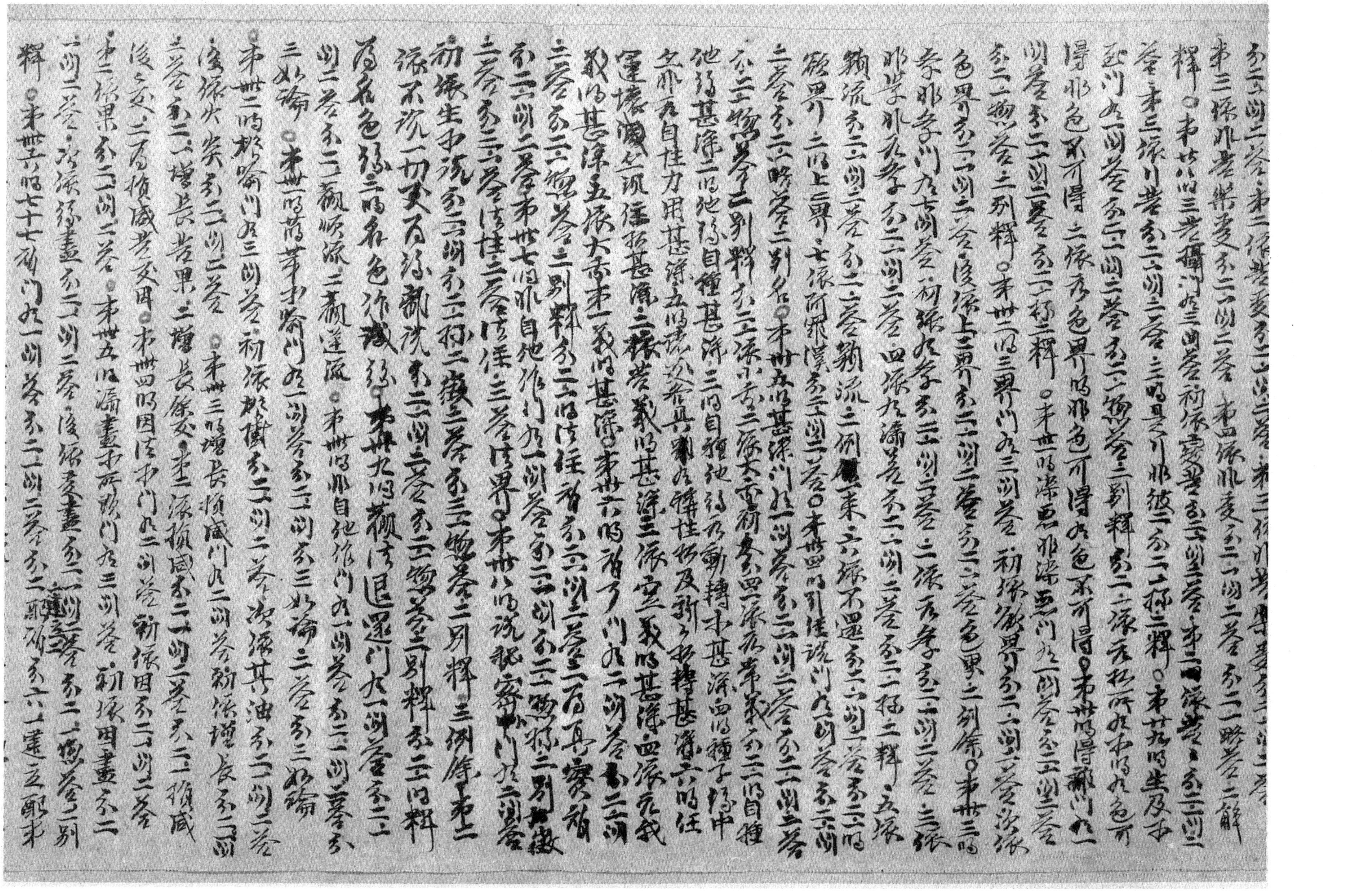

BD00291號1 瑜伽師地論分門記卷一〇

(11–5)

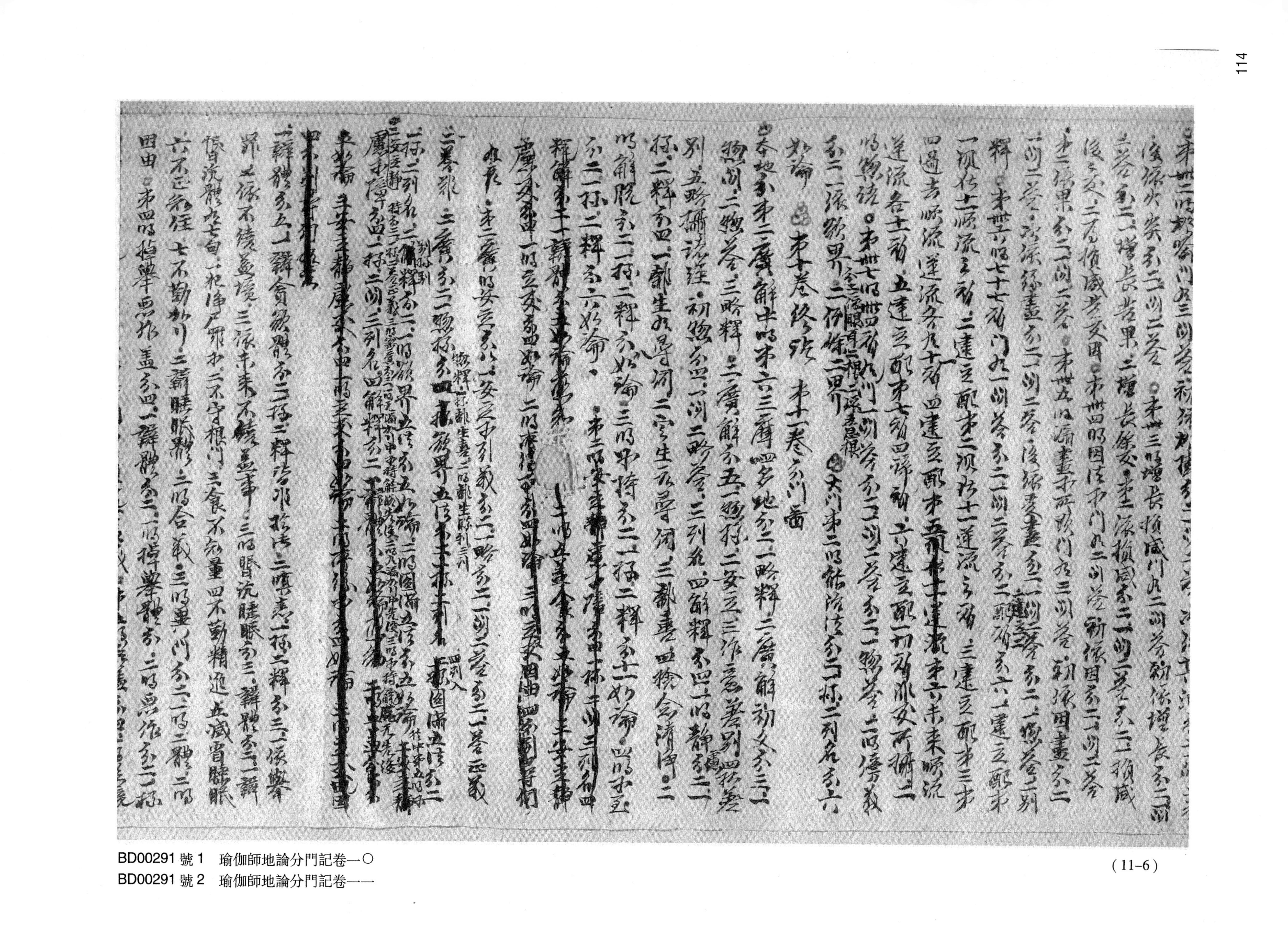

BD00291號 1　瑜伽師地論分門記卷一〇

BD00291號 2　瑜伽師地論分門記卷一一

（11–6）

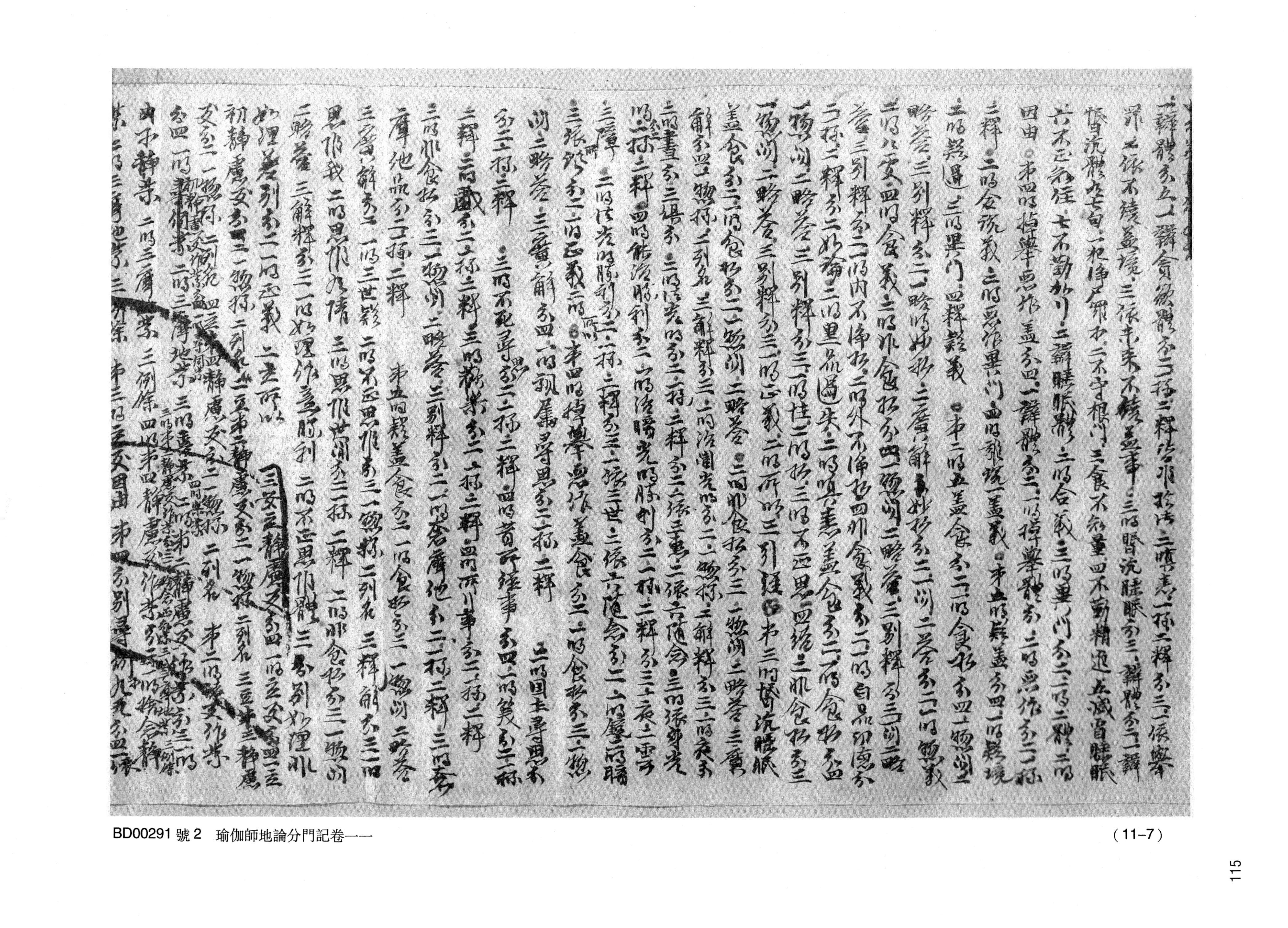

BD00291號2　瑜伽師地論分門記卷一一　（11–7）

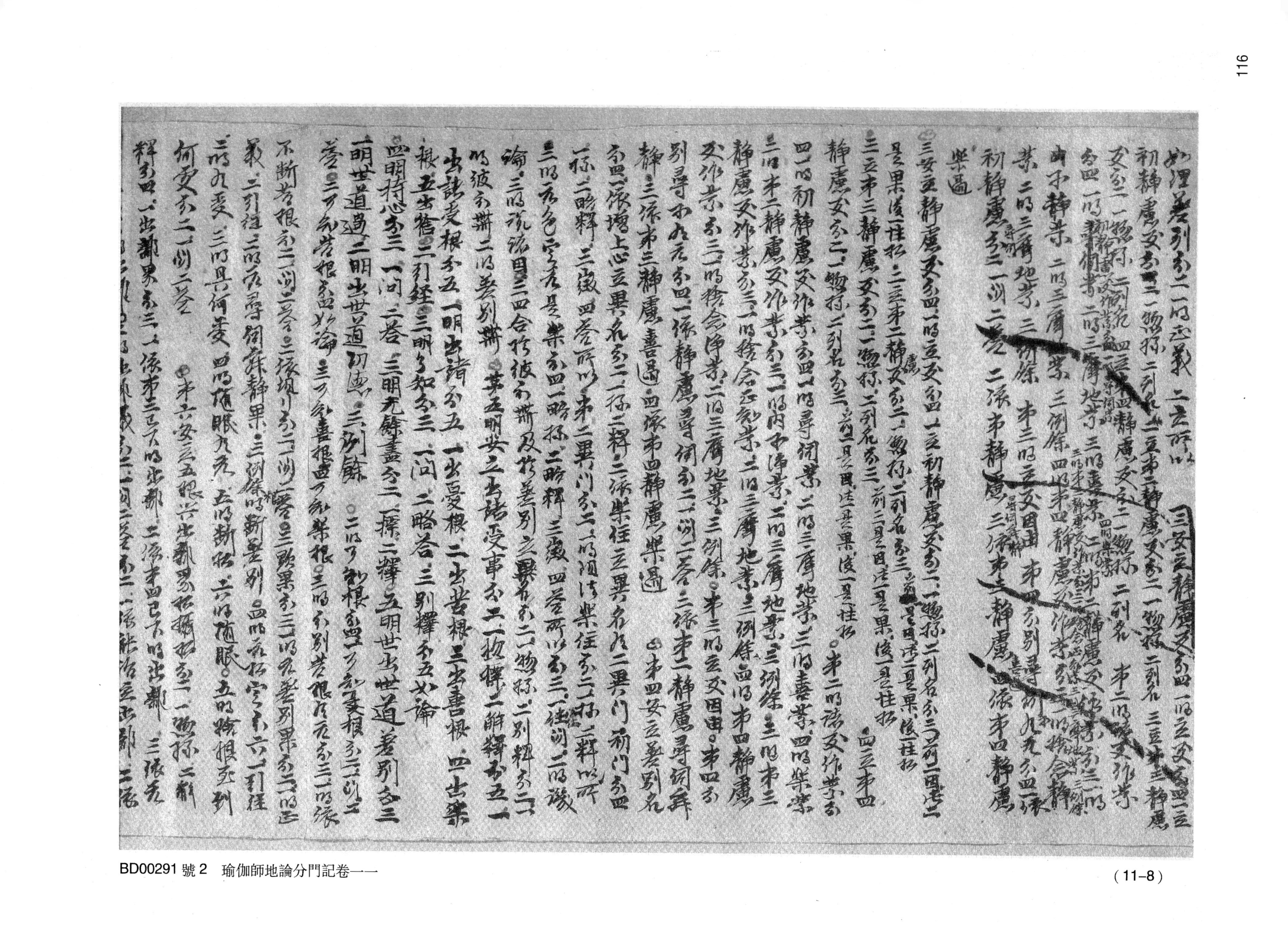

BD00291 號 2　瑜伽師地論分門記卷一一

（11–8）

BD00291 號 2　瑜伽師地論分門記卷一一　（11–9）

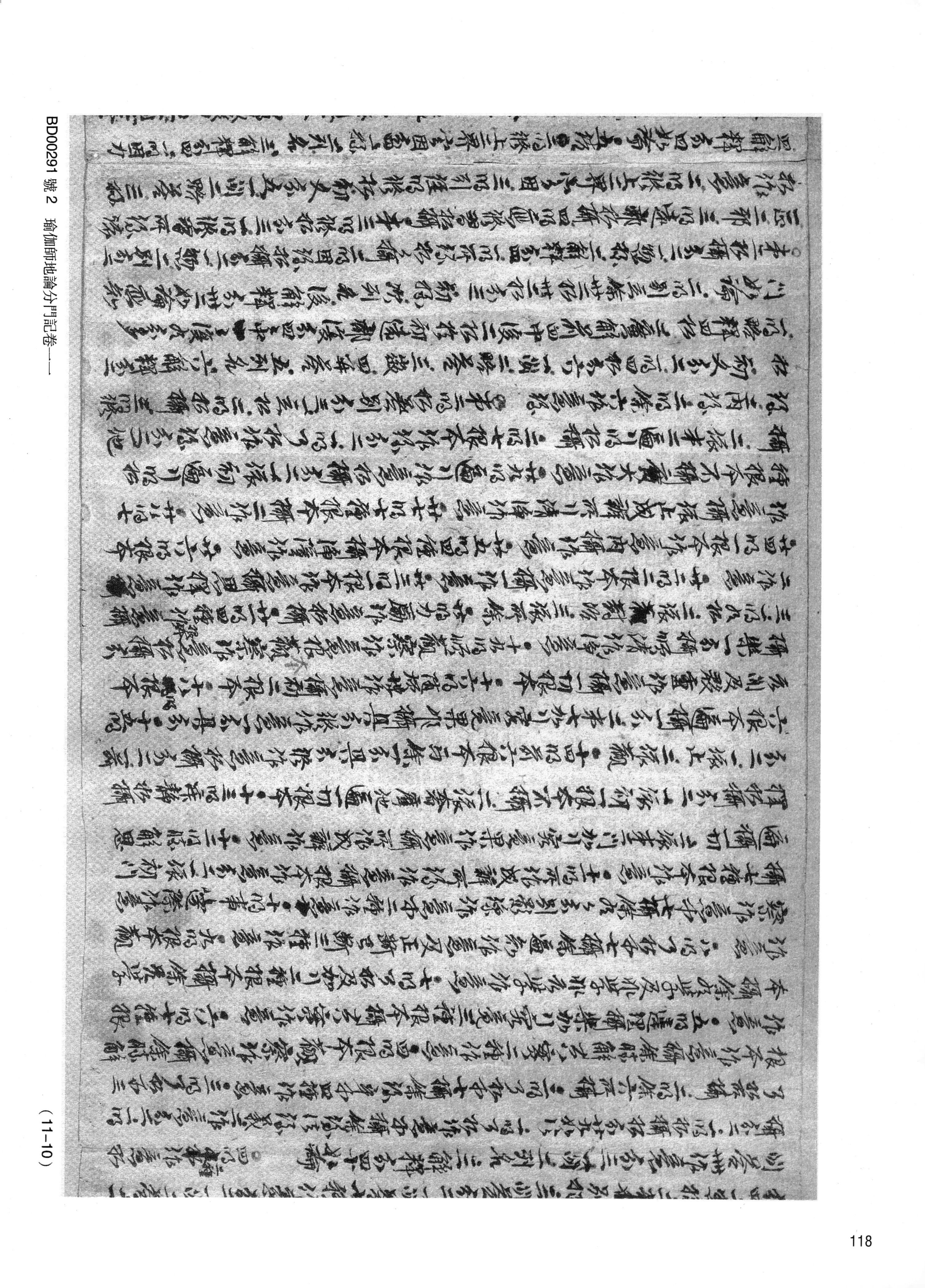

BD00291號2 瑜伽師地論分門記卷一

（11–10）

BD00291 號 2　瑜伽師地論分門記卷一一

（11–11）

BD00291號背　題名

（5–1）

BD00291號背　題名

（5–2）

BD00291號背　題名

（5–3）

BD00291號背　題名

（5–4）

BD00291號背　題名

（5–5）

莊嚴是名莊嚴是故須菩提諸菩薩摩訶薩
應如是生清淨心不應住色生心不應住聲
香味觸法生心應无所住而生其心須菩提
譬如有人身如須弥山王於意云何是身為
大不須菩提言甚大世尊何以故佛說非身
是名大身
須菩提如恒河中所有沙數如是沙等恒河
於意云何是諸恒河沙寧為多不須菩提言
甚多世尊但諸恒河尚多无數何況其沙須
菩提我今實言告汝若有善男子善女人以
七寶滿尒所恒河沙數三千大千世界以用
布施得福多不須菩提言甚多世尊佛告須
菩提若善男子善女人於此經中乃至受持
四句偈等為他人說而此福德勝前福德
復次須菩提隨說是經乃至四句偈等當知
此處一切世間天人阿脩羅皆應供養如佛
塔廟何況有人盡能受持讀誦須菩提當知
是人成就最上第一希有之法若是經典所
在之處則為有佛若尊重弟子
尒時須菩提白佛言世尊當何名此經我等
云何奉持佛告須菩提是經名為金剛般若
波羅蜜以是名字汝當奉持所以者何須菩

BD00292號　金剛般若波羅蜜經　（9–1）

云何奉持佛告須菩提是經名為金剛般若
波羅蜜以是名字汝當奉持所以者何須菩
提佛說般若波羅蜜則非般若波羅蜜須菩
提於意云何如來有所說法不須菩提白佛
言世尊如來无所說須菩提於意云何三千
大千世界所有微塵是為多不須菩提言甚
多世尊須菩提諸微塵如來說非微塵是名
微塵如來說世界非世界是名世界須菩提
於意云何可以卅二相見如來不不也世尊
何以故如來說卅二相即是非相是名卅二
相須菩提若有善男子善女人以恒河沙等
身命布施若復有人於此經中乃至受持四
句偈等為他人說其福甚多
尒時須菩提聞說是經深解義趣涕淚悲泣
而白佛言希有世尊佛說如是甚深經典我
從昔來所得慧眼未曾得聞如是之經世尊
若復有人得聞是經信心清淨則生實相當
知是人成就第一希有功德世尊是實相者
則是非相是故如來說名實相世尊我今得
聞如是經典信解受持不足為難若當來世
後五百歲其有衆生得聞是經信解受持是
人則為第一希有何以故此人无我相人相
衆生相壽者相所以者何我相即是非相人

BD00292號　金剛般若波羅蜜經　（9–2）

人則為第一希有何以故此人无我相人相
衆生相壽者相所以者何我相即是非相人
相衆生相壽者相即是非相何以故離一切
諸相則名諸佛
佛告須菩提如是如是若復有人得聞是經
不驚不怖不畏當知是人甚為希有何以故
須菩提如來說第一波羅蜜非第一波羅蜜
是名第一波羅蜜須菩提忍辱波羅蜜如來
說非忍辱波羅蜜何以故須菩提如我昔為
歌利王割截身體我於尒時无我相无人相
无衆生相无壽者相何以故我於往昔節節
支解時若有我相人相衆生相壽者相應生
瞋恨須菩提又念過去於五百世作忍辱仙
人於尒所世无我相无人相无衆生相无壽
者相是故須菩提菩薩應離一切相發向耨
多羅三藐三菩提心不應住色生心不應住
聲香味觸法生心應生无所住心若心有住
則為非住是故佛說菩薩心不應住色布施
須菩提菩薩為利益一切衆生應如是布施
如來說一切諸相即是非相又說一切衆生
則非衆生須菩提如來是真語者實語者如
語者不誑語者不異語者須菩提如來所得
法此法无實无虛須菩提若菩薩心住於法
而行布施如人入闇則无所見若菩薩心不

BD00292 號　金剛般若波羅蜜經　（9–3）

法此法无實无虛須菩提若菩薩心住於法
而行布施如人入闇則无所見若菩薩心不
住法而行布施如人有目日光明照見種種
色須菩提當來之世若有善男子善女人能
於此經受持讀誦則為如來以佛智慧悉知
是人悉見是人皆得成就无量无邊功德
須菩提若有善男子善女人初日分以恒河
沙等身布施中日分復以恒河沙等身布施
後日分亦以恒河沙等身布施如是无量百
千万億劫以身布施若復有人聞此經典信
心不逆其福勝彼何況書寫受持讀誦為人
解說須菩提以要言之是經有不可思議不
可稱量无邊功德如來為發大乘者說為發
最上乘者說若有人能受持讀誦廣為人說
如來悉知是人悉見是人皆成就不可量不
可稱无有邊不可思議功德如是人等則為
荷擔如來向耨多羅三藐三菩提何以故須
菩提若樂小法者著我見人見衆生見壽者
見則於此經不能聽受讀誦為人解說須菩
提在在處處若有此經一切世間天人向脩
羅所應供養當知此處則為是塔皆應恭
敬作礼圍繞以諸華香而散其處
復次須菩提善男子善女人受持讀誦此經

BD00292 號　金剛般若波羅蜜經　（9–4）

敬作礼圍繞以諸華香而散其處
復次須菩提善男子善女人受持讀誦此經
若為人輕賤是人先世罪業應墮惡道以今
世人輕賤故先世罪業則為消滅當得阿耨
多羅三藐三菩提須菩提我念過去无量阿
僧祇劫於然燈佛前得值八百四千万億那
由他諸佛悉皆供養承事无空過者若復有
人於後末世能受持讀誦此經所得功德於
我所供養諸佛功德百分不及一千万億分
乃至筭數譬喻所不能及須菩提若善男子
善女人於後末世有受持讀誦此經所得功
德我若具說者或有人聞心則狂亂狐疑不
信須菩提當知是經義不可思議果報亦不
可思議
尒時須菩提白佛言世尊善男子善女人發
阿耨多羅三藐三菩提心云何應住云何降
伏其心佛告須菩提善男子善女人發阿耨
多羅三藐三菩提者當生如是心我應滅度
一切眾生滅度一切眾生已而无有一眾生
實滅度者何以故若菩薩有我相人相眾生
相壽者相則非菩薩所以者何須菩提實无
有法發阿耨多羅三藐三菩提者須菩提於
意云何如來於然燈佛所有法得阿耨多羅

BD00292號　金剛般若波羅蜜經　（9–5）

意云何如來於然燈佛所有法得阿耨多羅
三藐三菩提不不也世尊如我解佛所說義
佛於然燈佛所无有法得阿耨多羅三藐三
菩提佛言如是如是須菩提實无有法如來
得阿耨多羅三藐三菩提須菩提若有法如
來得阿耨多羅三藐三菩提然燈佛則不與
我受記汝於來世當得作佛号釋迦牟尼以
實无有法得阿耨多羅三藐三菩提是故然
燈佛與我受記作是言汝於來世當得作佛
号釋迦牟尼何以故如來者即諸法如義若
有人言如來得阿耨多羅三藐三菩提須菩
提實无有法佛得阿耨多羅三藐三菩提須
菩提如來所得阿耨多羅三藐三菩提於是
中无實无虛是故如來說一切法皆是佛法
須菩提所言一切法者即非一切法是故名
一切法須菩提譬如人身長大須菩提言世
尊如來說人身長大則為非大身是名大身
須菩提菩薩亦如是若作是言我當滅度无
量眾生則不名菩薩何以故須菩提无有法
名為菩薩是故佛說一切法无我无人无眾
生无壽者須菩提若菩薩作是言我當莊
嚴佛土是不名菩薩何以故如來說莊嚴佛
土者即非莊嚴是名莊嚴須菩提若菩薩通

BD00292號　金剛般若波羅蜜經　（9–6）

土者即非莊嚴是名莊嚴須菩提若菩薩通
達无我法者如来說名真是菩薩
須菩提於意云何如来有肉眼不如是世尊
如来有肉眼須菩提於意云何如来有天眼
不如是世尊如来有天眼須菩提於意云何
如来有慧眼不如是世尊如来有慧眼須菩
提於意云何如来有法眼不如是世尊如来
有法眼須菩提於意云何如来有佛眼不如
是世尊如来有佛眼須菩提於意云何如恒
河中所有沙佛說是沙不如是世尊如来說
是沙須菩提於意云何如一恒河中所有沙
有如是等恒河是諸恒河所有沙數佛世界
如是寧為多不甚多世尊佛告須菩提尒所
國土中所有衆生若干種心如来悉知何以
故如来說諸心皆為非心是名為心所以者
何須菩提過去心不可得現在心不可得未
来心不可得須菩提於意云何若有人滿三
千大千世界七寶以用布施是人以是因緣
得福多不如是世尊此人以是因緣得福甚
多須菩提若福德有實如来不說得福德多
以福德无故如来說得福德多
須菩提於意云何佛可以具足色身見不不
也世尊如来不應以具足色身見何以故如

BD00292號　金剛般若波羅蜜經　(9–7)

也世尊如来不應以具足色身見何以故如
来說具足色身即非具足色身是名具足色
身須菩提於意云何如来可以具足諸相見
不不也世尊如来不應以具足諸相見何以
故如来說諸相具足即非具足是名諸相具
足須菩提汝勿謂如来作是念我當有所說
法莫作是念何以故若人言如来有所說法
即為謗佛不能解我所說故須菩提說法者
无法可說是名說法
須菩提白佛言世尊佛得阿耨多羅三藐三
菩提為无所得耶如是如是須菩提我於阿
耨多羅三藐三菩提乃至无有少法可得是
名阿耨多羅三藐三菩提
復次須菩提是法平等无有高下是名阿耨
多羅三藐三菩提以无我无人无衆生无壽
者脩一切善法則得阿耨多羅三藐三菩提
須菩提所言善法者如来說非善法是名善
法須菩提若三千大千世界中所有諸須弥
山王如是等七寶聚有人持用布施若人以
此般若波羅蜜經乃至四句偈等受持讀誦
為他人說於前福德百分不及一百千万億
分乃至筭數譬喻所不能及
須菩提於意云何汝等勿謂如来作是念我

BD00292號　金剛般若波羅蜜經　(9–8)

須菩提於意云何汝等勿謂如来作是念我
當度衆生須菩提莫作是念何以故實无有
衆生如来度者若有衆生如来度者如来則
有我人衆生壽者須菩提如来説有我者則
非有我而凡夫之人以為有我須菩提凡夫
者如来説則非凡夫須菩提於意云何可以
三十二相觀如来不須菩提言如是如是以
三十二相觀如来佛言須菩提若以三十二
相觀如来者轉輪聖王則是如来須菩提白
佛言世尊如我解佛所説義不應以三十二
相觀如来尒時世尊而説偈言
若以色見我以音聲求我是人行邪道不能見如来
須菩提汝若作是念如来不以具足相故得
阿耨多羅三藐三菩提須菩提莫作是念如
来不以具足相故得阿耨多羅三藐三菩提
須菩提汝若作是念發阿耨多羅三藐三菩
提者説諸法斷滅相莫作是念何以故發阿
耨多羅三藐三菩提者於法不説斷滅相須
提若菩薩以滿恒河沙等世界七寶布施
有人知一切法无我得成於忍此菩薩
所得功徳何以故須菩提以諸菩
故須菩提白佛言世尊云何菩
菩提菩薩所作福德不應貪
須菩提若有人言如来

BD00292號　金剛般若波羅蜜經　（9–9）

[illegible]阿耨多羅三藐三菩
提亦无有定法如来可説何以故如来所説
法皆不可取不可説非法非非法所以者何
一切賢聖皆以无為法而有差别
須菩提於意云何若人滿三千大千世界七
寶以用布施是人所得福德寧為多不須菩
提言甚多世尊何以故是福德即非福德性
是故如来説福德多若復有人於此經中受
持乃至四句偈等為他人説其福勝彼何以
故須菩提一切諸佛及諸佛阿耨多羅三菩
提法皆從此經出須菩提所謂佛法者
即非佛法
須菩提於意云何須陁洹能作是念我得須
陁洹果不須菩提言不也世尊何以故須陁
洹名為入流而无所入不入色聲香味觸法
是名須陁洹須菩提於意云何斯陁含能作
是念我得斯陁含果不須菩提言不也世尊
何以故斯陁含名一往来而實无往来是名
斯陁含須菩提於意云何阿那含能作是念
我得阿那含果不須菩提言不也世尊何以
故阿那含名為不来而實无来是故名阿那
含須菩提於意云何阿羅漢能作是念我得
阿羅漢道不須菩提言不也世尊何以故實
无有法名阿羅漢世尊若阿羅漢作是念我
得阿羅漢道即為著我人衆生壽者世尊佛

BD00293號　金剛般若波羅蜜經　（2–1）

得阿羅漢道即爲著我人衆生壽者世尊佛
說我得无諍三昧人中最爲第一是第一離
欲阿羅漢我不作是念我是離欲阿羅漢世
尊我若作是念我得阿羅漢道世尊則不說
須菩提是樂阿蘭那行者以須菩提實无所
行而名須菩提是樂阿蘭那行
佛告須菩提於意云何如來昔在然燈佛所
於法有所得不世尊如來昔在然燈佛所於法
實无所得
須菩提於意云何菩薩莊嚴佛土不不也世
尊何以故莊嚴佛土者則非莊嚴是名莊嚴
是故須菩提諸菩薩摩訶薩應如是生清淨
心不應住色生心不應住聲香味觸法生心
應无所住而生其心須菩提譬如有人身
須弥山王於意云何是身爲大不須菩提
甚大世尊何以故佛說非身是名大身
須菩提如恒河中所有沙數如是沙等恒河
於意云何是諸恒河沙寧爲多不須菩提言
甚多世尊但諸恒河尚多无數何況其沙須
菩提我今實言告汝若有善男子善女人以
七寶滿尒所恒河沙數三千大千世界以用
布施得福多不須菩提言甚多世尊佛告須
菩提若善男子善女人於此經中乃至受持
四句偈等爲他人說而此福德勝前福德
復次須菩提隨說是經乃至四句偈等當知
此處一切世間天人阿脩羅皆應供養如佛

BD00293 號　金剛般若波羅蜜經　（2–2）

妙法蓮華經藥草喻品第五　三
尒時世尊告摩訶迦葉及諸大弟子善哉善
哉迦葉善說如來真實功德誠如所言如來
復有无量无邊阿僧祇功德汝等若於无量
億劫說不能盡迦葉當知如來是諸法之王
若有所說皆不虛也於一切法以智方便而演
說之其所說法皆悉到於一切智地如來
觀知一切諸法之所歸趣亦知一切衆生深心
所行通達无礙又於諸法究盡明了示諸
衆生一切智慧迦葉譬如三千大千世界山
川谿谷土地所生卉木藂林及諸藥草種類
若干名色各異密雲弥布遍覆三千大千世
界一時等澍其澤普洽卉木藂林及諸藥草
小根小莖小枝小葉中根中莖中枝中葉大
根大莖大枝大葉諸樹大小隨上中下各有
所受一雲所雨稱其種性而得生長華菓敷
實雖一地所生一雨所潤而諸草木各有差別
迦葉當知如來亦復如是出現於世如大
雲起以大音聲普遍世界天人阿脩羅如彼
大雲遍覆三千大千國土於大衆中而唱是
言我是如來應供正遍知明行足善逝世間

BD00294 號　妙法蓮華經卷三　（26–1）

……如是出現於世如大
雲起以大音聲普遍世界天人阿脩羅如彼
大雲遍覆三千大千國土於大眾中而唱是
言我是如來應供正遍知明行足善逝世間
解无上士調御丈夫天人師佛世尊未度者
令度未解者令解未安者令安未涅槃者令
得涅槃今世後世如實知之我是一切知者一
切見者知道者開道者說道者汝等天人
阿脩羅眾皆應到此為聽法故尒時无數千
万億種眾生來至佛所而聽法如來于時觀
是眾生諸根利鈍精進懈怠隨其所堪而為
說法種種无量皆令歡喜快得善利是諸
眾生聞是法已現世安隱後生善處以道受
樂亦得聞法既聞法已離諸鄣礙於諸法中任
力所能漸得入道如彼大雲雨於一切卉木
叢林及諸藥草如其種性具足蒙潤各得生
長如來說法一相一味所謂解脫相離相滅相
究竟至於一切種智其有眾生聞如來法若
持讀誦如說修行所得功德不自覺知所以
者何唯有如來知此眾生種相體性念何事
思何事修何事云何念云何思云何修以
何法念以何法思以何法修以何法得何法
眾生住於種種之地唯有如來如實見之明
了无礙如彼卉木叢林及諸藥草等而不自

BD00294號　妙法蓮華經卷三　（26–2）

眾生住於種種之地唯有如來如實見之明
了无礙如彼卉木叢林諸藥草等而不自
知上中下性如來知是一相一味之法所謂解
脫相離相滅相究竟涅槃常寂滅相終歸於
空佛知是已觀眾生心欲而將護之是故不即
為說一切種智汝等迦葉甚為希有能知如
來隨宜說法能信能受所以者何諸佛世
尊隨宜說法難解難知尒時世尊欲重宣
此義而說偈言
破有法王　出現世間　隨眾生欲　種種說法
如來尊重　智慧深遠　久默斯要　不務速說
有智若聞　則能信解　无智疑悔　則為永失
是故迦葉　隨力為說　以種種緣　令得正見
迦葉當知　譬如大雲　起於世間　遍覆一切
慧雲含潤　電光晃曜　雷聲遠震　令眾悅豫
日光掩蔽　地上清涼　靉靆垂布　如可承攬
其雨普等　四方俱下　流澍无量　率土充洽
山川險谷　幽邃所生　卉木藥草　大小諸樹
百穀苗稼　甘蔗蒲桃　雨之所潤　无不豐足
乾地普洽　藥木並茂　其雲所出　一味之水
草木叢林　隨分受潤　一切諸樹　上中下等
稱其大小　各得生長　根莖枝葉　華菓光色
一切所及　皆得鮮澤　如其體相　性分大小

BD00294號　妙法蓮華經卷三　（26–3）

一切所及　皆得鮮澤　如其體相　性分大小
所潤是一　而各滋茂　佛亦如是　出現於世
譬如大雲　普覆一切　既出于世　為諸眾生
分別演說　諸法之實　大聖世尊　於諸天人
一切眾中　而宣是言　我為如來　兩足之尊
出于世間　猶如大雲　充潤一切　枯槁眾生
皆令離苦　得安隱樂　世間之樂　及涅槃樂
諸天人眾　一心善聽　皆應到此　覲无上尊
我為世尊　无能及者　安隱眾生　故現於世
為大眾說　甘露淨法　其法一味　解脫涅槃
以一妙音　演暢斯義　常為大乘　而作因緣
我觀一切　普皆平等　无有彼此　愛憎之心
我无貪著　亦无限礙　恒為一切　平等說法
如為一人　眾多亦然　常演說法　曾无他事
去來坐立　終不疲厭　充足世間　如雨普潤
貴賤上下　持戒毀戒　威儀具足　及不具足
正見邪見　利根鈍根　等雨法雨　而无懈倦
一切眾生　聞我法者　隨力所受　住於諸地
或處人天　轉輪聖王　釋梵諸王　是小藥草
知无漏法　能得涅槃　起六神通　及得三明
獨處山林　常行禪定　得緣覺證　是中藥草
求世尊處　我當作佛　行精進定　是上藥草
又諸佛子　專心佛道　常行慈心　自知作佛
決定无疑　是名小樹　安住神通　轉不退輪

BD00294號　妙法蓮華經卷三　（26–4）

又諸佛子　專心佛道　常行慈心　自知作佛
決定无疑　是名小樹　安住神通　轉不退輪
度无量億　百千眾生　如是菩薩　名為大樹
佛平等說　如一味雨　隨眾生性　所受不同
如彼草木　所稟各異　佛以此喻　方便開示
種種言詞　演說一法　於佛智慧　如海一渧
我雨法雨　充滿世間　一味之法　隨力修行
如彼叢林　藥草諸樹　隨其大小　漸增茂好
諸佛之法　常以一味　令諸世間　普得具足
漸次修行　皆得道果　聲聞緣覺　處於山林
住最後身　聞法得果　是名藥草　各得增長
若諸菩薩　智慧堅固　了達三界　求最上乘
是名小樹　而得增長　復有住禪　得神通力
聞諸法空　心大歡喜　放无數光　度諸眾生
是名大樹　而得增長　如是迦葉　佛所說法
譬如大雲　以一味雨　潤於人華　各得成實
迦葉當知　以諸因緣　種種譬喻　開示佛道
是我方便　諸佛亦然　今為汝等　說最實事
諸聲聞眾　皆非滅度　汝等所行　是菩薩道
漸漸修學　悉當成佛

妙法蓮華經授記品第六

尒時世尊說是偈已　告諸大眾　唱如是言　我
此弟子摩訶迦葉　於未來世　當得奉覲三百
万億諸佛世尊　供養恭敬　尊重讚歎　廣宣諸

BD00294號　妙法蓮華經卷三　（26–5）

此弟子摩訶迦葉於未来世當得奉覲三百
万億諸佛世尊供養恭敬尊重讚歎廣宣諸
佛无量大法於最後身得成為佛名曰光明
如来應供正遍知明行足善逝世間解无上士
調御丈夫天人師佛世尊國名光德劫名
大莊嚴佛壽十二小劫正法住世二十小劫
像法亦住二十小劫國界嚴飾无諸穢惡瓦
礫荊棘便利不淨其土平正无有高下坑坎
堆阜琉璃為地寶樹行列黃金為繩以界道
側散諸寶華周遍清淨其國菩薩无量千
億諸聲聞衆亦復无數无有魔事雖有魔
及魔民皆護佛法尒時世尊欲重宣此義
而說偈言
告諸比丘 我以佛眼 見是迦葉 於未来世
過无數劫 當得作佛 而於来世 供養奉覲
三百万億 諸佛世尊 為佛智慧 淨脩梵行
供養最上 二足尊已 脩集一切 无上之慧
於最後身 得成為佛 其土清淨 琉璃為地
多諸寶樹 行列道側 金繩界道 見者歡喜
常出好香 散衆名華 種種奇妙 以為莊嚴
其地平正 无有丘坑 諸菩薩衆 不可稱計
其心調柔 逮大神通 奉持諸佛 大乘經典
諸聲聞衆 无漏後身 法王之子 亦不可計
乃以天眼 不能數知 其佛當壽 十二小計

諸聲聞衆 无漏後身 法王之子 亦不可計
乃以天眼 不能數知 其佛當壽 十二小計
正法住世 二十小劫 像法亦住 二十小劫
光明世尊 其事如是
尒時大目揵連須菩提摩訶迦旃延等皆
悉悚慄一心合掌瞻仰尊顏目不暫捨即
共同聲而說偈言
大雄猛世尊 諸釋法之王 哀愍我等故 而賜佛音聲
若知我深心 見為授記者 如以甘露灑 除熱得清涼
如從飢國来 忽遇大王膳 心猶懷疑懼 未敢即便食
若復得王教 然後乃敢食 我等亦如是 每惟小乘過
不知當云何 得佛无上慧 雖聞佛音聲 言我等作佛
心尚懷憂懼 如未敢便食 若蒙佛授記 尒乃快安樂
大雄猛世尊 常欲安世間 願賜我等記 如飢須教食
尒時世尊知諸大弟子心之所念告諸比丘
是須菩提於當来世奉覲三百万億那由他
佛供養恭敬尊重讚歎常脩梵行具菩薩
道於最後身得成為佛號曰名相如来應供正
遍知明行足善逝世間解无上士調御丈夫
天人師佛世尊劫名有寶國名寶生其土平
正頗梨為地寶樹莊嚴无諸丘坑沙礫荊棘
便利之穢寶華覆地周遍清淨其土人民皆
處寶臺珍妙樓閣聲聞弟子无量无邊筭
數譬喻所不能知諸菩薩衆无數千万億那由

數譬喻所不能知諸菩薩衆无數千万億那由
他佛壽十二小劫正法住世二十小劫像法亦
住二十小劫其佛常處虛空為衆說法度
脫无量菩薩及聲聞衆尒時世尊欲重宣此
義而說偈言
諸比丘衆　今告汝等　皆當一心　聽我所說
我大弟子　須菩提者　當得作佛　号曰名相
當供无數　万億諸佛　隨佛所行　漸具大道
最後身得　三十二相　端正姝妙　猶如寶山
其佛國土　嚴淨第一　衆生見者　无不愛樂
佛於其中　度无量衆　其佛法中　多諸菩薩
皆悉利根　轉不退輪　彼國常以　菩薩莊嚴
諸聲聞衆　不可稱數　皆得三明　具六神通
住八解脫　有大威德　其佛說法　現於无量
神通變化　不可思議　諸天人民　數如恒沙
皆共合掌　聽受佛語　其佛當壽　十二小劫
正法住世　二十小劫　像法亦住　二十小劫
尒時世尊復告諸比丘衆我今語汝是大迦
旃延於當來世以諸供具供養奉事八千億
佛恭敬尊重諸佛滅後各起塔廟高千由旬
縱廣正等五百由旬以金銀琉璃車𤦲馬瑙
真珠玫瑰七寶合成衆華瓔珞塗香末香燒
香繒蓋幢幡供養塔廟過是已後當復供養
二万億佛亦復如是供養是諸佛已具菩薩

BD00294號　妙法蓮華經卷三　（26–8）

二万億佛亦復如是供養是諸佛已具菩薩
道當得作佛号曰閻浮那提金光如來應供正
遍知明行足善逝世間解无上士調御丈夫
天人師佛世尊其土平正頗梨為地寶樹莊
嚴黃金為繩以界道側妙華覆地周遍清淨
見者歡喜无四惡道地獄餓鬼畜生阿脩羅
道多有天人諸聲聞衆及諸菩薩无量万億
莊嚴其國佛壽十二小劫正法住世二十小劫
像法亦住二十小劫尒時世尊欲重宣此義
而說偈言
諸比丘衆　皆一心聽　如我所說　真實无異
是迦旃延　當以種種　妙好供具　供養諸佛
諸佛滅後　起七寶塔　亦以華香　供養舍利
其最後身　得佛智慧　成等正覺　國土清淨
度脫无量　万億衆生　皆為十方　之所供養
佛之光明　无能勝者　其佛号曰　閻浮金光
菩薩聲聞　斷一切有　无量无數　莊嚴其國
尒時世尊復告大衆我今語汝是大目揵連
當以種種供具供養八千諸佛恭敬尊重諸佛滅
後各起塔廟高千由旬縱廣正等五百由旬
以金銀琉璃車𤦲馬瑙真珠玫瑰七寶合成
衆華瓔珞塗香末香燒香繒蓋幢幡以用供

BD00294號　妙法蓮華經卷三　（26–9）

衆華瓔珞塗香末香燒香繒蓋幢幡以用供
養過是已後當復供養二百万億諸佛亦復
如是當得成佛号曰多摩羅跋栴檀香如來
應供正遍知明行足善逝世間解无上士調
御丈夫天人師佛世尊劫名喜滿國名意樂
其土平正頗梨為地寶樹莊嚴散真珠華
周遍清淨見者歡喜多諸天人菩薩聲聞其
數无量佛壽十二小劫正法住世四十小劫像
法亦住四十小劫尒時世尊欲重宣此義
而說偈言

我此弟子　大目揵連　捨是身已　得見八千
二百万億　諸佛世尊　為佛道故　供養恭敬
於諸佛所　常脩梵行　於无量劫　奉持佛法
諸佛滅後　起七寶塔　長表金剎　華香伎樂
而以供養　諸佛塔廟　漸漸具足　菩薩道已
於意樂國　而得作佛　号多摩羅　栴檀之香
其佛壽命　二十四劫　常為天人　演說佛道
聲聞无量　如恒河沙　三明六通　有大威德
菩薩无數　志固精進　於佛智慧　皆悉不退
佛滅度後　正法當住　四十小劫　像法亦尒
我諸弟子　威德具足　其數五百　皆當授記
於未來世　咸得成佛　我及汝等　宿世因緣
吾今當說　汝等善聽

妙法蓮華經化城喻品第七

吾今當說　汝等善聽

妙法蓮華經化城喻品第七

佛告諸比丘乃往過去无量无邊不可思議
阿僧祇劫尒時有佛名大通智勝如來應供
正遍知明行足善逝世間解无上士調御丈
夫天人師佛世尊其國名好成劫名大相諸
比丘彼佛滅度已來甚大久遠譬如三千大
千世界所有地種假使有人磨以為墨過於
東方千國土乃下一點大如微塵又過千國
土復下一點如是展轉盡地種墨於汝等意
云何是諸國土若筭師若筭師弟子能得
邊際知其數不不也世尊諸比丘是人所經
國土若點不點盡末為塵一塵一劫彼佛滅度
已來復過是數无量无邊百千万億阿僧
祇劫我以如來知見力故觀彼久遠猶若今
日尒時世尊欲重宣此義而說偈言

我念過去世　无量无邊劫　有佛兩足尊　名大通智勝
如人以力磨　三千大千土　盡此諸地種　皆悉以為墨
過於千國土　乃下一塵點　如是展轉點　盡此諸塵墨
如是諸國土　點與不點等　復盡末為塵　一塵為一劫
此諸微塵數　其劫復過是　彼佛滅度來　如是无量劫
如來无礙智　知彼佛滅度　及聲聞菩薩　如今見滅度
諸比丘當知　佛智淨微妙　无漏无所礙　通達无量劫

佛告諸比丘大通智勝佛壽五百四十万億

佛告諸比丘大通智勝佛壽五百四十万億
那由他劫其佛本坐道場破魔軍已垂得
阿耨多羅三藐三菩提而諸佛法不現在前如
是一小劫乃至十小劫結跏趺坐身心不動
而諸佛法猶不在前尒時忉利諸天先為彼
佛於菩提樹下敷師子座高一由旬佛於此
座當得阿耨多羅三藐三菩提適坐此座
時諸梵天王雨衆天華面百由旬香風時來吹
去萎華更雨新者如是不絕滿十小劫供養
於佛乃至滅度常雨此華四王諸天為供養
佛常擊天鼓其餘諸天作天伎樂滿十小劫
至于滅度亦復如是諸比丘大通智勝佛過
十小劫諸佛之法乃現在前成阿耨多羅三
藐三菩提其佛未出家時有十六子其第
一者名曰智積諸子各有種種珍異玩好之具
聞父得成阿耨多羅三藐三菩提皆捨所珍
往詣佛所諸母涕泣而隨送之其祖轉輪聖
王與一百大臣及餘百千万億人民皆共圍
遶隨至道場咸欲親近大通智勝如來供養
恭敬尊重讚歎到已頭面礼足遶佛畢已一
心合掌瞻仰世尊以偈頌曰

大威德世尊　為度衆生故　於无量億歲　尒乃得成佛
諸願已具足　善哉吉无上　世尊甚希有　一坐十小劫
身體及手足　靜然安不動　其心常惔怕　未曾有散亂

BD00294號　妙法蓮華經卷三　（26–12）

諸願已具足　善哉吉无上　世尊甚希有　一坐十小劫
身體及手足　靜然安不動　其心常惔怕　未曾有散亂
究竟永寂滅　安住无漏法　今者見世尊　安隱成佛道
我等得善利　稱慶大歡喜　衆生常苦惱　盲瞑无導師
不識苦盡道　不知求解脫　長夜增惡趣　減損諸天衆
從冥入於冥　永不聞佛名　今佛得最上　安隱无漏道
我等及天人　為得最大利　是故咸稽首　歸命无上尊

尒時十六王子偈讚佛已勸請世尊轉於法
輪咸作是言世尊說法多所安隱憐愍饒益
諸天人民重說偈言

世尊无等倫　百福自莊嚴　得无上智慧　願為世間說
度脫於我等　及諸衆生類　為分別顯示　令得是智慧
若我等得佛　衆生亦復然　世尊知衆生　深心之所念
亦知所行道　又知智慧力　欲樂及修福　宿命所行業
世尊悉知已　當轉无上輪

佛告諸比丘大通智勝佛得阿耨多羅三藐
三菩提時十方各五百万億諸佛世界六種
震動其國中間幽冥之處日月威光所不能
照而皆大明其中衆生各得相見咸作是言
此中云何忽生衆生又其國界諸天宮殿乃
至梵宮六種震動大光普照遍滿世界勝諸
天光尒時東方五百万億諸國土中梵天宮
殿光明照曜倍於常明諸梵天王各作是念
今者宮殿光明昔所未有以何因緣而現此

BD00294號　妙法蓮華經卷三　（26–13）

[illegible]倍於常明諸梵天王各作是念
今者宮殿光明昔所未有以何因緣而現此
相是時諸梵天王即各相詣共議此事而彼
衆中有一大梵天王名救一切為諸梵衆而說
偈言
我等諸宮殿　光明昔未有　此是何因緣　宜各共求之
為大德天生　為佛出世間　而此大光明　遍照於十方
尒時五百万億國土諸梵天王與宮殿俱各
以衣裓盛諸天華共詣西方推尋是相見大
通智勝如来處于道場菩提樹下坐師子
座諸天龍王乹闥婆緊那羅摩睺羅伽人非
人等恭敬圍繞及見十六王子請佛轉法輪即
時諸梵天王頭面礼佛繞百千迊即以天華
而散佛上其所散華如須弥山并以供養佛
菩提樹其菩提樹高十由旬華供養已各以
宮殿奉上彼佛而作是言唯見哀愍饒益我
等所獻宮殿願垂納處時諸梵天王即於佛
前一心同聲以偈頌曰
世尊甚希有　難可得值遇　具無量功德　能救護一切
天人之大師　哀愍於世間　十方諸衆生　普皆蒙饒益
我等所從来　五百万億國　捨深禪定樂　為供養佛故
我等先世福　宮殿甚嚴飾　今以奉世尊　唯願哀納受
尒時諸梵天王偈讚佛已各作是言唯願世
尊轉於法輪度脫衆生開涅槃道時諸梵

BD00294號　妙法蓮華經卷三　（26–14）

尒時諸梵天王偈讚佛已各作是言唯願世
尊轉於法輪度脫衆生開涅槃道時諸梵
天王一心同聲而說偈言
世雄兩足尊　唯願演說法　以大慈悲力　度苦惱衆生
尒時大通智勝如来黙然許之又諸比丘東南
方五百万億國土諸大梵王各自見宮殿
光明照曜昔所未有歡喜踊躍生希有心
即各相詣共議此事而彼衆中有一大梵天
王名曰大悲為諸梵衆而說偈言
是事何因緣　而現如此相　我等諸宮　光明昔未有
為大德天生　為佛出世間　未曾見此相　當共一心求
過千万億土　尋光共推之　多是佛出世　度脫苦衆生
尒時五百万億諸梵天王與宮殿俱各以
衣裓盛諸天華共詣西方尋是相見大通智
勝如来處于道場菩提樹下坐師子座諸天
龍王乹闥婆緊那羅摩睺羅伽人非人等
恭敬圍繞及見十六王子請佛轉法輪時諸
梵天王頭面礼佛繞百千迊即以天華而散
佛上所散之華如須弥山并以供養佛菩提
樹華供養已各以宮殿奉上彼佛而作是言
唯見哀愍饒益我等所獻宮殿願垂納處
尒時諸梵天王即於佛前一心同聲以偈頌曰
聖主天中王　迦陵頻伽聲　哀愍衆生者　我等今敬礼
世尊甚希有　久遠乃一現　一百八十劫　空過無有佛

BD00294號　妙法蓮華經卷三　（26–15）

聖主天中王　迦陵頻伽聲　哀愍衆生者　我等今敬礼
世尊甚希有　久遠乃一現　一百八十劫　空過无有佛
三惡道充滿　諸天衆減少　今佛出於世　為衆生作眼
世間所歸趣　救護於一切　為衆生之父　哀愍饒益者
我等宿福慶　今得值世尊
尒時諸梵天王偈讚佛已各作是言唯願世
尊哀愍一切轉於法輪度脫衆生時諸梵天
王一心同聲而說偈言
大聖轉法輪　顯示諸法相　度苦惱衆生　令得大歡喜
衆生聞此法　得道若生天　諸惡道減少　忍善者增長
尒時大通智勝如来嘿然許之又諸比丘南方
五百万億國土諸大梵王各自見宮殿光明
照曜昔所未有歡喜踊躍生希有心即各相
詣共議此事以何因緣我等宮殿有此光曜
而彼衆中有一大梵天王名曰妙法為諸梵衆
而說偈言
我等諸宮殿　光明甚威曜　此非无因緣　是相宜求之
過於百千劫　未曾見是相　為大德天生　為佛出世間
尒時五百万億諸梵天王與宮殿俱各以衣裓
盛諸天華共詣北方推尋是相見大通智勝
如来處于道場菩提樹下坐師子座諸天龍
王乾闥婆緊那羅摩睺羅伽人非人等恭敬
圍遶及見十六王子請佛轉法輪時諸梵天

BD00294號　妙法蓮華經卷三　（26-16）

圍遶及見十六王子請佛轉法輪時諸梵天
王頭面礼佛遶百千匝即以天華而散佛上
所散之華如須弥山并以供養佛菩提樹華
供養已各以宮殿奉上彼佛而作是言唯見
哀愍饒益我等所獻宮殿願垂納受尒時
諸梵天王即於佛前一心同聲以偈頌曰
世尊甚難見　破諸煩惱者　過百三十劫　今乃得一見
諸飢渴衆生　以法雨充滿　昔所未曾有　无量智慧者
如優曇鉢華　今日乃值遇　我等諸宮殿　蒙光故嚴飾
世尊大慈愍　唯願垂納受
尒時諸梵天王偈讚佛已各作是言唯願世
尊轉於法輪令一切世間諸天魔梵沙門婆
羅門皆獲安隱而得度脫時諸梵天王一心同
聲以偈頌曰
唯願天人尊　轉无上法輪　擊于大法鼓　而吹大法螺
普雨大法雨　度无量衆生　我等咸歸請　當演深遠音
尒時大通智勝如来嘿然許之西南方乃至
下方亦復如是尒時上方五百万億國土諸
大梵王皆悉自覩所止宮殿光明威曜昔所
未有歡喜踊躍生希有心即各相詣共議此
事以何因緣我等宮殿有斯光明時彼衆中
有一大梵天王名曰尸棄為諸梵衆而說偈言
今以何因緣　我等諸宮殿　威德光明曜　嚴飾未曾有
如是之妙相　昔所未聞見　為大德天生　為佛出世間

BD00294號　妙法蓮華經卷三　（26-17）

如是之妙相　昔所未聞見　為大德天生　為佛出世間
尒時五百万億諸梵天王與宮殿俱各以衣
裓盛諸天華共詣下方推尋是相見大通智
勝如來處于道場菩提樹下坐師子座諸天
龍王乾闥婆緊那羅摩睺羅伽人非人等恭
敬圍繞及見十六王子請佛轉法輪時諸梵
天王頭面礼佛繞百千匝即以天華而散佛
上所散之華如須弥山并以供養佛菩提樹
華供養已各以宮殿奉上彼佛而作是言唯
見哀愍饒益我等所獻宮殿願垂納受時
諸梵天王即於佛前一心同聲以偈頌曰
善哉見諸佛　救世之聖尊　能於三界獄　勉出諸衆生
普智天人尊　哀愍群萌類　能開甘露門　廣度於一切
於昔无量劫　空過无有佛　世尊未出時　十方常暗瞑
三惡道增長　阿脩羅亦盛　諸天衆轉減　死多墮惡道
不從佛聞法　常行不善事　色力及智慧　斯等皆減少
罪業因緣故　失樂及樂想　住於耶見法　不識善儀則
不蒙佛所化　常墮於惡道　佛為世間眼　久遠時乃出
哀愍諸衆生　故現於世間　超出成正覺　我等甚欣慶
及餘一切衆　喜歎未曾有　我等諸宮殿　蒙光故嚴飾
今以奉世尊　唯垂哀納受　願以此功德　普及於一切
我等與衆生　皆共成佛道
尒時五百万億諸梵天王偈讚佛已各白佛

BD00294號　妙法蓮華經卷三　（26–18）

言唯願世尊轉於法輪多所安隱多所度脫
時諸梵天王而說偈言
世尊轉法輪　擊甘露法鼓　度苦惱衆生　開示涅槃道
唯願受我請　以大微妙音　哀愍而敷演　无量劫習法
尒時大通智勝如來受十方諸梵天王及十
六王子請即時三轉十二行法輪若沙門
婆羅門若天魔梵及餘世間所不能轉謂是苦
是苦集是苦滅是苦滅道及廣說十二因緣
法无明緣行行緣識識緣名色名色緣六入六
入緣觸觸緣受受緣愛愛緣取取緣有有
緣生生緣老死憂悲苦惱无明滅則行滅行
滅則識滅識滅則名色滅名色滅則六入滅
六入滅則觸滅觸滅則受滅受滅則愛滅愛
滅則取滅取滅則有滅有滅則生滅生滅則
老死憂悲苦惱滅佛於天人大衆之中說是
法時六百万億那由他人以不受一切法故而
於諸漏心得解脫皆得深妙禪定三明六
通具八解脫第二第三第四說法時千万億
恒河沙那由他等衆生亦以不受一切法故
而於諸漏心得解脫從是已後諸聲聞衆无
量无邊不可稱數尒時十六王子皆以童子
出家而為沙弥諸根通利智慧明了已曾供

BD00294號　妙法蓮華經卷三　（26–19）

出家而爲沙弥諸根通利智慧明了已曾供
養百千万億諸佛淨脩梵行求阿耨多羅三
藐三菩提俱白佛言世尊是諸无量千万億
大德聲聞皆已成就世尊亦當爲我等說阿
耨多羅三藐三菩提法我等聞已皆共脩學
世尊我等志願如来知見深心所念佛自證
知尒時轉輪聖王所將衆中八万億人見十
六王子出家王亦求出家即聽許尒時彼佛受沙弥
請過二万劫已乃於四衆之中說是大乘
經名妙法蓮華教菩薩法佛所護念說是
經已十六沙弥爲阿耨多羅三藐三菩提故
皆共受持諷誦通利說是經時十六菩薩
沙弥皆悉信受聲聞衆中亦有信解其餘衆
生千万億種皆生疑惑佛說是經於八千劫
未曾休廢說此經已即入靜室住於禪定八
万四千劫是時十六菩薩沙弥知佛入室寂
然禪定各昇法座亦於八万四千劫爲四部
衆廣說分別妙法華經一一皆度六百万億
那由他恒河沙等衆生示教利喜令得阿耨
多羅三藐三菩提心大通智勝佛過八万四
千劫已從三昧起往詣法座安詳而坐普告
大衆是十六菩薩沙弥甚爲希有諸根通利
智慧明了已曾供養无量千万億數諸佛於

BD00294號　妙法蓮華經卷三　（26–20）

智慧明了已曾供養无量千万億數諸佛於
諸佛所常脩梵行受持佛智開示衆生令入
其中汝等皆當數數親近而供養之所以者
何若聲聞辟支佛及諸菩薩能信是十六菩
薩所說經法受持不毀者是人皆當得阿耨
多羅三藐三菩提如来之慧佛告諸比丘是
十六菩薩常樂說是妙法華經一一菩薩
所化六百万億那由他恒河沙等衆生世世
所生與菩薩俱從其聞法悉皆信解以此因
緣得值四万億諸佛世尊于今不盡諸比丘
我今語汝彼佛弟子十六沙弥今皆得阿耨
多羅三藐三菩提於十方國土現在說法有
无量百千万億菩薩聲聞以爲眷屬其二
沙弥東方作佛一名阿閦在歡喜國二名須弥
頂東南方二佛一名師子音二名師子相南
方二佛一名虛空住二名常滅西南方二佛
一名帝相二名梵相西方二佛一名阿弥陁
二名度一切世間苦惱西北方二佛一名多
摩羅跋栴檀香神通二名須弥相北方二佛
一名雲自在二名雲自在王東北方佛名壞
一切世間怖畏第十六我釋迦牟尼佛於娑
婆國土成阿耨多羅三藐三菩提諸比丘我
等爲沙弥時各各教化无量百千万億恒河

BD00294號　妙法蓮華經卷三　（26–21）

等為沙弥時各各教化无量百千万億恒河
沙等衆生從我聞法為阿耨多羅三藐三菩
提此諸衆生于今有住聲聞地者我常教化
阿耨多羅三藐三菩提是諸人等應以是法
漸入佛道所以者何如来智慧難信難解尒
時所化无量恒河沙等衆生者汝等諸比丘
及我滅度後未来世中聲聞弟子是也我滅
度後復有弟子不聞是經不知不覺菩薩所
行自於所得功德生滅度想當入涅槃我於
餘國作佛更有異名是人雖生滅度之想入
於涅槃而於彼土求佛智慧得聞是經唯以
佛乘而得滅度更无餘乘除諸如来方便說
法諸比丘若如来自知涅槃時到衆又清淨
信解堅固了達空法深入禪定便集諸菩薩
及聲聞衆為說是經世間无有二乘而得滅
度唯一佛乘得滅度耳比丘當知如来方便
深入衆生之性知其志樂小法深著五欲為
是等故說於涅槃是人若聞則便信受譬如
五百由旬險難惡道曠絕无人怖畏之處若
有多衆欲過此道至珎寶處有一導師聦慧
明達善知險道通塞之相將導衆人欲過此
難所將人衆中路懈退白導師言我等疲極
而復怖畏不能復進前路猶遠今欲退還導
師多諸方便而作是念此等可愍云何捨大珎

而復怖畏不能復進前路猶遠今欲退還導
師多諸方便而作是念此等可愍云何捨大珎
寶而欲退還作是念已以方便力於險道中
過三百由旬化作一城告衆人言汝等勿怖
莫得退還今此大城可於中止隨意所作若
入是城快得安隱若能前至寶所亦可得
去是時疲極之衆心大歡喜歎未曾有我等
今者免斯惡道快得安隱於是衆人前入化
城生已度想生安隱想尒時導師知此人衆
既得止息无復疲惓即滅化城語衆人言汝
等去来寶處在近向者大城我所化作為止
息耳諸比丘如来亦復如是今為汝等作大
導師知諸生死煩惱惡道險難長遠應去應
度若衆生但聞一佛乘者則不欲見佛不欲
親近便作是念佛道長遠久受勤苦乃可得
成佛知是心怯弱下劣以方便力而於中道
為止息故說二涅槃若衆生住於二地如来
尒時即便為說汝等所作未辦汝所住地近
於佛慧當觀察籌量所得涅槃非真實也
但是如来方便之力於一佛乘分別說三如彼
導師為止息故化作大城既知息已而告之
言寶處在近此城非實我化作耳尒時世尊
欲重宣此義而說偈言
大通智勝佛　十劫坐道場　佛法不現前　不得成佛道

大通智勝佛　十劫坐道場　佛法不現前　不得成佛道
諸天神龍王　阿脩羅眾等　常雨於天華　以供養彼佛
諸天擊天鼓　并作眾伎樂　香風吹萎華　更雨新好者
過十小劫已　乃得成佛道　諸天及世人　心皆懷踊躍
彼佛十六子　皆與其眷屬　千万億圍繞　俱行至佛所
頭面礼佛足　而請轉法輪　聖師子法雨　充我及一切
世尊甚難值　久遠時一現　為覺悟群生　震動於一切
東方諸世界　五百万億國　梵宮殿光曜　昔所未曾有
諸梵見此相　尋來至佛所　散華以供養　并奉上宮殿
請佛轉法輪　以偈而讚歎　佛知時未至　受請嘿然坐
三方及四維　上下亦復尒　散華奉宮殿　請佛轉法輪
世尊甚難值　願以大慈悲　廣開甘露門　轉无上法輪
无量慧世尊　受彼眾人請　為宣種種法　四諦十二緣
无明至老死　皆從生緣有　如是眾過患　汝等應當知
宣暢是法時　六百万億姟　得盡諸苦際　皆成阿羅漢
苐二說法時　千万恒沙眾　於諸法不受　亦得阿羅漢
從是後得道　其數无有量　万億劫算數　不能得其邊
時十六王子　出家作沙弥　皆共請彼佛　演說大乘法
我等及營從　皆當成佛道　願得如世尊　慧眼苐一淨
佛知童子心　宿世之所行　以无量因緣　種種諸譬喻
說六波羅蜜　及諸神通事　分別真實法　菩薩所行道
說是法華經　如恒河沙偈　彼佛說經已　靜室入禪定
一心一處坐　八万四千劫　是諸沙弥等　知佛禪未出
為无量億眾　說佛无上慧　各各坐法坐　說是大乘經
於佛宴寂後　宣揚助法化　一一沙弥等

BD00294號　妙法蓮華經卷三　（26–24）

一心一處坐　八万四千劫　是諸沙弥等　知佛禪未出
為无量億眾　說佛无上慧　各各坐法坐　說是大乘經
於佛宴寂後　宣揚助法化　一一沙弥等　所度諸眾生
有六百万億　恒河沙等眾　彼佛滅度後　是諸聞法者
在在諸佛土　常與師俱生　是十六沙弥　具足行佛道
今現在十方　各得成正覺　尒時聞法者　各在諸佛所
其有住聲聞　漸教以佛道　我在十六數　曾亦為汝說
是故以方便　引汝趣佛慧　以是本因緣　今說法華經
令汝入佛道　慎勿懷驚懼　譬如險惡道　迥絕多毒獸
又復无水草　人所怖畏處　无數千万眾　欲過此險道
其路甚曠遠　經五百由旬　時有一導師　強識有智慧
明了心決定　在險濟眾難　眾人皆疲惓　而白導師言
我等今頓乏　於此欲退還　導師作是念　此輩甚可愍
如何欲退還　而失大珍寶　尋時思方便　當設神通力
化作大城郭　莊嚴諸舍宅　周帀有園林　渠流及浴池
重門高樓閣　男女皆充滿　即作是化已　慰眾言勿懼
汝等入此城　各可隨所樂　諸人既入城　心皆大歡喜
皆生安隱想　自謂已得度　導師知息已　集眾而告言
汝等當前進　此是化城耳　我見汝疲極　中路欲退還
故以方便力　權化作此城　汝今勤精進　當共至寶所
我亦復如是　為一切導師　見諸求道者　中路而懈廢
不能度生死　煩惱諸險道　故以方便力　為息說涅槃
言汝等苦滅　所作皆已辦　既知到涅槃　皆得阿羅漢
尒乃集大眾　為說真實法　諸佛方便力　分別說三乘
唯有一佛乘　息處故說二　今為汝說實　汝所得非滅

BD00294號　妙法蓮華經卷三　（26–25）

明了心決定　在險濟衆難　衆人皆疲倦　而白導師言
我等今頓乏　於此欲退還　導師作是念　此輩甚可愍
如何欲退還　而失大珍寶　尋時思方便　當設神通力
化作大城郭　莊嚴諸舍宅　周匝有園林　渠流及浴池
重門高樓閣　男女皆充滿　即作是化已　慰衆言勿懼
汝等入此城　各可隨所樂　諸人既入城　心皆大歡喜
皆生安隱想　自謂已得度　導師知息已　集衆而告言
汝等當前進　此是化城耳　我見汝疲極　中路欲退還
故以方便力　權化作此城　汝今勤精進　當共至寶所
我亦復如是　為一切導師　見諸求道者　中路而懈廢
不能度生死　煩惱諸險道　故以方便力　為息說涅槃
言汝等苦滅　所作皆已辦　既知到涅槃　皆得阿羅漢
尒乃集大衆　為說真實法　諸佛方便力　分別說三乘
唯有一佛乘　息處故說二　今為汝說實　汝所得非滅
為佛一切智　當發大精進　汝證一切智　十力等佛法
具三十二相　乃是真實滅　諸佛之導師　為息說涅槃
既知是息已　引入於佛慧

妙法蓮華經卷第三

BD00294 號　妙法蓮華經卷三　（26–26）

訶訶訶訶訶　呬呬呬呬呬
呼呼呼呼　漢魯墨謎瞿墨謎
者者者者　只只只只主主主主
旃荼欄(涉之)鉢攞　尸揭囉(上)尸揭羅
嗢底瑟侘　呬　薄伽梵僧慎尒耶
莎訶
若復有人於此明呪能受持者我當給與資
生衆具飲食衣服花果珎異或求男女童男
童女金銀珎寶諸瓔珞具我皆供給隨所願
求令旡闕之此之明呪有大威力若誦呪時
我當速至其所令旡障礙隨意成就若持此
呪時應知其法先畫一鋪僧慎尒耶藥叉形
像高四五尺手執鉾鑹於此像前作四方壇
安四滿瓶蜜水或沙糖水塗香抹香燒香及
諸花鬘又於壇前作地火爐中安炭火以蘇
摩芥子燒於爐中口誦前呪一百八遍一遍
一燒乃至我藥叉大將自來現身問呪人曰
尒何所須意所求者即以事荅我即隨言於
所求事皆令滿足或須金銀及諸伏藏或欲
神仙乘空而去或求天眼通或知他心事於
一切有情隨意自在令斷煩惱速得解脫皆
得成就
尒時世尊告正了知藥叉大將曰善哉善哉

BD00295 號　金光明最勝王經卷八　（6–1）

得成就
尒時世尊告正了知藥叉大將曰善哉善哉
汝能如是利益一切衆生說此神呪擁護正
法福利无邊
金光明最勝王經王法正論品第廿
尒時此大地神女名曰堅牢於大衆中從座
而起頂礼佛足合掌恭敬白佛言世尊於諸
國中為人王者若无正法不能治國安養衆
生及以自身長居勝位唯願世尊慈悲哀愍
當為我說王法正論治國之要令諸人王得
聞法已如說修行正化於世能令勝位永保
安寧國內居人咸蒙利益
尒時世尊於大衆中告堅牢地神曰汝當諦
聽過去有王名力尊幢其王有子名曰妙幢
受灌頂位未久之頃尒時父王告妙幢言有
王法正論名天主教法我於昔時受灌頂位
而為國主我之父王名智力尊幢為我說是
王法正論我依此論於二万歲善治國土我
不曾憶起一念心行於非法汝於今日亦應
如是勿以非法而治於國云何名為王法正論
今汝善聽當為汝說尒時力尊幢王即為其
子以妙伽他說正論曰
我說王法論　利安諸有情　為斷世間疑　滅除衆過失
一切諸天衆　及以人中王　當生歡喜心　合掌聽我說

BD00295號　金光明最勝王經卷八　（6–2）

一切諸天衆　及以人中王　當生歡喜心　合掌聽我說
往昔諸天衆　集在金剛山　四王從座起　請問於大梵
梵王最勝尊　天中大自在　願哀愍我等　為斷諸疑惑
云何處人世　而得名為天　復以何因緣　號名曰天子
云何生人間　獨得為人主　云何在天上　復得作天王
如是護世間　問彼梵王已　尒時梵天主　即便為彼說
護世汝當知　為利有情故　問我治國法　我說應善聽
由先善業力　生天得作王　若在於人中　統領為人主
諸天共加護　然後入母胎　既至母胎中　諸天復守護
雖生在人世　尊勝故名天　由諸天護持　亦得名天子
三十三天主　分力助人王　及一切諸天　亦資自在力
除滅諸非法　惡業令不生　教有情修善　使得生天上
人及蘇羅衆　并揵闥婆等　羅刹旃荼羅　悉皆資半力
父母資半力　令捨惡修善　諸天共護持　示其善惡報
若造善惡業　令於現世中　諸天共護持　示其善惡報
國人造惡業　王捨不禁制　斯非順正理　治擯當如法
若見惡不遮　非法便滋長　遂令王國內　奸詐日增多
王見國中人　造惡不遮止　三十三天衆　咸生忿怒心
因此損國政　諂偽行世間　被他怨敵侵　破壞其國土
居家及資具　積財皆散失　種種諂誑生　更互相侵奪
由正法得王　而不行其法　國土皆破散　如象蹹蓮池
惡風起无恒　暴雨非時下　妖星多變怪　日月蝕无光
五穀衆花果　苗實皆不成　國土遭飢饉　由王捨正法
若王捨正法　以惡法化生　諸天處本宮　見已生憂惱

BD00295號　金光明最勝王經卷八　（6–3）

五穀眾花果　苗實皆不成　國土遭飢饉　由王捨正法
若王捨正法　以惡法化生　諸天處本宮　見已生憂惱
彼諸天王眾　共作如是言　此王作非法　惡黨相親附
王位不久安　諸天皆忿恨　由彼懷忿故　其國當敗亡
以非法教人　流行於國內　鬬諍多姦偽　疾疫眾生苦
天主不護念　餘天咸捨棄　國土當滅亡　王身受苦厄
父母及妻子　兄弟并姊妹　俱遭愛別離　乃至身亡沒
變怪流星墮　二日俱時出　他方怨賊來　國人遭喪亂
國所重大臣　枉橫而身死　所愛象馬等　亦復皆散失
處處有兵戈　人多非法死　惡鬼來入國　疾疫遍流行
國中最大臣　及以諸輔相　其心懷諂佞　並悉行非法
見行非法者　而生於愛敬　於行善法人　苦楚而治罰
由愛敬惡人　治罰善人故　星宿及風雨　皆不以時行
有三種過生　正法當隱沒　眾生无光色　地肥皆下沉
由敬惡輕善　復有三種過　非時降霜雹　飢疫苦流行
穀稼諸果實　滋味皆損減　於其國土中　眾生多疾疫
國中諸樹林　先生甘美果　由斯皆損減　苦澀无滋味
先有妙園林　可愛遊戲處　忽然皆枯悴　見者生憂惱
稻麥諸果實　美味漸消亡　食時心不喜　何能長諸大
眾生无色力　勢力盡衰微　食噉雖復多　不能令飽足
於其國界中　所有眾生類　少力无勇勢　所作不堪能
國人多疾患　眾苦逼其身　鬼魅遍流行　隨處生羅剎
若王作非法　親近於惡人　令三種世間　因斯受衰損
如是无邊過　出在於國中　皆由見惡人　棄捨不治擯
由諸天加護　得作於國王　而不以正法　守護於國界

BD00295號　金光明最勝王經卷八　（6–4）

若王作非法　親近於惡人　令三種世間　因斯受衰損
如是无邊過　出在於國中　皆由見惡人　棄捨不治擯
由諸天加護　得作於國王　而不以正法　守護於國界
若人修善行　當得生天上　若造惡業者　死必墮三塗
若王見國人　縱其造過失　三十三天眾　皆生熱惱心
不順諸天教　及以父母言　此是非法人　非王非孝子
若於自國中　見行非法者　如法當治罰　不應生捨棄
是故諸天眾　皆護持此王　以滅諸惡法　能修善根故
王於此世中　必招於現報　由於善惡業　行捨勸眾生
為示善惡報　故得作人王　諸天共護持　一切咸隨喜
由自利利他　治國以正法　見有諂佞者　應當如法治
假使失王位　及以害命緣　終不行惡法　見惡而捨棄
害中極重者　无過失國位　皆因諂佞人　為此當治罰
若有諂誑人　當失於國位　由斯損王政　如象入花園
天主皆瞋恨　阿蘇羅亦然　以彼為人王　不以法治國
是故應如法　治罰於惡人　以善化眾生　不順於非法
寧捨於身命　不隨非法友　於親及非親　平等觀一切
若為正法王　國內无偏黨　法王有名稱　普聞三界中
三十三天眾　歡喜作是言　贍部洲治王　彼即是我子
以善化眾生　正法治於國　勸行於正法　當令生我宮
天及諸天子　及以蘇羅眾　因王正法化　常得心歡喜
天眾皆歡喜　共護於人王　眾星依位行　日月无乖度
和風常應節　甘雨順時行　苗實皆善成　人无飢饉者
一切諸天眾　充滿於自宮　是故汝人王　忘身弘正法
應尊重法寶　由斯眾安樂　常當親正法　功德自莊嚴

BD00295號　金光明最勝王經卷八　（6–5）

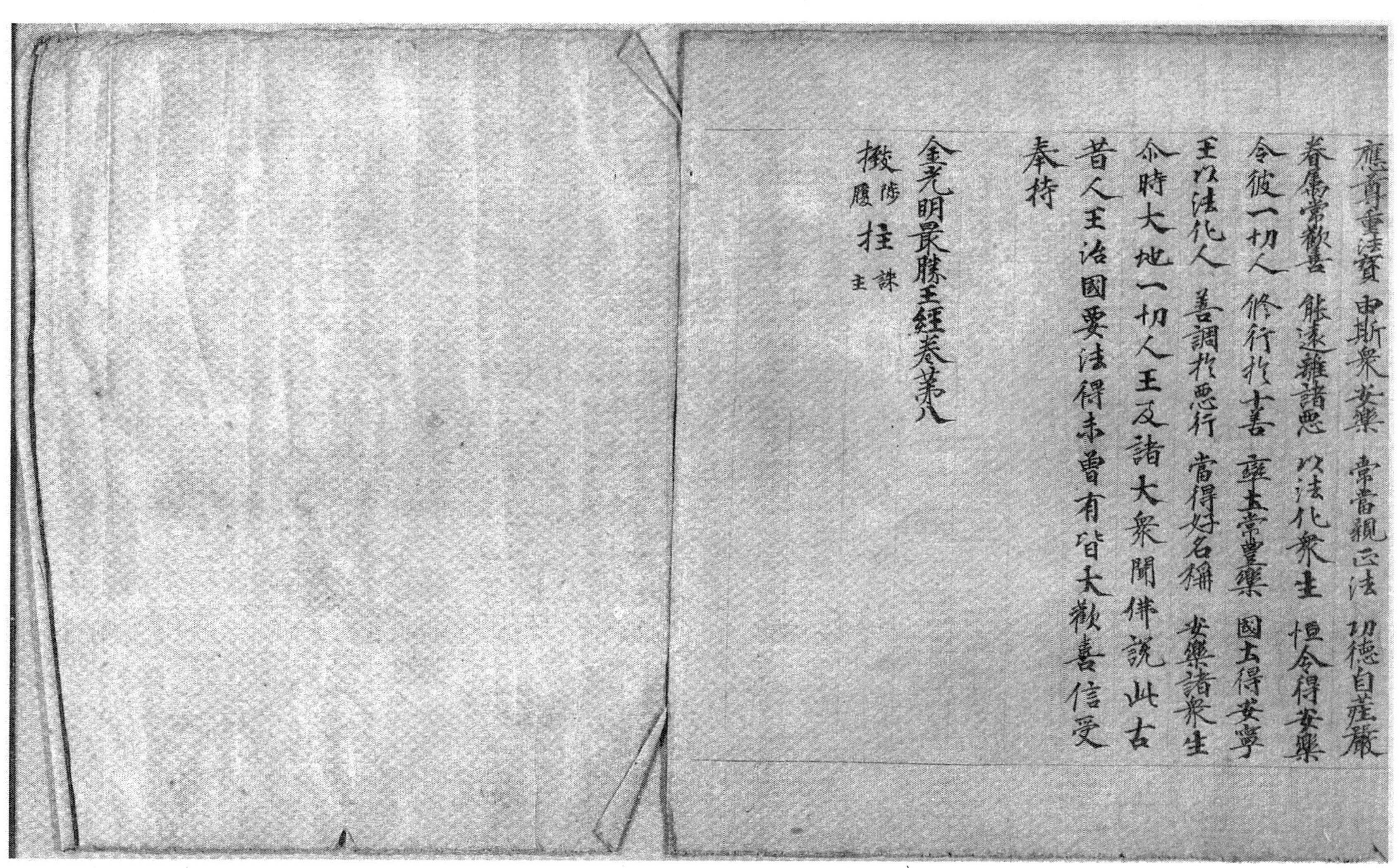
應尊重法寶 由斯衆安樂 常當親正法 功德自莊嚴
眷屬常歡喜 能遠離諸惡 以法化衆生 恒令得安樂
令彼一切人 修行於十善 率土常豐樂 國土得安寧
王以法化人 善調於惡行 當得好名稱 安樂諸衆生
尒時大地一切人王及諸大衆聞佛說此古
昔人王治國要法得未曾有皆大歡喜信受
奉持

金光明最勝王經卷第八

撿 陟履 挂 誅主

BD00295號　金光明最勝王經卷八　（6–6）

所悕望文殊師利又問生死有畏菩薩當何
所依維摩詰言菩薩於生死畏中當依如來
功德之力文殊師利又問菩薩欲依如來功
德之力當於何住荅曰菩薩欲依如來功德
力者當住度脫一切衆生又問欲度衆生當
何所除[illegible]欲度衆生除其煩惱又問欲除
[illegible]荅曰當行正念又問云何行
[illegible]又問何法不生
何法不滅荅曰不善不生善法不滅又問善
不善孰為本荅曰身為本又問身孰為本荅
曰欲貪為本又問欲貪孰為本荅曰虛妄分
別為本又問虛妄分別孰為本荅曰顛倒想
為本又問顛倒想孰為本荅曰无住為本又
問无住孰為本荅曰无住則无本文殊師利
從无住本立一切法
時維摩詰室有一天女見諸大人聞所說法
便現其身即以天華散諸菩薩大弟子上華
至諸菩薩即皆墮落至大弟子便著不墮一
切弟子神力去華不能令去尒時天問舍利
弗何故去華荅曰此華不如法是以去之天
曰勿謂此華為不如法所以者何是華无所
分別仁者自生分別想耳若於佛法出家有
所分別為不如法若无分別是則如法觀諸
[illegible]

BD00296號　維摩詰所說經卷中　（14–1）

切弟子神力去華不能令去尒時天問舍利
弗何故去華荅曰此華不如法是以去之天
曰勿謂此華為不如法所以者何是華无所
分別仁者自生分別想耳若於佛法出家有
所分別為不如法若无分別是則如法觀諸
菩薩華不著者以斷一切分別想故譬如人
畏時非人得其便如是弟子畏生死故色聲
香味觸得其便已離畏者一切五欲无能為
也結習未盡華著身耳結習盡者華不著也
舍利弗言天止此室其已久如荅曰我止此室
如耆年解脫舍利弗言止此久耶天曰耆
年解脫亦何如久舍利弗嘿然不荅天曰如
何耆舊大智如嘿荅曰解脫者无所言說故
吾於是不知所云天曰言說文字皆解脫相
所以者何解脫者不內不外不在兩閒文字
亦不內不外不在兩閒是故舍利弗无離文
字說解脫也所以者何一切諸法皆解脫相
舍利弗言不復以離婬怒癡為解脫乎天曰
佛為增上慢人說離婬怒癡為解脫耳若无
增上慢者佛說婬怒癡性即是解脫
舍利弗言善哉善哉天女汝何所得以何為
證辯乃如是天曰我无得无證故辯如是所
以者何若有得有證者則於佛法為增上慢
舍利弗問天汝於三乘為何志求天曰以聲
聞法化衆生故我為聲聞以因緣法化衆生

BD00296號　維摩詰所說經卷中　（14–2）

聞法化衆生故我為聲聞以因緣法化衆生
故我為辟支佛以大悲化衆生故我為大乘
舍利弗如人入瞻蔔林唯嗅瞻蔔不嗅餘香
如是若入此室但聞佛功德之香不樂聞聲
聞辟支佛功德香也舍利弗其有釋梵四天
王諸天龍鬼神等入此室者聞斯上人講說
正法皆樂佛功德之香發心而出舍利弗吾止
此室十有二年初不聞說聲聞辟支佛法但聞
菩薩大慈大悲不可思議諸佛之法舍利
弗此室常現八未曾有難得之法何等為八
此室常以金色光照晝夜无異不以日月所
照為明是為一未曾有難得之法此室入者
不為諸垢之所惱也是為二未曾有難得之
法此室常有釋梵四天王他方菩薩來會不
絕是為三未曾有難得之法室常說六波
羅蜜不退轉法是為四未曾有難得之法
此室常作天人第一之樂絃出无量法化之聲
是為五未曾有難得之法此室有四大藏衆
寶積滿周窮濟乏求得无盡是為六未曾
有難得之法此室釋迦牟尼佛阿彌陁阿閦
佛寶德寶炎寶月寶嚴難勝師子響一
切利成如是等十方无量諸佛是上人念時即皆
為來廣說諸佛秘要法藏說已還去是為七
未曾有難得之法此室一切諸天嚴飾宮殿
諸佛淨土皆於中現是為八未曾有難得之

BD00296號　維摩詰所說經卷中　（14–3）

諸佛淨土皆於中現是為八未曾有難得之
法舍利弗此室常現八未曾有難得之法誰
有見斯不思議事而復樂於聲聞法乎
舍利弗言汝何以不轉女身天曰我從十二
年來求女人相了不可得當何所轉譬如幻
師化作幻女若有人問何以不轉女身是人
為正問不舍利弗言不也幻无定相當何所
轉天曰一切諸法亦復如是无有定相云何
乃問不轉女身即時天女以神通力變舍利
弗令如天女天自化身如舍利弗而問言何
以不轉女身舍利弗以天女像而荅言我今
不知何轉而變為女身天曰舍利弗若能轉
此女身則一切女人亦當能轉如舍利弗非
女而現女身一切女人亦復如是雖現女身
而非女也是故佛說一切諸法非男非女即
時天女還攝神力舍利弗身還復如故天問
舍利弗女身色相今何所在舍利弗言女身
色相无在无不在天曰一切諸法亦復如是
无在无不在夫无在无不在者佛所說也舍
利弗問天汝於此沒當生何所天曰佛化所
生吾如彼生曰佛化所生非沒生也天曰眾
生猶然无沒生也舍利弗問天汝久如當得
阿耨多羅三藐三菩提天曰如舍利弗還為
凡夫我乃當成阿耨多羅三藐三菩提舍利
弗言我作凡夫无有是處天曰我得阿耨多
羅三藐三菩提亦无是處所以者何菩提无

BD00296號　維摩詰所說經卷中

（14-4）

弗言我作凡夫无有是處天曰我得阿耨多
羅三藐三菩提亦无是處所以者何菩提无
住處是故无有得者舍利弗言今諸佛得阿
耨多羅三藐三菩提已得當得如恒河沙皆
謂何乎天曰皆以世俗文字數故說有三世
非謂菩提有去來今天曰舍利弗汝得阿羅
漢道耶曰无所得故而得天曰諸佛菩薩亦
復如是无所得故而得尒時維摩詰語舍利
弗是天女曾已供養九十二億佛已能遊戲
菩薩神通所願具足得无生忍住不退轉以
本願故隨意能現教化眾生

佛道品第八

尒時文殊師利問維摩詰言菩薩云何通達
佛道維摩詰言若菩薩行於非道是為通達
佛道又問云何菩薩行於非道荅曰若菩薩
行五无間而无惱恚至于地獄无諸罪垢至
于畜生无有无明憍慢等過至于餓鬼而具
足功德行色无色界道不以為勝示行貪欲
離諸染着示行瞋恚於諸眾生无有恚㝵示
行愚癡而以智慧調伏其心示行慳貪而捨
內外所有不惜身命示行毀禁而安住淨戒
乃至小罪猶懷大懼示行瞋恚而常慈忍示
行懈怠而勤脩功德示行亂意而常念定示
行愚癡而通達世間出世間慧示行諂偽而
善方便隨諸經義示行憍慢而於眾生猶如
橋梁示行諸煩惱而心常清淨示入於魔而

BD00296號　維摩詰所說經卷中

（14-5）

菩方便隨諸經義亦行憍慢而於衆生猶如
橋梁亦行諸煩惱而心常清淨亦入於魔而
順佛智慧不隨他教亦入聲聞而為衆生說
未聞法亦入辟支佛而成就大悲教化衆生
亦入貧窮而有寶手功德无盡亦入形殘而
具諸相好以自莊嚴亦入下賤而生佛種性
中具諸功德亦入羸劣醜陋而得那羅延身
一切衆生之所樂見亦入老病而永斷病根
超越死畏亦有資生而恒觀无常實无所貪
亦有妻妾婇女而常遠離五欲淤泥現於訥
鈍而成就辯才揔持无失亦入耶濟而以正
濟度諸衆生現遍入諸道而斷其因緣現於
涅槃而不斷生死文殊師利菩薩能如是行
於非道是為通達佛道
於是維摩詰問文殊師利何等為如來種文
殊師利言有身為種无明有愛為種貪恚癡
為種四顛倒為種五蓋為種六入為種七識處
為種八耶法為種九惱處為種十不善道為
種以要言之六十二見及一切煩惱皆是佛
種曰何謂也荅曰若見无為入正位者不能
復發阿耨多羅三藐三菩提心譬如高原
陸地不生蓮華卑濕汙泥乃生此華如是見
无為法入正位者終不復能生於佛法煩惱
泥中乃有衆生起佛法耳又如殖種於空終
不得生糞壤之地乃能滋茂如是入无為正
位者不生佛法起於我見如須弥山猶能發

BD00296號　維摩詰所說經卷中　（14–6）

位者不生佛法起於我見如須弥山猶能發
于阿耨多羅三藐三菩提心生佛法矣是故
當知一切煩惱為如來種譬如不下巨海則
不能得无價寶珠如是不入煩惱大海則
不能得生一切智寶
尒時大迦葉歎言善哉善哉文殊師利快說
此語成如所言塵勞之疇為如來種我等今
者不復堪任發阿耨多羅三藐三菩提心乃
至五无間罪猶能發意生於佛法而今我等
永不能發譬如根敗之士其於五欲不能復
利如是聲聞諸結斷者於佛法中无所復
益永不志願是故文殊師利凡夫於佛法有反
復而聲聞无也所以者何凡夫聞佛法能起
无上道心不斷三寶正使聲聞終身聞佛法
力无畏等永不能發无上道意尒時會中有
菩薩名普現色身問維摩詰言居士父母
妻子親感眷屬吏民知識悉為是誰奴婢僮
僕為馬車乘皆何所在於是維摩詰以偈荅
日
智度菩薩母　方便以為父　一切衆導師　无不由是生
法喜以為妻　慈悲心為女　善心誠實男　畢竟空寂舍
弟子衆塵勞　隨意之所轉　道品善知識　由是成正覺
諸度法等侶　四攝為伎女　歌詠誦法言　以此為音樂
揔持之園苑　无漏法林樹　覺意淨妙華　解脫智慧果
八解之浴池　定水湛然滿　布以七淨華　浴此无垢人

BD00296號　維摩詰所說經卷中　（14–7）

八解之浴池 定水湛然滿 布以七淨華 浴此无垢人
象馬五通馳 大乘以為車 調御以一心 遊於八正路
相具以嚴容 衆好飾其姿 慚愧之上服 深心為華鬘
富有七財寶 教授以滋息 如所說脩行 迴向為大利
四禪為牀坐 從於淨命生 多聞增智慧 以為自覺音
甘露法之食 解脫味為漿 淨心以澡浴 戒品為塗香
摧滅煩惱賊 勇健无能踰 降伏四種魔 勝幡建道場
雖知无起滅 示彼故有生 悉現諸國土 如日无不見
供養於十方 无量億如來 諸佛及己身 无有分別想
雖知諸佛國 及與衆生空 而常脩淨土 教化於群生
諸有衆生類 形聲及威儀 无畏力菩薩 一時能盡現
覺知衆魔事 而示隨其行 以善方便力 隨意皆能現
或示老病死 成就諸群生 了知如幻化 通達无有閡
或現劫盡燒 天地皆洞然 衆人有常想 照令知无常
无數億衆生 俱來請菩薩 一時到其舍 化令向佛道
經書禁呪術 工巧諸伎樂 盡現行此事 饒益諸群生
世間衆道法 悉於中出家 因以解人惑 而不墮耶見
或作日月天 梵王世界主 或時作地水 或復作風火
劫中有疾疫 現作諸藥草 若有服之者 除病消衆毒
劫中有飢饉 現身作飲食 先救彼飢渴 卻以法語人
劫中有刀兵 為之起慈悲 化彼諸衆生 令住无諍地
若有大戰陣 立之以等力 菩薩現威勢 降伏使和安
一切國土中 諸有地獄處 輒往到于彼 勉濟其苦惱
一切國土中 畜生相食噉 皆現生於彼 為之作利益
示受於五欲 亦復現行禪 令魔心憒亂 不能得其便
火中生蓮華 是可謂希有 在欲而行禪 希有亦如是

示受於五欲 亦復現行禪 令魔心憒亂 不能得其便
火中生蓮華 是可謂希有 在欲而行禪 希有亦如是
或現作婬女 引諸好色者 先以欲鉤牽 後令入佛智
或為邑中主 或作商人導 國師及大臣 以祐利衆生
諸有貧窮者 現作无盡藏 因以勸導之 令發菩提心
我心憍慢者 為現大力士 消伏諸貢高 令住佛上道
其有恐懼衆 居前而慰安 先施以无畏 後令發道心
或現離婬女 為五通仙人 開導諸群生 令住戒忍慈
見須供事者 現為作僮僕 既悅可其意 乃發以道心
隨彼之所須 得入於佛道 以善方便力 皆能給足之
如是道无量 所行无有崖 智慧无邊際 度脫无數衆
假令一切佛 於无數億劫 讚歎其功德 猶尚不能盡
誰聞如此法 不發菩提心 除彼不肖人 癡冥无智者

入不二法門品第九

尒時維摩詰謂衆菩薩言諸仁者云何菩薩
入不二法門各隨所樂說之會中有菩薩名
法自在說言諸仁者生滅為二法本不生今
則无滅得此无生法忍是為入不二法門
德首菩薩曰我我所為二因有我故便有我
所若无有我則无我所是為入不二法門
不眴菩薩曰受不受為二若法不受則不可
得以不可得故无取无捨无作无行是為入
不二法門
得頂菩薩曰垢淨為二見垢實性則无淨相
順於滅相是為入不二法門
善宿菩薩曰是動是念為二不動則无念无

得頂菩薩曰垢淨為二見垢實性則无淨相
順於滅相是為入不二法門
善宿菩薩曰是動是念為二不動則无念无
念即无分別通達此者是為入不二法門
善眼菩薩曰一相无相為二若知一相即是无
相亦不取无相入於平等是為入不二法門
妙臂菩薩曰菩薩心聲聞心為二觀心相空
如幻化者无菩薩心无聲聞心是為入不二法門
弗沙菩薩曰善不善為二若不起善不善入
无相際而通達者是為入不二法門
師子菩薩曰罪福為二若達罪性則與福无
異以金剛慧決了此相无縛无解者是為入
不二法門
師子意菩薩曰有漏无漏為二若得諸法等
則不起漏不漏想不著於相亦不住无相是
為入不二法門
淨解菩薩曰有為无為為二若離一切數則
心如虛空以清淨慧无所閡者是為入不二
法門
那羅延菩薩曰世間出世間為二世間性空
即是出世間於其中不入不出不溢不散是
為入不二法門
善意菩薩曰生死涅槃為二若見生死性則
无生死无縛无解不然不滅如是解者是為
入不二法門

BD00296號　維摩詰所說經卷中　(14–10)

无生无死无縛无解不然不滅如是解者是為
入不二法門
現見菩薩曰盡不盡為二法若究竟盡若
不盡皆是无盡相无盡相即是空空則无有
盡不盡相如是入者是為入不二法門
普守菩薩曰我无我為二我尚不可得非我
何可得見我實性者不復起二是為入不二
法門
電天菩薩曰明无明為二无明實性即是明
明亦不可取離一切數於其中平等无二者
是為入不二法門
喜見菩薩曰色色空為二色即是空非色滅
空色性自空如是受想行識識空為二識即
是空非識滅空識性自空於其中而通達者
是為入不二法門
明相菩薩曰四種異空種異為二四種性即
是空種性如前際後際空故中際亦空若能
如是知諸種性者是為入不二法門
妙意菩薩曰眼色為二若知眼性於色不貪
不恚不癡是為寂滅如是耳聲鼻香舌味身
觸意法為二若知意性於法不貪不恚不
癡是名寂滅安住其中是為入不二法門
无盡意菩薩曰布施迴向一切智為二布施
性即是迴向一切智性如是持戒忍辱精進
禪定智慧迴向一切智為二智慧性即是迴
向一切智性於其中入一相者是為入不二法門

BD00296號　維摩詰所說經卷中　(14–11)

向一切智性於其中入一相者是爲入不二法門
深慧菩薩曰是空是无相是无作爲二空即
无相无相即无作若空无相无作則无心意
識於一解脫門即是三解脫門者是爲入不
二法門
寂根菩薩曰佛法衆爲二佛即是法法即是
衆是三寶皆无爲相與虚空等一切法亦尒
能隨此行者是爲入不二法門
心无閡菩薩曰身身滅爲二身即是身滅所
以者何見身實相者不起見身及以滅身身
與滅身无二无分別於其中不驚不懼者是
爲入不二法門
上善菩薩曰身口意善爲二是三業皆无作
相身无作相即口无作相口无作相即意无
作相是三業皆无作相即一切法无作相能
如是隨无作慧者是爲入不二法門
福田菩薩曰福行罪行不動行爲二三行實
性即是空空則无福行无罪行无不動行於
此三行而不起者是爲入不二法門
華嚴菩薩曰從我起二爲二見我實相者不
起二法亦不住二法則无有識无所識者是
爲入不二法門
德藏菩薩曰有所得相爲二若无所德則无
取捨无取捨者是爲入不二法門
月上菩薩曰闇與明爲二闇无明則无有
二所以者何如入滅受想定无闇无明一切

BD00296號　維摩詰所説經卷中

（14–12）

二所以者何如入滅受想定无闇无明一切
法相亦復如是於其中平等入者是爲入不
二法門
寶印手菩薩曰樂涅槃不樂世間爲二若不
樂涅槃不猒世間則无有二所以者何若有
縛則有解若本无縛其誰求解无縛无解則
无樂猒是爲入不二法門
珠頂王菩薩曰正道耶道爲二住正道者則
不分別是耶是正離此二者是爲入不二法門
樂實菩薩曰實不實爲二實見者尚不見
實何况非實所以者何非肉眼所見慧眼乃能
見而此慧眼无見无不見是爲入不二法門
如是諸菩薩各各說已問文殊師利何等是
菩薩入不二法門
文殊師利曰如我意者於一切法无言无說
无示无識離諸問答是爲入不二法門
於是文殊師利問維摩詰我等各自說已仁
者當說何等是菩薩入不二法門時維摩詰
嘿然无言文殊師利嘆曰善哉善哉乃至无
有文字語言是真入不二法門說是入不二
法門時於此衆中五千菩薩皆入不二法門
得无生法忍

維摩詰經卷中

BD00296號　維摩詰所説經卷中

（14–13）

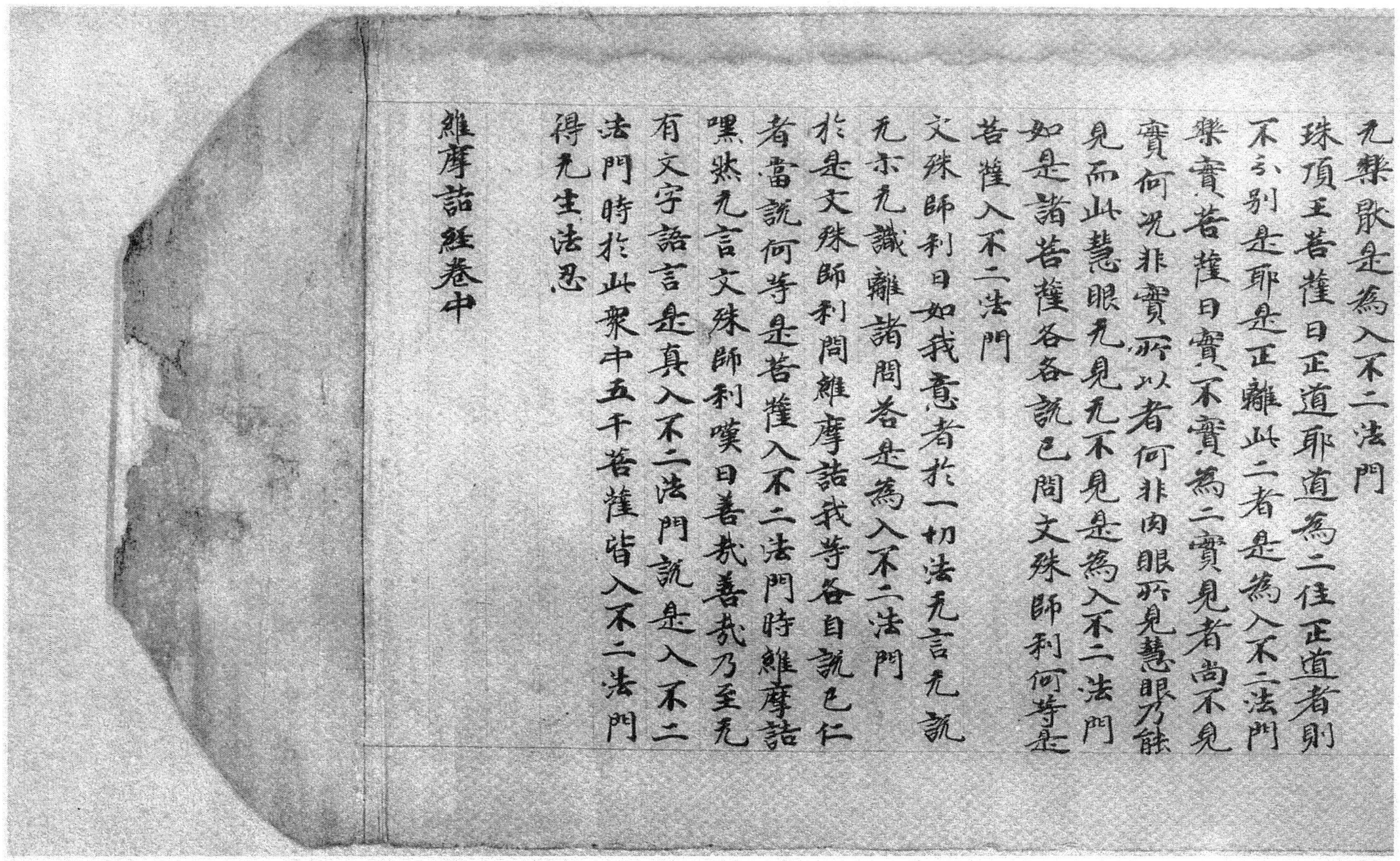

无槃取是為入不二法門
珠頂王菩薩曰正道邪道為二住正道者則
不分別是邪是正離此二者是為入不二法門
樂實菩薩曰實不實為二實見者尚不見
實何況非實所以者何非肉眼所見慧眼乃能
見而此慧眼无見无不見是為入不二法門
如是諸菩薩各各說已問文殊師利何等是
菩薩入不二法門
文殊師利曰如我意者於一切法无言无說
无示无識離諸問答是為入不二法門
於是文殊師利問維摩詰我等各自說已仁
者當說何等是菩薩入不二法門時維摩詰
嘿然无言文殊師利嘆曰善哉善哉乃至无
有文字語言是真入不二法門說是入不二
法門時於此衆中五千菩薩皆入不二法門
得无生法忍

維摩詰經卷中

BD00296號　維摩詰所說經卷中　(14–14)

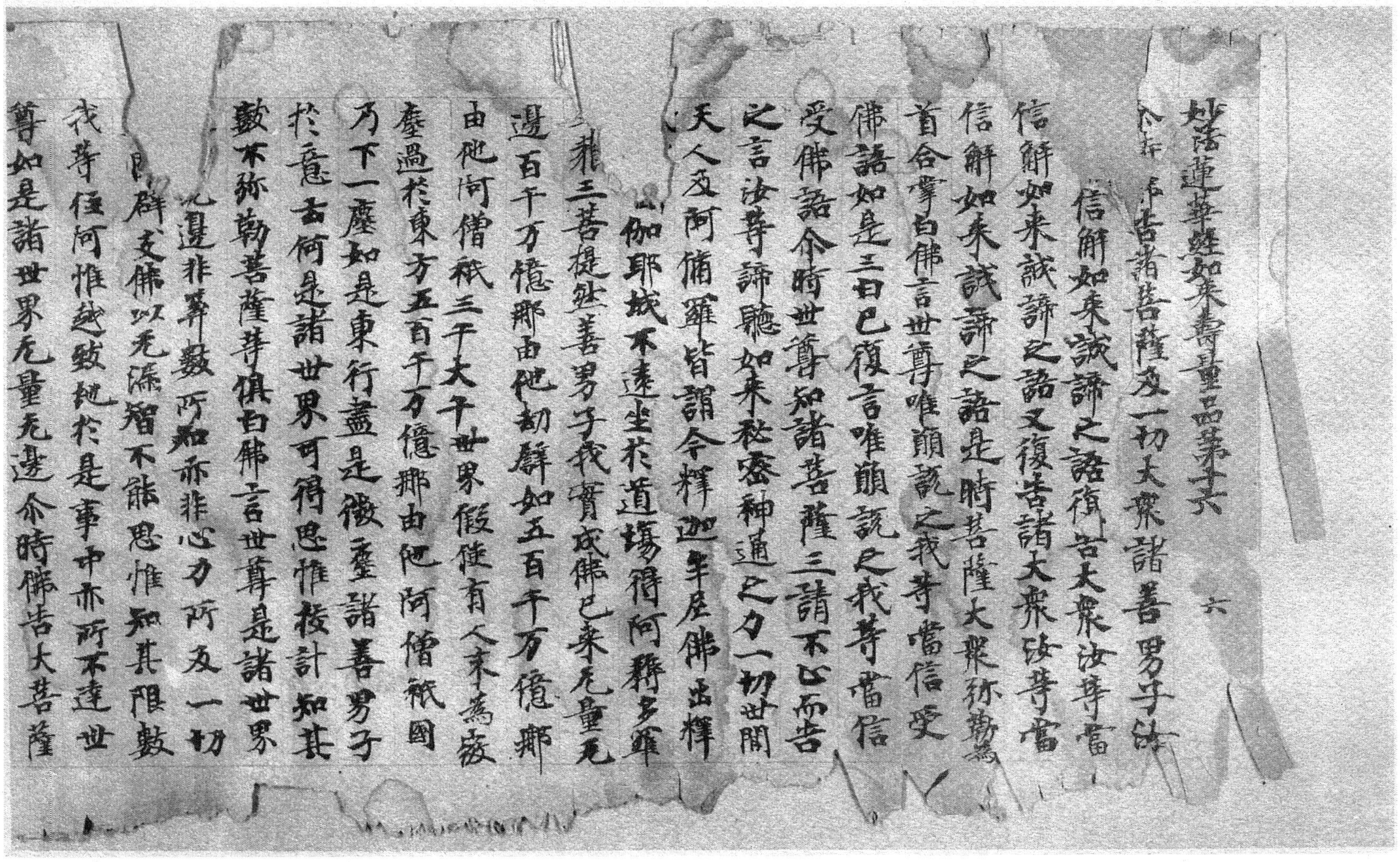

妙法蓮華經如來壽量品第十六　六
尒時佛告諸菩薩及一切大衆諸善男子汝
信解如來誠諦之語復告大衆汝等當
信解如來誠諦之語又復告諸大衆汝等當
信解如來誠諦之語是時菩薩大衆彌勒為
首合掌白佛言世尊唯願說之我等當信受
佛語如是三白已復言唯願說之我等當信
受佛語尒時世尊知諸菩薩三請不止而告
之言汝等諦聽如來秘密神通之力一切世間
天人及阿脩羅皆謂今釋迦牟尼佛出釋
伽耶城不遠坐於道場得阿耨多羅
藐三菩提然善男子我實成佛已來无量无
邊百千万億那由他劫譬如五百千万億那
由他阿僧祇三千大千世界假使有人末為微
塵過於東方五百千万億那由他阿僧祇國
乃下一塵如是東行盡是微塵諸善男子
於意云何是諸世界可得思惟校計知其
數不彌勒菩薩等俱白佛言世尊是諸世界
无邊非筭數所知亦非心力所及一切
聞辟支佛以无漏智不能思惟知其限數
我等住阿惟越致地於是事中亦所不達世
尊如是諸世界无量无邊尒時佛告大菩薩

BD00297號　妙法蓮華經(八卷本)卷六　(6–1)

佛以无漏智不能思惟知其限數
我等住阿惟越致地於是事中亦所不達世
尊如是諸世界无量无邊尒時佛告大菩薩
衆諸善男子今當分明宣語汝等是諸世界
若著微塵及不著者盡以為塵一塵一劫我
成佛已來復過於此百千万億那由他阿僧
祇劫自從是來我常在此娑婆世界說法教
餘處百千万億那由他阿僧祇國導
生諸善男子於是中間我說然燈佛等
又復言其入於涅槃如是皆以方便分別諸
善男子若有衆生來至我所我以佛眼觀其
信等諸根利鈍隨所應度處處自說名字不
同年紀大小亦復現言當入涅槃又以種種
方便說微妙法能令衆生發歡喜心諸善男
子如來見諸衆生樂於小法德薄垢重者為
是人說我少出家得阿耨多羅三藐三菩提
然我實成佛已來久遠若斯但以方便教化
衆生令入佛道作如是說諸善男子如來所
演經典皆為度脫衆生或說己身或說他身
或示己身或示他身或示己事或示他事諸
所言說皆實不虛所以者何如來如實知見
三界之相无有生死若退若出亦无在世及
滅度者非實非虛非如非異不如三界見於
三界如斯之事如來明見无有錯謬以諸衆
生有種種性種種欲種種行種種憶想分別

BD00297號　妙法蓮華經（八卷本）卷六　（6–2）

生有種種性種種欲種種行種種憶想分別
故欲令生諸善根以若干因緣譬喻言辭種
種說法所作佛事未曾暫廢如是我成佛已
來甚大久遠壽命无量阿僧祇劫常住不滅
諸善男子我本行菩薩道所成壽命今猶未
盡復倍上數然今非實滅度而便唱言當取
滅度如來以是方便教化衆生所以者何若
佛久住於世薄德之人不種善根貧窮下賤
貪著五欲入於憶想妄見網中若見如來常
在不滅便起憍恣而懷厭怠不能生難遭之
想恭敬之心是故如來以方便說比丘當知
諸佛出世難可值遇所以者何諸薄德人過
无量百千万億劫或有見佛或不見者以此
事故我作是言諸比丘如來難可得見斯衆
生等聞如是語必當生於難遭之想心懷戀
慕渴仰於佛便種善根是故如來雖不實滅
而言滅度又善男子諸佛如來法皆如是為
度衆生皆實不虛譬如良醫智慧聰達明練
方藥善治衆病其人多諸子息若十二十乃
至百數以有事緣遠至餘國諸子於後飲他
毒藥藥發悶亂宛轉于地是時其父還來歸
家諸子飲毒或失本心或不失者遙見其父其
皆大歡喜拜跪問訊善安隱歸我等愚癡誤
服毒藥願見救療更賜壽命父見子等苦

BD00297號　妙法蓮華經（八卷本）卷六　（6–3）

服毒藥願見救療更賜壽命父見子等苦
惱如是依諸經方求好藥草色香美味皆悉具
足擣簁和合與子令服而作是言此大良藥
色香美味皆悉具足汝等可服速除苦惱无
復眾患其諸子中不失心者見此良藥色香
俱好即便服之病盡除愈餘失心者見其父
來雖亦歡喜問訊求索治病然與其藥而不
肯服所以者何毒氣深入失本心故於此好
色香藥而謂不美父作是念此子可愍為毒
所中心皆顛倒雖見我喜求索救療如是好
藥而不肯服我今當設方便令服此藥即作
是言汝等當知我今衰老死時已至是好良
藥今留在此汝可取服勿憂不差作是教已
復至他國遣使還告汝父已死是時諸子聞
父背喪心大憂惱而作是念若父在者慈愍
我等能見救護今者捨我遠喪他國自惟孤
露无復恃怙常懷悲感心遂醒悟乃知此藥
色味香美即取服之毒病皆愈其父聞子悉
已得差尋便來歸咸使見之諸善男子於意
云何頗有人能說此良醫虛妄罪不不也世
尊佛言我亦如是成佛已來无量无邊百千
万億那由他阿僧祇劫為眾生故以方便力言
當滅度亦无有能如法說我虛妄過者尒
時世尊欲重宣此義而說偈言
自我得佛來 所經諸劫數 无量百千万 億載阿僧祇

自我得佛來 所經諸劫數 无量百千万 億載阿僧祇
常說法教化 无數億眾生 令入於佛道 尒來无量劫
為度眾生故 方便現涅槃 而實不滅度 常住此說法
我常住於此 以諸神通力 令顛倒眾生 雖近而不見
眾見我滅度 廣供養舍利 咸皆懷戀慕 而生渴仰心
眾生既信伏 質直意柔軟 一心欲見佛 不自惜身命
時我及眾僧 俱出靈鷲山 我時語眾生 常在此不滅
以方便力故 現有滅不滅 餘國有眾生 恭敬信樂者
我復於彼中 為說无上法 汝等不聞此 但謂我滅度
我見諸眾生 沒在於苦惱 故不為現身 令其生渴仰
因其心戀慕 乃出為說法 神通力如是 於阿僧祇劫
常在靈鷲山 及餘諸住處 眾生見劫盡 大火所燒時
我此土安隱 天人常充滿 園林諸堂閣 種種寶莊嚴
寶樹多華菓 眾生所遊樂 諸天擊天鼓 常作眾伎樂
雨曼陁羅華 散佛及大眾 我淨土不毀 而眾見燒盡
憂怖諸苦惱 如是悉充滿 是諸罪眾生 以惡業因緣
過阿僧祇劫 不聞三寶名 諸有修功德 柔和質直者
則皆見我身 在此而說法 或時為此眾 說佛壽无量
久乃見佛者 為說佛難值 我智力如是 慧光照无量
壽命无數劫 久修業所得 汝等有智者 勿於此生疑
當斷令永盡 佛語實不虛 如醫善方便 為治狂子故
實在而言死 无能說虛妄 我亦為世父 救諸苦患者
為凡夫顛倒 實在而言滅 以常見我故 而生憍恣心
放逸著五欲 墮於惡道中 我常知眾生 行道不行道
隨應所可度 為說種種法 每自作是意 以何令眾生

雖見我滅度 廣供養舍利 咸皆懷戀慕 而生渴仰心
衆生既信伏 質直意柔軟 一心欲見佛 不自惜身命
時我及衆僧 俱出靈鷲山 我時語衆生 常在此不滅
以方便力故 現有滅不滅 餘國有衆生 恭敬信樂者
我復於彼中 為說无上法 汝等不聞此 但謂我滅度
我見諸衆生 沒在於苦惱 故不為現身 令其生渴仰
因其心戀慕 乃出為說法 神通力如是 於阿僧祇劫
常在靈鷲山 及餘諸住處 衆生見劫盡 大火所燒時
我此土安隱 天人常充滿 園林諸堂閣 種種寶莊嚴
寶樹多華菓 衆生所遊樂 諸天擊天鼓 常作衆伎樂
雨曼陁羅華 散佛及大衆 我淨土不毀 而衆見燒盡
憂怖諸苦惱 如是悉充滿 是諸罪衆生 以惡業因緣
過阿僧祇劫 不聞三寶名 諸有脩功德 柔和質直者
則皆見我身 在此而說法 或時為此衆 說佛壽无量
久乃見佛者 為說佛難值 我智力如是 慧光照无量
壽命无數劫 久脩業所得 汝等有智者 勿於此生疑
當斷令永盡 佛語實不虛 如醫善方便 為治狂子故
實在而言死 无能說虛妄 我亦為世父 救諸苦患者
為凡夫顛倒 實在而言滅 以常見我故 而生憍恣心
放逸著五欲 墮於惡道中 我常知衆生 行道不行道
隨應所可度 為說種種法 每自作是意 以何令衆生
得入无上道 速成就佛身

BD00297 號　妙法蓮華經（八卷本）卷六　（6–6）

尒時具壽善現白佛　波羅
蜜多是無邊波羅蜜多佛言如是猶如虛空
無邊際故世尊如是般若波羅蜜多是平等
波羅蜜多佛言如是以一切法性平等故世
尊如是般若波羅蜜多是遠離波羅蜜多佛
言如是畢竟空故世尊如是般若波羅蜜多
是難屈伏波羅蜜多佛言如是一切法性不
可得故世尊如是般若波羅蜜多是無足迹
波羅蜜多佛言如是名无體故世尊如是般
若波羅蜜多是虛空波羅蜜多佛言如是入
息出息不可得故世尊如是般若波羅蜜多
是不可說波羅蜜多佛言如是此中尋伺不
不得故世尊如是般若波羅蜜多是無名波
羅蜜多佛言如是受想行識不可得故世尊
如是般若波羅蜜多是無行波羅蜜多佛言
如是以一切法無去來故世尊如是般若波
羅蜜多是不可棄波羅蜜多佛言如是以一
切法不可取故
世尊如是般若波羅蜜多是盡波羅蜜多佛
言如是以一切法畢竟盡故世尊如是般若
波羅蜜多是不生滅波羅蜜多佛言如是以
一切法無生滅故世尊如是般若波羅蜜多
是無作波羅蜜多佛言如是以諸作者不可
得故世尊如是般若波羅蜜多是無知波羅
故世尊如

BD00298 號 A　大般若波羅蜜多經卷二九六　（1–1）

…蜜多是
故…佛言如是知內外法不可
世尊如是般若波羅蜜多是空空波羅蜜多
佛言如是了空空法不可得故世尊如是般
若波羅蜜多是大空波羅蜜多佛言如是了
大空法不可得故世尊如是般若波羅蜜多
是勝義空波羅蜜多佛言如是勝義空法不
可得故世尊如是般若波羅蜜多是有為空
波羅蜜多佛言如是諸有為法不可得故世
尊如是般若波羅蜜多是无為空波羅蜜多
佛言如是諸无為法不可得故世尊如是般
若波羅蜜多是畢竟空波羅蜜多佛言如是
畢竟空法不可得故世尊如是般若波羅蜜
多是无際空波羅蜜多佛言如是无際空法
不可得故世尊如是般若波羅蜜多是散空
波羅蜜多佛言如是諸散空法不可得故世
尊如是般若波羅蜜多是无變異空波羅蜜
多佛言如是无變異空法不可得故世尊如
是般若波羅蜜多是本性空波羅蜜多佛言
如是有為无為法不可得故
世尊如是般若波羅蜜多是自相空波羅蜜
多佛言如是達一切法離自相故世尊如是
般若波羅蜜多是共相空波羅蜜多佛言□
是達一切法離共相故世尊如…

BD00298 號 B　大般若波羅蜜多經卷二九六　（1–1）

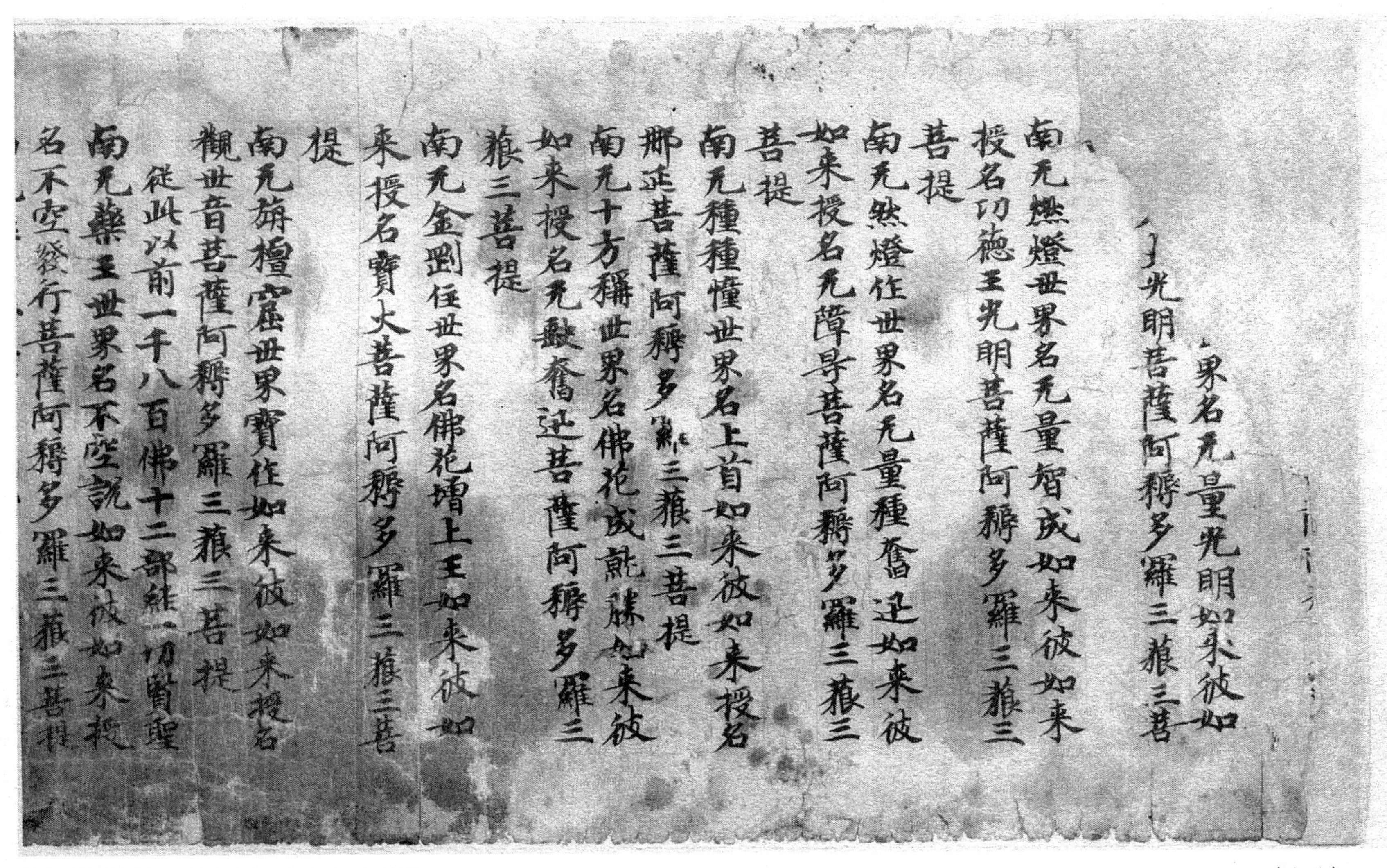
…界名无量光明如来彼如
…光明菩薩阿耨多羅三藐三菩
南无燃燈世界名无量智成如来彼如来
授名功德王光明菩薩阿耨多羅三藐三
菩提
南无然燈作世界名无量種奮迅如来彼
如来授名无障㝵菩薩阿耨多羅三藐三
菩提
南无種種幢世界名上首如来彼如来授名
那延菩薩阿耨多羅三藐三菩提
南无十方稱世界名佛花成就勝如来彼
如来授名无𢽾奮迅菩薩阿耨多羅三
藐三菩提
南无金剛住世界名佛花增上王如来彼如
来授名寶大菩薩阿耨多羅三藐三菩
提
南无旃檀窟世界寶作如来彼如来授名
觀世音菩薩阿耨多羅三藐三菩提
從此以前一千八百佛十二部經一切賢聖
南无藥王世界名不空說如来彼如来授
名不空發行菩薩阿耨多羅三藐三菩提

BD00299 號　佛名經（十六卷本）卷三　（4–1）

提
南无旃檀窟世界寶住如来彼如来授名
觀世音菩薩阿耨多羅三藐三菩提
從此以前一千八百佛十二部經一切賢聖
南无藥王世界名不空說如来彼如来授
名不空發行菩薩阿耨多羅三藐三菩提
南无藥王勝上世界名无邊功德精進發
如来彼如来授名不受義攝受菩薩阿
耨多羅三藐三菩提
南无普莊嚴世界名發心生莊嚴一切衆
生心如来彼如来授名佛華手菩薩阿耨
多羅三藐三菩提
南无普蓋世界名蓋鷗如来彼如来授名
寶行菩薩阿耨多羅三藐三菩提
南无花上光明世界名日輪威德王如来彼
如来授名善住菩薩阿耨多羅三藐三菩
提
南无善莊嚴世界名衆生光明如来彼如来
授名寶面菩薩阿耨多羅三藐三菩提
南无賢世界名无畏如来彼如来授名不驚
怖菩薩阿耨多羅三藐三菩提
南无波頭摩世界名波頭摩勝光明如来
彼如来授名智爲菩薩阿耨多羅三藐三
三菩提
南无憂鉢羅世界名智憂鉢勝如来彼如

BD00299 號　佛名經（十六卷本）卷三　（4–2）

三菩提
南无憂鉢羅世界名智憂鉢勝如来彼如
来授名无境界行菩薩阿耨多羅三藐
三菩提
南无寶上世界名寶住如来彼如来受法
住菩薩阿耨多羅三藐三菩提
南无月世界名量願如来彼如来受名散
花菩薩阿耨多羅三藐三菩提
南无善住世界名寶聚如来彼如来受名
藥王菩薩阿耨多羅三藐三菩提
南无香光明世界名莎羅自在王如来彼如
来授名勝慧菩薩阿耨多羅三藐三菩提
南无普手世界名寶光明如来彼如来授
名日德菩薩阿耨多羅三藐三菩提
南无普山世界名寶山如来彼如来受大
得菩薩阿耨多羅三藐三菩提
南无憂蓋入世界名上首如来彼如来授
名上莊嚴菩薩阿耨多羅三藐三菩提
南无无憂世界名發无邊功德如来彼如来
受名不發觀菩薩阿耨多羅三藐三菩提
南无一切功德住世界名善上首如来彼如
来受名普至菩薩阿耨多羅三藐三
菩提
南无寶光明世界名須弥光明如来彼如来
受善住菩薩阿耨多羅三藐三菩提
南无一切得住世界名无量境界如来彼如

BD00299 號　佛名經（十六卷本）卷三　（4–3）

來授名勝慧菩薩阿耨多羅三藐三菩提
南无[illegible]世界名寶光明如来彼如来授
名日德菩薩阿耨多羅三藐三菩提
南无普山世界名寶山如来彼如来受大
得菩薩阿耨多羅三藐三菩提
南无憂蓋入世界名上首如来彼如来授
名上莊嚴菩薩阿耨多羅三藐三菩提
南无无憂世界名發无邊功德如来彼如来
受名不發觀菩薩阿耨多羅三藐三菩提
南无一切功德住世界名善上首如来彼如
来受名普至菩薩阿耨多羅三藐三
菩提
南无寶光明世界名須弥光明如来彼如来
受善住菩薩阿耨多羅三藐三菩提
南无一切得住世界名无量境界如来彼如
来授名藥王菩薩阿耨多羅三藐三菩提
南无莊嚴菩薩世界名高妙去如来彼如来
受名思益勝慧菩薩阿耨多羅三藐三
菩提
南无无垢世界名寶花成就功德如来彼
如来受名得勝慧菩薩阿耨多羅三藐
三菩提

BD00299 號　佛名經（十六卷本）卷三　　（4–4）

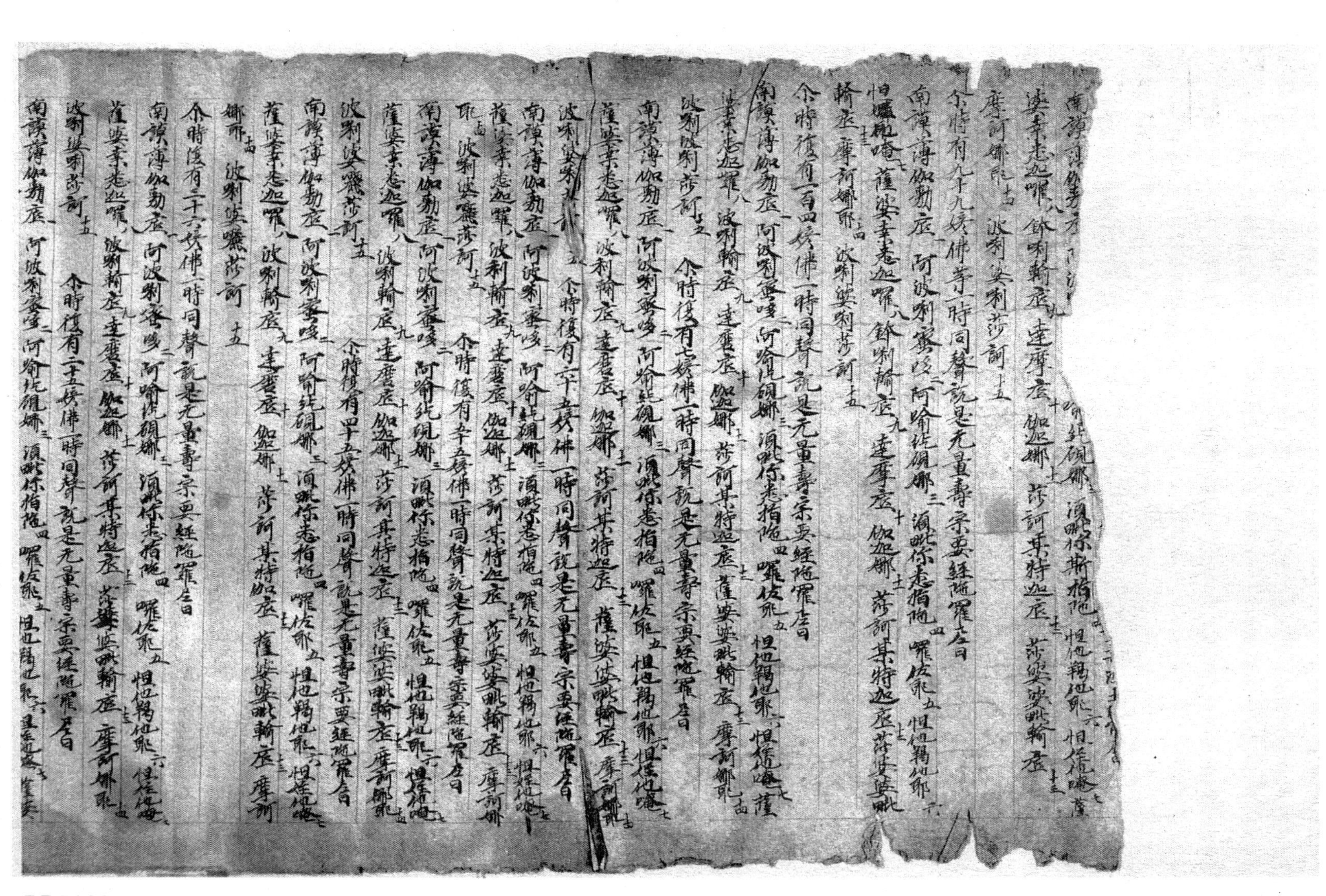

BD00300 號　無量壽宗要經　　（5–1）

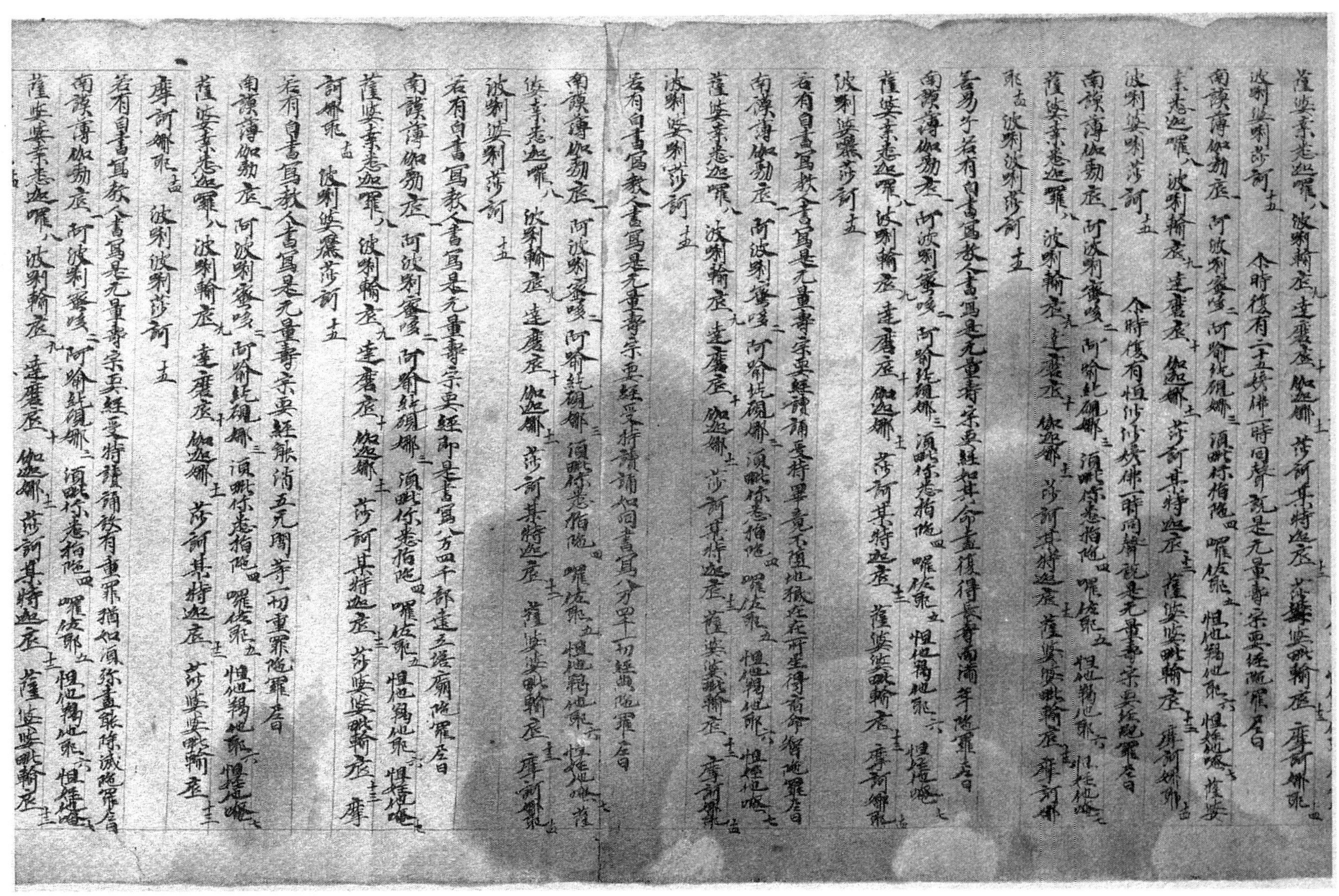

BD00300號　無量壽宗要經　（5–2）

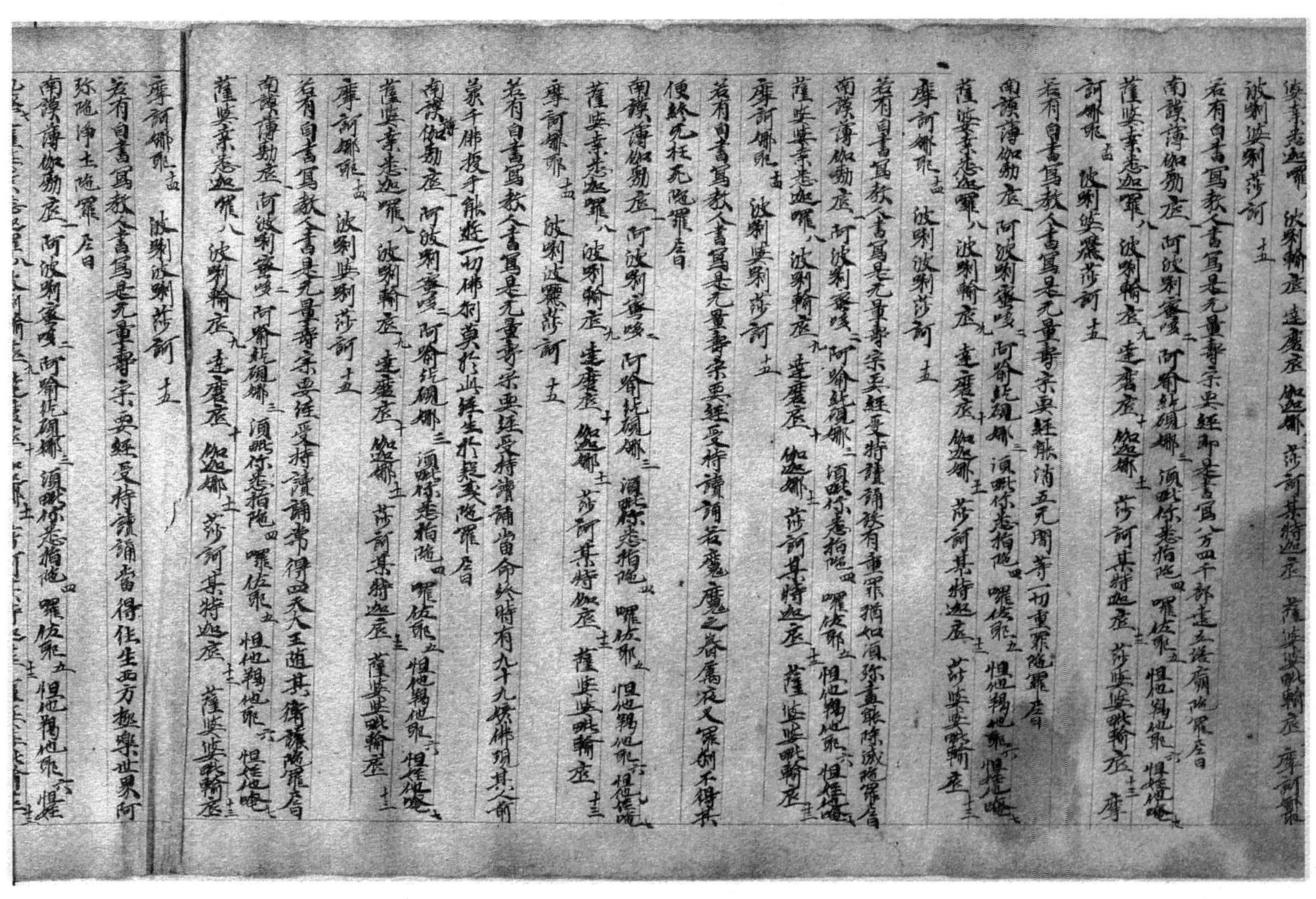

BD00300號　無量壽宗要經　（5–3）

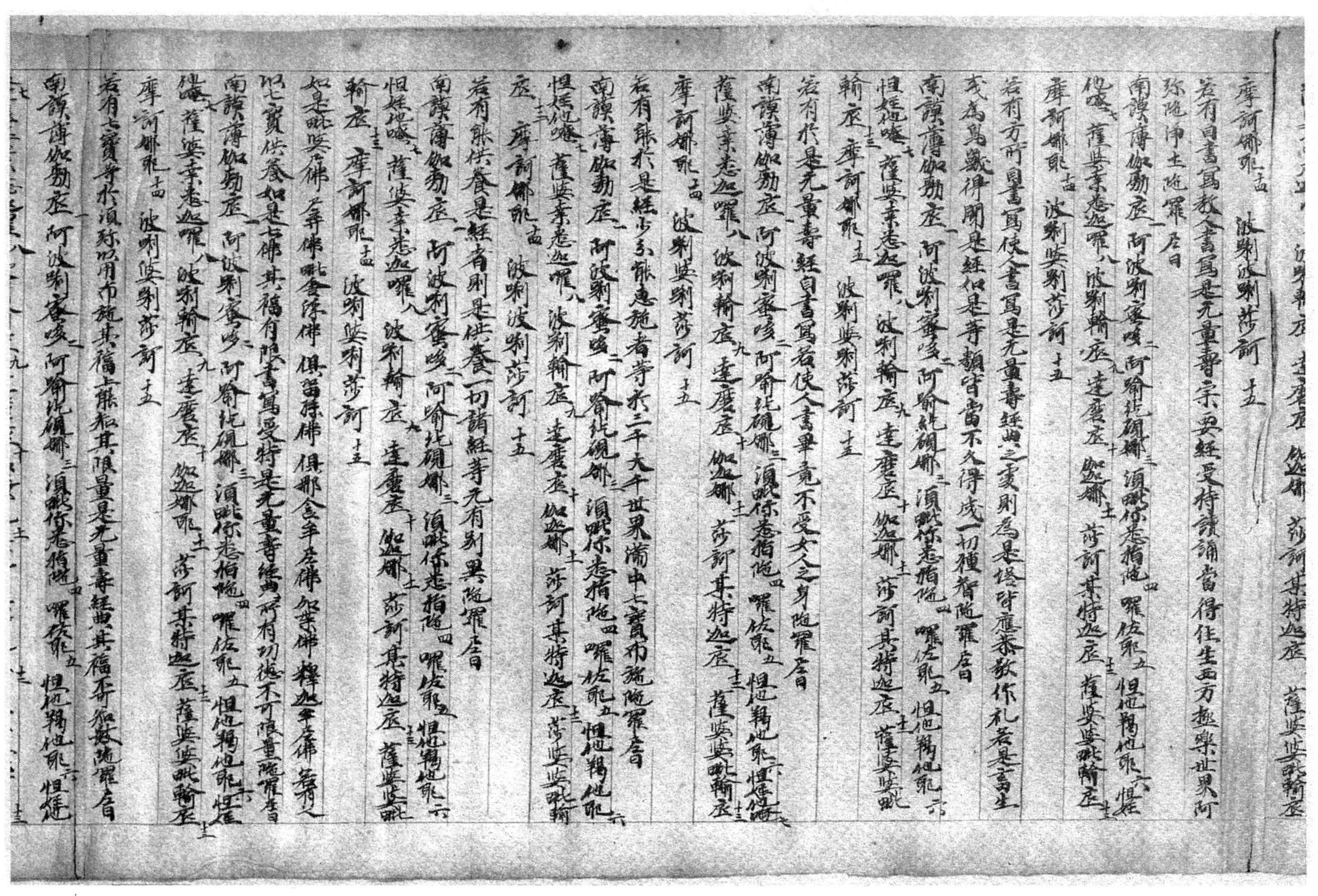

BD00300 號　無量壽宗要經　（5–4）

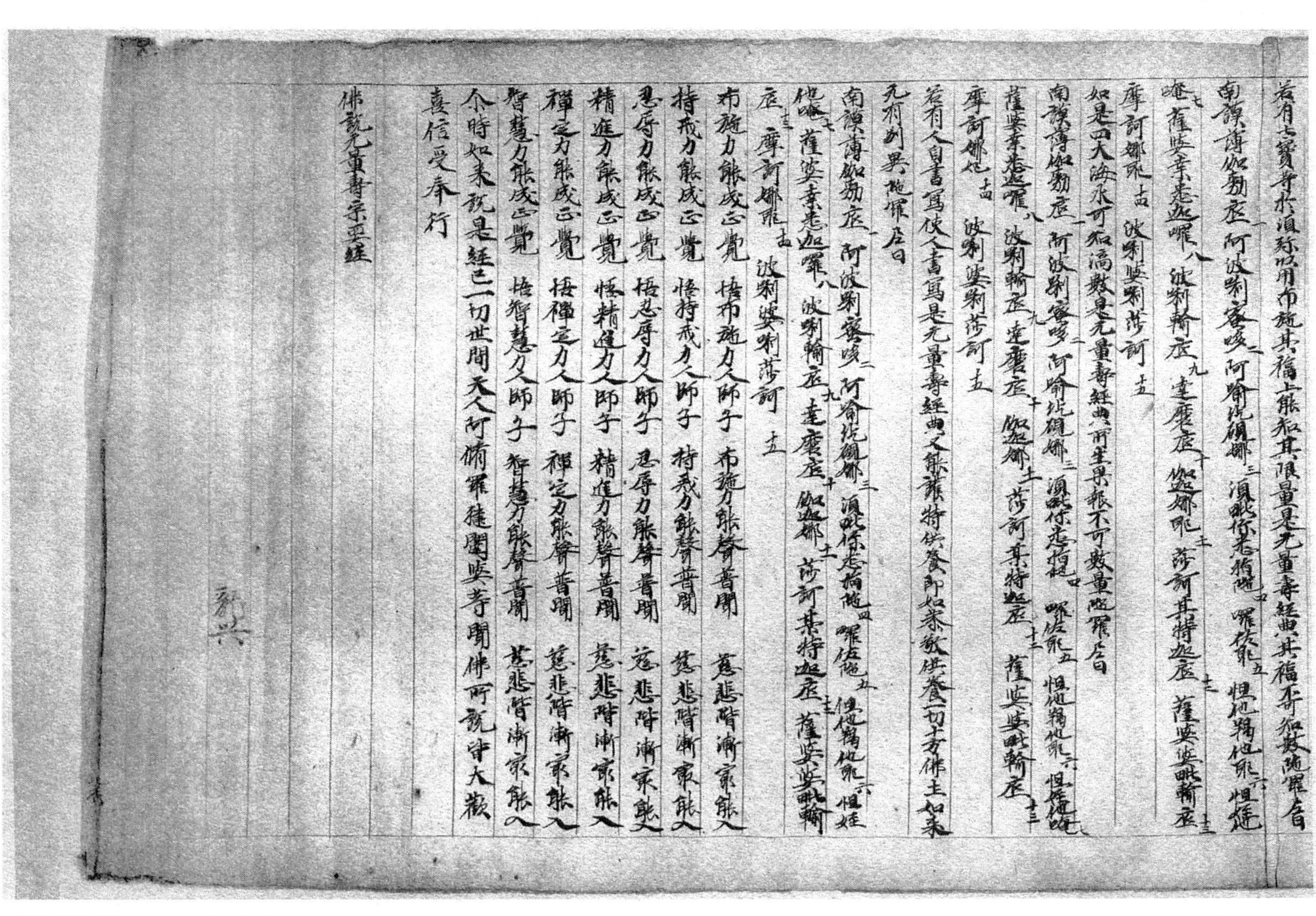

BD00300 號　無量壽宗要經　（5–5）

…王子請佛轉法…
諸梵天王頭面礼佛繞百千帀即以天華
而散佛上其所散華如須弥山并以供養佛
…其菩提樹高十由旬華供養已各以
…奉上彼佛而作是言唯見哀愍饒益我
等所獻宮殿願垂納受時諸梵天王即於佛
前一心同聲以偈頌…
世尊甚希有 難可得值遇 具…功德 能救護一切
天人之大師 哀愍於世間 十方諸衆生 普皆蒙饒益
我等所從來 五百万億國 捨深禪定樂 為供養佛故
我等先世福 宮殿甚嚴飾 今以奉世尊 唯願哀納受
尒時諸梵天王偈讚佛已各作是言唯願世
尊轉於法輪度脫衆生開涅槃道時諸梵天
王一心同聲而說偈言
世雄兩足尊 唯願演說法 以大慈悲力 度苦惱衆生
尒時大通智勝如來黙然許之又諸比丘東
南方五百万億國土諸大梵天王各自見宮殿
光明照曜昔所未有歡喜踊躍生希有心即
各相詣共議此事而彼衆中有一大梵天王
名曰大悲為諸梵衆而說偈言
是事何因緣 而現如此相 我等諸宮殿 光明昔未有
為大德天生 為佛出世間 未曾見此相 當共一心求
過千万億土 尋光共推之 多是佛出世 度脫苦衆生
尒時五百万億諸梵天王與宮殿俱各以衣
裓盛諸天華共詣西北方推尋是相見大通
智勝如來處于道場菩提樹下坐師子座諸
天龍王乹闥婆緊那羅…

BD00301 號　妙法蓮華經卷三　（12–1）

為大德天生 為佛出世間 未曾見此相 當共一心求
過千万億土 尋光共推之 多是佛出世 度脫苦衆生
尒時五百万億諸梵天王與宮殿俱各以衣
裓盛諸天華共詣西北方推尋是相見大通
智勝如來處于道場菩提樹下坐師子座諸
天龍王乹闥婆緊那羅摩睺羅伽人非人等
恭敬圍繞及見十六王子請佛轉法輪時諸
梵天王頭面礼佛繞百千帀即以天華而散
佛上所散之華如須弥山并以供養佛菩提
樹華供養已各以宮殿奉上彼佛而作是言
唯見哀愍饒益我等所獻宮殿願垂納處
尒時諸梵天王即於佛前一心同聲以偈頌曰
聖主天中王 迦陵頻伽聲 哀愍衆生者 我等今敬礼
世尊甚希有 久遠乃一現 一百八十劫 空過无有佛
三惡道充滿 諸天衆減少 今佛出於世 為衆生作眼
世間所歸趣 救護於一切 為衆生之父 哀愍饒益者
我等宿福慶 今得值世尊
尒時諸梵天王偈讚佛已各作是言唯願世
尊哀愍一切轉於法輪度脫衆生時諸梵天
王一心同聲而說偈言
大聖轉法輪 顯示諸法相 度苦惱衆生 令得大歡喜
衆生聞此法 得道若生天 諸惡道減少 忍善者增益
尒時大通智勝如來黙然許之又諸比丘南
方五百万億國土諸大梵天王各自見宮殿光
明照曜昔所未有歡喜踊躍生希有心即各
相詣共議此事以何因緣我等宮殿有此光
曜而彼衆中有一大梵天王名曰妙法為諸
梵衆…

BD00301 號　妙法蓮華經卷三　（12–2）

五百万億國土諸大梵天王各自見宮殿光
明照曜昔所未有歡喜踊躍生希有心即各
相詣共議此事以何因緣我等宮殿有此光
曜而彼衆中有一大梵天王名曰妙法為諸
梵衆而說偈言
我等諸宮殿　光明甚威曜　此非无因緣　是相宜求之
過於百千劫　未曾見是相　為大德天生　為佛出世間
尒時五百万億諸梵天王與宮殿俱各以衣
祴盛諸天華共詣北方推尋是相見大通智
勝如来處于道場菩提樹下坐師子座諸天
龍王乾闥婆緊那羅摩睺羅伽人非人等恭
敬圍繞及見十六王子請佛轉法輪時諸梵
天王頭面礼佛繞百千帀即以天華而散佛
上所散之華如須弥山并以供養佛菩提樹華
供養已各以宮殿奉上彼佛而作是言唯見
哀愍饒益我等所獻宮殿願垂納處尒時諸
梵天王即於佛前一心同聲以偈頌曰
世尊甚難見　破諸煩惱者　過百三十劫　今乃得一見
諸飢渴衆生　以法雨充滿　昔所未曾覩　无量智慧者
如優曇波羅　今日乃值遇　我等諸宮殿　蒙光故嚴飾
世尊大慈愍　唯願垂納受
尒時諸梵天王偈讚佛已各作是言唯願世
尊轉於法輪令一切世間諸天魔梵沙門婆
羅門皆獲安隱而得度脫時諸梵天王一心
同聲以偈頌曰
唯願天人尊　轉无上法輪　擊于大法皷　而吹大法螺
普雨大法雨　度无量衆生　我等咸歸請　當演深遠音
尒時大通智勝如来嘿然許之西南方乃至

BD00301號　妙法蓮華經卷三　（12–3）

唯願天人尊　轉无上法輪　擊于大法皷　而吹大法螺
普雨大法雨　度无量衆生　我等咸歸請　當演深遠音
尒時大通智勝如来嘿然許之西南方乃至
下方亦復如是尒時上方五百万億國土諸
大梵天王皆悉自覩所止宮殿光明威曜昔所
未有歡喜踊躍生希有心即各相詣共議此
事以何因緣我等宮殿有斯光明而彼衆中
有一大梵天王名曰尸棄為諸梵衆而說偈言
今以何因緣　我等諸宮殿　威德光明曜　嚴飾未曾有
如是之妙相　昔所未聞見　為大德天生　為佛出世間
尒時五百万億諸梵天王與宮殿俱各以衣
祴盛諸天華共詣下方推尋是相見大通智
勝如来處于道場菩提樹下坐師子座諸天
龍王乾闥婆緊那羅摩睺羅伽人非人等恭
敬圍繞及見十六王子請佛轉法輪時諸梵
天王頭面礼佛繞百千帀即以天華而散佛上
所散之華如須弥山并以供養佛菩提樹華
供養已各以宮殿奉上彼佛而作是言唯
見哀愍饒益我等所獻宮殿願垂納處時諸
梵天王即於佛前一心同聲以偈頌曰
善哉見諸佛　救世之聖尊　能於三界獄　勉出諸衆生
普智天人尊　哀愍群萌類　能開甘露門　廣度於一切
於昔无量劫　空過无有佛　世尊未出時　十方常闇瞑
三惡道增長　阿脩羅亦盛　諸天衆轉减　死多墮惡道
不從佛聞法　常行不善事　色力及智慧　斯等皆減少
罪業因緣故　失樂及樂想　住於邪見法　不識善儀則
不蒙佛所化　常墮於惡道　佛為世間眼　久遠時乃出
哀愍諸衆生　故現於世間　超出成正覺　我等甚欣慶

BD00301號　妙法蓮華經卷三　（12–4）

不從佛聞法　常行不善事　色力及智慧　斯等皆減少
罪業因緣故　失樂及樂想　住於邪見法　不識善儀則
不蒙佛所化　常墮於惡道　佛為世間眼　久遠時乃出
哀愍諸眾生　故現於世間　超出成正覺　我等甚欣慶
及餘一切眾　喜歎未曾有　我等諸宮殿　蒙光故嚴飾
今以奉世尊　唯垂哀納受　願以此功德　普及於一切
我等與眾生　皆共成佛道
尒時五百万億諸梵天王偈讚佛已各白佛
言唯願世尊轉於法輪多所安隱多所度脫
時諸梵天王而說偈言
世尊轉法輪　擊甘露法鼓　度苦惱眾生　開示涅槃道
唯願受我請　以大微妙音　哀愍而敷演　无量劫習法
尒時大通智勝如來受十方諸梵天王及十
六王子請即時三轉十二行法輪若沙門婆
羅門若天魔梵及餘世間所不能轉謂是苦
是苦集是苦滅是苦滅道及廣說十二因緣
法无明緣行行緣識識緣名色名色緣六入
六入緣觸觸緣受受緣愛愛緣取取緣有有
緣生生緣老死憂悲苦惱无明滅則行滅行
滅則識滅識滅則名色滅名色滅則六入滅六
入滅則觸滅觸滅則受滅受滅則愛滅愛
滅則取滅取滅則有滅有滅則生滅生滅則
老死憂悲苦惱滅佛於天人大眾之中說是
法時六百万億那由他人以不受一切法故
而於諸漏心得解脫皆得深妙禪定三明六
通具八解脫第二第三第四說法時千万億
恒河沙那由他等眾生亦以不受一切法故

而於諸漏心得解脫皆得深妙禪定三明六
通具八解脫第二第三第四說法時千万億
恒河沙那由他等眾生亦以不受一切法故
而於諸漏心得解脫從是已後諸聲聞眾无
量无邊不可稱數尒時十六王子皆以童子
出家而為沙弥諸根通利智慧明了已曾供
養百千万億諸佛淨脩梵行求阿耨多羅三
藐三菩提俱白佛言世尊是諸无量千万億
大德聲聞皆已成就世尊亦當為我等說阿
耨多羅三藐三菩提法我等聞已皆共脩學
世尊我等志願如來知見深心所念佛自證
知尒時轉輪聖王所將眾中八万億人見十
六王子出家亦求出家王即聽許尒時彼佛
受沙弥請過二万劫已乃於四眾之中說是
大乘經名妙法蓮華教菩薩法佛所護念說
是經已十六沙弥為阿耨多羅三藐三菩提
故皆共受持諷誦通利說是經時十六菩薩
沙弥皆悉信受聲聞眾中亦有信解其餘眾
生千万億種皆生疑惑佛說是經於八千劫
未曾休廢說此經已即入靜室住於禪定八
万四千劫是時十六菩薩沙弥知佛入室寂
然禪定各昇法座亦於八万四千劫為四部
眾廣說分別妙法華經一一皆度六百万億那
由他恒河沙等眾生示教利喜令發阿耨
多羅三藐三菩提心大通智勝佛過八万四
千劫已從三昧起往詣法座安詳而坐普告
大眾是十六菩薩沙弥甚為希有諸根通利

由他恒河沙等衆生示教利喜令發阿耨
多羅三藐三菩提心大通智勝佛過八万四
千劫已從三昧起往詣法座安詳而坐普告
大衆是十六菩薩沙弥甚為希有諸根通利
智慧明了已曾供養无量千万億數諸佛於
諸佛所常脩梵行受持佛智開示衆生令入
其中汝等皆當數數親近而供養之所以者何
若聲聞辟支佛及諸菩薩能信是十六菩
薩所說經法受持不毀者是人皆當得阿耨
多羅三藐三菩提如來之慧佛告諸比丘是
十六菩薩常樂說是妙法蓮華經一一菩薩
所化六百万億那由他恒河沙等衆生世世
所生與菩薩俱從其聞法悉皆信解以此因
緣得值四万億諸佛世尊于今不盡諸比丘
我今語汝彼佛弟子十六沙弥今皆得阿耨
多羅三藐三菩提於十方國土現在說法有
无量百千万億菩薩聲聞以為眷屬其二沙
弥東方作佛一名阿閦在歡喜國二名須弥
頂東南方二佛一名師子音二名師子相南
方二佛一名虛空住二名常滅西南方二佛
一名帝相二名梵相西方二佛一名阿弥陀
二名度一切世間苦惱西北方二佛一名多
摩羅跋栴檀香神通二名須弥相北方二佛
一名雲自在二名雲自在王東北方佛名壞
一切世間怖畏第十六我釋迦牟尼佛於娑
婆國土成阿耨多羅三藐三菩提諸比丘我
等為沙弥時各各教化无量百千万億恒河
沙等衆生從我聞法為阿耨多羅三藐三菩

婆國土成阿耨多羅三藐三菩提諸比丘我
等為沙弥時各各教化无量百千万億恒河
沙等衆生從我聞法為阿耨多羅三藐三菩
提此諸衆生于今有住聲聞地者我常教化
阿耨多羅三藐三菩提是諸人等應以是法
漸入佛道所以者何如來智慧難信難解尒
時所化无量恒河沙等衆生者汝等諸比丘
及我滅度後未來世中聲聞弟子是也我滅
度後復有弟子不聞是經不知不覺菩薩所
行自於所得功德生滅度想當入涅槃我於
餘國作佛更有異名是人雖生滅度之想入
於涅槃而於彼土求佛智慧得聞是經唯以
佛乘而得滅度更无餘乘除諸如來方便說
法諸比丘若如來自知涅槃時到衆又清淨
信解堅固了達空法深入禪定便集諸菩薩
及聲聞衆為說是經世間无有二乘而得滅
度唯一佛乘得滅度耳比丘當知如來方便
深入衆生之性知其志樂小法深著五欲為
是等故說於涅槃是人若聞則便信受譬如
五百由旬險難惡道曠絕无人怖畏之處若
有多衆欲過此道至珎寶處有一導師聰慧
明達善知險道通塞之相將導衆人欲過此
難所將人衆中路懈退白導師言我等疲極
而復怖畏不能復進前路猶遠今欲退還導
師多諸方便而作是念此等可愍云何捨大
珎寶而欲退還作是念已以方便力於險道
中過三百由旬化作一城告衆人言汝等勿

而復怖畏不能復進前路猶遠今欲退還導
師多諸方便而作是念此等可愍云何捨大
珍寶而欲退還作是念已以方便力於險道
中過三百由旬化作一城告衆人言汝等勿
怖莫得退還今此大城可於中止隨意所作
若入是城快得安隱若能前至寶所亦可得
去是時疲極之衆心大歡喜歎未曾有我等
今者免斯惡道快得安隱於是衆人前入化
城生已度想生安隱想尒時導師知此人衆
既得止息无復疲惓即滅化城語衆人言汝
等去來寶處在近向者大城我所化作為止
息耳諸比丘如來亦復如是今為汝等作大
導師知諸生死煩惱惡道險難長遠應去應
度若衆生但聞一佛乘者則不欲見佛不欲
親近便作是念佛道長遠久受勤苦乃可得
成佛知是心怯弱下劣以方便力而於中道
為止息故說二涅槃若衆生住於二地如來
尒時即便為說汝等所作未辦汝所住地近
於佛慧當觀察籌量所得涅槃非真實也但
是如來方便之力於一佛乘分別說三如彼
導師為止息故化作大城既知息已而告之
言寶處在近此城非實我化作耳尒時世尊
欲重宣此義而說偈言
大通智勝佛　十劫坐道場　佛法不現前　不得成佛道
諸天神龍王　阿脩羅衆等　常雨於天華　以供養彼佛
諸天擊天鼓　并作衆伎樂　香風吹萎華　更雨新好者
過十小劫已　乃得成佛道　諸天及世人　心皆懷踊躍
彼佛十六子　皆與其眷属　千万億圍遶　俱行至佛所

BD00301 號　妙法蓮華經卷三　（12–9）

諸天神龍王　阿脩羅衆等　常雨於天華　以供養彼佛
諸天擊天鼓　并作衆伎樂　香風吹萎華　更雨新好者
過十小劫已　乃得成佛道　諸天及世人　心皆懷踊躍
彼佛十六子　皆與其眷属　千万億圍遶　俱行至佛所
頭面礼佛足　而請轉法輪　聖師子法雨　充我及一切
世尊甚難值　久遠時一現　為覺悟群生　震動於一切
東方諸世界　五百万億國　梵宮殿光曜　昔所未曾有
諸梵見此相　尋來至佛所　散華以供養　并奉上宮殿
請佛轉法輪　以偈而讚歎　佛知時未至　受請嘿然坐
三方及四維　上下亦復尒　散華奉宮殿　請佛轉法輪
世尊甚難值　願以大慈悲　廣開甘露門　轉无上法輪
无量慧世尊　受彼衆人請　為宣種種法　四諦十二緣
无明至老死　皆從生緣有　如是衆過患　汝等應當知
宣暢是法時　六百万億姟　得盡諸苦際　皆成阿羅漢
第二說法時　千万恒沙衆　於諸法不受　亦得阿羅漢
從是後得道　其數无有量　万億劫筭數　不能得其邊
時十六王子　出家作沙弥　皆共請彼佛　演說大乘法
我等及營從　皆當成佛道　願得如世尊　慧眼第一淨
佛知童子心　宿世之所行　以无量因緣　種種諸譬喻
說六波羅蜜　及諸神通事　分別真實法　菩薩所行道
說是法華經　如恒河沙偈　彼佛說經已　靜室入禪定
一心一處坐　八万四千劫　是諸沙弥等　知佛禪未出
為无量億衆　說佛无上慧　各各坐法座　說是大乘經
於佛宴寂後　宣揚助法化　一一沙弥等　所度諸衆生
有六百万億　恒河沙等衆　彼佛滅度後　是諸聞法者
在在諸佛土　常與師俱生　是十六沙弥　具足行佛道
今現在十方　各得成正覺　尒時聞法者　各在諸佛所

BD00301 號　妙法蓮華經卷三　（12–10）

於佛宴寂後　宣揚助法化　一一沙彌等　所度諸衆生
有六百万億　恒河沙等衆　彼佛滅度後　是諸聞法者
在在諸佛土　常與師俱生　是十六沙彌　具足行佛道
今現在十方　各得成正覺　尒時聞法者　各在諸佛所
其有住聲聞　漸教以佛道　我在十六數　曾亦為汝說
是故以方便　引汝趣佛慧　以是本因緣　今說法華經
令汝入佛道　慎勿懷驚懼　譬如險惡道　迴絕多毒獸
又復无水草　人所怖畏處　无數千万衆　欲過此險道
其路甚曠遠　經五百由旬　時有一導師　強識有智慧
明了心決定　在險濟衆難　衆人皆疲惓　而白導師言
我等今頓乏　於此欲退還　導師作是念　此輩甚可愍
如何欲退還　而失大珍寶　尋時思方便　當設神通力
化作大城郭　莊嚴諸舍宅　周帀有園林　渠流及浴池
重門高樓閣　男女皆充滿　即作是化已　慰衆言勿懼
汝等入此城　各可隨所樂　諸人既入城　心皆大歡喜
皆生安隱想　自謂已得度　導師知息已　集衆而告言
汝等當前進　此是化城耳　我見汝疲極　中路欲退還
故以方便力　權化作此城　汝今勤精進　當共至寶所
我亦復如是　為一切導師　見諸求道者　中路而懈癈
不能度生死　煩惱諸險道　故以方便力　為息說涅槃
言汝等苦滅　所作皆已辨　既知到涅槃　皆得阿羅漢
尒乃集大衆　為說真實法　諸佛方便力　分別說三乘
唯有一佛乘　息處故說二　今為汝說實　汝所得非滅
為佛一切智　當發大精進　汝證一切智　十力等佛法
具三十二相　乃是真實滅　諸佛之導師　為息說涅槃
既知是息已　引入於佛慧

BD00301號　妙法蓮華經卷三　（12–11）

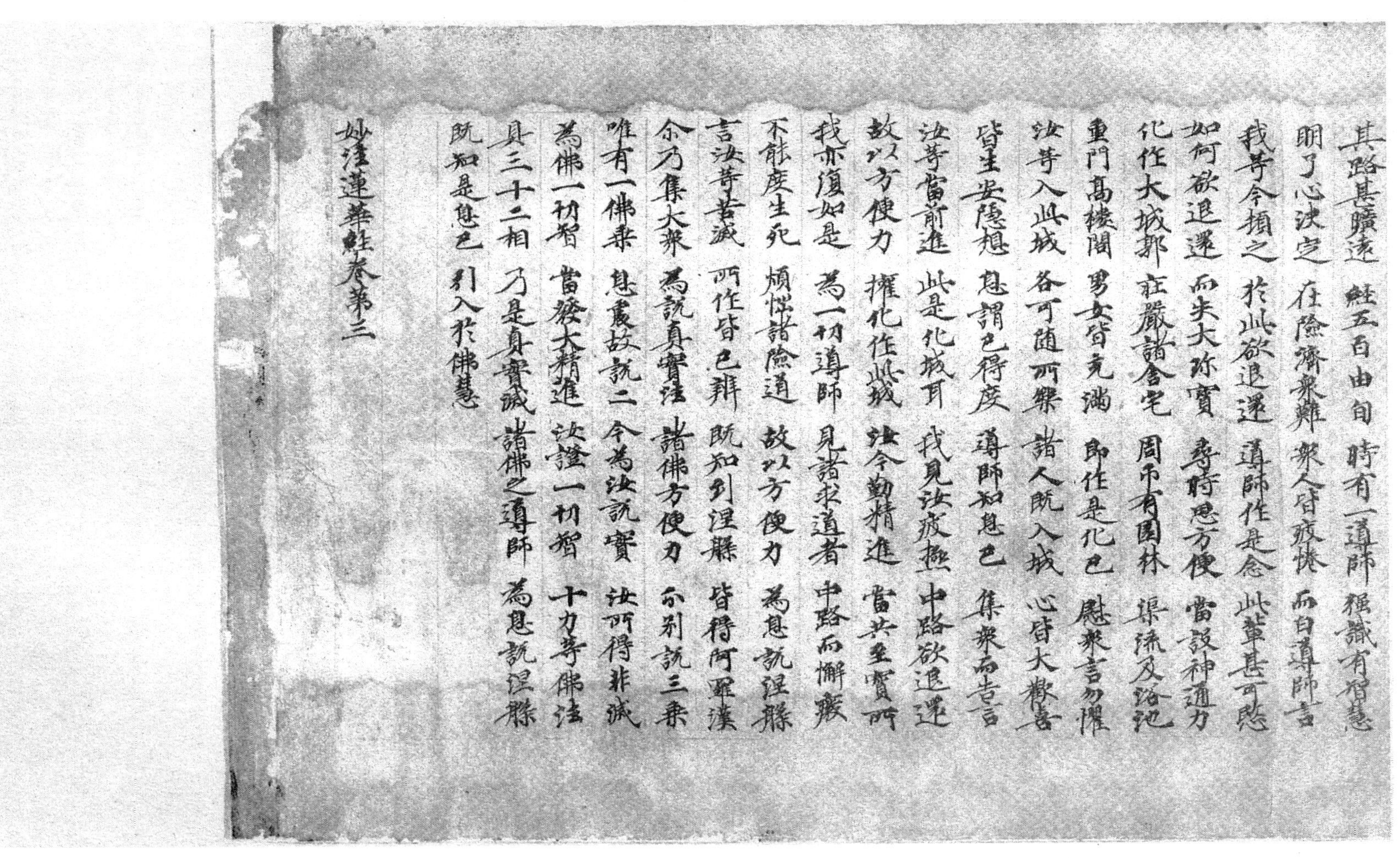
其路甚曠遠　經五百由旬　時有一導師　強識有智慧
明了心決定　在險濟衆難　衆人皆疲惓　而白導師言
我等今頓乏　於此欲退還　導師作是念　此輩甚可愍
如何欲退還　而失大珍寶　尋時思方便　當設神通力
化作大城郭　莊嚴諸舍宅　周帀有園林　渠流及浴池
重門高樓閣　男女皆充滿　即作是化已　慰衆言勿懼
汝等入此城　各可隨所樂　諸人既入城　心皆大歡喜
皆生安隱想　自謂已得度　導師知息已　集衆而告言
汝等當前進　此是化城耳　我見汝疲極　中路欲退還
故以方便力　權化作此城　汝今勤精進　當共至寶所
我亦復如是　為一切導師　見諸求道者　中路而懈癈
不能度生死　煩惱諸險道　故以方便力　為息說涅槃
言汝等苦滅　所作皆已辨　既知到涅槃　皆得阿羅漢
尒乃集大衆　為說真實法　諸佛方便力　分別說三乘
唯有一佛乘　息處故說二　今為汝說實　汝所得非滅
為佛一切智　當發大精進　汝證一切智　十力等佛法
具三十二相　乃是真實滅　諸佛之導師　為息說涅槃
既知是息已　引入於佛慧

妙法蓮華經卷第三

BD00301號　妙法蓮華經卷三　（12–12）

大方廣佛華嚴經世主妙嚴品第一之四　卷四　新譯
復次普光燄藏主火神得悉除一切世間闇解
脫門普集光幢主火神得能息一切衆生
諸惑漂流熱惱苦解脫門大光遍照主火神
得无動福力大悲藏解脫門无盡光髻主火
神得光明照曜无邊虛空界解脫門種種燄
眼主火神得種種福莊嚴寂靜光解脫門十
方宮殿如須弥山主火神得能滅一切世間
諸趣熾然苦解脫門威光自在主火神得自
在開悟一切世間解脫門光照十方主火神
得永破一切愚癡執著見解脫門雷音電光
主火神得成就一切願力大震吼解脫門尒
時普光燄藏主火神承佛威力遍觀一切主
火神衆而說頌言
汝觀如來精進力　廣大億劫不思議
為利衆生現世間　所有暗障皆令滅
衆生愚癡起諸見　煩惱如流及火然
導師方便悉滅除　普集光幢於此悟
福德如空无有盡　求其邊際不可得

BD00302號　大方廣佛華嚴經（唐譯八十卷本）卷四　（2–1）

得无動福力大悲藏解脫門无盡光髻主火
神得光明照曜无邊虛空界解脫門種種燄
眼主火神得種種福莊嚴寂靜光解脫門十
方宮殿如須弥山主火神得能滅一切世間
諸趣熾然苦解脫門威光自在主火神得自
在開悟一切世間解脫門光照十方主火神
得永破一切愚癡執著見解脫門雷音電光
主火神得成就一切願力大震吼解脫門尒
時普光燄藏主火神承佛威力遍觀一切主
火神衆而說頌言
汝觀如來精進力　廣大億劫不思議
為利衆生現世間　所有暗障皆令滅
衆生愚癡起諸見　煩惱如流及火然
導師方便悉滅除　普集光幢於此悟
福德如空无有盡　求其邊際不可得
此佛大悲无動力　光照悟入心生喜
我觀如來之所行　經於劫海无邊際
如是示現神通力　衆妙宮神所了知
億劫修成不可思　求其邊際莫能知
演法實相令歡喜　无盡光神所觀見
十方所有廣大衆　一切現前瞻仰佛
寂靜光明照世間　此妙燄神所能了

BD00302號　大方廣佛華嚴經（唐譯八十卷本）卷四　（2–2）

與及一闡提
是處直言一切相无有因緣如是等人自言我
是聰明利智輕重之罪悉皆覆藏覆藏諸惡
如龜藏六如是衆罪長夜不悔以不悔故日
夜增長是諸比丘所犯衆罪終不發露是使
所犯遂復滋漫是故如來知是事已漸次而
制不得一時尒時有善男子善女人白佛言
世尊如來久知如是之事何不先制將无世
尊欲令衆生入阿鼻獄辟如多人欲至他方
迷失正路隨逐耶道是諸人等不知迷故皆
謂是道復不見人可問是非衆生如是迷於
佛法不見正真如來應為先說正道勅諸比
丘此是犯戒此是持戒當如是制何以故如
來正覺是真實者知見正道唯有如來天中
之天能說十善增上功德及其義味是故慇
請應先制戒佛言善男子若言如來能為衆
生宣說十善增上功德是則如來視諸衆生
如羅睺羅云何難言將无世尊欲令衆生入
於地獄我見一人有墮阿鼻地獄因緣尚為
是人住世一劫若減一劫我於衆生有大慈
悲何緣當誑如子想者令入地獄善男子如
王國内有納衣者見衣有孔然後方補如來
亦尒見諸衆生有入阿鼻地獄因緣即以戒
善而為補之善男子辟如轉輪聖王先為衆
生說十[illegible]

BD00303號　大般涅槃經（北本）卷四　（7–1）

於地獄我見一人有墮阿鼻地獄因緣尚為
是人住世一劫若減一劫我於衆生有大慈
悲何緣當誑如子想者令入地獄善男子如
王國内有納衣者見衣有孔然後方補如來
亦尒見諸衆生有入阿鼻地獄因緣即以戒
善而為補之善男子辟如轉輪聖王先為衆
生說十善法其後漸漸有行惡者王即隨事
漸漸而斷斷諸惡已然後自行聖王之法善
男子我亦如是雖有所說不得先制要因比
丘漸行非法然後方乃隨事制之樂法衆生
隨教脩行如是等衆乃能得見如來法身如
轉輪王所有輪寶不可思議如來亦尒不可
思議法僧二寶亦不可思議能說法者及聞
法者皆不可議是名善解因緣義也菩薩如
是分別開示四種相義是名大乘大涅槃中
因緣義也復次自正者所謂得是大般涅槃
正他者我為比丘說言如來常存不變隨問
荅者迦葉因汝所問故得廣為菩薩摩訶薩
比丘比丘尼優婆塞優婆夷說是甚深微妙義
理因緣義者聲聞緣覺不解如是甚深之義
不聞伊字三點而成解脫涅槃摩訶般若成
祕密藏我今於此闡揚分別為諸聲聞開發
慧眼假使有人作如是言如是四事云何為
一非虛妄耶即應反質是虛空无所有不動
无㝵如是四事有何等異是豈得名為虛妄
不不也世尊如是諸句即是一義所謂空義
自正正他能隨問荅解因緣義亦復如是即
大涅槃等无有異佛告迦葉若有善男子善

BD00303號　大般涅槃經（北本）卷四　（7–2）

子不也世尊如是諸句則是一義所謂空寂
自正正他能隨問答解因緣義亦復如是即
大涅槃等无有異佛告迦葉若有善男子善
女人作如是言如來无常云何當知是无常
也如佛所言滅諸煩惱名為涅槃猶如火滅
悉无所有滅諸煩惱亦復如是故名涅槃云
何如來為常住法不變易也如佛言曰離諸
有者乃名涅槃是涅槃中无有諸有云何如
來為常住法不變易也如衣壞盡不名為物
涅槃亦尒滅諸煩惱不名為物云何如來為
常住法不變易也如佛言曰離欲寂滅名曰
涅槃如人斬首則无有首離欲寂滅亦復如
是空无所有故名涅槃云何如來為常住法
不變易也如佛言
譬如熱鐵　搥打星流　散已尋滅　莫知所在
得正解脫　亦復如是　已度婬欲　諸有淤泥
得无動處　不知所在
云何如來為常住法不變易也迦葉若有人
作如是難者名為耶難迦葉汝亦不應作是
憶想謂如來性是滅盡也迦葉滅煩惱者不
名為物何以故永畢竟故是故名常是句寂
靜為无有上滅盡諸相无有遺餘是句鮮白
常住无退是故涅槃名曰常住如來亦尒常
住无變言星流者謂煩惱也散已尋滅莫知
所在者謂諸如來煩惱滅已不在五趣是故
如來是常住法无有變易復次迦葉諸佛所
師所謂法也是故如來恭敬供養以法常故
諸佛亦常迦葉菩薩復白佛言若煩惱火滅

BD00303號　大般涅槃經（北本）卷四　（7–3）

如來是常住法无有變易復次迦葉諸佛所
師所謂法也是故如來恭敬供養以法常故
諸佛亦常迦葉菩薩復白佛言若煩惱火滅
如來亦滅是則如來无常住處如彼迸鐵赤色
滅已莫知所至如來煩惱亦復如是滅无所
至又如彼鐵熱與赤色滅已无有如來亦尒
滅已无常滅煩惱火便入涅槃當知如來即
是无常善男子所言鐵者名諸凡夫凡夫之
人雖滅煩惱滅已復生故名无常如來不尒
滅已復生是故為常迦葉復言如鐵色滅已
還置火中赤色復生如來若尒應還生結若
結還生即是无常佛言迦葉汝今不應作如
是言如來无常何以故如來是常善男子如
彼燃木滅已有灰煩惱滅已便有涅槃壞衣
斬首破瓶等喻亦復如是如是等物各有名
字名曰壞衣斬首破瓶迦葉如鐵冷已可使
還熱如來不尒斷煩惱已畢竟清涼煩惱熾
火更不復生迦葉當知无量眾生猶如彼鐵
我以无漏智慧熾火燃彼眾生諸煩惱結迦
葉復言善哉善哉我今諦知如來所說諸佛
是常佛言迦葉譬如聖王素在後宮或時遊
觀在於後薗王雖不在諸婇女中亦不得言
聖王命終善男子如來亦尒雖不現於閻浮
提界入涅槃中不名无常如來出於无量煩
惱入于涅槃安樂之處遊諸覺華歡娛受樂
迦葉復問如佛言曰我已久度煩惱大海若
佛已度煩惱海者何緣復共耶輸陁羅生
羅睺羅以是因緣當知如來未度煩惱諸結

BD00303號　大般涅槃經（北本）卷四　（7–4）

迦葉復聞如佛言曰我已久度煩惱大海若
佛已度煩惱海者何緣復共耶輸陁羅生
羅睺羅以是因緣當知如來未度煩惱諸結
大海唯願如來說其因緣佛告迦葉汝不應
言如來久度煩惱大海何緣復共耶輸陁羅
生羅睺羅以是因緣當知如來未度煩惱諸
結大海善男子是大涅槃能建大義汝等今
當至心諦聽廣為人說莫生驚疑若有菩薩
摩訶薩住大涅槃須弥山王如是高廣悉能
令入亭歷子檜其中衆生依須弥山者亦不
迫迮无來往想如本不異唯應度者見是菩薩
以須弥山內亭歷檜復還安止本所住處善
男子復有菩薩摩訶薩住大涅槃能以三千
大千世界置亭歷檜其中衆生亦无迫迮及
往來想如本不異唯應度者見是菩薩以是
三千大千世界置亭歷檜復還安止本所住
處善男子復有菩薩摩訶薩住大涅槃能以
三千大千世界內一毛孔乃至本處亦復如
是善男子復有菩薩摩訶薩住大涅槃斷取
十方三千大千諸佛世界置於針鋒如貫棗
葉擲著他方異佛世界其中所有一切衆生不
覺往返為在何處唯應度者乃能見之乃至
本處亦復如是善男子復有菩薩摩訶薩住
大涅槃斷取十方三千大千諸佛世界置於
右掌如陶家輪擲置他方微塵世界无一衆
生有往來想唯應度者乃見之耳乃至本處
亦復如是善男子復有菩薩摩訶薩住大涅
槃斷取一切十方无量諸佛世界悉內己身

BD00303號　大般涅槃經（北本）卷四　（7–5）

生有往來想唯應度者乃見之耳乃至本處
亦復如是善男子復有菩薩摩訶薩住大涅
槃斷取一切十方无量諸佛世界悉內己身
其中衆生悉无迫迮亦无往返及住處想唯
應度者乃能見之乃至本處亦復如是善男
子復有菩薩摩訶薩住大涅槃以十方世界
內一塵中其中衆生亦无迫迮往返之想唯
應度者乃能見之乃至本處亦復如是善男
子是菩薩摩訶薩住大涅槃則能示現種種
无量神通變化是故名曰大般涅槃是菩薩
摩訶薩所可示現如是无量神通變化一切
衆生无能測量汝今云何能知如來習近婬
欲生羅睺羅善男子我已久住是大涅槃種
種示現神通變化於此三千大千世界百億日
月百億閻浮提種種示現如首楞嚴經中廣
說我於三千大千世界或閻浮提示現涅槃
亦不畢竟取於涅槃或閻浮提示入母胎令
其母父生我子想而我此身畢竟不從婬欲
和合而得生也我已久從无量劫來離於愛
欲我今此身即是法身隨順世間示現入胎
善男子此閻浮提林微尼園示現從母摩耶
而生生已即能東行七步唱如是言我於人
天阿脩羅中最尊最上父母人天見已驚喜
生希有心而諸人等謂是嬰兒而我此身无
量劫來久離是法如是身者即是法身非是
肉血筋脉骨髓之所成立隨順世間衆生法
故示為嬰兒南行七步示現欲為无量衆生
作上福田西行七步示現生盡永斷老死是

BD00303號　大般涅槃經（北本）卷四　（7–6）

之不畢竟處於涅槃或閻浮提亦入母胎令
其母父生我子想而我此身畢竟不從婬欲
和合而得生也我已久從无量劫來離於愛
欲我今此身即是法身隨順世間示現入胎
善男子此閻浮提林微尼園示現從母摩耶
而生生已即能東行七步唱如是言我於人
天阿脩羅中最尊最上父母人天見已驚喜
生希有心而諸人等謂是嬰兒而我此身无
量劫來久離是法如是身者即是法身非是
宍血筋脉骨髓之所成立隨順世間衆生法
故示為嬰兒南行七步示現欲為无量衆生
作上福田西行七步示現生盡永斷老死是
最後身北行七步示現已度諸有生死東行
七步示為衆生而作導首四維七步示現斷
滅種種煩惱四魔種性成於如來應正遍知
上行七步示現不為不淨之物之所染汙猶
如虛空下行七步示現法雨滅地獄火令
衆生受安隱樂毀禁戒者示作霜雹
提生七日已又示剃髮諸人皆謂
初始剃髮一切人天魔王波
无有能見我頂相者況
有持刀至我頂者无
劫中剃除鬚髮爲
髮我已生已父
摩臨首羅

BD00303號　大般涅槃經（北本）卷四　（7–7）

進於波羅柰為中
輪今於此間拘尸那城為上精進[illegible]
復次善男子我昔於彼波羅柰城初轉法輪
八万天人得須陁洹果今於此間拘尸那城
八十万億人不退轉於阿耨多羅三藐三菩
提復次善男子波羅柰城大梵天王稽首請
我轉於法輪今於此間拘尸那城迦葉菩薩
稽首請我轉大法輪復次善男子我昔於彼
波羅柰城轉法輪時說无常苦空无我今於
此間拘尸那城轉法輪時說常樂我淨復次
善男子我昔於彼波羅柰城轉法輪時所出
音聲聞于梵天如來今於拘尸那城轉法輪
時所出音聲遍於東方二十恒河沙等諸佛世
界南西北方四維上下亦復如是復次善男
子諸佛世尊凡有所說皆悉名為轉法輪也
善男子譬如聖王所有輪寶未降伏者能令
降伏已降伏者能令安隱善男子諸佛世尊
凡所說法亦復如是无量煩惱未調伏者能
令調伏已調伏者令生善根善男子譬如聖
王所有輪寶則能消滅一切怨賊如來演法
亦復如是能令一切諸煩惱賊皆悉寂靜復
次善男子譬如聖王所有輪寶上下迴轉如

BD00304號　大般涅槃經（北本）卷一四　（10–1）

令調伏已調伏者令生善根善男子辟如聖
王所有輪寶則能消滅一切怨賊如來演法
亦復如是能令一切諸煩惱賊皆悉寂靜復
次善男子辟如聖王所有輪寶上下迴轉如
來說法亦復如是能令下趣諸惡衆生上生
人天乃至佛道善男子是故汝今不應讚言
如來於此更轉法輪尒時文殊師利白佛言
世尊我於此義非為不知所以問者為欲利
益諸衆生故世尊我已久知轉法輪者實是
諸佛如來境界非是聲聞緣覺所知
尒時世尊告迦葉菩薩善男子是名菩薩住
於大乘大涅槃經所行聖行迦葉菩薩白佛
言世尊復以何義名為聖行善男子聖名諸
佛世尊以是義故名為聖行世尊若是諸佛
之所行者則非聲聞緣覺菩薩所能脩行善
男子是諸佛世尊安住於此大般涅槃而作
如是開示分別演說其義以是義故名曰聖
行聲聞緣覺及諸菩薩如是聞已則能奉行
故名聖行善男子是菩薩摩訶薩得是行已
則得住於无所畏地善男子若有菩薩得住
如是无所畏地則不復畏貪恚愚癡生老病
死亦復不畏惡道地獄畜生餓鬼善男子惡
有二種一者阿脩羅二者人中人中有三種
惡一者一闡提二者誹謗方等經典三者犯
四重禁善男子住是地中諸菩薩等終不畏

BD00304號　大般涅槃經（北本）卷一四　（10–2）

死亦復不畏惡道地獄畜生餓鬼善男子惡
有二種一者阿脩羅二者人中人中有三種
惡一者一闡提二者誹謗方等經典三者犯
四重禁善男子住是地中諸菩薩等終不畏
隨如是惡中亦復不畏沙門婆羅門外道耶
見天魔波旬亦復不畏受二十五有是故此
地名无所畏善男子菩薩摩訶薩住无畏地
得二十五三昧壞二十五有善男子得无垢
三昧能壞地獄有得无退三昧能壞畜生有
得心樂三昧能壞餓鬼有得歡喜三昧能壞
阿脩羅有得日光三昧能斷弗婆提有得月
光三昧能斷瞿耶尼有得熱炎三昧能斷鬱
單曰有得如幻三昧能斷閻浮提有得一切
法不動三昧能斷四天王處有得難伏三昧
能斷三十三天處有得悅意三昧能斷炎摩
天有得青色三昧能斷兜術天有得黃色三
昧能斷化樂天有得赤色三昧能斷他化自
在天有得白色三昧能斷初禪有得種種三
昧能斷大梵天有得雙三昧能斷二禪有得
雷音三昧能斷三禪有得注雨三昧能斷四
禪有得如虛空三昧能斷无想有得照鏡三
昧能斷淨居阿那含有得无㝵三昧能斷空
處有得常住三昧能斷識處有得樂三昧能
斷不用處有得我三昧能斷非想非非想處
有善男子是名菩薩得二十五三昧斷二十

BD00304號　大般涅槃經（北本）卷一四　（10–3）

禪有得如虛空三昧能斷无想有得照鏡三
昧能斷淨居阿那含有得无㝵三昧能斷空
處有得常住三昧能斷識處有得樂三昧能
斷不用處有得我三昧能斷非想非非想處
有善男子是名菩薩得二十五三昧斷二十
五有善男子是二十五三昧名諸三昧王善
男子諸菩薩摩訶薩入如是等諸三昧王若
欲吹壞須弥山王隨意即能欲知三千大千
世界所有衆生心之所念亦悉能知欲以三
千大千世界所有衆生內於己身一毛孔中
隨意即能亦令衆生无迫迮想若欲化作无
量衆生悉令充滿三千大千世界中者亦能
隨意欲分一身以為多身復令多身以為一
身雖作如是心无所著猶如蓮華善男子菩
薩摩訶薩得入如是三昧王已即得住於自
在之地菩薩得住是自在地得自在力隨欲
生處即得往生善男子辟如聖王領四天下
隨意所行无能鄣㝵菩薩摩訶薩亦復如是
一切生處若欲生者隨意往生善男子菩薩
摩訶薩若見地獄一切衆生有可令得住善
根者菩薩即往而生其中菩薩雖生非本業
果菩薩摩訶薩住自在地力因緣故而生其
中善男子菩薩摩訶薩雖在地獄不受熾燃
碎身等苦善男子菩薩摩訶薩所可成就如
是功德无量无邊百千万億尚不可說何況

BD00304號　大般涅槃經（北本）卷一四　（10–4）

根者菩薩即往而生其中菩薩雖生非本業
果菩薩摩訶薩住自在地力因緣故而生其
中善男子菩薩摩訶薩雖在地獄不受熾燃
碎身等苦善男子菩薩摩訶薩所可成就如
是功德无量无邊百千万億尚不可說何況
諸佛所有功德而當可說
尒時衆中有一菩薩名住无垢藏王有大威
德成就神通得大惣持三昧具足得无所畏
即從坐起偏袒右肩右膝著地長跪合掌白
佛言世尊如佛所說諸佛菩薩所可成就功
德智慧无量无邊百千万億實不可說我意
猶謂故不如是大乘經典何以故因是大乘
方等經力故能出生諸佛世尊阿耨多羅三
藐三菩提時佛讚言善哉善哉善男子如是
如是如汝所說是諸大乘方等經典雖復成
就无量功德欲比是經不得為喻百倍千倍
百千万億乃至筭數譬喻所不能及善男子
譬如從牛出乳從乳出酪從酪出生蘇從生
蘇出熟蘇從熟蘇出提湖提湖最上若有服
者衆病皆除所有諸藥悉入其中善男子佛
亦如是從佛出生十二部經從十二部經出
脩多羅從脩多羅出方等經從方等經出般
若波羅蜜從般若波羅蜜出大涅槃猶如提
湖言提湖者喻於佛性佛性者即是如來善
男子以是義故說言如來所有功德无量无

BD00304號　大般涅槃經（北本）卷一四　（10–5）

脩多羅從脩多羅出方等經從方等經出般
若波羅蜜從般若波羅蜜出大涅槃猶如提
湖言提湖者喻於佛性佛性者即是如来善
男子以是義故說言如来所有功德无量无
邊不可稱計迦葉菩薩白佛言世尊如佛所
讚大涅槃經猶如提湖寂上寂勝若有能服
衆病悉除一切諸藥悉入其中我聞是已竊
復思念若有不能聽受是經當知是人為大
愚癡无有善心世尊我於今者實能堪忍剝
皮為紙刺血為墨以髓為水析骨為筆書寫
如是大涅槃經書已讀誦令其通利然後為
人廣說其義世尊若有衆生貪著財物我當
施財然後以是大涅槃經勸之令讀若尊貴
者先以愛語而隨其心然後漸當以是大乘
大涅槃經勸之令讀若凡庶者當以威勢逼
之令讀若憍慢者我當為其而作僕使隨順
其意令其歡喜然後復當以大涅槃而教導
之若有誹謗大乘經者當以勢力摧之令伏
既摧伏已然後勸令讀大涅槃若有愛樂大
乘經者我躬當往恭敬供養尊重讚嘆尒時
佛讚迦葉菩薩善哉善哉汝甚愛樂大乘經
典貪大乘經受大乘經味大乘經信敬尊重
供養大乘善男子汝今以此善心因緣當得
超越无量无邊恒河沙等諸大菩薩在前得
成阿耨多羅三藐三菩提汝亦不久復當如

BD00304號　大般涅槃經（北本）卷一四　（10-6）

供養大乘善男子汝今以此善心因緣當得
超越无量无邊恒河沙等諸大菩薩在前得
成阿耨多羅三藐三菩提汝亦不久復當如
我廣為大衆演說如是大般涅槃如来佛性
諸佛所說祕密之藏善男子過去之世佛日
未出我於尒時作婆羅門脩菩薩行悉能通
達一切外道所有經論脩寂滅行具足威儀
其心清淨不為外來能生欲想之所破壞滅
瞋恚火受持常樂我淨之法周遍求索大乘
經典乃至不聞方等名字我於尒時住於雪
山其山清淨流泉浴池樹林藥木充滿其地
處處石間有清流水多諸香華周遍嚴飾衆
鳥禽獸不可稱計甘果滋繁種別難計復有
无量藕根甘根青木香根我於尒時獨處其
中唯食諸果食已繫心思惟坐禪逕无量歲
亦不聞有如来出世大乘經名善男子我脩
如是苦難行時釋提桓因諸天人等心大驚
怪即共集會各各相謂而說偈言
各共相指示　清淨雪山中　寂靜離欲主　功德莊嚴王
已離貪瞋慢　永斷諂愚癡　口初未曾說　麁惡等語言
尒時衆中有一天子名曰歡喜復說偈言
如是離欲人　清淨勤精進　將不求帝釋　及以諸天耶
若是外道者　脩行諸苦行　是人多欲求　帝釋所坐處
尒時復有一仙天子即為帝釋而說偈言
天主憍尸迦　不應生是慮　外道脩苦行　何必求帝釋

BD00304號　大般涅槃經（北本）卷一四　（10-7）

如是諸仙人　清淨勤精進　終不求帝釋　及以諸天耶
若是外道者　脩行諸苦行　是人多欲求　帝釋所坐處
尒時復有一仙天子即為帝釋而說偈言
天主憍尸迦　不應生是慮　外道脩苦行　何必求帝釋
說是偈已復作是言憍尸迦世有大士為衆
生故不貪己身為欲利益諸衆生故而脩種
種无量苦行如是之人見生死中諸過咎故
設見珎寶滿此大地諸山大海不生貪著如
視涕唾如是大士棄捨財寶所愛妻子頭目
髓腦手足支節所居舍宅象馬車乘奴婢僮
僕亦不願求生於天上唯求欲令一切衆生
得受快樂如我所解如是大士清淨无染衆
結永盡唯欲求於阿耨多羅三藐三菩提釋
提桓因復作是言如汝言者是人則為攝取
一切世間所有衆生大仙若此世間有佛樹
者能除一切諸天世人及阿脩羅煩惱毒虵
是諸衆生住是佛樹蔭涼中者煩惱諸毒悉
得消滅大仙是人若當未來世中作善逝者
我等悉當得滅无量熾然煩惱如是之事實
為難信何以故无量百千諸衆生等發阿耨
多羅三藐三菩提心見少微緣於阿耨多羅
三藐三菩提即便動轉如水中月水動則動
猶如畫像難成易壞菩提之心亦復如是難
發易壞大仙如有多人以諸鎧杖牢自莊嚴
欲前討賊臨陣恐怖則便退散无量衆生亦
復如是發菩提心牢自莊嚴見生死過心生

BD00304 號　大般涅槃經（北本）卷一四

（10–8）

猶如畫像難成易壞菩提之心亦復如是難
發易壞大仙如有多人以諸鎧杖牢自莊嚴
欲前討賊臨陣恐怖則便退散无量衆生亦
復如是發菩提心牢自莊嚴見生死過心生
恐怖即便退散大仙我見如是无量衆生發
心之後皆生動轉是故我今雖見是人脩於
苦行无惱无熱住於道嶮其行清淨未能信
也我今要當自往試之知其實能堪任荷負
阿耨多羅三藐三菩提大重擔不大仙如車
有二輪則有載用鳥有二翼堪任飛行是苦
行者亦復如是我雖見其堅持禁戒未知其
人有深智不若有深智當知則能堪任荷負
阿耨多羅三藐三菩提之重擔也大仙譬如
魚母多有胎子成就者少如菴羅樹華多果
少衆生發心乃有无量及其成就少不足言
大仙我當與汝俱往試之大仙譬如真金三
種試已乃知其真謂燒打磨試彼苦行亦當
如是尒時釋提桓因自變其身作羅刹像形
甚可畏下至雪山去其不遠而便立住是時
羅刹心无所畏勇健難當辯才次第其聲清
雅宣過去佛所說半偈
諸行无常　是生滅法
說是半偈已便住其前所現形貌甚可怖畏
顧眄遍視觀於四方是苦行者聞是半偈心
生歡喜譬如估客於嶮難處夜行失伴恐怖

BD00304 號　大般涅槃經（北本）卷一四

（10–9）

行者亦須如是我雖見其堅持禁戒未知其
人有深智不若有深智當知則能堪任荷負
阿耨多羅三藐三菩提之重擔也大仙譬如
魚母多有胎子成就者少如菴羅樹華多果
少衆生發心乃有无量及其成就少不足言
大仙我當與汝俱往試之大仙譬如真金三
種試已乃知其真謂燒打磨試彼苦行亦當
如是尒時釋提桓因自變其身作羅刹像形
甚可畏下至雪山去其不遠而便立住是時
羅刹心无所畏勇健難當辯才次第其聲清
雅宣過去佛所說半偈
諸行无常　是生滅法
說是半偈已便住其前所現形貌甚可怖畏
顧眄遍視觀於四方是苦行者聞是半偈心
生歡喜譬如估客於嶮難處夜行失伴恐怖
推求還遇同侶心生歡喜踊躍无量亦如久
病未遇良醫瞻病好藥後乃得之如人沒海
卒遇船舫如渴之人遇清冷水如為怨逐忽
然得脫如久繫人卒聞得出亦如農夫炎旱
值雨亦如行人還得歸家家人聞已生大歡
喜善男子我於尒時聞是半偈心中歡喜亦

BD00304 號　大般涅槃經（北本）卷一四　（10–10）

應供正遍知明行足善逝世間解无上士調
御丈夫天人師佛世尊佛壽无量阿僧祇
劫尒時摩訶波闍波提比丘尼及耶輸陁羅
比丘尼并其眷屬皆大歡喜得未曾有即
於佛前而說偈言
世尊導師　安隱天人　我等聞記　心安具足
諸比丘尼說是偈已白佛言世尊我等亦能
於他方國土廣宣此經尒時世尊視八十万
億那由他諸菩薩摩訶薩是諸菩薩皆是
阿惟越致轉不退法輪得諸陁羅尼即從座
起至於佛前一心合掌而作是念若世尊告勑
我等持說此經者當如佛教廣宣斯法復
作是念佛今默然不見告勑我當云何時諸
菩薩敬順佛意并欲自滿本願便於佛前作
師子吼而發誓言世尊我等於如來滅後周
旋往反十方世界能令衆生書寫此經受持
讀誦解說其義如法脩行正憶念皆是佛
之威力唯願世尊在於他方遥見守護即
時諸菩薩俱同發聲而說偈言
唯願不為慮　於佛滅度後　恐怖惡世中　我等當廣說
有諸无智人　惡口罵詈等　及加刀杖者　我等皆當忍
惡世中比丘　邪智心諂曲　未得謂為得　我慢心充滿

BD00305 號　妙法蓮華經卷四　（3–1）

時諸菩薩俱同發聲而說偈言

唯願不為慮　於佛滅度後　恐怖惡世中　我等當廣說
有諸无智人　惡口罵詈等　及加刀杖者　我等皆當忍
惡世中比丘　邪智心諂曲　未得謂為得　我慢心充滿
或有阿練若　納衣在空閑　自謂行真道　輕賤人間者
貪著利養故　與白衣說法　為世所恭敬　如六通羅漢
是人懷惡心　常念世俗事　假名阿練若　好出我等過
而作如是言　此諸比丘等　為貪利養故　說外道論議
自作此經典　誑惑世間人　為求名聞故　分別於是經
常在大眾中　欲毀我等故　向國王大臣　婆羅門居士
及餘比丘眾　誹謗說我惡　謂是邪見人　說外道論議
我等敬佛故　悉忍是諸惡　為斯所輕言　汝等皆是佛
如此輕慢言　皆當忍受之　濁劫惡世中　多有諸恐怖
惡鬼入其身　罵詈毀辱我　我等敬信佛　當著忍辱鎧
為說是經故　忍此諸難事　我不愛身命　但惜无上道
我等於來世　護持佛所囑　世尊自當知　濁世惡比丘
不知佛方便　隨宜所說法　惡口而顰蹙　數數見擯出
遠離於塔寺　如是等眾惡　念佛告勅故　皆當忍是事
諸聚落城邑　其有求法者　我皆到其所　說佛所囑法
我是世尊使　處眾无所畏　我當善說法　願佛安隱住
我於世尊前　諸來十方佛　發如是誓言　佛自知我心

妙法蓮華經卷第四

BD00305號　妙法蓮華經卷四　（3–2）

及餘比丘眾　誹謗說我惡　謂是邪見人　說外道論議
我等敬佛故　悉忍是諸惡　為斯所輕言　汝等皆是佛
如此輕慢言　皆當忍受之　濁劫惡世中　多有諸恐怖
惡鬼入其身　罵詈毀辱我　我等敬信佛　當著忍辱鎧
為說是經故　忍此諸難事　我不愛身命　但惜无上道
我等於來世　護持佛所囑　世尊自當知　濁世惡比丘
不知佛方便　隨宜所說法　惡口而顰蹙　數數見擯出
遠離於塔寺　如是等眾惡　念佛告勅故　皆當忍是事
諸聚落城邑　其有求法者　我皆到其所　說佛所囑法
我是世尊使　處眾无所畏　我當善說法　願佛安隱住
我於世尊前　諸來十方佛　發如是誓言　佛自知我心

妙法蓮華經卷第四

BD00305號　妙法蓮華經卷四　（3–3）

是人不於一佛二佛
无量千万佛所種諸
善根聞是章句乃至一念生淨信者須菩提
如來悉知悉見是諸衆生得如是无量福德
何以故是諸衆生无復我相人相衆生相壽者
相无法相亦无非法相何以故是諸衆生若心取
相則為著我人衆生壽者若取法相即著我
人衆生壽者何以故若取非法相即著我人衆
生壽者是故不應取法不應取非法以是義
故如來常說汝等比丘知我說法如栰喻者法
尚應捨何況非法
須菩提於意云何如來得阿耨多羅三藐三
菩提耶如來有所說法耶須菩提言如我解
佛所說義无有定法名阿耨多羅三藐三菩
提亦无有定法如來可說何以故如來所說法
皆不可取不可說非法非非法所以者何一切
賢聖皆以无為法而有差別
須菩提於意云何若人滿三千大千世界七寶
以用布施是人所得福德寧為多不須菩提
言甚多世尊何以故是福德即非福德性是故
如來說福德多若復有人於此經中受持乃至
四句偈等為他人說其福勝彼何以故須菩提
一切諸佛及諸佛阿耨多羅三藐三菩提法

BD00306號　金剛般若波羅蜜經　（13–1）

以用布施是人所得福德寧為多不須菩提
言甚多世尊何以故是福德即非福德性是故
如來說福德多若復有人於此經中受持乃至
四句偈等為他人說其福勝彼何以故須菩提
一切諸佛及諸佛阿耨多羅三藐三菩提法
皆從此經出須菩提所謂佛法者即非佛法
須菩提於意云何須陁洹能作是念我得須
陁洹果不須菩提言不也世尊何以故須陁洹
名為入流而无所入不入色聲香味觸法是名
須陁洹
須菩提於意云何斯陁含能作是念我得斯
陁含果不須菩提言不也世尊何以故斯陁含
名一往來而實无往來是名斯陁含
須菩提於意云何阿那含能作是念我得阿
那含果不須菩提言不也世尊何以故阿那含名
為不來而實无來是故名阿那含
須菩提於意云何阿羅漢能作是念我得阿
羅漢道不須菩提言不也世尊何以故實无有法
名阿羅漢世尊若阿羅漢作是念我得阿羅
漢道即為著我人衆生壽者世尊佛說我得无
諍三昧人中最為第一是第一離欲阿羅漢我不
作是念我是離欲阿羅漢世尊我若作是念我
得阿羅漢道世尊則不說須菩提是樂阿蘭那
行者以須菩提實无所行而名須菩提是樂阿蘭
那行佛告須菩提於意云何如來於然燈佛所於

BD00306號　金剛般若波羅蜜經　（13–2）

BD00306 號　金剛般若波羅蜜經

（13-3）

得阿羅漢道世尊則不說須菩提是樂阿蘭那
行者以須菩提實无所行而名須菩提是樂阿蘭
那行佛告須菩提於意云何如來在然燈佛所於
法有所得不世尊如來在然燈佛所於法實无所
得須菩提於意云何菩薩莊嚴佛土不不也世
尊何以故莊嚴佛土者則非莊嚴是名莊嚴是
故須菩提諸菩薩摩訶薩應如是生清淨心不
應住色生心不應住聲香味觸法生心應无所
住而生其心須菩提譬如有人身如須弥山王
於意云何是身為大不須菩提言甚大世尊何
以故佛說非身是名大身
須菩提如恒河中所有沙數如是沙等恒河於
意云何是諸恒河沙寧為多不須菩提言甚多
世尊但諸恒河尚多无數何況其沙須菩提我今
實言告汝若有善男子善女人以七寶滿爾
所恒河沙數三千大千世界以用布施得福多不
須菩提言甚多世尊佛告須菩提若善男子
善女人於此經中乃至受持四句偈等為他人
說而此福德勝前福德
復次須菩提隨說是經乃至四句偈等當知
此處一切世間天人阿脩羅皆應供養如佛塔
廟何況有人盡能受持讀誦須菩提當知是
人成就最上第一希有之法若是經典所在之
處則為有佛若尊重弟子
尒時須菩提白佛言世尊當何名此經我等

BD00306 號　金剛般若波羅蜜經

（13-4）

廟何
人成就最上第一希有之法若是經典所在之
處則為有佛若尊重弟子
尒時須菩提白佛言世尊當何名此經我等
云何奉持佛告須菩提是經名為金剛般若
波羅蜜以是名字汝當奉持所以者何須菩提
佛說般若波羅蜜則非般若波羅蜜須菩提
於意云何如來有所說法不須菩提白佛言世
尊如來无所說須菩提於意云何三千大千世
界所有微塵是為多不須菩提言甚多世尊
須菩提諸微塵如來說非微塵是名微塵
如來說世界非世界是名世界
須菩提於意云何可以卅二相見如來不不也
世尊不可以卅二相得見如來何以故如來說卅
二相即是非相是名卅二相須菩提若有善
男子善女人以恒河沙等身命布施若復有
人於此經中乃至受持四句偈等為他人說其
福甚多
尒時須菩提聞說是經深解義趣涕淚悲
泣而白佛言希有世尊佛說如是甚深經典
我從昔來所得慧眼未曾得聞如是之經世尊
若復有人得聞是經信心清淨則生實相當知
是人成就最上第一希有功德世尊是實相者
則是非相是故如來說名實相世尊我今得聞
如是經典信解受持不足為難若當來世後
五百歲其有眾生得聞是經信解受持是人則

則是非相是故如來說名實相世尊我今得聞
如是經典信解受持不足為難若當來世後
五百歲其有衆生得聞是經信解受持是人則
為第一希有何以故此人无我相人相衆生相壽
者相所以者何我相即是非相人相衆生相壽
者相即是非相何以故離一切諸相則名諸佛
佛告須菩提如是如是若復有人得聞是經
不驚不怖不畏當知是人甚為希有何以故須
菩提如來說第一波羅蜜非第一波羅蜜是
名第一波羅蜜須菩提忍辱波羅蜜如來說
非忍辱波羅蜜何以故須菩提如我昔為歌利
王割截身體我於尒時无我相无人相无衆生相
无壽者相何以故我於往昔節節支解時若有
我相人相衆生相壽者相應生瞋恨
須菩提又念過去於五百世作忍辱仙人於尒
所世无我相无人相无衆生相无壽者相是故
須菩提菩薩應離一切相發阿耨多羅三藐
三菩提心不應住色生心不應住聲香味觸法
生心應生无所住心若心有住則為非住是故
佛說菩薩心不應住色布施須菩提菩薩
為利益一切衆生應如是布施如來說一切諸
相即是非相又說一切衆生則非衆生須菩提
如來是真語者實語者如語者不誑語者不
異語者須菩提如來所得法此法无實无虛
須菩提若菩薩心住於法而行布施如人入闇則

BD00306 號　金剛般若波羅蜜經　（13–5）

如來是真語者實語者如語者不誑語者不
異語者須菩提如來所得法此法无實无虛
須菩提若菩薩心住於法而行布施如人入闇則
无所見若菩薩心不住於法而行布施如人有目
日光明照見種種色須菩提當來之世若有善
男子善女人能於此經受持讀誦則為如來以佛
智慧悉知是人悉見是皆得成就无量无邊功
德須菩提若有善男子善女人初日分以恒河
沙等身布施中日分復以恒河沙等身布施後
日分亦以恒河沙等身布施如是无量百千万
億劫以身布施若復有人聞此經典信心不逆
其福勝彼何況書寫受持讀誦為人解說須菩
提以要言之是經有不可思議不可稱量无邊
功德如來為發大乘者說為發最上乘者說若
有人能受持讀誦廣為人說如來悉知是人悉見
是人皆得成就不可量不可稱无有邊不可思
議功德如是等則為荷擔如來阿耨多羅三
藐三菩提何以故須菩提若樂小法者著我
見人見衆生見壽者見則於此經不能聽受
讀誦為人解說須菩提在在處處若有此經一
切世間天人阿脩羅所應供養當知此處則為
是塔皆應恭敬作禮圍遶以諸華香而散其處
復次須菩提若善男子善女人受持讀誦此經
若為人輕賤是人先世罪業應墮惡道以今世
人輕賤故先世罪業則為消滅當得阿耨多羅

BD00306 號　金剛般若波羅蜜經　（13–6）

復次湏菩提若善男子善女人受持讀誦此經
若為人輕賤是人先世罪業應墮惡道以今世
人輕賤故先世罪業則為消滅當得阿耨多羅
三藐三菩提湏菩提我念過去无量阿僧祇劫
於然燈佛前得值八百四千万億那由他諸佛
悉皆供養承事无空過者若復有人於後末
世能受持讀誦此經所得功德於我所供養
諸佛功德百分不及一千万億分乃至筭數譬
喻所不能及湏菩提若善男子善女人於後
末世有受持讀誦此經所得功德我若具說者
或有人聞心則狂亂狐疑不信湏菩提當知是
經義不可思議果報亦不可思議
尒時湏菩提白佛言世尊善男子善女人發
阿耨多羅三藐三菩提心云何應住云何降伏其
心佛告湏菩提若善男子善女人發阿耨多羅
三藐三菩提者當生如是心我應滅度一切衆
生滅度一切衆生已而无有一衆生實滅度者何以
故若菩薩有我相人相衆生相壽者相則非菩
薩所以者何湏菩提實无有法發阿耨多羅
三藐三菩提心者
湏菩提於意云何如來於然燈佛所有法得
阿耨多羅三藐三菩提不不也世尊如我解佛
所說義佛於然燈佛所无有法得阿耨多羅
三藐三菩提佛言如是如是湏菩提實无有
法如來得阿耨多羅三藐三菩提湏菩提若有

BD00306號　金剛般若波羅蜜經　（13–7）

阿耨多羅三藐三菩提不不也世尊如我解佛
所說義佛於然燈佛所无有法得阿耨多羅
三藐三菩提佛言如是如是湏菩提實无有
法如來得阿耨多羅三藐三菩提湏菩提若有
法如來得阿耨多羅三藐三菩提者然燈佛則
不與我授記汝於來世當得作佛号釋迦牟
尼以實无有法得阿耨多羅三藐三菩提是故
然燈佛與我授記作是言汝於來世當得作
佛号釋迦牟尼何以故如來者即諸法如義
若有人言如來得阿耨多羅三藐三菩提湏
菩提實无有法佛得阿耨多羅三藐三菩提
湏菩提如來所得阿耨多羅三藐三菩提於是
中无實无虛是故如來說一切法皆是佛法湏
菩提所言一切法者即非一切法是故名一切法
湏菩提譬如人身長大湏菩提言世尊如來
說人身長大則為非大身是名大身湏菩提
菩薩亦如是若作是言我當滅度无量衆生
則不名菩薩何以故湏菩提實无有法名為菩
薩是故佛說一切法无我无人无衆生无壽者
湏菩提若菩薩作是言我當莊嚴佛土是不名
菩薩何以故如來說莊嚴佛土者即非莊嚴是
名莊嚴湏菩提若菩薩通達无我法者如來
說名真是菩薩
湏菩提於意云何如來有肉眼不如是世尊如來
有肉眼湏菩提於意云何如來有天眼不如是

BD00306號　金剛般若波羅蜜經　（13–8）

說名真是菩薩
須菩提於意云何如來有肉眼不如是世尊如來
有肉眼須菩提於意云何如來有天眼不如是
世尊如來有天眼須菩提於意云何如來有
慧眼不如是世尊如來有慧眼須菩提於意云
何如來有法眼不如是世尊如來有法眼須菩
提於意云何如來有佛眼不如是世尊如來有佛
眼須菩提於意云何如恒河中所有沙佛說是沙不
如是世尊如來說是沙須菩提於意云何如一
恒河中所有沙有如是等恒河是諸恒河所有
沙數佛世界如是寧為多不甚多世尊佛告
須菩提爾所國土中所有衆生若干種心如來
悉知何以故如來說諸心皆為非心是名為心所
以者何須菩提過去心不可得現在心不可得未
來心不可得須菩提於意云何若有人滿三千
大千世界七寶以用布施是人以是因緣得福
多不如是世尊此人以是因緣得福甚多須菩
提若福德有實如來不說得福德多以福德
無故如來說得福德多
須菩提於意云何佛可以具足色身見不不也
世尊如來不應以色身見何以故如來說具足色
身即非具足色身是名具足色身須菩提於
意云何如來可以具足諸相見不不也世尊如
來不應以具足諸相見何以故如來說諸相具
足即非具足是名諸相具足須菩提汝勿謂

BD00306號　金剛般若波羅蜜經　（13–9）

身即非具足色身是名具足色身須菩提於
意云何如來可以具足諸相見不不也世尊如
來不應以具足諸相見何以故如來說諸相具
足即非具足是名諸相具足須菩提汝勿謂
如來作是念我當有所說法莫作是念何以故
若人言如來有所說法即為謗佛不能解我所
說故須菩提說法者無法可說是名說法須
菩提白佛言世尊佛得阿耨多羅三藐三菩
提為無所得耶佛言如是如是須菩提我於阿
耨多羅三藐三菩提乃至無有少法可得是
名阿耨多羅三藐三菩提
復次須菩提是法平等無有高下是名阿耨
多羅三藐三菩提以無我無人無衆生無壽
者修一切善法則得阿耨多羅三藐三菩提
須菩提所言善法者如來說非善法是名善
法須菩提若三千大千世界中所有諸須弥
山王如是等七寶聚有人持用布施若人以
此般若波羅蜜經乃至四句偈等受持讀誦
為他人說於前福德百分不及一百千万億分
乃至筭數譬喻所不能及
須菩提於意云何汝等勿謂如來作是念我
當度衆生須菩提莫作是念何以故實無有
衆生如來度者若有衆生如來度者如來
則有我人衆生壽者須菩提如來說有我者
則非有我而凡夫之人以為有我須菩提凡

BD00306號　金剛般若波羅蜜經　（13–10）

衆生如来度者若有衆生如来度者如来
則有我人衆生壽者須菩提如来說有我者
則非有我而凡夫之人以為有我須菩提凡
夫者如来說則非凡夫須菩提扵意云何可
以卅二相觀如来不須菩提言如是如是以卅
二相觀如来佛言須菩提若以卅二相觀如
来者轉輪聖王則是如来須菩提白佛言世
尊如我解佛所說義不應以卅二相觀如来
尒時世尊而說偈言
若以色見我　以音聲求我　是人行邪道　不能見如来
須菩提汝若作是念如来不以具足相故得
阿耨多羅三藐三菩提須菩提莫作是念
如来不以具足相故得阿耨多羅三藐三菩提
須菩提汝若作是念發阿耨多羅三藐三菩
提者說諸法斷滅相莫作是念何以故發阿
耨多羅三藐三菩提者扵法不說斷滅相
須菩提若菩薩以滿恒河沙等世界七寳以用
布施若復有人知一切法无我得成扵忍此菩
薩勝前菩薩所得功德須菩提以諸菩薩不
受福德故須菩提白佛言世尊云何菩薩不受
福德須菩提菩薩所作福德不應貪著是故
說不受福德須菩提若有人言如来若来
若去若坐若卧是人不解我所說義何以故如
来者无所從来亦无所去故名如来
須菩提若善男子善女人以三千大千世界碎

BD00306號　金剛般若波羅蜜經　（13–11）

若去若坐若卧是人不解我所說義何以故如
来者无所從来亦无所去故名如来
須菩提若善男子善女人以三千大千世界碎
為微塵扵意云何是微塵衆寧為多不甚多
世尊何以故若是微塵衆實有者佛則不說是
微塵衆所以者何佛說微塵衆則非微塵衆
是名微塵衆世尊如来所說三千大千世界則非
世界是名世界何以故若世界實有者則是一合
相如来說一合相則非一合相是名一合相須菩
提一合相者則是不可說但凡夫之人貪著其
事須菩提若人言佛說我見人見衆生見壽者
見須菩提扵意云何是人解我所說義不不也世尊
是人不解如来所說義何以故世尊說我見人見衆
生見壽者見即非我見人見衆生見壽者見是
名我見人見衆生見壽者見須菩提發阿耨多
羅三藐三菩提心者扵一切法應如是知如是見如
是信解不生法相須菩提所言法相者如来說即
非法相是名法相須菩提若有人以滿无量阿僧祇
世界七寳持用布施若有善男子善女人發菩薩
者持扵此經乃至四句偈等受持讀誦為人演說
其福勝彼云何為人演說不取扵相如如不動何以故
一切有為法　如夢幻泡影　如露亦如電　應作如是觀
佛說是經已長老須菩提及諸比丘比丘尼優
婆塞優婆夷一切世間天人阿脩羅聞佛所說
皆大歡喜信受奉行

BD00306號　金剛般若波羅蜜經　（13–12）

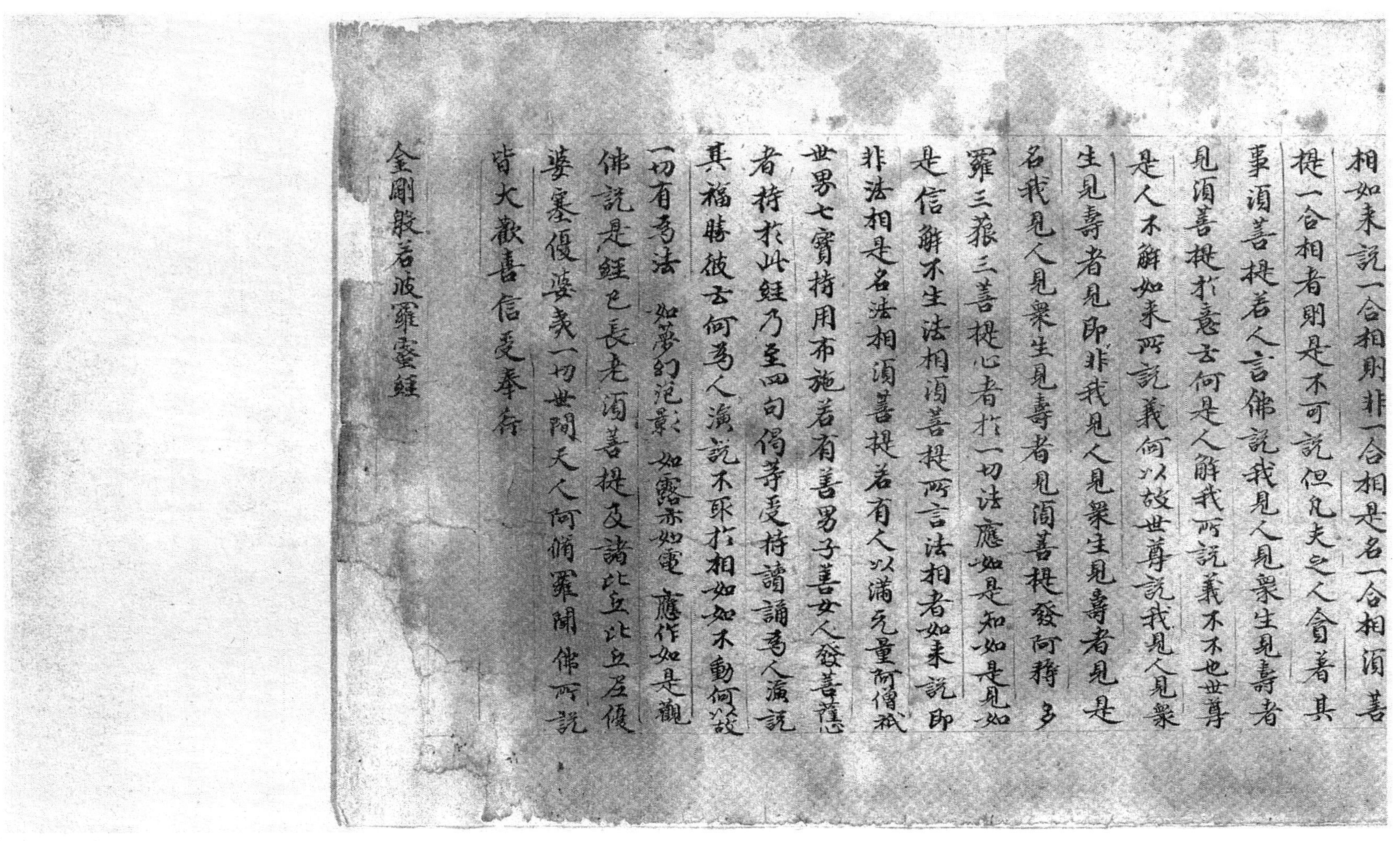

相如來說一合相則非一合相是名一合相須菩
提一合相者則是不可說但凡夫之人貪著其
事須菩提若人言佛說我見人見衆生見壽者
見須菩提於意云何是人解我所說義不不也世尊
是人不解如來所說義何以故世尊說我見人見衆
生見壽者見即非我見人見衆生見壽者見是
名我見人見衆生見壽者見須菩提發阿耨多
羅三藐三菩提心者於一切法應如是知如是見如
是信解不生法相須菩提所言法相者如來說即
非法相是名法相須菩提若有人以滿无量阿僧祇
世界七寶持用布施若有善男子善女人發菩薩
者持於此經乃至四句偈等受持讀誦為人演說
其福勝彼云何為人演說不取於相如如不動何以
一切有為法　如夢幻泡影　如露亦如電　應作如是觀
佛說是經已長老須菩提及諸比丘比丘尼優
婆塞優婆夷一切世間天人阿脩羅聞佛所說
皆大歡喜信受奉行

金剛般若波羅蜜經

BD00306號　金剛般若波羅蜜經　（13–13）

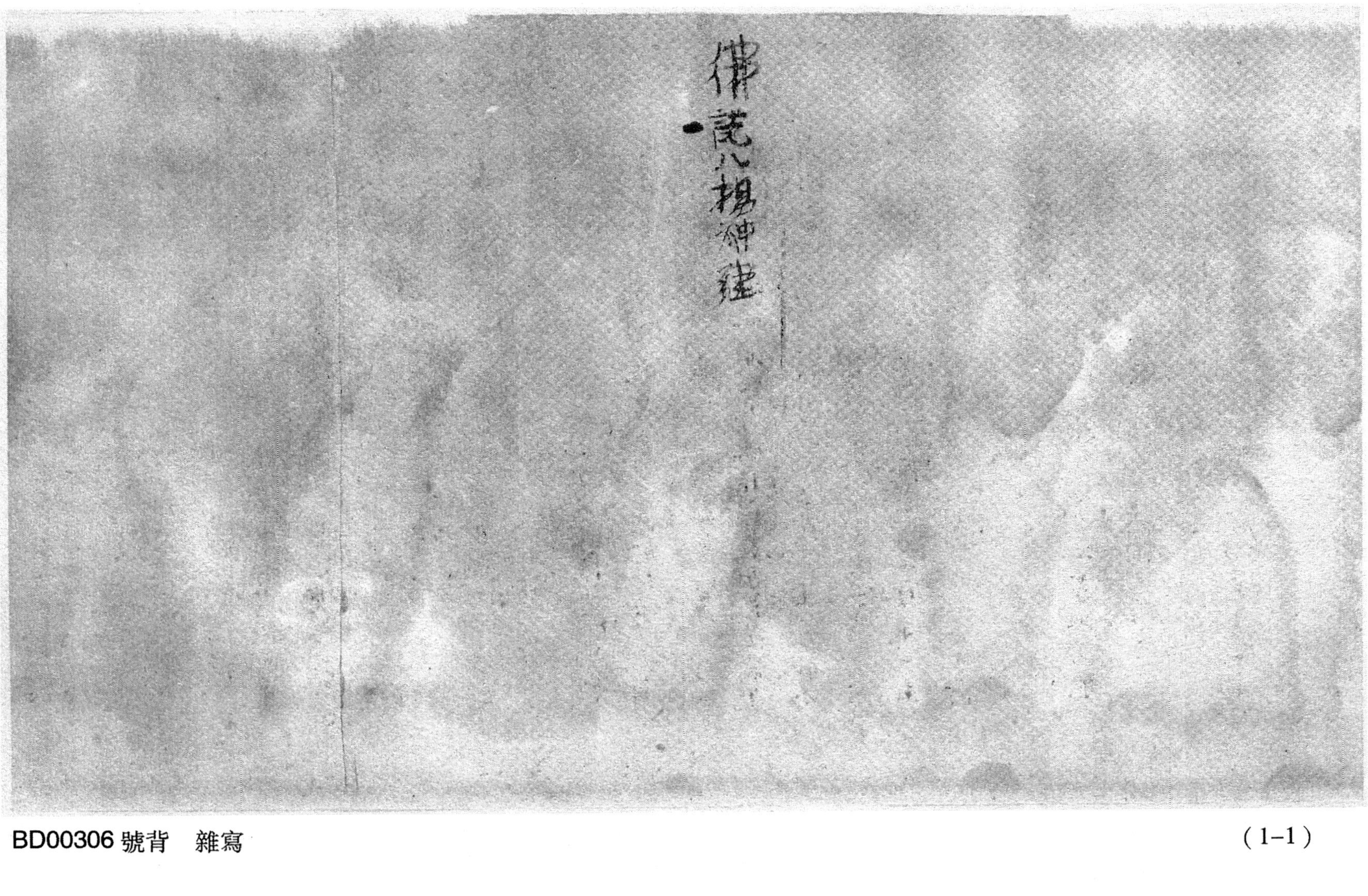

BD00306號背　雜寫　（1–1）

尼佛
人言如来得阿耨多
提實无有法佛得阿耨
菩提於是中无實无虚是故如来說
皆是佛法須菩提所言一切法者即非一
法是故名一切法須菩提譬如人身長
菩提言世尊如来說人身長大則為非大身
是名大身
須菩提菩薩亦如是若作是言我當滅度
无量衆生則不名菩[illegible]故須菩提實无
有法名為菩[illegible]一切法无我无人无
衆生无壽者[illegible]菩薩作是言我當莊
嚴佛土是不[illegible]何以故如来說莊嚴佛
土者即非莊嚴是名莊嚴須菩提若菩薩通
達无我法者如来說名真是菩薩
須菩提於意云何如来有肉眼不如是世尊
如来有肉眼須菩提於意云何如来有天眼不
如是世尊如来有天眼須菩提於意云何如
来有慧眼不如是世尊如来有慧眼須菩
提於意云何如来有法眼不如是世尊如来
有法眼須菩提於意云何如来有佛眼不如
是世尊如来有佛眼須菩提於意云何恒河
中所有沙佛說是沙不如是世尊如来說是
沙須菩提於意云何如一恒河中所有沙有

BD00307 號　金剛般若波羅蜜經

（3–1）

有法眼須菩提於意云何如来有佛眼不如
是世尊如来有佛眼須菩提於意云何恒河
中所有沙佛說是沙不如是世尊如来說是
沙須菩提於意云何如一恒河中所有沙有
如是等恒河是諸恒河所有沙數佛世界如
是寧為多不甚多世尊佛告須菩提尒所國
土中所有衆生若干種心如来悉知何以故
如来說諸心皆為非心是名為心所以者何
須菩提過去心不可得現在心不可得未来
心不可得
須菩提於意云何若有人滿三千大千世界
七寶以用布施是人以是因緣得福多不如
是世尊此人以是因緣得福甚多須菩提若
福德有實如来不說得福德多以福德无故
如来說得福德多
須菩提於意云何佛可以具足色身見不不
也世尊如来不應以具足色身見何以故如
来說具足色身即非具足色身是名具足色
身須菩提於意云何如来可以具足諸相見
不不也世尊如来不應以具足諸相見何以
故如来說諸相具足即非具足是名諸相具
足須菩提汝勿謂如来作是念我當有所說法
莫作是念何以故若人言如来有所說法即
為謗佛不能解我所說故須菩提說法者无
法可說是名說法
須菩提白佛言世尊佛得阿耨多羅三藐

BD00307 號　金剛般若波羅蜜經

（3–2）

故如来說諸相具足即非具足是名諸相具
足須菩提汝勿謂如来作是念我當有所說法
莫作是念何以故若人言如来有所說法即
為謗佛不能解我所說故須菩提說法者无
法可說是名說法
須菩提白佛言世尊佛得阿耨多羅三藐
三菩提為无所得邪如是如是須菩提我於
阿耨多羅三藐三菩提乃至无有少法可得
是名阿耨多羅三藐三菩提復次須菩提是
法平等无有高下是名阿耨多羅三藐三菩提
以无我无人无衆生无壽者脩一切善法則得
阿耨多羅三藐三菩提須菩提所言善法者
如来說非善法是名善法
須菩提若三千大千世界中所有諸須弥山
王如是等七寶聚有人持用布施若人以此般
若波羅蜜經乃至四句偈等受持為他人說
於前福德百分不及一百千万億分乃至筭
……所不能及
……意云何汝等勿謂如来作是念我
……菩提莫作是念何以故實无有
……衆生如来度者如来則
……如来說有我者則
……菩提凡夫者

BD00307號　金剛般若波羅蜜經　（3–3）

力所制佛以大慈普許十方等視憎愛救濟
為務以是之故不可留之便告才明可詣佛
所宣貴國命於是才明辭詣竹林行到精舍
見佛世尊盡虔礼敬五體投地右繞三帀長
跪叉手而白佛言維耶離國諸王大臣長者居
士遥礼佛足唯天中天普慈衆生莫不蒙濟
鄙國遭厄唯願世尊垂恩降光隣愍苦厄令
得蘇息時佛嘿然許其所請才明見佛受請
許往歡喜无量時王舍國境内神祇天龍鬼
神知佛受請當詣他國莫不躁動惨然不悦
便現感應語其國王阿闍世日大王如何安
然无憂於今不久當違離佛猶如嬰兒失其
二親喻行曠路斷失水漿譬如猛寒亡失衣裳
令佛當行國失恃怙其喻如是王聞神祇降應
說是情即愴然甚懷愁苦嘿然思惟衆生頑
愚志性鈍濁今離世尊安從復得智慧之礪
磨瑩鈍心誰當濟其塵勞重惡宿世重責誰
當誨除一切衆生重罪令輕吾等久在生
死牢獄重關所閉誰當復以正法之鑰開生
生死獄重關牢閉吾等普為勞垢惑陽暑
熱所炙安從復得佛清涼教月精明珠銷
除炎熱王即勅嚴出詣佛所稽首佛足右

BD00308號　除恐災患經　（19–1）

死牢獄重開所閉誰當復以正法之鑰開生
生死獄重開牢閉吾等普為勞垢臧陽暑
熱所炙安從復得佛清涼教月精明珠銷
除炎熱王即勅嚴出詣佛所稽首佛足右
繞三帀却坐常位時佛為王説正法化初
中竟善淨身口意清淨微妙王心歡喜叉
手白佛須維耶離使請世尊承已許往心甚
懔懔无方留尊唯垂矜愍特受鄙請住宮三
月佛告王言衆生可傷若住三月何時當周
衆苦厄者吾无數劫苦身求道為衆生故願
欲成佛以甘露藥施於衆生今願已成猶如
有人合和神藥欲救衆患值遇病者達其本
搢而不授與則非良醫若在江側見漂流人
不往救度非賢士宜若於曠野見失路者不
示正道是則非仁吾以大慈普愍衆生故遊
諸國縣邑村落救濟衆苦賦甘露藥无怙者
恃无歸者歸王重白佛唯垂慈恩許受二月
佛故不許王重殷勤長跪叉手垂泣白言命
難可保猶露然燈遇无常風奄忽便滅今與
佛別何時當復更覲尊顔垂受二月佛重不
許王便投身於佛足下唯願世尊特加大慈
與弟子衆許住一月世尊不忍即便許受王
便還起心悦懔敬繞佛三帀礼辭還宮勅廚
饌具百味之飯極令精好鮮甘香潔宮裏張
施繒綵幡蓋雜寶牀机綩綖座具掃除繕治

與弟子衆許住一月世尊不忍即便許受王
便還起心悦懔敬繞佛三帀礼辭還宮勅廚
饌具百味之飯極令精好鮮甘香潔宮裏張
施繒綵幡蓋雜寶牀机綩綖座具掃除繕治
香汁灑地衆事辦畢明日時至王於正路遥
向世尊燒香長跪佛天中天聖達知時願與
聖衆迴降神光到宮餐食於時世尊勅諸弟
子法服執器行詣王請佛與聖衆俱至王宮
王即盡虔華香伎樂宮門迎佛入各就座王
自行水周遍聖衆手自斟酌百味飯食鮮潔
香甘一切平等日日供養飯食卧具疾藥所
須令勅外宮治填道路種植街樹七行街路
乃至江水頭息帳幔及林座具嚴飾幡蓋猶
如天街更新造作五百七寶蓋維耶離國
聞佛當至亦復平治七行階路種植行樹帳幔
林座國王大臣長者居士各從大衆出國迎
佛一月期滿佛與聖衆出宮臨路王從大衆華
香散佛周遍覆地大衆來集猶秋水長投於
大海白明月珠校七寶蓋王以恭敬手執奉
上以覆世尊佛與大衆尋路而行至江水側
時王上佛五百七寶蓋大海龍王亦復敬奉
五百七寶蓋恒水諸龍亦俱上佛五百七寶蓋
時天帝釋將諸天衆亦復獻佛五百七寶蓋
時維耶離大衆迎者服飾嚴麗青馬青車青
蓋青幡服飾皆青赤馬赤車服飾皆赤黃馬

時維耶離大衆迎者服飾嚴麗青馬青車青
蓋青幡服飾皆青赤馬赤車服飾皆赤黄馬
黄車服飾皆黄白馬白車服飾皆白黒馬黒車
服飾皆黒色色殊别將從无數佛還見之告
諸弟子欲知天帝出遊觀時威儀如是維耶
離國奉迎上佛五百七寶蓋各以其蓋前至
佛所各白佛言佛天中天普世覆蓋願受蓋
施佛受其施餘留一蓋時諸大衆心各懷疑
不審為是宿世積德行蓋之報海龍恒龍切
利天帝維耶離國羅閱祇王各各奉上七寶妙
蓋同時俱會又疑何故不受一蓋於是阿難知
衆懷疑長跪叉手前白佛言唯天中天大衆
普疑今日何緣有是二千五百七寶寶蓋同
時俱至奉上世尊為是前世善本報乎今現
福耶唯願世尊決一切疑佛告阿難一心專
聽今當决除汝等所疑乃往過去无央數劫
時有轉輪聖王名曰摩調晋言大夫典主四域王有
千子七寶導從王末少子見其父王七寶御
蓋還問母曰我當何時得服此蓋以自光飾
母言唯子王千子中汝最末小若无大王太
子承嗣若太子崩以次承繼展轉千人汝骨朽
腐未央得蓋重問母曰无蓋望耶因聞有
死形骸當朽宿福追逮悵然心悟惟人生世
必當有死因報母曰唯願見聽捨家學道母
甚愍傷不違其願母告之日聽汝捨家若卿

死形骸當朽宿福追逮悵然心悟惟人生世
必當有死因報母曰唯願見聽捨家學道母
甚愍傷不違其願母告之日聽汝捨家若卿
道成要還見吾尒乃相聽對曰如勑道成當
還即詣林藪除鬚髮被著法服靜慮勤脩
精進不懈竭盡塵勞成緣覺道遊行諸國
縣邑村落福度衆生所種善本忽憶母要便
上昇空猶如鷹王還本國宮與母相見閻宮
大小見道士神通莫不懽喜王諸綵女八万
四千共請令住道士慈仁不逆一切便受其
請諸綵女輩於宮後園為設廬窟上宿其中
舉宮供養衣食牀卧疾藥所須朝暮礼事功
世間壯者皆老強健必病生者皆死時辟支
佛於其宮園便捨壽命舉宮綵女薪油華香
供養以礼斂骨起塔朝暮礼拜燒香然燈時
王大天巡四域還臨幸後園見有此塔顧問
侍臣何故有是綵女對曰此是聖王最下少
子離家學道於此壽終為立是塔因重發問
是誰之子何緣捨家便召其母而問之日是
卿子耶對曰唯尒又復問日何緣學道其母
白王是兒往昔見王出遊所還見問王七寶
蓋不審何時在我上旋妾便告言太子應繼
承嗣聖王展轉千子汝骨朽敗永无蓋望子
聞妾言慘然畏死求行學道妾輙聽之勤學
道成妾等請住供養盡壽逮立此塔王復問
日子以蓋故行學道耶對曰如是王愍其子

承嗣聖王展轉千子汝骨朽敗永无蓋望子
聞妾言惓然畏死求行學道妾輒聽之勤學
道成妾等請佳供養盡壽建立此塔王復問
日子以蓋故行學道邪對曰如是王愍其子
不得蓋故學道盡壽生不得蓋令使以蓋覆
其塔上王因發願令以此蓋奉得道塔緣是
福報願成佛道濟度衆生生老病死王心悚然
知世非常无免死者因立太子承嗣聖位王
捨四域七寶千子八万四千後宮綵女除鬚
髮旣行作沙門靜處學道脩四淨行慈悲喜
護畢其形壽上生梵天佛告大衆於卿等意
所志云何王大天者豈異人乎莫造斯觀則
吾是也時以一蓋上緣覺塔緣是福報於此
地上為轉輪王不可稱數上為天王天上世
間受福无限一蓋餘福吾應於世二千五百
及為轉輪王主四天下阿難又問世尊何故
不受一蓋佛言是吾一世轉輪王福所以捨置
而不受者以此福報施後末世受吾法化
為弟子者學士學女欲令此等不乏衣食牀
臥疾藥過去諸佛法沒盡時其有學道或因
恐怖或困飢窮不得行道正法沒盡其有未
世於吾法化捨家學道被服法衣稱佛為師
富妻養子此等皆尚得人供養何況精勤脩
奉禁戒守淨行者至吾法盡不得供養乏窮
閱祇王勅其部界令於江上更造新橋佛與

富妻養子此等皆尚得人供養何況精勤脩
奉禁戒守淨行者至吾法盡不得供養乏窮
閱祇王勅其部界令於江上更造新橋佛與
聖衆得乘渡江維耶離國亦復造橋欲使佛
過恒水諸龍還相文編結龍為橋請佛乘度
時佛思惟若乘羅閱祇所造橋度恐維耶離
國及諸龍王心懷微恨乘維耶離所造橋度
恐阿闍世及龍懷恨欲乘龍橋恐二王有恨
佛又思惟令當分身令於三橋皆有佛過佛
垂臨橋王向闍世與其將從數億衆生賫華
離寶伎樂供養佛法聖衆王與羣臣一切大
衆數億千人五體投地自歸悔過垂泣送佛
佛現神化於二王橋及諸龍橋皆現有佛與
聖衆俱天龍鬼神乘橋度江王舍國王維耶
離王恒水諸龍各自見其所作橋上佛將大衆
乘橋渡江各不知見更有佛在餘橋上獨自
見橋佛登渡江佛適渡江已竟見八万四千
餓鬼身出煙火其中未得道者見此火皆恐
怖是何大火辟如燒其大山見此大火或來
近水或遠於水何難悉知一切人意長跪叉
手白佛言佛天中天佛至尊至重天上天下
審尊一切衆生見此火者无不恐怖此何等
火願佛為一切衆生說此何等之大佛語阿
難此令餓鬼先世不逢佛亦不聞法亦不見
比丘僧亦不知世間有罪福生為餓鬼如今

宿尊一切衆生見此火者无不恐怖此何等
火顛佛為一切衆生說此何等之大佛語向
難此令餓鬼先世不逢佛亦不聞法亦不見
比丘僧亦不知世間有罪福生為餓鬼如令
見佛奔趣歸向皆為頭面著地長跪叉手白
佛言佛天中天至尊至重天上天下憐愍一
切衆生蜎飛蠕動有形之類佛為一切衆生
之父母使我墮餓鬼佛度我我亦如一切衆
生之類佛言知餓鬼先世所種佛為一切衆
生故問餓鬼前世所種行令為餓鬼餓鬼曰
先身雖見佛不知有佛雖見法不知有法雖
見比丘僧不知有比丘僧我亦不作福教他
人亦不作福作福有何等福不作福有何種
罪見人作福言恒嘆之見人作罪意常歡喜
佛問餓鬼生此餓鬼之中以來至今更歷幾
百年歲餓鬼報言我生中七万歲佛問餓鬼
生中七万歲食飲何種為得何食餓鬼報言
我先世種行至惡遇值小水即化不見至於大
水便為鬼神龍羅刹所逐言汝先世種惡
令何以來近此江海雖值大龍普天放雨謂
呼得雨漬其身方更礫石熱沙或值炭火以
隨其身佛問餓鬼生中七万歲由來飲食何
等餓鬼報佛言或有世間父母親里稱其名
字為作追福者使小得食不作福者不得飲
食諸餓鬼叉手白佛言從來飢渴佛天中天

BD00308號　除恐災患經　（19–8）

隨其身佛問餓鬼生中七万歲由來飲食何
等餓鬼報佛言或有世間父母親里稱其名
字為作追福者使小得食不作福者不得飲
食諸餓鬼叉手白佛言從來飢渴佛天中天
慈愍一切衆生令賜餓鬼小飲食佛語向難
捉鉢取水用布施餓鬼向難便捉鉢取水與
餓鬼餓鬼白佛言令此一鉢水不飽一人况
乃八万四千佛語諸餓鬼八万四千捉此鉢
水至此布施佛及諸弟子諸八万四千餓鬼
捉此鉢水長跪布施以我先世不布施令生
餓鬼中如令无所有持此鉢水布施佛及諸
弟子使諸餓鬼緣此功德遠離三悪道後所
生得師如佛无異餓鬼過水與向難向難捉
水與佛嘗一口過與千二百五十弟子各嘗
一口佛語諸餓鬼入大江飲水并可洗浴江
海龍鬼神遮不得洗浴飲水佛語海龍王及
諸鬼神无極之水何以愛惜諸龍鬼神言不
惜此水以餓鬼不淨故佛語海龍王鬼神御
身自從无數劫以來亦作此身愛惜无極之
水御後還作此身以慳貪故生為餓鬼諸海
龍王鬼神聞佛言盡還入海聽諸餓鬼盡得
飲水飽滿洗浴還出繞佛三帀為佛作礼叉
手白佛言佛天中天知當来過去何時當脫
此餓鬼之身佛言以一鉢水故後當弥勒佛
出世人壽八万四千歲現諸餓鬼盡得人身

BD00308號　除恐災患經　（19–9）

手白佛言佛天中天知當來過去何時當脫
此餓鬼之身佛言以一鉢水故後當弥勒佛
出世人壽八万四千歲現諸餓鬼盡得人身
皆得阿羅漢道其諸衆會聞此布施功德者
皆得正直道意諸一切餓鬼繞佛三帀作礼
而去維耶離國諸王大臣長者居士國人无
數五體作礼自投佛足歸命三寶香華伎樂
繒蓋幢幡奉迎世尊華遍覆地尋路供養日
日不絕至于國城佛與聖衆天龍鬼神往于
城門以金色辟德相之手觸城門閫以梵清淨
淨八種之聲而說偈言
諸有衆肅　在土界中者　行住於地上　及虛空中者
慈愛於衆生　令各安休息　晝夜勤專精　奉行衆善法
說此偈已地即為之六反大動佛便入城室
中鬼神舁室退散地行鬼神爭門競出城門
不容各各奔突崩城而出於時城中諸有不
淨廁穢臭惡下沉入地高卑相從溝坑皆平
盲視聾聽瘂語躄行狂者得正病者除愈象
馬牛畜悲鳴相和箜篌樂器不鼓自鳴宮商
調和婦女珠環相敤妙響器物風飄自然有
聲柔和暢妙法之音地中伏藏自然發出
一切衆生如遭熱渴得清涼水服飲澡浴泰
然穢息舉城衆病除愈解脫亦復如是佛與
大衆便還出城垂大慈哀欲為衆生施大擁
護繞城周帀門門呪願敷演妙法除凶致祥

一切衆生如遭熱渴得清涼水服飲澡浴泰
然穢息舉城衆病除愈解脫亦復如是佛與
大衆便還出城垂大慈哀欲為衆生施大擁
護繞城周帀門門呪願敷演妙法除凶致祥
舊國疾患災疫悉除國界盡安於是才明前
礼佛足長跪叉手白世尊言前許垂愍唯願
明日與諸大衆愍衆生故迴光顧臨至舍蔬
食佛嘿聽許歡喜踊躍右繞三帀礼佛而退
歸家供辦百味飲食清淨香潔色鮮味甘嚴
飾家裏懸繒幡蓋林座繞綖香汁灑地散華
燒香供設備辦還於門中長跪燒香遲白
佛言幸時降神尒時世尊勑諸弟子著衣持
鉢行詣長者才明受請即到其門才明肅恭
華香伎樂請佛入舍佛與聖衆以次就座於
時才明執持金瓶躬行澡水手自斟酌上下
平等飯食畢說重行澡水長跪叉手前白佛
言唯願世尊垂四等心更受三日如今之請
佛嘿便許於是才明供佛聖衆種種香潔如
其初日四日已竟以金色疊價直千万次到上
座九万價疊以次轉下末下座者万錢買疊
以為達嚫其妻即起長跪叉手白世尊曰唯
天中天慈加人物顧留神光受賤妾請更住
四日佛嘿然許其妻供養初日後日至于四日
飯食香潔等无差異四日已竟又以金色十万
買疊奉上世尊次九万疊宦下万錢時才明

飯食香潔等无差異四日已竟又以金色十万
貫疊奉上世尊次九万疊宬下万錢時才明
子起至佛前長跪叉手白世尊言唯天中天
已受父母各四日食幸垂慈哀憐愍受我四
日之請佛亦嘿許其子恭勤四日供養飲食
甘美亦如父母即以金色十万貫疊奉獻世
尊次坐九万末下万錢子婦又起長跪白佛
世尊弘慈已受公姑及夫供養幸如前比復
受四日佛又嘿受所設肴膳如前无異亦至
四日亦以金色十万貫疊次座九万下座万
錢以為噠嚫居家大小於佛前坐奉受訓誨
佛為班宣敷演四諦普集盡道八賢聖路斷
除勞意二十二結證諦滿淺維耶離國諸王
大臣長者居士合國人民皆生心念佛來至
國為獨以一才明故手意皆懷嫌象馬車步
皆共來集向才明家欲壞其舍得見世尊大
眾震動響有聲佛悉預覩故問阿難外有
何聲阿難白佛維耶離王大臣長者國人巨細
皆懷怨心世尊入國才明請歸獨固在家至
十六日餘不得見以此為嫌故集會來欲見
世尊佛告阿難出慰諸人莫賷恨意欲見佛
者便聽使入阿難宣命謂諸大眾以啓聽入
國王大臣及一切人聞佛教告怨心霍除无
餘微恨如雨奄塵便入見佛五體投地稽首佛
足大眾浩浩其舍不容在外者衆佛悉慈愍

者便聽使入阿難宣命謂諸大衆以啓聽入
國王大臣及一切人聞佛教告怨心霍除无
餘微恨如雨奄塵便入見佛五體投地稽首佛
足大眾浩浩其舍不容在外者衆佛悉慈愍
化才明舍令為瑠璃表裏清徹悉通相見於是
才明為設牀座氍毹毾㲪種種食具水精瑠璃
金銀雜寶以為器物大衆食訖於是才明前
白世尊及諸貴賓居儉蔬食枉屈願臨飯以食
器及牀座具以相貢遺時會大衆莫不愕然
皆共歎咤長者才明立名不妄與德相副與
設大施貢遺寶器莫不周遍家中財寶豈可
貲計四部弟子及與大衆心皆懷疑長者才
明有何功德請佛大衆至十六日及王臣民
供養貢遺周遍一國得服甘露前世福邪今
世德乎阿難即知衆會心疑長跪叉手前白
佛言大會懷疑長者才明於何福田廣植德
本遭何明師受其教誨令遠影報財富无限
心明行淨先服甘露唯願世尊現說本行決
一切疑佛告阿難及諸大會一心善聽令當
解暢心之所疑往世有城名波羅柰去城不
遠山名仙居山中池水林樹華菓快樂无比
世有佛時與諸弟子遊處其中若世无佛緣
覺居中若无緣覺外學神仙則居其中初无
斷絶以是之故斯名仙居時有緣覺在山中
止早起澡漱法服持鉢出山求食未至聚落

斷絶以是之故斯名仙居時有緣覺在山中
止早起澡漱法服持鉢出山求食未至聚落
遇暴風雨去道不遠有官果園中有園監見
有煙出道士往詣報語主人行遇風雨幸聽
入舍向火暴衣即請令入取薪然火爲暴衣
裳衣乾體暖風雨小歇着衣欲出園監問曰
唯聖道士欲何所至荅曰賢者一切有形衣
食爲命吾捨家學乞食自存若不得食身命
不濟諸根不定不能思道園監對曰貧家蔬
食色麁味酸若垂甘受幸住勿行緣覺荅曰
學道求食不着色味无驗而已若相許食便
住不行於是園監便歸取飯至家問婦飯食
辦未對曰已辦其國食法分飯別食夫語婦
曰取吾分來偶有要客欲以食之妻即念言
夫爲男子當執勞役涉冒寒暑假令不食不
能執勞妾爲女人在家閑處可持妾分以供血
容其子又言父母年老便可自食以我分與
其子婦曰公姑及夫以許食客妾年幼壯堪
忍飢渴乞以妾分持用食客大人便言汝等
各各善心欲施可共減取衆人之分足以食
客即便各減己之飯分園監又念道士衣裳裂
壞形露因問其婦家中少有衣裳調无其妻
對曰家中唯有一領疊衣會賓應門更无衣之
餘无所有夫荅婦言以前世時无所惠施今
守貧賤不及遠人今者不施貧窮下賤何時

對曰家中唯有一領疊衣會賓應門更无衣之
餘无所有夫荅婦言以前世時无所惠施令
守貧賤不及遠人今者不施貧窮下賤何時
當竟富貴豪尊衣食自然者皆是前世惠施
之福令續惠施无有歇足我亦不用會客應
門改易服飾取疊并飯家屬皆往到道士所
澡手奉飯道士食訖澡漱滌鉢四人奉疊并授
緣覺即便衣之緣覺不以說法教化現道神
足悅寤衆生令發道意告主人曰以能惠施
供養道士堅强汝志發弘誓願語竟昇空結
交趺坐住立經行變現緣覺无端虚空各　各
現化身出水出火水不滅火火不侵水若干變
化乘空飛行還仙居山園監眷屬歡喜踊躍人
手作禮叩頭求哀便發誓願以今日惠施聖明神
聖道士緣是福報離三惡道地獄餓鬼畜生
之趣所生之處常共聚會天上世間饒富安隱
覺慧道力服甘露味如聖明師若遭明師神
德殊勝佛告大衆時園監者財才明是妻息
子婦皆是本人尒時同心施尊緣覺自是以
來九十一劫不更三塗受弘福報天上世　間
室家聚會不相遠離尒時發願願服甘露覺
道得解遭殊勝師緣是之故今遭值我得遇
勝覺无限无喻今服甘露如其先師尒時大
會聞佛班宣功德報應莫不歡喜心悅意清
自歸三寶佛法聖衆慚結除解或受五戒或
[illegible]

會聞佛班宣功德報應莫不歡喜心悅意清
自歸三寶佛法聖衆嶮結除解或受五戒或
捨家學於是會中有四千人皆得道迹往来
不還无著之果无央數人發大乘意心不退
轉於是世尊起出其舍一切大衆稽首各退
佛與大衆俱至柰女林樹精舍柰女聞佛從
大聖衆至其樹園心喜无量即便嚴駕與其
僕從詣園見佛到下寶車如雲降雷趍翔入
園如吉利天服飾姿容殊天王女園樹諸天
莫不迴目佛見其然是魔使来壞敗淨戒定
慧解脫度知見品即以梵音告諸沙門柰女
来至各撿汝意各自執持精進力弓皆自嚴
辦智慧之夫被定意鎧乘禁戒車與塵勞戰
汝等當計女人所有欺詐一切如金塗錢皮
薄如蟬翅以覆惡穢觔骨連綴血肉之聚目
眩淚唾身體汙垢若不洗拭作是計念觀女
人身以制迷惑色欲之意諦觀骨舍束縛以
觔塗以血肉覆以衣服飾以華綵猶如畫師
立墟以墼泥塗惡露畫以綵色女人之身亦
復如是當諦計知除滅淫心夫欲學道先調
其心後可獲安不先調心後悔无及邪行迷
旋辟如擲馬臨其壽終顛與意違終不解脫
其有視色心隨或者无常計常苦有樂想无
我計我不淨淨想慧覺无常苦空不淨達如
是者即離長塗生死患難佛以是教告諸弟

[illegible]
其有視色心隨或者无常計常苦有樂想无
我計我不淨淨想慧覺无常苦空不淨達如
是者即離長塗生死患難佛以是教告諸弟
子皆共受持一心奉行柰女見佛如日出雲
金光照曜發清淨意五體投地稽首佛足却
坐一面佛告柰女女人情逸或著五欲汝能
御心迴屈詣佛所樂妙法化是汝前利男子
安重塵勞垢薄樂受法化此不為奇女人纏
眠塵勞羅網盤旋周章不識出要一切世間
苦空无常不可怙恃羸疾侵枉老失顏色死
劫壽命危侵安隱欲離是患專精受法勤脩
奉行乃免斯苦女人怨憎相遇甚惡亦甚憶
慕恩愛之別凡為女人每不遠離於此二事
是故女人當勤奉法可離怨會恩愛離別不
復遭遇生老病死衆苦都滅柰女聞佛若干
妙化女人之穢心懷慚愧即起長跪叉手白佛
願垂慈哀與聖衆俱至舍受食佛即然受
於是柰女稽首而退還歸辦具百味之食甘脆
精美張施幡蓋牀座綩綖香汁灑地燒香散
華長跪請佛日時已到願與聖衆垂迴臨覆
佛與弟子著衣持鉢至柰女家華香伎樂請
佛入舍各就座位手自斟酌行水奉食食訖
澡漱佛為廣說布施福報戒慎之果天人快
樂不得長久危亡別離不可恃怙唯四聖諦
[illegible]

佛入舍各就座位手自斟酌行水奉食食訖
澡漱佛為廣說布施福報戒慎之果天人快
樂不得長久危亡別離不可恃怙唯四聖諦
八賢聖路以獲大安永无憂患心皆歡喜與
除結解得須陀洹眾生懷疑柰女前世有何
功德從樹華生端正姝好賢者阿難知眾懷
疑長跪叉手前白佛言眾生悉疑柰女前世
於何福田植何德本今遇世尊服甘露藥佛
告阿難乃前過世迦葉佛時人壽二万歲佛
事終竟復捨壽命尒時有王名曰善頭供養
舍利起七寶塔高一由延一切眾生然燈燒
香華蓋繒綵供養礼事時有眾女欲供養塔
便共相率掃除塔地時有狗糞汙穢塔地有
一女人手攎除棄復有一女見其以手除地
狗糞便唾唉之曰汝手以汙不可復近彼女
逆罵汝弊淫物水洗我手便可得淨佛天人
師敬意无已手除不淨已便澡手繞塔求願
令掃塔地汙穢得除令我來世勞垢銷滅清
淨无穢時諸女人掃塔地者今此會中諸女
人是尒時掃地願滅塵勞服甘露味尒時以
手除狗糞女今柰女是尒時發願不與汙穢
會所生清淨以是福報不因胞胎臭穢之處
每因華生以其尒時發一惡聲罵言淫女故
令受是淫女之名佛為廣說善惡報應天上
世間榮樂歡娛三惡道苦更相吞噉愁毒痛

BD00308號　除恐災患經　（19–18）

香華蓋繒綵供養礼事時有眾女欲供養塔
便共相率掃除塔地時有狗糞汙穢塔地有
一女人手攎除棄復有一女見其以手除地
狗糞便唾唉之曰汝手以汙不可復近彼女
逆罵汝弊淫物水洗我手便可得淨佛天人
師敬意无已手除不淨已便澡手繞塔求願
令掃塔地汙穢得除令我來世勞垢銷滅清
淨无穢時諸女人掃塔地者今此會中諸女
人是尒時掃地願滅塵勞服甘露味尒時以
手除狗糞女今柰女是尒時發願不與汙穢
會所生清淨以是福報不因胞胎臭穢之處
每因華生以其尒時發一惡聲罵言淫女故
令受是淫女之名佛為廣說善惡報應天上
世間榮樂歡娛三惡道苦更相吞噉愁毒痛
尖尒時眾會聞佛所說歸命三尊佛法聖眾
除身口意奉行七善无央數人各於三乘建
立道意一切歡喜遶佛三帀作礼而去於是
世尊還至精舍

佛說除恐災患經

BD00308號　除恐災患經　（19–19）

BD00309 號 A 背　大般若波羅蜜多經卷一八六護首、勘記　　（2–1）

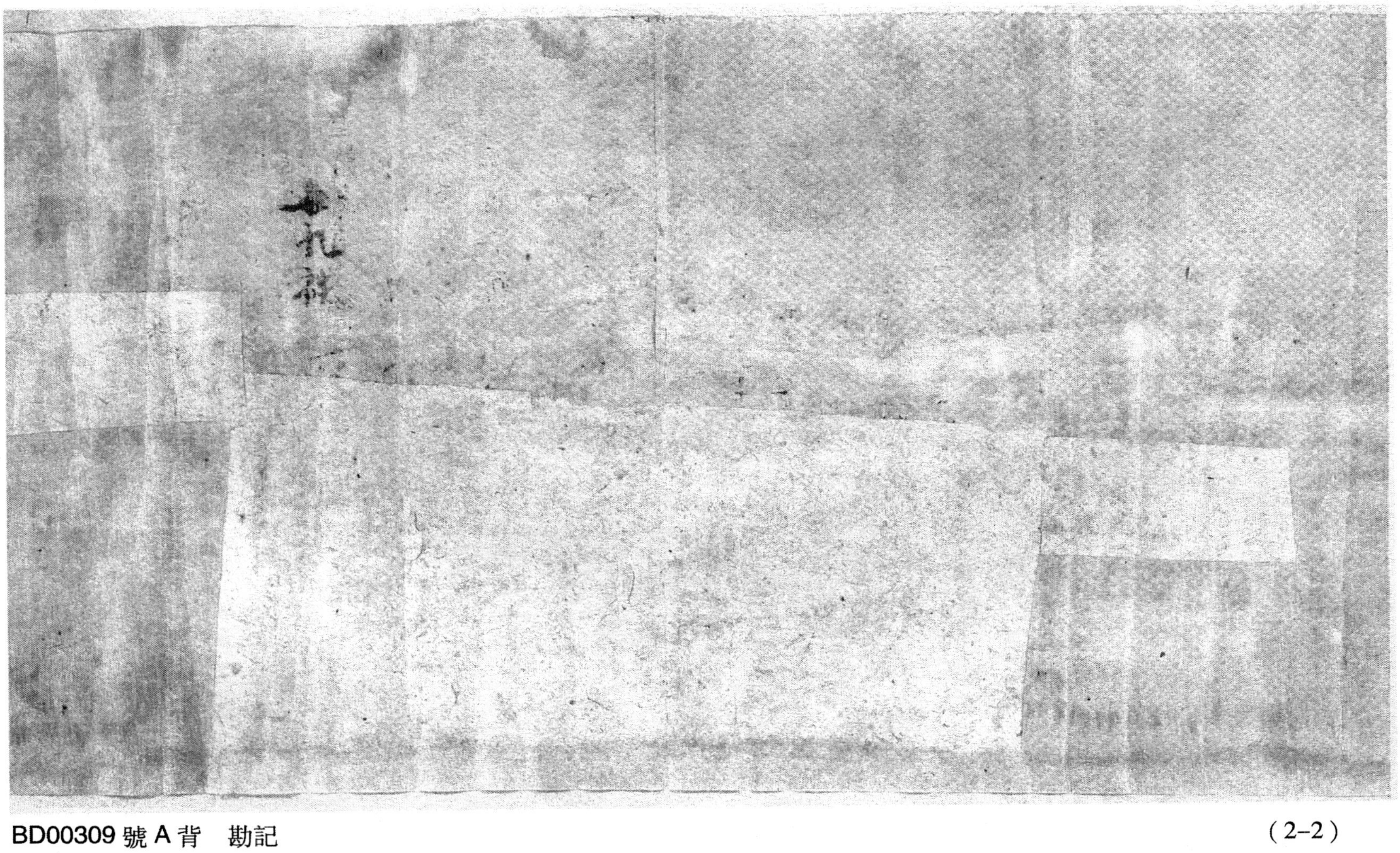

BD00309 號 A 背　勘記　　（2–2）

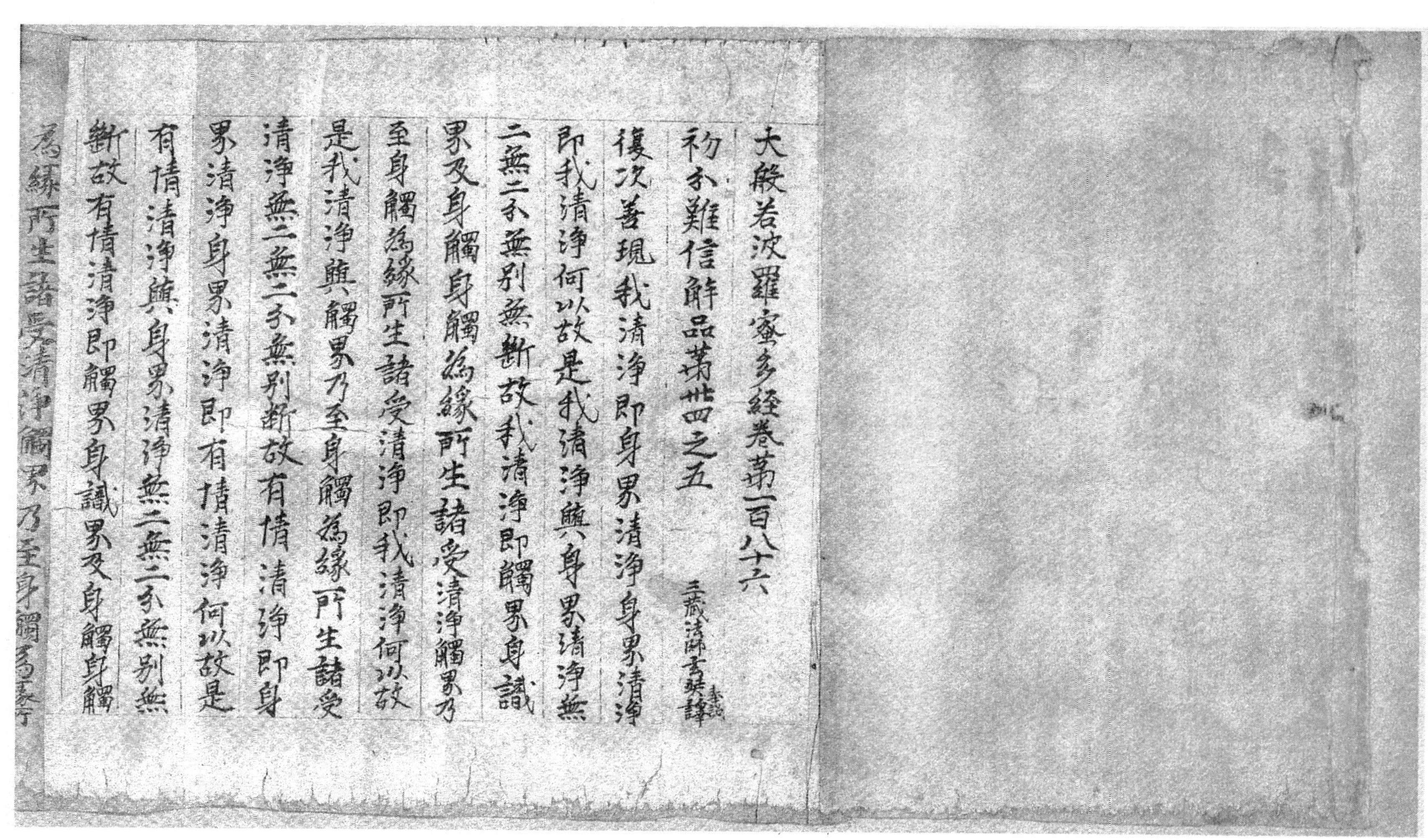

大般若波羅蜜多經卷第一百八十六

初分難信解品第卅四之五　三藏法師玄奘奉詔譯

復次善現我清淨即身界清淨身界清淨
即我清淨何以故是我清淨與身界清淨無
二無二分無別無斷故我清淨即觸界身識
界及身觸身觸為緣所生諸受清淨觸界乃
至身觸為緣所生諸受清淨即我清淨何以故
是我清淨與觸界乃至身觸為緣所生諸受
清淨無二無二分無別無斷故有情清淨即身
界清淨身界清淨即有情清淨何以故是
有情清淨與身界清淨無二無二分無別無
斷故有情清淨即觸界身識界及身觸身觸
為緣所生諸受清淨觸界乃至身觸為緣所

BD00309 號 A　大般若波羅蜜多經卷一八六　(3–1)

斷故有情清淨即觸界身識界及身觸身觸
為緣所生諸受清淨觸界乃至身觸為緣所
生諸受清淨即有情清淨何以故是有情清
淨與觸界乃至身觸為緣所生諸受清淨無
二無二分無別無斷故命者清淨即身界清
淨身界清淨即命者清淨何以故是命者清
淨與身界清淨無二無二分無別無斷故命
者清淨即觸界身識界及身觸身觸為緣所
生諸受清淨觸界乃至身觸為緣所生諸受
清淨即命者清淨何以故是命者清淨與觸
界乃至身觸為緣所生諸受清淨無二無二
分無別無斷故生者清淨即身界清淨身界
清淨即生者清淨何以故是生者清淨與身
界清淨無二無二分無別無斷故生者清淨
即觸界身識界及身觸身觸為緣所生諸受
清淨觸界乃至身觸為緣所生諸受清淨即
生者清淨何以故是生者清淨與觸界乃至
身觸為緣所生諸受清淨無二無二分無別
無斷故養育者清淨即身界清淨身界清淨
即養育者清淨何以故是養育者清淨與身
界清淨無二無二分無別無斷故養育者清
淨即觸界身識界及身觸身觸為緣所生諸
受清淨觸界乃至身觸為緣所生諸受清淨
即養育者清淨何以故是養育者清淨與觸
界乃至身觸為緣所生諸受清淨無二無二
分無別無斷故士夫清淨即身界清淨身界
清淨即士夫清淨何以故是士夫清淨與身

BD00309 號 A　大般若波羅蜜多經卷一八六　(3–2)

無斷故養育者清淨即身界清淨身界清淨
即養育者清淨何以故是養育者清淨與身
界清淨無二無二分無別無斷故養育者清
淨即觸界身識界及身觸身觸爲緣所生諸
受清淨觸界乃至身觸爲緣所生諸受清淨
即養育者清淨何以故是養育者清淨與觸
界乃至身觸爲緣所生諸受清淨無二無二
分無別無斷故士夫清淨即身界清淨身界
清淨即士夫清淨何以故是士夫清淨與身
界清淨無二無二分無別無斷故士夫清淨
即觸界身識界及身觸身觸爲緣所生諸受
清淨觸界乃至身觸爲緣所生諸受清淨即
士夫清淨何以故是士夫清淨與觸界乃至
身觸爲緣所生諸受清淨無二無二分無別
無斷故補特伽羅清淨即身界清淨身界
清淨即補特伽羅清淨何以故是補特伽羅清淨
與身界清淨無二無二分無別無斷故補
特伽羅清淨即觸界身識界及身觸身觸爲
緣所生諸受清淨觸界乃至身觸爲緣所生
諸受清淨即補特伽羅清淨何以故是補特
伽羅清淨與觸界乃至身觸爲緣所生諸受
清淨無二無二分無別無斷故意生清淨即
身界清淨身界清淨即意生清淨何以故是
意生清淨與身界清淨無二無二分無別無
斷故意生清淨即觸界身識界及觸身觸

BD00309 號 A　大般若波羅蜜多經卷一八六　（3–3）

大般若波羅蜜多經卷第二百一十九
初分難信解品第卅四之卅八　三藏法師玄奘奉　詔譯
善現不虛妄性清淨故五眼清淨五眼清淨
故一切智智清淨何以故若不虛妄性清淨
若五眼清淨若一切智智清淨無二無二分
無別無斷故不虛妄性清淨故六神通清淨
六神通清淨故一切智智清淨何以故若不
虛妄性清淨若六神通清淨若一切智智清
淨無二無二分無別無斷故善現不虛妄性
清淨故佛十力清淨佛十力清淨故一切智
智清淨何以故若不虛妄性清淨若佛十力
清淨若一切智智清淨無二無二分無別無
斷故不虛妄性清淨故四無所畏四無礙解
大慈大悲大喜大捨十八佛不共法清淨四
無所畏乃至十八佛不共法清淨故一切智
智清淨何以故若不虛妄性清淨若四無所
畏乃至十八佛不共法清淨若一切智智清
淨无二无二分无別无斷故善現不虛妄性
清淨故无忘失法清淨无忘失法清淨故一
切智智清淨何以故若不虛妄性清淨若无
忘失法清淨若一切智智清淨无二无二分
无別无斷故不虛妄性清淨故恒住捨性清
淨恒住捨性清淨故一切智智清淨何以故
若不虛妄性清淨若恒住捨性清淨若一切
智智清淨無二無二分无別无斷故善現不
虛妄性清淨故一切智清淨一切智清淨故

BD00309 號 B　大般若波羅蜜多經卷二一九　（4–1）

无別无斷故不虛忘性清淨故恒住捨性清
淨恒住捨性清淨故一切智智清淨何以故
若不虛忘性清淨若恒住捨性清淨若一切
智智清淨無二無二分无別无斷故善現不
虛妄性清淨故一切智清淨一切智清淨故
一切智智清淨何以故若不虛忘性清淨若
一切智清淨若一切智智清淨无二无二分
無別無斷故不虛忘性清淨故道相智一切
相智清淨道相智一切相智清淨故一切智
智清淨何以故若不虛忘性清淨若道相智
一切相智清淨若一切智智清淨无二无二
分無別無斷故善現不虛忘性清淨故一切
陁羅尼門清淨一切陁羅尼門清淨故一切
智智清淨何以故若不虛妄性清淨若一切
陁羅尼門清淨若一切智智清淨无二无二
分无別无斷故不虛妄性清淨故一切三摩
地門清淨一切三摩地門清淨故一切智智
清淨何以故若不虛妄性清淨若一切三摩
地門清淨若一切智智清淨无二无二分无
別无斷故
善現不虛妄性清淨故預流果清淨預流果
清淨故一切智智清淨何以故若不虛妄性
清淨若預流果清淨若一切智智清淨无二
无二分无別无斷故不虛妄性清淨故一來
不還阿羅漢果清淨一來不還阿羅漢果清
淨故一切智智清淨何以故若不虛妄性清
淨若一來不還阿羅漢果清淨若一切智智
清淨无二无二分无別无斷故善現不虛妄

BD00309 號 B　大般若波羅蜜多經卷二一九　（4–2）

无二分无別无斷故不虛妄性清淨故一來
不還阿羅漢果清淨一來不還阿羅漢果清
淨故一切智智清淨何以故若不虛妄性清
淨若一來不還阿羅漢果清淨若一切智智
清淨无二无二分无別无斷故善現不虛妄
性清淨故獨覺菩提清淨獨覺菩提清淨故
一切智智清淨何以故若不虛妄性清淨若
獨覺菩提清淨若一切智智清淨无二无二
分无別无斷故善現不虛妄性清淨故一切
菩薩摩訶薩行清淨一切菩薩摩訶薩行清
淨故一切智智清淨何以故若不虛妄性清
淨若一切菩薩摩訶薩行清淨若一切智智
清淨無二無二分無別無斷故善現不虛妄
性清淨故諸佛無上正等菩提清淨諸佛无
上正等菩提清淨故一切智智清淨何以故
若不虛妄性清淨若諸佛無上正等菩提清
淨若一切智智清淨無二無二分無別無斷
故
復次善現不變異性清淨故色清淨色清淨
故一切智智清淨何以故若不變異性清淨
若色清淨若一切智智清淨無二無二分無
別無斷故不變異性清淨故受想行識清淨
受想行識清淨故一切智智清淨何以故若
不變異性清淨若受想行識清淨若一切智
智清淨無二無二分無別無斷故善現不變
異性清淨故眼處清淨眼處清淨故一切智
智清淨何以故若不變異性清淨若眼處清
淨若一切智智清淨無二無二分無別無斷

BD00309 號 B　大般若波羅蜜多經卷二一九　（4–3）

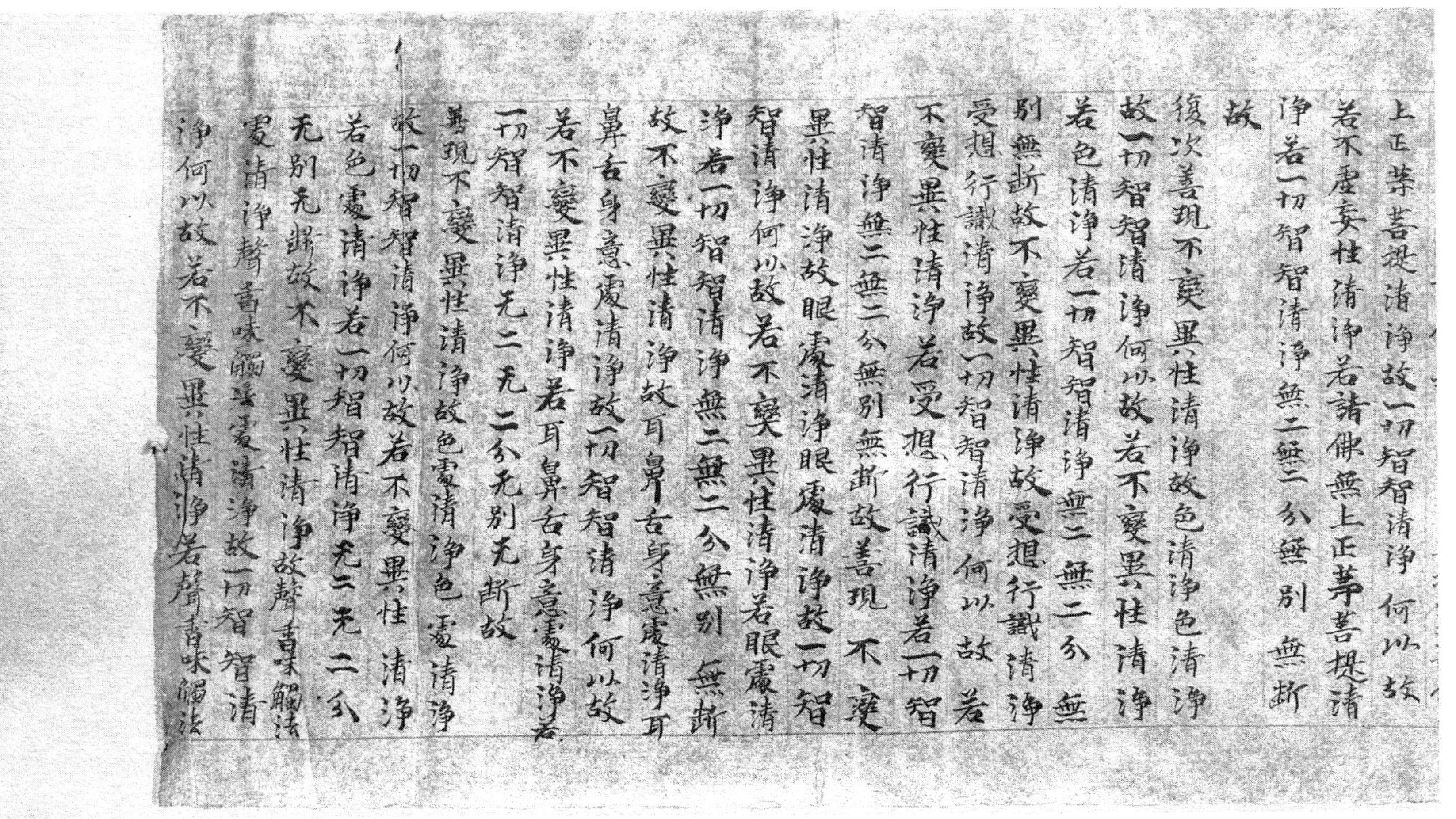

上正等菩提清淨故一切智智清淨何以故
若不虛妄性清淨若諸佛無上正等菩提清
淨若一切智智清淨無二無二分無別無斷
故
復次善現不變異性清淨故色清淨色清淨
故一切智智清淨何以故若不變異性清淨
若色清淨若一切智智清淨無二無二分無
別無斷故不變異性清淨故受想行識清淨
受想行識清淨故一切智智清淨何以故若
不變異性清淨若受想行識清淨若一切智
智清淨無二無二分無別無斷故善現不變
異性清淨故眼處清淨眼處清淨故一切智
智清淨何以故若不變異性清淨若眼處清
淨若一切智智清淨無二無二分無別無斷
故不變異性清淨故耳鼻舌身意處清淨耳
鼻舌身意處清淨故一切智智清淨何以故
若不變異性清淨若耳鼻舌身意處清淨若
一切智智清淨无二无二分无別无斷故
善現不變異性清淨故色處清淨色處清淨
故一切智智清淨何以故若不變異性清淨
若色處清淨若一切智智清淨无二无二分
无別无斷故不變異性清淨故聲香味觸法
處清淨聲香味觸法處清淨故一切智智清
淨何以故若不變異性清淨若聲香味觸法

BD00309 號 B　大般若波羅蜜多經卷二一九　（4–4）

BD00309 號 B 背　題名　（1–1）

…藥草喻品第五
…尊告摩訶迦葉及諸…
…善說如來真實功德誠如所言如來
…有无量无邊阿僧祇功德汝等若於…
…劫說不能盡迦葉…
…所說皆不虛也於…
…之其所說法皆悉…
…一切諸法之所歸趣亦知…
…所行通達无导又於諸法究盡明…
示…一切智慧迦葉譬如三千大千世
界山川…谷土地所生卉木叢林及諸藥草
種類若干名色各異密雲彌布遍覆三千大
千世界一時等澍其澤普洽卉木叢林及諸
藥草小根小莖小枝小葉中根中莖中枝中
葉大根大莖大枝大葉諸樹大小隨上中下
各有所受一雲所雨稱其種性而得生長華
菓敷實雖一地所生一雨所潤而諸草木各
有差別迦葉當知如來亦復如是出現於世
如大雲起以大音聲普遍世界天人阿脩羅
如彼大雲遍覆三千大千國土於大眾中而
唱是言我是如來應供正遍知明行足善逝
世間解无上士調御丈夫天人師佛世尊未

BD00310號　妙法蓮華經卷三　（12–1）

如大雲起以大音聲普遍世界天人阿脩羅
如彼大雲遍覆三千大千國土於大眾中而
唱是言我是如來應供正遍知明行足善逝
世間解无上士調御丈夫天人師佛世尊未
度者令度未解者令解未安者令安未涅槃
者令得涅槃今世後世如實知之我是一切
知者一切見者知道者開道者說道者汝等
天人阿脩羅眾皆應到此為聽法故
尒時无數千万億種眾生來至佛所而聽法
如來于時觀是眾生諸根利鈍精進懈怠隨
其所堪而為說法種種无量皆令歡喜快得
善利是諸眾生聞是法已現世安隱後生善處
以道受樂亦得聞法既聞法已離諸鄣导於
諸法中任力所能漸得入道如彼大雲雨於
一切卉木叢林及諸藥草如其種性具足蒙
潤各得生長如來說法一相一味所謂解脫
相離相滅相究竟至於一切種智其有眾生
聞如來法若持讀誦如說脩行所得功德不
自覺知所以者何唯有如來知此眾生種相
體性念何事思何事脩何事云何念云何思
云何脩以何法念以何法思以何法脩以何
法得何法眾生住於種種之地唯有如來如
實見之明了无导如彼卉木叢林諸藥草等
而不自知上中下性如來知是一相一味之
法所謂解脫相離相滅相究竟涅槃常寂滅
相終歸於空佛知是已觀眾生心欲而將護

BD00310號　妙法蓮華經卷三　（12–2）

而不自知上中下性如来知是一相一味之
法所謂解脫相離相滅相究竟涅槃常寂滅
相終歸扵空佛知是已觀衆生心欲而將護
之是故不即為說一切種智汝等迦葉甚為
希有能知如来隨宜說法能信能受所以者
何諸佛世尊隨宜說法難解難知尒時世尊
欲重宣此義而說偈言
破有法王　出現世間　隨衆生欲　種種說法
如来尊重　智慧深遠　久默斯要　不務速說
有智若聞　則能信解　无智疑悔　則為永失
是故迦葉　隨力為說　以種種緣　令得正見
迦葉當知　譬如大雲　起扵世間　遍覆一切
慧雲含潤　電光晃曜　雷聲遠震　令衆悅豫
日光掩蔽　地上清涼　靉靆垂布　如可承攬
其雨普等　四方俱下　流澍无量　率土充洽
山川嶮谷　幽邃所生　卉木藥草　大小諸樹
百穀苗稼　甘蔗蒲桃　雨之所潤　无不豐足
乾地普洽　藥木並茂　其雲所出　一味之水
草木叢林　隨分受潤　一切諸樹　上中下等
稱其大小　各得生長　根莖枝葉　華菓光色
一雨所及　皆得鮮澤　如其體相　性分大小
所潤是一　而各滋茂
佛亦如是　出現扵世　譬如大雲　普覆一切
既出于世　為諸衆生　分別演說　諸法之實
大聖世尊　扵諸天人　一切衆中　而宣此言
我為如来　兩足之尊　出于世間　猶如大雲

BD00310號　妙法蓮華經卷三　（12-3）

一雨所及　皆得鮮澤　如其體相　性分大小
所潤是一　而各滋茂
佛亦如是　出現扵世　譬如大雲　普覆一切
既出于世　為諸衆生　分別演說　諸法之實
大聖世尊　扵諸天人　一切衆中　而宣此言
我為如来　兩足之尊　出于世間　猶如大雲
充潤一切　枯槁衆生　皆令離苦　得安隱樂
世間之樂　及涅槃樂　諸天人衆　一心善聽
皆應到此　覲无上尊
我為世尊　无能及者　安隱衆生　故現扵世
為大衆說　甘露淨法　其法一味　解脫涅槃
以一妙音　演暢斯義　常為大乘　而作因緣
我觀一切　普皆平等　无有彼此　愛憎之心
我无貪著　亦无限㝵　恒為一切　平等說法
如為一人　衆多亦然　常演說法　曾无他事
去来坐立　終不疲厭　充足世間　如雨普潤
貴賤上下　持戒毀戒　威儀具足　及不具足
正見耶見　利根鈍根　等雨法雨　而不懈惓
一切衆生　聞我法者　隨力所受　住扵諸地
或處人天　轉輪聖王　釋梵諸王　是小藥草
知无漏法　能得涅槃　起六神通　及得三明
獨處山林　常行禪定　得緣覺證　是中藥草
求世尊處　我當作佛　行精進定　是上藥草
又諸佛子　專心佛道　常行慈悲　自知作佛
決定无疑　是名小樹　安住神通　轉不退轉

BD00310號　妙法蓮華經卷三　（12-4）

獨處山林 常行禪定 得緣覺證 是中藥草
求世尊處 我當作佛 行精進定 是上藥草
又諸佛子 專心佛道 常行慈悲 自知作佛
決定无疑 是名小樹 安住神通 轉不退轉
度无量億 百千衆生 如是菩薩 名為大樹
佛平等說 如一味雨 隨衆生性 所受不同
如彼草木 所稟各異
佛以此喻 方便開示 種種言辭 演說一法
於佛智慧 如海一渧 我雨法雨 充滿世間
一味之法 隨力脩行 如彼藂林 藥草諸樹
隨其大小 漸增茂好 諸佛之法 常以一味
令諸世間 普得具足 漸次脩行 皆得道果
聲聞緣覺 處於山林 住冣後身 聞法得果
是名藥草 各得增長 若諸菩薩 智慧堅固
了達三界 求冣上乘 是名小樹 而得增長
復有住禪 得神通力 聞諸法空 心大歡喜
放无數光 度諸衆生 是名大樹 而得增長
如是迦葉 佛所說法 譬如大雲 以一味雨
潤於人華 各得成實 迦葉當知 以諸因緣
種種譬喻 開示佛道 是我方便 諸佛亦然
今為汝等 說冣實事 諸聲聞衆 皆非滅度
汝等所行 是菩薩道 漸漸脩學 悉當成佛
妙法蓮華經授記品第六
尒時世尊說是偈已 告諸大衆 唱如是言 我
此弟子摩訶迦葉 於未來世 當得奉覲三百

BD00310號　妙法蓮華經卷三

（12-5）

汝等所行 是菩薩道 漸漸脩學 悉當成佛
妙法蓮華經授記品第六
尒時世尊說是偈已 告諸大衆 唱如是言 我
此弟子摩訶迦葉 於未來世 當得奉覲三百
万億諸佛世尊 供養恭敬 尊重讚歎 廣宣諸
佛无量大法 於冣後身 得成為佛 名曰光明
如來應供正遍知明行足善逝世間解无上
士調御丈夫天人師佛世尊 國名光德 劫名
大莊嚴 佛壽十二小劫 正法住世廿小劫 像
法亦住廿小劫 國界嚴飾 无諸穢惡 瓦礫荊
棘便利不淨 其土平正 无有高下 坑坎堆阜
瑠璃為地 寶樹行列 黃金為繩 以界道側 散
諸寶華 周遍清淨 其國菩薩 无量千億 諸聲
聞衆 亦復无數 无有魔事 雖有魔及魔民
護佛法 尒時世尊 欲重宣此義 而說偈言
告諸比丘 我以佛眼 見是迦葉 於未來世
過无數劫 當得作佛 而於來世 供養奉覲
三百万億 諸佛世尊 為佛智慧 淨脩梵行
供養冣上 二足尊已 脩習一切 无上之慧
於冣後身 得成為佛 其土清淨 瑠璃為地
多諸寶樹 行列道側 金繩界道 見者歡喜
常出好香 散衆名華 種種奇妙 以為莊嚴
其地平正 无有丘坑 諸菩薩衆 不可稱計
其心調柔 逮大神通 奉持諸佛 大乘經典
諸聲聞衆 无漏後身 法王之子 亦不可計
乃以天眼 不能數知 其佛當壽 十二小劫

BD00310號　妙法蓮華經卷三

（12-6）

其地平正　无有丘坑　諸菩薩衆　不可稱計
其心調柔　逮大神通　奉持諸佛　大乘經典
諸聲聞衆　无漏後身　法王之子　亦不可計
乃以天眼　不能數知　其佛當壽　十二小劫
正法住世　二十小劫　像法亦住　二十小劫
光明世尊　其事如是
尒時大目揵連須菩提摩訶迦旃延等皆悉
悚慄一心合掌瞻仰尊顏目不暫捨即共同
聲而說偈言
大雄猛世尊　諸釋之法王　哀愍我等故　而賜佛音聲
若知我深心　見為授記者　如以甘露灑　除熱得清淨
如從飢國來　忽遇大王膳　心猶懷疑懼　未敢即便食
若復得王教　然後乃敢食　我等亦如是　每惟小乘過
不知當云何　得佛无上慧　雖聞佛音聲　言我等作佛
心尚懷憂懼　如未敢便食　若蒙佛授記　尒乃快安樂
大雄猛世尊　常欲安世間　願賜我等記　如飢須教食
尒時世尊知諸大弟子心之所念告諸比丘
是須菩提於當來世奉覲三百万億那由他
佛供養恭敬尊重讚歎常脩梵行具菩薩
道於最後身得成為佛号曰名相如來應供
遍知明行足善逝世間解无上士調御丈夫
天人師佛世尊劫名有寶國名寶生其土平
正頗梨為地寶樹莊嚴无諸丘坑沙礫荊棘
便利之穢寶華覆地周遍清淨其土人民皆
處寶臺珍妙樓閣聲聞弟子无量无邊筭數
譬喻所不能知諸菩薩衆无數千万億那由

BD00310 號　妙法蓮華經卷三　（12–7）

正頗梨為地寶樹莊嚴无諸丘坑沙礫荊棘
便利之穢寶華覆地周遍清淨其土人民皆
處寶臺珍妙樓閣聲聞弟子无量无邊筭數
譬喻所不能知諸菩薩衆无數千万億那由
他佛壽十二小劫正法住世二十小劫像法
亦住二十小劫其佛常處虛空為衆說法度
脫无量菩薩及聲聞衆尒時世尊欲重宣此
義而說偈言
諸比丘衆　今告汝等　皆當一心　聽我所說
我大弟子　須菩提者　當得作佛　号曰名相
當供无數　万億諸佛　隨佛所行　漸具大道
最後身得　三十二相　端正殊妙　猶如寶山
其佛國土　嚴淨第一　衆生見者　无不愛樂
佛於其中　度无量衆　其佛法中　多諸菩薩
皆悉利根　轉不退輪　彼國常以　菩薩莊嚴
諸聲聞衆　不可稱數　皆得三明　具六神通
住八解脫　有大威德　其佛說法　現於无量
神通變化　不可思議　諸天人民　數如恒沙
皆共合掌　聽受佛語　其佛當壽　十二小劫
正法住世　二十小劫　像法亦住　二十小劫
尒時世尊復告諸比丘衆我今語汝是大迦
旃延於當來世以諸供具供養奉事八千億
佛恭敬尊重諸佛滅後各起塔廟高千由旬
縱廣正等五百由旬以金銀瑠璃車𤦲馬瑙
真珠玫瑰七寶合成衆華瓔珞塗香末香燒

BD00310 號　妙法蓮華經卷三　（12–8）

佛恭敬尊重諸佛滅後各起塔廟高千由旬
縱廣正等五百由旬以金銀瑠璃車𤦲馬瑙
真珠玫瑰七寶合成衆華瓔珞塗香末香燒
香繒蓋幢幡供養塔廟過是已後當復供養
二万億佛亦復如是供養是諸佛已具菩薩
道當得作佛号曰閻浮那提金光如來應供
正遍知明行足善逝世間解无上士調御丈
夫天人師佛世尊其土平正頗梨為地寶樹
莊嚴黄金為繩以界道側妙華覆地周遍清
淨見者歡喜无四惡道地獄餓鬼畜生阿脩
羅道多有天人諸聲聞衆及諸菩薩无量万
億莊嚴其國佛壽十二小劫正法住世二十
小劫像法亦住二十小劫尒時世尊欲重宣
此義而說偈言
諸比丘衆　皆一心聽　如我所說　真實无異
是迦旃延　當以種種　妙好供具　供養諸佛
諸佛滅後　起七寶塔　亦以華香　供養舍利
其最後身　得佛智慧　成等正覺　國土清淨
度脫无量　万億衆生　皆為十方　之所供養
佛之光明　无能勝者　其佛号曰　閻浮金光
菩薩聲聞　斷一切有　无量无數　莊嚴其國
尒時世尊復告大衆我今語汝是大目揵連
當以種種供具供養八千諸佛恭敬尊重諸
佛滅後各起塔廟高千由旬縱廣正等五百
由旬以金銀瑠璃車𤦲馬瑙真珠玫瑰七寶
合成衆華瓔珞塗香末香燒香繒蓋幢幡以

BD00310號　妙法蓮華經卷三　　(12–9)

當以種種供具供養八千諸佛恭敬尊重諸
佛滅後各起塔廟高千由旬縱廣正等五百
由旬以金銀瑠璃車𤦲馬瑙真珠玫瑰七寶
合成衆華瓔珞塗香末香燒香繒蓋幢幡以
用供養過是已後當復供養二百万億諸佛
亦復如是當得成佛号曰多摩羅跋栴檀香
如來應供正遍知明行足善逝世間解无上
士調御丈夫天人師佛世尊劫名喜滿國名
意樂其土平正頗梨為地寶樹莊嚴散真珠
華周遍清淨見者歡喜多諸天人菩薩聲聞
其數无量佛壽廿四小劫正法住世卌小劫
像法亦住卌小劫尒時世尊欲重宣此義而
說偈言
我此弟子　大目揵連　捨是身已　得見八千
二百万億　諸佛世尊　為佛道故　供養恭敬
於諸佛所　常脩梵行　於无量劫　奉持佛法
諸佛滅後　起七寶塔　長表金剎　華香伎樂
而以供養　諸佛塔廟　漸漸具足　菩薩道已
於意樂國　而得作佛　号多摩羅　栴檀之香
其佛壽命　二十四劫　常為天人　演說佛道
聲聞无量　如恒河沙　三明六通　有大威德
菩薩无數　志固精進　於佛智慧　皆不退轉
佛滅度後　正法當住　四十小劫　像法亦尒
我諸弟子　威德具足　其數五百　皆當授記
於未來世　咸得成佛

BD00310號　妙法蓮華經卷三　　(12–10)

佛滅度後正法當住四十小劫像法亦尒
我諸弟子威德具足其數五百皆當授記
於未來世咸得成佛
我及汝等宿世因緣吾今當說汝等善聽
妙法蓮華經化城喻品第七
佛告諸比丘乃往過去无量无邊不可思議
阿僧祇劫尒時有佛名大通智勝如來應供
正遍知明行足善逝世間解无上士調御丈
夫天人師佛世尊其國名好成劫名大相諸
比丘彼佛滅度已來甚大久遠譬如三千大
千世界所有地種假使有人磨以為墨過於東
方千國土乃下一點大如微塵又過千國土
復下一點如是展轉盡地種墨於汝等意云
何是諸國土若算師若算師弟子能得邊際
知其數不不也世尊諸比丘是人所經國土
若點不點盡末為塵一塵一劫彼佛滅度已
來復過是數无量无邊百千万億阿僧祇劫
我以如來知見力故觀彼久遠猶若今日尒
時世尊欲重宣此義而說偈言
我念過去世　无量无邊劫　有佛兩足尊　名大通智勝
如人以力磨　三千大千土　盡此諸地種　皆悉以為墨
過於千國土　乃下一塵點　如是展轉點　盡此諸塵墨
如是諸國土　點與不點等　復盡末為塵　一塵為一劫
此諸微塵數　其劫復過是　彼佛滅度來　如是无量劫
如來无㝵智　知彼佛滅度　及聲聞菩薩　如見今滅度
諸比丘當知　佛智淨微妙　无漏无所㝵　通達无數劫

BD00310號　妙法蓮華經卷三　（12–11）

我以如來知見力故觀彼久遠猶若今日尒
時世尊欲重宣此義而說偈言
我念過去世　无量无邊劫　有佛兩足尊　名大通智勝
如人以力磨　三千大千土　盡此諸地種　皆悉以為墨
過於千國土　乃下一塵點　如是展轉點　盡此諸塵墨
如是諸國土　點與不點等　復盡末為塵　一塵為一劫
此諸微塵數　其劫復過是　彼佛滅度來　如是无量劫
如來无㝵智　知彼佛滅度　及聲聞菩薩　如見今滅度
諸比丘當知　佛智淨微妙　无漏无所㝵　通達无數劫
佛告諸比丘大通智勝佛壽五百卌万億那
由他劫其佛本坐道場破魔軍已垂得阿耨
多羅三藐三菩提而諸佛法不現在前如是
一小劫乃至十小劫結跏趺坐身心不動而
諸佛法猶不在前尒時忉利諸天先為彼佛
於菩提樹下敷師子座高一由旬佛於此座
當得阿耨多羅三藐三菩提適坐此座時諸
梵天王雨衆天華面百由旬香風時來吹去
萎華更雨新者如是不絕滿十小劫供養於
佛乃至滅度常雨此華四王諸天為供養佛
常擊天鼓其餘諸天作天伎樂滿十小劫至
于滅度亦復如是諸比丘大通智勝佛過十

BD00310號　妙法蓮華經卷三　（12–12）

塞合
筏析之熱反椰五十
阿長引訶囉阿長引訶囉十七阿引口
十八式陁耶伽伽椰坐式棍十九鄔瑟脂沙反四十
耶式棍二十素蘇落反訶薩囉唱胡葛反囉室合二泯散殊跌反
帝一廿嚧缚怛他揭多二廿地瑟咤椰長引同上廿三阿地瑟耻
吒澤反上脱聲下同多四廿慕跌嚓五廿䭾析時熱反囉迦居伽反耶六廿僧
喝呼葛反怛椰式棍七廿嚧缚筏囉夆奴佳反坐式棍八廿
鉢羅底你筏囉多耶九廿阿長引踰式棍十三塞磨耶
地瑟耻同上帝一卅未你未你未你二卅怛他天網反多步多俱胝
知音鉢唎式棍三卅毗四塞思勒反普吒椸反勃地式棍四卅
社耶社耶五卅毗社耶毗社耶六卅薩未囉薩未囉
七卅勃陁地瑟耻多式棍八卅䭾析喇九卅䭾析囉揭
鞞菩逆反卌䭾析嚧盧甘反䭾筏都一卌摩摩卌二摩摩此云我受持者於
此自稱名云某甲寫者我受持者於此依人名薩缚薩極喃去聲迦耶坐式
棍三卌薩缚揭底鉢剌式棍四卌嚧缚怛他揭多
五卌塞磨濕缚娑阿地瑟耻帝六卌勃陁地絅反
勃陁七卌蒱䭾耶蒱䭾耶塞漫多鉢唎式棍
八卌嚧缚怛他揭多九卌地瑟咤椰十五阿地瑟耻帝
一五十莎長引婆訶五十二
佛告帝釋言此呪名淨除一切惡道佛頂尊
勝陁羅尼能除一切罪業等鄣能一切穢惡
道苦天帝此陁羅尼八十八殑伽沙俱胝百千

BD00311 號　佛頂尊勝陀羅尼經（佛陀波利本）　（6–1）

八卌嚧缚怛他揭多九卌地瑟咤椰十五阿地瑟耻帝
一五十莎長引婆訶五十二
佛告帝釋言此呪名淨除一切惡道佛頂尊
勝陁羅尼能除一切罪業等鄣能一切穢惡
道苦天帝此陁羅尼八十八殑伽沙俱胝百千
諸佛同共宣說隨喜受持大如來智印印之
為破一切衆生穢惡道義故為一切地獄畜生
閻羅王界衆生得解脫故臨急苦難隨生死
海中衆生得解脫故短命薄福無救護衆生
樂造新染惡業衆生故說又此陁羅尼於贍
部洲住持力故能令地獄惡道衆生種種流
轉生死薄福衆生不信善惡業失正道衆生
等得解脫義故佛告天帝我說此陁羅尼付
囑於汝當授與善住天子復當受持讀誦思
惟愛樂憶念供養於贍部洲與一切衆生廣
為宣說此陁羅尼印付囑於汝天帝汝當善持
守護勿令忘失天帝若人須臾得聞此陁羅尼
千劫已來積造惡業重鄣應受種種流轉生死
地獄餓鬼畜生閻羅王界阿脩羅身夜叉羅
剎鬼神布單那羯吒布單那阿娑娑摩囉蚊
虻龜狗蟒蛇一切諸鳥及諸獸一切蠢動含
靈乃至蟻子之身更不重受即得轉生諸佛
如來一生補處菩薩同會處生或得大姓婆
羅門家生或得大剎利種家生或得豪貴㝡
勝家生天帝此人身如上貴處生者皆由聞
此陁羅尼故轉所處皆得清淨天帝乃至得
到菩提道場㝡勝之處皆由讚歎此陁羅尼
功德如是天帝此陁羅尼名吉祥能淨一切惡

BD00311 號　佛頂尊勝陀羅尼經（佛陀波利本）　（6–2）

服家生天帝此人身如上貴處生[illegible]
此陁羅尼故轉所處皆得清淨天帝乃至得
到菩提道場㝡勝之處皆由讃歎此陁羅尼
功德如是天帝此陁羅尼名吉祥能淨一切惡
道此佛頂尊勝陁羅尼猶如日藏摩尼之寶
淨无瑕穢淨等虛空光焰照徹无不周遍若
諸衆生持此陁羅尼亦復如是亦如閻浮檀
金明淨柔軟令人喜見不為穢惡之所染著
天帝若有衆生持此陁羅尼亦復如是乘斯
善淨得生善道天帝此陁羅尼所在之處若
能書寫流通受持讀誦聽聞供養如是者一
切惡道皆得清淨一切地獄苦悉皆消滅
佛告天帝若人能書寫此陁羅尼安高幢上
或安高山或安樓上乃至安窣堵波中天帝
若有苾蒭苾蒭尼優婆塞優婆夷族姓男
族姓女於幢等上或見或與相近其影映身或
風吹陁羅尼上幢等上塵落在身上天帝彼
諸衆生所有罪業應墮惡道地獄畜生閻羅
王界餓鬼阿脩羅身惡道之苦皆悉不受亦
不為罪垢染汙天帝此等衆生為一切諸佛
之所授記皆得不退轉於阿耨多羅三藐三
菩提天帝何況更以多諸供具華鬘塗香末香
幢幡蓋等衣服瓔珞作諸莊嚴於四衢道造
窣堵波安置陁羅尼合掌恭敬旋遶行道歸
依礼拜天帝彼人能如是供養者名摩訶薩
埵真是佛子持法棟梁又是如來身舍利窣
堵波塔
尒時閻羅摩法王於時夜分來詣佛所到已

BD00311號　佛頂尊勝陀羅尼經（佛陀波利本）　（6–3）

依礼拜天帝彼人能如是供養者名摩訶薩
埵真是佛子持法棟梁又是如來身舍利窣
堵波塔
尒時閻羅摩法王於時夜分來詣佛所到已
以種種天衣妙華塗香莊嚴供養佛已遶七
帀頂礼佛足而作是言我聞如來演說讃持
大力陁羅尼者我常隨逐守護不令持者墮
於地獄以彼隨順如來言教而護念之
尒時護世四天大王遶佛三帀白佛言世尊
唯願如來為我廣說持陁羅尼法尒時佛告
四天王汝今諦聽我當為汝宣說受持此陁羅
尼法亦為短命諸衆生說當先洗浴著新淨
衣白月圓滿十五日時持齋誦此陁羅尼滿其
千遍令短命衆生還得增壽永離病苦一切
業障悉皆消滅一切地獄諸苦亦得解脫諸
飛鳥畜生含靈之類聞此陁羅尼一經於耳
盡此一身更不復受佛言若遇大惡病聞陁
羅尼即得永離一切諸病亦得消滅應墮惡
道亦得除斷即得往生寂靜世界從此身已
後更不受胞胎之身所生之處蓮華化生一切
生處憶持不忘常識宿命
佛言若人先造一切極重罪業遂即命終乘
斯惡業應墮地獄或墮畜生閻羅王界或墮
餓鬼乃墮大阿鼻地獄或生水中或生禽獸
異類之身取其亡者隨分骨以土一把誦此陁
羅尼二十一遍散亡者骨上即得生天佛言若
人能日日誦此陁羅尼二十一遍應消一切世間
廣大供養捨身往生極樂世界若常誦念

BD00311號　佛頂尊勝陀羅尼經（佛陀波利本）　（6–4）

羅尼二十一遍散亡者骨上即得生天佛言若
人能日日誦此陁羅尼二十一遍應消一切世間
廣大供養捨身往生極樂世界若常誦念
得大涅槃復增壽命受勝快樂捨此身已即
得往生種種微妙諸佛剎土常與諸佛俱
會一處一切如來恒為演說微妙之義一切世
尊即授其記身光照曜一切佛剎佛言若誦
此陁羅尼法於其佛前先取淨土作壇隨其
大小方四角作以種種草華散於壇上燒衆
名香右膝著地胡跪心常念佛作慕陁羅尼
印屈其頭指以大母指押合掌當其心上誦此陁
羅尼一百八遍訖其於壇中如雲王雨花能遍
供養八十八俱胝殑伽沙那庾多百千諸佛彼
佛世尊咸共讚言善哉希有是佛子即得无
鄣礙智三昧得大菩提心莊嚴三昧持此陁
羅尼法應如是
佛言天帝我以此方便一切衆生應墮地獄令
德解脫一切惡道亦得清淨復令持者增益
壽命天帝汝去將我陁羅尼授與善住天子
滿其七日汝與善住俱来見我
尒時天帝於世尊所受此陁羅尼法奉持還於
大天授與善住天子尒時善住天子受此陁羅尼
已滿六日六夜依法受持一切願應受一切惡道
等苦即解脫住菩提道增壽无量甚大歡喜
高聲歎言希有如来希有妙法希有明驗甚
為難得令我解脫
尒時帝釋至第七日與善住天子將諸天衆嚴持

BD00311號　佛頂尊勝陀羅尼經（佛陀波利本）　（6–5）

大天授與善住天子尒時善住天子受此陁羅尼
已滿六日六夜依法受持一切願應受一切惡道
等苦即解脫住菩提道增壽无量甚大歡喜
高聲歎言希有如来希有妙法希有明驗甚
為難得令我解脫
尒時帝釋至第七日與善住天子將諸天衆嚴持
花鬘塗香末香寶幢幡蓋天衣瓔珞微妙莊嚴
往詣佛所設大供養以天衣及諸瓔珞供養世尊
遶百千帀於佛前立踊躍歡喜而坐聽法
尒時世尊舒金色臂摩善住天子頂而為說
法授菩提記佛言此經名淨一切惡道佛頂
尊勝陁羅尼汝當受持
尒時大衆聞法歡喜信受奉行

BD00311號　佛頂尊勝陀羅尼經（佛陀波利本）　（6–6）

性即是精進波羅蜜多於此精進波羅蜜多
無明不可得彼常無常亦不可得行乃至老
死愁歎苦憂惱皆不可得彼常無常亦不可
得所以者何此中尚無無明等可得何況有
彼常與無常汝若能修如是精進是修精進
波羅蜜多復作是言汝善男子應修精進波
羅蜜多不應觀無明若樂若苦不應觀行識
名色六處觸受愛取有生老愁歎苦憂惱
若樂若苦何以故無明無明自性空行識名
色六處觸受愛取有生老死愁歎苦憂惱行
乃至老死愁歎苦憂惱自性空是無明自性
即非自性是行乃至老死愁歎苦憂性自性
亦非自性若非自性即是精進波羅蜜多於
此精進波羅蜜多無明不可得彼樂與苦亦
不可得行乃至老死愁歎苦憂惱皆不可得
彼樂與苦亦不可得所以者何此中尚無無
明等可得何況有彼樂之與苦汝若能修如
是精進是修精進波羅蜜多復作是言汝
善男子應修精進波羅蜜多不應觀無明若我
若無我不應觀行識名色六處觸受愛取有
生老死愁歎苦憂惱若我若無我何以故無
明無明自性空行識名色六處觸受愛取有
生老死愁歎苦憂惱行乃至老死愁歎苦憂
惱自性空有無明自性即非自性是行乃至
老死愁歎苦憂惱自性亦非自性若非自性

BD00312號　大般若波羅蜜多經卷一五三　（8–1）

生老死愁歎苦憂惱若我若無我何以故無
明無明自性空行識名色六處觸受愛取有
生老死愁歎苦憂惱行乃至老死愁歎苦憂
惱自性空有無明自性即非自性是行乃至
老死愁歎苦憂惱自性亦非自性若非自性
即是精進波羅蜜多於此精進波羅蜜多無
明不可得彼我無我亦不可得行乃至老死
愁歎苦憂惱皆不可得彼我無我亦不可得
所以者何此中尚無無明等可得何況有彼
我與無我汝若能修如是精進是修精進波
羅蜜多復作是言汝善男子應修精進波羅
蜜多不應觀無明若淨若不淨不應觀行識
名色六處觸受愛取有生老死愁歎苦憂惱
若淨若不淨何以故無明無明自性空行識
名色六處觸受愛取有生老死愁歎苦憂惱
行乃至老死愁歎苦憂惱自性空是無明自
性即非自性是行乃至老死愁歎苦憂惱自
性亦非自性若非自性即是精進波羅蜜多
於此精進波羅蜜多無明不可得彼淨不淨
亦不可得行乃至老死愁歎苦憂惱皆不可
得彼淨不淨亦不可得所以者何此中尚無
無明等可得何況有彼淨與不淨汝若能修
如是精進是修精進波羅蜜多憍尸迦是善
男子善女人等作此等說是為宣說真正精
進波羅蜜多

復次憍尸迦若善男子善女人等為發無上
菩提心者宣說精進波羅蜜多作如是言汝

BD00312號　大般若波羅蜜多經卷一五三　（8–2）

無施等可得何況有彼淨與不淨汝若能脩
如是精進是脩精進波羅蜜多憍尸迦是善
男子善女人等作此等說是為宣說真正精
進波羅蜜多
復次憍尸迦若善男子善女人等為發無上
菩提心者宣說精進波羅蜜多作如是言汝
善男子應脩精進波羅蜜多不應觀布施波
羅蜜多若常若無常不應觀淨戒安忍精進
靜慮般若波羅蜜多若常若無常何以故布
施波羅蜜多布施波羅蜜多自性空淨戒安
忍精進靜慮般若波羅蜜多淨戒乃至般若
波羅蜜多自性空是布施波羅蜜多自性即
非自性是淨戒安忍精進靜慮般若波羅蜜
多自性亦非自性若非自性即是精進波羅
蜜多於此精進波羅蜜多布施波羅蜜多不
可得彼常無常亦不可得淨戒安忍精進靜
慮般若波羅蜜多皆不可得彼常無常亦不
可得所以者何此中尚無布施波羅蜜多等
可得何況有彼常與無常汝若能脩如是精
進是脩精進波羅蜜多復作是言汝善男子
應脩精進波羅蜜多不應觀布施波羅蜜多
若樂若苦不應觀淨戒安忍精進靜慮般
若波羅蜜多若樂若苦何以故布施波羅蜜多
布施波羅蜜多自性空淨戒安忍精進靜慮
般若波羅蜜多淨戒乃至般若波羅蜜多自
性空是布施波羅蜜多自性即非自性是淨
戒乃至般若波羅蜜多自性亦非自性若非
自性即是精進波羅蜜多於此精進波羅蜜

BD00312 號　大般若波羅蜜多經卷一五三　（8–3）

[illegible]
般若波羅蜜多淨戒乃至般若波羅蜜多自
性空是布施波羅蜜多自性即非自性是淨
戒乃至般若波羅蜜多自性亦非自性若非
自性即是精進波羅蜜多於此精進波羅蜜
多布施波羅蜜多不可得彼樂與苦亦不可
得淨戒乃至般若波羅蜜多皆不可得彼樂
與苦亦不可得所以者何此中尚無布施波羅
蜜多等可得何況有彼樂之與苦汝若能脩
如是精進是脩精進波羅蜜多復作是言汝
善男子應脩精進波羅蜜多不應觀布施
波羅蜜多若我若無我不應觀淨戒安忍精
進靜慮般若波羅蜜多若我若無我何以故
布施波羅蜜多布施波羅蜜多自性空淨戒
安忍精進靜慮般若波羅蜜多淨戒乃至般
若波羅蜜多自性空是布施波羅蜜多自性
即非自性是淨戒乃至般若波羅蜜多自性
亦非自性若非自性即是精進波羅蜜多於
此精進波羅蜜多布施波羅蜜多不可得彼
我無我亦不可得淨戒乃至般若波羅蜜多
皆不可得彼我無我亦不可得所以者何此
中尚無布施波羅蜜多等可得何況有彼我
與無我汝若能脩如是精進是脩精進波羅
蜜多復作是言汝善男子應脩精進波羅蜜
多不應觀布施波羅蜜多若淨若不淨不應
觀淨戒安忍精進靜慮般若波羅蜜多若淨
若不淨何以故布施波羅蜜多布施波羅蜜
多自性空淨戒安忍精進靜慮般若波羅蜜

BD00312 號　大般若波羅蜜多經卷一五三　（8–4）

若不淨何以故布施波羅蜜多布施波羅蜜
多自性空淨戒安忍精進靜慮般若波羅蜜
多淨戒乃至般若波羅蜜多自性空是布施
波羅蜜多自性即非自性是淨戒乃至般若
波羅蜜多自性亦非自性若非自性即是精
進波羅蜜多於此精進波羅蜜多布施波羅
蜜多不可得彼淨不淨亦不可得淨戒乃至
般若波羅蜜多皆不可得彼淨不淨亦不可
得所以者何此中尚無布施波羅蜜多等可
得何況有彼淨與不淨汝若能脩如是精進
是脩精進波羅蜜多憍尸迦是善男子善女
人等作此等說是為宣說真正精進波羅蜜
多
復次憍尸迦若善男子善女人等為發無上
菩提心者宣說精進波羅蜜多作如是言汝
善男子應脩精進波羅蜜多不應觀內空若
常若無常不應觀外空內外空空空大空
勝義空有為空無為空畢竟空無際空散空無
變異空本性空自相空共相空一切法空不
可得空無性空自性空無性自性空若常若
無常何以故內空內空自性空外空內外空
空空大空勝義空有為空無為空畢竟空
無際空散空無變異空本性空自相空共
相空一切法空不可得空無性空無性自
性空外空乃至無性自性空自性空是內空
自性即非自性是外空乃至無性自性空自
性亦非自性若非自性即是精進波羅蜜多

BD00312號　大般若波羅蜜多經卷一五三　　（8-5）

性空外空乃至無性自性空自性空是內空
自性即非自性是外空乃至無性自性空自
性亦非自性若非自性即是精進波羅蜜多
於此精進波羅蜜多內空不可得彼常無常
亦不可得外空乃至無性自性空皆不可得
彼常無常亦不可得所以者何此中尚無內
空等可得何況有彼常與無常汝若能脩
如是精進是脩精進波羅蜜多復作是言汝善
男子應脩精進波羅蜜多不應觀內空若樂
若苦不應觀外空內外空空空大空勝義空
有為空無為空畢竟空無際空散空無變
異空本性空自相空共相空一切法空不可得空
無性空自性空無性自性空若樂若苦何
以故內空內空自性空外空內外空空空大
空勝義空有為空無為空畢竟空無際空散
空無變異空本性空自相空共相空一切法
空不可得空無性空自性空無性自性空外
空乃至無性自性空自性空是內空自性即
非自性是外空乃至無性自性空自性亦非
自性若非自性即是精進波羅蜜多於此精
進波羅蜜多內空不可得彼樂與苦亦不可
得外空乃至無性自性空皆不可得彼樂與
苦亦不可得所以者何此中尚無內空等可
得何況有彼樂之與苦汝若能脩如是精進
是脩精進波羅蜜多復作是言汝善男子
應脩精進波羅蜜多不應觀內空若我若無我
不應觀外空內外空空空大空勝義空有為

BD00312號　大般若波羅蜜多經卷一五三　　（8-6）

是脩精進波羅蜜多復作是言汝善男子
應脩精進波羅蜜多不應觀內空若我若无我
不應觀外空內外空空空大空勝義空有為
空無為空畢竟空無際空散空無變異空本
性空自相空共相空一切法空不可得空無
性空自性空無性自性空若我若無我何以
故內空內空自性空外空內外空空空大空
勝義空有為空無為空畢竟空無際空散
空無變異空本性空自相共相空一切法空
不可得空無性空自性空無性自性空外空
乃至無性自性空自性空是內空自性即非
自性是外空乃至無性自性空自性亦非自
性若非自性即是精進波羅蜜多於此精進
波羅蜜多內空不可得彼我無我亦不可得
外空乃至無性自性空皆不可得彼我无我
亦不可得所以者何此中尚無內空等可得
何況有彼我與無我汝若能脩如是精進是
脩精進波羅蜜多復作是言汝善男子應脩
精進波羅蜜多不應觀內空若淨若不淨不
應觀外空內外空空空大空勝義空有為空
無為空畢竟空無際空散空無變異空本
性空自相空共相空一切法空不可得空無性
空自性空無性自性空若淨若不淨何以故
內空內空自性空外空內外空空空大空勝
義空有為空無為空畢竟空無際散空無變
異空本性空自相空共相空一切法空不
可得空無性空自性空無性自性空外空乃

BD00312號　大般若波羅蜜多經卷一五三　（8–7）

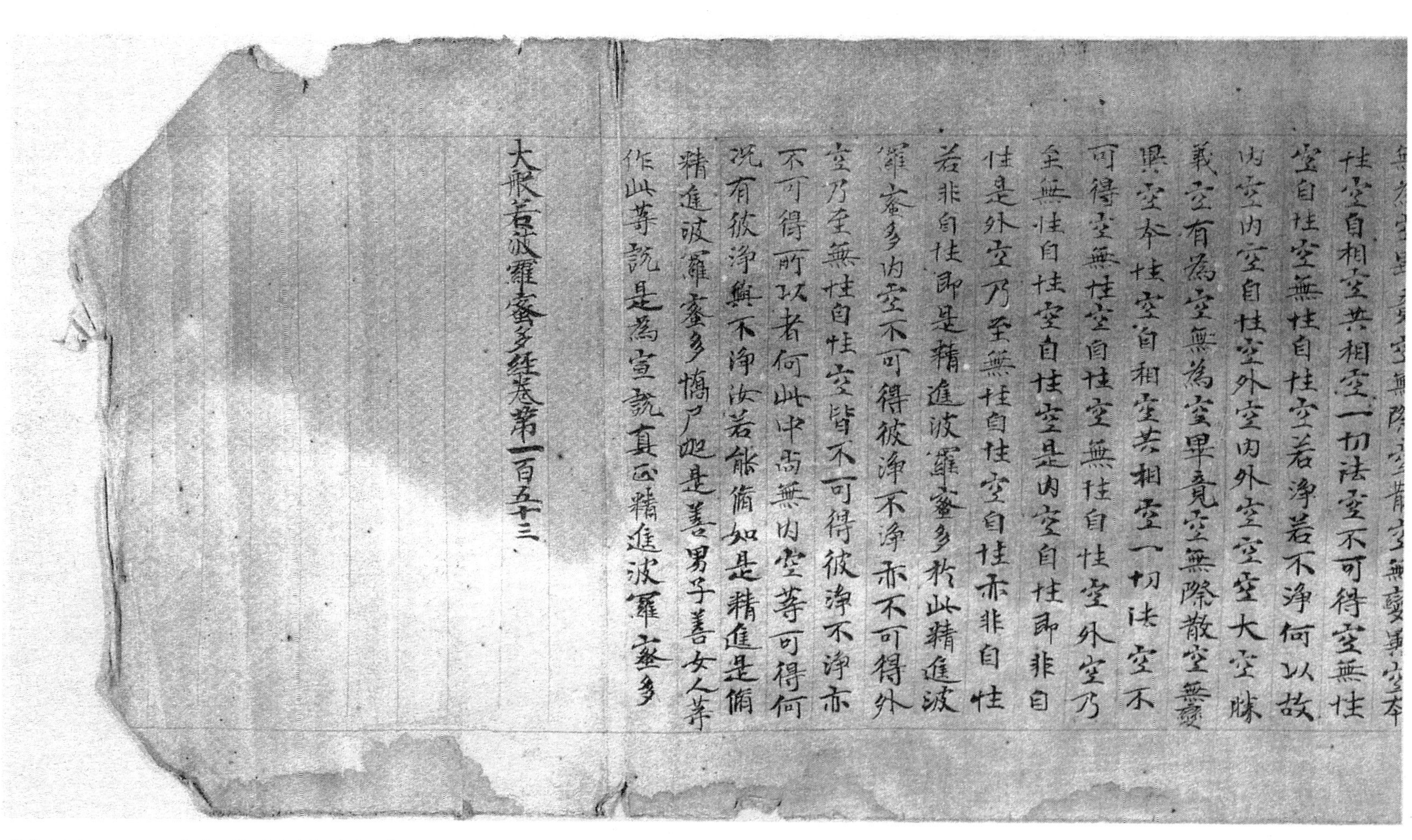
無為空畢竟空無際空散空無變異空本
性空自相空共相空一切法空不可得空無性
空自性空無性自性空若淨若不淨何以故
內空內空自性空外空內外空空空大空勝
義空有為空無為空畢竟空無際空散空無變
異空本性空自相空共相空一切法空不
可得空無性空自性空無性自性空外空乃
至無性自性空自性空是內空自性即非自
性是外空乃至無性自性空自性亦非自性
若非自性即是精進波羅蜜多於此精進波
羅蜜多內空不可得彼淨不淨亦不可得外
空乃至無性自性空皆不可得彼淨不淨亦
不可得所以者何此中尚無內空等可得何
況有彼淨與不淨汝若能脩如是精進是脩
精進波羅蜜多憍尸迦是善男子善女人等
作此等說是為宣說真正精進波羅蜜多

大般若波羅蜜多經卷第一百五十三

BD00312號　大般若波羅蜜多經卷一五三　（8–8）

利□□方過千世界有佛國土名可樂彼
佛名不動應供正遍知若善男子善女人聞
彼佛名受持讀誦恭敬礼拜是人畢竟不退
阿耨多羅三藐三菩提一切諸魔所不能動
舍利弗東方過千世界有佛世界名不可量
彼處佛名大光明阿羅訶三藐三佛陁現在
說法若善男子善女人聞彼大光明佛名受
持讀誦恭敬礼拜是人常不離一切諸佛菩
薩畢竟得不退轉阿耨多羅三藐三菩提心
舍利弗從此佛國土東方過六十千世界有
佛世界名熱炬佛名不可量聲阿羅訶三藐
三佛陁現在說法若善男子善女人聞彼阿
弥陁佛名三遍稱南无无量聲如來南无无
量聲如来南无无量聲如来是人畢竟不墮
三惡道定心阿耨多羅三藐三菩提
舍利弗復過彼世界度千佛國土有佛世界
名无塵彼有佛同名阿弥陁劬沙阿羅訶三
藐三佛陁現在說法若善男子善女人聞彼
佛名謙心敬重受持讀誦恭敬礼拜是人超
越世間十二劫
舍利弗復過廿千佛國土有佛世界名難勝
彼處有佛名大稱阿羅訶三藐三佛陁若善
男子善女人聞彼佛名合掌作如是言南无

BD00313號　佛名經（十二卷本　異卷）卷八　（11–1）

舍利弗復過廿千佛國土有佛世界名難勝
彼處有佛名大稱阿羅訶三藐三佛陁若善
男子善女人聞彼佛名合掌作如是言南无
大稱如來若復有人以須弥山等七寶日日
布施滿一百歲比聞此佛名礼拜功德百分
不及一乃至竿數分不及一
舍利弗復過三千佛國土有世界名光明佛
名寶光明阿羅訶三藐三佛陁若善男子善
女人受持彼佛名超越世間劫得不退轉心
阿耨多羅三藐三菩提若有人不信聞名得
如此功德是人當墮阿鼻地獄滿足百劫
舍利弗東方過十五佛國土有世界名光明
照彼處有佛名得大无畏阿羅訶三藐三佛
陁現在說法若善男子善女人稱彼佛名受
持讀誦恭敬礼拜是人畢竟得大无畏福聚
无量无邊功德聚
舍利弗過第七千佛國土有世界名摩尼光
明彼處有佛名燃燈火阿羅訶三藐三佛陁
現在說法若善男子善女人聞彼佛名至心
恭敬礼拜受持讀誦是人稱得如來十力
舍利弗復過八千佛國土有寶世界彼世界
中有寶聲如來阿羅訶三藐三佛陁現在說
法若善男子善女人聞彼佛名受持讀誦至
心礼拜是人畢竟得四聖諦畢竟得阿耨多
羅三藐三菩提
舍利弗復過廿千佛國土有佛世界名光明
佛名无邊无垢阿羅訶三藐三佛陁現在說

BD00313號　佛名經（十二卷本　異卷）卷八　（11–2）

羅三藐三菩提
舍利弗復過廿千佛國土有佛世界名光明
佛名无邊无垢阿羅訶三藐三佛陀現在說
法若善男子善女人聞彼佛名至心信受持讀
誦恭敬禮拜若復有人以滿三千大千世界
七寶布施比聞无垢佛名受持讀誦功德千
万分不及一乃至筭數分不及一何以故若
有衆生善根微薄不能得聞无垢佛名若有
善男子善女人聞无邊无垢如來名是人非
於一佛所種諸善根然非十佛所種諸善根
是人乃是百千万佛所種諸善根是人超越
世間卌八劫
舍利弗東方過九千佛國土有世界名妙聲
佛名月聲阿羅訶三藐三佛陀現在說法若
善男子善女人聞彼佛名能受持讀誦至心
禮敬是人所得一切功德百法具足如滿月
畢竟得阿耨多羅三藐三菩提
舍利弗復過十千佛國土有世界名无畏佛
名无邊稱阿羅訶三藐三佛陀現在說法若
善男子善女人聞彼佛名受持讀誦合掌作
如是言南无无邊稱世尊若復有人七寶如
須彌等布施日日如是滿足百千此福德聚
比持佛名功德百分不及一乃至筭數譬喻
所不能及
舍利弗復過千五百佛國土有世界名曰燃
燈佛名日月光明阿羅訶三藐三佛陀現在
說法若善男子善女人聞彼佛名受持讀誦

BD00313號　佛名經（十二卷本　異卷）卷八　（11–3）

舍利弗復過千五百佛國土有世界名曰燃
燈佛名日月光明阿羅訶三藐三佛陀現在
說法若善男子善女人聞彼佛名受持讀誦
胡跪合掌右膝著地三遍作如是言南无日
月光明世尊南无日月光明世尊南无日月
光明世尊是人速成阿耨多羅三藐三菩提
舍利弗復三十千佛國土有世界名无垢佛
名无垢光明阿羅訶三藐三佛陀現在說法
若善男子善女人天龍夜叉羅刹若人非人
聞是佛名畢竟不退阿耨多羅三藐三菩提
不入惡道
舍利弗東方過十千佛國土有世界名百光
明佛名清淨光明阿羅訶三藐三佛陀現在
說法若天龍夜叉非人聞名者必得人身遠
貪瞋癡煩惱若人聞不信者六十千劫墮大
地獄
舍利弗復過百佛國土有世界名善德佛名
日光明阿羅訶三藐三佛陀現在說法若人
畢竟清淨心稱佛名所得功德滿足如日輪
畢竟能伏一切諸魔外道超越世間卌劫
舍利弗復過六十千佛國土有世界名住七
覺分佛名无邊寶阿羅訶三藐三佛陀現在
說法若人聞彼佛名是人具足得七覺分能
置衆生著勝寶中畢竟成就无量功德聚
舍利弗復過五百佛國土有世界名華鏡像
佛名華勝阿羅訶三藐三佛陀現在說法若
人聞彼佛名信心敬重彼人一切善法成就

BD00313號　佛名經（十二卷本　異卷）卷八　（11–4）

人間彼佛名信心敬重彼人一切善法成就
如華數超越世間五十五劫
舍利弗復過百千億佛國土有世界名遠離
一切憂惱佛名妙身阿羅訶三藐三佛陁現
在說法若人聞彼佛名至心敬重礼拜供養
是人畢竟遠離一切諸鄣不入悪道超越世
間无量劫
舍利弗若比丘比丘尼優婆塞優婆夷欲懺
悔諸罪當淨洗浴著新淨衣淨治室內敷高
坐安置佛像懸廿五枚幡種種華香供養誦
此廿五佛名日夜六時懺悔滿廿五日滅四
重八重等罪式叉摩那沙弥沙弥尼亦如是
尒時舍利弗白佛言世尊唯願世尊為我說
過去七佛姓名壽命長短我等樂聞佛告舍
利弗諦聽諦聽當為汝說舍利弗過去九十
一劫有佛名毗婆尸如來過去卅劫有佛名
尸棄如來彼劫中復有毗舍浮如來自此以
後无量无邊劫空過无佛至賢劫中有四佛
拘留孫佛拘那含牟尼佛迦葉佛我釋迦牟
尼佛毗婆尸佛壽命八十千劫尸棄佛壽命
六十千劫毗舍浮佛壽命二千劫拘留孫佛
壽命十四小劫拘那含牟尼佛壽命卅小劫
迦葉佛壽命二小劫我現在㝡少壽命一百
歲毗婆尸佛尸棄佛毗舍浮佛刹利家生拘
留孫佛拘那含牟尼佛迦葉佛婆羅門家生
舍利弗我釋迦牟尼刹利家生毗婆尸佛尸
棄佛毗舍浮佛三佛姓拘隣拘留孫佛拘那含

BD00313號　佛名經（十二卷本　異卷）卷八　（11-5）

舍利弗我釋迦牟尼刹利家生毗婆尸佛尸
棄佛毗舍浮佛三佛姓拘隣拘留孫佛拘那含
牟尼佛迦葉佛此三佛姓迦葉舍利弗我釋迦
牟尼佛姓瞿曇舍利弗毗婆尸佛波吒羅樹
下得阿耨多羅三藐三菩提尸棄佛分陁利
樹下得阿耨多羅三藐三菩提毗舍浮佛娑
羅樹下得阿耨多羅三藐三菩提拘那含牟
尼佛尸利沙樹下得阿耨多羅三藐三菩提
拘留孫佛憂頭跋樹下得阿耨多羅三藐三
菩提迦葉佛尼拘律樹下得阿耨多羅三藐
三菩提我釋迦牟尼佛阿說他樹下得阿耨
多羅三藐三菩提毗婆尸佛三集聲聞尸棄
佛三集聲聞毗舍浮佛再集聲聞拘留孫佛
一集聲聞拘那含牟尼佛一集聲聞迦葉佛
一集聲聞我釋迦牟尼佛一集聲聞毗婆尸
佛第一聲聞弟子一名吉沙二名看荼尸棄
佛第一聲聞弟子一名勝二名自在毗舍浮
佛第一聲聞弟子一名星宿二名上拘留孫
佛第一聲聞弟子一名㝡二名力拘那含牟
尼佛第一聲聞弟子一名活二名毗頭羅迦
葉佛第一聲聞弟子一名鍮耶二名頗羅隨
我釋迦牟尼佛弟一聲聞弟子一名舍利弗
二名目揵連如上二人等前者智慧第一後
神通第一毗婆尸佛侍者名无憂尸棄佛侍
者名離畏毗舍浮佛侍者名寂拘留孫佛侍
者名智拘那含牟尼佛侍者名覩迦葉佛侍
者名迦夫我侍者名歡喜毗婆尸佛子名成

BD00313號　佛名經（十二卷本　異卷）卷八　（11-6）

者名離畏毗舍浮佛侍者名寂拘留孫佛侍
者名智拘那含牟尼佛侍者名親迦葉佛侍
者名迦夫我侍者名歡喜毗婆尸佛子名成
陰尸棄佛子名不可量毗舍浮佛子名善智
拘留孫佛子名上拘那含牟尼佛子名勝迦
葉佛子名導師我子名羅睺羅毗婆尸佛父
名槃頭母名槃頭意城名槃頭尸棄佛父名
鈎那母名勝城名阿樓那跋提毗舍浮佛父
名阿樓那天子母名稱意城名隨意拘留孫
佛父婆羅門種名功德母名廣被天子名无
畏城名无畏拘那含牟尼佛父婆羅門種
名火德母名難勝天子名莊嚴城名莊嚴
迦葉佛父婆羅門種名淨德母名善才天子
名知使城名知使今時波羅㮈城是我今
父名輸頭檀王母名摩訶摩耶城名迦毗羅
舍利弗應當敬礼我本師謂釋迦牟尼佛稱
妙佛　降伏一切佛　燃燈光佛　无畏佛
法勝佛
如是等初一大阿僧祇劫有八十億佛宿後
名釋迦牟尼佛第二阿僧祇劫初寶勝佛燃
燈佛妙聲佛勝成佛善見佛善眼佛持提羅
吒佛佛師子无畏自在不違善眼善山善意
㮶檀降伏熱降伏闇師子㲈逆妙聲无量威
德淨德炎見第一義須有釋迦牟尼妙行勝
妙寂靜妙身功德梵梵命月降自在調山曰
陁羅財此是第二大阿僧祇劫有如是等七
十二億佛應當敬礼

BD00313 號　佛名經（十二卷本　異卷）卷八　（11–7）

陁羅財此是第二大阿僧祇劫有如是等七
十二億佛應當敬礼
舍利弗大力大精進淨德大明陽炎須有釋
迦牟尼大龍大威德堅行栴檀寶山曰陁羅
幢无畏作富樓那寶髻波頭摩勝妙勝无垢
与光明降伏恐波斯他大幢頗羅墮畢沙星
宿毗婆尸尸棄拘隣毗舍浮能作光明不可
勝須有尸棄善見宿後釋迦牟尼第三大阿
僧祇劫中有如是等七十一億佛應當礼敬
舍利弗如是等過去无量佛汝等應當敬礼
南无歡喜增長佛　南无人自在王佛
南无不動佛　南无大聖佛
南无歡喜佛　南无自在佛
南无普光明佛　南无滿足佛
南无拘隣佛　南无安隱佛
南无大精進佛　南无智慧佛
南无大稱佛　南无阿㝹律佛
南无妙勝佛　南无不厭足佛
南无火光炎聚佛　南无月光佛
南无火威德佛　南无普寶蓋佛
南无那羅延光明佛　南无師子乘光明佛
南无離一切憂惱光明佛　南无堅固光明佛
南无雲王光明佛　南无无垢辟光明佛
南无成就義光明佛　南无勝護光明佛
南无梵勝天王王光明佛
南无如是等同名不可說不可量佛
舍利弗汝應當敬礼无量壽佛國安樂世界

BD00313 號　佛名經（十二卷本　異卷）卷八　（11–8）

南无如是等同名不可說不可量佛
舍利弗汝應當敬礼无量壽佛國安樂世界
觀世音菩薩得大勢菩薩以為上首及无量
无邊菩薩如是摩梨支世界難勝佛國土光
明幢菩薩光明勝菩薩以為上首及无量无
邊阿僧祇菩薩衆如是可樂世界阿閦佛國
土香爲菩薩妙香像菩薩以為上首及无量
无邊菩薩衆如是盧舍那世界日月佛國土
師子菩薩師子慧菩薩以為上首及无量无
邊菩薩衆如是不瞬世界善月佛國土莎羅
胎菩薩一切法得自在菩薩以為上首及无
量无邊菩薩衆如是光明世界普照佛國土
月輪菩薩寶炬菩薩以為上首及无量无邊
菩薩衆樂成世界寶炎如来佛國土不空奮
迅菩薩不空見菩薩以為上首及无量无邊
菩薩衆觀世界普觀如来佛國土雲王菩薩
法王菩薩以為上首及无量无邊菩薩衆見
愛世界觀世音王如来佛國土降伏魔菩薩
山王菩薩以為上首及无量无邊菩薩衆如
是等十方世界一切佛國土一切菩薩我皆
歸命
舍利弗歸命善清淨无垢寶功德集勝王佛
南无因陁羅幢佛　南无普照佛
南无清淨光明王佛　南无金色光明師子奮迅王佛
南无普勝山功德佛　南无善住功德摩尼山王佛
南无普見王佛　南无金剛勝佛
南无普賢佛　南无普照佛

BD00313號　佛名經（十二卷本　異卷）卷八　（11–9）

南无普勝山功德佛　南无善住功德摩尼山王佛
南无普見王佛　南无金剛勝佛
南无普賢佛　南无普照佛
南无寶法勝決定佛　南无无畏王佛
南无无量意功德王佛　南无地自在王佛
南无盡光佛　南无離塵功德佛
南无難知佛　南无金剛妙佛
南无无垢勝佛　南无月勝佛
南无一味勝佛　南无槃頭華佛
南无蹲香勝佛　南无多摩羅跋香勝佛
南无月藏佛　南无沈水香佛
南无樹提光明佛　南无海香佛
南无龍藏佛　南无寶光明佛
南无大雲藏佛　南无智德佛
南无金剛藏佛　南无住持地佛
南无虛空平等佛　南无勝藏佛
南无濡語佛　南无有德佛
南无山藏佛　南无妙鼓佛
南无愛勝佛　南无鼓增長佛
南无歡喜藏佛　南无日藏佛
南无行勝佛　南无寶語佛
南无智勝佛　南无妙聲佛
南无不自勝佛　南无勝妙勝佛
南无佛寶幢佛　南无隨順式佛
南无寶勝佛　南无无垢瑠璃佛
南无滿足金剛住持佛　南无甘露幢佛
南无成就功德佛　南无香山佛
南[illegible]佛　南[illegible]佛

BD00313號　佛名經（十二卷本　異卷）卷八　（11–10）

南无滿足金剛住持佛　南无甘露幢佛
南无成就功德佛　南无香山佛
南无根本勝藏佛　南无不可知佛
南无无邊知佛　南无无量佛
南无无量自在佛　南无火光明佛
南无德藏佛　南无根本莊嚴寶蓋迮佛
南无根本光佛　南无一切衆生見愛寶蓋莊嚴佛
南无忍王佛　南无離一切煩惱佛
南无寶色勝佛　南无符勝王佛
南无億藏佛　南无見一切佛
南无見受佛　南无不可見佛
南无甘露功德稱佛　南无一切畏差別能斷[illegible]
南无師子吼佛　南无散華佛
南无勝佛　南无无导智作佛
南无一切作樂佛　南无尊勝佛
南无吉王佛　南无一切世間[illegible]
南无須弥劫佛　南无勝須弥佛

佛名經卷第八

BD00313 號　佛名經（十二卷本　異卷）卷八　　（11–11）

尒時阿難羅睺羅而作是念我等每自思惟
設得受記不亦快乎即從座起到於佛前頭
面礼足俱白佛言世尊我等於此亦應有分
唯有如來我等所歸又我等為一切世間天
人阿脩羅所見知識阿難常為侍者護持法
藏羅睺羅是佛之子若佛見授阿耨多羅三
藐三菩提記者我願既滿衆望亦足尒時學
无學聲聞弟子二千人皆從座起偏袒右肩
到於佛前一心合掌瞻仰世尊如阿難羅睺
羅所願住立一面尒時佛告阿難汝於來世
當得作佛号山海慧自在通王如來應供正
遍知明行足善逝世間解无上士調御丈夫
天人師佛世尊當供養六十二億諸佛護持
法藏然後得阿耨多羅三藐三菩提教化二十
千万億恒河沙諸菩薩等令成阿耨多羅
三藐三菩提國名常立勝幡其土清淨瑠璃
為地劫名妙音遍滿其佛壽命无量千万億
阿僧祇劫若人於千万億无量阿僧祇劫中
筭數校計不能得知正法住世倍於壽命像
法住世復倍正法阿難是山海慧自在通王
佛為十方无量千万億恒河沙等諸佛如來
所共讃歎稱其功德尒時世尊欲重宣此義

BD00314 號　妙法蓮華經卷四　　（24–1）

佛為十方无量千万億恒河沙等諸佛如來
所共讚歎稱其功德尒時世尊欲重宣此義
而說偈言
我今僧中說　阿難持法者　當供養諸佛　然後成正覺
号曰山海慧　自在通王佛　其國土清淨　名常立勝幡
教化諸菩薩　其數如恒沙　佛有大威德　名聞滿十方
壽命有无量　以愍衆生故　正法倍壽命　像法復倍是
如恒河沙等　无數諸衆生　於此佛法中　種佛道因緣
尒時會中新發意菩薩八千人咸作是念我
等尚不聞諸大菩薩得如是記有何因緣而
諸聲聞得如是決尒時世尊知諸菩薩心之所
念而告之曰諸善男子我與阿難等於空王
佛所同時發阿耨多羅三藐三菩提心阿
難常樂多聞我常勤精進是故我已得成阿
耨多羅三藐三菩提而阿難護持我法亦護
將來諸佛法藏教化成就諸菩薩衆其本願
如是故獲斯記阿難面於佛前自聞受記及
國土莊嚴所願具足心大歡喜得未曾有即
時憶念過去无量千万億諸佛法藏通達无
礙如今所聞亦識本願尒時阿難而說偈言
世尊甚希有　令我念過去　无量諸佛法　如今日所聞
我今无復疑　安住於佛道　方便為侍者　護持諸佛法
尒時佛告羅睺羅汝於來世當得作佛号蹈
七寶華如來應供正遍知明行足善逝世間
解无上士調御丈夫天人師佛世尊當供養
十世界微塵等數諸佛如來常為諸佛而作

BD00314 號　妙法蓮華經卷四　（24–2）

七寶華如來應供正遍知明行足善逝世間
解无上士調御丈夫天人師佛世尊當供養
十世界微塵等數諸佛如來常為諸佛而作
長子猶如今也是蹈七寶華佛國土莊嚴壽
命劫數所化弟子正法像法亦如山海慧自
在通王如來无異亦為此佛而作長子過是
已後當得阿耨多羅三藐三菩提尒時世尊
欲重宣此義而說偈言
我為太子時　羅睺為長子　我今成佛道　受法為法子
於未來世中　見无量億佛　皆為其長子　一心求佛道
羅睺羅密行　唯我能知之　現為我長子　以示諸衆生
无量億千万　功德不可數　安住於佛法　以求无上道
尒時世尊見學无學二千人其意柔軟寂然
清淨一心觀佛佛告阿難汝見是學无學二
千人不唯然已見阿難是諸人等當供養五
十世界微塵數諸佛如來恭敬尊重護持法
藏末後同時於十方國各得成佛皆同一号
名曰寶相如來應供正遍知明行足善逝世
間解无上士調御丈夫天人師佛世尊壽命
一劫國土莊嚴聲聞菩薩正法像法皆悉同
等尒時世尊欲重宣此義而說偈言
是二千聲聞　今於我前住　悉皆與授記　未來當成佛
所供養諸佛　如上說塵數　護持其法藏　後當成正覺
各於十方國　悉同一名号　俱時坐道場　以證无上慧
皆名為寶相　國土及弟子　正法與像法　悉等无有異
咸以諸神通　度十方衆生　名聞普周遍　漸入於涅槃
尒時學无學二千人聞佛授記歡喜踊躍而

BD00314 號　妙法蓮華經卷四　（24–3）

咸以諸神通　度十方衆生　名聞普周遍　漸入於涅槃
尒時學无學二千人聞佛授記歡喜踊躍而
說偈言
世尊慧燈明　我聞授記音　心歡喜充滿　如甘露見灌
妙法蓮華經法師品第十
尒時世尊因藥王菩薩告八万大士藥王汝
見是大衆中无量諸天龍王夜叉乾闥婆阿
脩羅迦樓羅緊那羅摩睺羅伽人與非人及
比丘比丘尼優婆塞優婆夷求聲聞者求辟
支佛者求佛道者如是等類咸於佛前聞妙
法華經一偈一句乃至一念隨喜者我皆與
授記當得阿耨多羅三藐三菩提佛告藥王
又如來滅度之後若有人聞妙法華經乃至
一偈一句一念隨喜者我亦與授阿耨多羅三
藐三菩提記若復有人受持讀誦解說書
寫妙法華經乃至一偈於此經卷敬視如佛
種種供養華香瓔珞末香塗香燒香繒蓋幢
幡衣服伎樂乃至合掌恭敬藥王當知是諸
人等已曾供養十万億佛於諸佛所成就大
願愍衆生故生此人間
藥王若有人問何等衆生於未來世當得作
佛應示是諸人等於未來世必得作佛何以
故若善男子善女人於法華經乃至一句受
持讀誦解說書寫種種供養經卷華香瓔珞
末香塗香燒香繒蓋幢幡衣服伎樂合掌恭
敬是人一切世間所應瞻奉應以如來供養

BD00314號　妙法蓮華經卷四　（24–4）

持讀誦解說書寫種種供養經卷華香瓔珞
末香塗香燒香繒蓋幢幡衣服伎樂合掌恭
敬是人一切世間所應瞻奉應以如來供養
而供養之當知此人是大菩薩成就阿耨多
羅三藐三菩提哀愍衆生願生此間廣演分
別妙法華經何況盡能受持種種供養者藥
王當知是人自捨清淨業報於我滅度後愍衆
生故生於惡世廣演此經若是善男子善女
人我滅度後能竊為一人說法華經乃至一
句當知是人則如來使如來所遣行如來事
何況於大衆中廣為人說藥王若有惡人以
不善心於一劫中現於佛前常毀罵佛其罪
尚輕若人以一惡言毀呰在家出家讀誦法
華經者其罪甚重藥王其有讀誦法華經者
當知是人以佛莊嚴而自莊嚴則為如來肩
所荷擔其所至方應隨向礼一心合掌恭敬
供養尊重讚歎華香瓔珞末香塗香燒香繒
蓋幢幡衣服餚饍作諸伎樂人中上供而供
養之應持天寶而以散之天上寶聚應以奉
獻所以者何是人歡喜說法須臾聞之即得究
竟阿耨多羅三藐三菩提故尒時世尊欲
重宣此義而說偈言
若欲住佛道　成就自然智　常當勤供養　受持法華者
其有欲疾得　一切種智慧　當受持是經　并供持經者
若有能受持　妙法華經者　當知佛所使　愍念諸衆生
諸有能受持　妙法華經者　捨於清淨土　愍衆故生此

BD00314號　妙法蓮華經卷四　（24–5）

若有能受持　妙法華經者　當知佛所使　愍念諸衆生
諸有能受持　妙法華經者　捨於清淨土　愍衆故生此
當知如是人　自在所欲生　能於此惡世　廣說无上法
應以天華香　及天寶衣服　天上妙寶聚　供養說法者
吾滅後惡世　能持是經者　當合掌敬禮　如供養世尊
上饌衆甘美　及種種衣服　供養是佛子　兾得須臾聞
若能於後世　受持是經者　我遣在人中　行於如來事
若於一劫中　常懷不善心　作色而罵佛　獲无量重罪
其有讀誦持　是法華經者　須臾加惡言　其罪復過彼
有人求佛道　而於一劫中　合掌在我前　以无數偈讚
由是讚佛故　得无量功德　歎美持經者　其福復過彼
於八十億劫　以㝡妙色聲　及與香味觸　供養持經者
如是供養已　若得須臾聞　則應自欣慶　我今獲大利
藥王今告汝　我所說諸經　而於此經中　法華㝡第一
尒時佛復告藥王菩薩摩訶薩我所說經典
无量千億已說今說當說而於其中此法華
經㝡為難信難解藥王此經是諸佛祕要之
藏不可分布妄授與人諸佛世尊之所守護
從昔已來未曾顯說而此經者如來現在猶
多怨嫉況滅度後藥王當知如來滅後其能
書持讀誦供養為他人說者如來則為以衣
覆之又為他方現在諸佛之所護念是人有
大信力及志願力諸善根力當知是人與如
來共宿則為如來手摩其頭藥王在在處處
若說若讀若誦若書若經卷所住之處皆應起
七寶塔極令高廣嚴飾不須復安舍利所以

BD00314 號　妙法蓮華經卷四

（24–6）

若說若讀若誦若書若經卷所住之處皆應起
七寶塔極令高廣嚴飾不須復安舍利所以
者何此中已有如來全身此塔應以一切華
香瓔珞繒蓋幢幡伎樂歌頌供養恭敬尊重
讚歎若有人得見此塔禮拜供養當知是等
皆近阿耨多羅三藐三菩提藥王多有人在
家出家行菩薩道若不能得見聞讀誦書持
供養是法華經者當知是人未善行菩薩道
若有得聞是經典者乃能善行菩薩之道其
有衆生求佛道者若見若聞是法華經聞已
信解受持者當知是人得近阿耨多羅三藐
三菩提
藥王譬如有人渴之須水於彼高原穿鑿求
之猶見乾土知水尚遠施功不已轉見濕土
遂漸至泥其心決定知水必近菩薩亦復如
是若未聞未解未能脩習是法華經當知是
人去阿耨多羅三藐三菩提尚遠若得聞解
思惟脩習必知得近阿耨多羅三藐三菩提
所以者何一切菩薩阿耨多羅三藐三菩提皆
屬此經此經開方便門示真實相是法華
經藏深固幽遠无人能到今佛教化成就菩
薩而為開示藥王若有菩薩聞是法華經驚
疑怖畏當知是為新發意菩薩若聲聞人聞
是經驚疑怖畏當知是為增上慢者藥王若
有善男子善女人如來滅後欲為四衆說是
法華經者云何應說是善男子善女人入如來

BD00314 號　妙法蓮華經卷四

（24–7）

有善男子善女人如來滅後欲為四眾說是
法華經者云何應說是善男子善女人入如來
室著如來衣坐如來座尒乃應為四眾廣
說斯經如來室者一切眾生中大慈悲心是
如來衣者柔和忍辱心是如來座者一切法
空是安住是中然後以不懈怠心為諸菩薩
及四眾廣說是法華經藥王我於餘國遣化
人為其集聽法眾亦遣化比丘比丘尼優婆
塞優婆夷聽其說法是諸化人聞法信受隨
順不逆若說法者在空閑處我時廣遣天龍
鬼神乾闥婆阿脩羅等聽其說法我雖在異
國時時令說法者得見我身若於此經忘失
句逗我還為說令得具足尒時世尊欲重宣
此義而說偈言
欲捨諸懈怠　應當聽此經　是經難得聞　信受者亦難
如人渴須水　穿鑿於高原　猶見乾燥土　知去水尚遠
漸見溼土泥　決定知近水　藥王汝當知　如是諸人等
不聞法華經　去佛智甚遠　若聞是深經　決了聲聞法
是諸經之王　聞已諦思惟　當知此人等　近於佛智慧
若人說此經　應入如來室　著於如來衣　而坐如來座
處眾无所畏　廣為分別說　大慈悲為室　柔和忍辱衣
諸法空為座　處此為說法　若說此經時　有人惡口罵
加刀杖瓦石　念佛故應忍　我千万億土　現淨堅固身
於无量億劫　為眾生說法　若我滅度後　能說此經者
我遣化四眾　比丘比丘尼　及清信士女　供養於法師
引導諸眾生　集之令聽法　若人欲加惡　刀杖及瓦石

BD00314 號　妙法蓮華經卷四　（24-8）

我遣化四眾　比丘比丘尼　及清信士女　供養於法師
引導諸眾生　集之令聽法　若人欲加惡　刀杖及瓦石
則遣變化人　為之作衛護　若說法之人　獨在空閑處
寂寞无人聲　讀誦此經典　我尒時為現　清淨光明身
若忘失章句　為說令通利　若人具是德　或為四眾說
空處讀誦經　皆得見我身　若人在空閑　我遣天龍王
夜叉鬼神等　為作聽法眾　是人樂說法　分別无罣礙
諸佛護念故　能令大眾喜　若親近法師　速得菩薩道
隨順是師學　得見恒沙佛

妙法蓮華經見寶塔品第十一

尒時佛前有七寶塔高五百由旬縱廣二百
五十由旬從地踊出住在空中種種寶物而
莊校之五千欄楯龕室千万无數幢幡以為
嚴飾垂寶瓔珞寶鈴万億而懸其上四面皆
出多摩羅跋栴檀之香充遍世界其諸幡蓋
以金銀琉璃車𤦲馬瑙真珠玫瑰七寶合成
高至四天王宮三十三天雨天曼陀羅華供
養寶塔餘諸天龍夜叉乾闥婆阿脩羅迦樓
羅緊那羅摩睺羅伽人非人等千万億眾以
一切華香瓔珞幡蓋伎樂供養寶塔恭敬尊重
讚歎尒時寶塔中出大音聲歎言善哉善
哉釋迦牟尼世尊能以平等大慧教菩薩法
佛所護念妙法華經為大眾說如是如是釋
迦牟尼世尊如所說者皆是真實
尒時四眾見大寶塔住在空中又聞塔中所

BD00314 號　妙法蓮華經卷四　（24-9）

迦牟尼世尊如所說者皆是真實
爾時四衆見大寶塔住在空中又聞塔中所
出音聲皆得法喜怪未曾有從座而起恭敬
合掌却住一面爾時有菩薩摩訶薩名大樂
說知一切世間天人阿脩羅等心之所疑而
白佛言世尊以何因緣有此寶塔從地踊出
又於其中發是音聲爾時佛告大樂說菩薩
此寶塔中有如來全身乃往過去東方无量
千万億阿僧祇世界國名寶淨彼中有佛号
曰多寶其佛本行菩薩道時作大誓願若我
成佛滅度之後於十方國土有說法華經處我
之塔廟為聽是經故踊現其前為作證明讚
言善哉彼佛成道已臨滅度時於天人大衆
中告諸比丘我滅度後欲供養我全身者應
起一大塔其佛以神通願力十方世界在在
處處若有說法華經者彼之寶塔皆踊出其
前全身在於塔中讚言善哉善哉大樂說今
多寶如來塔聞說法華經故從地踊出讚言
善哉善哉是時大樂說菩薩以如來神力故
白佛言世尊我等願欲見此佛身佛告大樂
說菩薩摩訶薩是多寶佛有深重願若我寶
塔為聽法華經故出於諸佛前時其有欲以
我身示四衆者彼佛分身諸佛在於十方世
界說法盡還集一處然後我身乃出現耳大
樂說我分身諸佛在於十方世界說法者今
應當集大樂說白佛言世尊我等亦願欲見

BD00314 號　妙法蓮華經卷四　（24–10）

樂說我分身諸佛在於十方世界說法者今
應當集大樂說白佛言世尊我等亦願欲見
世尊分身諸佛禮拜供養
爾時佛放白毫一光即見東方五百万億那
由他恒河沙等國土諸佛彼諸國土皆以頗
梨為地寶樹寶衣以為莊嚴无數千万億菩
薩充滿其中遍張寶幔寶網羅上彼國諸佛
以大妙音而說諸法及見无量千万億菩薩
遍滿諸國為衆說法南西北方四維上下白
毫相光所照之處亦復如是爾時十方諸佛
各告衆菩薩言善男子我今應往娑婆世界
釋迦牟尼佛所并供養多寶如來寶塔時娑
婆世界即變清淨瑠璃為地寶樹莊嚴黃金
為繩以界八道无諸聚落村營城邑大海江河
山川林藪燒大寶香曼陀羅華遍布其地以
寶網幔羅覆其上懸諸寶鈴唯留此會衆
移諸天人置於他土是時諸佛各將一大菩
薩以為侍者至娑婆世界各到寶樹下一一
寶樹高五百由旬枝葉華菓次第莊嚴諸寶
樹下皆有師子之座高五由旬亦以大寶而
校飾之
爾時諸佛各於此座結加趺坐如是展轉遍
滿三千大千世界而於釋迦牟尼佛一方所
分之身猶故未盡時釋迦牟尼佛欲容受所
分身諸佛故八方各更變二百万億那由他國
皆令清淨无有地獄餓鬼畜生及阿脩羅

BD00314 號　妙法蓮華經卷四　（24–11）

分之身猶故未盡時釋迦牟尼佛欲容受所
分身諸佛故八方各更變二百万億那由他國
皆令清淨无有地獄餓鬼畜生及阿脩羅
又移諸天人置於他土所化之國亦以瑠璃為
地寶樹莊嚴樹高五百由旬枝葉華菓次
第嚴飾樹下皆有寶師子座高五由旬種種
諸寶以為莊校亦无大海江河及目真隣陁
山摩訶目真隣陁山鐵圍山大鐵圍山須弥
山等諸山王通為一佛國土寶地平正寶交
露縵遍覆其上懸諸幡蓋燒大寶香諸天寶
華遍布其地釋迦牟尼佛為諸佛當來坐故
復於八方各更變二百万億那由他國皆令清
淨无有地獄餓鬼畜生及阿脩羅又移諸天
人置於他土所化之國亦以瑠璃為地寶樹莊
嚴樹高五百由旬枝葉華菓次第莊嚴樹
下皆有寶師子座高五由旬亦以大寶而校
飾之亦无大海江河及目真隣陁山摩訶目
真隣陁山鐵圍山大鐵圍山須弥山等諸山
王通為一佛國土寶地平正寶交露縵遍覆
其上懸諸幡蓋燒大寶香諸天寶華遍布其
地爾時東方釋迦牟尼所分之身百千万億
那由他恒河沙等國土中諸佛各各說法來
集於此如是次第十方諸佛皆悉來集坐於
八方
爾時一一方四百万億那由他國土諸佛如來
遍滿其中是時諸佛各在寶樹下坐師子

BD00314號　妙法蓮華經卷四　（24–12）

爾時一一方四百万億那由他國土諸佛如來
遍滿其中是時諸佛各在寶樹下坐師子
座皆遣侍者問訊釋迦牟尼佛各齎寶華滿
掬而告之言善男子汝往詣耆闍崛山釋迦牟
尼佛所如我辭曰少病少惱氣力安樂及菩
薩聲聞衆悉安隱不以此寶華散佛供養
而作是言彼某甲佛與欲開此寶塔諸佛遣
使亦復如是爾時釋迦牟尼佛見所分身佛
悉已來集各各坐於師子之座皆聞諸佛與
欲同開寶塔即從座起住虛空中一切四衆
起立合掌一心觀佛於是釋迦牟尼佛以右
指開七寶塔戶出大音聲如却關鑰開大城
門即時一切衆會皆見多寶如來於寶塔中
坐師子座全身不散如入禪定又聞其言善
哉善哉釋迦牟尼佛快說是法華經我為聽
是經故而來至此爾時四衆等見過去无量
千万億劫滅度佛說如是言歎未曾有以天
寶華聚散多寶佛及釋迦牟尼佛上爾時多
寶佛於寶塔中分半座與釋迦牟尼佛而作
是言釋迦牟尼佛可就此座即時釋迦牟尼
佛入其塔中坐其半座結跏趺坐爾時大衆
見二如來在七寶塔中師子座上結跏趺坐
各作是念佛座高遠惟願如來以神通力令
我等輩俱處虛空即時釋迦牟尼佛以神通
力接諸大衆皆在虛空以大音聲普告四衆
誰能於此娑婆國土廣說妙法華經今正是

BD00314號　妙法蓮華經卷四　（24–13）

等輩俱處虛空即時釋迦牟尼佛以神通
力接諸大衆皆在虛空以大音聲普告四衆
誰能於此娑婆国土廣說妙法華經今正是
時如來不久當入涅槃佛欲以此妙法華經付
囑有在尒時世尊欲重宣此義而說偈言
聖主世尊　雖久滅度　在寶塔中　尚為法來
諸人云何　不勤為法　此佛滅度　无央數劫
處處聽法　以難遇故　彼佛本願　我滅度後
在在所往　常為聽法　又我分身　无量諸佛
如恒沙等　來欲聽法　及見滅度　多寶如來
各捨妙土　及弟子衆　天人龍神　諸供養事
令法久住　故來至此　為坐諸佛　以神通力
移无量衆　令国清淨　諸佛各各　詣寶樹下
如清淨池　蓮華莊嚴　其寶樹下　諸師子座
佛坐其上　光明嚴飾　如夜闇中　然大炬火
身出妙香　遍十方国　衆生蒙薰　喜不自勝
譬如大風　吹小樹枝　以是方便　令法久住
告諸大衆　我滅度後　誰能護持　讀說斯經
今於佛前　自說誓言
其多寶佛　雖久滅度　以大誓願　而師子吼
多寶如來　及與我身　所集化佛　當知此意
諸佛子等　誰能護法　當發大願　令得久住
其有能護　此經法者　則為供養　我及多寶
此多寶佛　處於寶塔　常遊十方　為是經故
亦復供養　諸來化佛　莊嚴光飾　諸世界者
若說此經　則為見我　多寶如來　及諸化佛
諸善男子　各諦思惟　此為難事　宜發大願

BD00314號　妙法蓮華經卷四　　（24–14）

若說此經　則為見我　多寶如來　及諸化佛
諸善男子　各諦思惟　此為難事　宜發大願
諸餘經典　數如恒沙　雖說此等　未足為難
若接須彌　擲置他方　无數佛土　亦未為難
若以足指　動大千界　遠擲他国　亦未為難
若立有頂　為衆演說　无量餘經　亦未為難
若佛滅後　於惡世中　能說此經　是則為難
假使有人　手把虛空　而以遊行　亦未為難
於我滅後　若自書持　若使人書　是則為難
若以大地　置足甲上　昇於梵天　亦未為難
佛滅度後　於惡世中　暫讀此經　是則為難
假使劫燒　擔負乾草　入中不燒　亦未為難
我滅度後　若持此經　為一人說　是則為難
若持八万　四千法藏　十二部經　為人演說
令諸聽者　得六神通　雖能如是　亦未為難
於我滅後　聽受此經　問其義趣　是則為難
若人說法　令千万億　无量无數　恒沙衆生
得阿羅漢　具六神通　雖有此益　亦未為難
於我滅後　若能奉持　如斯經典　是則為難
我為佛道　於无量土　從始至今　廣說諸經
而於其中　此經第一　若有能持　則持佛身
諸善男子　於我滅後　誰能受持　讀誦此經
今於佛前　自說誓言
此經難持　若暫持者　我則歡喜　諸佛亦然
如是之人　諸佛所歎　是則勇猛　是則精進
是名持戒　行頭陀者　則為疾得　无上佛道

BD00314號　妙法蓮華經卷四　　（24–15）

……即歡喜　諸佛亦然
如是之人　諸佛所歎　是則勇猛　是則精進
是名持戒　行頭陀者　則為疾得　无上佛道
能於來世　讀持此經　是真佛子　住純善地
佛滅度後　能解其義　是諸天人　世間之眼
於恐畏世　能須臾說　一切人天　皆應供養

妙法蓮華經提婆達多品第十二

尒時佛告諸菩薩及天人四衆吾於過去无
量劫中求法華經无有懈惓於多劫中常作
國王發願求於无上菩提心不退轉為欲滿足
六波羅蜜勤行布施心无悋惜象馬七珎
國城妻子奴婢僕從頭目髓腦身肉手足不
惜軀命時世人民壽命无量為於法故捐捨
國位委政太子擊鼓宣令四方求法誰能為
我說大乘者吾當終身供給走使時有仙人
來白王言我有大乘名妙法蓮華經若不違
我當為宣說王聞其言歡喜踊躍即隨仙人
供給所須採菓汲水拾薪設食乃至以身而
為牀座身心无惓于時奉事經於千歲為於
法故精勤給侍令无所乏尒時世尊欲重宣
此義而說偈言

我念過去劫　為求大法故　雖作世國王　不貪五欲樂
搥鍾告四方　誰有大法者　若為我解說　身當為奴僕
時有阿私仙　來白於大王　我有微妙法　世間所希有
若能脩行者　吾當為汝說　時王聞仙言　心生大喜悅
即便隨仙人　供給於所須　採薪及菓蓏　隨時恭敬與
情存妙法故　身心无懈惓　普為諸衆生　勤求於大法

即便隨仙人　供給於所須　採薪及菓蓏　隨時恭敬與
情存妙法故　身心无懈惓　普為諸衆生　勤求於大法
亦不為己身　及以五欲樂　故為大國王　勤求獲此法
遂致得成佛　今故為汝說

佛告諸比丘尒時王者則我身是時仙人者
今提婆達多是由提婆達多善知識故令我
具足六波羅蜜慈悲喜捨三十二相八十種
好紫磨金色十力四无所畏四攝法十八不
共神通道力成等正覺廣度衆生皆因提婆
達多善知識故告諸四衆提婆達多却後過
无量劫當得成佛号曰天王如來應供正遍
知明行足善逝世間解无上士調御丈夫天
人師佛世尊世界名天道時天王佛住世二
十中劫廣為衆生說於妙法恒河沙衆生得
阿羅漢果无量衆生發緣覺心恒河沙衆生
發无上道心得无生法忍至不退轉時天王
佛般涅槃後正法住世二十中劫全身舍利
起七寶塔高六十由旬縱廣四十由旬諸天
人民悉以雜華末香燒香塗香衣服瓔珞
幢幡寶蓋伎樂歌頌礼拜供養七寶妙塔无量
衆生得阿羅漢果无量衆生悟辟支佛不可
思議衆生發菩提心至不退轉佛告諸比丘
未來世中若有善男子善女人聞妙法華經
提婆達多品淨心信敬不生疑惑者不墮地
獄餓鬼畜生生十方佛前所生之處常聞此
經若生人天中受勝妙樂若在佛前蓮華化

從餓鬼畜生十方佛前所生之處常聞此
經若生人天中受勝妙樂若在佛前蓮華化
生於時下方多寶世尊所從菩薩名曰智積
白多寶佛當還本土釋迦牟尼佛告智積曰
善男子且待須臾此有菩薩名文殊師利可
與相見論說妙法可還本土
尒時文殊師利坐千葉蓮華大如車輪俱來
菩薩亦坐寶蓮華從於大海娑竭羅龍宮自
然踊出住虛空中詣靈鷲山從蓮華下至於
佛所頭面敬礼二世尊足脩敬已畢往智積
所共相慰問却坐一面智積菩薩問文殊師
利仁往龍宮所化衆生其數幾何文殊師利
言其數无量不可稱計非口所宣非心所測
且待須臾自當有證所言未竟无數菩薩坐
寶蓮華從海踊出詣靈鷲山住在虛空此諸
菩薩皆是文殊師利之所化度具菩薩行皆
共論說六波羅蜜本聲聞人在虛空中說聲
聞行今皆脩行大乘空義文殊師利謂智積
曰於海教化其事如此尒時智積菩薩以偈
讚曰
大智德勇健　化度无量衆　今此諸大會　及我皆已見
演暢實相義　開闡一乘法　廣導諸群生　令速成菩提
文殊師利言我於海中唯常宣說妙法華經
智積問文殊師利言此經甚深微妙諸經中
寶世所希有頗有衆生勤加精進脩行此經
速得佛不文殊師利言有娑竭羅龍王女年

BD00314號　妙法蓮華經卷四　（24–18）

智積問文殊師利言此經甚深微妙諸經中
寶世所希有頗有衆生勤加精進脩行此經
速得佛不文殊師利言有娑竭羅龍王女年
始八歲智慧利根善知衆生諸根行業得陁
羅尼諸佛所說甚深祕藏悉能受持深入禪
定了達諸法於剎那頃發菩提心得不退轉
辯才无礙慈念衆生猶如赤子功德具足心
念口演微妙廣大慈悲仁讓志意和雅能至
菩提智積菩薩言我見釋迦如來於无量劫
難行苦行積功累德求菩提道未曾止息觀
三千大千世界乃至无有如芥子許非是菩
薩捨身命處為衆生故然後乃得成菩提道
不信此女於須臾頃便成正覺言論未訖時
龍王女忽現於前頭面礼敬却住一面以偈
讚曰
深達罪福相　遍照於十方　微妙淨法身　具相三十二
以八十種好　用莊嚴法身　天人所戴仰　龍神咸恭敬
一切衆生類　无不宗奉者　又聞成菩提　唯佛當證知
我闡大乘教　度脫苦衆生
時舍利弗語龍女言汝謂不久得无上道是
事難信所以者何女身垢穢非是法器云何
能得无上菩提佛道懸曠經无量劫勤苦積
行具脩諸度然後乃成又女人身猶有五鄣一
者不得作梵天王二者帝釋三者魔王四者
轉輪聖王五者佛身云何女身速得成佛尒
時龍女有一寶珠價直三千大千世界持以
上佛佛即受之龍女謂智積菩薩尊者舍利

BD00314號　妙法蓮華經卷四　（24–19）

行具修諸度然後乃成又女人身猶有五鄣一
者不得作梵天王二者帝釋三者魔王四者
轉輪聖王五者佛身云何女身速得成佛尒
時龍女有一寶珠價直三千大千世界持以
上佛佛即受之龍女謂智積菩薩尊者舍利
弗言我獻寶珠世尊納受是事疾不荅言甚
疾女言以汝神力觀我成佛復速於此當時
衆會皆見龍女忽然之間變成男子具菩薩
行即往南方无垢世界坐寶蓮華成等正覺
三十二相八十種好普為十方一切衆生演
說妙法尒時娑婆世界菩薩聲聞天龍八部
人與非人皆遥見彼龍女成佛普為時會人
天說法心大歡喜悉遥礼敬无量衆生聞法
解悟得不退轉无量衆生得受道記无垢世
界六反震動娑婆世界三千衆生住不退地
三千衆生發菩提心而得受記智積菩薩及
舍利弗一切衆會嘿然信受

妙法蓮華經勸持品第十三

尒時藥王菩薩摩訶薩及大樂說菩薩摩訶
薩與二万菩薩眷屬俱皆於佛前作是誓言
唯願世尊不以為慮我等於佛滅後當奉持
讀誦說此經典後惡世衆生善根轉少多增上
慢貪利供養增不善根遠離解脫雖難可
教化我等當起大忍力讀誦此經持說書寫
種種供養不惜身命尒時衆中五百阿羅漢得
受記者白佛言世尊我等亦自誓願於異
國土廣說此經復有學无學八千人得受記

種種供養不惜身命尒時衆中五百阿羅漢得
受記者白佛言世尊我等亦自誓願於異
國土廣說此經復有學无學八千人得受記
者從座而起合掌向佛作是誓言世尊我等
亦當於他國土廣說此經所以者何是娑婆
國中人多弊惡懷增上慢功德淺薄瞋濁諂
曲心不實故
尒時佛姨母摩訶波闍波提比丘尼與學无
學比丘尼六千人俱從座而起一心合掌瞻仰
尊顏目不暫捨於時世尊告憍曇弥何故
憂色而視如來汝心將无謂我不說汝名得授
阿耨多羅三藐三菩提記耶憍曇弥我先摠
說一切聲聞皆已授記今汝欲知記者將來
之世當於六万八千億諸佛法中為大法師
及六千學无學比丘尼俱為法師汝如是漸
漸具菩薩道當得作佛号一切衆生喜見如
來應供正遍知明行足善逝世間解无上士
調御丈夫天人師佛世尊憍曇弥是一切衆
生喜見佛及六千菩薩轉次授記得阿耨多
羅三藐三菩提尒時羅睺羅母耶輸陀羅比
丘尼作是念世尊於授記中獨不說我名佛
告耶輸陀羅汝於來世百千万億諸佛法中
脩菩薩行為大法師漸具佛道於善國中當
得作佛号具足千万光相如來應供正遍知
明行足善逝世間解无上士調御丈夫天人
師佛世尊佛壽无量阿僧祇劫尒時摩訶波

得作佛號具足千万光相如來應供正遍知
明行足善逝世間解无上士調御丈夫天人
師佛世尊佛壽无量阿僧祇劫尒時摩訶波
闍波提比丘尼及耶輸陁羅比丘尼并其眷
屬皆大歡喜得未曾有即於佛前而說偈言
世尊導師　安隱天人　我等聞記　心安具足
諸比丘尼說是偈已白佛言世尊我等亦能
於他方國土廣宣此經
尒時世尊視八十万億那由他諸菩薩摩訶
薩是諸菩薩皆是阿惟越致轉不退法輪得
諸陁羅尼即從座起至於佛前一心合掌而
作是念若世尊告勑我等持說此經者當如
佛教廣宣斯法復作是念佛今嘿然不見告
勑我當云何時諸菩薩敬順佛意并欲自滿
本願便於佛前作師子吼而發誓言世尊我
等於如來滅後周旋往返十方世界能令衆
生書寫此經受持讀誦解說其義如法脩行
正憶念皆是佛之威力唯願世尊在於他方
遥見守護即時諸菩薩俱同發聲而說偈言
唯願不為慮　於佛滅度後　恐怖惡世中　我等當廣說
有諸无智人　惡口罵詈等　及加刀杖者　我等皆當忍
惡世中比丘　邪智心諂曲　未得謂為得　我慢心充滿
或有阿練若　納衣在空閑　自謂行真道　輕賤人間者
貪著利養故　與白衣說法　為世所恭敬　如六通羅漢
是人懷惡心　常念世俗事　假名阿練若　好出我等過
而作如是言　此諸比丘等　為貪利養故　說外道論議

BD00314號　妙法蓮華經卷四　（24–22）

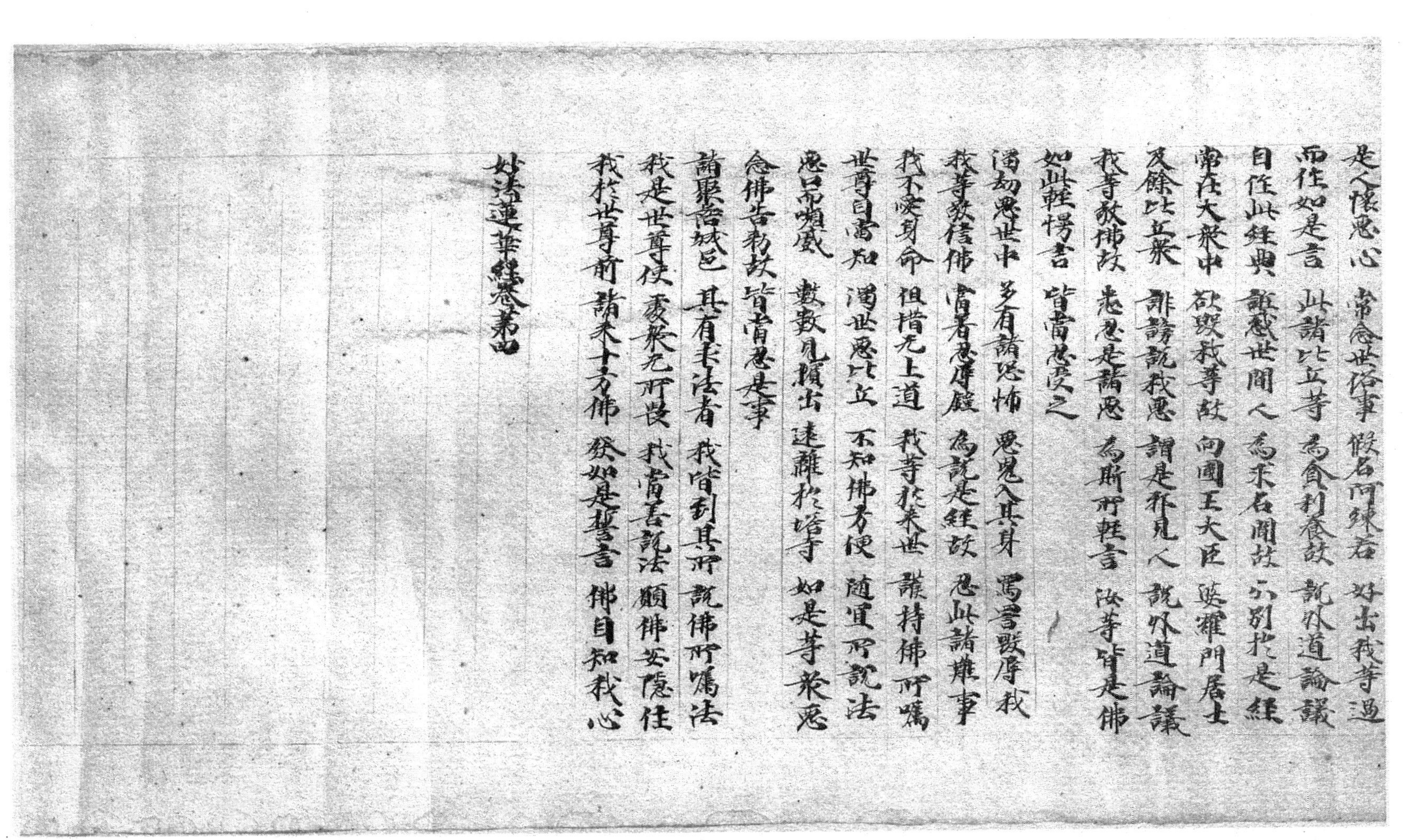
是人懷惡心　常念世俗事　假名阿練若　好出我等過
而作如是言　此諸比丘等　為貪利養故　說外道論議
自作此經典　誑惑世間人　為求名聞故　分別於是經
常在大衆中　欲毀我等故　向國王大臣　婆羅門居士
及餘比丘衆　誹謗說我惡　謂是邪見人　說外道論議
我等敬佛故　悉忍是諸惡　為斯所輕言　汝等皆是佛
如此輕慢言　皆當忍受之
濁劫惡世中　多有諸恐怖　惡鬼入其身　罵詈毀辱我
我等敬信佛　當著忍辱鎧　為說是經故　忍此諸難事
我不愛身命　但惜无上道　我等於來世　護持佛所囑
世尊自當知　濁世惡比丘　不知佛方便　隨宜所說法
惡口而顰蹙　數數見擯出　遠離於塔寺　如是等衆惡
念佛告勑故　皆當忍是事
諸聚落城邑　其有求法者　我皆到其所　說佛所囑法
我是世尊使　處衆无所畏　我當善說法　願佛安隱住
我於世尊前　諸來十方佛　發如是誓言　佛自知我心
妙法蓮華經卷第四

BD00314號　妙法蓮華經卷四　（24–23）

BD00314 號　妙法蓮華經卷四

（24–24）

BD00314 號背　勘記

（1–1）

當來奉佛品第五
復次[illegible]摩訶薩復白佛言世尊如佛
所說一切衆生所有身相皆悉无生若无生
者唯願分別解說
佛告无㝵菩薩摩訶薩曰若達自身即達
佛身究竟自身名究竟佛身若不達自身
則不達佛身若不究竟自身則不究竟佛
身何以故若觀自身如實體解是非健融
得失永謝香見一如万相歸去隨自性流終日
同塵无塵可染終日同識无識可著故知身
心得解脫時貪欲瞋癡皆解脫用
无㝵菩薩摩訶薩白佛言世尊云何名爲身
心悟解脫時貪欲瞋癡皆解脫用唯願大道
師開演寂滅法
尒時世尊以偈答曰
貪欲恚癡解脫用　陰陽交遊名神通
一切身相隨性流　六識及佛和无同
无㝵發作心性王　七十万脉作道場
四大五陰爲法幢　擧動妙寂恒清涼
无㝵菩薩摩訶薩復白佛言世尊五陰四大
貪欲瞋癡是生死業云何名解脫用
佛告无㝵菩薩摩訶薩曰四大五陰貪欲瞋
癡皆寂滅故无生故无滅故垢淨同如故不

BD00315號　究竟大悲經卷二　（15–1）

无㝵菩薩摩訶薩復白佛言世尊五陰四大
貪欲瞋癡是生死業云何名解脫用
佛告无㝵菩薩摩訶薩曰四大五陰貪欲瞋
癡皆寂滅故无生故无滅故垢淨同如故不
蘭是非故无選擇故普苞容受故以如是能
消伏故名解脫用
无㝵菩薩摩訶薩白佛言世尊觀自身體解
无所不周自身之上有其地大所以然者以
識覽塵謂爲地大一大不調百一病生地大
是病本云何而是解脫用
佛告无㝵菩薩摩訶薩曰世間大地荷負四
種重擔一者諸山二者江河三者草木四者
衆生淨穢俱戴无心蘭擇是名地之功能外
地如是內地亦然病本者謂不消融乖地之
用用同於地即病解脫
无㝵菩薩摩訶薩白佛言世尊地大可尒水
大病本亦有百一云何而言說爲解脫
佛告无㝵菩薩摩訶薩曰汝言地大可尒水
大病本亦有百一者此事不然何以故世間
水者能浣能洗能潤能清而无蘭擇无蘭擇
故不撰是擇非无選是擇非故垢穢同歸同
歸真淨故名水用外水如是內水亦然以慎
水故混融真淨垢淨同如即病解脫若不慎
水遠水之用內外皆遠名爲病本
无㝵菩薩摩訶薩白佛言世尊地水可然火
大病本云何有百一云何而說爲解脫用
佛告无㝵菩薩摩訶薩曰世間火者香見俱
[illegible]

BD00315號　究竟大悲經卷二　（15–2）

大病本云何有百一云何而說為解脫用
佛告无㝵菩薩摩訶薩曰世間火者香臭俱
燒而无簡擇為灰是一味无有別外火如此
內火亦然煩火消融名解脫用若乖而遠之
即是病本
无㝵菩薩摩訶薩白佛言世尊地水火可尒
風大病本亦有百一云何世尊說為解脫用
佛告无㝵菩薩摩訶薩曰世間風者香臭
二氣鼓擊普收歸於空理外風如此內風亦
然煩風普收歸空理一即解脫用遠風乖用
名為病源
无㝵菩薩摩訶薩白佛言世尊地水火風一
一遠用乖四用名為病源者何為為是唯願
慈哀愍念會衆及未來衆生開遠煩二法令
[illegible]得聞棄教脩學
佛告无㝵菩薩摩訶薩曰地水火風四大尊
重煩是非雙融遠招禍患万端何以故世間
地者煩便增長果實以頭單之亟命損身受
苦万端水大亦然煩便除去垢穢隨人轉用
投身於[illegible]沒溺而死火大亦然煩便溫和得
中吹生作熟濟養弥寬投身於中亟失軀命
風大亦然煩則鼓擊飄動生長万物投身於
風絕氣而死比校內外其唯不別煩名體解
遠名外求
无㝵菩薩摩訶薩白佛言世尊雖言比校內
外其唯不別不解自身遠煩之由願佛慈和
囑當指授

囑當指授
佛告无㝵菩薩摩訶薩曰一切衆生形質為
地大血脉為水大溫暖為火大出入氣為風
大遠於地大則无身遠於水大脉川擁塞遠
於火大不能消融遠於風大絕於氣息是故
煩為體解遠為縺結煩為體解名解脫源遠
為縺結名為病本四百四病由遠而起无量
解脫從煩而生
无㝵菩薩摩訶薩白佛言世尊四大體解名
為真極色受想行識未蒙大師指授囑當唯
願大師慈哀愍念指授分明解衆生縛
佛告无㝵菩薩摩訶薩曰色同四大受想行
識今為汝等更說受无簡擇无簡擇故得失
是非一異俱受俱受名順即受解脫要辯得
失是非名為縺縛亦名病本想者想緣諸境
好惡得失香臭俱緣无所簡擇以无簡擇
故而能遍緣緣而无簡故曰解脫要為分別名
為病源行者是非二境得失俱遊不肯非存
是故曰解脫遠而從之名為病源識者遍緣
根門不簡垢淨垢淨不簡任根使用名為解
脫若遠一根即為病源何以故煩而无違名
為體解體解无縛隨自性流隨自性流故一
切身相貪欲恚癡皆解脫用
无㝵菩薩摩訶薩白佛言世尊言煩者以何
等煩煩於煩復言隨自性流以何等隨隨
自性流聖說精微不能了故唯願指授歸伏體
解

自性流聖說精微不能了故唯願指授顯佚衆
解
佛告无导菩薩摩訶薩曰汝所問者甚大利
益吾今為汝分明敷演汝問煩者以何煩煩
於煩以自性煩煩於自性故知煩性為聖遠
性為凡以性煩煩性无煩性擾遠名煩遠後煩
亡是即解脫遠名繼業煩名業縛繼縛既後
解脫亦无復言隨自性流以何等隨隨自性
流者以自性隨隨自性流故影現根門普遍
身內以隨隨隨隨无不同无所不周故性隨
性流
尒時世尊說是法時上至頂天下盡六欲宮殿
振動无量大衆不覺喜踊投身佛前
於時衆中有一无垢大士名曰靈真奮迅哮
吼猛无畏力而白佛言如此體解之人當生
何處
佛告靈真曰如此體解者別教所不攝當生
翅頭末城彌勒佛國化城之內耳飡零嚮出
後隨佛
顯一切衆生身內有佛父母品第六
復次无导菩薩摩訶薩白佛言世尊如上所
說體解歸真一切身相皆解脫用一切衆生
分段以下依囙父母而有身相身相既顯名
身為解脫用若一切衆生身相悉解脫者此
解脫依因父母而便有之故知應佛緣佛報
佛亦有父母所以然者應佛緣佛報佛有出
生故以有出生必有父母若佛有父母唯願
說之

BD00315號　究竟大悲經卷二　（15-5）

生故以有出生必有父母若佛有父母唯願
說之
佛告无导菩薩摩訶薩曰汝言問道一切衆
生依因父母而得增長名為解脫者以此類
之比按冝問吾今為汝廣開顯示真處雖一
立名无量名雖无量皆從感甚而起今為感
開道名為父母所以者何一切衆生身內佛
父母者太陽真極以為父无导神性以為
母寂照以為父照寂以為母天真以為父靈
宅以為母如此父母出生應佛緣佛報佛真
一无名為引未悟以名名之名起不足名滅有
餘
无导菩薩摩訶薩白佛言世尊說太陽真極
以為父无导神性以為母寂照以為父照寂
以為母天真以為父靈宅以為母出生之由
未蒙指授
佛告无导菩薩摩訶薩曰太陽真極者衆生
根本善惡玄源群識靈宅法界混沌降注歸
下名之為父无邊感應由感影現稱之為母
從此父母出生應佛緣佛報佛感受太陽真
極勇現神通通根不住照用千巻千差用寂
即是照真明內朗內為真照真照真混融
大寂寂而常覺謂之生應即覺愫靈謂之
生緣愫靈苞容謂之生報報緣應菩皆是
寂用用寂歸寂即寂无寂无寂不寂體消相
融一異俱亡欲言其有不見其形欲言其
无空理出經不有无有万相由生无导菩薩

BD00315號　究竟大悲經卷二　（15-6）

融一異俱去欲言其有不見其形欲言其
无空理吐經不有无有万相由生无导菩薩
摩訶薩聞法歡喜以偈歎曰
渾渾常不濁　澄澄復不清　清濁合不合
故号生无生　太一真无綖　濛澒混沌流
是非无別用　一一不獨夯　一一一无量
无量一一一　滂流遍法界　希灕而不溢
一一一普容　普容於一一　圓中歸理軌
源氣无形質　苞羅无內外　內外即苞羅
是非无異同　信心清流河
佛告无导菩薩摩訶薩曰汝今諦聽重說偈
言
身相容受等虛空　納受是非无他我
憂是背非是狂乱　應劫增長於殃禍
於時无导菩薩摩訶薩聞法歡喜願共法界
眾生常聞深法體解歸真
對治服藥治病品第七
復次无量菩薩摩訶薩白佛言世尊一切眾
生保重身命起无量顛倒雖聞深法不能究
竟徹解其源譬如有人性命為本雖有性命
要假飲食衣服而有存立雖蒙世尊授契要
重玄真路身剛意鑛處動心浮不能就路蹬
真圖中天真妙性為法身要契重玄以為慧
命唯願世尊為說折伏剛鑛之法以嚴法身
慧命
佛告无导菩薩摩訶薩曰汝今快問是義相
須之法譬如有人居貧日久无方取濟嘿念

BD00315 號　究竟大悲經卷二　（15–7）

命唯願世尊為說折伏剛鑛之法以嚴法身
慧命
佛告无导菩薩摩訶薩曰汝今快問是義相
須之法譬如有人居貧日久无方取濟嘿念
思惟我今貧病自不得金无以可除有主之
金取之難得无主之金隨我取用復聞世有
金山金雖无量仍在鑛中其鑛剛麁不任鉏
打著其鑛色與金无別鑛雖是金不任金用
何以故未折伏故未入爐冶故其貧人復作
是念我欲覓金除去貧病闕於方便眼暑巨
得得金之來要須取金之具取金具者爐
冶蒙炭甘堝斫杖橋叉人功粮食資儲雖得
是真不得金師闕於方便亦不得金復作是
念何處有好金師子當求之空中有聲而語
之曰汝心精進專求金除貧不能得師我教
汝處安在太府山中紫微宮裏與諸仙賢同
共義論我金具教汝處不知求此金法可得
以不貧人聞已心大歡喜遂便膝行前進逶
由三百里達至其所兩膝穿破不覺穜失膝盖
於是長跪師前而求出金之法專精處重不
覺創痛金師語曰此法甚重不得輕然相與觀
汝來心志在究徹以得為限終不相遠汝自
摧伏我慢結齋百日清禁自居立盟敬重吾
當授與即奉師教摧伏我慢結齋百日清禁
自居要期立盟而至師所師知其意注而語
之曰要逢良賢逢中授与若不逢賢父子不
傳觀汝精專聞必領解來吾授汝真金之法

BD00315 號　究竟大悲經卷二　（15–8）

之曰要逢良賢逢中授与若不逢賢父子不
傳觀汝精專聞必領解來吾授汝真金之法
真金之法不過寸素汝持將去慎而用之貧
人得之生大歡喜勇揀選家如法造作遂豊
金用自供除貧惠及親族以此類之慧命法
身如寶真金在自持劉羲意慮淨鑛之中自
折伏无由可現
无㝵菩薩摩訶薩白佛言世尊全覩大聖
即是出一切衆生身內慧命法身真金无
師唯願指授出之方軌
佛告无㝵菩薩摩訶薩曰成如所言快問出一
切衆生身內慧命法身佛性真金吾今為汝
敷演出之方軌
於時衆中有一菩薩摩訶薩名曰遍敬歡喜
无量而白佛言唯願世尊為說一切衆生身
內佛性真金去鑛具度取之要教
佛告遍敬菩薩摩訶薩曰一切衆生我慢自
居是非盈懷增減二見貢高自恃好勝欺人
陵奪所愛募陌師長輕突父母打斫衆生自
在加害嚚章佛性真金以為鑛用汝今請問
出之方軌吾今與汝指當要切分經事用何
以故上盡龍爲下盡蜫蟻於中一切衆生敬
之如佛所有音聲愛之如法於善於惡不生
分別頂戴如僧以為取度敬一切衆生如佛
除其我慢貢高敬一切音聲愛之如法除其
是非增減二見於善於惡不生分別敬之如
僧除其好勝欺人陵奪所愛募陌師長輕突

僧除其好勝欺人陵奪所愛募陌師長輕突
父母打斫衆生自在加害以此三藥去前三
毒病名之為得度常居下下進他自退念除
已過不說人短以為智火說火未盡以偈頌曰
高源水不停　宗瀅衆流師　推慢學卑下
法流自然依　法流常熾然　要先隨下去
信器瀅渠裏　决定在中住　守无傷諍訟
寂定泯外緣　怨憎同一揆　圓明顯法身
捨身常俱賤　存心作奴婢　供給一切衆
畢竟不休息
遍敬菩薩摩訶薩豁然意解而白佛言世尊
一切衆生感形有命恚皆諍其上而不諍下
恚諍其勝而不諍不茹恚恚皆諍前而不諍後
是故上盡六欲下盡識海於中一切衆生不
見有諍下諍不茹諍後諍賤諍卑識无如是
故學人常處无諍之中怨憎自滅禍无由生
必願受持而說偈曰
棄衆人所收　收衆人所棄　任縱隨塵轉
无求樂自生
衆人所棄我獨存　衆人所存我使捨
不與一切人諍愛　无諍逍遙歸法杜
遍敬菩薩摩訶薩而白佛言世尊度火已竟
自餘未備願大怜重說圓具
佛告遍敬菩薩摩訶薩曰万相俱融名為甘
竭泯歸大寂名為爐冶真除隨感以為橢扇
皷擊消融去熔金現若人能得如法奉脩蕩
除堅鑛慧命法身光輝顯曜畫通无㝵周圓

皷犫消融去熗金現若人能得如法奉脩蕩
除堅鏁慧命法身光輝顯曜虛通无㝵周圓
自在又復譬如蜂王將領從衆入空樹中而
作居宅蜂王諸蜂子曰要須懃力可得蜜成
是諸蜂子受勑加功蜜乃方成蜜既成已有
遇見之即便生念蜜者世間上味方便定取
取蜜之來栰樹去蜂然後取蜜既取得蜜自
供已用惠及親族是故慧命法身在我見樹
中爲貢高疾妬得失是非憍談自所顯已獨
他我慢陵欺謗毀賢良衆蜂守護先栰其樹
然後去蜂乃得佛性天眞慧命法身不生不
滅不腐不壞眞如上蜜自供已用同塵不染
惠及无量教人方軌以是因緣對治服藥
遍敬菩薩摩訶薩白佛言世尊栰樹由斧去
蜂由人不知用何法得栰我見樹用何法得
降貢高疾妬得失是非憍談自所顯已獨他我
慢陵欺謗毀良賢衆蜂之虫慈尊哀愍願
必爲說
佛告无㝵菩薩摩訶薩曰隨塵不染同他物一
故名栰我見樹覺過尋改一切相泯塵勞歸
寂故言降蜂說是法時无量大衆生大歡喜
頂戴奉行
除一切衆生脩道作佛病品第八
无㝵菩薩摩訶薩白佛言世尊往古來今千
賢万聖從漸至頓脩道作佛何故如來今日
說道亡心滅意亡章斷句凡佛兩融玄果俱
奄佛无佛果凡夫入聖凡聖是一何用如來

賢万聖從漸至頓脩道作佛何故如來今日
說道亡心滅意亡章斷句凡佛兩融玄果俱
奄佛无佛果凡夫入聖凡聖是一何用如來
說眞法乎
佛告无㝵菩薩摩訶薩曰爲汝未悟而有言
說若其體解言說則无故知未悟之徒尋數
歸眞是故心是貪根意是瞋本緣動分別是
其癡源若不除毒害无由滅是故亡心息意
緣動俱寂心滅意亡緣動俱寂名拔毒根若
不然者從心意緣慮中脩道作善行諸忍諸
度諸波羅蜜八万四千諸度法門等皆是貪
瞋癡三毒中脩何以故心意緣慮是三毒根
本故知斷河斷上源栰樹先栰根若不亡心
息意即緣動寂者皆雜毒作善因中雜毒果
亦雜毒譬如乳蜜置毒於中若有人飲乳蜜
美味不變而能煞人乳蜜雖甜中有害毒但
嗜其甜而不顧毒當時口美久後便害然先
去其毒而不除乳蜜
无㝵菩薩摩訶薩白佛言世尊若貪瞋癡以
爲毒者貪世間美色財錢寶物剋利擁已廣
起諸非造作顛倒五逆不善可以爲毒貪法
愛道慎善脩行讓利先人自居不足何妨之
有而言從心意緣慮而脩道者皆言雜毒
佛告无㝵菩薩摩訶薩曰從心意緣　慮中貪
法愛道慎善脩行讓利先人自居不足者是
名毒心中善如似毒中乳蜜飲食食之非不
得美當時解之尋後加害從心意緣　慮中脩

名毒心中善如似毒中乳蜜飲食食之非不
得美當時解之尋後加害從心意緣處中脩
道愛善非不得樂樂中有苦譬如從心意緣
處中脩治善法招天王果報果報精微世望
絶伴衣則寶餝食則百味宮殿佳麗磬響
餘振遠聞似炎近若飛來雖愛此樂樂中
有苦所以然者其中亦有魍怖驚芸衆懷死
難藉此雜毒善資敬天王果既居上位自在處
寬不依理路横加煞戮玆多造過无量因此過
起墜落三塗苦惱倫受无暫時息豈不依因心
意緣處雜毒善中而招重剋故知貪法愛道
毒乳相和作不得樂緣樂自在樂盡苦至无
量苦逼故知三毒中脩善故名毒脩善毒脩
善法還受毒善之果因毒善果中起自在業
煞戮无道縱意造作无所畏憚墜落三塗受
苦万端故知此苦善毒中苦何以故有貪瞋
癡故貪佛一毒憎惡二毒不識要與佛體一名
異名為三毒云何名為真行故知真行无行无
行无不行以此驗知脩道要期斷惡從善
背三塗苦歸佛果樂如此之徒名為脩道作
病聲聞二乘小行菩薩都不能斷何以故非不
能斷但以封身心強偏枯著淨去惡情重歸
善處甚繼結成病不能得捨是故保病為是
謂以為真无内覺力故不識病是病愛病
而不捨自有覺力識病是病即病解脫
无导菩薩摩訶薩白佛言世尊雖聞此說大
衆迷悶須絶不甦猶如病人欲趣死門精神

无导菩薩摩訶薩白佛言世尊雖聞此說大
衆迷悶須絶不甦猶如病人欲趣死門精神
倒錯无方取濟唯願大聖垂慈重為分明解
說令此大衆還得惺悟
尒時世尊一一毛端出大音聲皆師子吼其
聲遍滿无量世界為王遊步從衆生一一毛
孔直入佛性山中本際无生大寂道場天真
理種如如子上靉靆垂雲降注法藥本願皷
擊一時惺悟
於時衆中有一大士名曰靈真歡喜无量踊
身佛前舉目一盼四方所有丘墟塚埌山陵
堆埠皆作微塵一一塵中各有化佛異口同
音而說偈言
同塵隨物轉　事用常不惑　寄神泯是非　現居安樂國
无导菩薩摩訶薩白佛言世尊今此大衆蒙
聖覺力皆得惺悟雖得惺悟於深法中不能
具解以不解故不識乳蜜及與毒合願大悲
尊重為披析令此會衆及未來世一切諸衆
生具細解了
佛告无导菩薩摩訶薩曰心在真處已為乳
蜜貪佛聖果是名一毒既貪佛果即便棄凡
棄凡憎惡名為瞋毒既貪瞋交競不覩及本
不知佛凡无殊性相通照名為癡毒如此三
毒置於乳蜜之中害損无量何以故貪瞋癡
三毒不亡比挍而言定非消融既非消融生滅
所攝名為毒乳相和
說是法時一切大衆生希有心願常聞如是

蜜貪佛聖果是名一毒既貪佛果即便棄凡
棄凡憎惡名為瞋毒既貪瞋交競不覩及本
不知佛凡无殊性相通照名為癡毒如此三
毒置於乳蜜之中喜損无量何以故貪瞋癡
三毒不二比校而言定非消融既非消融生滅
所攝名為毒乳相和
說是法時一切大眾生希有心願常聞如是
真實法音

究竟大悲經卷第二

BD00315 號　究竟大悲經卷二　　（15–15）

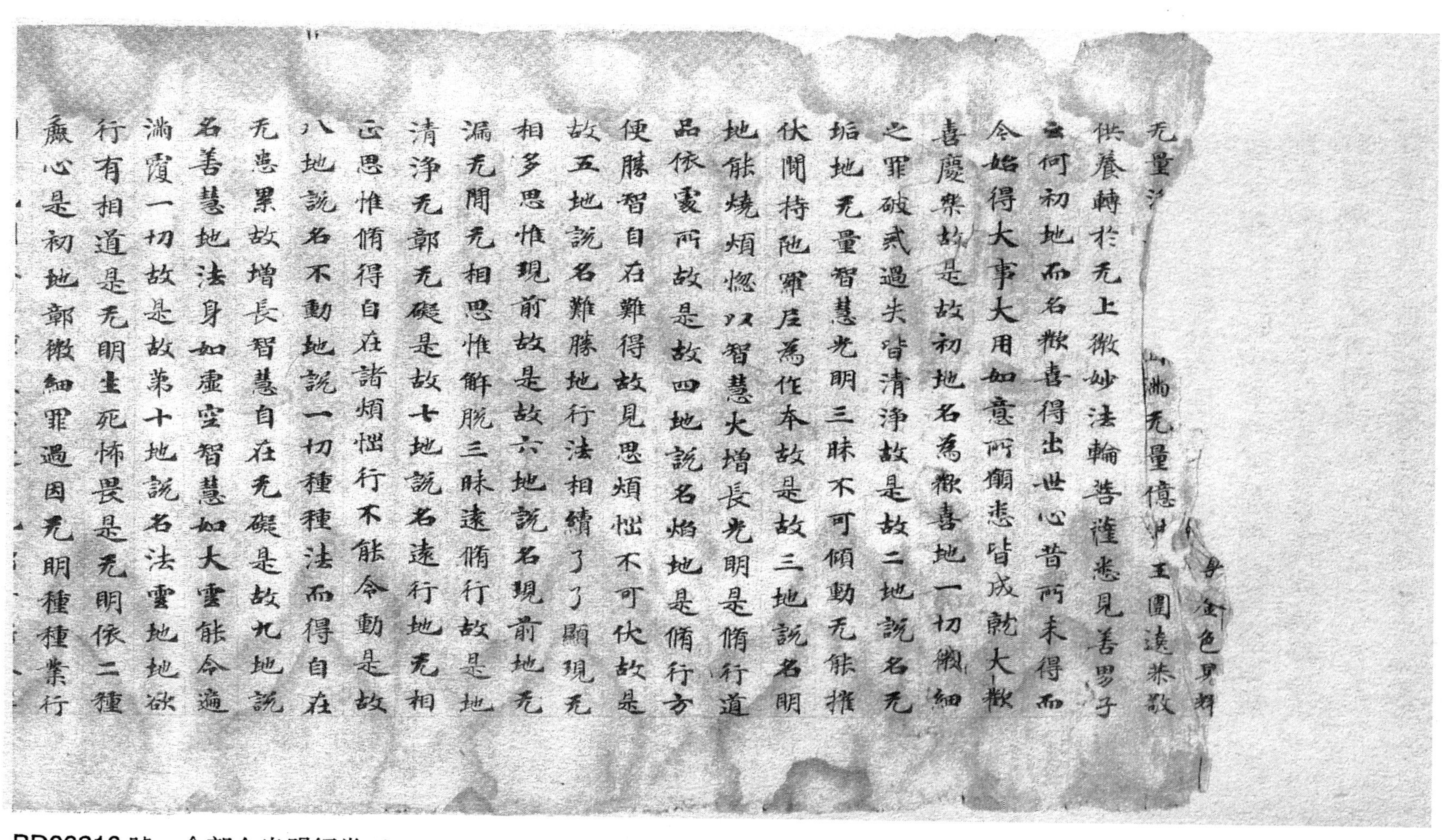

身金色□□
无量□……滿无量億□王圍遶恭敬
供養轉於无上微妙法輪菩薩悲見善男子
云何初地而名歡喜得出世心昔所未得而
今始得大事大用如意所願悉皆成就大歡
喜慶樂故是故初地名為歡喜地一切微細
之罪破戒過失皆清淨故是故二地說名无
垢地无量智慧光明三昧不可傾動无能摧
伏聞持陀羅尼為作本故是故三地說名明
地能燒煩惱以智慧火增長光明是脩行道
品依處所故是故四地說名焰地是脩行方
便勝智自在難得故見思煩惱不可伏故是
故五地說名難勝地行法相續了了顯現无
相多思惟現前故是故六地說名現前地无
漏无間无相思惟解脫三昧遠脩行故是地
清淨无鄣无礙是故七地說名遠行地无相
正思惟脩得自在諸煩惱行不能令動是故
八地說名不動地說一切種種法而得自在
无患累故增長智慧自在无礙是故九地說
名善慧地法身如虛空智慧如大雲能令遍
滿覆一切故是故第十地說名法雲地欲
行有相道是无明生死怖畏是无明依二種
麁心是初地鄣微細罪過因无明種種業行

BD00316 號　合部金光明經卷三　　（9–1）

行有相道是无明生死怖畏是无明依二種
麁心是初地鄣微細罪過因无明種種業行
相因无明依二種麁心是二地鄣昔所未得
勝利得故動踊因无明不具聞持陀羅尼因
无明依二種麁心是三地鄣味禪定樂生愛
著心因无明微妙淨法愛因无明依二種麁
心是四地鄣一意欲入涅槃思惟一意欲入
生死思惟是涅槃生死思惟无明為因生死
涅槃不平等思惟无明為因依二種麁心是
五地鄣行法相續了了顯現无明為因法相
數數行至於心无明為因依二種麁心是六
地鄣微細諸相或現不現无明為因一味熟
思惟欲斷未得方便无明為因依二種麁心
是七地鄣於无相法多用功力无明為因執
相自在難可得度无明為因依二種麁心是
八地鄣說法无量名味句无量智慧分別无
量未能攝持无明為因四无礙辯未得自在
无明為因依二種麁心是九地鄣最大神通
未得如意无明為因微妙秘密之藏脩行未
足无明為因依二種麁心是十地鄣一切境
界微細智礙无明為因未來是礙不更生未
得不更生智无明為因是如來地鄣是善男
子於初菩薩地行向檀波羅蜜於二地行向
尸波羅蜜於三地行向羼提波羅蜜四地行
向毗梨邪波羅蜜五地行向禪那波羅蜜六
地行向般若波羅蜜七地行向方便勝智波
羅蜜八地行向願波羅蜜九地行向力波羅

BD00316號　合部金光明經卷三　（9–2）

地行向般若波羅蜜七地行向方便勝智波
羅蜜八地行向願波羅蜜九地行向力波羅
蜜十地行向智波羅蜜善男子菩薩摩訶薩
初發心名妙寶三摩提攝受得生第二發
心可愛任三摩提攝受得生第三發心難動
三摩提攝受得生第四發心不退轉三昧攝
受得生第五發心寶華三昧攝受得生第六
發心日圓光焰三昧攝受得生第七發心一
切願如意成就三昧攝受得生第八發心現
前證任三昧攝受得生第九發心智藏三昧
攝受得生第十發心首楞嚴摩伽三昧攝受
得生善男子是諸菩薩摩訶薩十種發心善
男子菩薩摩訶薩於此初地依功德力名陀
羅尼得生尒時世尊而說呪曰
哆嗟他　富樓㧊(諾履反)　那羅提頭吼頭吼
頭吼　邪跌脩顧瑜　烏婆婆底(當履反)　邪跌
旃陀魯提逾多底　多趺陀駱𢢲　檀拖波顧
訶嵐蔔留莎(鋤音)呵
善男子是陀羅尼名過一恒河沙數諸佛為
救護初地菩薩誦持此陀羅尼呪得度脫一
切怖畏一切惡獸一切惡鬼人非人等災橫
諸惱解脫五鄣不妄念初地善男子諸菩薩
摩訶薩於此二地善安樂住名陀羅尼得生
哆嗟他　欝社禍離　盲顧盲顧　欝社嚁社羅
㭹禪斗禪斗　欝和禍離　吼柳吼柳　莎訶
善男子是陀羅尼名過二恒河沙數諸佛為
救護二地菩薩誦持此陀羅尼呪得度脫一

BD00316號　合部金光明經卷三　（9–3）

祢禪汁禪汁　鬱和禍離　氀柳氀柳　莎訶
善男子是陁羅尼名過二恒河沙數諸佛為
救護二地菩薩誦持此陁羅尼呪得度脫一
切怖畏一切惡獸一切惡鬼人非人等怨賊
灾横諸惱解脫五鄣不妄念二地善男子菩
薩摩訶薩於此三地難勝大力名陁羅尼得
生
哆咥他（一其）　檀陁枳（㽁置反）　赦陁枳　柯羅　智高剌
智　枳由嚐　檀智嚐　莎訶
善男子是陁羅尼名過三恒河沙諸佛為救
護三地菩薩誦持陁羅尼呪得度脫一切怖
畏一切惡獸虎狼師子一切惡鬼人非人等
怨賊灾横諸有惱害解脫五鄣不妄念三地
善男子菩薩摩訶薩於此四地大利益難壞
名陁羅尼得生
哆咥他　尸唎尸唎陁寐　抳　陁寐抳陁邏
陁邏抳　尸唎尸唎抳陛捨邏婆從波豕鄉
滕陁祢（奴紫反）　莎訶
善男子是陁羅尼名過四恒河沙諸佛為救
護四地菩薩誦持陁羅尼得度一切怖畏一
切惡獸虎狼師子一切惡鬼人非人等怨賊
灾横及諸毒害解脫五鄣不妄念四地善男
子菩薩摩訶薩於此五地種種功德莊嚴名
陁羅尼得生
哆咥他　呵里呵里抳　遮履遮履抳（鳩羅反）　邏
摩抳　僧伽邏摩抳　粽（糅感反）　婆呵沙抳　粽
婆呵抳悉耽婆呵抳謨呵抳　鎖塩部氀陛莎呵

BD00316號　合部金光明經卷三　（9–4）

陁羅尼得生
哆咥他　呵里呵里抳　遮履遮履抳（鳩羅反）　邏
摩抳　僧伽邏摩抳　粽（糅感反）　婆呵沙抳　粽
婆呵抳悉耽婆呵抳謨呵抳　鎖塩部氀陛莎呵
善男子是陁羅尼名過五恒河沙諸佛為救
護五地菩薩誦持陁羅尼得度一切怖畏一
切毒害虎狼師子一切惡鬼人非人等怨賊
灾害諸有惱害解脫五鄣不妄念五地善男
子是菩薩摩訶薩於此六地圓智等名陁羅
尼得生
哆咥他　毗頭嚐毗頭嚐　摩履抳　摩履抳
柯履柯履苾（蒲慄反）　頭誇訶底　淄淄淄淄
周柳周柳　杜魯婆杜魯婆　捨捨捨者
婆婆鎖活私底　薩婆薩埵南悉祢顯（呼華反一）
廾　𡚱多囉波㮓　莎河
善男子是陁羅尼名過六恒河沙諸佛為救
護六地菩薩誦持陁羅尼得度一切怖畏一
切毒害虎狼師子一切惡鬼人非人等怨賊
灾横諸有惱害解脫五鄣不妄念六地善男
子菩薩摩訶薩於此七地法勝行名陁羅尼
得生
哆咥他　闍呵闍呵漏　闍呵闍呵闍呵漏　毗柳
毗柳枳　阿審多羅伽呵多抳　波力灑抳　毗柳
恥枳　波柳波底　毗提喜枳　頻陁毗履枳　審
粟恒底枳　蒲萧𦶜萧莎呵
善男子是陁羅尼名過七恒河沙諸佛為救
護七地菩薩誦持此陁羅尼呪得度一切怖

BD00316號　合部金光明經卷三　（9–5）

護七地菩薩誦持此陀羅尼呪得度一切怖
畏一切惡獸虎狼師子一切惡鬼人非人等
怨賊毒害災横解脱五郭不妄念七地善男
子菩薩摩訶薩於此八地无盡藏名陀羅尼
得生
哆蛭他　死履死履　姤履姤履　寐底寐底
柯履柯履　呵履呵履　醯柳醯柳　周柳周柳
伴陀呵寐　莎呵
善男子是陀羅尼名過八恒河沙諸佛為救
護八地菩薩誦持陀羅尼得度一切怖畏一
切惡獸虎狼師子一切惡鬼人非人等怨賊
毒害災横解脱五郭不妄念八地善男子菩
薩摩訶薩於此九地无量門名陀羅尼得生
哆蛭他　訶底　栴陀履枳　鳩嵐婆邏體他枳反
斗邏死　扶頭哆扶頭哆死　屎履屎履柯
屎履柯補脩履　鎖活私底　薩婆薩埵南莎呵
善男子是陀羅尼名過九恒河沙諸佛為救
護九地菩薩誦持陀羅尼呪得度一切怖畏
一切惡獸虎狼師子一切惡鬼人非人等怨
賊毒害災横解脱五郭不妄念九地善男子
菩薩摩訶薩於此十地破壞堅固金剛山名
陀羅尼得生
哆蛭他　悉提醯　脩悉提醯　姥者祢
姥者祢　毗目底　阿摩嚧　毗摩嚧
涅摩嚧　普伽嚧　喜賴若伽賴陛　賴那伽伽賴陛醯
婆昜多跋陀提嚧　薩賴跋賴他婆陀掘　摩那死摩訶
那死　遏部吼底　遏指部吼底　婆羅上提毗

BD00316 號　合部金光明經卷三　（9–6）

涅摩嚧　普伽嚧　喜賴若伽賴陛　賴那伽伽賴陛醯
婆昜多跋陀提嚧　薩賴跋賴他婆陀掘　摩那死摩訶
那死　遏部吼底　遏指部吼底　婆羅上提毗
羅上提　遏周底　阿美里底　阿羅上是
毗羅上是婆嵐摩訶寐　婆嵐摩訶嵐寐　富婁
祢富婁那　摩怒邏體　莎呵
善男子是陀羅尼灌頂吉祥句名過十恒河
沙諸佛為救護十地菩薩誦持陀羅尼呪得
度一切怖畏一切惡獸虎狼師子一切惡鬼
人非人等怨賊毒害災横解脱五郭不妄念
十地尒時師子相无礙光焰菩薩即從座起
偏袒右肩右膝著地合掌恭敬頂礼佛足即
以偈頌而讚歎佛
敬礼无譬喻　說深无相義　衆生失於見　世尊能濟度
世尊佛眼故　无見一法相　无上尊法眼　見不思議義
不能生一法　亦不滅一法　為平等見故　尊至无上處
不損生死故　覩尊證涅槃　過二法見故　是故證寂靜
世尊知一味　淨品不淨品　不分別界故　獲无上清淨
世尊无邊身　不說一言字　一切弟子衆　飽滿法雨故
衆生相思惟　一切種皆无　因苦諸衆生　世尊普救濟
苦樂常无常　有我无我等　如是衆多義　世尊慧无著
世間不一異　譬如空谷響　不度亦不滅　唯佛能了知
法界无分別　是故无異乘　為度衆生故　分別說三乘
是時大自在梵王於大會中從座而起偏袒
右肩右膝著地合掌恭敬頂礼佛足而白佛
言世尊希有難量是金光明經微妙之義究
竟滿足皆能成就一切佛法一切佛恩佛言

BD00316 號　合部金光明經卷三　（9–7）

言世尊希有難量是金光明経微妙之義究
竟滿足皆能成就一切佛法一切佛恩佛言
如是如是善男子如汝所説善男子若得聽
聞是金光明経一切菩薩不退阿耨多羅三
藐三菩提何以故善男子是不退地菩薩成
熟善根是第一印是金光明微妙経典衆経
之王故得聽聞受持讀誦何以故善男子若
一切衆生未種善根未成熟善根未親近諸
佛不得聽聞是金光明経善男子是金光明
経以聽聞受持故是善男子善女人一切罪
鄣悉能除滅得極清淨常得見佛不離世尊
常聞妙法常聽正法生不退地師子膝人而
得親近不相遠離无盡无滅海印出妙功德
陁羅尼无盡无滅衆生意行言語通達陁羅
尼无盡无滅日圓无垢相光陁羅尼无盡无
滅滿月相光陁羅尼无盡无滅能伏一切惑
事功德流陁羅尼无盡无滅破壞堅固金剛
山陁羅尼无盡无滅説不可説義因緣藏陁
羅尼无盡无滅真實語言法則音聲通達陁
羅尼无盡无滅虛空无垢心行印陁羅尼无
盡无滅无邊佛身能顯現陁羅尼善男子如
是諸陁羅尼等得成就故菩薩摩訶薩於十
方一切佛土諸化佛身説无上種種正法於
法如如不動不去不來善能成熟一切衆生
善根亦不見一切衆生可成熟者説種種諸
法於諸言辭不動不去不住不來能現生滅
向无生滅説諸行法无所去來一切法无異

法於諸言辭不動不去不住不來能現生滅
向无生滅説諸行法无所去來一切法无異
故説是金光明経已三万億菩薩摩訶薩得
无生法忍无量諸菩薩不退菩提心无量无
邊比丘得法眼淨无量衆生發菩提心尒時
世尊而説偈言
逆生死流道　甚深微難見　貪欲覆衆生　愚冥暗不見
是時大會之衆從座而起偏袒右肩右膝著
地合掌恭敬頂礼佛足而白佛言若有處處
講宣此金光明経是會大衆皆悉往彼為作
聽衆是説法法師種種利益安樂无鄣身心
泰然我等皆當盡心供養令諸聽衆安隱快
樂是所國土无諸怨賊恐怖之難无飢饉畏
无非人畏人民興盛是説法處一切諸天人
非人等及諸衆生不得從上而過汙慢説法
之處何以故説法之處即是其塔若善男子
善女人應當以諸香華繒綵幡蓋供養是説
法處我等為作救護利益消除一切鄣礙隨
其所須如意供給悉令具足佛言善男子汝
等應當精勤脩行如此経典則久住於世

金光明経巻第三

……
渴相甘食美饍悉持……
第四願者使我來……
星中之月消除……
界行者見道跡得
第五願者使我來世
无濁穢慎護所受令
戒行具足堅持不犯
第六願者使我來世……生諸根
者使視聾者得聽瘂者能語瞜者得
能行如是不完具者悉令具足
第七願者使我來世十方世界若有苦惱无
救護者我為此等設大法藥令諸疾病皆得
除愈无復苦患至得佛道
第八願者使我來世以善業因緣為諸愚冥
无量衆生講宣妙法令得度脫入智慧門普
使明了无諸疑惑
第九願者使我來世摧伏惡魔及諸外道顯
揚清淨无上道法使入正真无諸邪僻迴向
菩提八正覺路
第十願者使我來世若有衆生王法所加臨
當刑戮无量怖畏愁憂苦惱若復鞭撻枷鎖

BD00317 號　灌頂章句拔除過罪生死得度經　（14–1）

菩提八正覺路
第十願者使我來世若有衆生王法所加臨
當刑戮无量怖畏愁憂苦惱若復鞭撻枷鎖
其體種種恐懼逼切其身如是无邊諸苦惱
等悉令解脫无有衆難
第十一願者使我來世若有衆生飢火所惱
令得種種甘美飲食諸天餚饍種種无數悉
以施與令身充足
第十二願者使我來世若有貧凍裸露衆生
即得衣服窮乏之者施與珍寶倉庫盈溢无
所乏少一切皆受无量快樂乃至无有一人
受苦使諸衆生和顏悅色形貌端嚴人所憙
見琴瑟鼓吹以是无量最上音聲施與一切
无量衆生是為十二微妙上願
佛告文殊師利此藥師琉璃光佛本願功德
如是我今為汝略說其國土莊嚴之事此藥
師琉璃光佛如來國土清淨无五濁无愛欲
无意垢以白銀琉璃為地宮殿樓閣悉用七
寶亦如西方无量壽國无有異也有二菩薩
一名日曜二名月淨是二菩薩次補佛處諸
善男子善女人亦當願生彼國土也
文殊師利白佛言唯願演說藥師琉璃光佛
如來无量功德饒益衆生令得佛道佛言若
有善男子善女人新破衆魔來入正道得聞
我說是藥師琉璃光佛如來名字者魔家眷

BD00317 號　灌頂章句拔除過罪生死得度經　（14–2）

如来无量功德鏡蓋衆生令得佛道佛言若
有善男子善女人新破衆魔来入正道得聞
我說是藥師琉璃光佛如来名字者魔家眷
屬退散馳走如是无量校衆生苦我今說之
佛告文殊師利世間有人不解罪福慳貪不
知布施今世後世當得其福世人愚癡但知
貪惜寧自割肉而噉食之不肯持錢財布施
求後世之福世有人身不求衣食此大慳貪
命終以後當墮餓鬼及畜生中聞我說是藥
師琉璃光佛如来名字之時无不解脫憂苦
者也皆作信心貪福畏罪人從索頭與頭索
眼與眼乞妻與妻乞子與子求金銀珎寶皆
大布施一時歡喜即發无上正真道意
佛言若復有人受佛淨戒尊奉明法不解罪
福雖知明經不及中義不能分別曉了中事
以自貢高恒當憎憒及與世間衆魔從事更
作縛着不解行之悪着婦女恩愛之情口為
說空行在有中不能發覺復不自知但能論
說他人是非如此人輩皆當墮三悪道中聞
我說是藥師琉璃光佛本願功德无不歡喜
念欲捨家行作沙門者也
佛言世間有人好自稱譽皆自貢高當墮三
悪道中後還為人牛馬奴婢生下賊中人當
乘其力負重而行因苦疲極忘失人身聞我
說是藥師琉璃光佛如来本願功德者皆當

[illegible]
乘其力負重而行因苦疲極忘失人身聞我
說是藥師琉璃光佛如来本願功德者皆當
一心歡喜踊躍更作謙敬即得解脫衆苦之
患長得歡樂聡明智慧遠離悪道得生善處
與善知識共相值遇无復憂苦離諸魔縛
佛言世間愚癡人輩兩舌鬪諍悪口罵詈更
相嫌恨或就山神樹下鬼神日月之神南斗
北辰諸鬼神所作諸呪詛或作人名字或作
人形像或作符書以相厭禱呪咀言說聞我
說是藥師琉璃光佛本願功德无不兩作和
解俱生慈心悪意悉滅各各歡喜无復悪念
佛言若四輩弟子比丘比丘尼清信士清信
女常脩月六齋年三長齋或晝夜精勤一心
苦行願欲往生西方阿弥陁佛國者憶念晝
夜若一日二日三日四日五日六日七日或
復中悔聞我說是藥師琉璃光佛本願功德
盡其壽命欲終之日有八菩薩皆當飛往迎
其精神不逕八難生蓮華中自然音樂而相
娛樂
文殊師利菩薩　觀世音菩薩　得大勢至菩薩　无盡意菩薩
寶檀華菩薩　藥王菩薩　藥上菩薩　弥勒菩薩
佛言假使壽命自欲盡時臨終之日得聞我
說是藥師琉璃光佛本願功德者命終皆得
上生天上不復歷三悪道中天上福盡若下

說是藥師琉璃光佛本願功德者命終皆得
上生天上不復歷三惡道中天上福盡若下
生人間常爲帝王家作子或生豪姓長者居
士富貴家生皆當端政聰明智慧高才勇猛
若是女人化成男子无復憂苦患難者也
佛語文殊師利我稱譽顯說是藥師琉璃光
佛至真等正覺本所脩集无量行願功德如
是文殊師利從坐而起長跪叉手白佛言世
尊佛去世後當以此法開化十方一切衆生
使其受持是經典也若有善男子善女人受
樂是經受持讀誦宣通之者復能專念若一
日二日三日四日五日六日乃至七日憶念
不忘能以好素帛書取是經五色雜綵作囊
盛之者是時當有諸天善神四天大王龍神
八部常來營衛愛敬此經日日作礼持是經
者不墮横死在所安隱悪氣消滅諸魔鬼神
亦不中害佛言如是如是如汝所說文殊師
利言天尊所說言无不善
佛告文殊師利若有善男子善女人發心造
立藥師瑠璃光佛如來形像供養礼拜懸雜
色幡蓋燒香散華歌詠讃嘆圍遶百匝還坐
本處端坐思惟念藥師琉璃光佛无量功德
若有善男子善女人七日七夜菜食長齋供
養礼拜藥師琉璃光佛求心中所願者无不

養礼拜藥師琉璃光佛求心中所願者无不
獲得求長壽得長壽求富饒得富饒求安隱
得安隱求男女得男女求官位得官位若命
過以後欲得生妙樂天上者亦當礼拜琉璃
光佛至真等正覺若欲上生卅三天者亦當
礼拜琉璃光佛必得往生若欲與明師世世
相值遇者亦當礼拜琉璃光佛
佛告文殊師利若欲生十方妙樂國土者亦
應礼敬琉璃光佛若欲得生兜率天上見彌
勒者亦應礼敬琉璃光佛若欲遠諸邪道亦
當礼敬琉璃光佛若夜悪夢鳥鳴百怪蜚尸
耶忤魍魎鬼神之所嬈者亦當礼敬琉璃光
佛若爲水火所焚飄者亦當礼敬琉璃光佛
若入山谷爲虎狼熊羆疾梨諸狩象龍蚖虵
蝮蝎種種雜類若有悪心來相向者心當存念
瑠璃光佛山中諸難不能爲害若他悪賊偷
竊悪人怨家債主欲來侵陵心當存念琉璃
光佛則不爲害以善男子善女人礼敬琉璃
光佛如來功德所致華報如是況果報也是
故吾今勸諸四輩礼事琉璃光佛至真等正
覺
佛告文殊師利我但爲汝略說琉璃光佛礼
敬功德若使我廣說是琉璃光佛无量功德
與一切人求心中所願者從一劫至一劫故

與一切人求心中所願者從一劫至一劫故
不周遍其世間人若有者牀㾓黄困篤惡病
連年累月不差者聞我說是琉璃光佛名字
之時橫病之厄无不除愈唯除宿殃不可請
耳佛告文殊師利若有善男子善女人受三
自歸若五戒若十戒若善信菩薩廿四戒若
沙門二百五十戒若比丘尼五百戒若菩薩
戒若破是諸戒若能至心一懺悔者須聞我
說是琉璃光佛終不墮三惡道中必得解脫
若人愚癡不受父母師友教誨不信佛不信
經不信聖僧當墮三惡道中忘失人種受畜
生身聞我說是琉璃光佛善願功德即得解
脫佛告文殊師利世有惡人雖受佛禁戒觸
事違犯或煞无道偷竊他人財寶欺詐忘語
婬他婦女飲酒鬪亂兩舌惡口罵詈罵人犯
戒為惡復祠祀鬼神有如是過罪當墮地獄
中若當屠割若抱銅柱若鐵鉤出舌若洋銅
灌口者聞我說是瑠璃光佛即得解脫
佛告文殊師利其世間人豪貴下賤不信佛
不信經道不信沙門不信有須陁洹不信有
斯陁含不信有阿那含不信有阿羅漢不信
有辟支佛不信有十住菩薩不信有三世之
事不信有十方諸佛不信有本師釋迦牟尼
佛不信人死神明更生善者受福惡者受殃

BD00317號　灌頂章句拔除過罪生死得度經　（14–7）

事不信有十方諸佛不信有本師釋迦牟尼
佛不信人死神明更生善者受福惡者受殃
有如是之罪應墮三惡道中聞我說是藥師
流璃光佛名字之者一切過罪自然消滅
佛告文殊師利若有善男子善女人聞我說
是藥師瑠璃光佛至真等正覺其誰不發无
上正真道意後皆當得作佛人居世間仕官
不遷治生不得飢寒困厄忘失財產无復方
計聞我說是藥師琉璃光佛各各得心中所
願者仕宦皆得高遷財物自然長益飲食充
饒皆得富貴若為縣官所拘錄惡人侵枉若
為怨家所得便者心當存念琉璃光佛若他
婦女生產難者皆當念是藥師琉璃光佛兒
即易生身軆平政无諸疾痛六情完具聰明
智慧壽命得長不遭枉橫善神擁護不為惡
鬼魅其頭也
佛說是語時阿難在右邊佛顧語阿難言汝
信我為文殊師利說往昔過東方十恒河沙
有佛名藥師琉璃光本願功德者不阿難白
佛言惟天中天佛之所說何敢不信耶佛復
語阿難言世間人雖有眼耳鼻舌身意人常
用是六事以自迷惑信世俗魔耶之語不信
至真至誠度世者切之言如是人輩難可開
化阿難白佛言世尊世人多有惡逆下賤之
者若聞佛說是經開人耳目破台人病除人

BD00317號　灌頂章句拔除過罪生死得度經　（14–8）

化阿難白佛言世尊世人多有惡逆下賤之
者若聞佛說是經開人耳目破治人病除人
陰冥使覩光明解人疑結去人重罪千劫万
劫无復憂患皆因佛說藥師琉璃光佛本願
功德悉令安隱得其福也
佛言阿難汝口為言善而汝內心狐疑我言
阿難汝莫作是念以自毀敗佛言阿難我見
汝心我知汝意汝知之不阿難即以頭面著
地長跪白佛言如天中天所說我造次聞佛
說是藥師琉璃光佛極大尊貴智慧巍巍難
可度量我今有小疑耳敢不首伏佛言汝智
慧狹劣少見少聞汝聞我說深妙之法无上
空義應生信敬尊重之心必當得至无上正
真之道
文殊師利問佛言世尊說是藥師琉璃光佛
如來无量功德如是不審誰肯信此言者佛
荅文殊師利言唯有百億諸菩薩摩訶薩當
信此言唯有十方三世諸佛當信是言耳
佛言我說是藥師琉璃光佛如來本願功德
難可得聞何況得見亦難得說難得書寫亦
難得讀文殊師利若有善男子善女人能信
是經受持讀誦書著竹帛復能為他人解說
中義此皆先世以發道意今復得聞此微妙
法開化十方无量衆生當知是人必當得至
无上正真道也

BD00317 號　灌頂章句拔除過罪生死得度經　（14–9）

法開化十方无量衆生當知是人必當得至
无上正真道也
佛告阿難我作佛以來從生死復至生死勤
苦累劫无所不經无所不歷无所不作无所
不為如是不可思議況復琉璃光佛大願功
德者乎汝所以有疑者亦復如是阿難汝聞
佛所說汝諦信之莫作疑惑佛語至誠无有
虛偽亦无二言佛為信者施不為疑者說阿
難汝莫作小疑以毀大乘之業汝却後亦當
發摩訶衍莫以小道毀汝功德阿難言唯天
中天我從今日以去无復尒心唯佛自當知
我心耳
佛語阿難此經能照諸天宮殿若三灾起時
中有天人發心念此藥師琉璃光佛本願功
德經者皆得離於彼處之難是經能除水涸
不調是經能除他方逆賊悉令斷滅四方夷
狄各還正治不相嬈惱國土交通人民歡樂
是經能除穀貴飢凍是經能滅惡星變怪是
經能除疾毒之病是經能救三惡道苦地獄
餓鬼畜生等苦若人得聞此經典者无不解
脫厄難者也
尒時衆中有一菩薩名曰救脫從坐而起整
衣服叉手合掌而白佛言我等今日聞佛世
尊演說過東方十恒河沙世界有佛号琉璃
光一切衆會靡不歡喜救脫菩薩又白佛言

BD00317 號　灌頂章句拔除過罪生死得度經　（14–10）

尊演說過東方十恒河沙世界有佛号琉璃
光一切衆會靡不歡喜救脫菩薩又白佛言
若族姓男女其在𤸎著牀痛惱无救護者
我今當勸呼請衆僧七日七夜齋戒一心受
持八禁六時行道卌九遍讀是經典勸然七
層之燈亦勸懸五色續命神幡阿難問救脫
菩薩言續命幡燈法則云何救脫菩薩語阿
難言神幡五色卌九尺燈亦復尒七層之燈
一層七燈燈如車輪若遭厄難閇在牢獄枷
鎖着身亦應造立五色神幡然卌九燈應放
雜類衆生至卌九可得過度危厄之難不為
諸横惡鬼所持
救脫菩薩語阿難言若天王大臣及諸輔相
王子妃主中宮婇女若病苦所惱亦應造立
五色繒幡然燈續明放諸生命散雜色華燒
衆名香王當放赦囚厄之人徒鎖觧脫王得
其福天下太平雨澤以時人民歡樂惡龍攝
毒无病苦者四方夷狄不生逆害國土通同
慈心相向无諸惡害四海歌詠稱王之德乘
此福禄在意所生見佛聞法信受教誨從是
福報至无為道
阿難又問救脫菩薩言命可續也救脫菩薩
答阿難言我聞世尊說有諸横勸造幡蓋令
其脩福又言阿難昔沙弥救蟻已脩福故盡

BD00317號　灌頂章句拔除過罪生死得度經　（14–11）

答阿難言我聞世尊說有諸横勸造幡蓋令
其脩福又言阿難昔沙弥救蟻已脩福故盡
其壽命不更苦患身體安寧福德力強使之
然也阿難因復問救脫菩薩横有數種世尊
說言横乃无數略而言之大横有九一者横
病二者横有口舌三者横遭縣官四者身羸
无福又持戒不完横為鬼神之所得便五者
横為劫賊之所剝脫六者横為水火焚漂七
者横為雜類禽狩所噉八者横為怨讎符書
厭禱邪神牽引未得其福但受其殃先亡牽
引亦名横死九者有病不治又不脩福湯藥
不慎針灸失度不值良醫為病所困於是滅
亡又信世間妖孽之師為作恐動寒熱言語
妄發禍福所犯者多心不自正不能自定卜
問覓禍殺諸狗牛羊種種衆生觧奏神明呼
諸耶妖魍魎鬼神請乞福祚欲望長生終不
能得愚癡迷惑信耶倒見死入地獄展轉其
中无解脫時是名九横
救脫菩薩語阿難言其世間人瘦黃之病困
篤著牀求生不得求死不得考楚万端此病
人者或其前世造作惡業罪過所招殃咎所
引故使然也救脫菩薩語阿難言閻羅王者
主領世間名籍之記若人為惡作諸非法无
孝順心造作五逆破滅三寶无君臣法又有
衆生不於五戒不信正法設有受者多所毀

BD00317號　灌頂章句拔除過罪生死得度經　（14–12）

主領世間名籍之記若人為惡作諸非法无
孝順心造作五逆破滅三寶无君臣法又有
衆生不祚五戒不信正法設有受者多所毀
犯於是地下鬼神及伺候者奏上五官五官
料簡除死定生或注錄精神未判是非若已
定者奏上閻羅王閻羅王鑒察隨罪輕重考
而治之世間瘦黃之病困篤不死一絶一生
猶其罪福未得料簡錄其精神在彼王所或
七日五日三七日乃至七七日名籍定者放
其精神還其身中如從夢中見其善惡其人
若明了者信驗罪福是故我今勸諸四輩造
續命神幡然卌九燈放諸生命以此幡燈放
生功德拔彼精神令得度苦令世後世不遭
厄難救脫菩薩語阿難言如來世尊說是經
典威神功德利益不少坐中諸鬼神有十二
王從坐而起往到佛所胡跪合掌白佛言我
等十二鬼神在所作讖若城邑聚落空閑林
中若四輩弟子誦持此經令所結願无求不
得阿難問言其名云何為我說之救脫菩薩
言灌頂章句其名如是
神名金毗羅　神名和耆羅　神名弥佉羅　神名安陁羅
神名摩尼羅　神名宋林羅　神名因持羅　神名婆耶羅
神名摩休羅　神名真陁羅　神名照頭羅　神名毗伽羅
救脫菩薩語阿難言此諸鬼神別有七千以
為眷屬皆悉叉手低頭聽佛世尊說是藥師
琉璃光佛如來本願功德莫不一時捨鬼神

BD00317號　灌頂章句拔除過罪生死得度經　（14–13）

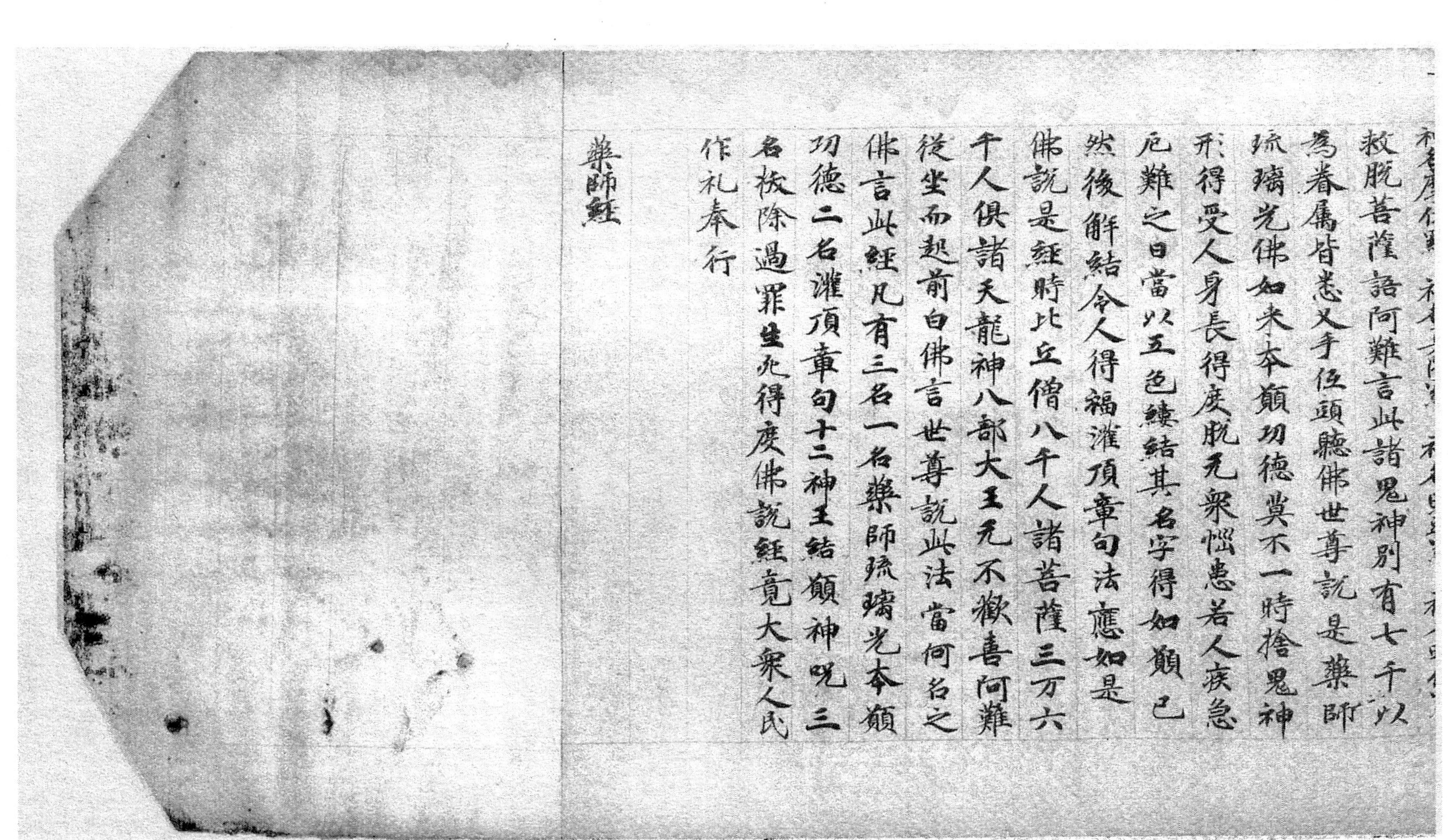
救脫菩薩語阿難言此諸鬼神別有七千以
為眷屬皆悉叉手低頭聽佛世尊說是藥師
琉璃光佛如來本願功德莫不一時捨鬼神
形得受人身長得度脫无衆惱患若人疾急
厄難之日當以五色縷結其名字得如願已
然後解結令人得福灌頂章句法應如是
佛說是經時比丘僧八千人諸菩薩三万六
千人俱諸天龍神八部大王无不歡喜阿難
從坐而起前白佛言世尊說此法當何名之
佛言此經凡有三名一名藥師琉璃光本願
功德二名灌頂章句十二神王結願神呪三
名拔除過罪生死得度佛說經竟大衆人民
作礼奉行

藥師經

BD00317號　灌頂章句拔除過罪生死得度經　（14–14）

唯願天人尊　轉无上法輪　擊于大法鼓　而吹大法螺
普雨大法雨　度无量衆生　我等咸歸請　當演深遠音
尒時大通智勝如來嘿然許之西南方乃至
下方亦復如是尒時上方五百万億國土諸大
梵王皆悉自覩所止宮殿光明威曜昔所未
有歡喜踊躍生希有心即各相詣共議此事
以何因緣我等宮殿有斯光明而彼衆中
一大梵天王名曰尸棄為諸梵衆而說偈言
今以何因緣　我等諸宮殿　威德光明曜　嚴飾未曾有
如是之妙相　昔所未聞見　為大德天生　為佛出世間
尒時五百万億諸梵天王與宮殿俱各以衣
裓盛諸天華共詣下方推尋是相見大通智
勝如來處于道場菩提樹下坐師子座諸天
龍王乾闥婆緊那羅摩睺羅伽人非人等恭
敬圍繞及見十六王子請佛轉法輪時諸梵
天王頭面礼佛繞百千帀即以天華而散佛
上所散之華如須弥山并以供養佛菩提樹華
供養已各以宮殿奉上彼佛而作是言唯見
哀愍饒益我等所獻宮殿願垂納處時諸梵
天王即於佛前一心同聲以偈頌曰
善哉見諸佛　救世之聖尊　能於三界獄　勉出諸衆生
普智天人尊　哀愍群萌類　能開甘露門　廣度於一切
於昔无量劫　空過无有佛　世尊未出時　十方常暗暝

BD00318 號 A　妙法蓮華經卷三　（4–1）

善哉見諸佛　救世之聖尊　能於三界獄　勉出諸衆生
普智天人尊　哀愍群萌類　能開甘露門　廣度於一切
於昔无量劫　空過无有佛　世尊未出時　十方常暗暝
三惡道增長　阿脩羅亦盛　諸天衆轉減　死多墮惡道
不從佛聞法　常行不善事　色力及智慧　斯等皆減少
罪業因緣故　失樂及樂想　住於邪見法　不識善儀則
不蒙佛所化　常墮於惡道　佛為世間眼　久遠時乃出
哀愍諸衆生　故現於世間　超出成正覺　我等甚欣慶
及餘一切衆　喜歎未曾有　我等諸宮殿　蒙光故嚴飾
今以奉世尊　唯垂哀納受　願以此功德　普及於一切
我等與衆生　皆共成佛道
尒時五百万億諸梵天王偈讚佛已各白佛
言唯願世尊轉於法輪多所安隱多所度脫
時諸梵天王而說偈言
世尊轉法輪　擊甘露法鼓　度苦惱衆生　開示涅槃道
唯願受我請　以大微妙音　哀愍而敷演　无量劫習法
尒時大通智勝如來受十方諸梵天王及十
六王子請即時三轉十二行法輪若沙門婆
羅門若天魔梵及餘世間所不能轉謂是苦
是苦集是苦滅是苦滅道及廣說十二因緣
法无明緣行行緣識識緣名色名色緣六入
六入緣觸觸緣受受緣愛愛緣取取緣有有
緣生生緣老死憂悲苦惱无明滅則行滅行
滅則識滅識滅則名色滅名色滅則六入滅
六入滅則觸滅觸滅則受滅受滅則愛滅愛
滅則取滅取滅則有滅有滅則生滅生滅則
老死憂悲苦惱滅佛於天人大衆之中說是
法時六百万億那由他人以不受一切法故

BD00318 號 A　妙法蓮華經卷三　（4–2）

滅則取滅取滅則有滅有滅則生滅生滅則
老死憂悲苦惱滅佛於天人大衆之中說是
法時六百万億那由他人以不受一切法故
而於諸漏心得解脫皆得深妙禪定三明六
通具八解脫第二第三第四說法時千万億
恒河沙那由他等衆生亦以不受一切法故
而於諸漏心得解脫從是已後諸聲聞衆无
量无邊不可稱數尒時十六王子皆以童子
出家而為沙弥諸根通利智慧明了已曾供
養百千万億諸佛淨脩梵行求阿耨多羅三
藐三菩提俱白佛言世尊是諸无量千万億
大德聲聞皆已成就世尊亦當為我等說阿
耨多羅三藐三菩提法我等聞已皆共脩學
世尊我等志願如來知見深心所念佛自證
知尒時轉輪聖王所將衆中八万億人見十
六王子出家亦求出家王即聽許尒時彼佛
受沙弥請過二万劫已乃於四衆之中說是
大乘經名妙法蓮華教菩薩法佛所護念說
是經已十六沙弥為阿耨多羅三藐三菩提
故皆共受持諷誦通利說是經時十六菩薩
沙弥皆悉信受聲聞衆中亦有信解其餘衆
生千万億種皆生疑惑佛說是經於八千劫
未曾休廢說此經已即入靜室住於禪定八
万四千劫是時十六菩薩沙弥知佛入室寂
然禪定各昇法座亦於八万四千劫為四部
衆廣說分別妙法華經一一皆度六百万億
那由他恒河沙等衆生示教利喜令發阿耨
多羅三藐三菩提心大通智勝佛過八万四

BD00318 號 A　妙法蓮華經卷三　（4–3）

受沙弥請過二万劫已乃於四衆之中說是
大乘經名妙法蓮華教菩薩法佛所護念說
是經已十六沙弥為阿耨多羅三藐三菩提
故皆共受持諷誦通利說是經時十六菩薩
沙弥皆悉信受聲聞衆中亦有信解其餘衆
生千万億種皆生疑惑佛說是經於八千劫
未曾休廢說此經已即入靜室住於禪定八
万四千劫是時十六菩薩沙弥知佛入室寂
然禪定各昇法座亦於八万四千劫為四部
衆廣說分別妙法華經一一皆度六百万億
那由他恒河沙等衆生示教利喜令發阿耨
多羅三藐三菩提心大通智勝佛過八万四
千劫已從三昧起往詣法座安詳而坐普告
大衆是十六菩薩沙弥甚為希有諸根通
利智慧明了已曾供養无量千万億數諸佛
於諸佛所常脩梵行受持佛智開示衆生令
入其中汝等皆當數數親近而供養之所以者
何若聲聞辟支佛及諸菩薩能信是十六菩
薩所說經法受持不毀者是人皆當得阿耨多
羅三藐三菩提如來之慧佛告諸比丘是十
六菩薩常樂說是妙法蓮華經一一菩薩
所化六百万億那由他恒河沙等衆生世世
所生與菩薩俱從其聞法悉皆信解以此因

BD00318 號 A　妙法蓮華經卷三　（4–4）

是二千聲聞　今於我前住　悉皆與受記　未來當成佛
所供養諸佛　如上說塵數　護持其法藏　後當成正覺
各於十方國　悉同一名号　俱時坐道場　以證无上慧
皆名為寶相　國土及弟子　正法與像法　悉等无有異
咸以諸神通　度十方衆生　名聞普周遍　漸入於涅槃
尒時學无學二千人聞佛授記歡喜踊躍而
說偈言
世尊慧燈明　我聞授記音　心歡喜充滿　如甘露見灌

妙法蓮華經法師品第十

尒時世尊因藥王菩薩告八萬大士藥王汝
見是大衆中无量諸天龍王夜叉乾闥婆阿
脩羅迦樓羅緊那羅摩睺羅伽人與非人及
比丘比丘尼優婆塞優婆夷求聲聞者求辟
支佛者求佛道者如是等類咸於佛前聞
妙法華經一偈一句乃至一念隨喜者我皆與
授記當得阿耨多羅三藐三菩提佛告藥王
又如來滅度之後若有人聞法華經乃至
一偈一句一念隨喜者我亦與授阿耨多羅
三藐三菩提記若復有人受持讀誦解說書
寫妙法華經乃至一偈於此經卷敬視如佛
種種供養華香瓔珞末香塗香燒香繒蓋幢

BD00318號B　妙法蓮華經卷四　（2–1）

尒時世尊因藥王菩薩告八萬大士藥王汝
見是大衆中无量諸天龍王夜叉乾闥婆阿
脩羅迦樓羅緊那羅摩睺羅伽人與非人及
比丘比丘尼優婆塞優婆夷求聲聞者求辟
支佛者求佛道者如是等類咸於佛前聞
妙法華經一偈一句乃至一念隨喜者我皆與
授記當得阿耨多羅三藐三菩提佛告藥王
又如來滅度之後若有人聞法華經乃至
一偈一句一念隨喜者我亦與授阿耨多羅
三藐三菩提記若復有人受持讀誦解說書
寫妙法華經乃至一偈於此經卷敬視如佛
種種供養華香瓔珞末香塗香燒香繒蓋幢
幡衣服伎樂乃至合掌恭敬藥王當知是諸
人等已曾供養十万億佛於諸佛所成就大
願愍衆生故生此人間藥王若有人問何等
衆生於未來世當得作佛應示是諸人等於
未來世必得作佛何以故若善男子善女人
於法華經乃至一句受持讀誦解說書寫種
種供養經卷華香瓔珞末香塗香燒香繒蓋

BD00318號B　妙法蓮華經卷四　（2–2）

……三昧釋迦牟尼佛光照
華宿王智佛言世尊我當往詣
拜親近供養釋迦牟尼佛及見
王子菩薩藥王菩薩勇施菩
上行意菩薩莊嚴王菩薩藥
華宿王智佛告妙音菩薩汝莫輕彼國生下
劣想善男子彼娑婆世界高下不平土石諸
山穢惡充滿佛身卑小諸菩薩衆其形亦小
而汝身四万二千由旬我身六百八十万由旬
汝身第一端正百千万福相光明殊妙是故
汝往莫輕彼國若佛菩薩及國土生下劣想
妙音菩薩白其佛言世尊我今詣娑婆世界
皆是如来之力如来神通遊戲如来功德智
慧莊嚴於是妙音菩薩不起于座身不動揺
而入三昧以三昧力於耆闍崛山去座不遠
化作八万四千衆寶蓮華閻浮檀金為莖白
銀為葉金剛為鬚甄叔迦寶以為其臺尒時
文殊師利法王子見是蓮華而白佛言世尊
是何因緣先現此瑞有若干千万蓮華閻浮
檀金為莖白銀為葉金剛為鬚甄叔迦寶
以為其臺尒時釋迦牟尼佛告文殊師利是妙
音菩薩摩訶薩欲從淨華宿王智佛國與八

檀金為莖白銀為葉金剛為鬚甄叔迦寶
以為其臺尒時釋迦牟尼佛告文殊師利是妙
音菩薩摩訶薩欲從淨華宿王智佛國與八
万四千菩薩圍繞而来至此娑婆世界供養
親近礼拜於我亦欲供養聽法華經文殊師
利白佛言世尊是菩薩種何善本脩何功德
而能有是大神通力行何三昧願為我等說
是三昧名字我等亦欲勤脩行之行此三昧
乃能見是菩薩色相大小威儀進止唯願世
尊以神通力彼菩薩来令我得見尒時釋迦
牟尼佛告文殊師利此久滅度多寶如来當
為汝等而現其相時多寶佛告彼菩薩善
男子来文殊師利法王子欲見汝身于時妙
音菩薩於彼國沒與八万四千菩薩俱共發
来所經諸國六種震動皆悉雨於七寶蓮華
百千天樂不鼓自鳴是菩薩目如廣大青蓮
華葉正使和合百千万月其面貌端正復過
於此身真金色无量百千功德莊嚴威德熾
盛光明照曜諸相具足如那羅延堅固之身
入七寶臺上昇虛空去地七多羅樹諸菩薩
衆恭敬圍繞而来詣此娑婆世界耆闍崛山
到已下七寶臺以價直百千瓔珞持至釋迦
牟尼佛所頭面礼足奉上瓔珞而白佛言世
尊淨華宿王智佛問訊世尊少病少惱起居
輕利安樂行不四大調和不世事可忍不衆生

尊法華宿王智佛問訊世尊少病少惱起居
輕利安樂行不四大調和不世事可忍不衆生
易度不无多貪欲瞋恚愚癡嫉妬慳慢不
无不孝父母不敬沙門邪見不善心不攝五
情不世尊衆生能降伏諸魔怨不久滅度多
寶如来在七寶塔中来聽法不又問訊多寶
如来安隱少惱堪忍久住不世尊我今欲見
多寶佛身唯願世尊示我令見尒時釋迦牟
尼佛語多寶佛是妙音菩薩欲得相見時多
寶佛告妙音言善哉善哉汝能為供養釋迦
牟尼佛及聽法華經并見文殊師利等故来
至此尒時華德菩薩白佛言世尊是妙音菩
薩種何善根脩何功德有是神力佛告華德
菩薩過去有佛名雲雷音王多陁阿伽度阿
羅呵三藐三佛陁國名現一切世間劫名喜
見妙音菩薩於万二千歲以十万種伎樂供
養雲雷音王佛并奉上八万四千七寶鉢以
是因緣果報今生淨華宿王智佛國有是神
力華德於汝意云何尒時雲雷音王佛所妙
音菩薩伎樂供養奉上寶器者豈異人乎今
此妙音菩薩摩訶薩是華德是妙音菩薩
已曾供養親近无量諸佛久植德本又值恒河
沙等百千万億那由他佛華德汝但見妙音
菩薩其身在此而是菩薩現種種身處處
為諸衆生說是經典或現梵王身或現帝釋身

為諸衆生說是經典或現梵王身或現帝釋身
或現自在天身或現大自在天身或現天大將軍
身或現毗沙門天王身或現轉輪聖王身或現
諸小王身或現長者身或現居士身或現
宰官身或現婆羅門身或現比丘比丘尼優
婆塞優婆夷身或現長者居士婦女身或現
宰官婦女身或現婆羅門婦女身或現童男
童女身或現天龍夜叉乾闥婆阿脩羅迦樓
羅緊那羅摩睺羅伽人非人等身而說是經
諸有地獄餓鬼畜生及衆難處皆能救濟乃
至於王後宮變為女身而說是經華德是妙
音菩薩能救護娑婆世界諸衆生者是妙音
菩薩如是種種變化現身在此娑婆國土為
諸衆生說是經典於神通變化智慧无所損
減是菩薩以若干智慧明照娑婆世界令一
切衆生各得所知於十方恒河沙世界中亦
復如是若應以聲聞形得度者現聲聞形而
為說法應以辟支佛形得度者現辟支佛形
而為說法應以菩薩形得度者現菩薩形而
為說法應以佛形得度者即現佛形而為說
法如是種種隨所應度而現形乃至應以
滅度而得度者示現滅度華德妙音菩薩摩
訶薩成就大神通智慧之力其事如是尒時
華德菩薩白佛言世尊是妙音菩薩深種善

訶薩成就大神通智慧之力其事如是尒時
華德菩薩白佛言世尊是妙音菩薩深種善
根世尊是菩薩住何三昧而能如是在所變
現度脫衆生佛告華德菩薩善男子其三昧
名現一切色身妙音菩薩住是三昧中能如
是饒益无量衆生說是妙音菩薩品時與妙
音菩薩俱來者八万四千人皆得現一切色
白佛言世尊我今當與說法者陁羅尼呪以
守護之即說呪曰
安尒一 曼尒二 摩祢三 摩摩祢四 旨隸五 遮
梨第六 賒咩羊鳴音七 賒履同雉反八 多瑋輸千反 羶
帝九 目帝十 目多履十一 娑履十二 阿瑋娑履十三
桑履十四 娑履十五 叉裔十六 阿叉裔十七 阿耆膩十八
羶帝十九 賒履二十 陁羅尼二十一 阿盧伽婆娑蘇奈反
簸蔗毗叉膩二十二 祢毗剃二十三 阿便哆都餓反 邏祢
履剃二十四 阿亶哆波隸輸地途賣反二十五 漚究隸二十
六 牟究隸二十七 阿羅隸二十八 波羅隸二十九 首迦
差初几反三十 阿三磨三履三十一 佛馱毗吉利袠帝
三十二 達磨波利差猜離反三十三 僧伽涅瞿
沙祢三十四 婆舍婆舍輸地三十五 曼哆邏三十六
曼哆邏叉夜多三十七 郵樓哆三十八 郵樓哆憍
舍略三十九 惡叉邏四十 惡叉冶多冶四十一 阿婆盧
四十二 阿摩若荏蔗反 那多夜四十三
世尊是陁羅尼神呪六十二億恒河沙等諸

四十二 阿摩若荏蔗反 那多夜四十三
世尊是陁羅尼神呪六十二億恒河沙等諸
佛所說若有侵毀此法師者則為侵毀是諸
佛已時釋迦牟尼佛讚藥王菩薩言善哉善
哉藥王汝愍念擁護此法師故說是陁羅尼
於諸衆生多所饒益尒時勇施菩薩白佛言
世尊我亦為擁護讀誦受持法華經者說
陁羅尼若此法師得是陁羅尼若夜叉若羅刹
若富單那若吉蔗若鳩槃荼若餓鬼等伺
求其短无能得便即於佛前而說呪曰
痤誓螺反 隸一 摩訶痤隸二 郁枳三 目枳四 阿
隸五 阿羅婆第六 涅隸第七 涅隸多婆第八
伊緻猪履反 柅九 韋緻柅十 旨緻柅十一 涅隸墀
柅十二 涅犁墀婆底十三
世尊是陁羅尼神呪恒河沙等諸佛所說亦
皆隨喜若有侵毀此法師者則為侵毀是諸
佛已尒時毗沙門天王護世者白佛言世尊
我亦為愍念衆生擁護此法師故說是陁羅
尼即說呪曰
阿梨一 那梨二 㝹那梨三 阿那盧四 那履五
拘那履六
世尊以是神呪擁護法師我亦自當擁護持
是經者令百由旬内无諸衰患尒時持國天
王在此會中與千万億那由他乹闥婆衆恭
敬圍繞前詣佛所合掌白佛言世尊我亦以

王在此會中與千万億那由他乹闥婆衆恭
敬圍繞前詣佛所合掌白佛言世尊我亦以
陁羅尼神呪擁護持法華經者即說呪曰
阿伽祢一伽祢二瞿利三乹陁利四栴陁利五
摩蹬耆六常求利七浮樓莎柅八頞底
九
世尊是陁羅尼神呪四十二億諸佛所說若
有侵毀此法師者則為侵毀是諸佛已尒時
有羅刹女等一名藍婆二名毗藍婆三名曲
齒四名華齒五名黑齒六名多髮七名无猒
足八名持瓔珞九名睪帝十名奪一切衆生
精氣是十羅刹女與鬼子母并其子及眷屬
俱詣佛所同聲白佛言世尊我等亦欲擁護
讀誦受持法華經者除其衰患若有伺求法
師短者令不得便即於佛前而說呪曰
伊提履一伊提泯二伊提履三阿提履四伊
提履五泥履六泥履七泥履八泥履九泥履
十樓醘一十樓醘二十樓醘三十樓醘四十多醘五十多
醘六十多醘七十兜醘八十㝹醘九十
寧上我頭上莫惱於法師若夜叉若羅刹若
餓鬼若冨單那若吉蔗若毗陁羅若揵䭾若
烏摩勒伽若阿䟦摩羅若夜叉吉蔗若人吉蔗
若熱病若一日若二日若三日若四日若至
七日若常熱病若男形若女形若童男形若
童女形乃至夢中亦復莫惱即於佛前而說

BD00319號　妙法蓮華經卷七　（17–7）

七日若常熱病若男形若女形若童男形若
童女形乃至夢中亦復莫惱即於佛前而說
偈言
若不順我呪　惱亂說法者　頭破作七分　如阿梨樹枝
如煞父母罪　亦如壓油殃　斗秤欺誑人　調達破僧罪
犯此法師者　當獲如是殃
諸羅刹女說此偈已白佛言世尊我等亦當
身自擁護受持讀誦脩行是經者令得安隱
離諸衰患消衆毒藥佛告諸羅刹女善哉善
哉汝等但能擁護受持法華名者福不可量
何況擁護具足受持供養經卷華香瓔珞末
香塗香燒香幡蓋伎樂然種種燈蘇燈油
燈香油燈蘇摩那華油燈瞻蔔華油燈婆師
迦華油燈優鉢羅華油燈如是等百千種供
養者睪帝汝等及眷屬應當擁護如是法師
說是陁羅尼品時六万八千人得无生法忍
妙法蓮華經妙莊嚴王本事品第二十七
尒時佛告諸大衆乃往古世過无量无邊不
可思議阿僧祇劫有佛名雲雷音宿王華智
多陁阿伽度阿羅呵三藐三佛陁國名光明
莊嚴劫名憙見彼佛法中有王名妙莊嚴其
王夫人名曰淨德有二子一名淨藏二名淨
眼是二子有大神力福德智慧久脩菩薩所
行之道所謂檀波羅蜜尸羅波羅蜜羼提波
羅蜜毗梨耶波羅蜜禪波羅蜜般若波羅蜜

BD00319號　妙法蓮華經卷七　（17–8）

眼是二子有大神力福德智慧久脩菩薩所
行之道所謂檀波羅蜜尸羅波羅蜜羼提波
羅蜜毗梨耶波羅蜜禪波羅蜜般若波羅蜜
方便波羅蜜慈悲喜捨乃至三十七品助道法
皆悉明了通達又得菩薩淨三昧日星宿三
昧淨光三昧淨色三昧淨照明三昧長莊嚴
三昧大威德藏三昧於此三昧亦悉通達爾
時彼佛欲引導妙莊嚴王及愍念衆生故說
是法華經時淨藏淨眼二子到其母所合十
指爪掌白言願母往詣雲雷音宿王華智佛
所我等亦當侍從親近供養礼拜所以者何
此佛於一切天人衆中說法華經宜應聽受
母告子言汝父信受外道深著婆羅門法汝
等應往白父與共俱去淨藏淨眼合十指爪
掌白母我等是法王子而生此邪見家母告
子言汝等當憂念汝父為現神變若得見者
心必清淨或聽我等往至佛所於是二子念
其父故踊在虛空高七多羅樹現種種神變
於虛空中行住坐卧身上出水身下出火身
下出水身上出火或現大身滿虛空中而復
現小小復現大於空中滅忽然在地入地如
水履水如地現如是等種種神變令其父王
心淨信解時父見子神力如是心大歡喜得
未曾有合掌向子言汝等師為是誰誰之弟
子二子白言大王彼雲雷音宿王華智佛今

心淨信解時父見子神力如是心大歡喜得
未曾有合掌向子言汝等師為是誰誰之弟
子二子白言大王彼雲雷音宿王華智佛今
在七寶菩提樹下法座上坐於一切世間天
人衆中廣說法華經是我等師我是弟子父
語子言我今亦欲見汝等師可共俱往於是
二子從空中下到其母所合掌白母父王今
已信解堪任發阿耨多羅三藐三菩提心我
等為父已作佛事願母見聽於彼佛所出家
脩道爾時二子欲重宣其意以偈白母
願母放我等　出家作沙門　諸佛甚難值　我等隨佛學
如優曇波羅　值佛復難是　脫諸難亦難　願聽我出家
母即告言聽汝出家所以者何佛難值故於
是二子白父母言善哉父母願時往詣雲雷
音宿王華智佛所親近供養所以者何佛難
得值如優曇波羅華又如一眼之龜值浮木
孔而我等宿福深厚生值佛法是故父母當
聽我等令得出家所以者何諸佛難值時亦
難遇彼時妙莊嚴王後宮八万四千人皆悉
堪任受持是法華經淨眼菩薩於法華三昧
久已通達淨藏菩薩已於无量百千万億劫
通達離諸惡趣三昧欲令一切衆生離諸惡
趣故其王夫人得諸佛習三昧能知諸佛祕
密之藏二子如是以方便力善化其父令心
信解好樂佛法於是妙莊嚴王與群臣眷屬

趣故其王夫人得諸佛集三昧能知諸佛祕
密之藏二子如是以方便力善化其父令心
信解好樂佛法於是妙莊嚴王與群臣眷屬
俱淨德夫人與後宮采女眷屬俱其王二子
與四万二千人俱一時共詣佛所到已頭面
礼足繞佛三帀却住一面尒時彼佛為王說
法示教利喜王大歡悅尒時妙莊嚴王及其
夫人解頸真珠瓔珞價直百千以散佛上於
虛空中化成四柱寶臺臺中有大寶床敷百
千万天衣其上有佛結跏趺坐放大光明尒
時妙莊嚴王作是念佛身希有端嚴殊特成
就第一微妙之色時雲雷音宿王華智佛告
四衆言汝等見是妙莊嚴王於我前合掌立
不此王於我法中作比丘精勤脩助佛道法
當得作佛號娑羅樹王國名大光劫名大
高王其娑羅樹王佛有无量菩薩衆及无量
聲聞其國平正功德如是其王即時以國付
弟與夫人二子并諸眷屬於佛法中出家脩
道王出家已於八万四千歲常勤精進脩行
妙法華經過是已後得一切淨功德莊嚴三
昧即昇虛空高七多羅樹而白佛言世尊此
我二子已作佛事以神通變化轉我邪心令
得安住於佛法中得見世尊此二子者是我
善知識為欲發起宿世善根饒益我故來生
我家尒時雲雷音宿王華智佛告妙莊嚴王

得安住於佛法中得見世尊此二子者是我
善知識為欲發起宿世善根饒益我故來生
我家尒時雲雷音宿王華智佛告妙莊嚴王
言如是如是如汝所言若善男子善女人種
善根故世世得善知識其善知識能作佛事
示教利喜令入阿耨多羅三藐三菩提大王
當知善知識者是大因緣所謂化導令得見
佛發阿耨多羅三藐三菩提心大王汝見此
二子不此二子已曾供養六十五百千万億
那由他恒河沙諸佛親近恭敬於諸佛所受
持法華經愍念邪見衆生令住正見妙莊嚴
王即從虛空中下而白佛言世尊如來甚希
有以功德智慧故頂上肉髻光明顯照其眼
長廣而紺青色眉間毫相白如珂月齒白
齊密常有光明脣色赤好如頻婆果尒時妙
莊嚴王讚歎佛如是等无量百千万億功德
已於如來前一心合掌復白佛言世尊未曾有
也如來之法具足成就不可思議微妙功德
教戒所行安隱快善我從今日不復自隨心
行不生邪見憍慢瞋恚諸惡之心說是語已
礼佛而出佛告大衆於意云何妙莊嚴王豈
異人乎今華德菩薩是其淨德夫人今佛前
光照莊嚴相菩薩是哀愍妙莊嚴王及諸
眷屬故於彼中生其二子者今藥王菩薩藥
上菩薩是是藥王藥上菩薩成就如此諸大功

眷屬故於彼中生其二子者今藥王菩薩藥
上菩薩是是藥王藥上菩薩成就如此諸大功
德已於无量百千万億諸佛所植衆德本成
就不可思議諸善功德若有人識是二菩薩
名字者一切世間諸天人民亦應礼拜佛說
是妙莊嚴王本事品時八万四千人遠塵離
垢於諸法中得法眼淨

妙法蓮華經普賢菩薩勸發品第二十八

尒時普賢菩薩以自在神通力威德名聞與大
菩薩无量无邊不可稱數從東方來所經諸
國普皆震動雨寶蓮華作无量百千万億種
種伎樂又與无數諸天龍夜叉乾闥婆阿脩
羅迦樓羅緊那羅摩睺羅伽人非人等大衆
圍繞各現威德神通之力到娑婆世界耆闍
崛山中頭面礼釋迦牟尼佛右繞七帀白佛
言世尊我於寶威德上王佛國遥聞此娑婆
世界說法華經與无量无邊百千万億諸菩
薩衆共來聽受唯願世尊當為說之若善男
子善女人於如來滅後云何能得是法華經
佛告普賢菩薩若善男子善女人成就四法
於如來滅後當得是法華經一者為諸佛護
念二者植衆德本三者入正定聚四者發救
一切衆生之心善男子善女人如是成就四
法於如來滅後必得是經尒時普賢菩薩白
佛言世尊於後五百歲濁惡世中其有受持

法於如來滅後必得是經尒時普賢菩薩白
佛言世尊於後五百歲濁惡世中其有受持
是經典者我當守護除其衰患令得安隱使
无伺求得其便者若魔若魔子若魔女若
魔民若為魔所著者若夜叉若羅刹若鳩槃
荼若毗舍闍若吉蔗若富單那若韋陁羅等
諸惱人者皆不得便是人若行若立讀誦此經
我尒時乘六牙白象王與大菩薩衆俱詣其
所而自現身供養守護安慰其心亦為供養
法華經故是人若坐思惟此經尒時我復乘
白象王現其人前其人若於法華經有所忘
失一句一偈我當教之與共讀誦還令通利
尒時受持讀誦法華經者得見我身甚大歡
喜轉復精進以見我故即得三昧及陁羅尼
名為旋陁羅尼百千万億旋陁羅尼法音方
便陁羅尼得如是等陁羅尼世尊若後世後
五百歲濁惡世中比丘比丘尼優婆塞優婆
夷求索者受持者讀誦者書寫者欲脩習是
法華經於三七日中應一心精進滿三七日已
我當乘六牙白象與无量菩薩而自圍繞
以一切衆生所喜見身現其人前而為說法
示教利喜亦復與其陁羅尼呪得是陁羅尼
故无有非人能破壞者亦不為女人之所惑
亂我身亦自常護是人唯願世尊聽我說此
陁羅尼呪即於佛前而說呪曰

故无有非人能破壞者亦不為女人之所惱
亂我身亦自常護是人唯願世尊聽我說此
陁羅尼呪即於佛前而說呪曰
阿檀地 途賣反 一 檀陁婆地 二 檀陁婆帝 三 檀陁
鳩舍隸 四 檀陁脩陁隸 五 脩陁隸 六 脩陁羅
婆底 七 佛馱波羶祢 八 薩婆陁羅尼阿婆
多尼 九 薩婆婆沙阿婆多尼 十 脩阿婆多尼
十一 僧伽婆履叉尼 十二 僧伽涅伽陁尼 十三 阿僧祇
十四 僧伽波伽地 十五 帝隸阿惰僧伽兜略 盧遮反
阿羅帝波羅帝 十六 薩婆僧伽三摩地伽蘭地
十七 薩婆達磨脩波利刹帝 十八 薩婆薩埵樓馱憍舍
略阿㝹伽地 十九 辛阿毗吉利地帝 二十
世尊若有菩薩得聞是陁羅尼者當知普
賢神通之力若法華經行閻浮提有受持者應
作此念皆是普賢威神之力若有受持讀誦
正憶念解其義趣如說脩行當知是人行普
賢行於无量无邊諸佛所深種善根為諸如
来手摩其頭若但書寫是人命終當生忉利
天上是時八万四千天女作衆伎樂而来迎
之其人即著七寶冠於采女中娛樂快樂何
況受持讀誦正憶念解其義趣如說脩行若
有人受持讀誦解其義趣是人命終為千佛
授手令不恐怖不墮惡趣即往兜率天上彌
勒菩薩所彌勒菩薩有三十二相大菩薩衆
所共圍繞有百千万億天女眷屬而於中生

BD00319號　妙法蓮華經卷七　（17–15）

勸菩薩所彌勒菩薩有三十二相大菩薩衆
所共圍繞有百千万億天女眷屬而於中生
有如是等功德利益是故智者應當一心自
書若使人書受持讀誦正憶念如說脩行世
尊我今以神通力故守護是經於如来滅後閻
浮提內廣令流布使不斷絶尒時釋迦牟尼
佛讃言善哉善哉普賢汝能護助是經令
多所衆生安樂利益汝已成就不可思議功德
深大慈悲從久遠来發阿耨多羅三藐三菩
提意而能作是神通之願守護是經我當以
神通力守護能受持普賢菩薩名者普賢若
有受持讀誦正憶念脩習書寫是法華經者
當知是人則見釋迦牟尼佛如從佛口聞此
經典當知是人供養釋迦牟尼佛當知是人
佛讃善哉當知是人為釋迦牟尼佛手摩其
頭當知是人為釋迦牟尼佛衣之所覆如是
之人不復貪著世樂不好外道經書手筆亦
復不喜親近其人及諸惡者若屠兒若畜猪
羊雞狗若獵師若衒賣女色是人心意質直
有正憶念有福德力是人不為三毒所惱亦
不為嫉妬我慢邪慢增上慢所惱是人少欲
知足能脩普賢之行普賢若如来滅後後五
百歲若有人見受持讀誦法華經者應作是
念此人不久當詣道場破諸魔衆得阿耨多
羅三藐三菩提轉法輪擊法鼓吹法螺雨法

BD00319號　妙法蓮華經卷七　（17–16）

百歲若有人見受持讀誦法華經者應作是
念此人不久當詣道場破諸魔衆得阿耨多
羅三藐三菩提轉法輪擊法鼓吹法螺雨法
雨當坐天人大衆中師子法座上普賢若於
後世受持讀誦是經典者是人不復貪著衣
服卧具飲食資生之物所願不虛亦於現世得
其福報若有人輕毀之言汝狂人耳空作是
行終无所獲如是罪報當世世无眼若有供
養讚歎之者當於今世得現果報若復見受
持是經者出其過惡若實若不實此人現世
得白癩病若輕咲之者當世世牙齒踈缺
醜脣平鼻手脚繚戾眼目角睞身體臭穢惡
瘡膿血水腹短氣諸惡重病是故普賢若見
受持是經典者當起遠迎當如敬佛說是普
賢勸發品時恒河沙等无量无邊菩薩得百
千万億旋陁羅尼三千大千世界微塵等諸
菩薩具普賢道佛說是經時普賢等諸菩
薩舍利弗等諸聲聞及諸天龍人非人等一切大
會皆大歡喜受持佛語作礼而去

妙法蓮華經卷第七

BD00319號　妙法蓮華經卷七　（17–17）

中無如是分
不至此彼岸是靜
若般若波羅蜜多中無如是
亦不如彼所分別何以故非至此彼岸是
若波羅蜜多相故
善現此菩薩乘補特伽羅不知此岸彼岸相
故不能攝受布施波羅蜜多不能攝受淨戒
安忍精進靜慮般若波羅蜜多不能攝受方
便善巧不能攝受內空不能攝受外空內外
空空空大空勝義空有為空無為空畢竟空
無際空散空無變異空本性空自相空共相
空一切法空不可得空無性空自性空無性
自性空不能攝受真如不能攝受法界法性
不虛妄性不變異性平等性離生性法定法
住實際虛空界不思議界不能攝受苦聖諦
不能攝受集滅道聖諦不能攝受四靜慮不
能攝受四無量四無色定不能攝受八解脫
不能攝受八勝處九次第定十遍處不能攝
受四念住不能攝受四正斷四神足五根五
力七等覺支八聖道支不能攝受空解脫門
不能攝受無相無願解脫門不能攝受菩薩
十地不能攝受五眼不能攝受六神通不能
攝受佛十力不能攝受四無所畏四無礙解
大慈大悲大喜大捨十八佛不共法不能攝
受無忘失法不能攝受恒住捨性不能攝受

BD00320號　大般若波羅蜜多經卷三一三　（7–1）

[illegible]
大慈大悲大喜大捨十八佛不共法不能攝
受無忘失法不能攝受恒住捨性不能攝受
一切智不能攝受道相智一切相智不能攝
受一切陁羅尼門不能攝受一切三摩地門
不能攝受一切菩薩摩訶薩行不能攝受諸
佛無上正等菩提善現由是因縁此菩薩乘
補特伽羅墮聲聞地或獨覺地不證無上正
等菩提
如是善現住菩薩乘諸善男子善女人等由
不攝受甚深般若波羅蜜多亦不攝受方便
善巧故退墮聲聞及獨覺地不證無上正等
菩提
尒時具壽善現白佛言世尊云何住菩薩乘
諸善男子善女人等以能攝受甚深般若波
羅蜜多亦能攝受方便善巧故不墮聲聞及
獨覺地疾證無上正等菩提佛言善現有菩
薩乘諸善男子善女人等從初發心離我我
所執脩行布施波羅蜜多離我我所執脩行
淨戒波羅蜜多離我我所執脩行安忍波羅
蜜多離我我所執脩行精進波羅蜜多離我
我所執脩行靜慮波羅蜜多離我我所執脩
行般若波羅蜜多善現此善男子善女人等
脩布施時不作是念我能行施彼受我所施
我施如是物脩淨戒時不作是念我能持戒
戒是我所持我成就是戒脩安忍時不作是
念我能脩忍彼是我所忍我成就是忍脩精

BD00320號　大般若波羅蜜多經卷三一三

（7–2）

脩布施時不作是念我能行施彼受我所施
我施如是物脩淨戒時不作是念我能持戒
戒是我所持我成就是戒脩安忍時不作是
念我能脩忍彼是我所忍我成就是忍脩精
進時不作是念我能精進我為此精進我具
是精進脩靜慮時不作是念我能脩定我為
此脩定我成就是定脩般若時不作是念我
能脩慧我為此脩慧我成就是慧復次善現
此菩薩乘諸善男子善女人等脩布施時不
執有布施不執由此布施不執為我所
脩淨戒時不執有淨戒不執由此淨戒不執
為我所脩安忍時不執有安忍不執由
此安忍不執為我所脩精進時不執有
精進不執由此精進不執精進為我所脩靜
慮時不執有靜慮不執由此靜慮不執靜慮
為我所脩般若時不執有般若不執由此般
若不執般若為我所所以者何布施波羅蜜
多中無如是分別可起此執何以故遠離此
彼岸是布施波羅蜜多相故淨戒波羅蜜多
中無如是分別可起此執何以故遠離此彼
岸是淨戒波羅蜜多相故安忍波羅蜜多中
無如是分別可起此執何以故遠離此彼岸
是安忍波羅蜜多相故精進波羅蜜多中無
如是分別可起此執何以故遠離此彼岸是
精進波羅蜜多相故靜慮波羅蜜多中無如
是分別可起此執何以故遠離此彼岸是靜
[illegible]

BD00320號　大般若波羅蜜多經卷三一三

（7–3）

如是分別可起此執何以故遠離此彼岸是
精進波羅蜜多相故靜慮波羅蜜多中無如
是分別可起此執何以故遠離此彼岸是靜
慮波羅蜜多相故般若波羅蜜多中無如是
分別可起此執何以故遠離此彼岸是般若
波羅蜜多相故
善現此菩薩乘諸善男子善女人等了知此
岸彼岸相故便能攝受布施淨戒安忍精進
靜慮般若波羅蜜多不墮聲聞及獨覺地疾
證無上正等菩提復能攝受內空外空內外
空空空大空勝義空有為空無為空畢竟空
無際空散空無變異空本性空自相空共相
空一切法空不可得空無性空自性空無性
自性空不墮聲聞及獨覺地疾證無上正等
菩提復能攝受真如法界法性不虛妄性不
變異性平等性離生性法定法住實際虛空
界不思議界不墮聲聞及獨覺地疾證無上
正等菩提復能攝受苦聖諦集聖諦滅聖諦
道聖諦不墮聲聞及獨覺地疾證無上正等
菩提復能攝受四靜慮四無量四無色定不墮
聲聞及獨覺地疾證無上正等菩提復能攝
受八解脫八勝處九次第定十遍處不墮聲
聞及獨覺地疾證無上正等菩提復能攝受
四念住四正斷四神足五根五力七等覺支
八聖道支不墮聲聞及獨覺地疾證無上正
等菩提復能攝受空解脫門無相解脫門無

BD00320號　大般若波羅蜜多經卷三一三　（7–4）

四念住四正斷四神足五根五力七等覺支
八聖道支不墮聲聞及獨覺地疾證無上正
等菩提復能攝受空解脫門無相解脫門無
願解脫門不墮聲聞及獨覺地疾證無上正
等菩提復能攝受菩薩十地不墮聲聞及獨
覺地疾證無上正等菩提復能攝受五眼六
神通不墮聲聞及獨覺地疾證無上正等菩
提復能攝受佛十力四無所畏四無礙解大
慈大悲大喜大捨十八佛不共法不墮聲聞
及獨覺地疾證无上正等菩提復能攝受无
忘失法恒住捨性不墮聲聞及獨覺地疾證
无上正等菩提復能攝受一切智道相智一
切相智不墮聲聞及獨覺地疾證无上正等
菩提復能攝受一切陁羅尼門一切三摩地
門不墮聲聞及獨覺地疾證无上正等菩提
復能攝受一切菩薩摩訶薩行不墮聲聞
及獨覺地疾證无上正等菩提復能攝受諸佛
无上正等菩提不墮聲聞及獨覺地疾證无
上正等菩提
具壽善現復白佛言世尊云何住菩薩乘補
特伽羅有方便善巧佛言善現若菩薩乘補
特伽羅從初發心有方便善巧脩行布施波
羅蜜多有方便善巧脩行淨戒波羅蜜多有
方便善巧脩行安忍波羅蜜多有方便善巧
脩行精進波羅蜜多有方便善巧脩行靜慮
波羅蜜多有方便善巧脩行般若波羅蜜多

BD00320號　大般若波羅蜜多經卷三一三　（7–5）

方便善巧脩行安忍波羅蜜多有方便善巧
脩行精進波羅蜜多有方便善巧脩行靜慮
波羅蜜多有方便善巧脩行般若波羅蜜多
善現此菩薩乘補特伽羅脩布施時不作是
念我能行施彼受我所施我施如是物脩淨
戒時不作是念我能持戒戒是我所持我成
就是戒脩安忍時不作是念我能脩忍彼是
我所忍我成就是忍脩精進時不作是念我
能精進我為此精進我具是精進脩靜慮時
不作是念我能脩定我為此脩定我成就是
定脩般若時不作是念我能脩慧我為此脩
慧我成就是慧復次善現此菩薩乘補特伽
羅脩布施時不執有布施不執由此布施不
執布施為我所亦不憍慠脩淨戒時不執有
淨戒不執由此淨戒不執淨戒為我所亦不
憍慠脩安忍時不執有安忍不執由此安忍
不執安忍為我所亦不憍慠脩精進時不執
有精進不執由此精進不執精進為我所亦
不憍慠脩靜慮時不執有靜慮不執由此靜
慮不執靜慮為我所亦不憍慠脩般若時不
執有般若不執由此般若不執般若為我所
亦不憍慠所以者何布施波羅蜜多中無如
是分別亦不如彼所分別何以故非至此彼
岸是布施波羅蜜多相故淨戒波羅蜜多中
無如是分別亦不如彼所分別何以故非至
此彼岸是淨戒波羅蜜多相故安忍波羅蜜
多中無如是分別亦不如彼所分別何以故

BD00320號　大般若波羅蜜多經卷三一三　（7–6）

執有般若不執由此般若不執般若為我所
亦不憍慠所以者何布施波羅蜜多中無如
是分別亦不如彼所分別何以故非至此彼
岸是布施波羅蜜多相故淨戒波羅蜜多中
無如是分別亦不如彼所分別何以故非至
此彼岸是淨戒波羅蜜多相故安忍波羅蜜
多中無如是分別亦不如彼所分別何以故
非至此彼岸是安忍波羅蜜多相故精進波
羅蜜多中無如是分別亦不如彼所分別何
以故非至此彼岸是精進波羅蜜多相故靜
慮波羅蜜多中無如是分別亦不如彼所分
別何以故非至此彼岸是靜慮波羅蜜多相
故般若波羅蜜多中無如是分別亦不如彼所
分別何以故非至此彼岸是般若波羅蜜多
相故
善現此菩薩乘補特伽羅了知此岸彼岸相
故便能攝受布施淨戒安忍精進靜慮般若
波羅蜜多不墮聲聞及獨覺地疾證無上正
等菩提復能攝受方便善巧不墮聲聞及獨
覺地疾證無上正等菩提復能攝受內空外
空內外空空空大空勝義空有為空無為空
畢竟空無際空散空無變異空本性空自相
空共相空一切法空不可得空無性空自性
空無性自性空不墮聲聞及獨覺地疾證無
上正等菩提復能攝受真如法界法性不虛

BD00320號　大般若波羅蜜多經卷三一三　（7–7）

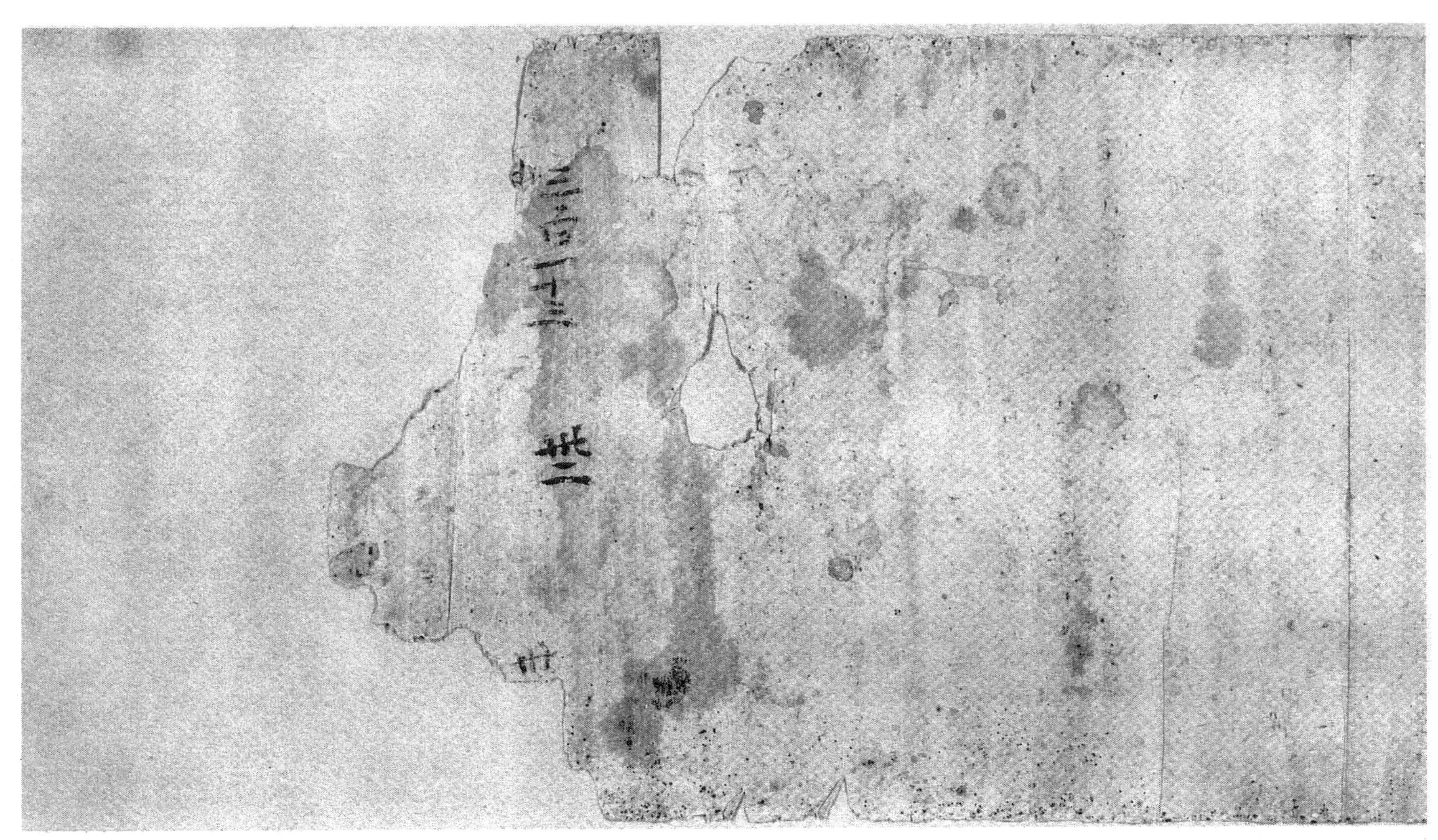

BD00320 號背　勘記　（1–1）

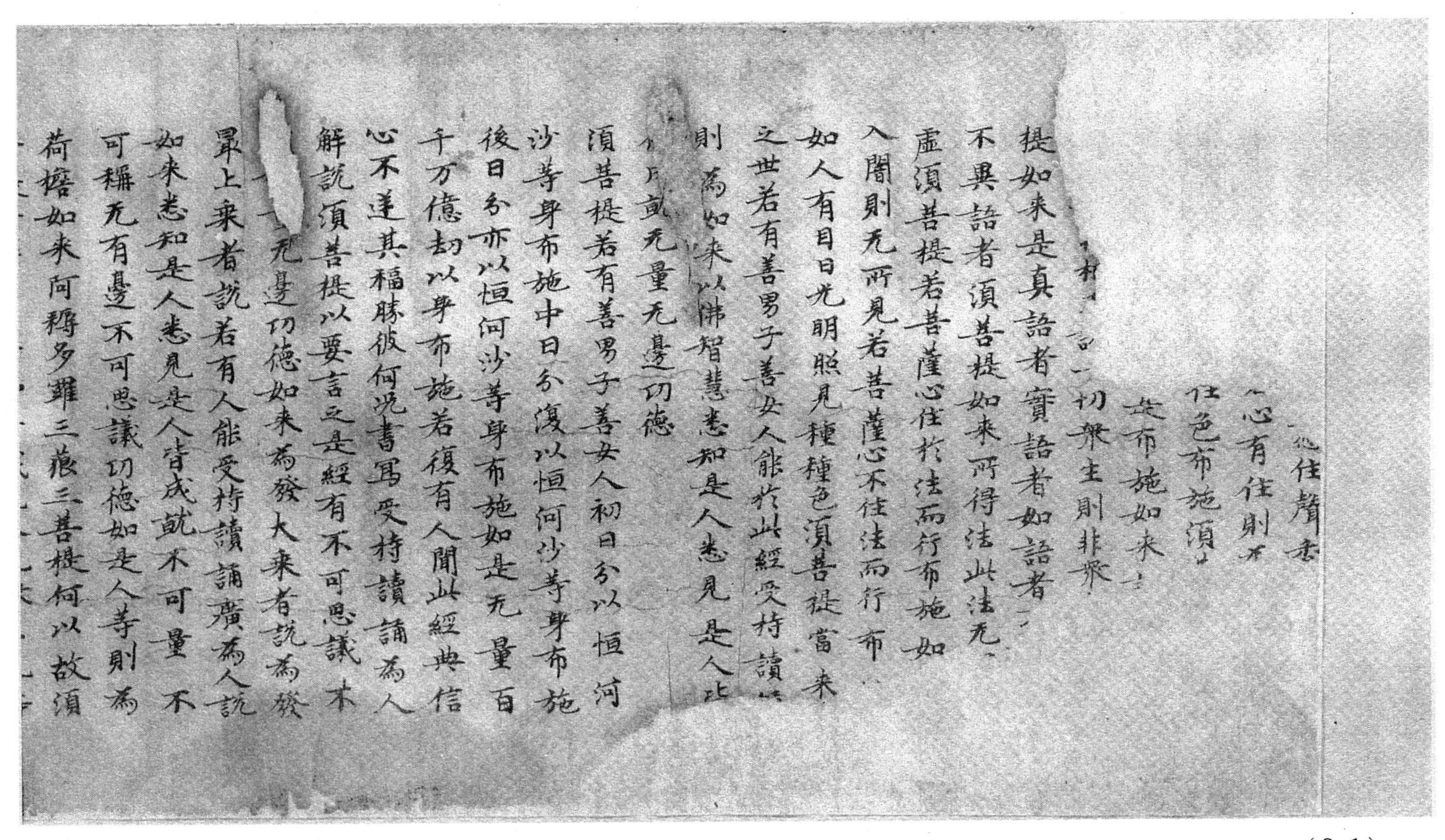

心住聲香
心有住則不
住色布施須
生布施如來
言一切衆生則非衆
提如来是真語者實語者如語者
不異語者須菩提如来所得法此法无
虛須菩提若菩薩心住於法而行布施如
入闇則无所見若菩薩心不住法而行布
如人有目日光明照見種種色須菩提當来
之世若有善男子善女人能於此經受持讀
則為如来以佛智慧悉知是人悉見是人
成就无量无邊功德
須菩提若有善男子善女人初日分以恒河
沙等身布施中日分復以恒河沙等身布施
後日分亦以恒河沙等身布施如是无量百
千万億劫以身布施若復有人聞此經典信
心不逆其福勝彼何況書寫受持讀誦為人
解說須菩提以要言之是經有不可思議不
无邊功德如来為發大乘者說為發
最上乘者說若有人能受持讀誦廣為人說
如来悉知是人悉見是人皆成就不可量不
可稱无有邊不可思議功德如是人等則為
荷擔如来阿耨多羅三藐三菩提何以故須

BD00321 號　金剛般若波羅蜜經　（8–1）

可稱无有邊不可思議功德如是人等則為
荷擔如來阿耨多羅三藐三菩提何以故須
菩提若樂小法者即著我見人見眾生見壽
者見則於此經不能聽受讀誦為人解說須
[菩提]在在處處若有此經一切世間天人阿
脩羅所應供養當知此處則為是塔皆應恭
敬作禮圍繞以諸華香而散其處
復次須菩提善男子善女人受持讀誦此經
若為人輕賤是人先世罪業應墮惡道以今
世人輕賤故先世罪業則為消滅當得阿耨
多羅三藐三菩提須菩提我念過去无量阿
[僧]祇劫於然燈佛前得值八百四千万億那
由他諸佛悉皆供養承事无空過者若復有
人於後末世能受持讀誦此經所得功德於
我所供養諸佛功德百分不及一千万億分
乃至筭數譬喻所不能及須菩提若善男子
善女人於後末世有受持讀誦此經所得功
德我若具說者或有人聞心則狂亂狐疑不
[信]須菩提當知是經義不可思議果報亦不
可思議
尒時須菩提白佛言世尊善男子善女人發
阿耨多羅三藐三菩提心云何應住云何降
伏其心佛告須菩提善男子善女人發阿耨
多羅三藐三菩提者當生如是心我應滅度
一切眾生滅度一切眾生已而无有一眾生
實滅度者何以故若菩薩有我相人相眾生

BD00321 號　金剛般若波羅蜜經　（8–2）

多羅三藐三菩提者當生如是心我應滅度
一切眾生滅度一切眾生已而无有一眾生
實滅度者何以故若菩薩有我相人相眾生
相壽者相則非菩薩所以者何須菩提實无
有法發阿耨多羅三藐三菩提者須菩提於
意云何如來於然燈佛所有法得阿耨多羅
三藐三菩提不不也世尊如我解佛所說義
佛於然燈佛所无有法得阿耨多羅三藐三
菩提佛言如是如是須菩提實无有法如來
得阿耨多羅三藐三菩提須菩提若有法如
來得阿耨多羅三藐三菩提者然燈佛則不
與我受記汝於來世當得作佛号釋迦牟尼
以實无有法得阿耨多羅三藐三菩提是故
然燈佛與我受記作是言汝於來世當得作
佛号釋迦牟尼何以故如來者即諸法如義
若有人言如來得阿耨多羅三藐三菩提須
菩提實无有法佛得阿耨多羅三藐三菩提
須菩提如來所得阿耨多羅三藐三菩提於
是中无實无虛是故如來說一切法皆是佛
法須菩提所言一切法者即非一切法是故
名一切法須菩提譬如人身長大須菩提言
世尊如來說人身長大則為非大身是名大
身須菩提菩薩亦如是若作是言我當滅度
无量眾生則不名菩薩何以故須菩提實无
有法名為菩薩是故佛說一切法无我无人
无眾生无壽者須菩提若菩薩作是言我當

BD00321 號　金剛般若波羅蜜經　（8–3）

无量衆生則不名菩薩何以故須菩提實无
有法名為菩薩是故佛說一切法无我无人
无衆生无壽者須菩提若菩薩作是言我當
莊嚴佛土是不名菩薩何以故如來說莊嚴
佛土者即非莊嚴是名莊嚴須菩提若菩薩
通達无我法者如來說名真是菩薩
須菩提於意云何如來有肉眼不如是世尊
如來有肉眼須菩提於意云何如來有天眼
不如是世尊如來有天眼須菩提於意云何
如來有慧眼不如是世尊如來有慧眼須菩
提於意云何如來有法眼不如是世尊如來
有法眼須菩提於意云何如來有佛眼不如
是世尊如來有佛眼須菩提於意云何恒河
中所有沙佛說是沙不如是世尊如來說是
沙須菩提於意云何如一恒河中所有沙有
如是等恒河是諸恒河所有沙數佛世界如
是寧為多不甚多世尊佛告須菩提尒所
國土中所有衆生若干種心如來悉知何以故
如來說諸心皆為非心是名為心所以者何
須菩提過去心不可得現在心不可得未來
心不可得須菩提於意云何若有人滿三千
大千世界七寶以用布施是人以是因緣得
福多不如是世尊此人以是因緣得福甚多
須菩提若福德有實如來不說得福德多以
福德无故如來說得福德多
須菩提於意云何佛可以具足色身見不不

BD00321號　金剛般若波羅蜜經

（8–4）

福德无故如來說得福德多
須菩提於意云何佛可以具足色身見不不
也世尊如來不應以具足色身見何以故如
來說具足色身即非具足色身是名具足色
身須菩提於意云何如來可以具足諸相見
不不也世尊如來不應以具足諸相見何以
故如來說諸相具足即非具足是名諸相具
足須菩提汝勿謂如來作是念我當有所說
法莫作是念何以故若人言如來有所說法
即為謗佛不能解我所說故須菩提說法者
无法可說是名說法須菩提白佛言世尊佛
得阿耨多羅三藐三菩提為无所得耶如是
如是須菩提我於阿耨多羅三藐三菩提乃
至无有少法可得是名阿耨多羅三藐三菩
提復次須菩提是法平等无有高下是名阿
耨多羅三藐三菩提以无我无人无衆生无
壽者脩一切善法則得阿耨多羅三藐三菩
提須菩提所言善法者如來說非善法是名
善法須菩提若三千大千世界中所有諸須
弥山王如是等七寶聚有人持用布施若人
以此般若波羅蜜經乃至四句偈等受持為
他人說於前福德百分不及一百千万億分
乃至筭數譬喻所不能及
須菩提於意云何汝等勿謂如來作是念我
當度衆生須菩提莫作是念何以故實无
有衆生如來度者若有衆生如來度者如來

BD00321號　金剛般若波羅蜜經

（8–5）

須菩提於意云何汝等勿謂如来作是念我
當度衆生須菩提莫作是念何以故實无
有衆生如来度者若有衆生如来度者如来
則有我人衆生壽者須菩提如来說有我者則
非有我而凡夫之人以為有我須菩提凡夫
者如来說則非凡夫須菩提於意云何可以
卅二相觀如来不須菩提言如是如是以卅
二相觀如来佛言須菩提若以卅二相觀如
来者轉輪聖則是如来須菩提白佛言世
尊如我解佛所說義不應以卅二相觀如来
尒時世尊而說偈言
若以色見我　以音聲求我　是人行邪道　不能見如来
須菩提汝若作是念如来不以具足相故得
阿耨多羅三藐三菩提須菩提莫作是念
如来不以具足相故得阿耨多羅三藐三菩提
須菩提汝若作是念發阿耨多羅三藐三菩
提者說諸法斷滅相莫作是念何以故發阿
耨多羅三藐三菩提者於法不說斷滅相須
菩提若菩薩以滿恒河沙等世界七寶布施
若復有人知一切法无我得成於忍此菩薩
勝前菩薩所得功德須菩提以諸菩薩不受
福德故須菩提白佛言世尊云何菩薩不受
福德須菩提菩薩所作福德不應貪著是故
說不受福德須菩提若有人言如来若来若
去若坐若卧是人不解我所說義何以故如
来者无所從来亦无所去故名如来

BD00321 號　金剛般若波羅蜜經　（8–6）

去若坐若卧是人不解我所說義何以故如
来者无所從来亦无所去故名如来
須菩提若善男子善女人以三千大千世界
碎為微塵於意云何是微塵衆寧為多不
甚多世尊何以故若是微塵衆實有者佛則不
說是微塵衆所以者何佛說微塵衆則非微
塵衆是名微塵衆世尊如来所說三千大千
世界則非世界是名世界何以故若世界實
有者則是一合相如来說一合相則非一合
相是名一合相須菩提一合相者則是不可
說但凡夫之人貪著其事須菩提若人言佛
說我見人見衆生見壽者見須菩提於意云
何是人解我所說義不世尊是人不解如来
所說義何以故世尊說我見人見衆生見壽
者見即非我見人見衆生見壽者見是名我
見人見衆生見壽者見須菩提發阿耨多羅
三藐三菩提心者於一切法應如是知如是
見如是信解不生法相須菩提所言法相者
如来說即非法相是名法相須菩提若有人
以滿无量阿僧祇世界七寶持用布施若有
善男子善女人發菩薩心者於此經乃至四
句偈等受持讀誦為人演說其福勝彼云
何為人演說不取於相如如不動何以故
一切有為法　如夢幻泡影　如露亦如電　應作如是觀
佛說是經已長老須菩提及諸比丘比丘尼
優婆塞優婆夷一切世間天人阿脩羅聞佛

BD00321 號　金剛般若波羅蜜經　（8–7）

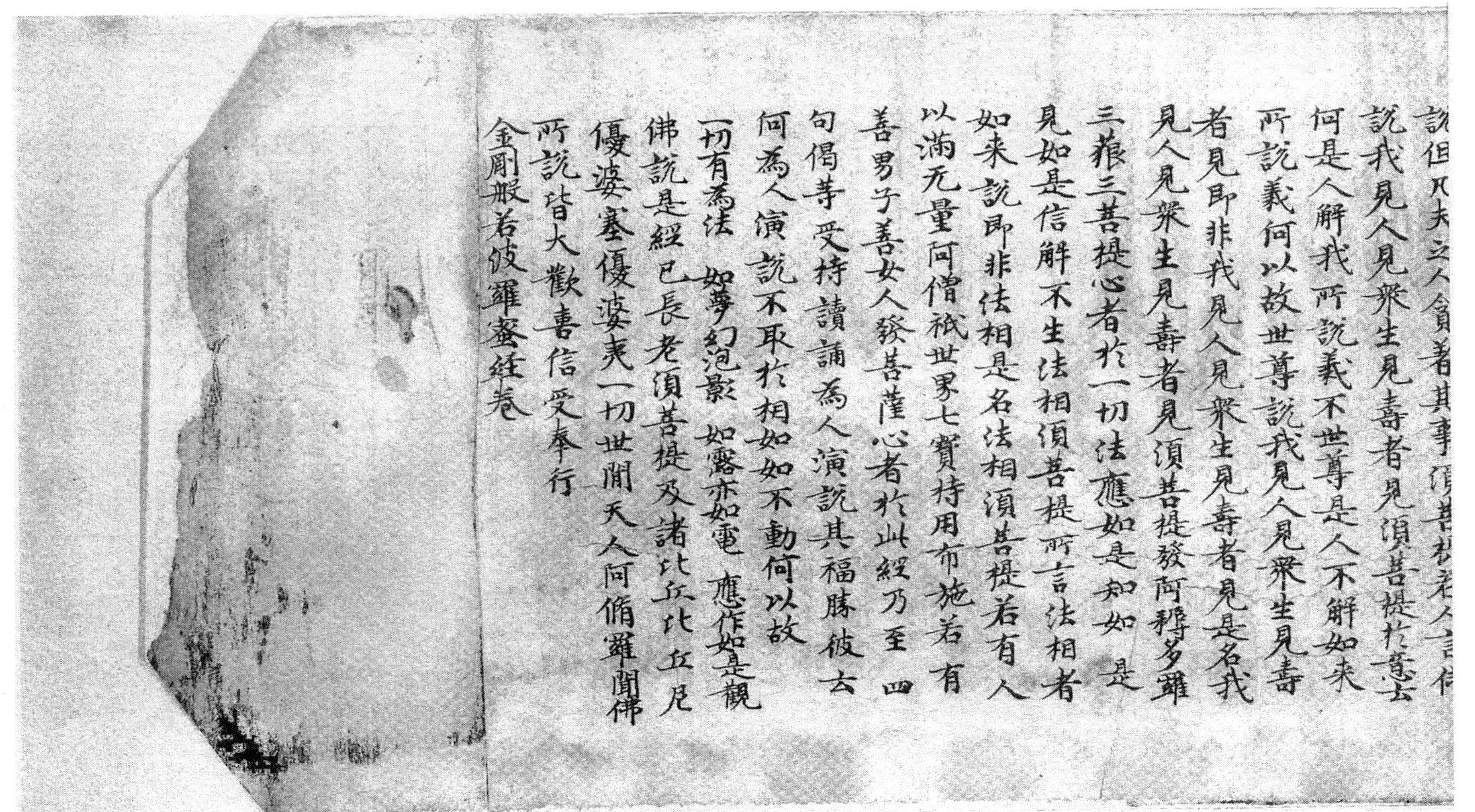
說但凡夫之人貪著其事須菩提若人言佛
說我見人見衆生見壽者見須菩提於意云
何是人解我所說義不世尊是人不解如來
所說義何以故世尊說我見人見衆生見壽
者見即非我見人見衆生見壽者見是名我
見人見衆生見壽者見須菩提發阿耨多羅
三藐三菩提心者於一切法應如是知如是
見如是信解不生法相須菩提所言法相者
如來說即非法相是名法相須菩提若有人
以滿无量阿僧祇世界七寶持用布施若有
善男子善女人發菩薩心者於此經乃至四
句偈等受持讀誦為人演說其福勝彼云
何為人演說不取於相如如不動何以故
一切有為法 如夢幻泡影 如露亦如電 應作如是觀
佛說是經已長老須菩提及諸比丘比丘尼
優婆塞優婆夷一切世間天人阿脩羅聞佛
所說皆大歡喜信受奉行
金剛般若波羅蜜經卷

BD00321號　金剛般若波羅蜜經　（8–8）

時世尊告金剛藏菩薩言善男子菩薩摩訶
薩有十種輪若有成就如是輪者則於聲聞
辟支佛乘无所譏嫌乃至於菩薩乘亦无譏
嫌若於如來聲聞衆中成器不成器者悉无
譏嫌常得昇進不退法輪而於大乘亦得增
長无有闕失常得禪定諸陀羅尼及諸地忍
不離佛法供養衆僧及諸菩薩求於善根悉
无猒足得堅固精進發无量行能過去所作
一切惡業皆以賢聖金剛地智令使永盡悉
得究竟一切現在所有惡業皆使无餘更不
復作能速成就无上法輪七覺意寶而无猒
足能除一切衆生結使人所依止善男子辟
如轉輪聖王若欲行時寶輪常在其前其餘
諸寶皆悉隨後能滅一切諸四天下衆生災
患亦令四天下一切人民身意受樂菩薩摩
訶薩亦復如是若成就十輪於聲聞乘无所
譏嫌乃至一切衆生之依止而存善男子辟
如大車具足四輪多人依止乘於正路邊有
塊石衆草乃至根莖華葉為輪所踐皆悉消
滅如是菩薩摩訶薩為諸衆生若有鄣法一切
罪業輒斷消滅令不受報善男子辟如劍輪

BD00322號　大方廣十輪經卷七　（15–1）

滅如是菩薩摩訶薩為諸衆生若有鄣法一切
罪業蝂斷消滅令不受報善男子辟如劒輪
悉能斬截怨猷等首既斷支節手足更不任
用菩薩摩訶薩若能成就如是十輪一切六
趣欲界諸惡皆悉斷除令盡无餘不復受報
善男子辟如五日出時一切四天下大地所
有水處无不乾竭如是菩薩成就十輪能為
衆生除諸業鄣及鄣法等罪衆苦根本一切
消滅辟如風災起時四方大風一時俱起能
吹一切大石諸山皆為微塵如是菩薩摩訶
薩能成就十輪為諸衆生同共依止令四倒
山結使諸業鄣法重罪滅苦根本令得无餘
善男子辟如師子王若欲吼時一切畜生諸
衆生等皆悉怖畏如是菩薩摩訶薩之復如
是乃至外道及諸異學惡知識等皆令驚畏
忘失言辯善男子辟如釋提桓因以軍圍遶
手執金剛杵破壞阿脩羅如是菩薩摩訶薩
成就十輪者一切倒見外道之屬惡知識等
皆悉壞滅善男子辟如如意寶珠着高幢上
雨種種寶如是菩薩摩訶薩成就十種輪者
能持戒幢雨衆法雨以施一切无量衆生善
男子辟如夜闇明月出現滅一切闇若有一
切迷失道者令得正道如是菩薩摩訶薩成
就十輪者无明黑闇如此衆生失八正道之
為衆生說種種法令其眼明盡諸苦際示八
正道善男子辟如日初出時一切稼米皆悉

為衆生說種種法令其眼明盡諸苦際示八
正道善男子辟如日初出時一切稼米皆悉
增長諸華開敷及諸藥稼盡得成熟雪山消
流諸河充溢以漸次第滿於大海如是菩薩
摩訶薩成就十輪者但調伏戒慈非豪暖故
為諸衆生說无量法能生善根種種華菓一
切結使業報惡行及耶見山悉得消滅乃至
究竟證於涅槃一切妙果无不悉得信戒施
聞慧无量三昧如是次第猶如大河以漸滿
足以漸滿故能令衆生入於无畏涅槃之城
善男子云何名菩薩摩訶薩十種輪者所謂
十善是也菩薩成就此十輪故乃能成熟一
切衆生菩薩以離煞生故能令一切衆生无
驚无怖无有一切憂悲苦惱善根成熟具足
果報若於前際流轉六趣沒生死河以如是
等不煞生因緣先世所作身口意等惡業謂
罪一切煩惱能令衆生鄣於正法自作教他
作乃至見作隨喜受持如是不煞輪故皆悉
蹤壞一切惡業鄣罪報令无有餘㱕以不
煞因緣能令一切諸天人等皆生愛樂无有
疑悔壽命得長臨欲終時所愛妻子及諸眷
屬悉皆圍遶身不受苦乃至神識所往之處
終不見閻羅王及諸獄卒若臨死時遇善知
識清淨持戒心樂福田捨此身已得生人中
諸根聰利復值善知識清淨持戒常樂福田
斷除諸惡而求一切大菩薩行入深智海逮

識清淨持戒心樂福田捨此身已得生人中
諸根聡利復值善知識清淨持戒常樂福田
斷除諸惡而求一切大菩薩行入深智海逮
得菩提其所生處常離刀杖諸惡國土壽命
長遠自在淨國離諸驚怖如彼佛壽无量无
邊〻復能作如是壽命為諸衆生說法教化
乃至佛涅槃後令法久住善男子是名菩薩
摩訶薩初輪也菩薩若成就此輪於聲聞乘
辟支佛乘无所闕失於一切如來聲聞弟子
之无闕失不退大乘一切三昧諸陁羅尼及
諸忍等到於一切自在之地常隨善知識佛
及菩薩得聞正法供養衆僧殖諸善根恒无
猒足脩諸菩薩一切行願〻无猒足何以故
過去諸佛於此十惡皆悉遠離於一〻惡不
善業等〻不讃嘆以是故善男子於此十善
若能守一善業以如是相所獲果報〻如前
說復次善男子菩薩摩訶薩脩行不盜能施
一切衆生无驚无怖无畏〻无愁惱已前有
物如法飲食資身財業恒求一切如法利益
无非法欲以此善根行業果報假使曹於六
趣流轉沒生死河以不盜力故身口意業所
作衆罪能鄣正法乃至財業等鄣自作教他
見作隨喜以不盜輪皆悉蠲除令无有餘〻
令天人一切愛樂而无疑悔乃至臨命終時
妻子眷屬一切圍遶身不受苦若命終後神
逝所往不見閻羅王及諸獄卒恒遇所愛樂

BD00322號　大方廣十輪經卷七　（15-4）

令天人一切愛樂而无疑悔乃至臨命終時
妻子眷屬一切圍遶身不受苦若命終後神
逝所往不見閻羅王及諸獄卒恒遇所愛樂
諸善知識持戒清淨心樂福田乃至能離一
切惡法成就一切无量善法隨所生處得大
財業有財業已能離怖畏而悉不與水火賊
共乃至到於菩提悉得衆寶嚴飾佛國寶樹
具足无我我所无取无著成就一切衆生行
業无我所无所受无壽无衆生而悉調伏於
彼佛國善男子是名菩薩摩訶薩第二輪也
若菩薩成就此輪於聲聞辟支佛乘悉无闕
失乃至如來聲聞弟子〻无識嫌而自於彼
摩訶衍乘无有猒足悉得一切諸三昧門及
陁羅尼忍地〻不捨於一切誓願復次善男
子菩薩摩訶薩終身遠離耶婬一切衆生皆
為欲流之所沉沒而能施於无畏无嫉无熱
惱害於已妻色恒生知足无非法欲以是善
根果報力故若有宿世耶婬果報六趣生死
流轉諸有自作教他見作隨喜而今悉離諸
耶婬輪碾斷惡業令无有餘乃至成菩提道
生於淨國无女人處第一清淨彼諸衆生皆
悉化生不從父母和合受身善男子是名菩
薩摩訶薩第三輪也菩薩摩訶薩成就此輪
乃至不捨一切願行復次善男子菩薩摩訶
薩盡其形壽離諸妄語常隨慎語以是因緣
人天歡喜乃至逮得菩提不謟衆生而生其
國所言真實无有虛[illegible]是名菩薩摩訶薩

BD00322號　大方廣十輪經卷七　（15-5）

人天歡喜乃至速得菩提不諂衆生而生其
國所言真實无有虛偽是名菩薩摩訶薩第
四輪也若菩薩成就此輪乃至常求一切菩
薩願行而无猒足終不暫捨復次善男子菩
薩摩訶薩於終身中常離兩舌乃至以此善
根至成菩提調伏衆生脩六和敬来生其國
皆共一心手相恭敬而无違失脩質直法善
男子是名菩薩摩訶薩第五輪也菩薩摩訶
薩成就此輪乃至常求菩薩行願无有猒之
終不暫捨復次善男子菩薩摩訶薩遠離惡
口乃至成就菩提耳終不聞不適意事常生
佛國恒聞種種柔濡人聲及音樂聲聞諸法
聲周遍佛國志念成就梵音清徹如是衆生
来生其國善男子是名菩薩摩訶薩第六輪
也若有菩薩成就此輪從初發心乃至成佛
恒求菩薩一切行願而无猒足終不捨離復
次善男子菩薩摩訶薩於其身終遠離綺語
乃至菩提常於佛國聞諸菩薩摩訶薩百千
法音周遍佛國而恒遠離一切綺語成就无
量善語法語如来衆生来生其國善男子是
名菩薩摩訶薩第七輪也若菩薩成就此輪
乃至菩提常求菩薩一切行願而无猒足終
不暫捨復次善男子菩薩摩訶薩於其終身
遠離貪欲乃至菩提常生淨國地平如掌衆
寶充滿〻以寶樹而嚴餝之復有若干種无
價寶衣纓絡幢幡金繩珠瓔而彼世界種種

價寶衣纓絡幢幡金繩珠瓔而彼世界種種
莊嚴羅網寶樹彼中衆生遠離憍慢我心貢
高頰貌端嚴諸根具足其心平等如是衆生
来生其國善男子是名菩薩摩訶薩第八輪
也若菩薩能成就此輪乃至菩提恒求菩薩
一切行願而无猒足終不暫捨復次善男子
菩薩摩訶薩於其終身遠離瞋恚乃至菩提
除一切垢惱穢濁塵雲聚風於彼淨國无諸
濁惡斷除憍慢生彼國已形色端政相好第
一諸根不缺禪定慈悲以自嚴餝如是衆生
来生其國善男子是名菩薩摩訶薩第九輪
也若菩薩成就是輪乃至菩提恒求菩薩所
作願行而无猒足終不暫捨復次善男子菩
薩摩訶薩於其終身遠離耶見復能以此離
耶見輪令諸天人一切受樂若有衆生流轉
六趣沒生死河如是人等起身口意一切業
鄣及煩惱鄣而鄣正法自作教他見作隨喜
以此離耶見輪斷業結令滅无餘妻子眷
屬園遶左右臨命終時身不受苦神逝所往
之〻終不見閻羅王等及諸獄卒隨善知識持
戒清淨心樂福田恒生正信命終之後得生
人中〻〻與善知識及諸持戒福田之人而相
遭遇還相依止令得正見為善知識之所教
授脩習善法恒離一切不善等惡於諸善根
皆悉成就一切菩薩所行之道无不脩習以
是因緣能度一切衆生入摩訶衍正法大海

乃至得菩提道一切疑网及諸吉相常見斷
見離我我所見如此眾生來生其國壽命无
量悉同法味皆是大乘棄捨聲聞辟支佛及
諸天魔一切外道并魔眷屬皆已離如是
等惡來生其國彼佛壽命无量无邊恒於其
中而作佛事般涅槃後令法久住无所損減
而更熾然皆悉一味善男子是名菩薩第十
輪也若菩薩摩訶薩成就此輪於聲聞乘辟
支佛乘不生識嫌及三乘人亦无識嫌乃至
大乘亦復如是於大乘人能令增廣熾然三
寶於諸如來聲聞弟子成器及不成器者亦
无識嫌而能莊嚴摩訶衍道一切三昧諸陀
羅尼乃至忍地恒善脩學證勝進法不離諸
佛及大菩薩善知識等聽法信受樂供養眾
心无猒足求諸善根終不暫捨菩薩所行六
波羅蜜亦无猒足善男子若能成就如是十
輪者菩薩摩訶薩疾成无上正真道覺何以
故過去諸佛脩行十善離一切惡能現如是
種種果報因緣无量相貌具足菩提道悉斷
一切煩惱結使盡竭三惡皆使无餘是故能
令紹三寶種久住於世常得熾然更不復受
三有之身向於涅槃為斷陰入界等入无畏
城以此遠離十惡因緣具足果報如上所說
以是義故善男子若於此十善不脩一者求
於佛道而復自言我是大乘皆應當得无上
菩提如此之人是大妄語多行諂曲種種欺

以是義故善男子若於此十善不脩一者求
於佛道而復自言我是大乘皆應當得无上
菩提如此之人是大妄語多行諂曲種種欺
誑於諸佛所能斷一切眾生善根趣向三惡
是故善男子具足十善剎利大姓婆羅門大
家四天王天乃至非想非非想天聲聞乘辟
支佛乘脩行如是十善功德悉能具足阿耨
多羅三藐三菩提故善男子以此十善而自
莊嚴求无上果脩學大乘疾成佛道者此則
安立一切功德善根處所若能守護十善便
於善根揩願滿足成无上道尒時世尊欲重
宣此義而說偈言

以十輪覺悟　欲離一切苦　不應識聲聞　惱者眾婆著
隨順緣覺乘　信心勤精進　安樂諸眾生　而受行大乘
一切諸緣覺　覺了最勝法　淨脩於佛道　速證得菩提
遠離於殺生　人天皆愛念　生生得長壽　善脩无害業
一切所生處　常樂於佛法　親近世尊者　速證得菩提
若離於偷盜　一切智所敬　悉滅諸慳貪　守護不盜戒
生處常大富　為他作施主　而得嚴淨國　以眾寶莊飾
滅除煩惱穢　乾竭於愛欲　能遠離邪婬　速得清淨國
永離欲淤泥　解脫淨眾生　令入於大乘　由離邪婬故
欲得聖智者　讚嘆於實語　棄捨諸妄語　悉滅於苦惱
究竟得實證　常值於諸佛　速疾成菩提　遠離妄語故
堪任為善器　而遠離兩舌　常與諸佛會　永捨於斷見
得聖无涤著　速總持辯才　能知深法海　不久得菩提
常說柔濡語　遠離於惡口　眾生所愛樂　能滅先世業
令眾得歡悅　菩薩之法将　悉知諸佛行　得入第十地

常說柔濡語　遠離於惡口　衆生所愛樂　能滅先世業
令衆得歡悅　菩薩之法將　悉知諸佛行　得入第十地
智者所愛敬　遠離於綺語　具足五功德　所說皆覺了
欲聞尊賢教　及與求聖道　供養諸佛海　速得一切智
一心除貪嫉　不壞於正法　供養染衣者　儼然三乘道
常生清淨國　法將之住處　於彼獲妙智　第一无上乘
常行於慈心　遠離諸瞋恚　速疾得禪定　志樂賢聖行
生於清淨國　遠離一切過　隨佛所住處　永離一切瞋
專一脩純信　遠離諸耶見　顯示三乘道　是名法供養
免離於惡趣　解脫值賢聖　具足菩薩行　逮得最上智
安住而說法　能成於菩提　三昧總持忍　皆由十善故
具足輪威德　悉蠲除惡趣　盡滅業結鄣　疾成正法將

佛說大方廣十輪善品之十

復次善男子若成就十輪菩薩摩訶薩從初發心一切五欲皆悉捨離勝於一切聲聞辟支佛人亦能為彼二乘而作福田何等為十常行布施所謂飲食衣服象馬輦轝乃至己身手足頭目髓腦耳鼻皮骨血宍一一皆捨若行施時不著軀命亦不為己求世間出世間樂恒念度脫一切衆生脩大慈悲巧方便智如是心施於諸衆生為令一切皆得安樂故施為滅一切衆生結使故施不受後有故施不麤心故施无嫉妬故施乃至最下乞人亦如是施不為受報故施不求聲聞辟支佛故施求一切種智故施乃至一人亦常如是脩行於施是名菩薩摩訶薩心施成就初輪莊嚴法施如是菩薩從初發心能為一切聲

脩行於施是名菩薩摩訶薩心施成就初輪莊嚴法施如是菩薩從初發心能為一切聲聞辟支佛作大福田應當守護恭敬供養何以故一切聲聞辟支佛為斷己身三惡趣貧但自饒益而不為他脩行布施菩薩摩訶薩為斷一切衆生苦惱以大慈悲哀愍心施是故能為聲聞辟支佛而作福田不為於己而求果報唯為最上第一樂故常行於施終不染著人天生死五欲樂故脩行於施而為利益一切衆生不念自身所受善惡脩行於施為斷一切衆生苦報脩行於施菩薩能如是行檀波羅蜜故堪任為聲聞辟支佛福田若不染著世間五欲而為具足大慈大悲能如是施名為菩薩摩訶薩亦名聲聞辟支佛福田假使脩行无量布施若不斷於世間五欲不名為施亦不名菩薩不能與聲聞辟支佛作大福田不為賢聖所印是故應斷五欲无染著施若染五欲則不名菩薩亦非福田如斯施者不能滅於煩惱少分何況能除一切結習尒時世尊欲重宣此義而說偈言

成就於施輪　智者清淨心　盡離於五欲　令衆得妙樂
乃至施少分　皆為除衆苦　不令受少果　應獲上福田
雖復種種施　而不離五欲　此施非聖所　不值決定果
捨欲而行施　施微而報重　聲聞辟支佛　俱以為福田
是故應離欲　常為清淨施　安樂諸衆生　是名真福田

復次善男子菩薩摩訶薩有十種法施輪若

是故應離欲　常為清淨施　安樂諸眾生　是名真福田
復次善男子菩薩摩訶薩有十種法施輪若
能成就十種法施輪者速疾得日光三昧能
為一切聲聞辟支佛作大福田何等為十所
謂依止佛法依止聲聞法依止辟支佛法依
止摩訶衍法依止世間出世間法依止有漏
无漏法尊重恭敬一切聽受隨順受持為他
廣說若為聲聞人說應四諦法究竟涅槃而
无嫉妬憍慢之心不為利益一切名稱亦不
自譽亦不輕他恒為一切發大慈悲分別演
說不為說辟支佛法及与大乘若為辟支佛
人說應十二因緣法離老病死得盡苦際都
不為說聲聞小乘菩薩等法若為大乘人說
應六波羅蜜具足諸行證无上道亦不為說
聲聞辟支佛法但隨諸眾生所應脩行而為
說之於諸如來所演言教乃至一句一偈恭
敬尊重終不誹謗亦不隱沒而作鄣𫂁於說
法人作世尊想於聽法者作病人想於正法
中作妙藥想棄捨五欲為欲說法心常平等
而不取相善男子是名菩薩摩訶薩十種法
施輪也若菩薩成就如是十種法施輪者便
速疾得日光三昧能為一切聲聞辟支佛作
大福田常為一切守護供養尒時世尊欲重
宣此義而說偈言
智者脩法施　演說於三乘　不堪法器者　終不令謗法
聲聞及緣覺　多人而脩習　辟支佛利智　教令入大乘
但為成法器

宣此義而說偈言
智者脩法施　演說於三乘　不堪法器者　終不令謗法
聲聞及緣覺　多人而脩習　辟支佛利智　教令入大乘
但為成法器　非器不處說　隨諸根利鈍　漸教令昇進
於法常恭敬　信受不誹謗　有能說法者　供養如世尊
聽法諸眾生　令滅於煩惱　不貪著名譽　利養而說法
佛說大方廣十輪經法施品之十一
復次善男子菩薩摩訶薩發大莊嚴具足戒
輪若成就此輪從初發心遠離五欲於聲聞
辟支佛中第一最勝為大福田皆應供養而
守護之何等為菩薩摩訶薩莊嚴戒輪善男
子菩薩摩訶薩有能出家受具具足成就波
羅提木叉而不与聲聞辟支佛共若菩薩不
以此戒能為眾生除諸煩惱一切耶見是則
不名為摩訶薩亦不名為聲聞辟支佛大福
田也善男子若菩薩摩訶薩於一切眾生心
常平等護持淨戒志念堅固而不退轉心恒
專一不生異想若見持戒破戒慳貪布施上
中下等有若干種无量眾生瞋恚惱害行住
坐卧於三有中陰入諸界而无分別如是持
戒不著欲界持戒不著色无色界持戒不為
別觀察有想持戒不為到不到故持戒善男
子菩薩摩訶薩以如是相貌發大莊嚴清淨
戒輪從初發心常離五欲如是菩薩摩訶薩
則能為一切聲聞辟支佛作大福田亦為眾
生守護供養尒時世尊欲重宣此義而說
偈言

生守護供養尒時世尊欲重宣此義而說
偈言
優婆塞律儀　住於解脫戒　雖与二乘共　不名摩訶薩
若脩於空法　不依於世間　亦不依諸有　智者護淨戒
不取於戒相　清淨離諸漏　如是護戒者　最勝之福田
復次善男子云何名菩薩摩訶薩發大莊嚴
具足忍輪若菩薩成就此輪者從初發意能
除五欲堪為聲聞辟支佛作大福田亦為衆
生尊重恭敬供養守護善男子菩薩摩訶薩
忍辱有二種一者世間二者出世間又菩薩
有漏忍者則受諸有亦不能无衆生之相依
止果報依止功德亦名住色聲香味觸忍亦
名羸劣忍无所堪忍非慜念衆生而脩行忍
但是諂曲悅彼故忍不為安樂衆生故忍如
是忍者則与聲聞辟支佛同非大莊嚴亦非
菩薩但有假名如是菩薩終不堪任為諸聲
聞辟支佛作大福田是名菩薩世間忍輪云
何名菩薩以大莊嚴出世間忍為諸衆生故
脩行於忍而不染著若於一切所作事務言
語相貌音聲名字聖所住處皆悉隨順而不
捨於三結三受三相三世三有三業如是等
事悉不依止心恒寂滅而脩行忍是名菩薩
出世間忍輪善男子菩薩摩訶薩成就如是
大莊嚴忍輪從初發心常離五欲是諸菩薩
摩訶薩能為聲聞辟支佛作大福田為一切
衆生守護供養尒時世尊欲重宣此義而說
偈言

但是諂曲悅彼故忍不為安樂衆生故忍如
是忍者則与聲聞辟支佛同非大莊嚴亦非
菩薩但有假名如是菩薩終不堪任為諸聲
聞辟支佛作大福田是名菩薩世間忍輪云
何名菩薩以大莊嚴出世間忍為諸衆生故
脩行於忍而不染著若於一切所作事務言
語相貌音聲名字聖所住處皆悉隨順而不
捨於三結三受三相三世三有三業如是等
事悉不依止心恒寂滅而脩行忍是名菩薩
出世間忍輪善男子菩薩摩訶薩成就如是
大莊嚴忍輪從初發心常離五欲是諸菩薩
摩訶薩能為聲聞辟支佛作大福田為一切
衆生守護供養尒時世尊欲重宣此義而說
偈言
此忍說二種　有相及无相　有相脩行忍　智者所不貴
有相說三乘　即依於忍聚　是名有漏忍　非是大人相
於四顛倒中　脩於无著忍　寂滅於三乘　是忍為最勝
滅於一切行　不依相无相　心猶如虛空　是忍為最勝
衆生皆一相　諸法空寂滅　心无有所著　是忍最大利

十輪經卷第七

佛說阿闍世王受決經
聞如是一時佛在羅閱祇國耆闍崛山中時
阿闍貰王請佛飯食已訖佛還祇洹王與祇
婆議曰今日請佛佛飯已竟更復所宜祇婆
言惟多燃燈也於是王乃勑具百斛麻油膏
從宮門至祇洹精舍時有貧窮老母常有
至心欲供養佛而无資財見王作此功德乃
更感激行乞得兩錢以至麻油家買膏膏主
曰母人大貧窮乞得兩錢何不買食以自連
繼用此膏爲母曰我聞佛生難值百劫一遇
我幸逢佛世而无供養今日見王作功德巍
巍无量激起我意雖實貧窮故欲燃一燈爲
後世根本者也於是膏主加其至意與兩錢
膏應得二合特益三合凡得五合母則往當
佛前燃之心計此膏不足半夕乃自誓言若
我後世得道如佛膏當通夕光明不消作礼
而去
王所燃燈或滅或盡雖有人侍恒不周連老
母所燃一燈光明特朗殊勝諸燈通夕不滅
膏又不盡至明朝旦母復來前頭面作礼叉
手却住
佛告目連天今已曉可滅諸燈目連承教以

BD00323號A　阿闍世王授決經　（5–1）

手却住
佛告目連天今已曉可滅諸燈目連承教以
次滅諸燈燈皆已滅唯此母一燈三滅不滅
便舉袈裟以扇之燈光益明乃以威神引隨藍
風以次吹燈老母燈更盛猛乃上照梵天旁
照三千世界悉見其光佛告目連止止此當
來佛之光明功德非汝威神所毀滅此母宿
命供養百八十億佛已從前佛受決務以經
法教授開化人民未暇脩檀故今貧窮无有
財寶却後世劫功德成滿當得作佛号曰須
弥燈光如來至真世界无有日月人民中身
皆有水光宮室衆寶光明相照如忉利天上
天地母聞決歡喜即時輕舉身升虛空中地
百八十丈來下頭面作礼而去
王聞之問祇婆曰我作功德巍巍如此而佛
不與我決此母燃一燈便受決何以介也祇
婆曰王所作雖多心不專一不如此母注心
於佛也乃更往請佛宿勑諸園監各令晨採
好華早送入宮至中佛便晨出祇洹徐徐緩
行隨道爲人民說法拔日中至宮有一園監
持華適出國巷正與佛會於大道之衢聞佛
說經一心歡喜即以所持華悉散佛上華皆
住於空中當佛頭上佛即授決曰汝已供養
九十億佛却後百卌劫汝當爲佛号曰覺華
如來其人歡喜即時輕舉身升虛空來下作
礼畢即更自念我王爲人性大嚴急故宿勑

BD00323號A　阿闍世王授決經　（5–2）

九十憶佛剎後百卌劫汝當為佛号曰覺華
如來其人歡喜即時輕舉身升虛空來下作
礼畢即更自念我王為人性大嚴急故宿勑
我齋戒將華當以供佛而我悉自以上佛空
手而往必當煞我便作便歸家置空華箱於
户外入告婦言我朝來未食王今當煞我急
為具食婦聞大惶懅曰王何故相煞便為婦
本末說之婦即出至竈下具食天帝釋便以
天華滿空箱中婦持食還見户外箱中華滿
如故光色非凡即以告夫夫出户視知是天
華心大懽喜止不復食便持華入王庭出迎
佛道與王相逢王見華大好世間希有即問
監曰我國中大有此好華乃尒而汝前後不
送上汝罪應死寧知之不監曰大王國中无
有此華臣朝早將園華道路逢佛不勝歡喜
盡以上佛即授與我決知當煞故過家索食
比其須出視空箱中復見此華必是天華非
國所有今我生既卑賤為王守園拘制縣官
不得行道一已受汝決上尒而死必生天上十
佛前无所拘制可得恣意行道王若相煞我
无所在也王聞受決便大惶怖肅然毛竪即
起作礼長跪懺悔佛至宮飯食已記呪願而
去
王復問祇婆曰我前請佛而耆母受決今日
設福而園監受決我獨何故初无所獲心甚
於邑當復宜作何等功德耶祇婆曰王雖頻

BD00323號A　阿闍世王授決經

（5–3）

王復問祇婆曰我前請佛而耆母受決今日
設福而園監受決我獨何故初无所獲心甚
於邑當復宜作何等功德耶祇婆曰王雖頻
上日設福但用國藏之財使人民之力心或貢
高意或瞋恚故未得決今宜割損身中自供
之具并脫瓔珞七寶珠環以作寶華當與大
人太子并力合手自就功勒一心上佛佛照
王至誠必得決也於是王減徹廚膳晝夜齋
戒脫身上諸寶合聚諸師曰前作華王及夫
人太子皆自著手至九十日所悉成勑外嚴
駕當往上佛傍臣白言聞佛前到鳩夷那竭
國已般泥洹也王聞心大悲歸涕淚哽咽曰
我故至心乎作此華佛雖般泥洹我故當賫
詣耆闍崛山以上佛坐處展馳我意也祇婆
曰佛者无身忽无泥洹忽不常住无滅无在
唯至心者為得見佛佛雖在世間无至心者
為不見佛大王至誠乃尒佛雖般泥洹往必
見佛使至耆闍崛山中見佛且悲喜還而
進頭面作礼以七寶華前散佛上華皆住空
中化成寶蓋佛亞當佛上佛便授與王決曰
卻後八萬劫劫名喜觀王當為佛佛号淨其
所部如來剎上名華王時人民壽卌小劫阿
闍世具王太子名旃陁和利時年八歲見父
受決甚大歡喜即脫身上衆寶以佛散上曰
願淨其所部作佛時我作金輪聖得供養佛

BD00323號A　阿闍世王授決經

（5–4）

人太子皆自着手至九十日所志成勅外嚴
駕當往上佛傍臣白言聞佛前到鳩夷那竭
國已般泥洹也王聞心大悲歸淚哽咽曰
我故至心乎作此華佛雖般泥洹我故當賷
詣耆闍崛山以上佛坐處展馳我意也祇婆
曰佛者无身亦无泥洹亦不常住无滅无在
唯至心者爲得見佛佛雖在世間无至心者
爲不見佛大王至誠乃尒佛雖般泥洹往必
見佛使至耆闍崛山中見佛且悲喜垂淚而
進頭面作礼以七寶華前散佛上華皆住空
中化成寶蓋佛亦當佛上佛便授與王決曰
却後八萬劫劫名喜觀王當爲佛佛号淨其
所部如来剎上名華王時人民壽卌小劫阿
闍世具王太子名旃陁和利時年八歲見父
受決甚大歡喜解身上衆寶以佛散上曰
願淨其所部作佛時我作金輪聖得供養佛
佛般泥洹後我當承續爲佛其所散寶化爲
交路帳亦覆佛上佛言必如汝願王爲
佛時汝當作金輪聖王壽終便上生兜術天上
壽盡便下作佛在藥王剎上教授佛号旃人
民壽命國土所有皆如淨其所部佛時授決
適竟王及栴陁和利前爲佛作礼便躍然不
見佛所在

BD00323 號 A　阿闍世王授決經　（5–5）

女作讃曰
大王名阿育　於先八塔中　各取其舍利　於此閻浮提
建立諸佛塔　八万及四千　從廣殊妙勝　十日都使畢
時彼上座白王言善哉大王尅後十五日月食
時令此閻浮提起諸佛塔如是乃至一日之
中立八万四千塔世間民人興慶无量共号
名曰法阿育王如偈讃曰
王睺種孔雀　安樂世間人　於此閻浮提　建立勝妙塔
本名爲惡王　今造勝妙業　共号名法王　相傳至於後
王已建八万四千塔歡喜踊躍將諸群臣往
詣鷄雀精舍白所舍上座曰更有比丘佛所
受記當作佛事不我當往詣彼所供養恭敬
座荅曰佛臨般涅槃時降伏阿波羅龍王陶
師旃陁羅瞿波梨龍詣摩偷羅國告陁羅難
難曰於我般涅槃後百世之中當有長者名瞿
名其子名曰優波崛多當出家學道无相佛
教授於人衆爲第一當作佛事佛告阿難曰
遥見彼山不阿難白佛見也世尊佛告阿難
此山名優留曼荼是阿羅若處名那荼婆但
隨順家静而偈讃曰
優波崛比丘　教授衆第一　名聞徹四方　衆勝之所記
於我滅度後　當得作佛事　度諸衆生類　其數无有限
時王問上座曰尊者優波崛今已出世不上
座荅曰已出世出家學道降大煩惱是阿羅

BD00323 號 B　雜阿含經卷二三　（4–1）

優波崛比丘　教授育第一　名聞徹四方　宗勝之所記
於我滅度後　當得作佛事　度諸衆生類　其数无有限
時王問上座曰尊者優波崛今已出世不上
座答曰已出世出家學道降伏煩惱是阿羅
漢共諸无量比丘眷屬一万八千住在優留
曼荼山中阿羅若處哀愍衆生如佛說淨妙
法无量諸天及人令入甘露城王聞已歡喜
踊躍即勅群臣速辦嚴駕將无量眷屬往詣
彼所脩敬供養優波崛多時臣白王言彼聖
既在王國宜當遣信奉迎之彼自當來王荅
臣曰不宜遣信至彼所應當自往不宜彼來
世而說偈曰
汝得金剛舌　那能不斷壞　諫我莫往彼　親近田舍人
王即遣信往彼尊者所言其曰當來尊所時
尊者思惟若王來者无量將從受諸大苦逼
就害微虫聚落人民作是念已答使者曰我
當自往詣王所時王聞尊者自來歡喜踊躍從
摩偷羅至懸連弗邑於其中間開安船桁於
桁懸諸幡蓋時尊者優波崛愍念王故將
一万八千阿羅漢衆隨於外道速至王國時
國中人啓王言尊者優波崛將一万八千比
丘衆來今至大國王聞即歡喜踊躍即脫瓔
珞價直千万而授與之王將諸大臣眷屬即
出往尊者所即為下食五體投地向彼作礼
長跪合掌而作是言我金領此閻浮提受於
王位不以為喜今覩尊者踊躍无量如來弟

BD00323 號 B　雜阿含經卷二三

（4–2）

出往尊者所即為下食五體投地向彼作礼
長跪合掌而作是言我金領此閻浮提受於
王位不以為喜今覩尊者踊躍无量如來弟
子乃能如是都於佛而說偈言
家滅已度世　汝今作佛事　世間愚癡滅　如日照佛世
為世作導師　說法中第一　衆生可依怙　我今大歡喜
時王勅使者宣令國界尊者優波崛比丘今
來此國如是唱言
欲得富貴者　永離貧窮苦　常處天上樂　解脫涅槃者
當值優波崛　脩敬今供養　未見諸佛者　今覩優波崛
時王嚴餝國界平治道路懸繒幡蓋燒香散
華及諸伎樂舉國人民皆出奉迎尊者優波
崛供養恭敬尒時尊者優波崛白王言大王
當以正法治化哀愍衆生三寶難遇於三寶中
常以供養恭敬脩念讚嘆廣為人說所以者
何如來應供等正覺知人見人常為記說我
之正法寄在國王及我比丘僧等而說偈曰
世雄人中尊　正勝妙大法　寄付於大王　及我比丘僧
時王白優波崛曰我已建正法而說偈曰
我已造諸塔　莊嚴諸國界　種種與供養　幡幢及諸寶
廣布佛舍利　遍於閻浮提　我興如是福　意願悉已滿
自身及妻兒　珍寶及此地　今已悉捨施　供養賢聖塔
時尊者優波崛讚王言善哉善哉大王應行
如是法而說偈言
捨身及財命　世世无所憂　受福无有窮　必得无上覺
時王請尊者優波崛入城設種種座請尊者

BD00323 號 B　雜阿含經卷二三

（4–3）

華及諸伎樂舉國人民皆出奉迎尊者優波
崛供養恭敬尒時尊者優波崛白王言大王
當以正法治化哀愍衆生三寶難遇於三寶中
常以供養恭敬脩念讚嘆廣為人說所以者
何如来應供等正覺知人見人常為記說我
之正法寄在國王及我比丘僧等而說偈曰
世雄人中尊　正勝妙大法　寄付於大王　及我比丘僧
時王白優波崛曰我已建正法而說偈曰
我已造諸塔　莊嚴諸國界　種種興供養　幡幢及諸寶
廣布佛舍利　遍於閻浮提　我興如是福　意願悉已滿
自身及妻見　珎寶及此地　今已悉捨施　供養賢聖塔
時尊者優波崛讚王言善哉善哉大王應行
如是法而說偈言
捨身及財命　世世无所憂　受福无有窮　必得无上覺
時王請尊者優波崛入城設種種瘗請尊者
就坐衆僧令住雞雀精舍白尊者曰尊者顏
狠端正身體柔軟而我形體醜陋肌膚麁澁
尊者說偈曰
我行布施時　淨心好財物　不如王行施　以沙施於佛
時王以偈報曰
我於童子時　布施於沙土　今獲果如是　何況餘妙施
尊者復以偈讚曰
快哉善大王　布施諸沙土　无上福田中　殖果无窮盡

BD00323 號 B　雜阿含經卷二三　　（4–4）

佛說尸迦羅越六向拜經
佛在羅閱祇耆闍崛山中時有長者子字尸
迦羅越早起嚴頭洗浴著好衣東向四拜西
向四拜南向四拜北向四拜仰天四拜向地
四拜佛入國乞食遙見之往到其家問之何
為六面拜此應何法尸迦羅越言父在時教
我不知六面拜何應今父已逝不敢於後違
之也佛言父教汝持六意拜不以身拜也尸
迦羅越便長跪顙佛為我解此六拜意佛言
聽之內著心中其有長者黠人能持四戒不
犯者今世為人所敬後世生天上一者不煞
諸群生二者不盜三者不愛他人婦女四者
不忘言兩舌心欲貪淫恚怒愚癡自制勿聽
不能制此意者惡名日聞如月盡時光明稍
冥能制惡意者如月初生至十五日光明成
滿時也
佛言復有六行銭財日耗減一者喜飲酒二
者喜博掩三者早卧晚起四者喜請客亦欲
令人請之五者喜與惡知識相隨六者憍慢
輕易人亦不憂治生銭財日耗減六面拜當
何益
佛言惡知識有四輩一者內有怨心外強為

BD00323 號 C　尸迦羅越六方禮經（兑廢稿）　　（3–1）

何益
佛言惡知識有四輩一者内有怨心外強爲
知識二者於人前好言語背後說人惡三者
有急時於人前愁憂背後惟喜四者外如親
厚内與怨謀
善知識亦有四輩一者外如怨家内有厚意
二者於人前直諫於外道人善三者病瘦聽
官爲俖忪憂解之四者見貧賤不棄捐常念
求方便欲富之
惡知識復有四輩難諫曉一教人作善故與
惡相隨二教之莫與嬉酒者爲伴故與嗜酒
人相隨三者教之自守更多事四者教之與
賢者爲友故與摶掩子爲厚
善知識復有四輩一者見人貧窮卒之令治
生二者不與諍挍計三者日往消息之四者
坐起常相念
善知識復有四輩一者人爲吏所捕將歸藏
匿之於後爲解決之二者有病瘦將歸養視
之三者善知識死亡棺殮視之四者已死復
念其家
善知識復有四輩一者欲闘止之二者欲隨
惡知識止之三者不欲治生勸令治生四者
不喜經道教令信喜之
惡知識復有四輩一者人小侵之便大怒二
者有急謂使之不肯三者人有急時避之走
四者見人死亡棄不視佛言擇其善者從之

善知識復有四輩一者欲闘止之二者欲隨
惡知識止之三者不欲治生勸令治生四者
不喜經道教令信喜之
惡知識復有四輩一者人小侵之便大怒二
者有急謂使之不肯三者人有急時避之走
四者見人死亡棄不視佛言擇其善者從之
惡者遠之我與善知識相隨故自致得佛
東向拜者謂子事父母當有五事一者當念
治生二者早起勑奴婢作飯食三者不益父
母憂四者當念父母恩五者父母病瘦當恐
懼求醫師治之
父母視子亦有五事一者當教去惡就善二
者當教計書疏三者當教持經戒四者當
爲早娶婦五者家中所有當與之
南向拜者謂弟子事師當有五事一者當
敬難二者當念其恩三者所教隨之四者當
恩念不厭五者於後當稱譽之
師教弟子亦有五事一者當令疾知二者欲
令勝他弟子三者欲令知不忘四者諸疑難悉
爲解之五者欲令弟子智勝師
西向拜者謂婦事夫有五事一者夫從外來
卷之第八

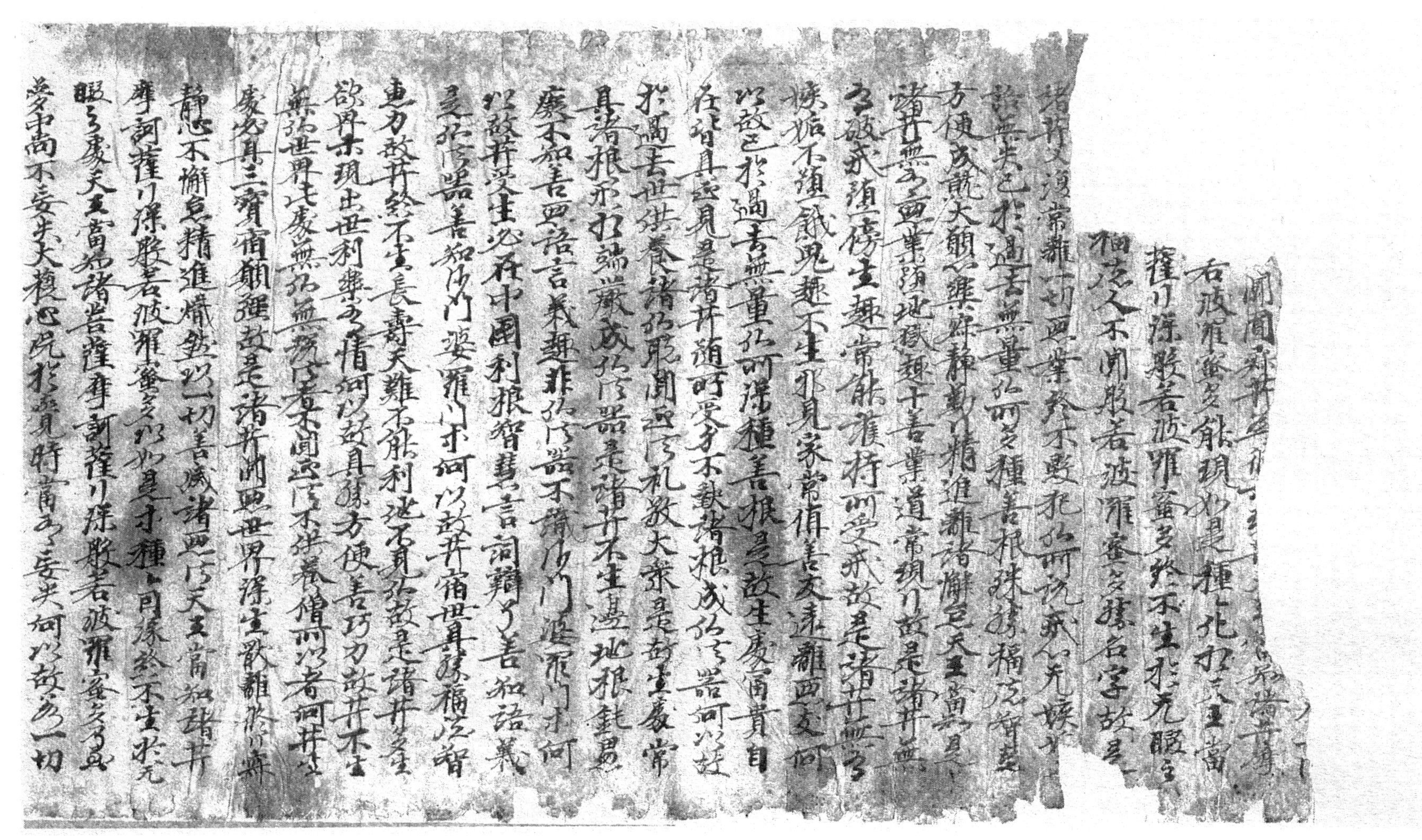

BD00324 號 1　大般若波羅蜜多經卷五六八　　（18–1）

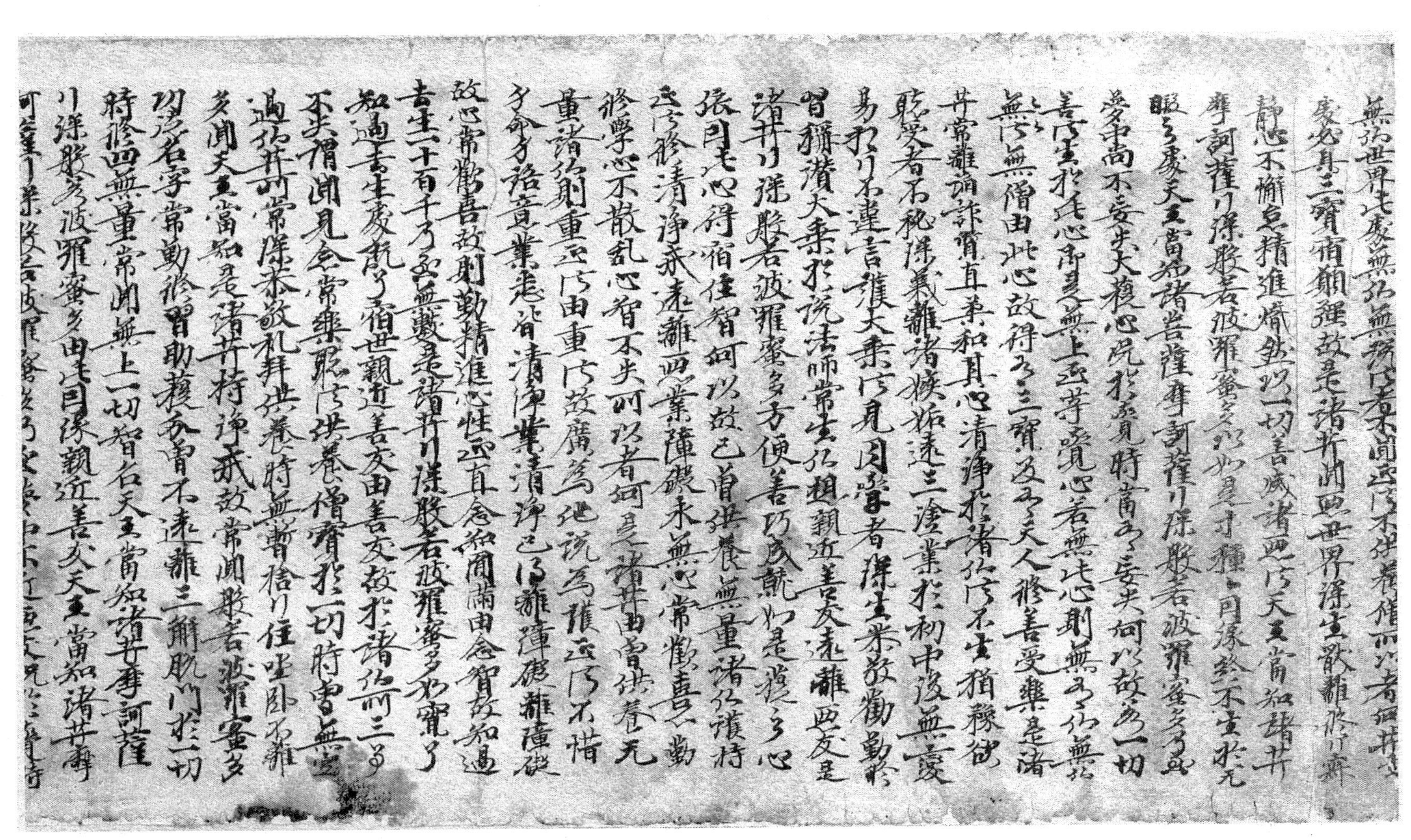

BD00324 號 1　大般若波羅蜜多經卷五六八　　（18–2）

行深般若波羅蜜多由是因緣親近善友天王當知諸菩薩
摩訶薩行深般若波羅蜜多乃至夢中不近惡友況於覺時
而親近彼所以者何諸菩薩摩訶薩於破戒人著邪見人
不律儀人邪命人無義語人住懶惰人樂生死人背菩
提人愛俗務人雖常憐愍而不共住天王當知諸菩薩摩訶
薩行深般若波羅蜜多由如是行遠離惡友天王當知諸菩薩
摩訶薩行深般若波羅蜜多能得如來十平等差別云何為十
一平等者二清淨者三無盡者四善修者五法性者六離尋伺
者七不思議者八寂靜者九虛空者十秘智者尓時衆勝便白
佛言諸菩薩摩訶薩行深般若波羅蜜多何道能得如來十
平等者佛告衆勝天王當知諸菩薩摩訶薩行深般若波羅蜜多初
地中得平等者何以故通達法性離諸邪曲見平等故第二地
中得清淨者何以故離犯戒失戒清淨故第三地中得無
盡者何以故離欲貪瞋得勝定故第四地中得善修者何
以故常勤修習菩提分故第五地中得法性者何以故觀諸諦
理證法性故第六地中得離尋伺者何以故觀緣起理離尋
伺故第七地中得不思議者何以故方便善巧智行滿故第
八地中得寂靜者何以故離諸煩惱戲論故第九地中得
虛空者何以故於無盡遍一切故第十地中得秘智者何以
故一切種智修圓滿故於是衆勝復白佛言於菩薩宣說
差別佛告衆勝天王當知無差別功德有異其義云何
謂於菩薩無差別所以者何以一切法同一性相功德異者謂
如來者具諸功德菩薩不爾吾當為汝略說譬喻如寶珠若
具莊飾不具莊飾其珠無異佛菩薩亦復如是功德有異
法性無別所以者何如來功德一切圓滿盡十方遍有情
界清淨離垢障礙永無菩薩功德未滿有餘障故譬如
日月有滿未滿月性無異十一日者亦然如是諸菩薩雖堅固

BD00324 號 1　大般若波羅蜜多經卷五六八

（18–3）

界清淨離垢障礙永無菩薩功德未滿有餘障故譬如
日月有滿未滿月性無異十一日者亦然如是諸菩薩雖堅固
不可破壞猶若金剛所以者何三毒不破世法不染惡趣人
天皆不能逼是皆遠離生老病死能伏外道超魔境界
不與獨覺聲聞共以是因緣不可破壞天王當知諸菩薩摩
訶薩行深般若波羅蜜多善能將導世間天人阿素洛等
咸皆信用譬如有人善為將導若諸國王若長者
居士咸信用之是諸菩薩亦復如是聲聞獨覺菩薩如來皆是
菩薩為善將導如善將導國王大神婆羅門等咸共尊
敬是諸菩薩亦復如是天龍藥叉阿素洛等學無學等所共
養如險難野行人疲倦遇善將導能令安隱是諸菩薩亦復如
是以巧便力將導有情令於生死安隱得出如諸商人依
商長者方出險難一切外道及婆羅門於生死中依是菩薩乃
得出離如大長者無量資財為一切人之所受用是諸菩薩
亦復如是生死有情無所受用如大長者欲過險難必假
多伴飲食資糧是皆具足乃能度是諸菩薩亦復如是欲
出世間生死險難必以福慧攝諸有情方度世間及一
切智如人遠行多資寶物為得利故是諸菩薩亦復如是從生死
海趣一切智要齊修集福慧珍財為速證得一切智故如世
間人求財無厭是諸菩薩亦復如是樂求勝法資無厭足如將
導者四方勝地財富位高使能書信是諸菩薩亦復如是富
諸功德處位尊高於法自在所言無異如人善導至於
大城是諸菩薩亦復如是將導有情至一切智天王當知諸
菩薩摩訶薩行深般若波羅蜜多善知可行不可行路所謂
邪正曲直安危水有水無善有難或出離道背善通達
是諸菩薩知無倒路凡所示導不違衆根大乘人說無上道
[illegible]

BD00324 號 1　大般若波羅蜜多經卷五六八

（18–4）

[illegible]
是諸菩薩知無倒路凡所示導不違聲根大乘人說無上道
不說獨覺及聲聞道為獨覺人說獨覺道不說菩薩及
聲聞道為聲聞人說聲聞道不說獨覺及菩薩道為著
我者說無我道為著行者說行空道著二邊者為
說中道為迷亂者說止觀道令不迷亂為戲論者說
真如道令不戲論著生死者說菩薩道令出世間為迷塗
者說正直道令遠邪路天王是名諸菩薩摩訶薩行深般若波羅
蜜多知邪正路將導有情令得出離

爾時最勝天王請世尊決問邪正路一卷
爾時最勝從座而起偏覆右肩右膝著地合掌恭敬而白
佛言諸菩薩摩訶薩行深般若波羅蜜多能如是知路
非路者心緣何住佛告最勝天王當知諸菩薩摩訶薩行深
般若波羅蜜多心正無亂所以者何是諸菩薩善修身受心
法念住凡所遊行滅是眾落聞說利養心不貪染如佛世尊亦
住中說善自憶念離諸煩惱天王云何諸菩薩摩訶薩行深
般若波羅蜜多修身念住謂此菩薩以如實智遠離一切
身相應惡不善法觀察此身從足至頂唯有種種不淨
過失無我無樂無常敗壞腥臊穢爛脉連持如斯惡
色誰當惠見如是觀已身中貪欲執身我見皆不復生由
此便能順諸善法天王云何諸菩薩摩訶薩行深般若
波羅蜜多修受念住謂此菩薩作是思惟諸受皆苦有情
顛倒妄起樂相無生愚癡謂苦為樂聖者但說一切皆苦
為斷滅苦應修精進亦當勸餘勤修此法作是觀已恒住
受念不隨愛行修行斷受亦令他學天王云何諸菩薩摩訶
薩行深般若波羅蜜多修心念住謂此菩薩作是思惟此心无

BD00324 號 1　大般若波羅蜜多經卷五六八

BD00324 號 2　爾時最勝天王請世尊決問邪正路

（18–5）

受念不隨愛行修行斷受亦令他學天王云何諸菩薩摩訶
薩行深般若波羅蜜多修心念住謂此菩薩作是思惟此心无
常愚謂常住實苦謂樂無我謂我不淨謂淨此心无住
速疾轉易隨眠根本諸惡趣門煩惱因緣壞滅善趣是
不可信貪瞋癡主於一切法心為前導若善知心悉解眾
法種種世法皆由心造心不自見種種過失若善若惡皆由
心起心性速轉如旋火輪飄忽不停如風野馬如水瀑起
如火能燒作如是觀令念不動令心隨己不隨心行若能
伏心則伏眾法天王云何諸菩薩摩訶薩行深般若波羅蜜
多修法念住謂此菩薩能如實知世間所有惡不善法謂
貪瞋癡及餘煩惱於諸煩惱應修對治謂修貪欲瞋恚
愚癡及餘煩惱對治善根如實知已即迴起念不行彼法
亦令他離天王云何諸菩薩摩訶薩行深般若波羅蜜多於
境起念謂此菩薩若遇色聲香味觸境便作是念云何
於此不真實法而生貪愛此乃異生愚癡所著即是不善
如世尊說愛即生著即迷謬由此不知善法惡法以是因
緣隨於惡趣菩薩如是自不漏失不著境界令他亦爾天
王當知諸菩薩摩訶薩行深般若波羅蜜多阿練若謂
此菩薩作是思惟阿練若處是无諍人人所居心寂靜
住處天龍藥叉他心智者悉能知我心心所法不應住此起
邪思惟思惟即得捨離於法正念勤修行行天王當知菩薩
摩訶薩行深般若波羅蜜多作是思惟滅是眾落多諸喧
雜非出家人所可行處則不應住所謂酤酒婬女王宮博弈
歌舞如是等處皆遠離之天王當知諸菩薩摩訶薩行
深般若波羅蜜多聞利養名起正憶念謂作是念為生彼
福應受此財不由貪愛受已秘惜養育妻子不言我
有如是財物而普周給一切貧窮如是行者人所讚嘆終

BD00324 號 2　爾時最勝天王請世尊決問邪正路

（18–6）

眾生如是財物而普周給一切貧窮如是行者人所讚嘆終
不計著我及我所復作是念人皆稱我無施名聞世无
常須臾磨滅云何智人无常實不恒无主隨彼而行執
我我所天王當知諸菩薩摩訶薩行深般若波羅蜜多念
佛世尊所說禁戒謂作是念三世諸佛皆學此戒成无上
覺證大涅槃如是知已精進勤學天王當知諸菩薩摩
訶薩行深般若波羅蜜多爲化衆生情及自修習少欲喜
足著糞掃衣心常清潔信力堅固寧失身命於戒不犯
心離憍慢遊行城邑雖服弊衣而不生恥遠離懈怠常
勤精進所作未辦終不中止於糞掃衣不見過患朽故弊
壞終无輕鄙但取其裁夫離欲者乃服此衣如來所讚
自憐貧著亦不自讚我能服此於他不服終无毀言
如法行人諸天礼敬佛所讚嘆菩薩護持婆羅門等恭敬
供養天王當知諸菩薩摩訶薩行深般若波羅蜜多能修
如是清淨妙行尒時衆勝便白佛言高行菩薩行深般若波
羅蜜多何用著此糞掃衣耶佛言天王諸大菩薩護世間故著
糞掃衣所以者何世間若見著此衣服滅惡生善天王於意云
何菩薩高行何如世尊衆勝白言百千万億乃至鄔波尼殺曇
分亦不及一何以故佛是法王具一切智無有一行不能照故天王
於意云何佛對一切天龍藥叉人非人等亦現苦行及常讚嘆杜
多功德此何意所爲勝白言世尊爲欲度化可度諸衆生情類及
初發心諸菩薩未斷煩惱爲說對治佛言如是如是天王高行菩薩著
糞掃衣亦復如是故菩薩行深般若波羅蜜多方便善巧饒益
衆生情天王當知諸菩薩摩訶薩行深般若波羅蜜多爲世間故
但畜三衣何以故心喜足故更不多求即是少欲不求乞故無
所聚積不聚積故則無匱乏無匱乏故則不憂苦無憂苦
故則離煩惱離煩惱故則無所著無所著故則爲漏盡天王當知

BD00324 號 2　爾時最勝天王請世尊決問邪正路　（18–7）

糞掃衣亦復如是故菩薩行深般若波羅蜜多方便善巧饒益
衆生情天王當知諸菩薩摩訶薩行深般若波羅蜜多爲世間故
但畜三衣何以故心喜足故更不多求即是少欲不求乞故無
所聚積不聚積故則無匱乏無匱乏故則不憂苦無憂苦
故則離煩惱離煩惱故則無所著無所著故則爲漏盡天王當知
諸菩薩摩訶薩行深般若波羅蜜多爲欲饒益諸衆生情故
入諸城邑持鉢乞食何以故是諸菩薩大悲熏心觀諸衆生情多衆
窮苦欲令當樂受彼供養入城邑時威儀齊整心正不亂
善攝諸根徐步而行前視六肘不顧左右如法乞食次第而
往不越貧家稱量取食不長受於所得中更開一分擬施
貧乏供養福田何以故信施難消爲生福故天王當知諸菩薩
摩訶薩行深般若波羅蜜多但一坐食而不移動何以故菩薩一
坐妙損塵覺未曉亂亦不移動於出世定慧智法空實
證知如上理聖道一切種智皆不移動何以故一切智法一坐
念天王當知諸菩薩摩訶薩行深般若波羅蜜多方便善巧爲
諸衆生情亦現乞食天王當知諸菩薩摩訶薩行深般若波羅蜜
多常勤修學阿練若行謂於諸根中不起過失多多
聞力堪修正行離我怖畏不計著身常行寂靜是諸菩薩於正法
住中常樂出家持三輪戒善知法相如來所說爲少壯老三種人
戒堪能了達不緣外境專念目心訶毀世法讚嘆出家調伏諸
根不緣外境於阿練若若無難處城邑乞食不遠不近衆清泉
水盥洗便易豐花菓林無惡禽獸穢宄寂靜空閑罕人如是
勝處而爲居止所習聞法晝夜三時勤加讚誦聲離高下心不緣
外專念憶持婆羅門等來至其處顧命令坐歡喜慰問觀其
根性爲說正法令得歡喜信受修行如是具足方便善巧遠
離我心以無我故於阿練若不生怖畏離怖畏故樂行靜寂菩薩如

BD00324 號 2　爾時最勝天王請世尊決問邪正路　（18–8）

於性為說正法令得歡喜信受修行此是具足方便善巧遠
離我心法無我故於阿練若不生怖畏離怖畏故樂行靜處菩薩如
是巧方便力示現於行阿練若行天王當知諸菩薩摩訶薩行深般
若波羅蜜多善觀諸行作是思惟一切飲食清淨香潔身火
觸之即成不淨爛壞臭處愚夫無智受著多及諸飲食若
依聖智如實觀察即生厭離不起染著天王當知諸菩薩摩訶薩
行深般若波羅蜜多作是思惟多行瞋恚便起惡業我今當離
直心趣道實思惟非從口說天王當知諸菩薩摩訶薩行深
般若波羅蜜多作如是念若法不生即是因緣之法又從緣起
云何智者於此虛妄因緣生法而作罪福菩薩於中不障善法即
自除斷若不能斷此障善法心便生捨不起無明云何名為障
善之法謂不恭敬佛法僧寶及清淨戒不敬同學老少幼小自
高陵彼趣向五欲背捨涅槃而起我見或有情見乃至知者見
見者見執空起斷見執有起常見遠離賢聖親近愚夫捨持
戒人依破戒者親附惡友遠離善友聞甚深法便生誹謗多惡
威儀語無善說心具諂曲煩惱所覆貪著利養五憍具生一
姓貴憍二種族憍三見勝憍四國土憍五技藝憍見惡便助
見善而捨讚美女人童稚外道不樂修習阿練若行不解節食遠
離師長雖復讀誦不知解節見善不重見惡不怖如象無鉤
馬無轡勒放逸不制善生瞋恚心無慈念見苦不救遇疾不
瞻於死不怖處大火聚都不求出應作不作非作反作不思而
思應思不思非道而求不出謂出非路求為路得謂得樂習重惡速
離大善聚於大乘人讚嘆小道及學小者多樂鬧亂好麁
惡言心無慈悲令他怖畏出言麁鄙語無一實樂著戲論而不
能捨如是等名障善法天王當知諸菩薩摩訶薩行深般若
波羅蜜多能習空行滅戲論法作是思惟所觀境界皆悉虛空無
能觀之心亦復非有無能所觀二種差別諸法一相所謂無相

BD00324 號 2　爾時最勝天王請世尊決問邪正路　（18–9）

波羅蜜多能習空行滅戲論法作是思惟所觀境界皆悉虛空無
能觀之心亦復非有無能所觀二種差別諸法一相所謂無相如
是思惟遣內外相不見身心亦不見法次第相續修學止觀觀謂
如實見法止謂一心不亂菩薩如是修觀行已即得淨戒戒清淨故
心亦清淨是名菩薩行深般若波羅蜜多觀行清淨天王當知諸菩
薩摩訶薩行深般若波羅蜜多護持如來無上法藏聽受正法
為護法故不為利養為三寶種不斷絕故不為恭敬為欲
守護大乘行故不為名譽為無歸依者令得歸依無救濟者令
得救濟無安樂者令得安樂無慧眼者令得慧眼於小乘者
示聲聞道學中乘者示獨學道行大乘者示無上道如是聽法為
無上智終不為得下劣之乘天王當知諸菩薩摩訶薩行深般若
波羅蜜多善知種種毗奈耶法謂毗奈耶毗奈耶甚深毗奈耶
微細淨與不淨有失無失別解脫本聲聞毗奈耶菩薩毗奈耶
是諸菩薩行深般若波羅蜜多於如是等毗奈耶法皆悉善知天
王當知諸菩薩摩訶薩行深般若波羅蜜多善知一切威儀
戒行善學聲聞獨覺菩薩所受持戒既修戒行若見威儀不稱
眾意則應捨離非處不行若不行處因威儀戒行具足清白即親
近之若婆羅門異學餘行勸捨離彼毗奈耶者能習如是戒行成
滿心無巧偽嫉妬便滅自行布施亦勸他行讚嘆布施令他修
學見他布施心生隨喜不作是念施我非餘應思惟諸有
情類或有貧乏飢寒困苦願彼得財現世安樂聞正法故後世
安樂我應今世精勤修道致為有情因得出離是名菩薩無嫉
妬心於諸有情皆得平等若行布施淨戒安忍精進靜慮般若
乃至一切相智普為有情其心無二何以故所修之法與有情
共念為境界令他得道於生死火自既得出亦願有情同得出
離天王當知譬如長者有六子幼稚並皆愛無偏黨心長者在
外其宅火起於意云何爾時長者頗有是念於其六子先後

BD00324 號 2　爾時最勝天王請世尊決問邪正路　（18–10）

[illegible]天王當知譬如長者有六子[illegible]皆愛無偏黨心長者在
外其宅火起於貴危何爾時長者願有是念於其六子先後
救不不必世尊何以故其父於子心平等故天王當知菩薩亦爾亦恩
夫貪著蘊在六趣生死火宅不知出離是諸菩薩以平等心種種方
便誘化令出皆悉安置圓寂界中天王當知諸菩薩摩訶薩行
深般若波羅蜜多於法忍求爲護正法供養如來種種供具供
養如實修行供養如來利益安樂一切有情守護一切
有情善法隨順有情善能化導行菩薩道行不違言心無疲倦
求無上覺若能如是乃得名爲供養諸佛不以資財而爲
供養何以故法身是佛身若供養法即供養佛諸佛世尊皆從
如實修行而來出爲利益安樂有情護其善法隨順有情
若不爾者違本誓願懶惰懈怠不能成就護有情心何以故
菩薩所趣無上覺爲有情共若無有情云何能得無上覺天王
當知諸菩薩摩訶薩行深般若波羅蜜多修行正法供養如
來名爲供養如是供養棄除我慢遠離俗務剃落鬚髮
於其父母兄弟親戚不相關顧猶如已死形狀若眠並異
於常執持應器遊入城邑若至親里旃茶羅家亦推我慢
下意乞食謂作是念我命屬他由彼施食我命存濟以是因
緣能除我慢復作是念我今應承師友求意令生歡喜普
來聞法爲得聞故若見他人瞋忿鬪諍即應忍辱下意避
去菩薩如是棄除我慢天王當知諸菩薩摩訶薩行深般若波羅
蜜多生堅正信何以故多諸功德宿世所種善根力強善因具
足正見成就不信外緣因心清淨不依餘師心行調直遠離諂
誑諸根聰利具足般若波羅蜜多離諸蓋障其心清淨遠
離惡友親近善友乃求善言不生懈怠聞所說法知佛功德亦
時最勝便白佛言唯願大慈哀愍爲說如來功德大威神
於佛告最勝天王汝今諦聽善思念之當爲汝說佛功德威神

BD00324 號 2　爾時最勝天王請世尊決問邪正路　（18–11）

時最勝便白佛言唯願大慈哀愍爲說如來功德大威神
於佛告最勝天王汝今諦聽善思念之當爲汝說佛功德威神
少分最勝白言唯然願說我等樂聞佛告天王如來具足無
邊大慈遍照有情有情界攝乃至十方盡虛空界悉皆遍
照不可測量如來大悲誓願獨覺及諸菩薩皆所無有何
以故不共法故十方世界無一有情如來大悲所不能照如來
說法究竟無盡普爲十方諸有情類發無量劫種種因緣演說諸
法要亦不可盡若有有情界種種言詞一切句義難問如來一彈
指頃一一有情爲分別知無能壞者如來所得無諍廣境界
甚深無測量者假使一切世界有情皆得住於菩薩十地多百
千劫入勝三昧不能測量如來定境如來三昧無量無邊際何
以故隨所樂見於一念頃能現無邊異類身故如來天眼最
勝清淨一切世界一切有情色形差別外餘物類種種不同如
來皆見如觀掌中阿羅漢獨覺諸人天眼所不能及如來天耳最
勝清淨一切有情音聲差別及餘物類所有音聲一念悉
聞解了其義如來復有淨他心智一切世界一切有情一一思惟
作業受果無邊差別於四威儀於一念頃皆悉了知何以故佛
常在定無散亂故天王當知佛無失念心不散亂根無異緣
何以故離煩惱習最爲清淨寂靜無垢有煩惱者失念散亂
根有異緣如來世尊無漏離垢得一切法自在平等常在三
持及等至故如來但住一種威儀遊一等持乃至圓寂諸
人天等尚不能知況復如來無量劫修習無量無邊三持
諸有人天能了知者何以故如來功德不可度量不可思議不
可觀故爾時最勝便白佛言我聞如來三無數劫修行成佛云何
今說無量劫修佛言天王其義不爾何以故菩薩所趣無上菩提
無量功力乃得成辦非不於爾許劫發而能證入法平等理

BD00324 號 2　爾時最勝天王請世尊決問邪正路　（18–12）

余說無量劫勝佛言天王其義不可知以故菩薩趣无上菩
無量功力乃得成辦非不於爾許劫發而能證入法平等理
雖無究竟乃稱成佛於是最勝白言世尊善哉善哉快
說法要善能勸發一切有情植善根遠離業障破衆魔異
菩薩若有情類得聞如來功德威神心生歡喜信受讚
嘆當知不久成佛功德威神法器況復有能受持讀誦書
寫供養為他解說彼所獲福不可思議佛言天王如是如是若有
情類於如來護持已種善根經多劫數若於過去供養多
佛乃得聞佛功德威神天王當知若善男子善女人求心无疑惑
於七日中澡浴清淨著新淨衣燒香供養一心正念如前所說
如來功德及大威神爾時如來慈悲護念現身令見使前滿足
若有闕少犯者亦身但一心念功德威神將命終時必得見佛
爾時最勝復白佛言頗有有情聞說如是如來功德及大威
神不起信心而毀謗不佛言亦有謂有有情聞說如是如來
功德威神法門起不善心瞋恚毀謗於說法師生惡友想彼
後捨命必墮地獄多劫受苦若諸有情聞說如是如來功
德及大威神歡喜信受讚嘆憶念於說法師生善友想彼
後捨命定昇人天展轉勝進乃至成佛爾時世尊出廣長舌
相自覆面輪次覆頭頂次覆遍身次覆師子座次覆菩薩
衆次覆聲聞衆然後乃覆釋梵護世人非人等一切大衆
還收舌相告大衆言如來世尊有是舌相豈當妄語汝等
大衆於我所說皆應信受長夜獲安說是法時衆中八万
四千菩薩得無生忍無量有情遠塵離垢生淨法眼無
數有情皆發無上正等覺心
是時最勝天王聞此語已歡喜踊躍合掌恭敬而白佛言如世尊說
法性平等何為平等何法故名為平等佛告最勝天王當知等觀諸法
自性寂靜不生不滅故名平等一切煩惱虛妄分別自性寂靜不生

BD00324 號 2　爾時最勝天王請世尊決問邪正路　（18–13）

自性寂靜不生不滅故名平等一切煩惱虛妄分別自性寂靜不生
不滅故名平等名於分別自性寂靜不生不滅故名平等滅諸顛倒不
起攀緣故名平等能緣心滅無所有愛即得寂靜癡愛滅故
不復執著我及我所故名平等我我所執永滅除故名為寂靜故
名平等名為滅故邊見不生故名平等斷常滅故身見寂靜故名
平等天王當知能執所執一切煩惱障善法者緣身見生若諸菩薩
深般若波羅蜜多方便善巧能滅身見一切隨眠及諸煩惱皆
永寂靜作是名身譬如大樹拔除根株枝條葉亦无不枯死如
人無首命根亦絕隨眠煩惱亦復如是若斷身見餘皆永滅若
人能觀諸法無我能執所執永得寂靜爾時最勝便白佛言云何我
見起障正理佛告最勝天王當知於五取蘊妄謂有我即起我見
言實有法自性平等无能所執我見於違是故為障天王當知
如是我見不在內不在外不在兩間都无所住名為寂靜即是平
等遠離我見通達平等名為真實空觀察此空無有自性寂靜不
生不滅不來不去遠離我見故名平等天王當知所言我者無來
無去無有真實虛妄分別法從妄生然是虛妄若諸菩薩行深
般若波羅蜜多方便善巧觀如是法遠離虛妄是故名為寂
靜平等天王當知能執所執名為熾然離名寂靜諸煩惱障名
為熾然離名寂靜若諸菩薩行深般若波羅蜜多方便善巧能如
實知能執所執諸煩惱滅為增善法斷能所執及諸煩惱不見
可生不見可滅故名平等修一切種波羅蜜多遠離覺障不見可
修不見可離故名平等菩薩常緣獲分法不起聲聞獨覺作意於
獲分聲聞獨覺不見異於故名平等緣一切智心不休息常修
空行由大悲力不捨有情故名平等天王當知若諸菩薩行深般若波羅
蜜多方便善巧於一切法心緣自在心緣無於而修獲不見無
於及菩薩異故名平等心緣無願不捨三界不見無異及三界異故名

BD00324 號 2　爾時最勝天王請世尊決問邪正路　（18–14）

於五蘊界故名平等心緣無願不捨三界不見無界及三界異故名
為求觀身不淨心住清淨觀行無常心緣生死而不厭捨觀眾生情
皆悉非樂觀法無我於眾生情類起大悲心常為眾生情說不淨
無樂不見貪病常說大慈不見瞋病常說緣起不見癡病為求癡
者說無常無樂不見求病及無常異如是菩薩深般若波羅蜜多
方便善巧於一切法心緣自在緣離貪法為化聲聞緣離瞋法
為化獨覺緣離癡法為化菩薩緣一切色離得如來清淨妙色無
所得故緣一切聲為得諸佛微妙音聲無所得故緣一切香離得
諸佛清淨戒香無所得故緣一切味離得如來味中最上丈夫於無
所得故緣一切觸離得如來柔軟手掌無所得故緣一切法離得梁
寂靜之心無所得故緣諸布施為得成就佛於好身緣諸淨戒為
得圓滿嚴淨佛土緣諸安忍願得諸佛大梵音聲及得諸佛淨光
明身緣諸精進為度眾生常無間斷緣諸靜慮為欲成就廣
大神通緣諸般若為斷一切妄見煩惱緣諸大慈平等無礙為諸
眾生情皆得安樂緣諸大悲為護正法救眾生情生死大苦緣諸
大喜為得說法無礙自在悅樂眾生情緣諸大捨為不執見眾生情
煩惱結縛隨眠天王當知若諸菩薩行深般若波羅蜜多方便
善巧不見二邊名平等行緣四攝法為化眾生情緣慳嫉過為捨
資財修行布施緣破戒失為住淨戒緣瞋恚失為得安忍緣懈
怠失為成如來大精進力緣散亂失為得如來寂靜勝定緣惡
慧失為成如來無礙智慧緣二乘法為欲成就無上大乘緣
諸惡趣為欲濟拔一切眾生情緣諸善趣為欲令知諸人天果皆當
敗壞緣諸眾生情為令了達都無堅實唯眾生虛妄緣佛隨念為
得成就助道資糧緣法隨念為得通達諸祕藏緣僧隨念為
和合眾心無退轉緣捨隨念為無愛著緣戒隨念為得淨戒緣
天隨念為成就諸天讚嘆緣自身於為得佛身緣自語於為得

天隨念為成菩提諸天讚嘆緣自身於為得佛身緣自語於為得
佛語緣自意於為得諸佛平等之心緣眾生為法為成佛智緣無為
法為得寂靜天王當知若諸菩薩行深般若波羅蜜多方便善巧無事
一心行空過而不迴向一切智者如是菩薩深般若波羅蜜多方便善巧
雖遍緣法而能不著是故名為方便善巧觀一切法無不趣向大菩
提者譬如三千大千世界所出諸物無不皆為眾生情受用如是菩
薩深般若波羅蜜多方便善巧所緣境界無不饒益趣向菩提
譬如眾色無眾生不因四大種者如是菩薩所緣境界無眾生之法不趣
菩提何以故菩薩修行皆因外緣而得成立謂諸菩薩因慳嫉者成就布施
波羅蜜多因惡者成就淨戒波羅蜜多因惡性者成就安忍
波羅蜜多因懈怠者成就精進波羅蜜多因散亂者成就靜
慮波羅蜜多因愚癡者成就般若波羅蜜多諸眾生情損惱菩
薩因彼伏斷瞋恚菩薩若見修行善法向涅槃者生己子心如是菩
薩不生喜戲不生瞋見無樂者起大慈心見眾生苦者起大悲心
見眾生樂者起大喜心見眾生苦者起大捨心因難化者發奢摩他
因易化者發毗鉢舍那因信行者起知見智若見眾生情外無緣
諸外善緣少則勤守護若見因力眾生種種者種種方便令受教
法若見智慧開悟眾生情則為宣說甚深法要若見眾生情廣說
乃悟則為彼廣宣說諸法若諸眾生情執著文字為說句義令得
開曉覺已學上為說妙觀若已學觀為說寂止若執持戒為說
地獄持戒無執則不說若執聞慧為說思修多執不持為說般
若多愛樂聞經者即為彼說心遠離法多眾樂聞佛功德者即為
彼說無上聖智為貪欲者說不淨法為瞋恚者說慈悲法為愚癡
者說緣起法為求人天者說種種法或說不淨或說慈悲或說緣起之涅
槃者為說淨戒禪定妙慧應入佛乘而受化者為說佛乘說波羅蜜多應
以獅樣而受化者先折其詞後為說法應種種言而受化者即為

次者為說淨戒勝定妙惠應入佛乘而受化者為說波羅蜜多應
以[illegible][illegible]而受化者先折其詞後為說法應種種言而受化者即為
彼說因緣譬喻令得開解應以深法而受化者為說般若波羅蜜多方
便善巧無我無法著諸見者為說法空多語偈者為說先於著著
為著為說無我著諸蘊者為說如幻著諸界者為說無性著
諸處者為說如夢著欲界者為說熾然著色界者為說行苦著
無色界者為說行無常難化有情為說聖種易化有情為說靜
處及無量心為聞生天而受化者為說快樂因聲聞法而受化者
為說聖諦因獨覺法而受化者為說緣起因菩薩法而受化者
為說淨心大慈悲法修行菩薩為說稱揚不退菩薩為說淨土一生所
繫菩薩為說莊嚴菩提座應以佛說而受化者為其於續次第而說天
王當知如是菩薩修行清淨甚深般若波羅蜜多方便善巧得諸
自在說法利益無有空過說是法時三万天人俱發無上
正等覺心五千菩薩得無生忍爾時世尊即便微笑諸佛亦現微笑
時種種色光從面門出青黃赤白紫頗胝迦普照十方無邊
世界現希有事還至佛所右遶三帀入佛頂中時舍利子覩斯瑞
相心懷猶豫即從座起偏覆右肩右膝著地合掌恭敬而白
佛言世尊何緣現此瑞於爾時佛告舍利子言此最勝天已曾過
去無量無數無邊大劫於諸佛所修行一切波羅蜜多為諸菩
守護般若波羅蜜多由此因緣今得值我諮受般若波羅蜜多
於未來世復經無量無數大劫修習無上菩提資糧然後證得
所求無上正等菩提號具足佛名功德莊嚴土名甚極莊嚴淨劫
名清淨其土豐樂人眾熾盛純菩薩僧無聲聞眾彼土大地
七寶合成眾寶莊嚴平坦如掌香花寶草而嚴飾之無諸山
陵堆阜荊棘幢幡花蓋種種莊嚴如天都城名為難伏七寶所
網彌覆其上金繩交絡角懸金鈴晝夜六時空天奏樂及散
種種天妙香花其土人眾歡娛受樂勝妙超彼他化天宮人天往來

BD00324 號 2　爾時最勝天王請世尊決問邪正路　（18–17）

種種天妙香花其土人眾歡娛受樂勝妙超彼他化天宮人天往來
不相障礙無三惡趣及二乘名彼土有情唯求佛智其佛恒為
諸大菩薩宣說種種清淨法要無量無邊菩薩眷屬光耶見執破
戒邪命少無貪瞋癡諂誑憍慢及根缺不諸醜惡事二十八相
莊嚴其身彼土如來壽八小劫諸人天眾無中夭者佛涅槃後無量
功德者欲說法光放光明諸菩薩眾遇斯光已即知世尊將欲說
法我亦今者宜應往聽時天為佛敷師子臺其量高廣百踰繕那
種種莊嚴無量供養世尊昇座為眾說法彼諸菩薩聽聞利根
一聞領悟離我我所皆具飲食應念即至佛說彼勝受記法時
五万天人深心歡喜俱發無上正等覺心皆願未來生彼佛土
爾時最勝聞佛所說歡喜踴躍得未曾有上昇虛空七多羅樹時
三千世界六種震動諸天妓樂不鼓自鳴散眾天花以供養佛及大
菩薩最勝天王時彼天王從空而下禮佛雙足退坐一面
時舍利子問最勝言菩薩修行甚深般若波羅蜜多方便善巧通達
法性爾時即應坐菩提座證得無上正等菩提轉妙法輪度有情
眾何緣先現出家苦行六年降伏天魔後成正覺最勝答曰大德當
知菩薩修行甚深般若波羅蜜多方便善巧通達法性實無苦行
為伏外道故示現之而彼天魔是欲界主業性凋苦寔不應懷
善化有情故示降伏諸外道自稱能修苦行第一是故菩薩示現能修
過彼苦行諸有情或見菩薩屈一膝立或見菩薩舉兩手立或見菩薩視
日而立或見菩薩五熱炙身或見菩薩倒懸其身或見菩薩臥於棘刺或臥
坐塵或坐於石或復臥地或臥其枝或臥杵上或臥灰土或見菩薩唯
著板衣或著甘衣或著草衣或著樹皮或著弊衣或復
露形或面向日隨日而轉或見菩薩唯食稗子或復食麥或食草
根或食樹葉或花或果或食胡麻或芋或藕或豆或穀或麻
或米或六日一食或飲水度日或於一日食一滴蘇或一滴蜜或一

BD00324 號 2　爾時最勝天王請世尊決問邪正路　（18–18）

金剛般若波羅蜜經

如是我聞一時佛在舍

與大比丘衆千二百五十人俱尒時世尊食

時著衣持鉢入舍衛大城乞食於其城中次

第乞已還至本處飯食訖收衣鉢洗足已敷

座而坐時長老須菩提在大衆中即從座起

偏袒右肩右膝著地合掌恭敬而白佛言希

有世尊如來善護念諸菩薩善付囑諸菩薩

世尊善男子善女人發阿耨多羅三藐三菩

提心應云何住云何降伏其心佛言善哉善哉

須菩提如汝所說如來善護念諸菩薩善付

囑諸菩薩汝今諦聽當為汝說善男子善女

人發阿耨多羅三藐三菩提心應如是住如

是降伏其心唯然世尊願樂欲聞

佛告須菩提諸菩薩摩訶薩應如是降伏其

心所有一切衆生之類若卵生若胎生若濕

生若化生若有色若无色若有想若无想若

非有想若非无想我皆令入无餘涅槃而滅

度之如是滅度无量无數无邊衆生實无衆

生得滅度者何以故須菩提若菩薩有我相

人相衆生相壽者相即非菩薩

復次須菩提菩薩於法應无所住行於布施

所謂不住色布施不住聲香味觸法布施須

菩提菩薩應如是布施不住於相何以故若菩

薩不住相布施其福德不可思量須菩提於

BD00325號　金剛般若波羅蜜經

（2–1）

薩不住相布施其福德不可思量須菩提於

意云何東方虛空可思量不不也世尊須菩

提南西北方四維上下虛空可思量不不也

世尊須菩提菩薩无住相布施福德亦復如

是不可思量須菩提菩薩但應如所教住須

菩提於意云何可以身相得見如來不不也世

尊不可以身相得見如來何以故如來所

說身相即非身相佛告須菩提凡所有相皆

是虛忘若見諸相非相則見如來

須菩提白佛言世尊頗有衆生得聞如是言

說章句生實信不佛告須菩提莫作是說如

來滅後後五百歲有持戒脩福者於此章句

能生信心以此為實當知是人不於一佛二

佛三四五佛而種善根已於无量千万佛所

種諸善根聞是章句乃至一念生淨信者須

菩提如來悉知悉見是諸衆生得如是无量

福德何以故是諸衆生无復我相人相衆生

相壽者相无法相亦无非法相何以故是諸

衆生若心取相則為着我人衆生壽者若取

法相即着我人衆生壽者何以故若取非法

相即着我人衆生壽者是故不應取法不應

取非法以是義故如來常說汝等比丘知我

說法如筏喻者法尚應捨何況非法

須菩提於意云何如來得阿耨多羅三藐三菩

提耶如來有所說法耶須菩提言如我解佛

所說義无有定法名阿耨

BD00325號　金剛般若波羅蜜經

（2–2）

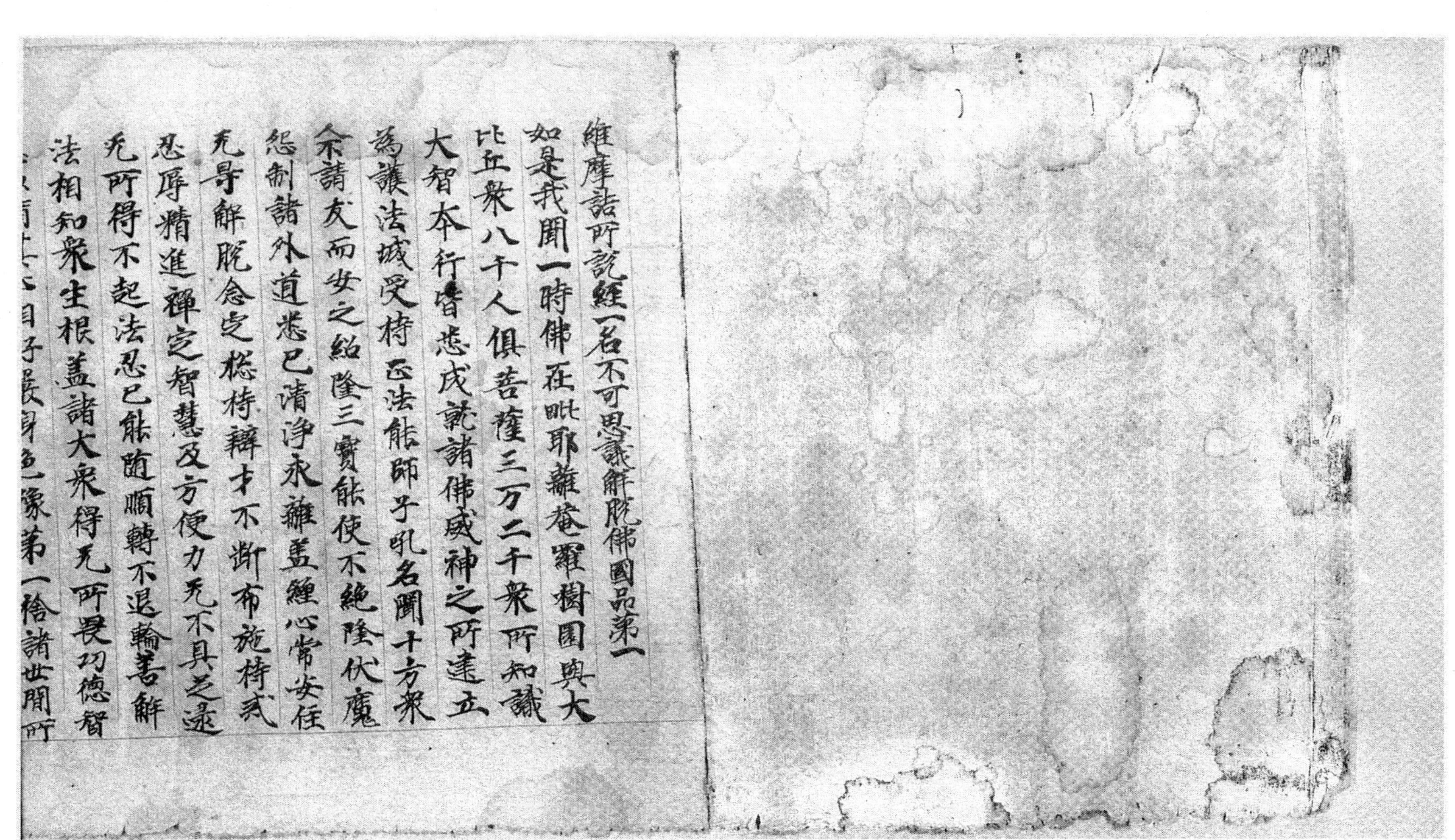
維摩詰所說經一名不可思議解脫佛國品第一
如是我聞一時佛在毗耶離菴羅樹園與大
比丘衆八千人俱菩薩三万二千衆所知識
大智本行皆悉成就諸佛威神之所建立
爲護法城受持正法能師子吼名聞十方衆
人不請友而安之紹隆三寶能使不絶降伏魔
怨制諸外道悉已清淨永離蓋纏心常安住
无㝵解脫念定揔持辯才不斷布施持戒
忍辱精進禪定智慧及方便力无不具足逮
无所得不起法忍已能隨順轉不退輪善解
法相知衆生根蓋諸大衆得无所畏功德智
慧以脩其心相好嚴身色像第一捨諸世間所

BD00326 號　維摩詰所說經卷上　（10–1）

无所得不起法忍已能隨順轉不退輪善解
法相知衆生根蓋諸大衆得无所畏功德智
慧以脩其心相好嚴身色像第一捨諸世間所
有飾好名稱高遠踰於須弥深信堅固猶若
金剛法寶普照而雨甘露於衆言音微妙
第一深入緣起斷諸邪見有无二邊无復
餘習演法无畏猶師子吼其所講說乃如
雷震无有量已過量集衆法寶如海導師
了達諸法深妙之義善知衆生往來所趣及
心所行近无等等佛自在慧十力无畏十八不
共關閉一切諸惡趣門而生五道以現其身爲
大醫王善療衆病應病與藥令得服行无
量功德皆成就无量佛土皆嚴淨其見聞者
无不蒙益諸有所作亦不唐捐如是一切功德
皆悉具足
其名曰等觀菩薩不等觀菩薩等不等觀
菩薩定自在王菩薩法自在王菩薩法相
菩薩光相菩薩光嚴菩薩大嚴菩薩寶積菩
薩辯積菩薩寶手菩薩寶印手菩薩常舉手
菩薩常下手菩薩常慘菩薩喜根菩薩喜王
菩薩辯音菩薩虛空藏菩薩執寶炬菩薩
寶勇菩薩寶見菩薩帝網菩薩明網菩
薩无緣觀菩薩慧積菩薩寶勝菩薩天王
菩薩壞魔菩薩電得菩薩自在王菩薩功德
相嚴菩薩師子吼菩薩雷音菩薩山相擊音
菩薩香象菩薩白香象菩薩常精進菩薩不

BD00326 號　維摩詰所說經卷上　（10–2）

菩薩壞魔菩薩電得菩薩自在王菩薩功德
相嚴菩薩師子吼菩薩雷音菩薩山相擊音
菩薩香象菩薩白香象菩薩常精進菩薩不
休息菩薩妙生菩薩華嚴菩薩觀世音菩薩得
大勢菩薩梵網菩薩寶杖菩薩无勝菩薩嚴
土菩薩金髻菩薩珠髻菩薩弥勒菩薩文殊師
利法王子菩薩如是等三万二千人
復有万梵天王尸棄等從餘四天下來詣佛
所而聽法復有万二千天帝亦從餘四天下來
在會坐并餘大威力諸天龍神夜叉乾闥婆
阿脩羅迦樓羅緊那羅摩睺羅伽等悉來
會坐諸比丘比丘尼優婆塞優婆夷俱來會
坐彼時佛與无量百千之衆恭敬圍繞而為
說法譬如須弥山王顯于大海安處寶師
子之坐蔽於一切諸來大衆
尒時毗耶離城有長者子名曰寶積與五
百長者子俱持七寶蓋來詣佛所頭面礼
足各以其蓋共供養佛佛之威神令諸寶蓋合
成一蓋遍覆三千大千世界而此世界廣長之
相悉於中現又此三千大千世界諸須弥山雪
山目真隣陁山摩訶目真隣陁山香山寶山
金山黑山鐵圍山大鐵圍山大海江河川流
泉源及日月星辰天宮龍宮諸尊神宮悉現
於寶蓋中又十方諸佛諸佛說法亦現於寶
蓋中尒時一切大衆覩佛神力嘆未曾有合
掌礼佛瞻仰尊顏目不暫捨長者子寶積

蓋中尒時一切大衆覩佛神力嘆未曾有合
掌礼佛瞻仰尊顏目不暫捨長者子寶積
即於佛前以偈頌曰
目淨脩廣如青蓮　心淨已度諸禪定
久積淨業稱无量　導衆以寂故稽首
既見大聖以神變　普現十方无量土
其中諸佛演說法　於是一切悉見聞
法王法力超羣生　常以法財施一切
能善分別諸法相　於第一義而不動
已於諸法得自在　是故稽首此法王
說法不有亦不无　以因緣故諸法生
无我无造无受者　善惡之業亦不亡
始在佛樹力降魔　得甘露滅覺道成
已无心意无受行　而悉摧伏諸外道
三轉法輪於大千　其輪本來常清淨
天人得道此為證　三寶於是現世間
以斯妙法濟羣生　一受不退常寂然
度老病死大醫王　常礼法海德无邊
毀譽不動如須弥　於善不善等以慈
心行平等如虛空　孰聞人寶不敬承
今奉世尊此微蓋　於中現我三千界
諸天龍神所居宮　乾闥婆等及夜叉
悉見世間諸所有　十力哀現是化變
衆都希有皆嘆佛　今我稽首三界尊
大聖法王衆所歸　淨心觀佛靡不欣
各見世尊在其前　斯則神力不共法

衆都希有皆[illegible]　[illegible]
大聖法王衆所歸　淨心觀佛靡不欣
各見世尊在其前　斯則神力不共法
佛以一音演說法　衆生隨類各得解
皆謂世尊同其語　斯則神力不共法
佛以一音演說法　衆生各各隨所解
普得受行獲其利　斯則神力不共法
佛以一音演說法　或有恐畏或歡喜
或生猒離或斷疑　斯則神力不共法
稽首十力大精進　稽首已得无所畏
稽首住於不共法　稽首一切大導師
稽首能斷衆結縛　稽首已到於彼岸
稽首能度諸世間　稽首永離生死道
悉知衆生來去相　善於諸法得解脫
不著世間如蓮華　常善入於空寂行
達諸法相无罣㝵　稽首如空无所依
尒時長者子寶積說此偈已白佛言世尊
是五百長者子皆已發阿耨多羅三藐三
菩提心願聞得佛國土清淨唯願世尊說
菩薩淨土之行佛言善哉寶積乃能爲諸
菩薩問於如來淨土之行諦聽諦聽善思念
之當爲汝說於是寶積及五百長者子受教
而聽佛言寶積衆生之類是菩薩佛土所以
者何菩薩隨所化衆生而取佛土隨所調伏
衆生而取佛土隨諸衆生應以何國入佛智
慧而取佛土隨諸衆生應以何國起菩薩根
而取佛土所以者何菩薩取於淨國皆爲饒

衆生而取佛土隨諸衆生應以何國入佛智
慧而取佛土隨諸衆生應以何國起菩薩根
而取佛土所以者何菩薩取於淨國皆爲饒
益諸衆生故譬如有人欲於空地造立宮室
隨意无㝵若於虛空終不能成菩薩如是爲
成就衆生故願取佛國願取佛國者非於空
寶積當知直心是菩薩淨土菩薩成佛時不諂
衆生來生其國深心是菩薩淨土菩薩成佛時
具足功德衆生來生其國大乘心是菩薩淨
土菩薩成佛時大乘衆生來生其國布施是菩
薩淨土菩薩成佛時一切能捨衆生來生其
國持戒是菩薩淨土菩薩成佛時行十善
道滿願衆生來生其國忍辱是菩薩淨土菩
薩成佛時三十二相莊嚴衆生來生其國精
進是菩薩淨土菩薩成佛時勤脩一切功德
衆生來生其國禪定是菩薩淨土菩薩成佛
時攝心不亂衆生來生其國智慧是菩薩淨
土菩薩成佛時正定衆生來生其國四无量
心是菩薩淨土菩薩成佛時成就慈悲喜捨
衆生來生其國四攝法是菩薩淨土菩薩成
佛時解脫所攝衆生來生其國方便是菩
薩淨土菩薩成佛時於一切法方便无礙衆
生來生其國卅七道品是菩薩淨土菩薩成
佛時念處正勤神足根力覺道衆生來生其
國迴向心是菩薩淨土菩薩成佛時得一切
具足功德國土說除八難是菩薩淨土菩薩
成佛時國土无有三惡八難自守戒行不譏

国迴向心是菩薩淨土菩薩成佛時得一切
具足功德国土說除八難是菩薩淨土菩薩
成佛時國土无有三惡八難自守戒行不譏
彼闕是菩薩淨土菩薩成佛時國土无有犯
禁之名十善是菩薩淨土菩薩成佛時命不
中夭大富梵行所言誠諦常以軟語眷屬
不離善和諍訟言必饒益不嫉不恚正見
衆生來生其國如是寶積菩薩隨其直心則
能發行隨其發行則得深心隨其深心則意調
伏隨意調伏則如說行隨如說行則能迴向隨
其迴向則有方便隨其方便則成就衆生隨
成就衆生則佛土淨隨佛土淨則說法淨隨
說法淨則智慧淨隨智慧淨則其心淨隨其
心淨則一切功德淨是故寶積若菩薩欲得
淨土當淨其心隨其心淨則佛土淨
尒時舍利弗承佛威神作是念若菩薩心淨
則佛土淨者我世尊本為菩薩時意豈不
淨而是佛土不淨若此佛知其念即告之言
於意云何日月豈不淨耶而盲者不見對曰
不也世尊是盲者過非日月咎舍利弗衆生
罪故不見如來佛國嚴淨非如來咎舍利弗我
此土淨而汝不見尒時螺髻梵王語舍利弗
勿作是意謂此佛土以為不淨所以者何我見
釋加牟尼佛土清淨譬如自在天宮舍利弗
言我見此土丘陵坑坎荊蕀沙礫土石諸山

BD00326 號　維摩詰所說經卷上

（10–7）

勿作是意謂此佛土以為不淨所以者何我見
釋加牟尼佛土清淨譬如自在天宮舍利弗
言我見此土丘陵坑坎荊蕀沙礫土石諸山
穢惡充滿螺髻梵言仁者心有高下不依佛
慧故見此土為不淨耳舍利弗菩薩於一切衆
生悉皆平等深心清淨依佛智慧則能見
此佛土清淨於是佛以足指案地即時三千
大千世界若干百千珎寶嚴飾譬如寶莊
嚴佛无量功德寶莊嚴土一切大衆歎未曾
有而皆自見坐寶蓮華佛告舍利弗汝且觀
是佛土嚴淨舍利弗言唯然世尊本所不見
本所不聞今佛國土嚴淨悉現佛語舍利弗
我佛國土常淨若此為欲度斯下劣人故示
是衆惡不淨土耳譬如諸天共寶器食隨其
福德飯色有異如是舍利弗若人心淨便見
此土功德莊嚴當佛現此国土嚴淨之時寶
積所將五百長者子皆得无生法忍八万四
千人發阿耨多羅三藐三菩提心佛攝神足
於是世界還復如故求聲聞乘三万二千天
及人知有為法皆悉无常遠塵離垢得法眼
淨八千比丘不受諸法漏盡意解

方便品第二

尒時毗耶離大城中有長者名維摩詰已曾
供養无量諸佛深殖善本得无生忍辯才
无㝵遊戲神通逮諸摠持獲无所畏降魔勞

BD00326 號　維摩詰所說經卷上

（10–8）

供養无量諸佛深殖善本得无生忍辯才
无㝵遊戲神通逮諸摠持獲无所畏降魔勞
怨入深法門善於智度通達方便大願成就
明了衆生心之所趣又能分別諸根利鈍久於
佛道心已純熟决定大乘諸有所作能善思
量住佛威儀心大如海諸佛咨嗟弟子釋梵
世主所敬欲度人故以善方便居毗耶離資
財无量攝諸貧民奉戒清淨攝諸毀禁以
忍調行攝諸恚怒以大精進攝諸懈怠一心禪
寂攝諸乱意以决定慧攝諸无智雖為白衣
奉持沙門清淨律行雖處居家不著三界
示有妻子常脩梵行現有眷屬常樂遠離
雖服寶飾而以相好嚴身雖復飲食而以禪
悅為味若至博弈戲處輙以度人受諸異道不
毀正信雖明世典常樂佛法一切見敬為供養
中最執持正法攝諸長幼一切治生諧偶雖
獲俗利不以喜悅遊諸四衢饒益衆生入治
政法救護一切入講論處導以大乘入諸學
堂誘開童矇入諸婬舍示欲之過入諸酒肆
能立其志若在長者長者中尊為說勝法
若在居士居士中尊斷其貪著若在剎利剎
利中尊教以忍辱若在婆羅門婆羅門中尊
除其我慢若在大臣大臣中尊教以正法若
在王子王子中尊示以忠孝若在內官內官
尊化正宮女若在庶民庶民中尊令興福力

BD00326 號　維摩詰所說經卷上　（10–9）

除其我慢若在大臣大臣中尊教以正法若
在王子王子中尊示以忠孝若在內官內官
尊化正宮女若在庶民庶民中尊令興福力
若在梵天梵天中尊誨以勝慧若在帝釋
帝釋中尊示現无常若在護世護世中尊護
諸衆生長者維摩詰以如是等无量方便饒
益衆生其以方便現身有疾以其疾故國王大
臣長者居士婆羅門等及諸王子并餘官屬
无數千人皆往問疾其往者維摩詰因以身
疾廣為說法諸仁者是身无常无強无力无
堅速朽之法不可信也為苦為惱衆病所集
諸仁者如此身明智者所不怙是身如聚沫不
可撮摩是身如泡不得久立是身如炎從渴
愛生是身如芭蕉中无有堅是身如幻從
顛倒起是身如夢為虛妄見是身如影從業
緣現是身如響屬諸因緣是身如浮雲須臾
變滅是身如電念念不住是身无主為如地是
身无我為如火是身无壽為如風是身无
人為如水是身不實四大為家是身為空離
我我所是身无知如草木瓦礫是身无作風
力所轉是身不淨穢惡充滿是身為虛僞雖
假以澡浴衣食必歸磨滅是身為災百一病惱
是身如丘井為老所逼是身无定為要當

BD00326 號　維摩詰所說經卷上　（10–10）

[illegible][illegible][illegible]身不汙者如
染汙是故歸佛為世間解
菩薩名世間解何以故諸佛[illegible]
故名世間解善男子如回
諸佛菩薩亦復如是見
士何无上士上士者[illegible]
无上士諸佛世尊[illegible]
歸佛為无上士又[illegible]
者无有諍訟如来无[illegible]
又上士者名語可壞无上
来所言一切衆生所不能壞是故歸佛為无
上士又上士者名為上坐无上士者名无上
坐三世諸佛更无過者是故歸佛為无上士
上者名新士者名故諸佛世尊躰大涅槃无
新无故是故歸佛為无上士士何調御丈夫
自既丈夫復調丈夫善男子言如来者實非
丈夫非不丈夫因調丈夫故名如来為丈夫
也善男子一切男女若具四法則名丈夫何
等為四一善知識二能聽法三思惟義四如
說脩行善男子若男若女具是四法則名丈
夫善男子若有男子无此四法則不得名為
丈夫也何以故身雖丈夫行同畜生如来調

等為四一善知識二能聽法三思惟義四如
說脩行善男子若男若女具是四法則名丈
夫善男子若有男子无此四法則不得名為
丈夫也何以故身雖丈夫行同畜生如来調
伏若男若女是故歸佛調御丈夫復次善男
子如御馬者凡有四種一者觸毛二者觸皮
三者觸肉四者觸骨隨其所觸稱御者意如
来亦尒以四種法調伏衆生一為說生令受
佛語如觸其毛隨御者意二說生老便受佛
語如觸毛皮隨御者意三者說生及以老病
便受佛語如觸毛皮宍隨御者意四者說生
及老病死受佛語如觸毛皮肉骨隨御者意
善男子御者調馬无有决定如来世尊調
伏衆生必定不虛是故歸佛調御丈夫士何
天人師師有二種一者善教二者惡教諸佛
菩薩常以善法教諸衆生何等善法謂身口
意善諸佛菩薩教諸衆生作如是言善男子
汝當遠離身不善業何以故以身惡業是可
遠離得解脫故是故我以此法教汝若是惡
業不可遠離得解脫者終不教汝令遠離也
若諸衆生離惡業已墮三惡者无有是處以
遠離故成阿耨多羅三藐三菩提得大涅槃
是故諸佛菩薩常以此法教化衆生口意亦
尒是故歸佛為无上師復次昔来得道今已
得之所以得道為衆生說從本已来未脩梵
行今已脩竟以已所脩向衆生說自破无明
復為衆生破壞无明自得淨目復為衆生破

復為衆生破壞无明自得淨目復為衆生破
除盲冥令得淨眼自知二諦復為衆生演說
二諦既自解脫復為衆生說解脫法自度无
邊生死大河復令衆生皆悉得度自得无畏
復教衆生令无怖畏自既涅槃復為衆生演
大涅槃是故歸佛為无上師天者名晝天上
晝長夜短是故名天又復天者名无愁惱常
受快樂是故名天又復天者名為燈明能破
黑闇亦為大明是故名天亦以能破惡業黑
闇得於善業而生天上是故名天又復天者
名吉以吉祥故得名為天又復天者名曰日月
有光明故名曰為天以是義故名為天也人
者名曰能多思義又復人者身口柔濡又復
人者名有憍慢又復人者能破憍慢善男子諸
佛雖為一切衆生无上大師然經中說為天
人師何以故善男子諸衆生中唯天与人
能發阿耨多羅三藐三菩提心能脩十善業
道能得須陁洹果斯陁含果阿那含果阿羅
漢果辟支佛道得阿耨多羅三藐三菩提是
故歸佛為天人師云何名佛佛者名覺既自
覺悟復能覺他善男子譬如有人覺知有賊
賊无能為菩薩摩訶薩能覺一切无量煩惱
既覺了已令諸煩惱无所能為是故名佛以
是覺故不生不老不病不死是故名佛婆伽
婆者婆伽名破婆名煩惱能破煩惱故名婆
伽婆又能成就諸善法故又能善解諸法義

婆者婆伽名破婆名煩惱能破煩惱故名婆
伽婆又能成就諸善法故又能善解諸法義
故有大功德无能勝故有大名聞遍十方故
又能種種大惠施故又於无量阿僧祇劫吐
女根故善男子若男若女有能如是脩念佛
者若行若住若坐若臥若晝若夜若明若闇
常得不離見佛世尊善男子何故名為如来
應正遍知乃至婆伽婆亦有如是无量功德
大名稱耶善男子菩薩摩訶薩於昔无量阿
僧祇劫恭敬父母和上諸師上坐長老於无
量劫常為衆生亦行布施堅持禁戒脩習忍
辱懃行精進禪定智慧大慈大悲大喜大捨
是故今得三十二相八十種好金剛之身又
復菩薩於昔无量阿僧祇劫脩習信念進定
慧根於諸師長恭敬供養常為法利不為辰
利菩薩若持十二部經若讀若誦常為衆生
令得解脫安隱快樂終不自為何以故菩薩
常脩出世間心及出家心无為之心无諍訟
心无詬穢心无繫縛心无取着心无覆蓋心
无无記心无生死心无疑网心无貪欲心无
瞋恚心无愚癡心无憍慢心无濁穢心无煩
惱心无苦心无量心廣大心虛空心无心无
无心調心不護心无覆藏心无世間心常定
心常脩心常解脫心无報心无願心善願心
无語心柔濡心不任心自在心无漏心第一
義心不退心无常心正直心无諂曲心純善
心无多少心无師心无凡夫心无聲聞心无

心无多少心无稱心无凡夫心无聲聞心无
緣覺心善知心界知心生界知心住界知心
自在界知心是故令得十力四无所畏大悲
三念處常樂我淨是故得稱如來乃至婆伽
婆是名菩薩摩訶薩念佛云何菩薩摩訶薩
念法善男子菩薩摩訶薩思惟諸佛所可說
法最妙最上因是法故能令衆生得見在果
唯此正法无有時節法眼所見非肉眼見然
不可以譬喻為比不生不出不住不滅不始
不終无為无數无舍宅者為作舍宅无歸作
歸无明作明未到彼岸令到彼岸為无香處
作无导香不可見見不動不轉不長不短永
斷諸樂而安隱樂畢竟微妙非色斷色而亦
是色乃至非識斷識而亦是識非業斷業非
結斷結非物斷物而亦是物非界斷界而亦
是界非有斷有而亦是有非入斷入而亦是
入非因斷因而亦是因非果斷果而亦是果
非虛非實斷一切實而亦是實非生非滅永
斷生滅而亦是滅非相非非相斷一切相而
亦是相非教非不教而亦是師非怖非安斷
一切怖而亦是安非忍非不忍永斷不忍而
亦是忍非止非不止斷一切止而亦是止一
切法頂悉能永斷一切煩惱清淨无相永脫
諸相无量衆生畢竟住處能滅一切生死熾
火乃是諸佛所遊居處常不變易是名菩薩
念法云何念僧諸佛聖僧如法而住受正直

BD00327號　大般涅槃經（北本異本）卷一八　（22–5）

諸相无量衆生畢竟住處能滅一切生死熾
火乃是諸佛所遊居處常不變易是名菩薩
念法云何念僧諸佛聖僧如法而住受正直
法隨順脩行不可覩見不可捉持不可破壞
无能嬈害不可思議一切衆生良祐福田雖
為福田无所受取清淨无穢无漏无為廣普
无邊其心調柔平等无二无有攙濁常不變
易是名念僧云何念戒菩薩思惟有戒不破
不漏不壞不雜雖无形色而可護持雖无觸
對善脩方便可得具足无有過咎諸佛菩薩
之所讚嘆是大方等大涅槃因善男子譬如
大地船舫瓔珞大姓大海灰汁舍宅刀劒橋
樑良醫妙藥阿伽陁藥如意寶珠脚足眼目
父母蔭涼无能刧盜不可燒害火不能焚水
不能漂大山梯橙諸佛菩薩妙寶勝幢若住
是戒得須陁洹果我亦有分然我不須何以
故若我得是須陁洹果不能廣度一切衆生
若住是戒得阿耨多羅三藐三菩提我亦有
分是我所欲何以故若得阿耨多羅三藐三
菩提當為衆生廣說妙法而作救護是名菩
薩摩訶薩念戒云何念施菩薩摩訶薩深觀
此施乃是阿耨多羅三藐三菩提因諸佛菩
薩親近脩習如是布施我亦如是親近脩習
若不惠施不能莊嚴四部之衆施雖不能畢
竟斷結而能除破現在煩惱以施因緣故常
為十方无量无邊恒河沙等世界衆生之所

BD00327號　大般涅槃經（北本異本）卷一八　（22–6）

若不惠施不能莊嚴四部之衆施雖不能畢
竟斷結而能除破現在煩惱以施因緣故常
爲十方无量无邊恒河沙等世界衆生之所
稱嘆菩薩摩訶薩施衆生食則施其命以是
果報得佛之時常不變易以施樂故成佛之
時則得安樂菩薩施時如法求財不侵彼施
是故成佛得清淨涅槃菩薩施時令諸衆生
不求而得是故成佛得自在我以施因緣令
他得力是故成佛護得十力以施因緣令他
得語是故成佛得四无导諸佛菩薩脩習是
施爲涅槃因我亦如是脩習布施爲涅槃因
廣說如雜華中云何念天有四天王處乃至
非想非非想處若有信心得四天王處我亦
有分若戒多聞布施智慧得四天王處乃至
得非想非非想處我亦有分然非我欲何以
故四天王處乃至非想非非想處皆是无常
以无常故生老病死以是義故非我所欲譬
如幻化誑於愚夫智慧之人所不惑着如幻
化者即是四天王處乃至非想非非想處愚
者即是一切凡夫我則不同凡夫愚人我曾
聞有第一義天謂諸佛菩薩常不變易以常
住故不生不老不病不死我爲衆生精懃求
於第一義天何以故第一義天能令衆生除
斷煩惱猶如意樹若我有信乃至有慧則能
得是第一義天當爲衆生廣分別說第一義
天是名菩薩摩訶薩念天善男子是名菩薩

得是第一義天當爲衆生廣分別說第一義
天是名菩薩摩訶薩念天善男子是名菩薩
非世間也是爲世間不知見覺而是菩薩所
知見覺善男子若我弟子謂受持讀誦書寫
演說十二部經及以受持讀誦書寫敷演解
說大涅槃經等无差別者是義不然何以故
善男子大涅槃者即是一切諸佛世尊甚深
秘藏以是諸佛甚深秘藏是則爲勝善男子
以是義故大涅槃經甚奇甚特不可思議迦
葉菩薩白佛言世尊我亦知是大涅槃經甚
奇甚特不可思議佛法衆僧不可思議菩薩
菩提大涅槃經亦不可思議世尊以何義故
復言菩薩不可思議善男子菩薩摩訶薩无
有教者而能自發菩提之心既發心已懃脩
精進正使大火焚燒身首終不求救捨念法
心何以故菩薩摩訶薩常自思惟我於无量
阿僧祇劫或在地獄餓鬼畜生人中天上爲
諸結火之所燒燃初不曾得一決定法決定
法者即是阿耨多羅三藐三菩提若我爲於
阿耨多羅三藐三菩提終不護惜身心与命
我爲阿耨多羅三藐三菩提正使碎身猶如
微塵終不放捨懃精進也何以故懃進之心
即是阿耨多羅三藐三菩提因善男子如是
菩薩未見阿耨多羅三藐三菩提乃能如是
不惜身命況復見已是故菩薩不可思議又
復不可思議菩薩摩訶薩所見生死无量過

是阿耨多羅三藐三菩提因善男子如是
菩薩未見阿耨多羅三藐三菩提乃能如是
不惜身命況復見已是故菩薩不可思議又
復不可思議菩薩摩訶薩所見生死无量過
患非是聲聞緣覺所及雖知生死无量過惡
為衆生故於中受苦不生猒離是故復名不
可思議菩薩摩訶薩為衆生故雖在地獄受
諸苦惱如三禪樂是故復名不可思議善男
子譬如長者其家失火長者見已從舍而出
諸子在後未脫火難長者尒時定知火害為
諸子故還摭赴救不顧其難菩薩摩訶薩亦
復如是雖知生死多諸過患為衆生故處之
不猒是故復名不可思議善男子无量衆生
發菩提心見生死中多諸過惡心即退沒或
為聲聞或為緣覺若有菩薩聞是經者終不
退失菩提之心而為聲聞辟支佛也如是菩
薩雖復未階初不動地而心堅固无有退沒
是故復名不可思議善男子若有人言我能
浮渡大海之水如是之言可思議不世尊如
是之言或可思議或不可思議何以故若人
度者則不可思議阿脩羅度則可思議善男
子我亦不說阿脩羅也正說人耳世尊人中
亦有可思議者不可思議者世尊人亦二種
一者聖人二者凡夫凡夫之人則不可思議
賢聖之人則可思議善男子我說凡夫不說
聖人世尊若凡夫人實不可思議善男子凡

一者聖人二者凡夫之人則不可思議
賢聖之人則可思議善男子我說凡夫不說
聖人世尊若凡夫人實不可思議善男子凡
夫之人實不能度大海水也如是菩薩實能
度於生死大海是故復名不可思議善男子
若有人能以藕根糸懸須弥山可思議不不也
世尊善男子菩薩摩訶薩於一念頃悉能
稱量一切生死是故復名不可思議善男子
菩薩摩訶薩已於无量阿僧祇劫常觀生死
无常无我无樂无淨而為衆生分別演說常
樂我淨雖如是說然非邪見是故復名不可
思議善男子如人入水水不能漂入大猛大
火不能燒如是之事不可思議菩薩摩訶薩
亦復如是雖處生死不為生死之所惱害是
故復名不可思議善男子人有三品謂上中
下下品之人初入胎時作是念言我今處廁
衆穢歸處如死屍間衆蕀刺中大黑闇處初
出胎時復作是念我今出廁出衆穢處乃至
出於大黑闇處中品之人作是念言我今入
於衆樹林中清淨河中房舍屋宅出時亦尒
上品之人作是念言我昇殿堂在華林間乘
馬乘象登涉高山出時亦尒菩薩摩訶薩初
入胎時自知入胎住時知住出時知出終不
生於貪瞋之心而未得階初住地也是故復
名不可思議善男子阿耨多羅三藐三菩提
實不可以譬喻為比善男子心亦不可以方

名不可思議善男子阿耨多羅三藐三菩提
實不可以譬喻為比善男子心亦不可以方
喻為比亦皆可說菩薩摩訶薩无有師諮受
學之處而能得於阿耨多羅三藐三菩提得
是法已心无慳悋常為衆生而演說之是故
復名不可思議善男子菩薩摩訶薩有身遠
離非口有口遠離非身有身口而亦遠離
身遠離者謂離殺盜婬是名身離非口口遠
離者謂離妄語兩舌惡口无義語是名口離
非身非身非口亦是遠離者所謂遠離貪嫉
瞋恚耶見善男子是名非身非口而是遠離
善男子菩薩摩訶薩不見一法是身是業及
与離主而亦有離是故復名不可思議口亦
如是善男子從身離身從口離口從慧遠離
非身非口善男子實有此慧然不能令菩薩
遠離何以故善男子无有一法能壞能作有
為法性異生異滅是故此慧不能遠離善男
子慧不能破火不能燒水不能爛風不能吹
地不能持生不能生老不能老住不能住壞
不能壞貪不能貪瞋不能瞋癡不能癡以有
為性異生異滅故菩薩摩訶薩終不生念我
以此慧破諸煩惱而自說言我破煩惱雖作
是說非是虛妄是故復名不可思議迦葉復
言世尊我今始知菩薩摩訶薩不可思議佛
法衆僧大涅槃經及受持者菩提涅槃不可
思議世尊无上佛法當久近住樂時而滅善

法衆僧大涅槃經及受持者菩提涅槃不可
思議世尊无上佛法當久近住樂時而滅善
男子若大涅槃經乃至有是五行所謂聖行
梵行天行病行嬰兒行若我弟子有能受持
讀誦書寫演說其義為諸衆生之所恭敬尊
重讚嘆種種供養當知爾時佛法未滅善男
子若大涅槃經具足流布當爾之時我諸弟
子多犯禁戒造作衆惡不能敬信如是經典
以不信故不能受持讀誦書寫解說其義不
為衆人之所恭敬乃至供養見受持者輕毀
誹謗汝是六師非佛弟子當知佛法將滅不
久
迦葉菩薩復白佛言世尊我親從佛聞如是
義迦葉佛法住世七日然後滅盡世尊迦葉
如來有是經不如其有者云何言滅如其无
者云何說言大涅槃經是諸如來秘密之藏
佛言善男子我先說言唯有文殊乃解是義
今當重說至心諦聽善男子諸佛世尊有二
種法一者世法二者第一義法世法可滅第
一義法則不壞滅復有二種一者无常无我
无樂无淨二者常樂我淨无常无我无樂无
淨則有壞滅常樂我淨則无壞滅復有二種
一者二乘所持二者菩薩所持二乘所持則
有壞滅菩薩所持則无壞滅復有二種一者
外二者内外法者則有壞滅内法者則无壞
滅復有二種一者有為二者无為有為之法

滅復有二種一者有爲二者无爲有爲之法
則有壞滅无爲之法无有壞滅復有二種一
者可得二者不可得可得之法則有壞滅不
可得者无有壞滅復有二種一者共法二者
不共共法壞滅不共之法无有壞滅復有二
種一者人中二者天中人中壞滅天无壞滅
復有二種一者十一部經二者方等經十一
部經則有壞滅方等經典无有壞滅善男子
若我弟子受持讀誦書寫解說方等經典恭
敬供養尊重讚嘆當知尒時佛法不滅善男
子汝向所問迦葉如来有是經不者善男子
大涅槃經悉是一切諸佛秘藏何以故諸佛
雖有十一部經不說佛性不說如来常樂我
淨諸佛世尊不畢竟涅槃是故此經名爲如
来秘密之藏十一部經所不說故故名爲藏
如人七寶不出外用名之爲藏善男子是人
所以藏積此物爲未来事故何等未来事所
謂穀貴賊来侵國值遇惡王爲用贖命道路
險難財難得時乃當出用善男子諸佛如来
秘密之藏亦復如是爲未来世諸惡比丘畜
不淨物爲四衆說如来畢竟入於涅槃讀誦
世典不敬佛經如是等惡現於世時如来爲
欲滅是諸惡令得遠離邪命利養如来則爲
演說是經若是經典秘密之藏滅不現時當
知尒時佛法則滅善男子大涅槃經常不變

演說是經若是經典秘密之藏滅不現時當
知尒時佛法則滅善男子大涅槃經常不變
易云何難言迦葉佛時有是經不善男子迦
葉佛時所有衆生貪欲微薄智慧滋多諸
菩薩摩訶薩等調柔易化有大威德摠持不
忘如大象王世界清淨一切衆生悉知如来
終不畢竟入於涅槃常住无變雖有是典不
須演說善男子今世衆生多諸煩惱愚癡喜
忘无有智慧多諸疑网信根不立世界不淨
一切衆生咸謂如来无常遷變畢竟入於大
般涅槃是故如来演說是典善男子迦葉佛
法實亦不滅何以故常不變故善男子若有
衆生我見无我无我見我常見无常无常見
常樂見无樂无樂見樂淨見不淨不淨見淨
不滅見滅滅見不滅罪見非罪非罪見罪輕
罪見重重罪見輕乘見非乘非乘見乘道見
非道非道見道實是菩提見非菩提實非菩
提謗見菩提苦見非苦集見非集滅見非滅
實見非實實是世諦見第一義諦第一義諦
見是世諦歸見非歸非歸見歸以真佛語名
爲魔語實是魔語以爲佛語如是之時諸佛
乃說大涅槃經善男子寧說蚊嘴盡大海底
不可說言如来法滅寧言以索繫縛猛風不
可說言如来法滅寧說口吹須弥散壞不可
說言如来法滅寧言佉陁羅火中生蓮華不
可說言如来法滅寧說阿伽陁藥而爲毒藥

説言如来法藏寧言佉陁羅火中生蓮華不
可説言如来法滅寧説阿伽陁藥而爲毒藥
不可説言如来法滅寧説月可令熱日可令
泠不可説言如来法藏寧説四大各捨己性
不可説言如来法藏善男子若佛初出得阿
耨多羅三藐三菩提已未有弟子解甚深義
彼佛世尊便涅槃者當知是法不久住世復
次善男子若佛初出得阿耨多羅三藐三菩
提已有諸弟子解甚深義佛雖涅槃當知是
法久住於世復次善男子若佛初出得阿耨
多羅三藐三菩提雖有弟子解甚深義无有
篤信白衣檀越敬重佛法佛便涅槃當知是
法不久住世復次善男子若佛初出得阿耨
多羅三藐三菩提已有諸弟子解甚深義多
有篤信白衣檀越敬重佛法佛雖涅槃當知
是法久住於世復次善男子若佛初出得阿
耨多羅三藐三菩提已有諸弟子解甚深義
雖有篤信白衣檀越敬重佛法而諸弟子演
深經法貪爲利養不爲涅槃佛復滅度當知
是法不久住世復次善男子若佛初出得阿
耨多羅三藐三菩提已有諸弟子解甚深義
復有篤信白衣檀越敬重佛法彼諸弟子凡
所演説不貪利養爲求涅槃佛雖滅度當知
是法久住於世復次善男子若佛初出得阿
耨多羅三藐三菩提已雖有弟子解甚深義
復有篤信白衣檀越敬重佛法而諸弟子多

耨多羅三藐三菩提已雖有弟子解甚深義
復有篤信白衣檀越敬重佛法而諸弟子多
起諍訟互相是非佛復涅槃當知是法不久
住世復次善男子若佛初出得阿耨多羅三
藐三菩提已雖有弟子解甚深義復有篤信
白衣檀越敬重佛法彼諸弟子循和敬法不
相是非互相尊重佛雖涅槃當知是法久住
不滅復次善男子若佛初出得阿耨多羅三
藐三菩提已雖有弟子解甚深義復有篤信
白衣檀越敬重佛法彼諸弟子爲大涅槃而
演説法互相恭敬不起諍訟然畜一切不淨
之物復自讃言我得須陁洹果乃至阿羅漢
果佛復涅槃當知是法不久住世復次善男
子若佛初出得阿耨多羅三藐三菩提已有
諸弟子解甚深義復有篤信白衣檀越敬重
佛法彼諸弟子爲大涅槃演説經法善循和
敬互相尊重不畜一切不淨之物亦不自言
得須陁洹乃至得阿羅漢彼佛世尊雖復滅
度當知是法久住於世復次善男子佛初出
世得阿耨多羅三藐三菩提已有諸弟子乃
至不畜不淨之物又不自言得須陁洹至阿
羅漢各執所見種種異説而作是言長老諸
佛所制四重之法乃至七滅諍法爲衆生故
或遮或開十二部經亦復如是何以故佛知
國土時節各異衆生不同利鈍差別是故如
来或遮或開有輕重説善男子譬如良醫爲

來或遮或開有輕重說善男子譬如良醫為
病服乳為病遮乳熱病聽服冷病則遮如來
亦尒觀諸眾生煩惱病根亦開亦遮長老我
親從佛聞如是義唯我知義汝不能知唯我
解律汝不能解我知諸經汝不能知彼佛復
滅當知是法不久住世復次善男子若佛初
出得阿耨多羅三藐三菩提已有諸弟子乃
至不言我得須陁洹果至阿羅漢亦不說言
諸佛世尊為眾生故或遮或開長老我親從
佛聞如是義如是法如是律長老當依如來
十二部經此義若是我當受持如其非者我
當棄捨彼佛世尊雖復涅槃當知是法久住
於世善男子我法滅時有聲聞弟子或說有
神或說神空或說有中陰或說无中陰或說
有三世或說无三世或說有三乘或說无三
乘或言一切有或言一切无或言眾生有始
有終或言眾生无始无終或言十二因緣是
有為法或言因緣是无為法或言如來有病
苦行或言如來无病苦行或言如來不聽比
丘食十種肉何等為十人虵象馬驢狗師子
豬狐獼猴其餘悉聽或言一切不聽或言比
丘不作五事何等為五不賣生口刀酒酪沙
胡麻油其餘悉聽或言不聽入五種舍何等
為五屠兒媱女酒家王宮栴陁羅舍餘舍悉
聽或言不聽者憍舍耶衣餘一切聽或言如

聽或言不聽者憍舍耶衣餘一切聽或言如
來聽諸比丘畜衣食卧具其價各直十万兩
金或言不聽或言涅槃常樂我淨或言涅槃
直是結盡更无別法名為涅槃譬如繐縷名
之為衣衣既壞已名為无衣實无別法名无
衣也涅槃之體亦復如是善男子當尒之時
我諸弟子正說者少耶說者多受正法少受
耶法多受佛語少受魔語多善男子尒時拘
睒弥國有二弟子一者阿羅漢二者破戒破
戒徒眾凡有五百阿羅漢眾其數一百破戒
者說如來畢竟入於涅槃我親從佛聞如是
義如是所制四重之法若持亦可犯亦无罪
我今亦得阿羅漢果四无㝵智而阿羅漢亦
犯如是四重之法四重之法若是實罪阿羅
漢者終不應犯如來在世制言堅持臨涅槃
時悉皆放捨時阿羅漢諸比丘言長老汝不
應說如來畢竟入於涅槃我知如來常不變
易如來在世及涅槃後犯四重禁罪无差別
若言羅漢犯四重禁是義不然何以故須陁
洹人尚不犯禁況阿羅漢若長老言我言阿
羅漢阿羅漢者終不生想我得羅漢阿羅漢
者唯說善法不說不善長老所說純是非法
若有得見十二部經定知長老非阿羅漢善
男子尒時破戒比丘徒眾即共斷是阿羅漢
命善男子是時魔王因是二眾忿恚之心悉
是六百比丘尒時凡夫各共說言衰哉

男子尒時破戒比丘徒衆即共斷是阿羅漢
命善男子是時魔王因是二衆忿恚之心悉
共害是六百比丘尒時凡夫各共說言哀哉
佛法於是滅盡而我正法實不滅也是時其
國有十二万諸大菩薩善持我法云何當言
我法滅耶當于尒時閻浮提内无一比丘為
我弟子尒時波旬寔以大火焚燒一切所有
經典其中或有遺餘在者諸婆羅門即共偷
取處處採拾安置己典以是義故諸小菩薩
佛未出時率共信受婆羅門語諸婆羅門雖
作是說我有齋戒而諸外道真實无也諸外
道等雖復說言有我樂淨而實不解我樂淨
義直以佛法一字二字一句二句說言我典
有如是義尒時拘尸那城娑羅雙樹間无量
无邊阿僧祇衆聞是語已悉共唱言世間虛
空世間虛空迦葉菩薩告諸大衆汝等且莫
憂愁啼哭世間不空如來常住无有變易法
僧亦尒尒時大衆聞是語已啼哭即止悉發
阿耨多羅三藐三菩提心尒時王舍大城阿
闍世王其性弊惡喜行殺戮具口四過貪恚
愚癡其心熾盛唯見現在不見未來純以惡
人而為眷屬貪著現在五欲樂故父王无辜
橫加逆害因害父已心生悔熱身諸瓔珞伎
樂不御心悔熱故遍體生瘡其瘡臭穢不可
附近尋自念言我今此身已受華報地獄果
報將近不遠尒時其母字韋提希以種種藥

BD00327號　大般涅槃經（北本異本）卷一八　（22–19）

報將近不遠尒時其母字韋提希以種種藥
而為拊之其瘡遂增无有降損王即白母如
是瘡者從心而生非四大起若言衆生有能
治者无有是處時有大臣名曰月稱往至王
所在一面立白言大王何故愁悴顏容不悅
為身痛也為心痛乎王答臣言我今身心豈
得不痛我父无辜橫加逆害我從智者曾聞
是義世有五人不脫地獄謂五逆罪我今已
有无量无邊阿僧祇罪云何身心而得不痛
又无良醫治我身心臣言大王莫大愁苦即
說偈言
若常愁苦　愁遂增長　如人喜眠　眠則滋多
貪淫嗜酒　亦復如是
如王所言世有五人不脫地獄誰往見之來
語王耶言地獄者直是世間多智者說如王
所言世无良醫治身心者今有大醫名富蘭
那一切知見得自在定畢竟脩習清淨梵行
常為无量无邊衆生演說无上涅槃之道為
諸弟子說如是法无有黑業无黑業報无有
白業无白業報无黑白業无黑白業報无有
上業及以下業是師今在王舍城中唯願大
王屈駕往彼可令是師療治身心時王答言
審能如是滅除我罪我當歸依復有一臣名
曰藏得復往王所而作是言大王何故面貌
憔悴脣口乾燋音聲微細猶如怯人見大怨

BD00327號　大般涅槃經（北本異本）卷一八　（22–20）

審能如是滅除我罪我當歸依復有一臣名
曰藏得復往王所而作是言大王何故面貌
憔悴脣口乾燋音聲微細猶如怯人見大怨
敵顏色皺剝將何所苦爲心痛耶爲身痛乎
王即荅言我今身心云何不痛我之癡盲无
有慧目近諸惡友而爲親善隨調婆達惡人
之言正法之王横加逆害我昔曾聞智人說
偈
若於父母　佛及弟子　生不善心　起於惡業
如是果報　在阿鼻獄
以是事故令我心怖生大苦惱又无良醫而
見救療大臣復言唯願大王且莫愁怖法有
二種一者出家二者王法王法者謂害其父
則王國土雖云是逆實无有罪如迦迦羅虫
要壞母腹然後乃生生法如是雖破母身實
亦无罪騾懷任等亦復如是治國之法法應
如是雖殺父王實无有罪出家法者乃至蚉
蟻殺亦有罪唯願大王寬意莫愁何以故
若常愁苦　愁遂增長　如人喜眠　眠則滋多
貪婬嗜酒　亦復如是
如王所言世无良醫治身心者今有大師名
末伽梨拘舍離子一切知見憐愍衆生猶如
赤子已離煩惱能拔衆生三毒利箭一切衆
生於一切法无知見覺唯是人獨知見覺
如是大師常爲弟子說如是法一切衆生身
有七分何等爲七地水火風苦樂壽命如是

BD00327號　大般涅槃經（北本異本）卷一八　（22-21）

末伽梨拘舍離子一切知見憐愍衆生猶如
赤子已離煩惱能拔衆生三毒利箭一切衆
生於一切法无知見覺唯是人獨知見覺
如是大師常爲弟子說如是法一切衆生身
有七分何等爲七地水火風苦樂壽命如是
七分非化非作不可毀害如伊師迦草安住
不動如須弥山不捨不作猶如乳酪各不諍
訟若苦若樂若善不善投之利刀无所傷害
何以故七分空中无妨导故命亦无害何以
故无有害者及死者故无作无受无說无聽
无有念者及以教者常說是法能令衆生滅
除一切无量重罪是師今在王舍大城唯願
大王往至其所王若見者衆罪消除時王荅
言審能如是滅除罪我當歸依

大般涅槃經卷第十八

BD00327號　大般涅槃經（北本異本）卷一八　（22-22）

中除[illegible]障入於三地於此地中除[illegible]障入於四地於此地中除善方
便障入於五地於此地中除見真俗障入於六地於此地中除見行相障入於
七地於此地中除不見滅相障入於八地於此地中除不見生相障入於九地
於此地中除六通障入於十地於此地中除所知障除根本心入如來地如來
地者由三淨故名極清淨云何為三一者煩惱淨二者苦淨三者相淨譬
如真金鎔銷冶鍊既燒打已無復塵垢為顯金性本清淨故金體清
淨非謂無金譬如濁水澄渟清淨無復滓穢為顯水性本清淨故非
謂無水如是法身與煩惱雜苦集除已無復餘習為顯佛性本清淨故
非謂無體譬如虛空煙雲塵霧之所障蔽若除屏已是空界淨非謂
無空如是法身一切眾苦悉皆盡故說為清淨非謂無體譬如有人
於睡夢中見大河水漂泛其身運手動足截流而渡得至彼岸由彼身心
不懈退故從夢覺已不見有水彼此岸別非謂無心生死妄想既滅盡
已是覺清淨非謂無覺如是法界一切妄想不復生故說為清淨非是
諸佛無其實體　復次善男子是法身者惑障清淨能現應身
業障清淨能現化身智障清淨能現法身譬如依空出電依電出光
如是依法身故能現應身依應身故能現化身由性淨故能現法身
智慧清淨能現應身三昧清淨能現化身此三清淨是法如如不異如
如一味如如解脫如如究竟如如是故諸佛體無有異善男子若有善
男子善女人說於如來是我大師若作如是決定信者此人即應深心解
了如來之身無有別異善男子以是義故於諸境界不正思惟悉皆
除斷即知彼法無有二相亦無分別聖所修行如如於彼無有二相正修
行故如是如是一切諸障悉皆除滅如如一切障滅如是如是法如如如如智
得最清淨如如法界正智清淨如是如是一切自在具足攝受皆得成就一
切諸障悉皆除滅一切諸障得清淨故是名真如正智真實之相如是
見者是名聖見是則名為真實見佛何以故如實得見法真如故是
故諸佛悉能普見一切如來何以故聲聞獨覺已出三界求真實境不
能知見如是聖人所不知見一切凡夫皆生疑惑顛倒分別不能得度如兔
浮海必不能過所以者何力微劣故凡夫之人亦復如是不能通達法如

BD00328號　金光明最勝王經卷二　（5–1）

能知見如是聖人所不知見一切凡夫皆生疑惑顛倒分別不能得度如兔
浮海必不能過所以者何力微劣故凡夫之人亦復如是不能通達法如
如故然諸如來無分別心於一切法得大自在具足清淨深智慧故是自境
界不共他故是故諸佛如來於無量無邊阿僧祇劫不惜身命難行苦行
方得此身最上無比不可思議過言說境是妙寂靜離諸怖畏
善男子如是知見法真如者無生老死壽命無限無有睡眠亦無飢渴
心常在定無有散動若於如來起諍論心是則不能見於如來諸佛所說
皆能利益有聽聞者無不解脫諸惡禽獸惡人惡鬼不相逢值由聞法
故果報無盡然諸如來無無記事一切境界無欲知心生死涅槃無有
異想如來所記無不決定諸佛如來四威儀中無非智攝一切諸法無有
不為慈悲所攝無有不為利益安樂諸眾生者善男子若有善男子
善女人於此金光明經聽聞信解不墮地獄餓鬼傍生阿蘇羅道常
處人天不生下賤恒得親近諸佛如來聽受正法常生諸佛清淨國
土所以者何由得聞此甚深法故是善男子善女人則為如來已知已
記當得不退阿耨多羅三藐三菩提若善男子善女人於此甚深微
妙之法一經耳者當知是人不謗如來不毀正法不輕聖眾一切眾生未
種善根令得種故已種善根令增長成熟故一切世界所有眾生皆勸
修行六波羅蜜多　爾時虛空藏菩薩梵釋四王諸天眾等即
從座起偏袒右肩合掌恭敬頂禮佛足白佛言世尊若所在處講說
如是金光明王微妙經典於其國土有四種利益何者為四一者國王軍眾
強盛無諸怨敵離於疾病壽命延長吉祥安樂正法興顯二者中宮
妃后王子諸臣和悅無諍離於諂佞王所愛重三者沙門婆羅門及諸
國人修行正法無病安樂無枉死者於諸福田悉皆修立四者於三時中
四大調適常為諸天增加守護慈悲平等無傷害心令諸眾生歸
敬三寶皆願修習菩提之行是為四種利益之事世尊我等亦常為
弘經故隨逐如是持經之人所在住處為作利益佛言善哉善哉善
男子如是如是汝等應當勤心流布此妙經王則令正法久住於世
金光明最勝王經夢見懺悔品第四
爾時妙幢菩薩親於佛前聞妙法已歡喜踊躍一心思惟還至本處於夜
夢中見大金鼓光明晃耀猶如日輪於此光中得見十方無量諸佛於寶

BD00328號　金光明最勝王經卷二　（5–2）

夢中見大金鼓光明晃耀猶如日輪於此光中得見十方無量諸佛於寶
樹下坐瑠璃座無量百千大衆圍遶而為說法見一婆羅門桴擊金鼓出大
音聲聲中演說微妙伽他明懺悔法妙幢聞已皆悉憶持繫念而住
至天曉已與無量百千大衆圍遶持諸供具出王舍城詣鷲峯山至世
尊所礼佛足已布設香花右遶三匝退坐一面合掌恭敬瞻仰尊顏白
佛言世尊我於夢中見婆羅門以手執桴擊妙金鼓出大音聲聲中
演說微妙伽他明懺悔法我皆憶持唯願世尊降大慈悲聽我所
說即於佛前而說頌曰
我於昨夜中　夢見大金鼓　其形極姝妙　周遍有金光　猶如盛日輪
光明皆普耀　充滿十方界　咸見於諸佛　在於寶樹下　各處瑠璃座
無量百千衆　恭敬而圍遶　有一婆羅門　以桴擊金鼓　於其鼓聲內
說此妙伽他
金光明鼓出妙聲　遍至三千大千界　能滅三塗極重罪　及以人中諸苦厄
由此金鼓聲威力　永滅一切煩惱障　斷除怖畏令安隱　譬如自在牟尼尊
佛於生死大海中　積行修成一切智　能令衆生覺品具　究竟咸歸功德海
由此金鼓出妙聲　普令聞者獲梵響　證得無上菩提果　常轉清淨妙法輪
住壽不可思議劫　隨機說法利群生　能斷煩惱衆苦流　貪瞋癡等皆除滅
若有衆生處惡趣　大火猛焰周遍身　若得聞是妙鼓音　即能離苦歸依佛
皆得成就宿命智　能憶過去百千生　悉皆正念牟尼尊　得聞如來甚深教
由聞金鼓勝妙音　常得親近於諸佛　悉能捨離諸惡業　純修清淨諸善品
一切天人有情類　殷重至誠祈願者　得聞金鼓妙音聲　能令所求皆滿足
衆生墮在無間獄　猛火炎熾苦焚身　無有救護處輪迴　聞者能令苦除滅
人天餓鬼傍生中　所有現受諸苦難　得聞金鼓發妙響　皆蒙離苦得解脫
現在十方界　常住兩足尊　願以大悲心　哀愍憶念我　衆生無歸依
亦無有救護　為如是等類　能作大歸依　我先所作罪　極重諸惡業
今對十力前　至心皆懺悔　我不信諸佛　亦不敬尊親　不務修衆善
常造諸惡業　或自恃尊高　種姓及財位　盛年行放逸　常造諸惡業
心恒起邪念　口陳於惡言　不見於過罪　常造諸惡業　恒作愚夫行
無明闇覆心　隨順不善友　常造諸惡業　或因諸戲樂　或復懷憂惱
為貪瞋所纏　故我造諸惡　親近不善人　及由慳嫉意　貧窮行諂誑

為貪瞋所纏　故我造諸惡　親近不善人　及由慳嫉意　貧窮行諂誑
故我造諸惡　雖不樂衆過　由有怖畏故　及不得自在　故我造諸惡
或為躁動心　或因瞋恚恨　及以飢渴惱　由飲食衣服
及貪愛女人　煩惱火所燒　故我造諸惡　於佛法僧衆　不生恭敬心
作如是衆罪　我今悉懺悔　於獨覺菩薩　亦無恭敬心　作如是衆罪
我今悉懺悔　無知謗正法　不孝於父母　作如是衆罪　我今悉懺悔
由愚癡憍慢　及以貪瞋力　作如是衆罪　我今悉懺悔　我於十方界
供養無數佛　當願拔衆生　令離諸苦難　願一切有情　皆令住十地
福智圓滿已　成佛道群迷　我為諸衆生　苦行百千劫　以大智慧力
皆令出苦海　我為諸含識　演說甚深經　最勝金光明　能除諸惡業
若人百千劫　造諸極重罪　暫時能發露　衆惡盡消除　依此金光明
作如是懺悔　由斯能速盡　一切諸苦業　勝定百千種　不思議總持
根力覺道支　修習常無倦　我當至十地　具足珍寶處　圓滿佛功德
濟度生死流　我於諸佛海　甚深功德藏　妙智難思議　皆令得具足
唯願十方佛　觀察護念我　皆以大悲心　哀受我懺悔　我於多劫中
所造諸惡業　由斯生苦惱　哀愍願消除　我造諸惡業　常生憂怖心
於四威儀中　曾無歡樂想　諸佛具大悲　能除衆生怖　願受我懺悔
令得離憂苦　我有煩惱障　及以諸報業　願以大悲水　洗濯令清淨
我先作諸罪　及現造惡業　至心皆發露　咸願得蠲除　未來諸惡業
防護令不起　設令有違者　終不敢覆藏　身三語四種　意業復有三
繫縛諸有情　無始恒相續　由斯三種行　造作十惡業　如是衆多罪
我今皆懺悔　我造諸惡業　苦報當自受　今於諸佛前　至誠皆懺悔
於此贍部洲　及他方世界　所有諸善業　今我皆隨喜　願離十惡業
修行十善道　安住十地中　常見十方佛　我以身語意　所修福智業
願以此善根　速成無上慧
我今親對十力前　發露衆多苦難事　凡愚迷惑三有難　恒造極重惡業難
我所積集欲邪難　常起貪愛流轉難　於此世間耽著難　一切愚夫煩惱難
狂心散動顛倒難　及以親近惡友難　於生死中貪染難　瞋癡闇鈍造罪難
生八無暇惡處難　未曾積集功德難　我今皆於最勝前　懺悔無邊罪惡業
我今歸依諸善逝　我礼德海無上尊　如大金山照十方　唯願慈悲哀攝受

我今歸依諸善逝 我禮彼海無上尊 如大金山照十方 唯願慈悲哀攝受
身色金光淨無垢 目如清淨紺瑠璃 吉祥威德名稱尊 大悲慧日除衆闇
佛日光明常普遍 善淨無垢離諸塵 牟尼月照極清涼 能除衆生煩惱熱
三十二相遍莊嚴 八十隨好皆圓滿 福德難思無與等 如日流光照世間
色如瑠璃淨無垢 猶如滿月處虛空 妙頗梨網映金軀 種種光明以嚴飾
於生死苦暴流中 老病憂愁水所漂 如是苦海難堪忍 佛日舒光令永竭
我今稽首一切智 三千世界希有尊 光明晃耀紫金身 種種妙好皆嚴飾
如大海水量難知 大地微塵不可數 如妙高山叵稱量 亦如虛空無有際
諸佛功德亦如是 一切有情不能知 於無量劫諦思惟 無有能知德海岸
盡此大地諸山岳 析如微塵能算知 毛端滴海尚可量 佛之功德無能數
一切有情皆共讚 世尊名稱諸功德 清淨相好妙莊嚴 不可稱量知分齊
我之所有衆善業 願得速成無上尊 廣說正法利群生 悉令解脫於衆苦
降伏大力魔軍衆 當轉無上正法輪 久住劫數難思議 充足衆生甘露味
猶如過去諸勝尊 六波羅蜜皆圓滿 滅諸貪欲及瞋癡 降伏煩惱除衆苦
願我常得宿命智 能憶過去百千生 亦常憶念牟尼尊 得聞諸佛甚深法
願我以斯諸善業 奉事無邊最勝尊 遠離一切不善因 恒得修行真妙法
一切世界諸衆生 悉皆離苦得安樂 所有諸根不具足 令彼身相皆圓滿
若有衆生遭病苦 身形羸瘦無所依 咸令病苦得消除 諸根色力皆充滿
若犯王法當刑戮 衆苦逼迫生憂惱 彼受如斯極苦時 無有歸依能救護
若受鞭杖枷鎖繫 種種苦具切其身 無量百千憂惱時 逼迫身心無暫樂
皆令得免於繫縛 及以鞭杖苦楚事 將臨刑者得命全 衆苦皆令永除盡
若有衆生飢渴逼 令得種種殊勝味 盲者得視聾者聞 跛者能行瘂能語
貧窮衆生獲寶藏 倉庫盈溢無所乏 皆令得受上妙樂 無一衆生受苦惱
一切人天皆樂見 容儀溫雅甚端嚴 悉皆現受無量樂 受用豐饒福德具
隨彼衆生念伎樂 衆妙音聲皆現前 念水即現清涼池 金色蓮花泛其上
隨彼衆生心所念 飲食衣服及牀敷 金銀珍寶妙瑠璃 瓔珞莊嚴皆具足
勿令衆生聞惡響 亦復不見有相違 所受容貌悉端嚴 各各慈心相愛樂
世間資生諸樂具 隨心念時皆滿足 所得珍財無悋惜 分布施與諸衆生
燒香末香及塗香 衆妙雜花非一色 每日三時從樹墮 隨心受用生歡喜
普願衆生咸供養 十方一切最勝尊 三乘清淨妙法門 菩薩獨覺聲聞衆
常願勿處於卑賤 [illegible]

BD00328 號　金光明最勝王經卷二　（5–5）

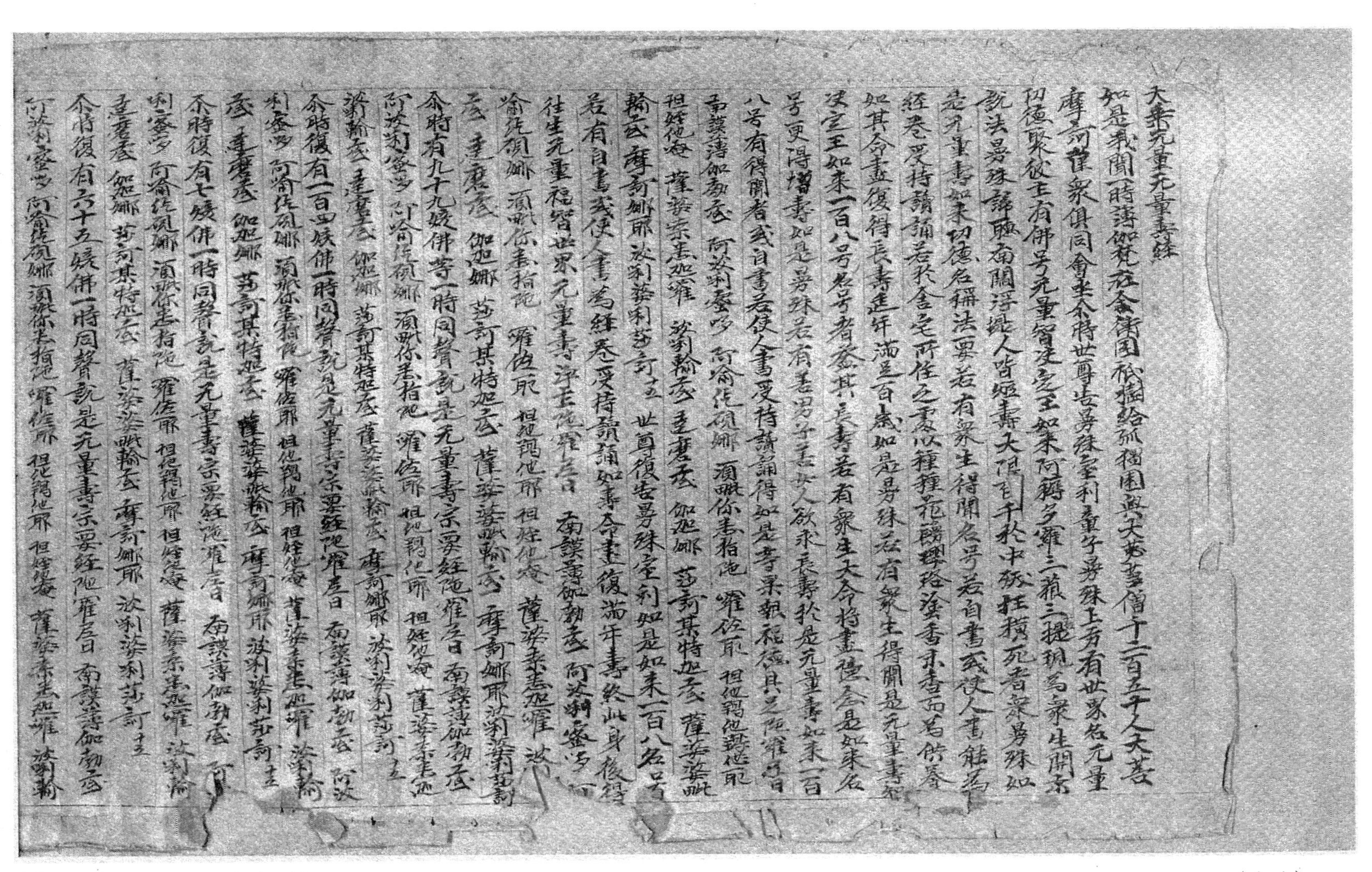
大乘無量壽經
如是我聞。一時薄伽梵在舍衛國祇樹給孤獨園，與大苾芻僧千二百五十人大菩
薩摩訶薩衆俱同會。爾時世尊告曼殊室利童子：曼殊，上方有世界，名無量
功德聚，彼土有佛，號無量智決定王如來、阿羅訶、三藐三佛陀，現為衆生開示
說法。曼殊諦聽，南閻浮提人皆短壽，大限百年，於中夭枉橫死者衆。曼殊，如
是無量壽如來功德名稱法要，若有衆生得聞名號，若自書，或使人書，能為
經卷受持讀誦，若於舍宅所住之處，以種種花鬘瓔珞塗香末香而為供養，
如其命盡，復得長壽，延年滿足百歲。如是曼殊，若有衆生得聞是無量壽智
決定王如來一百八名號者，益其長壽。若有衆生大命將盡，憶念是如來名
號，更得增壽。如是曼殊，若有善男子善女人欲求長壽，於是無量壽如來一百
八號有得聞者，或自書，若使人書，受持讀誦，得如是等果報福德具足。陀羅尼曰：
南謨薄伽勃底 阿波唎蜜多 阿喻紇硯娜 須毗你悉指陀 囉佐耶 怛他羯他耶
怛姪他唵 薩婆桑悉迦囉 波唎輸底 達磨底 伽伽娜 莎訶其特伽底 薩婆婆毗
輸底 摩訶娜耶 波唎婆唎 莎訶 五 世尊復告曼殊室利：如是如來一百八名號，
若有自書，或使人書，為經卷受持讀誦，如其壽命盡，復滿年壽，終此身後得
往生無量福智世界無量壽淨土。陀羅尼曰：南謨薄伽勃底 阿波唎蜜多 阿
喻紇硯娜 須毗你悉指陀 囉佐耶 怛他羯他耶 怛姪他唵 薩婆桑悉迦囉 波
唎輸底 達磨底 伽伽娜 莎訶其特伽底 薩婆婆毗輸底 摩訶娜耶 波唎婆唎莎訶
爾時有九十九姟佛等一時同聲說是無量壽宗要經。陀羅尼曰：南謨薄伽勃底
阿波唎蜜多 阿喻紇硯娜 須毗你悉指陀 囉佐耶 怛他羯他耶 怛姪他唵 薩婆桑悉迦囉
波唎輸底 達磨底 伽伽娜 莎訶其特伽底 薩婆婆毗輸底 摩訶娜耶 波唎婆唎莎訶
爾時復有一百四姟佛一時同聲說是無量壽宗要經。陀羅尼曰：南謨薄伽勃底 阿
波唎蜜多 阿喻紇硯娜 須毗你悉指陀 囉佐耶 怛他羯他耶 怛姪他唵 薩婆桑悉迦囉 波唎輸
底 達磨底 伽伽娜 莎訶其特伽底 薩婆婆毗輸底 摩訶娜耶 波唎婆唎莎訶
爾時復有七姟佛一時同聲說是無量壽宗要經。陀羅尼曰：南謨薄伽勃底 阿波
唎蜜多 阿喻紇硯娜 須毗你悉指陀 囉佐耶 怛他羯他耶 怛姪他唵 薩婆桑悉迦囉 波唎輸
底 達磨底 伽伽娜 莎訶其特伽底 薩婆婆毗輸底 摩訶娜耶 波唎婆唎莎訶
爾時復有六十五姟佛一時同聲說是無量壽宗要經。陀羅尼曰：南謨薄伽勃底
阿波唎蜜多 阿喻紇硯娜 須毗你悉指陀 囉佐耶 怛他羯他耶 怛姪他唵 薩婆桑悉迦囉 波唎輸

BD00329 號　無量壽宗要經　（4–1）

[illegible]

尒時復有六十五殑伽佛一時同聲說是无量壽宗要經陀羅尼曰 南謨薄伽勃底
阿波唎蜜多 阿喻紇硯那 須毗你悉指陀 囉佐耶 怛他羯他耶 怛姪他唵 薩婆桑悉迦囉 波唎輸
底 達磨底 伽伽那 莎訶某特伽底 薩婆婆毗輸底 摩訶娜耶 波唎婆唎莎訶 十五
尒時復有五十五殑伽佛一時同聲說是无量壽宗要經陀羅尼曰 南謨薄伽勃底 阿波
唎蜜多 阿喻紇硯那 須毗你悉指陀 囉佐耶 怛他羯他耶 怛姪他唵 薩婆桑悉迦囉 波唎輸底
達磨底 伽伽那 莎訶某特伽底 薩婆婆毗輸底 摩訶娜耶 波唎婆唎莎訶 十五
尒時復有四十五殑伽佛一同聲說是无量壽宗要經陀羅尼曰 南謨薄伽勃底 阿
波唎蜜多 阿喻紇硯那 須毗你悉指陀 囉佐耶 怛他羯他耶 怛姪他唵 薩婆桑悉迦囉 波唎輸
底 達磨底 伽伽那 莎訶某特伽底 薩婆婆毗輸底 摩訶娜耶 波唎婆唎莎訶 十五
尒時復有三十六殑伽佛一時同聲說是无量壽宗要經陀羅尼曰 南謨薄伽勃底 阿波
唎蜜多 阿喻紇硯那 須毗你悉指陀 囉佐耶 怛他羯他耶 怛姪他唵 薩婆桑悉迦囉 波唎輸底
達磨底 伽伽那 莎訶某特伽底 薩婆婆毗輸底 摩訶娜耶 波唎婆唎莎訶 十五
尒時復有二十五殑伽佛一時同聲說是无量壽宗要經陀羅尼曰 南謨薄伽勃底
阿波唎蜜多 阿喻紇硯那 須毗你悉指陀 囉佐耶 怛他羯他耶 怛姪他唵 薩婆桑悉迦囉 波唎
輸底 達磨底 伽伽那 莎訶某特伽底 薩婆婆毗輸底 摩訶娜耶 波唎婆唎莎訶
尒時復有恒河沙殑伽佛一時同聲說是无量宗要經陀羅尼曰 南謨薄伽勃底
阿波唎蜜多 阿喻紇硯那 須毗你悉指陀 囉佐耶 怛他羯他耶 怛姪他唵 薩婆桑悉迦囉 波
唎輸底 達磨底 伽伽那 莎訶某特伽底 薩婆婆毗輸底 摩訶娜耶 波唎婆唎莎訶 十五
善男子若有自書寫教人書寫是无量壽宗要經如其命盡復得長壽滿年
陀羅尼曰 南謨薄伽勃底 阿波唎蜜多 阿喻紇硯那 須毗你悉指陀 囉佐耶 怛他羯他耶 怛
姪他唵 薩婆桑悉迦囉 波唎輸底 達磨底 伽伽那 莎訶某特伽底 薩婆婆毗輸底
摩訶娜耶 波唎婆唎莎訶 十五 若有自書寫教人書寫是无量壽宗要經讀誦受持
畢竟不墮地獄在在所生得宿命智陀羅尼曰 南謨薄伽勃底 阿波唎蜜多 阿喻
紇硯那 須毗你悉指陀 囉佐耶 怛他羯他耶 怛姪他唵 薩婆桑悉迦囉 波唎輸底 達磨
底 伽伽那 莎訶某特伽底 薩婆婆毗輸底 摩訶娜耶 波唎婆唎莎訶 十五
若有自書寫教人書寫是无量壽宗要經受持讀誦如同書寫八万四千一切經
典 陀羅尼曰 南謨薄伽勃底 阿波唎蜜多 阿喻紇硯那 須毗你悉指陀 囉佐耶 怛他羯
他耶 怛姪他唵 薩婆桑悉迦囉 波唎輸底 達磨底 伽伽那 莎訶某特伽底 薩婆婆毗
輸底 摩訶娜耶 波唎婆唎莎訶 十五 若有自書寫教人書寫是无量壽宗要經
即是書寫八万四千部建立塔廟 陀羅尼曰 南謨薄伽勃底 阿波唎蜜多 阿喻紇硯那
須毗你悉指陀 囉佐耶 怛他羯他耶 怛姪他唵 薩婆桑悉迦囉 波唎輸底 達磨底 伽伽
那 莎訶某特伽底 薩婆婆毗輸底 摩訶娜耶 波唎婆唎莎訶 十五
[illegible]

BD00329號　無量壽宗要經

（4–2）

[illegible]
須毗你悉指陀 囉佐耶 怛他羯他耶 怛姪他唵 薩婆桑悉迦囉 波唎輸底 達磨底 伽
那 莎訶某特伽底 薩婆婆毗輸底 摩訶娜耶 波唎婆唎莎訶 十五
若有自書寫教人書寫是无量壽宗要經能消五无間等一切重罪陀羅尼曰
南謨薄伽勃底 阿波唎蜜多 阿喻紇硯那 須毗你悉指陀 囉佐耶 怛他羯他耶 怛姪他唵 薩
婆桑悉迦囉 波唎輸底 達磨底 伽伽那 莎訶某特伽底 薩婆婆毗輸底 摩訶娜耶
波唎婆唎莎訶 十五 若有自書寫教人書寫是无量壽宗要經受持讀誦設有
罪猶如須弥盡能除滅 陀羅尼曰 南謨薄伽勃底 阿波唎蜜多 阿喻紇硯那 須毗你悉
指陀 囉佐耶 怛他羯他耶 怛姪他唵 薩婆桑悉迦囉 波唎輸底 達磨底 伽伽那 莎訶
某特伽底 薩婆婆毗輸底 摩訶娜耶 波唎婆唎莎訶 十五 若有自書寫教人書寫
是无量壽宗要經受持讀誦若魔王之眷屬諸天夜叉羅剎不得其便終无枉死陀
羅尼曰 南謨薄伽勃底 阿波唎蜜多 阿喻紇硯那 須毗你悉指陀 囉佐耶 怛他羯他耶
怛姪他唵 薩婆桑悉迦囉 波唎輸底 達磨底 伽伽那 莎訶某特伽底 薩婆婆毗輸
底 摩訶娜耶 波唎婆唎莎訶 十五 若有自書寫教人書寫是无量壽宗要經
受持讀誦當命終時有九十九殑伽佛現其人前來千佛受手能遊一切佛剎莫於
此經生於疑惑陀羅尼曰 南謨薄伽勃底 阿波唎蜜多 阿喻紇硯那 須毗你悉指陀
囉佐耶 怛他羯他耶 怛姪他唵 薩婆桑悉迦囉 波唎輸底 達磨底 伽伽那 莎訶
某特伽底 薩婆婆毗輸底 摩訶娜耶 波唎婆唎莎訶 十五 若有自書寫教人書
寫是无量壽宗要經受持讀誦常得四天大王隨其擁衛陀羅尼曰 南謨
薄伽勃底 阿波唎蜜多 阿喻紇硯那 須毗你悉指陀 囉佐耶 怛他羯他耶 怛姪他唵 薩
婆桑悉迦囉 波唎輸底 達磨底 伽伽那 莎訶某特伽底 薩婆婆毗輸
底 摩訶娜耶 波唎婆唎莎訶 十五 若有自書寫教人書寫是无量壽
宗要經受持讀誦當得往生西方極樂世界阿弥陀淨土陀羅尼曰
南謨薄伽勃底 阿波唎蜜多 阿喻紇硯那 須毗你悉指陀 囉佐耶 怛他羯他耶 怛
姪他唵 薩婆桑悉迦囉 波唎輸底 達磨底 伽伽那 莎訶某特伽底
薩婆婆毗輸底 摩訶娜耶 波唎婆唎莎訶 十五
若有方所自書寫使人書寫是无量壽經典之處即為是塔皆應恭敬作礼
若是畜生或為鳥獸得是經知是等類皆當不久得成一切種智陀羅尼曰 南謨薄
伽勃底 阿波唎蜜多 阿喻紇硯那 須毗你悉指陀 囉佐耶 怛他羯他耶 怛姪他唵 薩婆
桑悉迦囉 波唎輸底 達磨底 伽伽那 莎訶某特伽底 薩婆婆毗輸底 摩訶娜耶
波唎婆唎莎訶 十五 若有於无量壽經自書寫若使人書畢竟不受女人之身陀
羅尼曰 南謨薄伽勃底 阿波唎蜜多 阿喻紇硯那 須毗你悉指陀 囉佐耶 怛他羯他
耶 怛姪他唵 薩婆桑悉迦囉 波唎輸底 達磨底 伽伽那 莎訶某特伽底 薩婆
婆毗輸底 摩訶娜耶 波唎婆唎莎訶 十五 若有能於是經少分能惠施者等於三千
[illegible]

BD00329號　無量壽宗要經

（4–3）

天千世界滿中七寶布施陁羅尼曰 南謨薄伽勃帝 阿波唎蜜多 阿喻紇硯娜 須
你悉指陁 囉佐耶 怛他羯他耶 怛姪他唵 薩婆桑悉迦羅 波唎輸底 達磨底 伽迦娜
莎訶其特迦底 薩婆婆毗輸底 摩訶娜耶 波唎波唎莎訶 若有能供養是經者則
是供養一切諸經等无有異陁羅尼曰 南謨薄伽勃帝 阿波唎蜜多 阿喻紇硯娜
須毗你悉指陁 囉佐耶 怛他羯他耶 怛姪他唵 薩婆桑悉迦羅 波唎輸底 達磨底
伽迦娜 莎訶其特迦底 薩婆婆毗輸底 摩訶娜 波唎婆唎莎訶 如是毗婆尸佛
尸弃佛 毗舍浮佛 俱留孫佛 俱那含牟尼佛 迦葉佛 釋迦牟尼佛 若有人以七寶
供養如是七佛其福有限書寫受持是无量壽經典所有功德不可限量陁羅尼曰
南謨薄伽勃帝 阿波唎蜜多 阿喻紇硯娜 須毗你悉指陁 囉佐耶 怛他羯他耶 怛姪他唵
薩婆桑悉迦羅 波唎輸底 達磨底 伽迦娜 莎訶其特迦底 薩婆婆毗輸底 摩訶
娜耶 波唎婆唎莎訶 若有七寶等於須弥以用布施其福上能知其限量是无
量壽經典其福不可知數陁羅尼曰 南謨薄伽勃帝 阿波唎蜜多 阿喻紇硯娜 須毗你
悉指陁 囉佐耶 怛他羯他耶 怛姪他唵 薩婆桑悉迦羅 波唎輸底 達磨底 伽迦娜 莎
訶其特迦底 薩婆婆毗輸底 摩訶娜耶 波唎婆唎莎訶 如是四天海水可知渧數
是无量壽經典所生果報不可數量陁羅尼曰 南謨薄伽勃帝 阿波唎蜜多 阿喻
紇硯娜 須毗你悉指陁 囉佐耶 怛他羯他耶 怛姪他唵 薩婆桑悉迦羅 波唎輸底 達磨底
伽迦娜 莎訶其特迦底 薩婆婆毗輸底 摩訶娜耶 波唎婆唎莎訶 若有自書使
人書寫是无量壽經典又能護持供養即如恭敬供養一切十方佛土如來无有別
異陁羅尼曰 南謨薄伽勃帝 阿波唎蜜多 阿喻紇硯娜 須毗你悉指陁 囉佐耶 怛他羯他
耶 怛姪他唵 薩婆桑悉迦羅 波唎輸底 達磨底 伽迦娜 莎訶其特迦底 薩婆婆毗輸
底 摩訶娜耶 波唎婆唎莎訶

布施力能成正覺 悟布施力人師子 布施力能聲普聞 慈悲階漸最能入
持戒力能成正覺 悟持戒力人師子 持戒力能聲普聞 慈悲階漸最能入
忍辱力能成正覺 悟忍辱力人師子 忍辱力能聲普聞 慈悲階漸最能入
精進力能成正覺 悟精進力人師子 精進力能聲普聞 慈悲階漸最能入
禪定力能成正覺 悟禪定力人師子 禪定力能聲普聞 慈悲階漸最能入
智慧力能成正覺 悟智慧力人師子 智慧力能聲普聞 慈悲階漸最能入

尒時如來說是經已一切世間天人阿脩羅揵闥婆等聞佛所
說皆大歡喜信受奉行

佛說无量壽宗要經卷

BD00329 號　無量壽宗要經　（4–4）

BD00329 號背　題名　（1–1）

大般

尒時文殊師利白佛

疑心唯願如來重爲

男子云何疑心汝當說

利言純陁心疑如來常住以淂知

故若見佛性而爲常者本未見時應是无常

若本无常後亦應尒何以故如世間物本无

今有已有還无如是等物悉是无常以是義

故諸佛菩薩聲聞緣覺无有差別尒時世尊

即說偈言

本有今无　本无今有　三世有法　无有是處

善男子以是義故諸佛菩薩聲聞緣覺亦有

差別亦无差別文殊師利讚言善哉誠如聖

教我今始解諸佛菩薩聲聞緣覺亦有差別

亦无差別

迦葉菩薩白佛言世尊如來所說諸佛菩薩

聲聞緣覺性无差別唯願如來分別廣說利

益安樂一切衆生佛言善男子諦聽諦聽當

爲汝說善男子譬如長者若長者子多畜乳

牛有種種色常令一人守護將養是人有時

BD00330 號　大般涅槃經（北本）卷一〇　（23–1）

益安樂一切衆生佛言善男子諦聽諦聽當

爲汝說善男子譬如長者若長者子多畜乳

牛有種種色常令一人守護將養是人有時

爲祠祀故盡攞諸牛著一器中見其乳色同

一白色尋便驚怪牛色各異其乳云何皆同

一色是人思惟如此一切皆是衆生業報因

緣令乳色一善男子聲聞緣覺菩薩亦尒同

一佛性猶如彼乳所以者何同盡漏故而諸

衆生言佛菩薩聲聞緣覺而有差別有諸聲

聞凡夫之人疑於三乘云何无別是諸衆生

久後自解一切三乘同一佛性猶如彼人悟

解乳相由業因緣

復次善男子譬如金鑛陶鍊滓穢然後消融

成金之後價直无量善男子聲聞緣覺菩薩

亦尒皆得成就同一佛性何以故除煩惱故

如彼金鑛除諸滓穢以是義故一切衆生同

一佛性无有差別以其先聞如來密藏後成

佛時自然得知如彼長者知乳一相何以故

以斷无量億煩惱故

迦葉菩薩白佛言世尊若一切衆生有佛性

者佛與衆生有何差別如是說者多有過咎

若諸衆生皆有佛性何因緣故舍利弗等以

小涅槃而般涅槃緣覺之人於中涅槃而般

BD00330 號　大般涅槃經（北本）卷一〇　（23–2）

若諸衆生皆有佛性何因緣故舍利弗等以
小涅槃而般涅槃緣覺之人於中涅槃而般
涅槃菩薩之人於大涅槃而般涅槃如是等
人若同佛性何故不同如來涅槃不般涅槃
善男子諸佛世尊所得涅槃非諸聲聞緣覺
所得以是義故大般涅槃名爲善有世若无
佛非无二乘得二涅槃迦葉復言是義云何
佛言无量无邊阿僧祇劫乃有一佛出現於
世開示三乘善男子如汝所言菩薩二乘无
差別者我先於此如來密藏大涅槃中以說
其義諸阿羅漢无有善友何以故諸阿羅漢
悉當得是大涅槃故以是義故大般涅槃有
畢竟樂是故名爲大般涅槃
迦葉言如佛說者我今始知差別之義无差
別義何以故一切菩薩聲聞緣覺未來之世
皆當歸於大般涅槃譬如衆流歸於大海是
故聲聞緣覺之人悉名爲常非是无常以是
義故亦有差別亦无差別迦葉言云何性差
別佛言善男子聲聞如乳緣覺如酪菩薩之
人如生熟蘇諸佛世尊猶如醍醐以是義故
大涅槃中說四種性而有差別迦葉復言一
切衆生性相云何佛言善男子如牛新生乳
血未別凡夫之性雜諸煩惱亦復如是
迦葉復言拘尸那城有旃陁羅名曰歡喜佛

BD00330號　大般涅槃經（北本）卷一〇　（23-3）

切衆生性相云何佛言善男子如牛新生乳
血未別凡夫之性雜諸煩惱亦復如是
迦葉復言拘尸那城有旃陁羅名曰歡喜佛
記是人由一發心當於此界千佛數中速成
无上正真之道以何等故如來不記尊者舍
利弗目揵連等速成佛道
佛言善男子或有聲聞緣覺菩薩作誓願言
我當久久護持正法然後乃成无上佛道以
發速願故與速記復次善男子譬如商人有
无價寶詣市賣之愚人見之不識輕咲寶主
唱言我此寶珠價直无數聞已復咲各各相
謂此非真寶是頗梨珠善男子聲聞緣覺亦
復如是若聞速記則便懈怠輕咲薄賤如彼
愚人不識真寶於未來世有諸比丘不能勉
懃脩習善法貧窮困苦飢餓所逼因是出家
長養其身心志輕躁邪命諂曲若聞如來授
諸聲聞速疾記者便當大咲輕慢毀呰當知
是等即是破戒自言已得過人之法以是義
故隨發速願故與速記護正法者爲授遠記
迦葉菩薩復白佛言世尊菩薩摩訶薩云何
當得不壞眷屬佛告迦葉若諸菩薩懃加精
進欲護正法以是因緣所得眷屬不可沮壞
迦葉菩薩復白佛言世尊何因緣故衆生得
此脣口乾燋佛告迦葉若有不識三寶常存

BD00330號　大般涅槃經（北本）卷一〇　（23-4）

當得不壞眷屬佛告迦葉若諸菩薩勤加精
進欲護正法以是因緣所得眷屬不可俎壞
迦葉菩薩復白佛言世尊何因緣故衆生得
此脣口乾燋佛告迦葉若有不識三寶常存
以是因緣脣口乾燋如人口爽不知酷苦辛
酢醎淡六味差別一切衆生愚癡无智不識
三寶是長存法是故名為脣口乾燋復次善
男子若有衆生不知如來是常住者當知是
人則為生盲若知如來是常住者如是之人
雖有肉眼我說是等名為天眼復次善男子
若有能知如來是常當知是人久已脩習如
是經典我說是等之名天眼雖有天眼而不
能知如來是常我說斯等名為肉眼是人乃
至不識自身手脚支節之復不能令他識知
以是義故名為肉眼
復次善男子如來常為一切衆生而作父母
所以者何一切衆生種種形類二足四足多
足无足佛以一音而為說法彼彼異類各自
得解各各嘆言如來今日為我說法以是義
故名為父母
復次善男子如人生子始十六月雖復語言
未可解了而彼父母欲教其語先同其音漸
漸教之是父母語可不正耶不也世尊善男
子諸佛如來之復如是隨諸衆生種種音聲

BD00330號　大般涅槃經（北本）卷一〇　（23–5）

復次善男子如人生子始十六月雖復語言
未可解了而彼父母欲教其語先同其音漸
漸教之是父母語可不正耶不也世尊善男
子諸佛如來之復如是隨諸衆生種種音聲
而為說法為令安住於正法故隨所應見而
為示現種種形像如來如是同彼語言可不
正耶不也世尊何以故如來所說如師子吼
隨順世間種種音聲而為衆生嘆說妙法
大般涅槃經一切大衆所問品第五
尒時世尊從其面門放種種色青黃赤白紅
紫光明照純陁身純陁遇已與諸眷屬持諸
餚饍疾往佛所欲奉如來及比丘僧寂後供
養種種器物充滿具足持至佛前尒時有大
威德天人而遮其前周匝圍遶謂純陁言且
住純陁勿使奉施當尒之時如來復放无量
无邊種種光明諸天大衆遇斯光已尋聽純
陁前至佛所奉其所施尒時天人及諸衆生
各各自取所持供養至於佛前長跪白佛唯
願如來聽諸比丘受此飲食時諸比丘知是
時故執持衣鉢一心安詳尒時純陁為佛及
僧布置種種師子寶坐懸繒幡蓋華香瓔珞
尒時三千大千世界莊嚴微妙猶如西方安
樂國土尒時純陁住於佛前憂悲悵怏重白
佛言唯願如來猶見哀愍住壽一劫若減一

BD00330號　大般涅槃經（北本）卷一〇　（23–6）

尒時三千大千世界莊嚴微妙猶如西方安
樂國土尒時純陁住於佛前憂悲悵快重白
佛言唯願如來猶見哀憐住壽一劫若減一
劫佛告純陁汝欲令我久住世者宜當速奉
㝡後具足檀波羅蜜
尒時一切菩薩摩訶薩天人雜類異口同音
唱如是言奇哉純陁成大福德能令如來受
取㝡後无上供養而我等輩无福所致所設
供具則為唐捐尒時世尊欲令一切衆望滿
足於自身上一一毛孔化无量佛一一諸佛
各有无量諸比丘僧是諸世尊及无量衆悉
皆示現受其供養釋迦如來自受純陁所奉
設者尒時純陁所持粳粮成熟之食摩伽陁
國滿足八斛以佛神力皆悉充足一切大會
尒時純陁見是事已心生歡喜踊躍无量一
切大衆亦復如是尒時大衆承佛聖旨各作
是念如來今已受我等施不久便當入於涅
槃作是念已心生悲喜尒時樹林其地狹小
以佛神力如針鋒處皆有无量諸佛世尊及
其眷屬等坐而食所食之物亦无差別是時
天人阿脩羅等啼泣悲嘆而作是言如來今
日已受我等㝡後供養受供養已當般涅槃
我等當復更供養誰我今永離无上調御盲
[illegible]

天人阿脩羅等啼泣悲嘆而作是言如來今
日已受我等㝡後供養受供養已當般涅槃
我等當復更供養誰我今永離无上調御盲
无眼目尒時世尊為欲慰喻一切大衆而說
偈言
汝等莫悲歎　諸佛法應尒　我入於涅槃　已逕无量劫
常受㝡勝樂　永處安隱處　汝今至心聽　我當說涅槃
我已離食想　終无飢渴患　我今當為汝　說其隨順願
令諸一切衆　咸得安隱樂　汝聞應脩行　諸佛法常住
假使烏角鵄　同共一樹棲　猶如親兄弟　尒乃永涅槃
如來視一切　猶如羅睺羅　常為衆生尊　云何永涅槃
假使蛇鼠狼　同處一穴遊　相愛如兄弟　尒乃永涅槃
如來視一切　猶如羅睺羅　常為衆生尊　云何永涅槃
假使七葉華　轉為婆師香　迦留迦菓樹　轉為鎮頭菓
如來視一切　猶如羅睺羅　云何捨慈悲　永入於涅槃
假使一闡提　現身成佛道　永處第一樂　尒乃入涅槃
如來視一切　皆如羅睺羅　云何捨慈悲　永入於涅槃
假使一切衆　一切成佛道　遠離諸過難　尒乃入涅槃
如來視一切　皆如羅睺羅　云何捨慈悲　永入於涅槃
假使蚊子尿　浸壞於大地　諸山及百川　大海悉盈滿
若有如是事　尒乃入涅槃　悲心視一切　皆如羅睺羅
常為衆生尊　云何永涅槃　以是故汝等　應深樂正法
不應生憂惱　號泣而啼哭　若欲自正行　應脩如來常
當觀如是[illegible]　[illegible]不變易　[illegible]　三寶皆常住

常為衆生尊　云何永涅槃　以是故汝等　應深樂正法
不應生憂惱　號泣而啼哭　若欲自正行　應脩如來常
當觀如是法　長存不變易　復應生是念　三寶皆常住
是則大擁護　如呪枯生葉　是名為三寶　四衆應善聽
聞已應歡喜　即發菩提心　若能計三寶　常住同真諦
此則是諸佛　最上之誓願
若有比丘比丘尼優婆塞優婆夷能以如來
最上誓願而發願者當知是人无有愚癡堪
受供養以此願力功德果報於世最勝如阿
羅漢若有不能如是觀了三寶常者是旃陁
羅若有能知三法常住實法因緣離苦安樂
无有嬈害能留難者尒時人天大衆阿脩羅
等聞是法已心生歡喜踊躍无量其心調柔
善滅諸蓋心无高下威德清淨顔貌怡悦知
佛常住是故施設諸天供養散種種華末香
塗香鼓天伎樂以供養佛
尒時佛告迦葉菩薩善男子汝見是衆希
有事不迦葉答言已見世尊見諸如來无量
无邊不可計稱受諸大衆人天所奉飯食供
養又見諸佛其身姝大所坐之處如一針鋒
多衆圍遶不相鄣㝵復見大衆悉發誓願說
十三偈亦知大衆各心念言如來今者獨受
我供假使純陁所奉飯食碎如微塵一塵一

多衆圍遶不相鄣㝵復見大衆悉發誓願說
十三偈亦知大衆各心念言如來今者獨受
我供假使純陁所奉飯食碎如微塵一塵一
佛猶不周遍以佛神力悉皆充足一切大衆
唯諸菩薩摩訶薩及文殊師利法王子等能
知如是希有事耳悉是如來方便示現聲聞
大衆及阿脩羅等皆知如來是常住法
尒時世尊告純陁言汝今所見為是希有奇
特事不實尒世尊我先所見无量諸佛卅二
相八十種好莊嚴其身今悉見為菩薩摩訶
薩體貌瓌異姝大殊妙唯見佛身喻如藥樹
為諸菩薩摩訶薩等之所圍繞佛告純陁汝
先所見无量佛者是我所化為欲利益一切
衆生令得歡喜如是菩薩摩訶薩等所可脩
行不可思議能作无量諸佛之事純陁汝今
皆已成就菩薩摩訶薩行得住十地菩薩所
行具足成辦
迦葉菩薩白佛言世尊如是如是如佛所說
純陁所脩成菩薩行我亦隨喜今者如來欲
為未來无量衆生作大明故說是大乘大涅
槃經世尊一切契經說有餘義无餘義耶善
男子我所說者亦有餘義亦无餘義純陁白
佛言世尊如佛所說

槃經世尊一切契經說有餘義无餘義耶善
男子我所說者亦有餘義亦无餘義純陁白
佛言世尊如佛所說
所有之物　布施一切　唯可讚嘆　无可毀損
世尊是義云何持戒毀戒有何差別佛言唯
除一人餘一切施皆可讚嘆純陁問言云何
名為唯除一人佛言如此經中所說破戒純
陁復言我今未解唯願說之佛言純陁言破
戒者謂一闡提其餘在所一切布施皆可讚
嘆獲大果報純陁復問一闡提者其義云何
佛言純陁若有比丘及比丘尼優婆塞優婆
夷發麤惡言誹謗正法造是重業永不改悔
心无慚愧如是等人名為趣向一闡提道若
犯四重作五逆罪自知定犯如是重事而心
初无怖畏慚愧不肯發露於彼正法永无護
惜建立之心毀呰輕賤言多過咎如是等人
亦名趣向一闡提道若復說言无佛法衆如
是等人亦名趣向一闡提道唯除如此一闡
提輩施其餘者一切讚嘆
尒時純陁復白佛言世尊所言破戒其義云
何佛言純陁若犯四重及五逆罪誹謗正法
如是等人名為破戒純陁復問如是破戒可
拔濟不佛言純陁有因緣故則可拔濟若被

何佛言純陁若犯四重及五逆罪誹謗正法
如是等人名為破戒純陁復問如是破戒可
拔濟不佛言純陁有因緣故則可拔濟若被
法服猶未捨遠其心常懷慚愧恐怖而自考
責咄哉何為犯斯重罪何其怪哉造斯苦業
其心改悔生護法心欲建正法有護法者我
當供養若有讀誦大乘典者我當諮問受持
讀誦既通利已復當為他分別廣說我說是
人不為破戒何以故善男子譬如日出能除
一切塵翳闇冥是大涅槃微妙經典出興於
世亦復如是能除衆生无量劫中所作衆罪
是故此經說護正法得大果報拔濟破戒若
有毀謗是正法者能自改悔還歸於法自念
所作一切不善如人自害心生恐怖驚懅慚
愧除此正法更无救護是故應當還歸正法
若能如是如說歸依布施是人得福无量亦
名世間應受供養若犯如上惡業之罪若逕
一月或十五日不生歸依發露之心若施是
人果報甚少犯五逆者亦復如是能生悔心
內懷慚愧今我所作不善之業甚為大苦我
當建立護持正法是則不名五逆罪也若施
是人得福无量犯逆罪已不生護法歸依之
心有施是者福不足言又善男子犯重罪者

是人得福无量犯逆罪已不生護法歸依之
心有施是者福不足言又善男子犯重罪者
汝今諦聽我當為汝分別廣說應生是心謂
正法者即是如來微密之藏是故我當護持
建立施是人者得勝果報善男子譬如女人
懷任垂產值國荒亂逃至他土在一天廟即
便生產聞其舊邦安隱豐熟携將其子欲還
本土中路值河水長暴急荷負是兒不能得
度即自念言我今寧與一處并命終不捨棄
而獨度也念已母子俱共沒命命終之後尋
生天中以慈念子欲令得度而是女人本性
弊惡以愛子故得生天中犯四重禁五无間
罪生護法心亦復如是雖復先為不善之業
以護法故得為世間无上福田是護法者有
如是等无量果報
純陀復言世尊若一闡提能自改悔恭敬供
養讚嘆三寶施如是人得大果報不佛言善
男子汝今不應作如是說善男子譬如有人
食菴羅菓吐核置地而復念言是菓核中應
有甘味即復還取破而嘗之其味極苦心生
悔恨恐失菓種即還收拾種之於地勤加脩
治以酥油乳隨時溉灌於意云何寧可生不
不也世尊假使天降无上甘雨猶亦不生善

BD00330 號　大般涅槃經（北本）卷一〇　（23–13）

治以酥油乳隨時溉灌於意云何寧可生不
不也世尊假使天降无上甘雨猶亦不生善
男子彼一闡提亦復如是燒滅善根當於何
處而得除罪善男子若生善心是則不名一
闡提也善男子以是義故一切所施所得果
報非无差別何以故施諸聲聞所得報異施
辟支佛得報亦異唯施如來獲无上果是故
說言一切所施非无差別純陀復言何故如
來而說此偈佛言純陀有因緣故我說此偈
王舍城中有優婆塞心无淨信奉事尼揵而
來問我布施之義以是因緣故說斯偈亦為
菩薩摩訶薩等說秘密藏義如斯偈者其義
云何一切者少分一切當知菩薩摩訶薩人
中之雄攝取持戒施其所須捨棄破戒如除
稊稗復次善男子如我昔日所說偈言
一切江河　必有迴曲　一切叢林　必名樹木
一切女人　必多諂曲　一切自在　必受安樂
尒時文殊師利菩薩摩訶薩即從坐起偏袒
右肩右膝著地前禮佛足而說偈言
非一切河　必有迴曲　非一切林　悉名樹木
非一切女　必懷諂曲　一切自在　不必受樂
佛所說偈其義有餘唯垂哀愍說其因緣何
以故世尊於此三千大千世界有諸名拘耶

BD00330 號　大般涅槃經（北本）卷一〇　（23–14）

非一切河　必有迴曲　非一切林　必名樹木
非一切女　必懷諂曲　一切自在　不必受樂
佛所說偈其義有餘唯垂哀愍說其因緣何
以故世尊於此三千大千世界有諸名拘耶
尼其諸有河端直不曲名娑婆耶喻如繩墨
直入西海如是河相於餘經中佛未曾說唯
願如来因此方等阿含經中說有餘義令諸
菩薩深解是義世尊譬如有人先識金鑛後
不識金如来之亦盡知法已而所演說有餘
不盡如来雖作如是餘說應當方便解其意
趣一切叢林必是樹木是之有餘何以故種
種金銀瑠璃寶樹是之名林一切女人必懷
諂曲是之有餘何以故之有女人善持禁戒
功德成就有大慈悲一切自在必受樂者是
之有餘何以故有自在者轉輪聖帝如来法
王不屬死魔不可滅盡梵釋諸天雖得自在
悉是无常若得常住无變易者乃名自在所
謂大乘大般涅槃佛言善男子汝今善得樂
說之辯且心諦聽文殊師利譬如長者身嬰
病苦良醫診之為合膏藥是時病者貪欲多
服醫語之言若能消者則可多服汝今體羸
不應多服當知是膏之名甘露之名毒藥若
多服不消則名為毒善男子汝今勿謂是醫
所說違失義理衆膏力勢善男子如来之亦

服醫語之言若能消者則可多服汝今體羸
不應多服當知是膏之名甘露之名毒藥若
多服不消則名為毒善男子汝今勿謂是醫
所說違失義理衆膏力勢善男子如来之亦
為諸國王后妃太子王子大臣因波斯匿王
王子后妃憍慢心故為欲調伏示現恐怖如
彼良醫故說偈言
一切江河　必有迴曲　一切叢林　必名樹木
一切女人　必懷諂曲　一切自在　必受安樂
文殊師利汝今當知如来所說无有漏失如
此大地可令反覆如来之言終无漏失以是
義故如来所說一切有餘尒時佛讚文殊師
利善哉善哉善男子汝已久知如是之義愍
衆一切欲令衆生得智慧故廣問如来如是
偈義尒時文殊師利法王之子復於佛前而
說偈言
於他言語　隨順不逆　亦不觀他　作以不作
但自觀身　善不善行
世尊如是說此法藥非為正說於他語言隨
順不逆者唯願如来垂哀正說何以故世尊
常說一切外學九十五種皆趣惡道聲聞弟
子皆向正路若護禁戒攝持威儀守慎諸根
如是等人深樂大法趣向善道如来何故於
九部中見有毀他則更可責如是偈義為何

順不逆者唯願如來垂哀正說何以故世尊
常說一切外學九十五種皆趣惡道聲聞弟
子皆向正路若護禁戒攝持威儀守慎諸根
如是等人深樂大法趣向善道如來何故於
九部中見有毀他則便呵責如是偈義為何
所趣佛告文殊師利善男子我說此偈亦不
盡為一切衆生爾時唯為阿闍世王諸佛世
尊若无因緣終不逆說有因緣故乃說之耳
善男子阿闍世王害其父已來至我所欲折
伏我作如是問云何世尊有一切知非一切
智耶若一切智調達往昔无量世中常懷惡
心隨逐如來欲為煞害云何如來聽其出家
善男子以是因緣我為是王而說此偈

於他語言　隨順不逆　亦不觀他　作以不作
但自觀身　善不善行

佛告大王汝今害父已作逆罪極重无間應
當發露以求清淨何緣乃更見他過咎善男
子以是義故我為彼王而說是偈復次善男
子亦為護持不毀禁戒成就威儀見他過者
而說是偈若復有人受他教誨遠離衆惡復
教他人令遠衆惡如是之人則我弟子爾時
世尊為文殊師利而說偈言

一切畏刀杖　无不愛壽命　恕己可為喻　勿煞勿行杖

爾時文殊師利復於佛前而說偈言

教他人令遠衆惡如是之人則我弟子爾時
世尊為文殊師利而說偈言

一切畏刀杖　无不愛壽命　恕己可為喻　勿煞勿行杖

爾時文殊師利復於佛前而說偈言

非一切畏杖　非一切愛命　恕己可為喻　懃作善方便

如來說是法句之義亦是未盡何以故如阿
羅漢轉輪聖王玉女象馬主藏大臣若諸天
人及阿脩羅執持利劍能害之者无有是處
勇士烈女馬王獸王持戒比丘雖復對至而
不恐怖以是義故如來說偈亦是有餘若言
恕己可為喻者是亦有餘何以故若使羅漢
以己喻彼則有我想及以命想若有我想及
以命想則應擁護凡夫亦應見阿羅漢悉是
行人若如是者即是耶見若有耶見命終之
時即應生於阿鼻地獄又復羅漢設於衆生
生害心者无有是處无量衆生亦復无能害
羅漢者佛言善男子言我想者謂於衆生生
大悲心无煞害想謂阿羅漢平等之心勿謂
世尊无有因緣而逆說也昔日於此王舍城
中有大獵師多煞羣鹿請我食宍我於是時
雖受彼請於諸衆生生慈悲心如羅睺羅而
說偈言

當令汝長壽　久久住於世　受持不害法　猶如諸佛壽

是故我說偈

說偈言
當令汝長壽　久久住於世　受持不害法　猶如諸佛壽
是故我說偈
一切畏刀杖　无不愛壽命　恕己可爲喻　勿煞勿行杖
佛言善哉善哉文殊師利爲諸菩薩摩訶薩
故諮問如來如是密教尒時文殊師利復說
是偈
云何敬父母　隨順而尊重　云何脩此法　墮於无間獄
於是如來復以偈荅文殊師利
若以貪愛母　无明以爲父　隨順尊重是　則墮无間獄
尒時如來復爲文殊師利菩薩重說偈言
一切屬他　則名爲苦　一切由己　自在安樂
一切憍慢　勢極暴惡　賢善之人　一切愛念
尒時文殊師利菩薩摩訶薩白佛言世尊如
來所說是亦不盡唯願如來復垂哀愍說其
因緣何以故如長者子從師學時爲屬師不
若屬師者義不成就若不屬者亦不成就若
得自在亦不成就是故如來所說有餘復次
世尊譬如王子无所綜習卑事不成是亦自
在愚闇常苦如是王子若言自在義亦不成
若言屬他義亦不成以是義故佛所說義名
爲有餘是故一切屬他不必受苦一切自在
不必受樂一切憍慢勢極暴惡是亦有餘世

BD00330號　大般涅槃經（北本）卷一〇　（23–19）

若言屬他義亦不成以是義故佛所說義名
爲有餘是故一切屬他不必受苦一切自在
不必受樂一切憍慢勢極暴惡是亦有餘世
尊如諸烈女憍慢心故出家學道護持禁戒
威儀成就守攝諸根不令馳散是故一切憍
慢之結不必暴惡賢善之人一切愛念是亦
有餘如人內犯四重禁已不捨法服堅持威
儀護持法者見已不愛是人命終必墮地獄
若有賢人犯重禁已護法見之即駈令出罷
道還俗以是義故一切賢善何必悉愛
尒時佛告文殊師利有因緣故如來於此說
有餘義又有因緣諸佛如來而說是法時王
舍城有一女人名曰善賢還父母家因至我
所歸依於我及法衆僧而作是言一切女人
勢不自由一切男子自在无㝵我於尒時知
是女心即爲宣說如是偈頌文殊師利善哉
善哉汝今能爲一切衆生問於如來如是密
語文殊師利復說偈言
一切諸衆生　皆依飲食存　一切有大力　其心无嫉妬
一切因飲食　而多得病苦　一切脩淨行　而得受安樂
如是世尊今受純陁飲食供養將无如來有
恐怖耶尒時世尊復爲文殊而說偈言
非一切衆生　盡依飲食存　非一切大力　心皆无嫉妬
非一切因食　而致病苦患　非一切淨行　悉得受安樂

BD00330號　大般涅槃經（北本）卷一〇　（23–20）

如是世尊今受𣏌陁歓食供養將无如来有
恐怖耶尒時世尊復為文殊而說偈言
非一切衆生　盡依飲食存　非一切大力　心皆无嫉妬
非一切因食　而致病苦患　非一切淨行　悉得受安樂
文殊師利汝若得病我亦如是應得病苦何
以故諸阿羅漢及辟支佛菩薩如来實无所
食但欲化彼示現受用无量衆生所施之物
令其具足檀波羅蜜拔濟地獄畜生餓鬼若
言如来六年苦行身羸瘦者无有是處諸佛
世尊獨拔諸有不同凡夫云何而得身羸劣
也諸佛世尊精懃脩習獲金剛身不同世人
危脆之身我諸弟子亦復如是不可思議不
依於食一切大力无嫉妬者亦有餘義如世
間人終身永无嫉妬之心而亦无力一切病
苦因食得者亦有餘義亦見有人得客病者
所謂刾刾刀劒鉾矟一切淨行受安樂者是
亦有餘世間亦有外道之人脩於梵行多受
苦惱以是義故如来所說一切有餘是名如
来非无因緣而說此偈有因故說昔日於此
優禪尼國有婆羅門名羖羝德来至我所欲
受第四八戒齋法我於尒時為說是偈
尒時迦葉菩薩白佛言世尊何等名為无餘
義耶云何復名一切義耶善男子一切者唯
除助道常樂善法是名一切亦名无餘其餘

尒時迦葉菩薩白佛言世尊何等名為无餘
義耶云何復名一切義耶善男子一切者唯
除助道常樂善法是名一切亦名无餘其餘
諸法亦名有餘亦名无餘欲令樂法諸善男
子知此有餘及无餘義迦葉菩薩心大歡喜
踊躍无量前白佛言甚奇世尊等視衆生如
羅睺羅尒時佛讚迦葉菩薩善哉善哉汝今
所見微妙甚深
迦葉菩薩白佛言世尊唯願如来說是大乘
大涅槃經所得功德佛告迦葉善男子若有
得聞是經名字所得功德非諸聲聞辟支佛
等所能宣說唯佛能知何以故不可思議是
佛境界何況受持讀誦通利書寫經卷尒時
諸天世人及阿脩羅即於佛前異口同音而
說偈言
諸佛難思議　法僧亦復然　是故今勸請　唯願少停住
尊者大迦葉　及以阿難等　二衆之眷屬　且待須臾至
并及摩伽王　阿闍世大王　至心敬信佛　猶故未来至
唯願於如来　小垂哀愍住　於此大衆中　斷我諸疑網
尒時如来為諸大衆而說偈言
我法最長子　是名大迦葉　阿難勤精進　能斷一切疑
汝等當諦觀　阿難多聞士　自然當解了　是常及无常
以是故不應　心懷於憂惱
尒時大衆以種種物供養如来供養佛已即

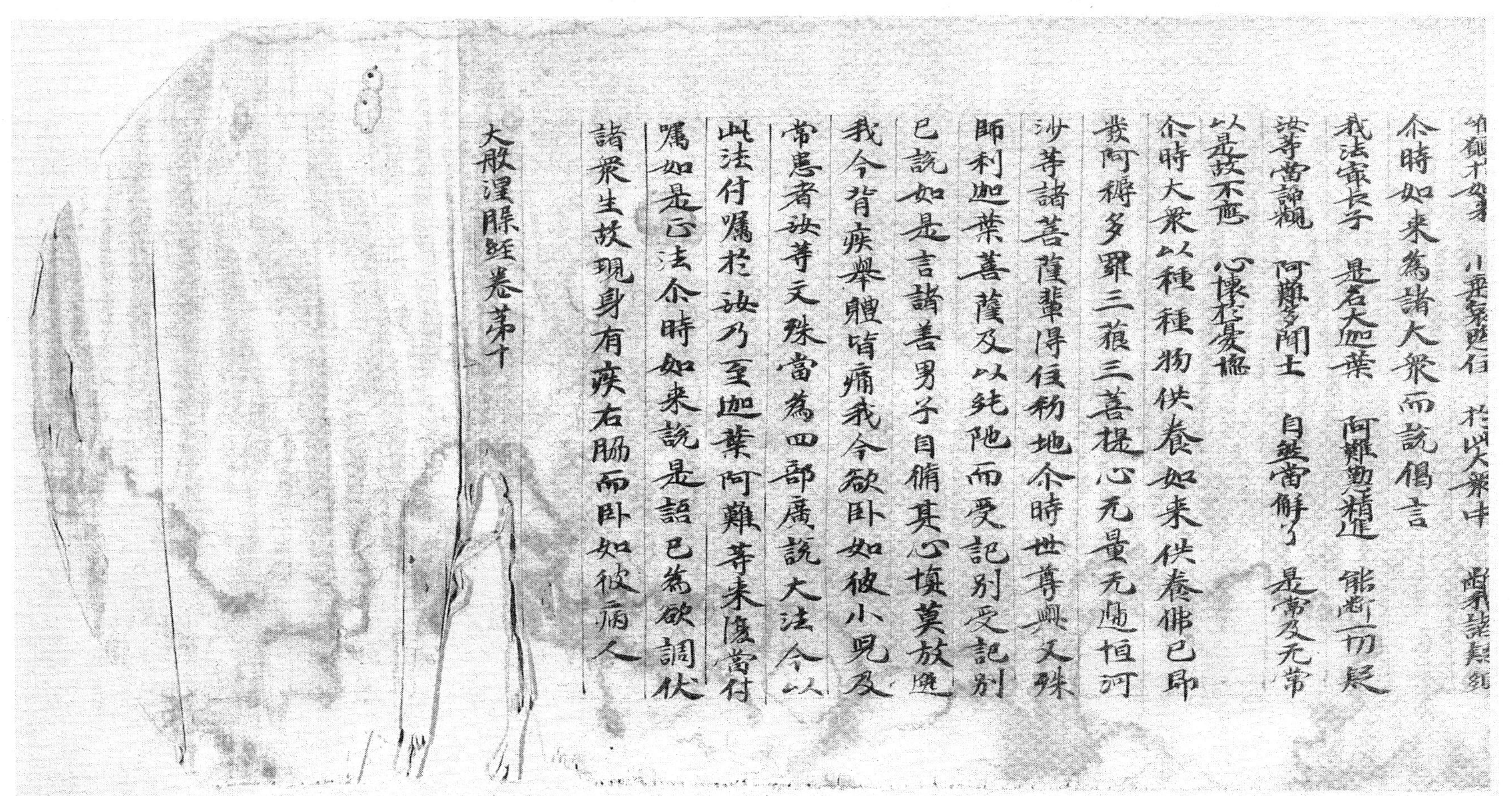
[illegible]
尒時如來為諸大衆而說偈言
我法寂長子　是名大迦葉　阿難勤精進　能斷一切疑
汝等當諦觀　阿難多聞士　自然當解了　是常及无常
以是故不應　心懷於憂惱
尒時大衆以種種物供養如來供養佛已即
發阿耨多羅三藐三菩提心无量无邊恒河
沙等諸菩薩輩得住初地尒時世尊與文殊
師利迦葉菩薩及以純陁而受記別受記別
已說如是言諸善男子自脩其心慎莫放逸
我今背疾舉體皆痛我今欲臥如彼小兒及
常患者汝等文殊當為四部廣說大法今以
此法付囑於汝乃至迦葉阿難等來復當付
囑如是正法尒時如來說是語已為欲調伏
諸衆生故現身有疾右脇而臥如彼病人
大般涅槃經卷第十

BD00330號　大般涅槃經（北本）卷一〇　（23–23）

[illegible]大神力威德熾盛諸天龍
等來至其處此中所有惡鬼耶神驚怖退散
无敢住者由此因緣是善男子善女人等心
便廣大起淨勝解所脩善業倍復增明諸有
所為皆无鄣礙以是故憍尸迦甚深般若波
羅蜜多隨所在處應當周帀除去糞穢掃拭
塗治香水散灑敷設寶座而安置之燒香散
花張施幰蓋寶幢幡鐸間飾其中衆妙珍奇
金銀寶器衣服纓絡伎樂燈明種種雜綵莊
嚴其處若能如是供養般若波羅蜜多甚深
經典便有无量具大神力威德熾盛諸天龍
等來至其處觀礼讀誦彼所書持甚深般若
波羅蜜多供養恭敬尊重讚歎合掌右遶歡
喜讚念復次憍尸迦是善男子善女人等若
能如是供養恭敬尊重讚歎甚深般若波羅
蜜多決定當得身心无倦身心安樂身心調
柔身心輕利繫心般若波羅蜜多夜寢息時
无諸惡夢唯得善夢謂見如來應正等覺身
真金色相好莊嚴放大光明普照一切聲聞
菩薩前後圍遶身處衆中聞佛為說布施淨
戒安忍精進靜慮般若波羅蜜多乃至无上
正等菩提相應之法復聞分別布施淨戒安
忍精進靜慮般若波羅蜜多乃至无上正等
菩提相應之義或於夢中見菩提樹其量高
廣衆寶莊嚴有菩薩摩訶薩往詣其下結跏

BD00331號　大般若波羅蜜多經卷五〇三　（21–1）

正等菩提相應之法復聞分別布施淨戒安
忍精進靜慮般若波羅蜜多乃至无上正等
菩提相應之義或於夢中見菩提樹其量高
廣衆寶莊嚴有菩薩摩訶薩往詣其下結跏
趺坐證得无上正等菩提轉妙法輪度有情
衆或於夢中見有无量百千俱胝那庾多數
大菩薩衆論議決擇種種法義謂應如是成
熟有情嚴淨佛土脩菩薩行降伏魔軍斷煩
惱習趣證无上正等菩提或復夢中見十方
界各有无量百千俱胝那庾多佛亦聞其聲
謂某世界有某如來應正等覺若干百千俱
胝那庾多菩薩摩訶薩聲聞弟子恭敬圍遶
說如是法或復夢中見十方界各有无量百
千俱胝那庾多佛入般涅槃彼一一佛般涅
槃後各有施主為供養佛設利羅故以妙七
寶各起无量百千俱胝那庾多數大窣堵波
復於一一窣堵波所各以无量上妙花鬘塗
散等香衣服瓔珞寶幢幡蓋衆妙珍奇伎樂
燈明經无量劫供養恭敬尊重讚歎憍尸迦
是善男子善女人等見如是類諸善夢相若
睡若覺身心安樂諸天神等益其精氣令彼
自覺身體輕便由此因緣不多貪著飲食醫
藥衣服臥具於四供養其心輕微如瑜伽師
入勝妙定由彼定力滋潤身心從定出已雖
遇美膳而心輕微此亦如是何以故憍尸迦
是善男子善女人等由此三千大千國土及
餘十方无邊世界一切如來應正等覺聲聞

入勝妙定由彼定力滋潤身心從定出已雖
遇美膳而心輕微此亦如是何以故憍尸迦
是善男子善女人等由此三千大千國土及
餘十方无邊世界一切如來應正等覺聲聞
菩薩天龍藥叉阿素洛等具大神力威德
者慈悲護念以妙精氣冥注身心令其志勇
體充盛故憍尸迦若善男子善女人等欲得
如是現在種種功德勝利應發一切智智心
以无所得為方便於此般若波羅蜜多甚深
經典至心聽聞受持讀誦精勤脩學如理思
惟書寫解說廣令流布憍尸迦若善男子善
女人等雖於般若波羅蜜多甚深經典不能
聽聞受持讀誦精勤脩學如理思惟廣為有
情宣說流布而但書寫衆寶嚴飾復持无量
上妙花鬘乃至燈明供養恭敬尊重讚歎亦
得如前所說種種功德勝利何以故憍尸迦
是善男子善女人等能廣利樂无量无邊諸
有情故復次憍尸迦若善男子善女人等以
應一切智智心用无所得為方便於此般若
波羅蜜多甚深經典至心聽聞受持讀誦精
勤脩學如理思惟書寫解說廣令流布復持
種種上妙花鬘乃至燈明而為供養是善男
子善女人等所獲福聚无量无邊勝餘有情
盡其形壽以无量種上妙飲食衣服臥具醫
藥資緣供養十方一切世界諸佛菩薩及聲
聞衆亦勝十方佛及弟子般涅槃後有為供
養設利羅故以妙七寶起窣堵波高廣嚴麗

藥資緣供養十方一切世界諸佛菩薩及聲
聞衆亦勝十方佛及弟子般涅槃後有爲供
養設利羅故以妙七寶起窣堵波高廣嚴飾
復以无量天妙花鬘乃至燈明盡其形壽供
養恭敬尊重讚歎何以故憍尸迦十方諸佛
及弟子衆皆因如是甚深般若波羅蜜多而
生長故

第三分佛設利羅品第七

尒時佛告天帝釋言憍尸迦假使充滿此贍
部洲佛設利羅以爲一分有書般若波羅蜜
多甚深經典復爲一分此二分中汝取何者
天帝釋言我意寧取甚深般若波羅蜜多所
以者何我於諸佛設利羅所非不信樂供養
恭敬尊重讚歎然諸佛身及設利羅皆因般
若波羅蜜多甚深經典而出生故皆由般若
波羅蜜多功德勢力所薰脩故乃爲一切世
間天人阿素洛等供養恭敬尊重讚歎時舍
利子謂帝釋言憍尸迦甚深般若波羅蜜多
无色无見无對一相所謂无相无相之法旣
不可取汝云何取何以故憍尸迦甚深般若
波羅蜜多无取无捨无增无減无聚无散无
益无損无染无淨不與諸佛菩薩獨覺聲聞
之法不棄愚夫異生之法不與无爲界不弃
有爲界不與諸空不弃諸有不與波羅蜜多
乃至一切相智不棄一切雜染之法尒時天
帝釋報舍利子言如是如是誠如所說大德

BD00331號　大般若波羅蜜多經卷五〇三　（21-4）

乃至一切相智不棄一切雜染之法尒時天
帝釋報舍利子言如是如是誠如所說大德
若如實知甚深般若波羅蜜多无色无見无
對一相所謂无相无取无捨乃至不與一切
相智不棄一切雜染之法是爲真取甚深般
若波羅蜜多亦真脩行甚深般若波羅蜜多
所以者何般若靜慮精進安忍淨戒布施波
羅蜜多不隨二行无二相故尒時佛讚天帝
釋言善哉善哉如汝所說甚深般若波羅蜜
多乃至布施波羅蜜多不隨二行无二相故
憍尸迦諸有欲令甚深般若波羅蜜多乃至
布施波羅蜜多有二相者則爲欲令真如乃
至不思議界亦有二相何以故憍尸迦甚深
般若波羅蜜多乃至布施波羅蜜多與真如
乃至不思議界皆无二无二分故時天帝釋
復白佛言甚深般若波羅蜜多世間天人阿
素洛等皆應至誠礼拜右遶供養恭敬尊重
讚歎所以者何一切菩薩摩訶薩衆皆於般
若波羅蜜多精勤脩學證得无上正等菩提
世尊如我坐在三十三天善法殿中天帝座
上爲諸天衆宣說正法時有无量諸天子等
來至我所聽我所說供養恭敬尊重讚歎右
遶礼拜合掌而去我若不在彼法座時諸天
子等亦來其處雖不見我如我在時恭敬供
養咸言此處是天帝釋爲諸天等說法之座
我等皆應如天主在供養右遶礼拜而去世

BD00331號　大般若波羅蜜多經卷五〇三　（21-5）

養咸言此處是天帝釋為諸天等說法之座
我等皆應如天主在供養右遶礼拜而去世
尊如是般若波羅蜜多若有書寫受持讀誦
廣為有情宣說流布當知是處恒有此土并
餘十方无邊世界无量无數天龍藥叉阿素
洛等皆來集會設无說者欲重法故亦於是
處供養恭敬尊重讚歎礼拜而去何以故一
切如來應正等覺及諸菩薩摩訶薩衆獨覺
聲聞一切有情所有樂具皆依般若波羅蜜
多而得有故佛設利羅亦由般若波羅蜜多
功德薰脩受供養故世尊甚深般若波羅蜜
多與諸菩薩摩訶薩行及所證得一切智智
為因為緣為所依止為能引發是故我說假
使充滿此贍部洲佛設利羅以為一分有書
般若波羅蜜多甚深經典復為一分此二分
中我意寧取甚深般若波羅蜜多世尊我於
此甚深般若波羅蜜多受持讀誦正憶念時
心契法故都不見有諸怖畏相所以者何甚
深般若波羅蜜多无相无狀无言无說由深
般若波羅蜜多无相无狀无言无說靜慮等
五波羅蜜多廣說乃至一切相智亦无相无
狀无言无說世尊若深般若波羅蜜多有相
有狀有言有說非无相狀及言說者不應如
來應正等覺知一切法无相无狀无言无說證
得无上正等菩提為諸有情說一切法无相
无狀无言无說世尊由深般若波羅蜜多无
相无狀无言无說非有相狀及有言說是故

无狀无言无說世尊由深般若波羅蜜多无
相无狀无言无說非有相狀及有言說是故
如來應正等覺知一切法无相无狀无言无
說證得无上正等菩提為諸有情說一切法
无相无狀无言无說世尊是故般若波羅蜜
多甚深經典應受一切世間天人阿素洛等
以无量種上妙花鬘乃至燈明供養恭敬尊
重讚歎世尊若有於此甚深般若波羅蜜多
至心聽聞受持讀誦精勤脩學如理思惟書
寫解說廣令流布復以无量上妙花鬘乃至
燈明供養恭敬尊重讚歎決定不復墮諸惡
趣邊鄙達絮蔑戾車中不墮聲聞獨覺等地
必趣无上正等菩提常見諸佛恒聞正法不
離善友嚴淨佛土成熟有情從一佛國至一
佛國以无量種上妙供具供養恭敬尊重讚
歎諸佛世尊及諸菩薩摩訶薩衆
復次世尊假使充滿三千世界佛設利羅以
為一分有書般若波羅蜜多甚深經典復為
一分此二分中我意寧取甚深般若波羅蜜
多何以故一切如來應正等覺及三千界佛
設利羅皆從般若波羅蜜多而出生故又三
千界佛設利羅皆由般若波羅蜜多功德勢
力所薰脩故得諸天人阿素洛等供養恭敬
尊重讚歎由此因緣若善男子善女人等供
養恭敬尊重讚歎佛設利羅決定不生諸險
惡趣常生善趣受諸富樂隨心所願乘三乘
法畢竟證得三乘[illegible]

尊重讚歎由此因緣若善男子善女人等供
養恭敬尊重讚歎佛設利羅決定不生諸險
惡趣常生善趣受諸富樂隨心所願乘三乘
法畢竟證得三乘涅槃復次世尊諸善男子
善女人等若見如來應正等覺若見般若波
羅蜜多甚深經典此二功德平等无異何以
故甚深般若波羅蜜多是諸如來應正等覺
平等无二无二分故復次世尊若有如來應正
等覺住三示道為諸有情宣說正法所謂契
經乃至論議若善男子善女人等於深般若
波羅蜜多受持讀誦廣為他說此二功德平
等无異何以故若彼如來應正等覺若三示
導若所宣說十二分教皆依般若波羅蜜多
而出生故復次世尊若十方界如殑伽沙
諸佛世尊住三示道為諸有情宣說正法所
謂契經乃至論議若善男子善女人等於深
般若波羅蜜多受持讀誦廣為他說此二功
德平等无異何以故若十方界如殑伽沙諸
佛世尊若三示道若所宣說十二分教皆依
般若波羅蜜多而出生故復次世尊若善男
子善女人等以无量種上妙花鬘乃至燈明
供養恭敬尊重讚歎十方世界如殑伽沙諸
佛世尊有善男子善女人等書持般若波羅
蜜多甚深經典復以種種上妙花鬘乃至燈
明供養恭敬尊重讚歎此二功德平等无異
何以故諸佛世尊皆依般若波羅蜜多而出
生故復次世尊若善男子善女人等於深般

BD00331號　大般若波羅蜜多經卷五〇三　（21-8）

[illegible]
明供養恭敬尊重讚歎此二功德平等无異
何以故諸佛世尊皆依般若波羅蜜多而出
生故復次世尊若善男子善女人等於深般
若波羅蜜多至心聽聞受持讀誦精勤脩學
如理思惟書寫解說廣令流布彼於當來不
墮地獄傍生鬼界不墮聲聞及獨覺地何以
故是善男子善女人等決定當住不退轉地
遠離一切災橫疾疫衰惱怖畏如負債人怖
畏債主即便親近奉事國王依王勢力得免
怖畏王喻般若波羅蜜多彼負債人喻善男
子善女人等依恃般若波羅蜜多得離一切
衰惱怖畏世尊譬如有人依附王故王攝受
故為諸世人供養恭敬尊重讚歎佛設利羅
亦復如是由深般若波羅蜜多所熏脩故為諸
天人阿素洛等供養恭敬尊重讚歎王喻般
若波羅蜜多佛設利羅喻依王者世尊諸佛
所得一切智智亦依般若波羅蜜多而得成
就是故我說假使充滿此三千界佛設利羅
以為一分有書般若波羅蜜多甚深經典復
為一分此二分中我意寧取甚深般若波羅
蜜多何以故佛設利羅堅喻金剛具種種色
三十二相八十隨好所莊嚴身如來十力廣
說乃至一切相智皆由般若波羅蜜多而成
辦故布施等五波羅蜜多皆由般若波羅蜜
多名到彼岸何以故若般若波羅蜜多施等
不能到彼岸故復次世尊若此三千大千
[illegible]

BD00331號　大般若波羅蜜多經卷五〇三　（21-9）

說乃至一切相智皆由般若波羅蜜多而成
辦故布施等五波羅蜜多皆由般若波羅蜜
多名到彼岸何以故若般若波羅蜜多施等
不能到彼岸故復次世尊若此三千大千
世界或餘世界所有王都城邑聚落其中若
有受持讀誦書寫解說供養恭敬甚深般若
波羅蜜多是處有情不為一切人非人等之
所惱害唯除決定惡業應受此中有情漸次
脩學三乘出行隨其所願乃至證得三乘涅
槃復次世尊甚深般若波羅蜜多於三千界
作大饒益具大神力隨所在處則為有佛作
大佛事所謂利樂一切有情世尊辟如无價
大寶神珠具无量種勝妙威德隨所住處有
此神珠人及非人終无惱害設有男子或復
女人為鬼所執身心苦惱若有持此神珠示
之由珠威力鬼便捨去諸有熱病或風或淡
或熱風淡合集為病若有繫此神珠著身如
是諸病无不除愈此珠在闇能作照明熱時
能涼寒時能煖隨地方所有此神珠時節調
和不寒不熱若地方所有此神珠蛇蝎等毒
无敢停止設有男子或復女人為毒所中楚
痛難忍若有持此神珠令見珠威勢故毒即
消滅若諸有情身嬰癩疾惡瘡腫疱目睛翳
等眼病耳病鼻病舌病喉病身病諸支節病
帶此神珠眾病皆愈若諸池沼泉井等中其
水濁穢或將枯涸以珠投之水便盈滿香潔
澄淨具八功德若以青黃赤白紅紫碧綠雜

BD00331號　大般若波羅蜜多經卷五〇三

（21–10）

帶此神珠眾病皆愈若諸池沼泉井等中其
水濁穢或將枯涸以珠投之水便盈滿香潔
澄淨具八功德若以青黃赤白紅紫碧綠雜
綺種種色衣裹此神珠投之於水水隨衣綵
作種種色如是无價大寶神珠威德无邊說
不能盡若置箱篋亦令其器具足成就无邊
威德設空箱篋由曾置珠其器仍為眾人愛
重具壽慶喜問帝釋言如是神珠為天獨有
人亦有耶天帝釋言人中天上俱有此珠若
在人中形小而重若在天上形大而輕又人
中珠相不具足在天上者其相周圓天上神
珠威德殊勝无量倍數過人所有時天帝釋
復白佛言甚深般若波羅蜜多亦復如是為
眾德本能滅无量惡不善諸法隨所在處令諸
有情身心苦惱皆悉除滅人非人等不能為
害世尊所說无價大寶神珠非但喻於甚深
般若波羅蜜多亦喻如來一切智智亦喻靜
慮乃至布施波羅蜜多亦喻內空乃至无性
自性空亦喻四念住乃至十八佛不共法亦
喻真如乃至不思議界亦喻无忘失法恒住
捨性亦喻一切智道相智一切相智亦喻一
切陁羅尼門三摩地門亦喻无量无邊佛法何
以故如是功德皆由般若波羅蜜多大神咒
王之所引顯功德深廣无量无邊佛設利羅
由諸功德所薰脩故佛涅槃後堪受一切世
間天人阿素洛等供養恭敬尊重讚歎復次
世尊佛設利羅是極圓滿最勝清淨般若靜

BD00331號　大般若波羅蜜多經卷五〇三

（21–11）

由諸功德所熏脩故佛涅槃後堪受一切世
間天人阿素洛等供養恭敬尊重讚歎復次
世尊佛設利羅是極圓滿最勝清淨般若靜
慮精進安忍淨戒布施波羅蜜多廣說乃至
永斷煩惱習氣相續及餘无量无邊佛法所
依器故佛涅槃後堪受一切世間天人阿素
洛等供養恭敬尊重讚歎復次世尊佛設利
羅是極圓滿最勝清淨功德珍寶波羅蜜多
所依器故是極圓滿最勝清淨无染无淨无
生无滅无入无出无增无減无來无去无動
无止无此无彼波羅蜜多所依器故是極圓
滿最勝清淨諸法實性波羅蜜多所依器故
佛涅槃後堪受一切世間天人阿素洛等供
養恭敬尊重讚歎復次世尊置三千界佛設
利羅假使充滿十方各如殑伽沙界佛設羅
羅以為一分有書般若波羅蜜多甚深經典
復為一分此二分中我意寧取甚深般若波
羅蜜多何以故一切如來應正等覺及設利
羅皆因般若波羅蜜多而出生故皆由般若
波羅蜜多所熏脩故皆為般若波羅蜜多所
依器故堪受一切世間天人阿素洛等供養
恭敬尊重讚歎世尊若善男子善女人等供
養恭敬尊重讚歎佛設利羅天上人中受諸
富樂无有窮盡人中所謂剎帝利大族乃至
居士大族天上所謂四大王衆天乃至他化
自在天即由如是殊勝善根至最後身得盡
苦際世尊若善男子善女人等於深般若波

BD00331號　大般若波羅蜜多經卷五〇三　（21–12）

居士大族天上所謂四大王衆天乃至他化
自在天即由如是殊勝善根至最後身得盡
苦際世尊若善男子善女人等於深般若波
羅蜜多至心聽聞受持讀誦書寫解說如理
思惟甚深般若波羅蜜多速得圓滿甚深般
若波羅蜜多得圓滿故復令靜慮波羅蜜多
乃至布施波羅蜜多及三十七菩提分法乃
至十八佛不共法亦得圓滿由此復能起諸
聲聞及獨覺地證入菩薩正性離生獲得菩
薩勝妙神通乘此神通遊諸佛國從一佛土
至一佛土供養恭敬尊重讚歎諸佛世尊
成熟有情嚴淨佛土發勝思願受種種身為欲
饒益諸有情故或作大輪王或作小輪王或
作大國王或作小國王或作剎帝利或作婆
羅門或作毗沙門或作天帝釋或作梵王或
作餘類利益安樂无量有情是故世尊我於
諸佛設利羅所非不信樂供養恭敬尊重讚
歎然於般若波羅蜜多甚深經典供養恭敬
尊重讚歎所獲功德甚多於彼由此因緣我
意寧取甚深般若波羅蜜多世尊若善男子
善女人等供養恭敬尊重讚歎甚深般若波
羅蜜多則為增長一切佛法亦為攝受世出
世間富樂自在如是已為供養恭敬尊重讚
歎佛設利羅及諸如來應正等覺爾時佛告
天帝釋言如是如是如汝所說
第三分福聚品第八
爾時天帝釋白佛言世尊若善男子善女人

BD00331號　大般若波羅蜜多經卷五〇三　（21–13）

天帝釋言如是如是如汝所說
第三分福聚品第八
尒時天帝釋白佛言世尊若善男子善女人
等欲得常見十方无量无數世界一切如來
應正等覺法身色身當於般若波羅蜜多甚
深經典至心聽聞受持讀誦精勤修學如理
思惟書寫解說廣令流布是善男子善女人
等既得常見十方无量无數世界一切如來應
正等覺法身色身漸次修行甚深般若波羅
蜜多令速圓滿是時應以法性修習觀佛隨
念世尊一切法性略有二種一者有為二者
无為云何名為有為法性謂內空乃至无性自
性空智若四念住乃至十八佛不共法智若善
非善法智若有記无記法智若有漏无漏法
智若有為无為法智若有罪无罪法智若世
間出世間法智若雜染清淨法智諸如是等
无量門智皆悉說名有為法性云何名為无
為法性謂一切法无生无滅无住无異无染
无淨无增无減无相无為无性自性如是說
名无為法性是善男子善女人等應以如是二
種法性於諸如來應正等覺修佛隨念尒時
佛告天帝釋言如是如是如汝所說憍尸迦
過去未來現在諸佛皆依般若波羅蜜多已
證當證現證无上正等菩提過去未來現在
諸佛聲聞弟子皆依般若波羅蜜多已得當
得現得預流一來不還阿羅漢果過去未來
現在獨覺皆依般若波羅蜜多已現當證獨

BD00331 號　大般若波羅蜜多經卷五〇三

（21–14）

諸佛聲聞弟子皆依般若波羅蜜多已得當
得現得預流一來不還阿羅漢果過去未來
現在獨覺皆依般若波羅蜜多已現當證獨
覺菩提何以故憍尸迦甚深般若波羅蜜多
祕密藏中廣說三乘相應法故然此所說以
无所得為方便故无性无相為方便故无生
无滅為方便故无染无淨為方便故无告无
作為方便故无入无出為方便故无增无減
為方便故无取无捨為方便故如是所說皆
依世俗不依勝義所以者何甚深般若波羅
蜜多非般若波羅蜜多非非般若波羅蜜多
非此岸非彼岸非中流非陸非水非高非下
非平等非不平等非有相非无相非世間非
出世間非有漏非无漏非有為非无為非善
非非善非有記非无記非過去非未來非現
在憍尸迦甚深般若波羅蜜多不與諸佛法
不與菩薩法不與獨覺法不與聲聞法亦不
棄捨異生諸法時天帝釋復白佛言甚深般
若波羅蜜多是大波羅蜜多是无上波羅蜜
多是无等等波羅蜜多諸菩薩摩訶薩修行
如是甚深般若波羅蜜多時雖知一切有情
心行境界差別而不得我不得有情乃至不得
知者見者亦不得色受想行識乃至不得六
觸為緣所生諸受亦復不得布施波羅蜜多
乃至般若波羅蜜多如是乃至不得十八佛
不共法及餘无量无邊佛法何以故非般若
若波羅蜜多於一切法依有所得而出現故

BD00331 號　大般若波羅蜜多經卷五〇三

（21–15）

乃至般若波羅蜜多如是乃至不得十八佛
不共法及餘无量无邊佛法何以故非般若
若波羅蜜多於一切法依有所得而出現故
所以者何甚深般若波羅蜜多都无自性亦
不可得能得所得及二依處性相皆空不可
得故尒時佛告天帝釋言如是如是如汝所
說憍尸迦諸菩薩摩訶薩以无所得而為方
便長夜脩學甚深般若波羅蜜多尚不得菩
提及薩埵況得菩薩摩訶薩既不得菩薩摩
訶薩豈得菩薩摩訶薩法尚不得菩薩摩訶
薩法況得諸佛无上正等菩提
時天帝釋復白佛言諸菩薩摩訶薩為但應
脩甚深般若波羅蜜多為亦應脩餘五波羅
蜜多耶尒時佛告天帝釋言諸菩薩摩訶薩
以无所得而為方便具脩六種波羅蜜多脩
布施時不得布施不得施者不得受者脩淨
戒時不得淨戒不得持戒者不得犯戒者脩
安忍時不得安忍不得安忍者不得忿恚者
脩精進時不得精進不得精進者不得懈怠
者不得精進所應作事不得能作若身若心
脩靜慮時不得靜慮不得靜慮者不得散乱
者脩般若時不得般若不得具妙慧者不得
具惡慧者不得般若所觀諸法性相差別復
次憍尸迦諸菩薩摩訶薩甚深般若波羅蜜
多為明為導脩習一切波羅蜜多无所執著
令速圓滿復次憍尸迦諸菩薩摩訶薩於一切
法以无所得而為方便甚深般若波羅蜜多
為明為導雖觀諸法而无所著令所脩習速
得圓滿謂无所得而為方便甚深般若波羅

令速圓滿復次憍尸迦諸菩薩摩訶薩於一切
法以无所得而為方便甚深般若波羅蜜多
為明為導雖觀諸法而无所著令所脩習速
得圓滿謂无所得而為方便甚深般若波羅
蜜多為明為導雖觀諸蘊諸處諸界廣說乃
至一切相智而无所著由此因緣令所脩習
速得圓滿憍尸迦如贍部洲所有諸樹枝條
莖幹花葉菓實雖有種種形色不同而其蔭
影都无差別具大功德衆所歸依如是前五
波羅蜜多雖各有異而由般若波羅蜜多攝
受迴向一切智智以无所得為方便故諸差
別相都不可得具大功德衆所歸依時天帝
釋復白佛言甚深般若波羅蜜多成就廣大
殊勝功德成就一切殊勝功德成就圓滿殊
勝功德成就无量殊勝功德成就无數殊勝
功德成就无邊殊勝功德成就无等殊勝功
德成就无盡殊勝功德若善男子善女人等
書寫如是甚深般若波羅蜜多衆寶莊嚴受
持讀誦供養恭敬尊重讚歎依此經說如理
思惟有善男子善女人等書寫如是甚深般
若波羅蜜多施他受持廣令流布此二福聚
何者為多尒時佛告天帝釋言我還問汝當
隨意荅若善男子善女人等從他請得佛設
利羅盛以寶函置高勝處復持種種上妙花
鬘乃至燈明供養恭敬尊重讚歎有善男子
善女人等從他請得佛設利羅分施與他如
芥子許令彼敬愛如法安置復以无量上妙
花鬘乃至燈明供養恭敬尊重讚歎於意云
何此二福聚何者為勝天帝釋言如我解佛

芥子許令彼敬愛如法安置復以无量上妙
花鬘乃至燈明供養恭敬尊重讚歎於意云
何此二福聚何者為勝天帝釋言如我解佛
所說義者此二福聚後者為勝何以故以諸
如來應正等覺以大悲心為有情類應以諸
佛設利羅所供養恭敬而得度者將涅槃時
以金剛喻三摩地力碎金剛身令如芥子復
以深廣大悲神力加持如是佛設利羅令於
如來般涅槃後有得一粒如芥子量供養恭
敬獲福无邊於天人中受多勝樂乃至㝡後
得盡苦際故施他者其福為勝尒時佛讚天
帝釋言善哉善哉如汝所說憍尸迦於深般
若波羅蜜多若自受持供養恭敬若轉施他
廣令流布此二福聚後者為多何以故由施
他者能令无量无數有情得利樂故復次憍
尸迦若有於此甚深般若波羅蜜多所說義
趣如實為他分別解說令得正解所獲福聚
復勝施他流布功德多百千倍敬此法師當
如敬佛亦如奉事尊梵行者所以者何甚深
般若波羅蜜多即是諸佛諸佛即是甚深般
若波羅蜜多甚深般若波羅蜜多不異諸佛
諸佛不異甚深般若波羅蜜多何以故三世
諸佛皆依般若波羅蜜多精勤脩學證得无
上正等菩提尊梵行者當知即是住不退轉
地菩薩摩訶薩是菩薩摩訶薩亦依般若波
羅蜜多精勤脩學證得无上正等菩提聲聞
種姓補特伽羅亦依般若波羅蜜多精勤脩
學得阿羅漢果獨覺種姓補特伽羅亦依般
[illegible]波羅蜜多精勤脩學得獨覺[illegible]

羅蜜多精勤脩學證得无上正等菩提聲聞
種姓補特伽羅亦依般若波羅蜜多精勤脩
學得阿羅漢果獨覺種姓補特伽羅亦依般
若波羅蜜多精勤脩學得獨覺菩提菩薩種
姓補特伽羅亦依般若波羅蜜多精勤脩學
超諸聲聞獨覺等地證入菩薩正性離生漸
次脩行諸菩薩行得住菩薩不退轉地以是
故憍尸迦若善男子善女人等欲以无量上
妙花鬘乃至燈明供養恭敬尊重讚歎現在
佛者當書般若波羅蜜多甚深經典以无量
種上妙花鬘乃至燈明供養恭敬尊重讚歎
憍尸迦我觀是義初得无上正等覺時作是
思惟我依誰住誰堪受我供養恭敬作是念
時都不見有諸天魔梵王非人等與我等者
況當有勝復自思惟我依此法已證无上正
等菩提此法甚深寂靜微妙我當還依此法
而住供養恭敬諮深般若波羅蜜多憍尸迦
我已成佛尚依般若波羅蜜多供養恭敬況
善男子善女人等欲求无上正等菩提而不
依此甚深般若波羅蜜多精勤脩學供養恭
敬尊重讚歎何以故憍尸迦甚深般若波羅
蜜多能生菩薩摩訶薩眾從此菩薩摩訶薩
眾生諸如來應正等覺依諸如來應正等覺
聲聞獨覺而得生故以是故憍尸迦若菩薩
乘若獨覺乘若聲聞乘諸善男子善女人等
皆於般若波羅蜜多應勤脩學以无量種上
妙花鬘乃至燈明供養恭敬尊重讚歎所以
者何聲聞獨覺及菩薩乘要依般若波羅蜜
多精勤脩學得至究竟

妙花鬘乃至燈明供養恭敬尊重讚歎所以
者何聲聞獨覺及菩薩乘要依般若波羅蜜
多精勤脩學得至究竟
復次憍尸迦若善男子善女人等教贍部洲諸
有情類皆令安住十善業道於意云何是
善男子善女人等由此因緣得福多不天帝
釋言甚多世尊甚多善逝佛告憍尸迦若善
男子善女人等書寫般若波羅蜜多甚深經
典施他讀誦若轉書寫廣令流布是善男子
善女人等所獲福聚甚多於前何以故憍尸
迦甚深般若波羅蜜多秘密藏中廣說一切
无漏之法諸善男子善女人等於中已學今
學當學或有已入今入當入聲聞種姓正性
離生漸次乃至已正當得阿羅漢果或有已
入今入當入獨覺種姓正性離生漸次乃至
已正當得獨覺菩提或有已入今入當入菩
薩種姓正性離生漸次脩行諸菩薩行已得
今得當得无上正等菩提憍尸迦甚深般若
波羅蜜多秘密藏中所說一切无漏法者謂
布施波羅蜜多乃至般若波羅蜜多若內空
乃至无性自性空若真如乃至不思議界若
斷界乃至无為界若苦集滅道聖諦若四念
住乃至八聖道支若四靜慮四无量四无色
定若八解脫九次第定若空无相无願解脫
門若淨觀地乃至如來地若極喜地乃至法
雲地若五眼六神通若如來十力乃至十八佛
不共法若无忘失法恒住捨性若一切陀羅尼
門三摩地門若一切智道相智一切相智若
餘无量无邊佛法皆是此中所說一切无

BD00331 號　大般若波羅蜜多經卷五〇三　（21-20）

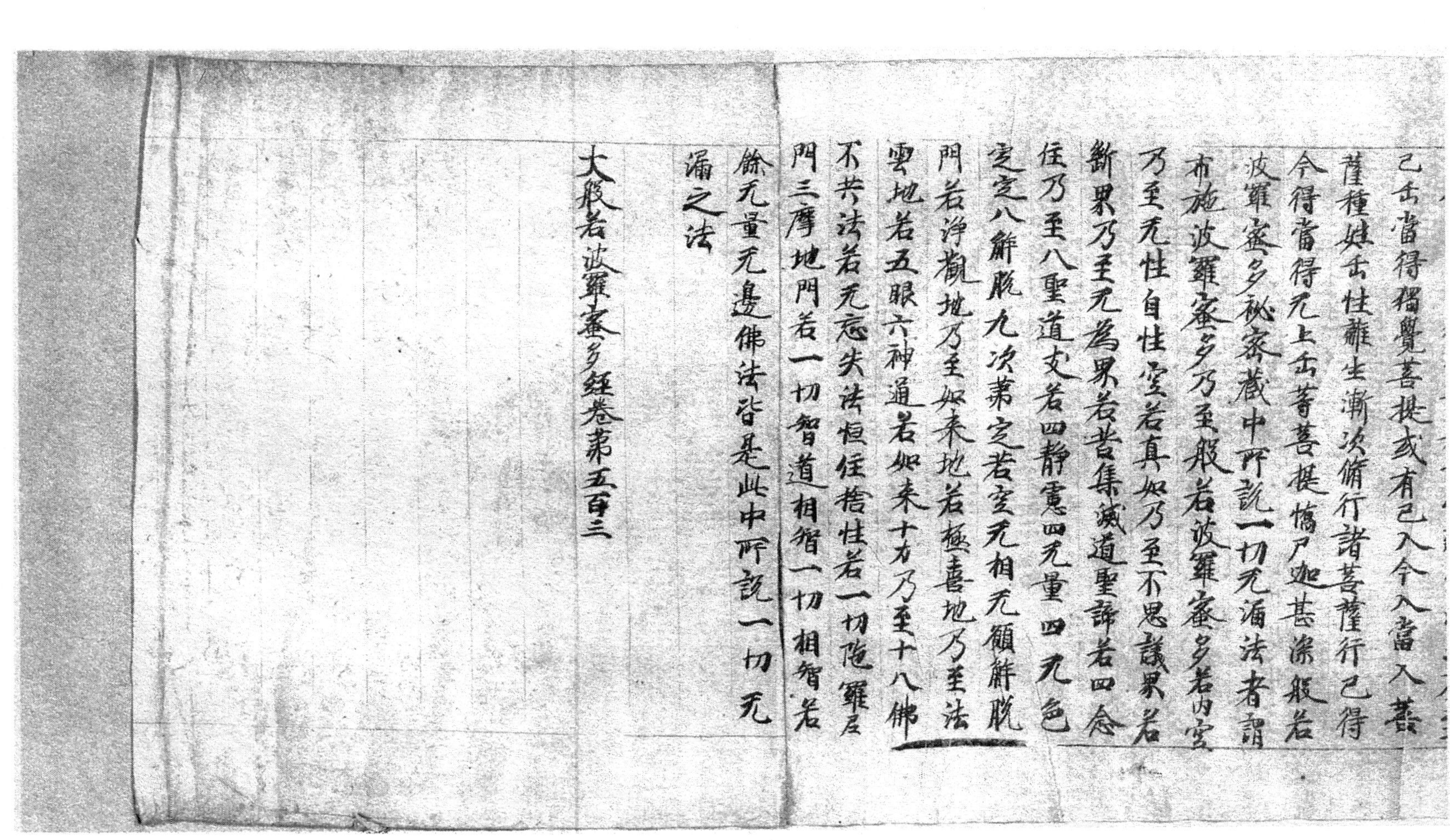
已正當得獨覺菩提或有已入今入當入菩
薩種姓正性離生漸次脩行諸菩薩行已得
今得當得无上正等菩提憍尸迦甚深般若
波羅蜜多秘密藏中所說一切无漏法者謂
布施波羅蜜多乃至般若波羅蜜多若內空
乃至无性自性空若真如乃至不思議界若
斷界乃至无為界若苦集滅道聖諦若四念
住乃至八聖道支若四靜慮四无量四无色
定若八解脫九次第定若空无相无願解脫
門若淨觀地乃至如來地若極喜地乃至法
雲地若五眼六神通若如來十力乃至十八佛
不共法若无忘失法恒住捨性若一切陀羅尼
門三摩地門若一切智道相智一切相智若
餘无量无邊佛法皆是此中所說一切无
漏之法

大般若波羅蜜多經卷第五百三

BD00331 號　大般若波羅蜜多經卷五〇三　（21-21）

[illegible]
[illegible]自在事成亦[illegible]
復次善薩摩訶薩入无心
定起作衆事業如是二法
成善男子譬如日月無有
有分別光明亦无分別三種
如是法如如如如智亦无分別
生有感現應化身如日月影
復次善男子譬如无量无邊水
空顯得現種種異相空者
子如是受化諸弟子等是[illegible]
於二種身現種種相於法身
男子依此二身一切諸佛說有餘涅槃依此
法身說无餘涅槃何以故一切餘法究竟盡故
依此三身一切諸佛說无住處涅槃為二身
故不住涅槃離於法身无有別佛何故二身
不住涅槃二身假名不實念念不滅不定住
故數數出現以不定故法身不尒是故二身
不住涅槃法身不二是故不住涅槃故依三
身說无住涅槃
善男子一切凡夫為三相故有縛有障遠離
三身不至三身何者為三一者遍計所執相
二者依他起相三者成就相如是諸相不能
解故不能滅故不能淨故是故不得至於三
身如是三相能解能滅能淨故是故諸佛具

[illegible]
二者依他起相三者成就相如是諸相不能
解故不能滅故不能淨故是故不得至於三
身如是三相能解能滅能淨故是故諸佛具
足三身善男子諸凡夫人未能除遣此三心
故遠離三身不能得至何者為三一者起
事心二者依根本心三者根本心依諸伏道
起事心盡依法斷道依根本心盡依拔勝
道根本心盡起滅故得現化身依根本心滅
故得顯應身根本心滅故得至法身是故一
切如來具足三身
善男子一切諸佛於第一身与諸佛同事於
第二身與諸佛同意於第三身與諸佛同體
善男子是初佛身隨衆生意有多種故現種
種相是故說多第二佛身弟子意故現一
相是故說一第三佛身過一切種相非執相
境界是故說名不一不二善男子是第一身
依於應身得顯現故是第二身依於法身得
顯現故是法身者是真實有无依處故善
男子如是三身以有義故而說於常以有義
故說於无常化身者恒轉法輪處處隨緣方
便相續不斷絕故是故說常非是本故具足大用
不顯現故說為无常應身者從无始來相續
不斷一切諸佛不共之法能攝持故衆生无
盡用亦无盡是故說常非是本故以具足用
不顯現故說為无常法身者非是行法无有
異相是根本故猶如虛空是故說常善男
子離無分別智更无勝智離法如如无勝境界

不顯現故說為无常法身者非行法无有
異相是根本故猶如虛空是故說常善男
子離無分別智更无勝智離法如如无勝境界
是法如如是慧如如是二種如如如如不一不異
是故法身慧清淨故滅清淨故是二清淨是
故法身具足清淨
復次善男子分別三身有四種異有化身非
應身有應身非化身有化身亦應身有非化
身亦非應身何者化身非應身謂諸如來般涅
槃後以願自在故隨緣利益是名化身何者
應身非化身是地前身何者化身亦應身謂
住有餘涅槃之身何者非化身非應身謂是
法身善男子是法身者二无所有所顯現故
何者名為二無所有於此法身相及相處二
皆是無非有非无非一非異非數非非數非明
非闇如是如如智不見相及相處不見非有
非无不見非一非異不見非數非非數不見
非明非闇是故當知境界清淨智慧清淨不
可分別无有中間為滅道本故於此法身能
顯如來種種事業善男子是身因緣境界
處所果依於本難思議故若了此義是身即
是大乘是如來性是如來藏依於此身得發
初心脩行地心而得顯現不退地心亦皆得現
一生補處心金剛之心如來之心而悉顯現
无量无邊如來妙法皆悉顯現依此法身不可
思議摩訶三昧而得顯現依此法身得現
一切大智是故二身依於三昧依於智慧而
得顯現如此法身依於自體說常說我依大

无量无邊如來妙法皆悉顯現依此法身不可
思議摩訶三昧而得顯現依此法身得現
一切大智是故二身依於三昧依於智慧而
得顯現如此法身依於自體說常說我依大
三昧故說於樂依於大智故說清淨是故如
來常住自在安樂清淨依大三昧一切禪定
首楞嚴等一切念處大法念等大慈大悲一
切陀羅尼一切神通一切自在一切平等攝
受如是佛法悉皆出現依此大智十力四无所
畏四无礙辯一百八十不共之法一切希有
不可思議法悉皆顯現譬如依如意寶珠无
量无邊種種珎寶悉皆得現如是依大三昧
寶依大智慧寶能出種種无量无邊諸佛妙
法善男子如是法身三昧智慧過一切相不
著於相不可分別非常非斷是名中道雖有
分別體无分別雖有三數而无三體不增不
減猶如夢幻亦无所執亦无能執法體如如是
解脫處過死王境越生死闇一切衆生不
能脩行所不能至一切諸佛菩薩之所住處
善男子譬如有人願欲得金處處求覓遂得
金礦既得礦已即便碎之擇取精者爐中銷
鍊得清淨金隨意迴轉作諸鐶釧種種嚴具
雖有諸用金性不改
復次善男子若善男子善女人求勝解脫
脩行世善得見如來及弟子衆得親近已白佛
言世尊何者為善何者不善何者正行得
清淨行諸佛如來及弟子衆見彼問時如是思
惟是善男子善女人欲求清淨之心法

言世尊何者爲善何者不善何者正行得
清淨行諸佛如來及弟子衆見彼問時如是思
惟是善男子善女人欲求清淨欲聽正法即
便爲説令其開悟彼既聞已正念憶持發心
脩行得精進力除嬾墮障滅一切罪於諸學
處離不尊重息悼悔心入於初地依初地心
除利有情障入於二地於此地中除不逼惱障入
於三地於此地中除心軟淨障入於四地於此
地中除善方便障入於五地於此地中除
見真俗障入於六地於此地中除見行相障
入於七地於此地中除不見滅相障入於
八地於此地中除不見生相障入於九地於
此地中除六通障入於十地於此地中除所
知障除根本心入如來地如來地者由三淨
故名極清淨云何爲三一者煩惱淨二者苦
淨三者相淨譬如真金鎔銷治鍊既燒打
已无復塵垢爲顯金性本清淨故金體清
淨非謂无金譬如濁水澄渟清淨无復滓穢
爲顯水性本清淨故非謂无水如是法身與
煩惱雜苦集除已无復餘習爲顯佛性本清
淨故非謂无體譬如虚空烟雲塵霧之所障
蔽若除屏已是空界淨非謂无空如是法身
一切衆苦悉皆盡故説爲清淨非謂无體譬
如有人於睡夢中見大河水漂泛其身運手
動足截流而渡得至彼岸由彼身心不懈退故
從夢覺已不見有水彼此岸別非謂无心生
死妄想既滅盡已是覺清淨非謂无覺如是

從夢覺已不見有水彼此岸別非謂无心生
死妄想既滅盡已是覺清淨非謂无覺如是
法界一切妄想不復生故説爲清淨非是諸
佛无其實體
復次善男子是法身者惑障清淨能現應身
業障清淨能現化身智障清淨能現法身譬
如依空出電依電出光如是依法身故能現
應身依應身故能現化身由性淨故能現法
身智慧清淨能現應身三昧清淨能現化身
此三清淨是法如如不異如如一味如如解脱如
如究竟如如是故諸佛體无有異善男子若
有善男子善女人説於如來是我大師若作
如是決定信者此人即應深心解了如來之
身无有別異善男子以是義故於諸境界
不正思惟悉皆除斷即知彼法无有二相亦
无分別聖所脩行如如於彼无有二相正脩
行故如是如是一切諸障悉皆除滅如如一切
障滅如是如是法如如如智得最清淨如如
法界正智清淨如是如是一切自在具足攝
受皆得成就一切諸障悉皆除滅一切諸
障得清淨故是名真如正智真實之相如
是見者是名聖見是則名爲真實見佛何以
故如實得見法真如故是故諸佛悉能普見
一切如來何以故聲聞獨覺已出三界求真
實境不能知見如是聖人所不知見一切凡夫
皆生疑惑顛倒分別不能得度如兔浮海

實境不能知見如是聖人所不知見一切凡夫
皆生疑惑顛倒分別不能得度如蟻浮海
必不能過所以者何力微劣故凡夫之人亦
復如是不能通達法如如故然諸如來無分
別心於一切法得大自在具足清淨深智慧
故是自境界不共他故是故諸佛如來於无
量无邊阿僧祇劫不惜身命難行苦行方
得此身最上无比不可思議過言說境是妙
寂靜離諸怖畏
善男子如是知見法真如者无生老死壽命
无限无有睡眠亦无飢渴心常在定无有散
動若於如來起諍論心是則不能見於如來
諸佛所說皆能利益有聽聞者无不解脫諸
惡禽獸惡人惡鬼不相逢值由聞法故果報
无盡然諸如來无无記事一切境界无欲知
心生死涅槃无有異相如來所說无不決定
諸佛如來四威儀中无非智攝一切諸法无
有不為慈悲所攝无有不為利益安樂諸衆
生者善男子善女人於此金光
明經聽聞信解不墮地獄餓鬼傍生阿蘇羅
道常處人天不生下賤恒得親近諸佛如來
聽受正法常生諸佛清淨國土所以者何由
得聞此甚深法故是善男子善女人則為如
來已知已記當得不退阿耨多羅三藐三菩
提若善男子善女人於此甚深微妙之法一經
耳者當知是人不謗如來不毀正法不輕聖
衆一切衆生未種善根令得種故已種善根

耳者當知是人不謗如來不毀正法不輕聖
衆一切衆生未種善根令得種故已種善根
令增長成熟故一切世界所有衆生皆勸修
行六波羅蜜
爾時虛空藏菩薩梵釋四王諸天衆等即從
座起偏袒右肩合掌恭敬頂禮佛足白佛
世尊若所在處講說如是金光明王微
典於其國土有四種利益何者為四一者
軍衆強盛无諸怨敵離於疾病壽命延
祥安樂正法興顯二者中宮妃后王子諸
悅無諍離於諂佞王所愛重三者沙門婆
門及諸國人修行正法无病安樂无枉死
者於諸福田悉皆修立四者於三時中四大
調適常為諸天增加守護慈悲平等無
害心令諸衆生歸敬三寶皆願修習菩提之
行是為四種利益之事世尊我等亦常為弘
經故隨逐如是持經之人所在住處為作利
益佛言善哉善哉善男子如是如是汝等應
當勤心流布此妙經王則令正法久住於世
金光明最勝王經夢見懺悔品第四
爾時妙幢菩薩親於佛前聞妙法已歡喜踊
躍一心思惟還至本處於夜夢中見大金鼓
光明晃耀猶如日輪於此光中得見十方无量
諸佛於寶樹下坐瑠璃座无量百千大衆圍
繞而為說法見一婆羅門桴擊金鼓出大音
聲聲中演說微妙伽他明懺悔法妙幢聞
已皆悉憶持繫念而住至天曉已與无量百

繞而為說法見一婆羅門桴擊金鼓出大音
聲聲中演說微妙伽他明懺悔法妙幢聞
已皆悉憶持繫念而住至天曉已與无量百
千大眾圍繞持諸供具出王舍城詣鷲峯山
至世尊所礼佛足已布設香花右繞三匝退
坐一面合掌恭敬瞻仰尊顏白佛言世尊我
於夢中見婆羅門以手執桴擊妙金鼓出大
音聲聲中演說微妙伽他明懺悔法我皆憶
持唯願世尊降大慈悲聽我所說即於佛前
而說頌曰
我於昨夜中　夢見大金鼓　其形極姝妙　周遍有金光
猶如盛日輪　光明皆普耀　充滿十方界　咸見於諸
在於寶樹下　各處瑠璃座　无量百千眾　恭敬而圍
有一婆羅門　以桴擊金鼓　於其鼓聲內　說此妙伽
金光明鼓出妙聲　遍至三千大
能滅三塗極重罪　及以人中諸
由此金鼓聲威力　永滅一切煩惱
斷除怖畏令安隱　譬如自
佛於生死大海中　積行
能令眾生覺品具　究
由此金鼓出妙聲　普令
證得无上菩提果　常
住壽不可思議劫
能斷煩惱眾苦流
若有眾生處惡
若得聞是妙鼓音
皆得宿命

BD00332號　金光明最勝王經卷二　（10-9）

音聲聲中演說微妙伽他明懺悔法我皆憶
持唯願世尊降大慈悲聽我所說即於佛前
而說頌曰
我於昨夜中　夢見大金鼓　其形極姝妙　周遍有金光
猶如盛日輪　光明皆普耀　充滿十方界　咸見於諸
在於寶樹下　各處瑠璃座　无量百千眾　恭敬而圍
有一婆羅門　以桴擊金鼓　於其鼓聲內　說此妙伽
金光明鼓出妙聲　遍至三千大
能滅三塗極重罪　及以人中諸
由此金鼓聲威力　永滅一切煩惱
斷除怖畏令安隱　譬如自
佛於生死大海中　積行
能令眾生覺品具　究
由此金鼓出妙聲　普令
證得无上菩提果　常
住壽不可思議劫
能斷煩惱眾苦流
若有眾生處惡
若得聞是妙鼓音
皆得宿命
悉皆

BD00332號　金光明最勝王經卷二　（10-10）

海

外道不

言世尊大海雖深

菩薩不可測世佛告迦葉三

千大千世界微塵猶可數知此諸菩薩功德

无量不可數世尒時世尊欲重宣此事而說

偈言

譬如大海能悉受　一切衆水无滿時
此諸菩薩亦如是　常求法利无猒足
又如大海納衆流　一切悉歸无損益
此諸菩薩亦如是　聽受深法无增減
又如大海不受濁　濁水流入悉清淨
此諸菩薩亦如是　不受一切煩惱垢
又如大海无崖底　此諸菩薩亦如是
功德智慧无有量　一切衆生不能測
又如大海无別異　百川流入皆一味
此諸菩薩亦如是　所聽受法同一相
又如大海所以成　非但為一衆生故
此諸菩薩亦如是　普為一切發道心
如海寶名集諸寶　因是寶故有衆寶
菩薩寶聚亦如是　從菩薩寶出三寶
如大海出三種寶　而此大海无分別
菩薩說法亦如是　三乘度人无彼此

BD00333號　思益梵天所問經卷四　（4-1）

此諸菩薩亦如是　普為一切發道心
如海寶名集諸寶　因是寶故有衆寶
菩薩寶聚亦如是　從菩薩寶出三寶
如大海出三種寶　而此大海无分別
菩薩說法亦如是　三乘度人无彼此
又如大海漸漸深　此諸菩薩亦如是
為衆生故脩功德　迴向甚深薩婆若
又如大海不宿屍　此諸菩薩亦如是
發清淨心菩提願　不宿聲聞煩惱心
如大海有堅牢寶　其寶名曰集諸寶
劫盡燒時終不燒　轉至他方諸佛國
正法滅時亦如是　堅精進者能持法
知諸衆生不可度　轉至他方諸佛所
三千世界欲壞時　大劫將起燒天地
百川衆流在前涸　尒乃水王於後竭
行小道者亦如是　法欲盡時在前滅
菩薩勇猛不惜身　讃持正法後乃盡
若佛在世滅度後　是心中法實不滅
深心清淨住是法　以此善法脩行道
百千衆生依止海　海成非為一衆生
菩薩發心亦如是　為度一切衆生故
十方世界諸大海　猶尚可得測其量
是諸菩薩所行道　聲聞緣覺不能測
迦葉當知諸菩薩　勇猛精進迴向心
願欲作佛度衆生　尚无與等何況勝
是德寶聚如大海　是可供養良福田

BD00333號　思益梵天所問經卷四　（4-2）

迦葉當知諸菩薩　勇猛精進迴向心
願欲住佛度衆生　尚无與等何况勝
是德寶聚如大海　是可供養良福田
是爲最上大醫王　能療一切衆生病
是世歸依住救護　洲渚燈明究竟道
能與世間无明眼　得眼則能服甘露
是爲世間諸法王　是爲帝釋決斷智
是爲梵王行四禪　是爲能轉梵法輪
是爲大智導世師　示諸耶住正真道
是爲勇猛能破魔　是爲清淨除惱穢
是脩白法如滿月　光明高顯猶如日
智慧超出如須弥　猶如密雲雨甘露
是无所畏如師子　是心調柔如鳥王
是則辟如金剛山　一切外道不能壞
是則清淨猶如水　是有威猛如大火
是則如風无鄣閡　是則如地无能動
是拔憍慢我根等　是如藥樹无分別
是持淨戒如蓮華　是於世法无所涂
是如憂曇鉢羅華　千万億劫時一出
是爲知報佛之恩　是爲不斷諸佛種
是爲精進行大悲　是用慈喜而起出
是能捨離五欲心　是常求佛法寶財
是行布施爲最勝　是持淨戒无等侶
是忍辱健无儔疋　是懃精進无猒惓
是行禪定具神通　能至无量諸佛土
常見諸佛聽受法　如其所聞爲人説

BD00333 號　思益梵天所問經卷四　（4–3）

是則辟如金剛山　一切外道不能壞
是則清淨猶如水　是有威猛如大火
是則如風无鄣閡　是則如地无能動
是拔憍慢我根等　是如藥樹无分別
是持淨戒如蓮華　是於世法无所涂
是如憂曇鉢羅華　千万億劫時一出
是爲知報佛之恩　是爲不斷諸佛種
是爲精進行大悲　是用慈喜而起出
是能捨離五欲心　是常求佛法寶財
是行布施爲最勝　是持淨戒无等侶
是忍辱健无儔疋　是懃精進无猒惓
是行禪定具神通　能至无量諸佛土
常見諸佛聽受法　如其所聞爲人説
是知衆生所行道　隨其性欲根利鈍
是名善知方便力　是然慧燈得濟彼
是能善知一切法　皆從和合因緣生
是能決了因緣相　離於我見衆平等
是能正觀於諸法　爲從何來至何所
善知諸法无去来　常住法性而不動
是見有爲法皆空　增益大悲濟衆生
衆生妄相起衆苦　爲欲度故脩行道
凡夫分別我我所　行於種種諸耶徑
是能曉了法寶相　……去

BD00333 號　思益梵天所問經卷四　（4–4）

覆
雜香十方[illegible]止妙莊嚴
現妙寶无量百千万億師子法坐其坐各有
无量雜色柔濡敷具能令衆生歡喜受樂諸
四天下各以七寶作一梯陛金𨻶階檻廣十
由延如其行時出微妙音如四天下三千大
千世界亦復如是尒時世尊從三昧起大千
世界六種震動二放无勝家大光明即与聲
聞菩薩大衆前後圍遶欲往彼坊一切諸天
尊重讚嘆香華伎樂塗末燒香曼陁羅華摩
訶曼陁羅華曼殊沙華摩訶曼殊沙華等以
為供養能動无量无邊世界光明遍照无不
大明亦現諸佛神通福德當尒之時耆闍崛
山一切大衆忽然不現蹬中階節上昇虛空
時无量億諸天龍等及不護神伎樂神非天
神金翅鳥獼神腹行神嗜宍神善餓鬼神兇
耳鬼住廁羅刹厭人鬼能狂鬼影鬼産乳羅
刹持髮鬼常醉鬼如是等衆悉侍從佛以天
香華微妙天樂而供養之尒時四天王合掌
長跪以偈讚佛
如來光明勝一切　能壞三惡道黑闇
我今歸依樂依止　薩婆悉達无上尊
時四天王與諸天人偈讚佛已尋侍佛後尒
時帝釋与切利天人於其界次階上見佛以

BD00334號　大方等大集經（異卷）卷一　（20–1）

我今歸依樂依止　薩婆悉達无上尊
時四天王與諸天人偈讚佛已尋侍佛後尒
時帝釋与切利天人於其界次階上見佛以
天香華微妙伎樂而供養之以偈讚佛
如來具足大神通　所得大悲无能勝
佛以功德嚴十方　我今敬礼无与等
時帝釋与切利天偈讚佛已尋侍佛後尒時
夜摩天王與夜摩天子於其界次階上見佛
以天香華微妙伎樂而供養之以偈讚佛
无㝵智慧无有邊　善解衆生三世事
一心能知无量心　是故稽首礼无上
時夜摩天王与夜摩天子偈讚佛已尋侍佛
後尒時兜率天王与兜率天子於其界次階
上見佛以天華香微妙伎樂而供養之以偈
讚佛
佛知諸法如幻炎　无受无作无字說
愍衆故說不可說　記說无我知法性
時兜率陁天王与兜率天子偈讚佛已尋侍
佛後尒時化樂天王与善化樂天子於其界
次階上見佛以天華香微妙伎樂而供養之
以偈讚佛
如來具足得十力　知諸法界如虛空
无色哀愍亦形色　其心平等視衆生
如來常行世尊行　為衆生故行世行
開无分別諸法界　我今敬礼非天人
時化樂天王与諸天子偈讚佛已尋侍佛後

BD00334號　大方等大集經（異卷）卷一　（20–2）

聞无分別諸法界　我今敬礼非天人
時化樂天王与諸天子偈讚佛已尋侍佛後
尒時他化自在天王与他化自在天子於其
界次階上見佛以天香華微妙伎樂而供養
之以偈讚佛
如截而住寂靜地　脩集无上三昧定
其智无㝵无有邊　我礼畢竟解脫者
大慈大悲微妙語　真實能知道非道
勇健精進力无勝　我今敬礼无能動
常能脩集三解脫　无能稱讚盡其德
鳥雖不同金鳥飛　亦能任力而遊翔
我今如鳥任力讚　唯願哀愍受微嘆
不種不收其菓實　不讚如來无解脫
悕愍為葉智慧華　三昧為鬚解脫敷
菩薩蜂王食甘露　我今礼佛法蓮華
大悲智慧光圓滿　能破衆生无明闇
其戒清涼衆樂見　我今敬礼佛法月
其心平等如虛空　香塗割刺心无二
能淨无量衆生垢　我今敬礼佛法河
時他化自在天王与諸天子偈讚佛已即尋
佛後諸天各各讚嘆佛已尒時如來示現无
量神通道力漸漸至彼七寶坊中如四天下
見佛上昇三千大千世界所見亦復如是尒
時世尊至寶坊中昇師子坐聲聞菩薩各各
次第坐於寶坐尒時世尊入佛三昧其三昧
名无㝵解脫一一毛孔放大光明其數无量

時世尊至寶坊中昇師子坐聲聞菩薩各各
次第坐於寶坐尒時世尊入佛三昧其三昧
名无㝵解脫一一毛孔放大光明其數无量
如恒沙等照於東方无量世界南西北方四
維上下亦復如是地獄蒙光衆苦得息其餘
衆生除貪恚癡慈心相向如父如母尒時以
佛功德力故其光明中說如是偈為勸放逸
諸菩薩故
如來精進无量邊　精進力過无量劫
誰能讚佛光明德　唯有十方諸世尊
為勸十方諸菩薩　樂於放逸不脩禪
釋迦如來放是光　召諸菩薩集此界
成就具足佛十力　能破世界諸魔王
世法不汙如蓮華　是其光明无有量
如來轉此无上輪　諸天世人所不能
為諸衆生轉法輪　如本十方佛所轉
如來今者集大會　雖見猶如憂曇華
若有信心成就者　悉為聽法至佛所
是光明中所說偈頌遍告十方勸喻一切諸
菩薩等震動一切世界大地普施一切衆生
安樂能淨一切衆生煩惱破壞衆生无明癡
闇能弊一切天魔宮殿光遍十方還從頂入
尒時東方有佛世界名无量功德寶聚神通
有佛世尊号淨大淨光七菩提分寶華无垢
光王彼有菩薩名諸法自在功德華子遇斯
光已与十恒河沙等諸大菩薩俱共發來至
娑婆世界大寶坊中見釋迦牟尼佛頭面礼

光王彼有菩薩名諸法自在功德華子遇斯
光已与十恒河沙等諸大菩薩俱共發来至
娑婆世界大寶坊中見釋迦牟尼佛頭面礼
敬右遶万迊以妙香華而供養佛即於佛前
以偈讚曰
一切功德到彼岸　常為十方佛所稱
无㝵名号遍十方　大慈大悲釋師子
如来法界无差別　為鈍根者說差別
宣說一法為无量　如大幻師示衆事
時諸菩薩偈讚嘆佛頭面礼已以己神力於
佛東邊化作床坐次第而坐尒時南方有佛
世界名曰佛光有佛世尊号无量功德寳彼
有菩薩名曰寳杖遇斯光已即与十恒河沙
等諸菩薩衆俱共發来至娑婆世界大寶坊
中見釋迦牟尼佛頭面礼敬右遶万迊以妙
香華而供養佛即於佛前以偈讚曰
大慈法雲降法雨　常說无常空无我
以八正水滅結火　能長衆生諸善根
佛光能破无明闇　能誨放逸諸菩薩
能燋三有諸愛種　能示真實道非道
時諸菩薩偈讚嘆佛頭面礼已以己神力於
佛南邊化作床坐次第而坐尒時西方有佛
世界名曰光明佛号普光彼有菩薩名稱力
王遇斯光已即与十恒河沙等諸菩薩衆俱
共發来至娑婆世界大寶坊中見釋迦牟尼
佛頭面礼敬右遶万迊以妙香華供養於佛
復於佛前以偈讚曰

BD00334號　大方等大集經（異卷）卷一　（20–5）

共發来至娑婆世界大寶坊中見釋迦牟尼
佛頭面礼敬右遶万迊以妙香華供養於佛
復於佛前以偈讚曰
於无量劫發善願　是故得身淨无漏
如来行業如虛空　无㝵音聲遍十方
如来梵聲如雷音　此聲无業非因出
无聽无受无衆生　大悲何故音聲說
時諸菩薩偈讚嘆佛頭面礼已以己神力於
佛西邊化作床坐次第而坐尒時北方有佛
世界名寳莊嚴佛号无量功德莊嚴彼有菩
薩名大海智遇斯光已即与十恒河沙等諸
菩薩衆俱共發来至娑婆世界大寶坊中見
釋迦牟尼佛頭面礼敬右遶万迊以妙香華
供養於佛復於佛前以偈嘆曰
如来无上金光明　能壞一切世間闇
若有衆生遇斯光　遇者悉能壞煩惱
設身高出大千界　神通道力无邊際
是人不能見頂相　大悲廣世造何業
時諸菩薩偈讚嘆佛頭面礼已以己神力於
佛北邊化作床坐次第而坐尒時東南方有
佛世界名曰无憂佛号能壞一切闇彼有菩
薩名无勝光遇斯光已即与十恒河沙等諸
菩薩衆俱共發来至娑婆世界大寶坊中見
釋迦牟尼佛頭面礼敬右遶万迊以妙香華
供養於佛復於佛前以偈讚曰
无量界入一毛孔　亦不嬈害諸衆生

BD00334號　大方等大集經（異卷）卷一　（20–6）

釋迦牟尼佛頭面礼敬右遶万匝以妙香華
供養於佛復於佛前以偈讚曰
无量界入一毛孔　亦不娆害諸衆生
如来境界无知者　是故神通難思議
能令一身作无量　而其真身无增減
雖爲衆生現神變　然其內心无憍慢
時諸菩薩偈讚嘆佛頭面礼已以已神力於
佛東南化作牀坐次第而坐尒時西南方有
佛世界名曰善見佛号心平等彼有菩薩名
大悲心過斯光已即与十恒河沙等諸菩薩
衆俱共發来至娑婆世界大寶坊中見釋迦
牟尼佛頭面礼敬右遶万匝以妙香華供養
於佛復於佛前以偈讚曰
无量世中護禁戒　猶如猫牛愛其尾
見有毀戒生悲心　亦不憍慢讚己身
如来之心如須弥　十方耶見不能動
智慧甚深无得底　猶如大海難思議
佛自解脫一切有　亦令若縛得解脫
所得解脫實无差　隨道行時有別異
時諸菩薩偈讚嘆佛頭面礼已以已神力於
佛西南化作牀坐次第而坐尒時西北方有
佛世界名曰壞闇佛号大神通王彼有菩薩
名曰寶網過斯光已即与十恒河沙等諸菩
薩衆俱共發来至娑婆世界大寶坊中見釋
迦牟尼佛頭面礼敬右遶万匝以妙香華供
養於佛復於佛前以偈讚曰

BD00334號　大方等大集經（異卷）卷一　（20–7）

迦牟尼佛頭面礼敬右遶万匝以妙香華供
養於佛復於佛前以偈讚曰
如来世尊猶如幻　而爲衆生說幻事
實无真物故名幻　若有衆生說衆生
如人夢中見諸色　寤已真實无色相
爲度衆生示世行　如来真實无世行
時諸菩薩偈讚嘆佛頭面礼已以已神力於
佛西北化作牀坐次第而坐尒時東北方有
佛世界名曰淨住佛号心同虛空彼有菩薩
名无邊淨意過斯光已即与十恒河沙等諸
菩薩衆俱共發来至娑婆世界見釋迦牟尼
佛頭面作礼右遶万匝以妙香華供養於佛
復於佛前以偈讚曰
佛知甚深諸法界　常樂寂靜脩无想
乃知衆生諸心想　亦說諸法如虛空
住一心中知三世　亦復能知種種業
不生心相衆生想　无量世脩无相想
時諸菩薩偈讚嘆佛頭面礼已以已神力於
佛東北化作林坐次第而坐尒時下方有佛
世界名曰樂光佛号寶憂鉢葉彼有菩薩名
庄嚴樂說過斯光已即与十恒河沙等諸大
菩薩俱共發来至娑婆世界見釋迦牟尼佛
頭面礼敬右遶万匝以妙香華而供養佛復
於佛前以偈讚曰
无量智者佛真子　數如十方微塵等
於无量劫諮問佛　不盡如来一字義

BD00334號　大方等大集經（異卷）卷一　（20–8）

頭面礼敬右遶万迊以妙香華而供養佛復
於佛前以偈讚曰
无量智者佛真子　數如十方微塵等
於无量劫諮問佛　不盡如来一字義
是故如来智无邊　功德摠持亦如是
名稱力勢无邊際　猶如大海十方界
時諸菩薩偈讚嘆佛頭面礼已以己神力於
如来下方化作牀坐次第而坐尒時上方有
佛世界名瓔珞莊嚴佛号大名稱彼有菩薩
名一法神通王過斯光已即与十恒河沙等
諸菩薩衆俱共發来至娑婆世界見釋迦牟
尼佛頭面礼敬右遶万迊以妙香華而供養
佛即於佛前以偈讚曰
佛身身業无邊際　心口及業亦如是
唯佛能知佛三業　餘不知如虛空邊
如来无師无教者　是故衆生稱大師
諸佛法界叵思議　菩提法轉入涅槃
時諸菩薩偈讚嘆佛頭面礼已以己神力於
佛上方化作牀坐次第而坐尒時會中聞十
方无量諸大菩薩一時雲集大寶坊中尒時
世尊即從三昧安詳而坐謦咳之聲徹于十
方一切衆生悉得聞之聞已即於佛法僧寶
生信敬心十方世界所有比丘比丘尼優婆
塞優婆夷若人非人聞佛聲已身心寂靜以
佛功德威神力故悉得覩見寶階梯隥於一
念頃悉登寶階至寶坊中各隨其位次第而

BD00334號　大方等大集經（異卷）卷一　（20–9）

佛功德威神力故悉得覩見寶階梯隥於一
念頃悉登寶階至寶坊中各隨其位次第而
坐諸梵天人亦聞其音梵天大梵天梵師天
梵衆天光天少光天无量光天少淨天无量
淨天无雲天福德天廣果天无狂天无熱天
善見天樂見天阿迦尼吒天亦一念頃俱至
寶坊見佛世尊頭面礼已次第而坐化作牀
坐尒時世尊見諸大衆皆已集會放眉間光
其光名曰亦菩薩力遶諸菩薩七迊已於諸
菩薩頂髻而入尒時會中有一菩薩名諸法
自在功德華子即入三昧其三昧名瓔珞莊
嚴以三昧力故於寶坊中出師子座座高八
万億多羅樹七寶莊嚴散種種華為諸衆生
之所樂見能淨一切衆生之心尒時諸法自
在功德華子菩薩摩訶薩化作如是師子坐
已從其三昧安詳而起合掌恭敬頭面作礼
即於佛前以偈讚曰
日月光明壞現冥　佛光能壞三世闇
如来具足神通力　勝於一切諸天光
佛了法界无覺知　如幻水月无去来
无生无受无作者　真實知已為衆說
知色心中无色心　方便為衆說色心
如来神通猶如幻　知諸法界亦復然
一切衆生心常淨　或時為客煩惱汙
諸佛如来得解脫　亦現神通等如幻
虛空无地无住處　如来之心亦如是

BD00334號　大方等大集經（異卷）卷一　（20–10）

一切衆生心常[illegible]
諸佛如来得解脫　亦現神通等如幻
虛空无地无住處　如来之心亦如是
為衆故昇師子座　如先諸佛說甘露
一切大衆无去来　亦无聽說无樂者
諸法悉皆如虛空　唯願開闡真實界
世尊受我師子座　願為衆生師子吼
愍衆故演梵音聲　熾燃智燈破癡闇
十方諸来聽法衆　悉来集會此寶坊
願佛當施大法施　破无量世貧窮際
尒時世尊以大慈悲憐愍諸法自在功德華
子菩薩摩訶薩昇其所奉師子寶座欲說一
切諸菩薩行无导法門具足一切佛法十力
四无所畏入一切法自在陁羅尼法門入四
无导智法門入大神通法門不退轉輪不退
住處攝一切乘真一法界无分別法界善知
一切衆生心根法界真實堅固難沮能壞一
切四魔惣攝調伏一切惡見煩惱獲得不共
善權方便得大平等心无二故一切諸佛等
入之處无罣导處說一切法悉真實故演說
諸法非覺非非覺故十二因緣平等相觀故
具足智慧大莊嚴故莊嚴佛音聲故无盡念
意行智慧故演說真實四聖諦故能令聲聞
身心淨故令辟支佛坐紹位林故大乘菩薩
得法自在故廣宣諸佛所有功德故解說宣
亦一切法故說諸菩薩大功德故裂諸衆生
疑网心故摧滅一切惡耶論故增長如来佛

BD00334號　大方等大集經（異卷）卷一　（20–11）

得法自在故廣宣諸佛所有功德故解說宣
亦一切法故說諸菩薩大功德故裂諸衆生
疑网心故摧滅一切惡耶論故增長如来佛
正法故顯示衆生佛神力故以如是等諸因
緣故如来昇於師子寶座尒時寶杖菩薩承
佛神力入佛瓔珞莊嚴三昧以三昧力故能
令大衆悉得種種瓔珞莊嚴時稱力王菩薩
復承佛神力入蓮華三昧以三昧力故悉令
大衆皆得妙華供養於佛及諸菩薩時大海
慧智菩薩亦承佛神力入妙香三昧以三昧
力故能令大衆皆得妙香供養於佛及諸菩
薩時寶網菩薩亦承佛神力入光明三昧以
三昧力故悉令大衆身得光明時悲心菩薩
亦承佛神力入无瞬三昧以三昧力悉令大
衆仰瞻如来目未曾瞬時无邊淨意菩薩亦
承佛神力入書三昧以三昧力悉令大衆喜
樂聽法時莊嚴樂說菩薩亦承佛神力入寂
靜意三昧以三昧力悉令大衆遠離五蓋時
一切法神足王菩薩亦承佛神力入不忘三
昧以三昧力悉令大衆專念菩提心不忘失
時勇健菩薩亦承佛神力入无勝三昧以三
昧力悉令大衆摧伏諸魔時破魔菩薩亦承
佛神力入壞魔三昧以三昧力名此三千大
千世界一億魔王来集寶坊至於佛所頭面
作礼合掌恭敬咸作是言唯願如来廣為衆
開甘露門我等皆因破魔菩薩威神力故當

BD00334號　大方等大集經（異卷）卷一　（20–12）

作礼合掌恭敬咸作是言唯願如来廣為衆
開甘露門我等皆因破魔菩薩威神力故當
得遠離一切魔業於諸大衆心无妨㝵佛言
善哉善哉善男子汝等今已得離魔業以是
因縁於未来世復當得離一切魔業善男子
譬如一象百千闇室一燈能破汝等亦尒无
量世中无明黑闇今日能破如日月寳光住
信戒施慧禪定亦尒善男子汝等今者請佛
說法以是因縁汝等當得破无明闇為諸衆
生作智慧明尒時衆中有一菩薩名法自在
王白佛言世尊如来境界不可思議何以故
如来發心將欲說法能令一切大衆運集為
菩提故作大庄嚴大法神通无量世間得大
名稱身心寂靜獲得解脫及得不可思議法
界十方諸佛之所讚嘆具足一切十波羅蜜
成就通達善權方便能裂一切諸魔疑網能
滅衆生惡耶諸論能善分別一切法界速得
具足无㝵智慧具念意行智慧勇健具足獲
得四无㝵智善知衆生諸根利鈍知衆生界
隨意說法常能宣說清淨法界善解一切世
俗之言能得一切清淨梵音具足成就慈悲
之心諸耶異見不能令動不可破壞如金剛
山具脩三相建立法幢已度甚深十二因縁
河斷於常見能調大衆无量劫中得不可思
議法聚能療衆病如大醫王聞深法已不生
怖畏三十二相八十種好庄嚴其身具足成

議法聚能療衆病如大醫王聞深法已不生
怖畏三十二相八十種好庄嚴其身具足成
就三十七品及八解脫身口意業純善无雜
能令衆生志来聽法世間之法所不能汙常
受安樂常脩法界慧施法寳於法无厭於諸
有法心不深著猶如蓮華塵水不染明勝諸
光智深如海紹三寳性調衆生界能開佛藏
護持佛法具足无量功德智慧无量劫中脩
集庄嚴无量功德常欲獲得一行之心一色
一象具如是等功德菩薩志来集會唯願如
来說菩薩行无㝵法門利益過去未来現在
諸菩薩等今初發心得不退故久發心者得
增長故行菩提道得淨意故不退菩薩學佛
法故一生菩薩瓔珞庄嚴故後身菩薩得阿
耨多羅三藐三菩提故定性衆生增長因縁
故未定性者作因縁故未入佛法者令得入
故已入佛法者敬佛法故樂三乘者說一乘
故施於世間人天樂故世尊如来出世有如
是等不可思議事世尊今此大衆一一菩薩
志能示現諸大神通是故諸佛及諸菩薩不
可思議世尊云何衆生无明憂重欲見菩薩
如是神通而故生於聲聞緣覺卑下之心世
尊菩薩初發菩提心時已勝一切聲聞緣覺
世尊譬如有人捨諸流離取於水精一切衆
生亦復如是捨於大乘喜樂聲聞辟支佛乘
若有衆生已發欲發向耨多羅三藐三菩提

生亦復如是捨於大乘喜樂聲聞辟支佛乘
若有衆生已發欲發阿耨多羅三藐三菩提
心者如是之人志當獲得如是功德尒時會
中有三千億那由他百千万億衆生天与人
發阿耨多羅三藐三菩提心
大方等大集經陁羅尼自在王菩薩品第二
尒時世尊知諸菩薩志已大集作是思惟今
日如是善丈夫等咸欲得知諸法實義能持
如來甚深法藏欲得聞受諸菩薩行无㝵法
門尋放眉間白豪光明名无所畏遶諸大衆
滿七迊已於陁羅尼自在王菩薩頂上而入
尒時陁羅尼自在王菩薩承佛神力化作寶
蓋猶如三千大千世界七寶莊嚴以覆如來
寶坐之上頭面作礼合掌長跪說偈讚佛
如來於法得自在　其光能破世間闇
世尊佛眼无罣㝵　能見諸法真實義
具足无量諸功德　无師獨寤諸法界
如來放光為衆生　今入我身何因緣
我本所知念不明　陁羅尼根亦如是
此光今來入我身　了了得知諸法界
身心獲得大清淨　受樂无上无有邊
我今已知佛境界　亦得樂說无㝵辯
十方諸佛親近難　愚者不能師事之
我今承佛神力故　欲少發問利衆生
何因緣發菩提心　復以何義佛出世
何緣放光遍十方　復以何因示神通

BD00334號　大方等大集經（異卷）卷一　（20–15）

我今承佛神力故　欲少發問利衆生
何因緣發菩提心　復以何義佛出世
何緣放光遍十方　復以何因示神通
何緣佛為衆受記　願為大衆分別說
今此大衆勝无上　志能受持佛法界
此衆无魔及魔業　唯有開示佛法藏
我智淺近有邊崖　何能諮請无上尊
今問如來无邊智　云何得知諸方便
願今教誨諸弟子　我學已得法自在
得已能施大法雨　當報十方諸佛恩
世尊諸佛如來不可思議菩薩所行无有邊
際是故我今欲問如來无上法王大慈悲衆
為利衆生問甚深義云何名為菩薩之行以
何瓔珞莊嚴菩薩能令菩薩所行清淨云何
能壞愚癡諸闇云何能斷疑网之心云何菩
薩為諸衆生脩慈悲心云何菩薩擁護衆生
云何菩薩真實能脩菩薩之業善業不悔業
唯願如來哀愍宣說又此大衆利根智慧能
解佛語能知法界能達菩薩所行无㝵法門
能壞一切魔及魔業破大疑心能解諸佛甚
深境界知衆生界衆生心性能見无量諸佛
世界能護如來无上正法能於諸法得大自
在尒時佛讚陁羅尼自在王菩薩言善哉善
哉善男子能問如來甚深之義能善行佛无
量行者乃能如汝發斯深問汝今至心當為
汝說菩薩若能成就具是如是功德當於諸

BD00334號　大方等大集經（異卷）卷一　（20–16）

量行者乃能如汝散斯深問汝今至心當為
汝說菩薩若能成就具足如是功德當於諸
法得大自在世尊今正是時唯垂宣說佛言
善男子菩薩有四瓔珞莊嚴一者戒瓔珞莊
嚴二者三昧瓔珞莊嚴三者智慧瓔珞莊嚴
四者陀羅尼瓔珞莊嚴戒瓔珞莊嚴有一種
謂於衆生无有害心菩薩若无惡害之心一
切衆生常所樂見復有二種一者閇塞惡道二者
能開善門復有三種一者身淨二者口淨三
者意淨復有四種一者所求悉得二者所願
具足三者所願成就四者所欲能作復有五
種一者信二者戒三者定四者念五者慧復
有六種一不破戒二不漏戒三不雜戒四不
悔戒五自在戒六无屬戒復有七種所謂七
淨一者施淨二者忍淨三者精進淨四者禪
定淨五者智慧淨六者方便淨七者善方便
淨復有八種謂八具足一者无作具足二者
地具足三者不忘具足四者不緩具足五者
諸根具足六者佛世具足七者離難具足八
者善交具足復有九種一者不動二者不畏
三者定智四者寂静五者至心六者清涼七
者結緩八者調心九者住調伏地復有十種
一者淨身為三十二相故二者淨口為言无
二故三者淨意為解脫故四者淨田為命衆
生福德增故五者淨心為調衆生故六者淨
有為為化衆生故七者菩薩名淨為得如来

生福德增故五者淨心為調衆生故六者淨
有為為化衆生故七者菩薩名淨為得如来
諸功德故八者淨慧為大神通故九者淨方
便破諸魔衆故十者淨戒為不共法故善男
子如是等事名戒瓔珞莊嚴三昧瓔珞莊嚴
有一種所謂為諸衆生脩集慈心復有二種一
者質直二者柔濡復有三種一不虛誑二不
麁獷三不耶諂復有四種一不愛行二不瞋
行三不畏行四不癡行復有五種所謂遠離
五蓋三昧復有六種所謂脩集六念三昧復有
七種所謂脩集七覺三昧復有八種所謂脩
集八正三昧復有九種一者菩薩脩集菩提
之心及大慈悲不捨一切无量衆生脩集念心遠
離欲惡不善之法有覺有觀寂静喜樂得初
禪二者遠離覺觀內得喜心至心思惟无覺
无觀定生喜樂得第二禪三者離喜脩捨具
足念心无有放逸身受安樂得第三禪四者
遠離苦樂滅憂喜心非苦非樂脩集捨心寂
静念得第四禪五者遠離色相脩无量空相
六者遠離空相脩无量識相七者遠離識相
脩无所有相八者遠離无所有相脩非想非
非想相九者雖未成就善方便智以三昧力
教化衆生復有十種一者觀法无有錯謬二
者具足成就舍摩他三者精進无有休息四
者善能了知時節五者至心受持善法六者
寂静其心七者觀身八者常觀去來九皆心

者具足成就舍摩他三者精進无有休息四
者善能了知時節五者至心受持善法六者
家靜其心七者觀身八者常觀法界九者心
得自在十者獲得聖性是名三昧瓔珞莊嚴
智慧瓔珞莊嚴有一種所謂心无疑冈復有
二種一者遠離疑心二者遠離瞋心復有三
種一者遠離无明二者破无明靜三者作大
光明復有四種一者知苦二者斷集三者證
滅四者脩道復有五種一者戒衆清淨二者
定衆清淨三者慧衆清淨四者解脫衆清淨
五者解脫知見衆清淨復有六種一者淨檀
波羅蜜有三種一者内淨觀法如幻二者衆
生淨觀之如夢三者菩提淨不求果報二者
淨尸波羅蜜有三種一者觀身如影二者觀
口如響三者觀心如幻三者淨羼提波羅蜜
有三種一者聞毁不瞋二者聞讚不喜三者
若被割截及奪命時能觀法界四者淨毗梨
耶波羅蜜復有三種一者不想二者堅固三
者不見法相五者淨禪波羅蜜有三種一者
不著諸法二者心不退轉三者所緣清淨六
者淨方便波羅蜜有三種一者攝取衆生為
解脫故二者淨陁羅尼為持法故三者所願
清淨為淨佛土故有七種一者脩四念處不
取不著二者脩四正懃不出不滅三者脩四
神足身心清淨四者脩於五根知根无根五
者脩集於力能破煩惱六者脩菩提分知法

解脫故二者淨陁羅尼為持法故三者所願
清淨為淨佛土故有七種一者脩四念處不
取不著二者脩四正懃不出不滅三者脩四
神足身心清淨四者脩於五根知根无根五
者脩集於力能破煩惱六者脩菩提分知法
界真實七者脩集聖道无有去来復有八種
一者脩定為畢竟淨故二者脩智為壞闇故
三者脩知陰智為知法衆故四者脩知界智
為解法界等虛空故五者脩入智為知法性
平等故六者脩知十二因緣智觀无我无我
所故七者脩觀諦智壞四倒故八者脩集分
別知法界智為知真實故復有九種一者觀
无常想二者觀无常苦想三者觀苦无我想
四者觀食不淨想五者觀於世間不可樂想
六者觀諸生死多過患想七者觀解脫想八者
觀離貪想九者觀於盡想復有十種一者觀
於諸法猶如幻想二如夢想三如炎想四如
響想五如芭蕉樹想六者如水中月想七如
影想八者觀於法界无增減想九者觀諸法
界无有去住十者觀於无為无有生滅是名
為慧瓔珞莊嚴

大集經卷第一

慧目未曾
得聞是經信心清淨
知是人成就第一希有功
則是非相是故如來說名
聞如是經典信解受持不
後五百歲其有衆生得
人則爲第一希有何
生相壽者相所以者何我相即
衆生相壽者相即是非相何以故離一
相則名諸佛
佛告須菩提如是如是若復有人得聞是
不驚不怖不畏當知是人甚爲希有何以故
須菩提如來說第一波羅蜜非第一波羅
是名第一波羅蜜
須菩提忍辱波羅蜜如來說非忍辱波羅
何以故須菩提如我昔爲歌利王割截身
我於尒時无我相无人相无衆生相无壽者
相何以故我於往昔節節支解時若有我
人相衆生相壽者相應生瞋恨須菩提又念過
去於五百世作忍辱仙人於尒所世无我相
无人相无衆生相无壽者相是故須菩提菩
薩應離一切相發阿耨多羅三藐三菩提心
不應住色生心不應住聲香味觸法生心應
生无所住心若心有住則爲非住是故佛說

BD00335 號　金剛般若波羅蜜經　（9–1）

薩應離一切相發阿耨多羅三藐三菩提心
不應住色生心不應住聲香味觸法生心應
生无所住心若心有住則爲非住是故佛說
菩薩心不應住色布施須菩提菩薩爲利益
一切衆生應如是布施如來說一切諸相即
是非相又說一切衆生則非衆生
須菩提如來是真語者實語者如語者不
誑語者不異語者須菩提如來所得法此法
无實无虛
須菩提若菩薩心住於法而行布施如人入
闇則无所見若菩薩心不住法而行布施如
有目日光明照見種種色
須菩提當來之世若有善男子善女人能於此經
受持讀誦則爲如來以佛智慧悉知是人悉
見是人皆得成就无量无邊功德
須菩提若有善男子善女人初日分以恒河沙
等身布施中日分復以恒河沙等身布施
日分亦以恒河沙等身布施如是无量百千
万億劫以身布施若復有人聞此經典信心
不逆其福勝彼何況書寫受持讀誦爲人
解說
須菩提以要言之是經有不可思議不可
量无邊功德如來爲發大乘者說爲發最上
乘者說若有人能受持讀誦廣爲人說如來
悉知是人悉見是人皆得成就不可量不可
稱无有邊不可思議功德如是人等則爲荷

BD00335 號　金剛般若波羅蜜經　（9–2）

[悉知是人悉見是人皆得成就不可量不可]
稱无有邊不可思議功德如是人等則為荷
擔如来阿耨多羅三藐三菩提何以故須[菩]
提若樂小法者著我見人見衆生見壽者[見]
則於此經不能聽受讀誦為人解說須菩提
在在處處若有此經一切世間天人阿脩羅
所應供養當知此處則為是塔皆應恭敬作
礼圍遶以諸華香而散其處
復次須菩提善男子善女人受持讀誦此[經]
若為人輕賤是人先世罪業應墮惡道以[今]
世人輕賤故先世罪業則為消滅當得阿耨
多羅三藐三菩提須菩提我念過去无量阿
僧祇劫於然燈佛前得值八百四千万億那
由他諸佛悉皆供養承事无空過者若復有
人於後末世能受持讀誦此經所得功德於
我所供養諸佛功德百分不及一千万億分
乃至筭數譬喻所不能及須菩提若善男子
善女人於後末世有受持讀誦此經所得功
德我若具說者或有人聞心則狂亂狐疑不
信須菩提當知是經義不可思議果報亦[不]
可思議
尒時須菩提白佛言世尊善男子善女人發
阿耨多羅三藐三菩提心云何應住云何降
伏其心佛告須菩提善男子善女人發阿耨
多羅三藐三菩提者當生如是心我應滅度
一切衆生滅度一切衆生已而无有一衆生
實滅度者何以故若菩薩有我相人相衆[生]

BD00335 號　金剛般若波羅蜜經　（9–3）

多羅三藐三菩提者當生如是心我應滅度
一切衆生滅度一切衆生已而无有一衆生
實滅度者何以故若菩薩有我相人相衆[生]
相壽者相則非菩薩所以者何須菩提實无
有法發阿耨多羅三藐三菩提者
須菩提於意云何如来於然燈佛所有法得
阿耨多羅三藐三菩提不不也世尊如我解
佛所說義佛於然燈佛所无有法得阿耨多
羅三藐三菩提佛言如是如是須菩提實无
有法如来得阿耨多羅三藐三菩提須菩提
若有法如来得阿耨多羅三藐三菩提者然[燈]
佛則不與我受記汝於来世當得作佛号釋
迦牟尼以實无有法得阿耨多羅三藐三菩
提是故然燈佛與我受記作是言汝於来世
當得作佛号釋迦牟尼何以故如来者即諸
法如義若有人言如来得阿耨多羅三藐三
菩提須菩提實无有法佛得阿耨多羅三藐
三菩提須菩提如来所得阿耨多羅三藐三
菩提於是中无實无虛是故如来說一切法
皆是佛法須菩提所言一切法者即非一切
法是故名一切法
須菩提譬如人身長大須菩提言世尊如来
說人身長大則為非大身是名大身
須菩提菩薩亦如是若作是言我當滅度无
量衆生則不名菩薩何以故須菩提實无有
法名為菩薩是故佛說一切法无我无人无

BD00335 號　金剛般若波羅蜜經　（9–4）

法名為菩薩是故佛說一切法无我无人无
衆生无壽者須菩提若菩薩作是言我當莊
嚴佛土是不名菩薩何以故如来說莊嚴佛
者即非莊嚴是名莊嚴須菩提若菩薩通達
无我法者如来說名真是菩薩
須菩提於意云何如来有肉眼不如是世尊如
来有肉眼須菩提於意云何如来有天眼
不如是世尊如来有天眼須菩提於意云何
如来有慧眼不如是世尊如来有慧眼須菩
提於意云何如来有法眼不如是世尊如来有
法眼須菩提於意云何如来有佛眼不如
是世尊如来有佛眼須菩提於意云何恒河
中所有沙佛說是沙不如是世尊如来說是
沙須菩提於意云何如一恒河中所有沙有
如是等恒河是諸恒河所有沙數佛世界如
是寧為多不甚多世尊佛告須菩提尒所國
土中所有衆生若干種心如来悉知何以故
如来說諸心皆為非心是名為心所以者何
須菩提過去心不可得現在心不可得未来
心不可得須菩提於意云何若有人滿三千
大千世界七寶以用布施是人以是因緣得
福多不如是世尊此人以是因緣得福甚多
須菩提若福德有實如来不說得福德多以
福得无故如来說得福德多
須菩提於意云何佛可以具足色身見不不
也世尊如来不應以具足色身見何以故如

須菩提若福德有實如来不說得福德多以
福得无故如来說得福德多
須菩提於意云何佛可以具足色身見不不
也世尊如来不應以具足色身見何以故如
来說具足色身即非具足色身是名具足色
身須菩提於意云何如来可以具足諸相見
不不也世尊如来不應以具足諸相見何以故
如来說諸相具足即非具足是名諸相具足須
菩提汝勿謂如来作是念我當有所說法莫
作是念何以故若人言如来有所說法即為
謗佛不能解我所說故須菩提說法者无法
可說是名說法
須菩提白佛言世尊佛得阿耨多羅三藐三
菩提為无所得耶如是如是須菩提我於阿
耨多羅三藐三菩提乃至无有少法可得是
名阿耨多羅三藐三菩提復次須菩提是法
平等无有高下是名阿耨多羅三藐三菩提
以无我无人无衆生无壽者脩一切善法則
得阿耨多羅三藐三菩提須菩提所言善法
者如来說非善法是名善法
須菩提若三千大千世界中所有諸須弥山
王如是等七寶聚有人持用布施若人以此
般若波羅蜜經乃至四句偈等受持讀誦為
他人說於前福德百分不及一百千万億分
乃至筭數譬喻所不能及
須菩提於意云何汝等勿謂如来作是念我
當度衆生須菩提莫作是念何以故實无有

乃至筭數譬喻所不能及
須菩提於意云何汝等勿謂如來作是念我
當度衆生須菩提莫作是念何以故實无有
衆生如來度者若有衆生如來度者如來則
有我人衆生壽者須菩提如來說有我者則
非有我而凡夫之人以爲有我須菩提凡夫
者如來說則非凡夫
須菩提於意云何可以卅二相觀如來不須
菩提言如是如是以卅二相觀如來佛言須
菩提若以卅二相觀如來者轉輪聖王則是
如來須菩提白佛言世尊如我解佛所說義
不應以卅二相觀如來尒時世尊而說偈言
若以色見我　以音聲求我　是人行邪道　不能見如來
須菩提汝若作是念如來不以具足相故得阿
耨多羅三藐三菩提須菩提莫作是念如
來不以具足相故得阿耨多羅三藐三菩提須
菩提汝若作是念發阿耨多羅三藐三菩提
者說諸法斷滅相莫作是念何以故發阿耨多
羅三藐三菩提者於法不說斷滅相須菩提
若菩薩以滿恒河沙等世界七寶布施若復
有人知一切法无我得成於忍此菩薩勝前
菩薩所得功德須菩提以諸菩薩不受福德
故須菩提白佛言世尊云何菩薩不受福德
須菩提菩薩所作福德不應貪著是故說不
受福德
須菩提若有人言如來若來若去若坐若卧

BD00335 號　金剛般若波羅蜜經

（9–7）

須菩提若有人言如來若來若去若坐若卧
是人不解我所說義何以故如來者无所從
來亦无所去故名如來
須菩提若善男子善女人以三千大千世界
碎爲微塵於意云何是微塵衆寧爲多不甚
多世尊何以故若是微塵衆實有者佛則不
說是微塵衆所以者何佛說微塵衆則非微
塵衆是名微塵衆世尊如來所說三千大千
世界則非世界是名世界何以故若世界實有
者則是一合相如來說一合相則非一合相是
名一合相須菩提一合相者則是不可說但
凡夫之人貪著其事須菩提若人言佛說
我見人見衆生見壽者見須菩提於意云何
是人解我所說義不世尊是人不解如來所
說義何以故世尊說我見人見衆生見壽者
見即非我見人見衆生見壽者是名我見
人見衆生見壽者見須菩提發阿耨多羅三
藐三菩提心者於一切法應如是知如是見如
是信解不生法相須菩提所言法相者如來
說即非法相是名法相須菩提若有人以滿
无量阿僧祇世界七寶持用布施若有善
男子善女人發菩薩心者持於此經乃至四
句偈等受持讀誦爲人演說其福勝彼云何
爲人演說不取於相如如不動何以故
一切有爲法　如夢幻泡影　如露亦如電　應作如是觀

BD00335 號　金剛般若波羅蜜經

（9–8）

為人演說不取於相如如不動何以故
一切有為法　如夢幻泡影　如露亦如電　應作如是觀
佛說是經已長老須菩提及諸比丘比丘尼
優婆塞優婆夷一切世間天人阿脩羅聞佛
所說皆大歡喜信受奉行

金剛般若波羅蜜經

BD00335號　金剛般若波羅蜜經　（9–9）

捨何況非法
須菩提於意云何……得阿耨多羅三藐三
菩提耶如來有所說法耶須菩提言如我解
佛所說義无有定法名阿耨多羅三藐三菩
提亦无有定法如來可說何以故如來所說
法皆不可取不可說非法非非法所以者何
一切賢聖皆以无為法而有差別
須菩提於意云何若人滿三千大千世界七
寶以用布施是人所得福德寧為多不須菩
提言甚多世尊何以故是福德即非福德
是故如來說福德多若復有人於此經
持乃至四句偈等為他人說其福勝彼何以
故須菩提一切諸佛及諸佛阿耨多羅三藐
三菩提法皆從此經出須菩提所謂佛法者
即非佛法
須菩提於意云何須陁洹能作是念我得須
陁洹果不須菩提言不也世尊何以故須陁
洹名為入流而无所入不入色聲香味觸法
是名須陁洹須菩提於意云何斯陁含能作
是念我得斯陁含果不須菩提言不也世尊
何以故斯陁含名一往來而實无往來是名

BD00336號　金剛般若波羅蜜經　（12–1）

洹名為入流而无所入不入色聲香味觸法
是名須陁洹須菩提於意云何斯陁含能作
是念我得斯陁含果不須菩提言不也世尊
何以故斯陁含名一往來而實无往來是名
斯陁含須菩提於意云何阿那含能作是念
我得阿那含果不須菩提言不也世尊何以
故阿那含名為不來而實无來是故名阿那
含須菩提於意云何阿羅漢能作是念我得
阿羅漢道不須菩提言不也世尊何以故實
无有法名阿羅漢世尊若阿羅漢作是念我
得阿羅漢道即為著我人衆生壽者世尊佛
說我得无諍三昧人中最為第一是第一離
欲阿羅漢我不作是念我是離欲阿羅漢世
尊我若作是念我得阿羅漢道世尊則不說
須菩提是樂阿蘭那行者以須菩提實无所
行而名須菩提是樂阿蘭那行
佛告須菩提於意云何如來昔在然燈佛所
於法有所得不世尊如來在然燈佛所於法
實无所得須菩提於意云何菩薩莊嚴佛土
不不也世尊何以故莊嚴佛土者則非莊嚴
是名莊嚴是故須菩提諸菩薩摩訶薩應如
是生清淨心不應住色生心不應住聲香味
觸法生心應无所住而生其心須菩提譬如
有人身如須弥山王於意云何是身為大不
須菩提言甚大世尊何以故佛說非身是名

BD00336號　金剛般若波羅蜜經

（12–2）

觸法生心應无所住而生其心須菩提譬如
有人身如須弥山王於意云何是身為大不
須菩提言甚大世尊何以故佛說非身是名
大身須菩提如恒河中所有沙數如是沙等
恒河於意云何是諸恒河沙寧為多不須菩
提言甚多世尊但諸恒河尚多无數何況其
沙須菩提我今實言告汝若有善男子善女
人以七寶滿尒所恒河沙數三千大千世界
以用布施得福多不須菩提言甚多世尊佛
告須菩提若善男子善女人於此經中乃至
受持四句偈等為他人說而此福德勝前福
德復次須菩提隨說是經乃至四句偈等當
知此處一切世間天人阿脩羅皆應供養
如佛塔廟何況有人盡能受持讀誦須菩提當
知是人成就最上第一希有之法若是經典
所在之處則為有佛若尊重弟子
尒時須菩提白佛言世尊當何名此經我等
云何奉持佛告須菩提是經名為金剛般若
波羅蜜以是名字汝當奉持所以者何須菩
提佛說般若波羅蜜則非般若波羅蜜須
菩提於意云何如來有所說法不須菩提白佛
言世尊如來无所說須菩提於意云何三千
大千世界所有微塵是為多不須菩提言甚
多世尊須菩提諸微塵如來說非微塵是名
微塵如來說世界非世界是名世界須菩提

BD00336號　金剛般若波羅蜜經

（12–3）

言世尊如来无所說須菩提於意云何三千
大千世界所有微塵是爲多不須菩提言甚
多世尊須菩提諸微塵如來說非微塵是名
微塵如來說世界非世界是名世界須菩提
於意云何可以三十二相見如來不不也世
尊不可以三十二相得見如來何以故如來
說三十二相即是非相是名三十二相須菩
提若有善男子善女人以恒河沙等身命布
施若復有人於此經中乃至受持四句偈等爲
他人說其福甚多
尒時須菩提聞說是經深解義趣涕淚悲
泣而白佛言希有世尊佛說如是甚深經典
我從昔來所得慧眼未曾得聞如是之經世尊
若復有人得聞是經信心清淨則生實相當
知是人成就第一希有功德世尊是實相者
則是非相是故如來說名實相世尊我今得
聞如是經典信解受持不足爲難若當來世
後五百歲其有衆生得聞是經信解受持是
人則爲第一希有何以故此人无我相人相
衆生相壽者相所以者何我相即是非相人
相衆生相壽者相即是非相何以故離一切
諸相則名諸佛
佛告須菩提如是如是若復有人得聞是經
不驚不怖不畏當知是人甚爲希有何以故
須菩提如來說第一波羅蜜非第一波羅蜜

BD00336 號　金剛般若波羅蜜經　（12–4）

須菩提如來說第一波羅蜜非第一波羅蜜
是名第一波羅蜜
須菩提忍辱波羅蜜如來說非忍辱波羅
蜜何以故須菩提如我昔爲歌利王割截身
體我於尒時无我相无人相无衆生相无壽
者相何以故我於往昔節節支解時若有我相
人相衆生相壽者相應生瞋恨須菩提又念
過去於五百世作忍辱仙人於尒所世无我
相无人相无衆生相无壽者相是故須菩提
菩薩應離一切相發阿耨多羅三藐三菩提
心不應住色生心不應住聲香味觸法生心
應生无所住心若心有住則爲非住是故佛
說菩薩心不應住色布施須菩提菩薩爲
利益一切衆生應如是布施如來說一切諸相
即是非相又說一切衆生則非衆生須菩提
如來是真語者實語者如語者不誑語者不
異語者須菩提如來所得法此法无實无虛
須菩提若菩薩心住於法而行布施如人入
闇則无所見若菩薩心不住法而行布施如
人有目日光明照見種種色須菩提當來之
世若有善男子善女人能於此經受持讀誦
則爲如來以佛智慧悉知是人悉見是人皆
得成就无量无邊功德
須菩提若有善男子善女人初日分以恒河
沙等身布施中日分復以恒河沙等身布

BD00336 號　金剛般若波羅蜜經　（12–5）

須菩提若有善男子善女人初日分以恒河
沙等身布施中日分復以恒河沙等身布
施後日分亦以恒河沙等身布施如是无量百
千萬億劫以身布施若復有人聞此經典信
心不逆其福勝彼何況書寫受持讀誦為人
解說須菩提以要言之是經有不可思議不
可稱量无邊功德如來為發大乘者說為發
最上乘者說若有人能受持讀誦廣為人說
如來悉知是人悉見是人皆得成就不可量
不可稱无有邊不可思議功德如是人等則
為荷擔如來阿耨多羅三藐三菩提何以故
須菩提若樂小法者著我見人見衆生見壽
者見則於此經不能聽受讀誦為人解說
須菩提在在處處若有此經一切世間天人阿
脩羅所應供養當知此處則為是塔皆應恭
敬作禮圍繞以諸華香而散其處
復次須菩提善男子善女人受持讀誦此經
若為人輕賤是人先世罪業應墮惡道以今
世人輕賤故先世罪業則為消滅當得阿耨
多羅三藐三菩提須菩提我念過去无量阿
僧祇劫於然燈佛前得值八百四千萬億那
由他諸佛悉皆供養承事无空過者若復有
人於後末世能受持讀誦此經所得功德於
我所供養諸佛功德百分不及一千萬億分
乃至筭數譬喻所不能及須菩提若善男子

BD00336號　金剛般若波羅蜜經

（12-6）

人於後末世能受持讀誦此經所得功德於
我所供養諸佛功德百分不及一千萬億分
乃至筭數譬喻所不能及須菩提若善男子
善女人於後末世有受持讀誦此經所得功
德我若具說者或有人聞心則狂亂狐疑不
信須菩提當知是經義不可思議果報亦不
可思議
尒時須菩提白佛言世尊善男子善女人發
阿耨多羅三藐三菩提心云何應住云何降
伏其心佛告須菩提善男子善女人發阿耨
多羅三藐三菩提者當生如是心我應滅度
一切衆生滅度一切衆生已而无有一衆生
實滅度者何以故若菩薩有我相人相衆生
相壽者相則非菩薩所以者何須菩提實
无有法發阿耨多羅三藐三菩提者須菩提於
意云何如來於然燈佛所有法得阿耨多
羅三藐三菩提不不也世尊如我解佛所說
義佛於然燈佛所无有法得阿耨多羅三藐
三菩提佛言如是如是須菩提實无有法如
來得阿耨多羅三藐三菩提須菩提若有法
如來得阿耨多羅三藐三菩提者然燈佛則不
與我受記汝於來世當得作佛號釋迦牟尼
以實无有法得阿耨多羅三藐三菩提是故
然燈佛與我受記作是言汝於來世當得作
佛號釋迦牟尼何以故如來者即諸法如義
若有人言如來得阿耨多羅三藐三菩提須

BD00336號　金剛般若波羅蜜經

（12-7）

然燈佛與我受記作是言汝於來世當得作
佛号釋迦牟尼何以故如來者即諸法如義
若有人言如來得阿耨多羅三藐三菩提須
菩提實无有法佛得阿耨多羅三藐三菩提
須菩提如來所得阿耨多羅三藐三菩提於
是中无實无虛是故如來說一切法皆是佛
法須菩提所言一切法者即非一切法是故
名一切法須菩提譬如人身長大須菩提言
世尊如來說人身長大則為非大身是名大
身須菩提菩薩亦如是若作是言我當滅度
无量衆生則不名菩薩何以故須菩提實无
有法名為菩薩是故佛說一切法无我无人
无衆生无壽者須菩提若菩薩作是言我
當莊嚴佛土是不名菩薩何以故如來說莊
嚴佛土者即非莊嚴是名莊嚴須菩提若菩
薩通達无我法者如來說名真是菩薩
須菩提於意云何如來有肉眼不如是世尊
如來有肉眼須菩提於意云何如來有天眼
不如是世尊如來有天眼須菩提於意云何
如來有慧眼不如是世尊如來有慧眼須菩
提於意云何如來有法眼不如是世尊如來
有法眼須菩提於意云何如來有佛眼不如
是世尊如來有佛眼須菩提於意云何恒河
中所有沙佛說是沙不如是世尊如來說是
沙須菩提於意云何如一恒河中所有沙有
如是等恒河是諸恒河所有沙數佛世界如

BD00336號　金剛般若波羅蜜經　（12-8）

沙須菩提於意云何如一恒河中所有沙有
如是等恒河是諸恒河所有沙數佛世界如
是寧為多不甚多世尊佛告須菩提尒所國
土中所有衆生若干種心如來悉知何以故
如來說諸心皆為非心是名為心所以者何
須菩提過去心不可得現在心不可得未
來心不可得須菩提於意云何若有人滿三千
大千世界七寶以用布施是人以是因緣得
福多不如是世尊此人以是因緣得福甚多
須菩提若福德有實如來不說得福德多以
福德无故如來說得福德多
須菩提於意云何佛可以具足色身見不不
也世尊如來不應以具足色身見何以故如來說
具足色身即非具足色身是名具足色身須
菩提於意云何如來可以具足諸相見不不
也世尊如來不應以具足諸相見何以故如
來說諸相具足即非具足是名諸相具足須
菩提汝勿謂如來作是念我當有所說法莫
作是念何以故若人言如來有所說法即為
謗佛不能解我所說故須菩提說法者无法
可說是名說法須菩提白佛言世尊佛得
阿耨多羅三藐三菩提為无所得耶如是如
是須菩提我於阿耨多羅三藐三菩提乃至
无有少法可得是名阿耨多羅三藐三菩提復
次須菩提是法平等无有高下是名阿耨多

BD00336號　金剛般若波羅蜜經　（12-9）

是須菩提我於阿耨多羅三藐三菩提乃至
无有少法可得是名阿耨多羅三藐三菩提復
次須菩提是法平等无有高下是名阿耨多
羅三藐三菩提以无我无人无衆生无壽者
脩一切善法則得阿耨多羅三藐三菩提
須菩提所言善法者如來說非善法是名
善法須菩提若三千大千世界中所有諸須弥
山王如是等七寶聚有人持用布施若人以此
般若波羅蜜經乃至四句偈等受持讀誦為
他人說於前福德百分不及一百千萬億分
乃至筭數譬喻所不能及
須菩提於意云何汝等勿謂如來作是念我
當度衆生須菩提莫作是念何以故實无有
衆生如來度者若有衆生如來度者如來則
有我人衆生壽者須菩提如來說有我者則
非有我而凡夫之人以為有我須菩提凡夫
者如來說則非凡夫須菩提於意云何可以
三十二相觀如來不須菩提言如是如是以
三十二相觀如來佛言須菩提若以三十二
相觀如來者轉輪聖王則是如來須菩提
白佛言世尊如我解佛所說義不應以三十二
相觀如來尒時世尊而說偈言
若以色見我　以音聲求我　是人行邪道　不能見如來
須菩提汝若作是念如來不以具足相故得
阿耨多羅三藐三菩提須菩提莫作是念如

BD00336號　金剛般若波羅蜜經

（12–10）

若以色見我　以音聲求我　是人行邪道　不能見如來
須菩提汝若作是念如來不以具足相故得
阿耨多羅三藐三菩提須菩提莫作是念如
來不以具足相故得阿耨多羅三藐三菩提
須菩提汝若作是念發阿耨多羅三藐三菩
提者說諸法斷滅相莫作是念何以故發阿
耨多羅三藐三菩提者於法不說斷滅相須
菩提若菩薩以滿恒河沙等世界七寶布施
若復有人知一切法无我得成於忍此菩薩
勝前菩薩所得功德須菩提以諸菩薩不受
福德故須菩提白佛言世尊云何菩薩不受
福德須菩提菩薩所作福德不應貪著是故
說不受福德須菩提若有人言如來若來
若去若坐若卧是人不解我所說義何以故
如來者无所從來亦无所去故名如來
須菩提若善男子善女人以三千大千世界
碎為微塵於意云何是微塵衆寧為多不甚
多世尊何以故若是微塵衆實有者佛則不
說是微塵衆所以者何佛說微塵衆則非微
塵衆是名微塵衆世尊如來所說三千大千
世界則非世界是名世界何以故若世界實
有者則是一合相如來說一合相則非一合
相是名一合相須菩提一合相者則是不可
說但凡夫之人貪著其事須菩提若人言佛
說我見人見衆生見壽者見須菩提於意云
何是人解我所說義不世尊是人不解如來

BD00336號　金剛般若波羅蜜經

（12–11）

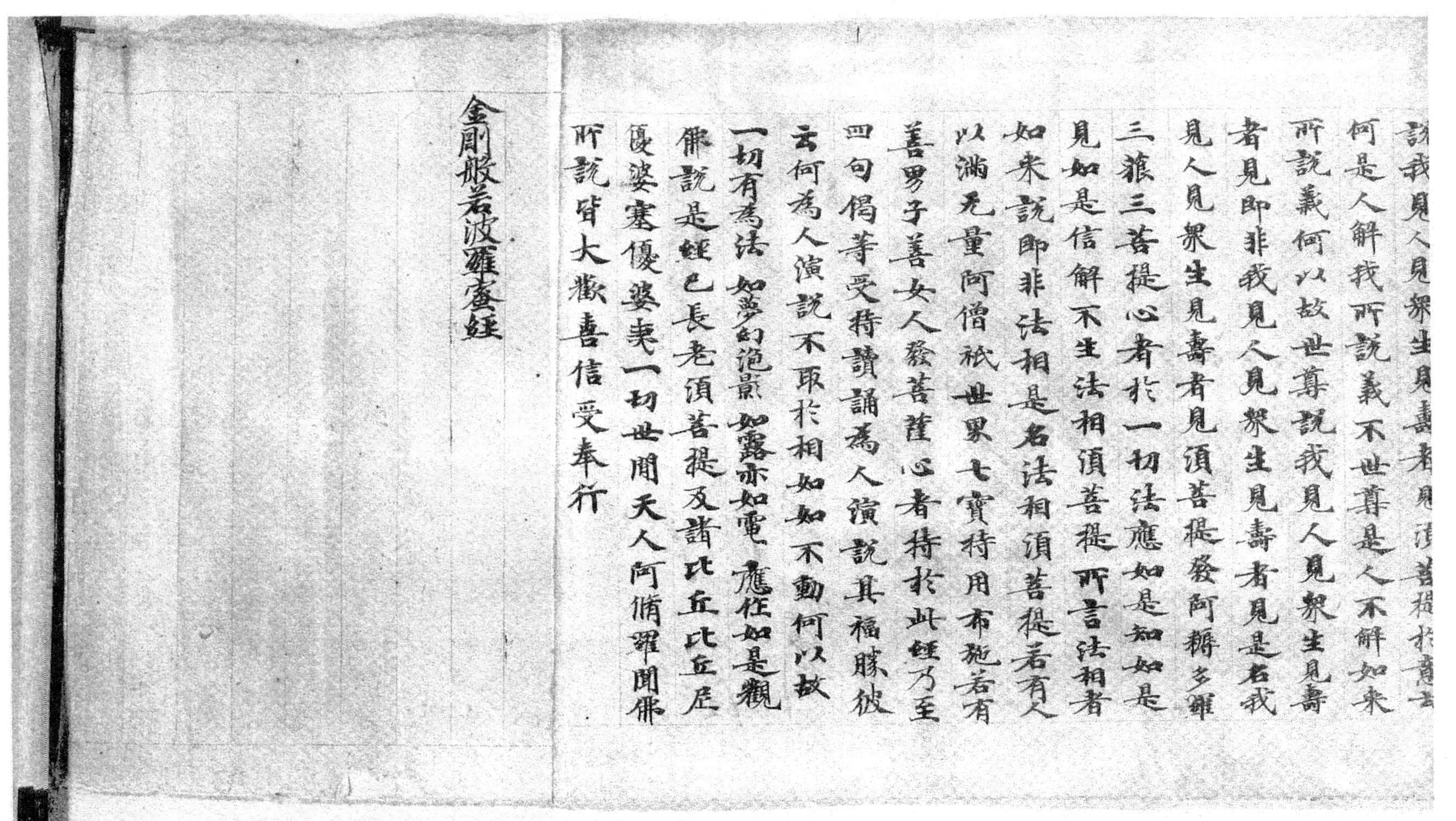
說我見人見衆生見壽者見須菩提於意云
何是人解我所說義不世尊是人不解如來
所說義何以故世尊說我見人見衆生見壽
者見即非我見人見衆生見壽者見是名我
見人見衆生見壽者見須菩提發阿耨多羅
三藐三菩提心者於一切法應如是知如是
見如是信解不生法相須菩提所言法相者
如來說即非法相是名法相須菩提若有人
以滿无量阿僧祇世界七寶持用布施若有
善男子善女人發菩薩心者持於此經乃至
四句偈等受持讀誦為人演說其福勝彼
云何為人演說不取於相如如不動何以故
一切有為法 如夢幻泡影 如露亦如電 應作如是觀
佛說是經已長老須菩提及諸比丘比丘尼
優婆塞優婆夷一切世間天人阿脩羅聞佛
所說皆大歡喜信受奉行
金剛般若波羅蜜經

BD00336 號　金剛般若波羅蜜經　（12–12）

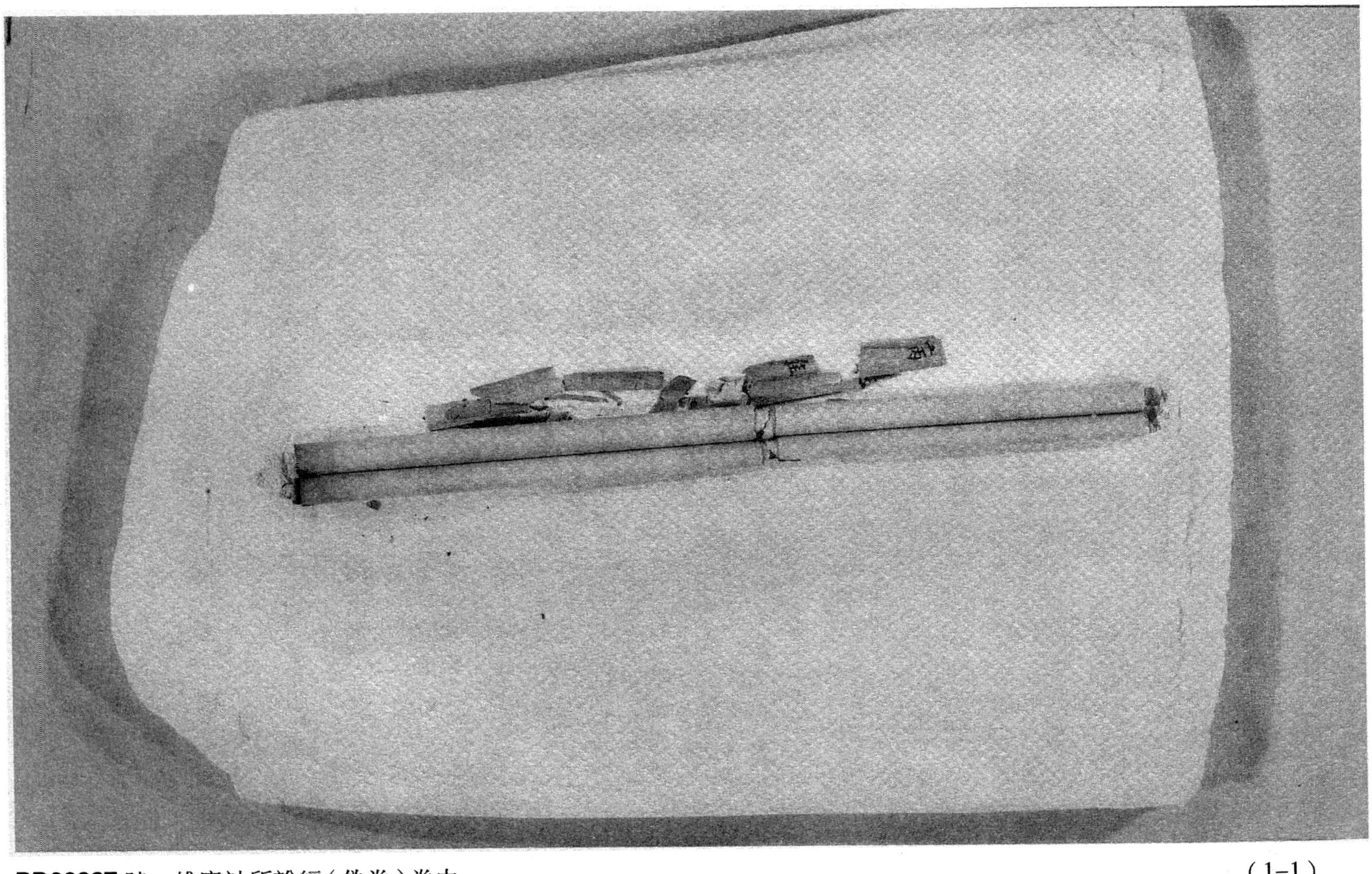

BD00337 號　維摩詰所說經（偽卷）卷中　（1–1）

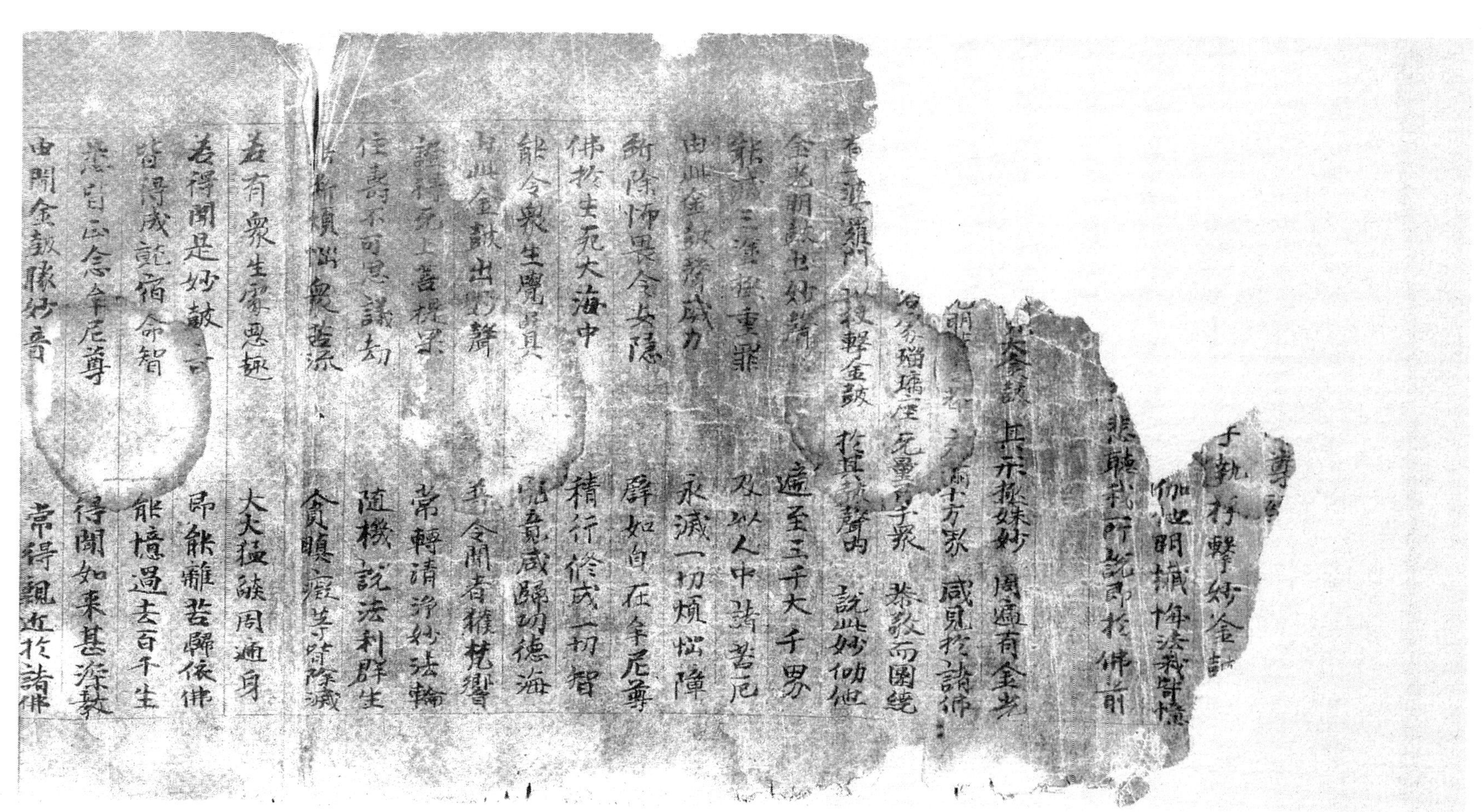

BD00338 號　金光明最勝王經卷二

（8–1）

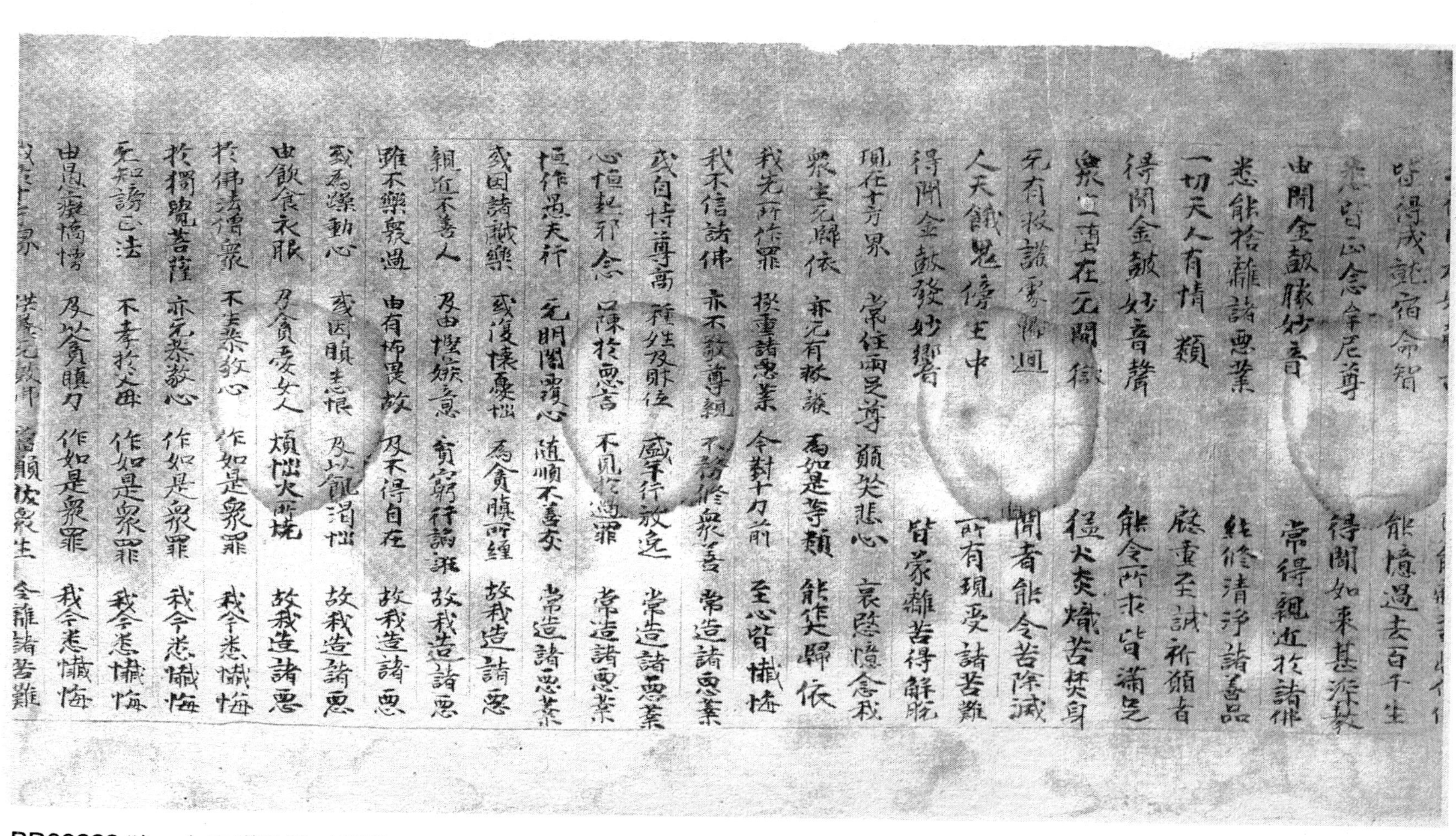

BD00338 號　金光明最勝王經卷二

（8–2）

无知謗正法　不孝於父母　作如是衆罪　我今悉懺悔
由愚癡憍慢　及以貪瞋力　作如是衆罪　我今悉懺悔
我於十方界　供養无數佛　當願拔衆生　令離諸苦難
願一切有情　皆令住十地　福智圓滿已　成佛導群迷
我為諸衆生　苦行百千劫　以大智慧力　皆令出苦海
我為諸含識　演說甚深經　最勝金光明　能除諸惡業
若人百千劫　造諸極重罪　暫時能發露　衆惡盡消除
依此金光明　作如是懺悔　由斯能速盡　一切諸苦業
勝定百千種　不思議總持　根力覺道支　修習常无倦
我當至十地　具足珍寶處　圓滿佛功德　濟度生死流
我於諸佛海　甚深功德藏　妙智難思議　皆令得具足
唯願十方佛　觀察護念我　皆以大悲心　哀受我懺悔
我於多劫中　所造諸惡業　由斯生苦惱　哀愍願消除
我造諸惡業　常生憂怖心　於四威儀中　曾无歡樂想
諸佛具大悲　能除衆怖畏　願受我懺悔　令得離憂苦
我有煩惱障　及以諸報業　願以大悲水　洗濯令清淨
我先作諸罪　及現造惡業　至心皆發露　咸願得蠲除
未來諸惡業　防護令不起　設令有違者　終不敢覆藏
身三語四種　意業復有三　繫縛諸有情　无始恒相續
由斯三種行　造作十惡業　如是衆多罪　我今皆懺悔
我造諸惡業　苦報當自受　今於諸佛前　至誠皆懺悔
於此贍部洲　及他方世界　所有諸善業　今我皆隨喜
願離十惡業　修行十善道　安住十地中　常見十方佛
我以身語意　所修福智業　願以此善根　速成无上慧
我今親對十力前　發露衆多苦難事
凡愚迷惑三有難　恒造極重惡業難
我所積集欲邪難　常起貪愛流轉難

BD00338號　金光明最勝王經卷二　（8–3）

我以身語意　所修福智業　願以此善根　速成无上慧
我今親對十力前　發露衆多苦難事
凡愚迷惑三有難　恒造極重惡業難
我所積集欲邪難　常起貪愛流轉難
於此世間耽著難　一切愚夫煩惱難
狂心散動顛倒難　及以親近惡友難
於生死中貪染難　瞋癡闇鈍造罪難
生八无暇惡處難　未曾積集功德難
我今皆於最勝前　懺悔无邊罪惡業
我今歸依諸善逝　我禮德海无上尊
如大金山照十方　唯願慈悲哀攝受
身色金光淨无垢　目如清淨紺琉璃
吉祥威德名稱尊　大悲慧日除衆闇
佛日光明常普遍　善淨无垢離諸塵
牟尼月照極清涼　能除衆生煩惱熱
三十二相遍莊嚴　八十隨好皆圓滿
福德難思无與等　如日流光照世間
色如琉璃淨无垢　猶如滿月處虛空
妙頗梨網映金軀　種種光明以嚴飾
於生死苦暴流內　老病憂愁水所漂
如是苦海難堪忍　佛日舒光令永竭
我今稽首一切智　三千世界希有尊
光明晃耀紫金身　種種妙好皆嚴飾
如大海水量難知　大地微塵不可數
如妙高山叵稱量　亦如虛空无有際
諸佛功德亦如是　一切有情不能知
於无量劫諦思惟　无有能知德海岸

BD00338號　金光明最勝王經卷二　（8–4）

如妙高山叵稱量　亦如虛空无有際
諸佛功德亦如是　一切有情不能知
於无量劫諦思惟　无有能知德海岸
盡此大地諸山岳　析如微塵能算知
毛端滴海尚可量　佛之功德无能數
一切有情皆共讚　世尊名稱諸功德
清淨相好妙莊嚴　不可稱量知分齊
我之所有衆善業　願得速成无上尊
廣說正法利群生　悉令解脫於衆苦
降伏大力魔軍衆　當轉无上正法輪
久住劫數難思議　充足衆生甘露味
猶如過去諸最勝　六波羅蜜皆圓滿
滅諸貪欲及瞋癡　降伏煩惱除衆苦
願我常得宿命智　能憶過去百千生
亦常憶念牟尼尊　得聞諸佛甚深法
願我以斯諸善業　奉事无邊最勝尊
遠離一切不善因　恒得修行真妙法
一切世界諸衆生　悉皆離苦得安樂
所有諸根不具足　令彼身相皆圓滿
若有衆生遭病苦　身形羸瘦无所依
咸令病苦得消除　諸根色力皆充滿
若犯王法當刑戮　衆苦逼迫生憂惱
彼受如斯極苦時　无有歸依能救護
若受鞭杖枷鎖繫　種種苦具切其身
无量百千憂惱時　逼迫身心无蹔樂
皆令得免於繫縛　及以鞭杖苦楚事
將臨刑者得命全　衆苦皆令永除盡

BD00338號　金光明最勝王經卷二　（8–5）

无量百千憂惱時　逼迫身心无蹔樂
皆令得免於繫縛　及以鞭杖苦楚事
將臨刑者得命全　衆苦皆令永除盡
若有衆生飢渴逼　令得種種殊勝味
盲者得視聾者聞　跛者能行瘂能語
貧窮衆生獲寶藏　倉庫盈溢无所乏
皆令得受上妙樂　无一衆生受苦惱
一切人天皆樂見　容儀溫雅甚端嚴
悉皆現受无量樂　受用豐饒福德具
隨彼衆生念伎樂　衆妙音聲皆現前
念水即現清涼池　金色蓮花泛其上
隨彼衆生心所念　飲食衣服及牀敷
金銀珎寶妙琉璃　瓔珞莊嚴皆具足
勿令衆生聞惡響　亦復不見有相違
所受容貌悉端嚴　各各慈心相愛樂
世間資生諸樂具　隨心念時皆滿足
所得珎財无悋惜　分布施與諸衆生
燒香末香及塗香　衆妙雜花非一色
每日三時從樹墮　隨心受用生歡喜
普願衆生咸供養　十方一切最勝尊
三乘清淨妙法門　菩薩獨覺聲聞衆
常願勿處於卑賤　不墮无暇八難中
生在有暇人中尊　恒得親承十方佛
願得常生富貴家　財寶倉庫皆盈滿
顏貌名稱无與等　壽命延長經劫數
悉願女人變為男　勇健聰明多智慧
一切常行菩薩道　勤修六度到彼岸

BD00338號　金光明最勝王經卷二　（8–6）

悲願女人變為男　勇健聰明多智慧
一切常行菩薩道　勤修六度到彼岸
常見十方无量佛　寶王樹下而安處
處妙瑠璃師子座　恒得親承轉法輪
若於過去及現在　輪迴三有造諸業
能招可厭不善趣　願得消滅永无餘
一切衆生於有海　生死羂網堅牢縛
願以智劍為斷除　離苦速證菩提處
衆生於此贍部內　或於他方世界中
所作種種勝福因　我今皆悉生隨喜
以此隨喜福德事　及身語意造衆善
願此勝業常增長　速證无上大菩提
所有礼讚佛功德　深心清淨无瑕穢
迴向發願福无邊　當超惡趣六十劫
若有男子及女人　婆羅門等諸勝族
合掌一心讚歎佛　生生常憶宿世事
諸根清淨身圓滿　殊勝功德皆成就
願於未來所生處　常得人天共瞻仰
非於一佛十方所　修諸善根今得聞
百千佛所種善根　方得聞斯懺悔法
尒時世尊聞此說已讚妙幢菩薩言善哉善
哉善男子如汝所夢金鼓出聲讚歎如來真
實功德并懺悔法若有聞者獲福甚多廣利
有情滅除罪障汝今應知此之勝業皆是過
去讚歎發願宿習因緣及由諸佛威力加護
此之因緣當為汝說時諸大衆聞是法已咸
皆歡喜信受奉行

BD00338號　金光明最勝王經卷二　（8–7）

非於一佛十方所　修諸善根今得聞
百千佛所種善根　方得聞斯懺悔法
尒時世尊聞此說已讚妙幢菩薩言善哉善
哉善男子如汝所夢金鼓出聲讚歎如來真
實功德并懺悔法若有聞者獲福甚多廣利
有情滅除罪障汝今應知此之勝業皆是過
去讚歎發願宿習因緣及由諸佛威力加護
此之因緣當為汝說時諸大衆聞是法已咸
皆歡喜信受奉行

金光明最勝王經卷第二

礦古猛　鍊蓮見　鋊欲鍾　渟大丁　桴瀼于　鎖蘇果　羂古縣

BD00338號　金光明最勝王經卷二　（8–8）

子善哉善哉
德誠如所言如來
汝等若於无量億
劫說不能盡迦[illegible]如來是諸法之王若
有所說皆不虛也於一切法以智方便而演
說之其所說法皆悉到於一切智地如來
觀知一切諸法之所歸趣亦知一切眾生深心所
行通達无导又於諸法究盡明了示諸眾
生一切智慧迦葉譬如三千大千世界山川
谿谷土地所生卉木叢林及諸藥草小根
小莖小枝小葉中根中莖中枝中葉大根大
莖大枝大葉諸樹大小隨上中下各有
所受一雲所雨稱其種性而得生長華果
敷實雖一地所生一雨所潤而諸草木各
有差別迦葉當知如來亦復如是出現於世如
大雲起以大音聲普遍世界天人阿脩羅如彼
大雲遍覆三千大千國土於大眾中而唱是
言我是如來應供正遍知明行足善逝世間
解无上士調御丈夫天人師佛世尊未度者
令度未解者令解未安者令安未涅槃者令
得涅槃今世後世如實知之我是一切知者一
切見者知道者開道者說道者汝等天人
阿脩羅眾皆應到此為聽法故尒時无數千
万億種眾生來至佛所而聽法如來于時觀

BD00339號　妙法蓮華經卷三

（21–1）

得涅槃今世後世如實知之我是一切知者一
切見者知道者開道者說道者汝等天人
阿脩羅眾皆應到此為聽法故尒時无數千
万億種眾生來至佛所而聽法如來于時觀
是眾生諸根利鈍精進懈怠隨其所堪而為
說法種種无量皆令歡喜快得善利是諸眾
生聞是法已現世安隱後生善處以道受樂
亦得聞法既聞法已離諸鄣㝵於諸法中任力
所能漸得入道如彼大雲雨於一切卉木叢林
及諸藥草如其種性具足蒙潤各得生長
如來說法一相一味所謂解脫相離相滅
相究竟至於一切種智其有眾生聞如來法
若持讀誦如說脩行所得功德不自覺知所
以者何唯有如來知此眾生種相體性念何
事思何事脩何事云何念云何思云何脩以
何法念以何法思以何法脩以何法得何法眾
生住於種種之地唯有如來如實見之明了
无閡如彼卉木叢林諸藥草等而不自知
上中下性如來知是一相一味之法所謂解脫
相離相滅相究竟涅槃常寂滅相終歸
於空佛知是已觀眾生心欲而將護之是故不
即為說一切種智汝等迦葉甚為希有能
知如來隨宜說法難信難受所以者何諸
佛世尊隨宜說法難解難知尒時世尊欲重
宣此義而說偈言
破有法王　出現世間　隨眾生欲　種種說法
如來尊重　智慧深遠　久嘿思要　不務速說
有智若聞　則能信解　无智疑悔　則為永失
是故迦葉　隨力為說　以種種緣　令得正見
迦葉當知　譬如大雲　起於世間　遍覆一切

BD00339號　妙法蓮華經卷三

（21–2）

有智若聞　則能信解　无智疑悔　則爲永失
是故迦葉　隨力爲說　以種種緣　令得正見
迦葉當知　譬如大雲　起於世間　遍覆一切
慧雲含潤　電光晃曜　雷聲遠震　令衆悅豫
日光掩蔽　地上清凉　靉靆垂布　如可承攬
其雨普等　四方俱下　流澍无量　率土充洽
山川險谷　幽邃所生　卉木藥草　大小諸樹
百穀苗稼　甘蔗蒲萄　雨之所潤　无不豐足
乾地普洽　藥木並茂　其雲所出　一味之水
草木叢林　隨分受潤　一切諸樹　上中下等
稱其大小　而得生長　根莖枝葉　華菓光色
一雨所及　皆得鮮澤　如其體相　性分大小
所潤是一　而各滋茂　佛亦如是　出現於世
譬如大雲　普覆一切　既出于世　爲諸衆生
分別演說　諸法之實　大聖世尊　於諸天人
一切衆中　而宣是言　我爲如來　兩足之尊
出于世間　猶如大雲　充潤一切　枯槁衆生
皆令離苦　得安隱樂　世間之樂　及涅槃樂
諸天人衆　一心善聽　皆應到此　覲无上尊
我爲世尊　无能及者　安隱衆生　故現於世
爲大衆說　甘露淨法　其法一味　解脫涅槃
以一妙音　演暢斯義　常爲大乘　而作因緣
我觀一切　普皆平等　无有彼此　愛憎之心
我无貪著　亦无限閡　恒爲一切　平等說法
如爲一人　衆多亦然　常演說法　曾无他事
去來坐立　衆不疲猒　充足世間　如雨普潤
貴賤上下　持戒毀戒　威儀具足　及不具足
正見邪見　利根鈍根　等雨法雨　而无懈惓
一切衆生　聞我法者　隨力所受　住於諸地
或處人天　轉輪聖王　釋梵諸王　是小藥草

BD00339號　妙法蓮華經卷三　（21–3）

正見邪見　利根鈍根　等雨法雨　而无懈惓
一切衆生　聞我法者　隨力所受　住於諸地
或處人天　轉輪聖王　釋梵諸王　是小藥草
知无漏法　能得涅槃　起六神通　及得三明
獨處山林　常行禪定　得緣覺證　是中藥草
求世尊處　我當作佛　行精進定　是上藥草
又諸佛子　專心佛道　常行慈悲　自知作佛
決定无疑　是名小樹　安住神通　轉不退輪
度无量億　百千衆生　如是菩薩　名爲大樹
佛平等說　如一味雨　隨衆生性　所受不同
如彼草木　所稟各異　佛以此喻　方便開示
種種言辭　演說一法　於佛智慧　如海一渧
我雨法雨　充滿世間　一味之法　隨力脩行
如彼叢林　藥草諸樹　隨其大小　漸增茂好
諸佛之法　常以一味　令諸世間　普得具足
漸次脩行　皆得道果　聲聞緣覺　處於山林
住最後身　聞法得果　是名藥草　各得增長
若諸菩薩　智慧堅固　了達三界　求最上乘
是名小樹　而得增長　復有住禪　得神通力
聞諸法空　心大歡喜　放无數光　度諸衆生
是名大樹　而得增長　如是迦葉　佛所說法
譬如大雲　以一味雨　潤於人華　各得成實
迦葉當知　以諸因緣　種種譬喻　開示佛道
是我方便　諸佛亦然　今爲汝等　說最實事
諸聲聞衆　皆非滅度　汝等所行　是菩薩道
漸漸脩學　悉當成佛
妙法蓮華經授記品第六
尒時世尊說是偈已　告諸大衆　唱如是言　我此
弟子摩訶迦葉　於未來世　當得奉覲　三百万
諸佛世尊　供養恭敬　尊重讚歎　廣宣　諸佛

BD00339號　妙法蓮華經卷三　（21–4）

弟子摩訶迦葉於未來世當得奉覲三百万
諸佛世尊供養恭敬尊重讚歎廣宣諸佛
无量大法於最後身得成為佛名曰光明
如來應供正遍知明行足善逝世間解无
上士調御丈夫天人師佛世尊國名光德劫
名大莊嚴佛壽十二小劫正法住世二十小劫
像法亦住二十小劫國界嚴飾无諸穢惡瓦
礫荊棘便利不淨其土平正无有高下坑
坎堆阜琉璃為地寶樹行列黃金為繩以
界道側散諸寶華周遍清淨其國菩薩无數
千万億諸聲聞眾亦復无數无有魔事雖有魔
及魔民皆護佛法爾時世尊欲重宣此義而說
偈言
告諸比丘　我以佛眼　見是迦葉　於未來世
過无數劫　當得作佛　而於來世　供養奉覲
三百万億　諸佛世尊　為佛智慧　淨修梵行
供養最上　二足尊已　脩集一切　无上之慧
於最後身　得成為佛　其土清淨　瑠璃為地
多諸寶樹　行列道側　金繩界道　見者歡喜
常出好香　散眾名華　種種奇妙　以為莊嚴
其地平政　无有丘坑　諸菩薩眾　不可稱計
其心調柔　逮大神通　奉持諸佛　大乘經典
諸聲聞眾　无漏後身　法王之子　亦不可計
乃以天眼　不能數知　其佛當壽　十二小劫
正法住世　二十小劫　像法亦住　二十小劫
光明世尊　其事如是
爾時大目揵連須菩提摩訶迦旃延等皆悉
悚慄一心合掌瞻仰尊顏目不暫捨即共同聲
而說偈言
大雄猛世尊　諸釋之法王　哀愍我等故　而賜佛音聲

BD00339號　妙法蓮華經卷三　（21–5）

悚慄一心合掌瞻仰尊顏目不暫捨即共同聲
而說偈言
大雄猛世尊　諸釋之法王　哀愍我等故　而賜佛音聲
若知我深心　見為授記者　如以甘露灑　除熱得清涼
如從飢國來　忽遇大王饍　心猶懷疑懼　未敢即便食
若復得王教　然後乃敢食　我等亦如是　每惟小乘過
不知當云何　得佛无上慧　雖聞佛音聲　言我等作佛
心尚懷憂懼　如未敢便食　若蒙佛授記　爾乃快安樂
大雄猛世尊　常欲安世間　願賜我等記　如飢須教食
爾時世尊知諸大弟子心之所念告諸比丘
是須菩提於當來世奉覲三百万億那由
他佛供養恭敬尊重讚歎常脩梵行具菩薩
道於最後身得成為佛号曰名相如來應供正遍
知明行足善逝世間解无上士調御丈夫天人
師佛世尊劫名有寶國名寶生其土平正頗梨為
地寶樹莊嚴无諸丘坑沙礫荊棘便利之穢寶
華覆地周遍清淨其土人民皆處寶臺珍妙
樓閣聲聞弟子无量无邊算數譬喻所不能
知諸菩薩眾无數千万億那由他佛壽十二小劫
正法住世二十小劫像法亦住二十小劫其佛常
處虛空為眾說法度脫无量菩薩及聲聞眾
爾時世尊欲重宣此義而說偈言
諸比丘眾　今告汝等　皆當一心　聽我所說
我大弟子　須菩提者　當得作佛　号曰名相
當供无數　万億諸佛　隨佛所行　漸具大道
最後身得　三十二相　端政殊妙　猶如寶山
其佛國土　嚴淨第一　眾生見者　无不愛樂
佛於其中　度无量眾　其佛法中　多諸菩薩
皆悉利根　轉不退輪　彼國常以　菩薩莊嚴
諸聲聞眾　不可稱數　皆得三明　具六神通

BD00339號　妙法蓮華經卷三　（21–6）

佛於其中　度无量衆　其佛法中
皆悉利根　轉不退輪　彼國常以　菩薩莊嚴
諸聲聞衆　不可稱數　皆得三明　具六神通
住八解脫　有大威德　其佛說法　現於无量
神通變化　不可思議　諸天人民　數如恒沙
皆共合掌　聽受佛語　其佛當壽　十二小劫
正法住世　二十小劫　像法亦住　二十小劫
尒時世尊復告諸比丘衆我今語汝是大迦
旃延於當來世以諸供具供養奉事八千億
佛恭敬尊重諸佛滅後各起塔廟高千由旬縱
廣正等五百由旬皆以金銀瑠璃車磲馬瑙
真珠玫瑰七寶合成衆華瓔珞塗香末香
燒香繒蓋幢幡供養塔廟過是已後當復供
養二万億佛亦復如是供養是諸佛已具菩
薩道當得作佛号曰閻浮那提金光如來應
供正遍知明行足善逝世間解无上士調御丈
夫天人師佛世尊其土平正頗梨為地寶
樹莊嚴黃金為繩以界道側妙華覆地周
遍清淨見者歡喜无四惡道地獄餓鬼畜生
阿脩羅道多有天人諸聲聞衆及諸菩薩无量
万億莊嚴其國佛壽十二小劫正法住世二十小
劫像法亦住二十小劫尒時世尊欲重宣此
義而說偈言
諸比丘衆　皆一心聽　如我所說　真實无異
是迦旃延　當以種種　妙好供具　供養諸佛
諸佛滅後　起七寶塔　亦以華香　供養舍利
其最後身　得佛智慧　成等正覺　國土清淨
度脫无量　万億衆生　皆為十方　之所供養
佛之光明　无能勝者　其佛号曰　閻浮金光
菩薩聲聞　斷一切有　无量无數　莊嚴其國
尒時世尊復告大衆我今語汝是大目揵連當

度脫无量　万億衆生　皆為十方　之所供養
佛之光明　无能勝者　其佛号曰　閻浮金光
菩薩聲聞　斷一切有　无量无數　莊嚴其國
尒時世尊復告大衆我今語汝是大目揵連當
以種種供具供養八千諸佛恭敬尊重諸佛
滅後各起塔廟高千由旬縱廣正等五百
由旬以金銀瑠璃車磲馬瑙真珠玫瑰七寶合
成衆華瓔珞塗香末香燒香繒蓋幢幡以用
供養過是已後當復供養二百万億諸佛
亦復如是當得成佛号曰多摩羅跋旃檀香
如來應供正遍知明行足善逝世間解无上
士調御丈夫天人師佛世尊劫名喜滿國名
意樂其土平正頗梨為地寶樹莊嚴散真珠
華周遍清淨見者歡喜多諸天人菩薩聲聞
其數无量佛壽二十四小劫正法住世四十小劫
像法亦住四十小劫尒時世尊欲重宣此義
而說偈言
我此弟子　大目揵連　捨是身已　得見八千
二百万億　諸佛世尊　為佛道故　供養恭敬
於諸佛所　常脩梵行　於无量劫　奉持佛法
諸佛滅後　起七寶塔　長表金剎　香華伎樂
而以供養　諸佛塔廟　漸漸具足　菩薩道已
於意樂國　而得作佛　号多摩羅　旃檀之香
其佛壽命　二十四劫　常為天人　演說佛道
聲聞无量　如恒河沙　三明六通　有大威德
菩薩无數　志固精進　於佛智慧　皆不退轉
佛滅度後　正法當住　四十小劫　像法亦尒
我諸弟子　威德具足　其數五百　皆當授記
於未來世　咸得成佛　我及汝等　宿世因緣
吾今當說　汝等善聽

於未來世　咸得成佛　我及汝等　宿世因緣
吾今當說　汝等善聽

妙法蓮華經化城喻品第七

佛告諸比丘乃往過去无量无邊不可思
議阿僧祇劫尒時有佛名大通智勝如來
應供正遍知明行足善逝世間解无上士調御
丈夫天人師佛世尊其國名好城劫名大相諸
比丘彼佛滅度已來甚大久遠譬如三千大
千世界所有地種假使有人磨以為墨過於
東方千國土乃下一點大如微塵又過千國土
復下一點如是展轉盡地種墨於汝等意云何是
諸國土若算師若算師弟子能得邊際知
其數不不也世尊諸比丘是人所經國土若點
不點盡末為塵一塵一劫彼佛滅度已來復過
是數无量无邊百千万億阿僧祇劫我以如
來知見力故觀彼久遠猶若今日尒時世尊
欲重宣此義而說偈言
我念過去世　无量无邊劫　有佛兩足尊　名大通智勝
如人以力磨　三千大千土　盡此諸地種　皆悉以為墨
過於千國土　乃下一塵點　如是展轉點　盡此諸塵墨
如是諸國土　點與不點等　復盡末為塵　一塵為一劫
此諸微塵數　其劫復過是　彼佛滅度來　如是无量劫
如來无礙智　知彼佛滅度　及聲聞菩薩　如見今滅度
諸比丘當知　佛智淨微妙　无漏无所导　通達无量劫
佛告諸比丘大通智勝佛壽五百四十万億
那由他劫其佛本坐道場破魔軍已垂得阿
耨多羅三藐三菩提而諸佛法不現在前如
是一小劫乃至十小劫結跏趺坐身心不動而
諸佛法猶不在前尒時忉利諸天先為彼佛
於菩提樹下敷師子座高一由旬佛於此座

是一小劫乃至十小劫結跏趺坐身心不動而
諸佛法猶不在前尒時忉利諸天先為彼佛
於菩提樹下敷師子座高一由旬佛於此座
當得阿耨多羅三藐三菩提適坐此座時諸
梵天王雨眾天華面百由旬香風時來吹去萎
華更雨新者如是不絕滿十小劫供養於佛
乃至滅度常雨此華四王諸天為供養佛常
擊天鼓其餘諸天作天伎樂歌歎於佛滿十
小劫至于滅度亦復如是諸比丘大通智勝佛
過十小劫諸佛之法乃現在前成阿耨多羅
三藐三菩提其佛未出家時有十六子其第一
者名曰智積諸子各有種種珍異玩好之具
聞父得成阿耨多羅三藐三菩提皆捨所珍往
往詣佛所諸母涕泣而隨送之其祖轉輪聖
王與一百大臣及餘百千万億人民皆共圍遶
隨至道場咸欲親近大通智勝如來供養恭
敬尊重讚歎到已頭面礼足遶佛畢已一心合
掌瞻仰世尊以偈頌曰
大威德世尊　為度眾生故　於无量億歲　尒乃得成佛
諸願已具足　善哉吉无上　世尊甚希有　一坐十小劫
身體及手足　寂然安不動　其心常惔怕　未曾有散亂
究竟永寂滅　安住无漏法　今者見世尊　安隱成佛道
我等得善利　稱慶大歡喜　眾生常苦惱　盲瞑無導師
不識苦盡道　不知求解脫　長夜增惡趣　減損諸天眾
從冥入於冥　永不聞佛名　今佛得最上　安隱无漏法
我等及天人　為得最大利　是故咸稽首　歸命无上尊
尒時十六王子偈讚佛已勸請世尊轉於法輪
咸作是言世尊說法多所安隱憐愍饒益諸
天人民重說偈言
世雄无等倫　百福自莊嚴　得无上智慧　願為世間說

[illegible]
天人民重說偈言
世雄无等倫　百福自莊嚴　得无上智慧　願為世間說
度脫於我等　及諸衆生類　為分別顯示　令得是智慧
若我等得佛　衆生亦復然　世尊知衆生　深心之所念
亦知所行道　又知智慧力　欲樂及脩福　宿命所行業
世尊悉知已　當轉无上輪
佛告諸比丘大通智勝佛得阿耨多羅三藐三
菩提時十方各五百万億諸佛世界六種震動
其國中間幽冥之處日月威光所不能照而皆
大明其中衆生各得相見咸作是言此中云何
忽生衆生又其國界諸天宮殿乃至梵宮
六種震動大光普照遍滿世界勝諸天光尒
時東方五百万億諸國土中梵天宮殿光明照
曜倍於常明諸梵天王各作是念今者宮殿
光明昔所未有以何因緣而現此相是時諸梵
天王即各相詣共議此事而彼衆中有一大
梵天王名救一切為諸梵衆而說偈言
我等諸宮殿　光明昔未有　此是何因緣　宜各共求之
為大德天生　為佛出世間　而此大光明　遍照於十方
尒時五百万億諸梵天王與宮殿俱各以衣祴
盛諸天華共詣西方推尋是相見大通智勝
如來處于道場菩提樹下坐師子座諸天龍
王乾闥婆緊那羅摩睺羅伽人非人等恭
敬圍繞及見十六王子請佛轉法輪時諸梵
天王頭面礼佛繞百千帀即以天華而散
佛上其所散華如須弥山并以供養佛菩提
樹其菩提樹高十由旬華供養已各以宮
殿奉上彼佛而作是言唯見哀愍饒益我
等所獻宮殿願垂納處尒時諸梵天王即
於佛前一心同聲以偈頌曰

BD00339號　妙法蓮華經卷三　（21–11）

[illegible]
於佛前一心同聲以偈頌曰
世尊甚希有　難可得值遇　具无量功德　能救護一切
天人之大師　哀愍於世間　十方諸衆生　普皆蒙饒益
我等所從來　五百万億國　捨深禪定樂　為供養佛故
我等先世福　宮殿甚嚴飾　今以奉世尊　唯願哀納受
尒時諸梵天王偈讚佛已各作是言唯願世尊
轉於法輪度脫衆生開涅槃道時諸梵天王
一心同聲而說偈言
世雄兩足尊　唯願演說法　以大慈悲力　度苦惱衆生
尒時大通智勝如來默然許之又諸比丘東
南方五百万億國土諸大梵王各自見宮殿
光明照曜昔所未有歡喜踊躍生希有心即各
相詣共議此事而彼衆中有一大梵天王名
曰大悲為諸梵衆而說偈言
是事何因緣　而現如此相　我等諸宮殿　光明昔未有
為大德天生　為佛出世間　未曾見此相　當共一心求
過千万億土　尋光共推之　多是佛出世　度脫苦衆生
尒時五百万億諸梵天王與宮殿俱各以衣
祴盛諸天華共詣西北方推尋是相見大
通智勝如來處于道場菩提樹下坐師子
座諸天龍王乾闥婆緊那羅摩睺羅伽人
非人等恭敬圍繞及見十六王子請佛轉法輪時
諸梵天王頭面礼佛繞百千帀即以天華而
散佛上所散之華如須弥山并以供養佛菩
提樹華供養已各以宮殿奉上彼佛而作是言
唯見哀愍饒益我等所獻宮殿願垂納處尒
時諸梵天王即於佛前一心同聲以偈頌曰
聖主天中王　迦陵頻伽聲　哀愍衆生者　我等今敬礼
世尊甚希有　久遠乃一現　一百八十劫　空過无有佛
三惡道充滿　諸天衆減少　今佛出於世　為衆生作眼

BD00339號　妙法蓮華經卷三　（21–12）

聖主天中王　迦陵頻伽聲　哀愍衆生者　我等今敬禮
世尊甚希有　久遠乃一現　一百八十劫　空過无有佛
三惡道充滿　諸天衆減少　今佛出於世　為衆生作眼
世間所歸趣　救護於一切　為衆生之父　哀愍饒益者
我等宿福慶　今得值世尊
尔時諸梵天王偈讚佛已各作是言唯願世尊
哀愍一切轉於法輪度脫衆生時諸梵天王
一心同聲而說偈言
大聖轉法輪　顯示諸法相　度苦惱衆生　令得大歡喜
衆生聞是法　得道若生天　諸惡道減少　忍善者增益
尔時大通智勝如來黙然許之又諸比丘南方
五百万億國土諸大梵王各自見宮殿光明
照曜昔所未有歡喜踊躍生希有心即各
相詣共議此事以何因緣我等宮殿有此
光曜而彼衆中有一大梵天王名曰大法為
諸梵衆而說偈言
我等諸宮殿　光明甚威曜　此非无因緣　是相宜求之
過於百千劫　未曾見是相　為大德天生　為佛出世間
尔時五百万億諸梵天王與宮殿俱各以衣裓
盛諸天華共詣北方推尋是相見大通智
勝如來處于道場菩提樹下坐師子座諸天
龍王乾闥婆緊那羅摩睺羅伽人非人等恭
敬圍繞及見十六王子請佛轉法輪即時諸
梵天王頭面礼佛繞百千帀即以天華而
散佛上所散之華如須弥山并以供養佛菩
提樹華供養已各以宮殿奉上彼佛而作是
言唯見哀愍饒益我等所獻宮殿願垂納
處尔時諸梵天王即於佛前一心同聲以偈頌曰
世尊甚難見　破諸煩惱者　過百三十劫　今乃得一現
諸飢渴衆生　以法雨充滿　昔所未曾覩　无量智慧者

BD00339 號　妙法蓮華經卷三　（21–13）

世尊甚難見　破諸煩惱者　過百三十劫　今乃得一現
諸飢渴衆生　以法雨充滿　昔所未曾覩　无量智慧者
如優曇鉢華　今日乃值遇　我等諸宮殿　蒙光故嚴飾
世尊大慈愍　唯願垂納受
尔時諸梵天王偈讚佛已各作是言唯願世尊
轉於法輪令一切世間諸天魔梵沙門婆羅門
皆獲安隱而得度脫時諸梵天王一心同聲
以偈頌曰
唯願天人尊　轉无上法輪　擊于大法鼓　而吹大法螺
普雨大法雨　度无量衆生　我等咸歸請　當演深遠音
尔時大通智勝如來黙然許之西南方乃至下
方亦復如是尔時上方五百國土諸大梵王皆
悉自覩所止宮殿光明威曜昔所未有歡喜
踊躍生即有心即各相詣共議此事以何因緣
我等宮殿有斯光明而彼衆中有一大梵天王
名曰尸棄為諸梵衆而說偈言
今以何因緣　我等諸宮殿　威德光明曜　嚴飾未曾有
如是之妙相　昔所未聞見　為大德天生　為佛出世間
尔時五百万億諸梵天王與宮殿俱各以衣裓
盛諸天華共詣下方推尋是相見大通智
勝如來處于道場菩提樹下坐師子座諸天
龍王乾闥婆緊那羅摩睺羅伽人非人等恭敬
圍繞及見十六王子請佛轉法輪時諸梵天王
頭面礼佛遶百千帀即以天華而散佛上所
散之華如須弥山并以供養佛菩提樹華供
養已各以宮殿奉上彼佛而作是言唯見哀
愍饒益我等所獻宮殿願垂納處尔時諸梵
天王即於佛前一心同聲以偈頌曰
善哉見諸佛　救世之聖尊　能於三界獄　勉出諸衆生
普智天人尊　哀愍羣萠類　能開甘露門　廣度於一切

BD00339 號　妙法蓮華經卷三　（21–14）

天王即於佛前一心同聲以偈頌曰
善哉見諸佛　救世之聖尊　能於三界獄　勉出諸衆生
普智天人尊　哀愍群萌類　能開甘露門　廣度於一切
於昔无量劫　空過无有佛　世尊未出時　十方常闇冥
三惡道增長　阿脩羅亦盛　諸天衆轉減　死多墮惡道
不從佛聞法　常行不善事　色力及智慧　斯等皆減少
罪業因緣故　失樂及樂想　住於邪見法　不識善儀則
不蒙佛所化　常墮於惡道　佛為世間眼　久遠時乃出
哀愍諸衆生　故現於世間　超出成正覺　我等甚欣慶
及餘一切衆　喜歎未曾有　我等諸宮殿　蒙光故嚴飾
今以奉世尊　唯垂哀納受　願以此功德　普及於一切
我等與衆生　皆共成佛道
尒時五百万億諸梵天王偈讚佛已各白佛言
唯願世尊轉於法輪多所安隱多所度脫時
諸梵天王而說偈言
世尊轉法輪　擊甘露法鼓　度苦惱衆生　開示涅槃道
唯願受我請　以大微妙音　哀愍而敷演　无量劫集法
尒時大通智勝如來受十方諸梵天王及十六
王子請即時三轉十二行法輪若沙門婆羅門
若天魔梵及餘世間所不能轉謂是苦是苦集
是苦滅是苦滅道及廣說十二因緣法无明緣
行行緣識識緣名色名色緣六入六入緣觸觸
緣受受緣愛愛緣取取緣有有緣生生緣老
死憂悲苦惱无明滅則行滅行滅則識滅識
滅則名色滅名色滅則六入滅六入滅則觸滅
觸滅則受滅受滅則愛滅愛滅則取滅取滅
則有滅有滅則生滅生滅則老死憂悲苦惱
滅佛於天人大衆之中說是法時六百万億那
由他人以不受一切法故而於諸漏心得解脫皆
得深妙禪定三明六通具八解脫第二第三第

BD00339號　妙法蓮華經卷三　（21–15）

滅佛於天人大衆之中說是法時六百万億那
由他人以不受一切法故而於諸漏心得解脫皆
得深妙禪定三明六通具八解脫第二第三第
四說法時千万億那由他恒河沙等衆生亦以不
受一切法故而於諸漏心得解脫從是已後諸聲
聞衆无量无邊不可稱數尒時十六王子皆以童子
出家而為沙弥諸根通利智慧明了已曾供養
百千万億諸佛淨脩梵行求阿耨多羅三藐三
菩提俱白佛言世尊是諸无量千万億大德聲聞
皆已成就世尊亦當為我等說阿耨多羅三藐
三菩提法我等聞已皆共脩學世尊我等
志願如來知見深心所念佛自證知尒時轉輪聖
王所將衆中八万億人見十六王子出家亦求
出家王即聽許尒時彼佛受沙弥請過二万劫
已乃於四衆之中說是大乘經名妙法蓮華教
菩薩法佛所護念說是經已十六沙弥為阿耨
多羅三藐三菩提故皆共受持諷誦通利說是
經時十六菩薩沙弥皆悉信受聲聞衆中亦
有信解其餘衆生千万億種皆生疑惑佛說
是經於八千劫未曾休廢說此經已即入靜室住
於禪定八万四千劫是時十六菩薩沙弥知佛入
室寂然禪定各昇法座亦於八万四千劫為四部
衆廣說分別妙法華經一一皆度六百万億那由
他恒河沙等衆生示教利喜令發阿耨多羅三
藐三菩提心大通智勝佛過八万四千劫已從三
昧起往詣法座安詳而坐普告大衆是十六
菩薩沙弥甚為希有諸根通利智慧明了已
曾供養无量百千万億數諸佛於諸佛所常脩
梵行受持佛智開示衆生令入其中汝等皆

BD00339號　妙法蓮華經卷三　（21–16）

曾供養无量百千万億數諸佛於諸佛所常脩
梵行受持佛智開示衆生令入其中汝等皆
當數數親近而供養之所以者何若聲聞辟支
佛及諸菩薩能信是十六菩薩所說經法受持
不毀者是人皆當得阿耨多羅三藐三菩提
如來之慧佛告諸比丘是十六菩薩常樂說是
妙法華經一一菩薩所化六百万億那由他恒河
沙等衆生世世所生與菩薩俱從其聞法悉皆
信解以此因緣得值四万億諸佛世尊于今不盡
諸比丘我今語汝彼佛弟子十六沙弥今皆得
阿耨多羅三藐三菩提於十方國土現在說法
有无量百千万億菩薩聲聞以為眷屬其二沙弥
東方作佛一名阿閦在歡喜國二名須弥頂東
南方二佛一名師子音二名師子相南方二佛
一名虛空住二名常滅西南方二佛一名帝相二
名梵相西方二佛一名阿弥陁二名度一切世間苦惱
西北方二佛一名多摩羅跋栴檀香神通二名須弥相北
方二佛一名雲自在二名雲自在王東北方佛名
壞一切世間怖畏第十六我釋迦牟尼佛於娑
婆國土成阿耨多羅三藐三菩提諸比丘我等
為沙弥時各各教化无量百千万億恒河沙
等衆生從我聞法為阿耨多羅三藐三菩提此諸
衆生于今有住聲聞地者我常教化阿耨
多羅三藐三菩提是諸人等應以是法漸入
佛道所以者何如來智慧難信難解尒時所化
无量恒河沙等衆生者汝等諸比丘及我滅
度後未來世中聲聞弟子是也我滅度後復有
弟子不聞是經不知不覺菩薩所行自於所
得功德生滅度想當入涅槃我於餘國作佛
更有異名是人雖生滅度之想入於涅槃而

BD00339號　妙法蓮華經卷三　（21–17）

弟子不聞是經不知不覺菩薩所行自於所
得功德生滅度想當入涅槃我於餘國作佛
更有異名是人雖生滅度之想入於涅槃而
於彼土求佛智慧得聞是經唯以佛乘而得
滅度更無餘乘除諸如來方便說法諸比丘
若如來自知涅槃時到衆又清淨信解堅固
了達空法深入禪定便集諸菩薩及聲聞
衆為說是經世間无有二乘而得滅度唯一
佛乘得滅度耳比丘當知如來方便深入衆
生之性知其志樂小法深著五欲為是等故說
於涅槃是人若聞則便信受譬如五百由旬
險難惡道曠絕无人怖畏之處若有多
衆欲過此道至珎寶處有一道師聰慧明
達善知險道通塞之相將導衆人欲過此
難所將人衆中路懈退白道師言我等疲極
而復怖畏不能復進前路猶遠今欲退還道
師多諸方便而作是念此等可愍云何捨大
珎寶而欲退還作是念已以方便力於險道
中過三百由旬化作一城告衆人言汝等勿
怖莫得退還今此大城可於中止隨意所作
若入是城快得安隱若能前至寶所亦可
得去是時疲極之衆心大歡喜歎未曾有我
等今者免斯惡道快得安隱於是衆人前入
化城生已度想生安隱想尒時道師知此人衆既
得止息无復疲倦即滅化城語衆人言汝等
去來寶處在近向者大城我所化作為止息
耳諸比丘如來亦復如是今為汝等作大導師
知諸生死煩惱惡道險難長遠應去應度若
衆生但聞一佛乘者則不欲見佛不欲親近便
作是念佛道長遠久受懃苦乃可得成佛知

BD00339號　妙法蓮華經卷三　（21–18）

作是念佛道長遠久受勤苦乃可得成佛知
是心怯弱下劣以方便力而於中道為止息故
說二涅槃若眾生住於二地如來尒時即便為
說汝等所作未辦汝所住地近於佛慧當觀
察籌量所得涅槃非真實也但是如來方便
之力於一佛乘分別說三如彼導師為止息
故化作大城既知息已而告之言寶處在近此
城非實我化作耳尒時世尊欲重宣此義而
說偈言
大通智勝佛　十劫坐道場　佛法不現前　不得成佛道
諸天神龍王　阿脩羅眾等　常雨於天華　以供養彼佛
諸天擊天鼓　并作眾伎樂　香風吹萎華　更雨新好者
過十小劫已　乃得成佛道　諸天及世人　心皆懷踊躍
彼佛十六子　皆與其眷屬　千万億圍繞　俱行至佛所
頭面禮佛足　而請轉法輪　聖師子法雨　充我及一切
世尊甚難值　久遠時一現　為覺悟群生　震動於一切
東方諸世界　五百万億國　梵宮殿光曜　昔所未曾有
諸梵見此相　尋來至佛所　散華以供養　并奉上宮殿
請佛轉法輪　以偈而讚歎　佛知時未至　受請默然坐
三方及四維　上下亦復尒　散華奉宮殿　請佛轉法輪
世尊甚難值　願以大慈悲　廣開甘露門　轉無上法輪
無量慧世尊　受彼眾人請　為宣種種法　四諦十二緣
無明至老死　皆從生緣有　如是眾過患　汝等應當知
宣暢是法時　六百万億姟　得盡諸苦際　皆成阿羅漢
第二說法時　千万恒沙眾　於諸法不受　亦得阿羅漢
從是後得道　其數無有量　万億劫算數　不能得其邊
時十六王子　出家作沙弥　皆共請彼佛　演說大乘法
我等及營從　皆當成佛道　願得如世尊　慧眼第一淨
佛知童子心　宿世之所行　以無量因緣　種種諸譬喻
說六波羅蜜　及諸神通事　分別真實法　菩薩所行道

BD00339號　妙法蓮華經卷三　（21–19）

時十六王子　出家作沙弥　皆共請彼佛　演說大乘法
我等及營從　皆當成佛道　願得如世尊　慧眼第一淨
佛知童子心　宿世之所行　以無量因緣　種種諸譬喻
說六波羅蜜　及諸神通事　分別真實法　菩薩所行道
說是法華經　如恒河沙偈　彼佛說經已　靜室入禪定
一心一處坐　八万四千劫　是諸沙弥等　知佛禪未出
為無量億眾　說佛無上慧　各各坐法坐　說是大乘經
於佛宴寂後　宣揚助法化　一一沙弥等　所度諸眾生
有六百万億　恒河沙等眾　彼佛滅度後　是諸聞法者
在在諸佛所　常與師俱生　是十六沙弥　具足行佛道
今現在十方　各得成正覺　尒時聞法者　各在諸佛所
其有住聲聞　漸教以佛道　我在十六數　曾亦為汝說
是故以方便　引汝趣佛慧　以是本因緣　今說法華經
令汝入佛道　慎勿懷驚懼　譬如險惡道　迥絕多毒獸
又復無水草　人所怖畏處　無數千万眾　欲過此險道
其路甚曠遠　經五百由旬　時有一導師　強識有智慧
明了心決定　在險濟眾難　眾人皆疲惓　而白導師言
我等今頓乏　於此欲退還　導師作是念　此輩甚可愍
如何欲退還　而失大珍寶　尋時思方便　當設神通力
化作大城郭　莊嚴諸舍宅　周帀有園林　渠流及浴池
重門高樓閣　男女皆充滿　即作是化已　慰眾言勿懼
汝等入此城　各可隨所樂　諸人既入城　心皆大歡喜
皆生安隱想　自謂已得度　導師知息已　集眾而告言
汝等當前進　此是化城耳　我見汝疲極　中路欲退還
故以方便力　權化作此城　汝今勤精進　當共至寶所
我亦復如是　為一切導師　見諸求道者　中路而懈廢
不能度生死　煩惱諸險道　故以方便力　為息說涅槃
言汝等苦滅　所作皆已辦　既知到涅槃　皆得阿羅漢
尒乃集大眾　為說真實法　諸佛方便力　分別說三乘
唯有一佛乘　息處故說二　今為汝說實　汝所得非滅

BD00339號　妙法蓮華經卷三　（21–20）

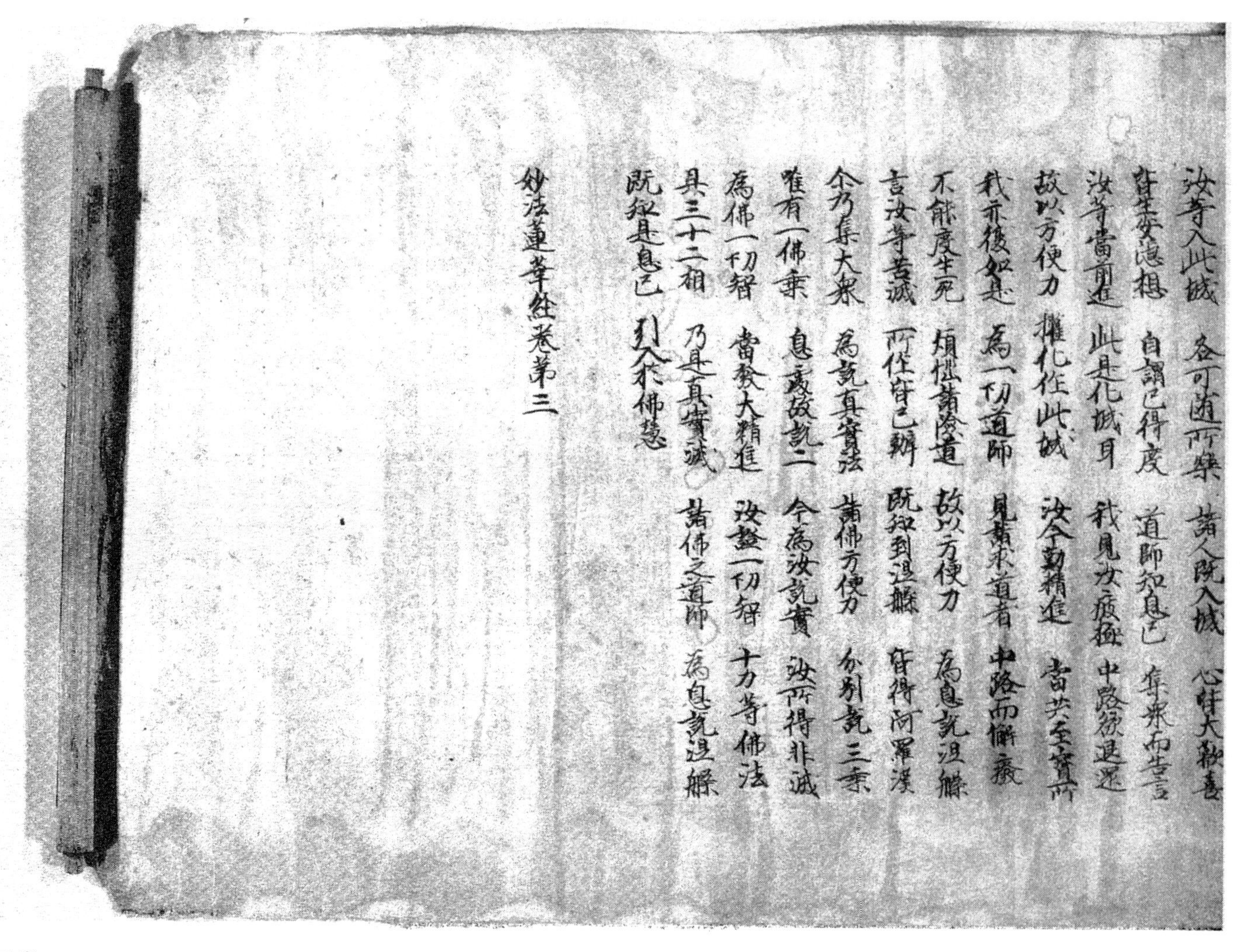
汝等入此城　各可隨所樂　諸人既入城　心皆大歡喜
皆生安隱想　自謂已得度　道師知息已　集衆而告言
汝等當前進　此是化城耳　我見汝疲極　中路欲退還
故以方便力　權化作此城　汝今勤精進　當共至寶所
我亦復如是　為一切道師　見諸求道者　中路而懈廢
不能度生死　煩惱諸險道　故以方便力　為息說涅槃
言汝等苦滅　所作皆已辦　既知到涅槃　皆得阿羅漢
尒乃集大衆　為說真實法　諸佛方便力　分別說三乘
唯有一佛乘　息處故說二　今為汝說實　汝所得非滅
為佛一切智　當發大精進　汝證一切智　十力等佛法
具三十二相　乃是真實滅　諸佛之道師　為息說涅槃
既知是息已　引入於佛慧

妙法蓮華經卷第三

BD00339號　妙法蓮華經卷三　（21–21）

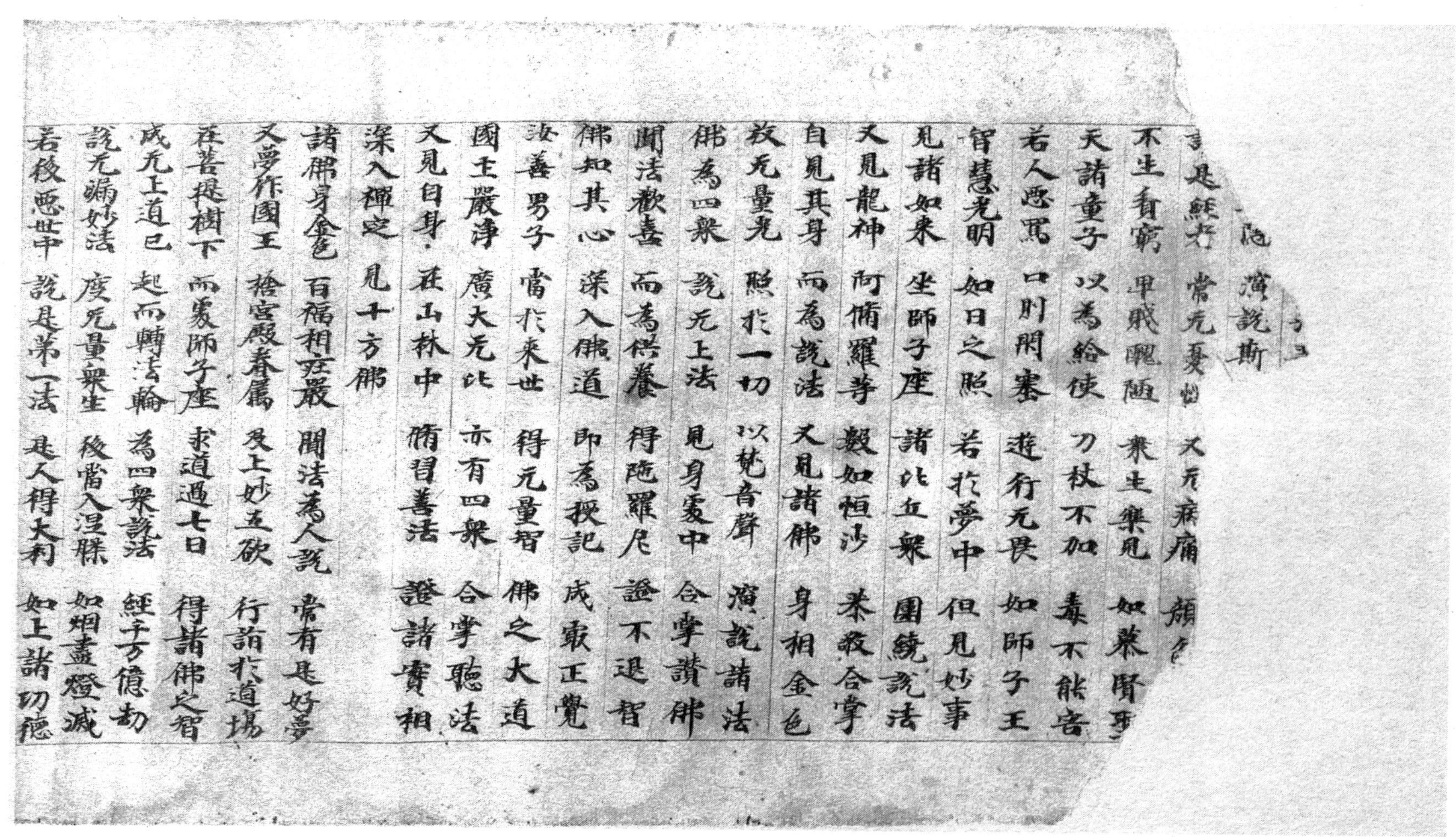
……隱　演說斯……
……是經者　常无憂惱　又无病痛　顏色……
不生貧窮　卑賤醜陋　衆生樂見　如慕賢聖
天諸童子　以為給使　刀杖不加　毒不能害
若人惡罵　口則閉塞　遊行无畏　如師子王
智慧光明　如日之照　若於夢中　但見妙事
見諸如來　坐師子座　諸比丘衆　圍繞說法
又見龍神　阿脩羅等　數如恒沙　恭敬合掌
自見其身　而為說法　又見諸佛　身相金色
放无量光　照於一切　以梵音聲　演說諸法
佛為四衆　說无上法　見身處中　合掌讚佛
聞法歡喜　而為供養　得陀羅尼　證不退智
佛知其心　深入佛道　即為授記　成最正覺
汝善男子　當於來世　得无量智　佛之大道
國土嚴淨　廣大无比　亦有四衆　合掌聽法
又見自身　在山林中　脩習善法　證諸實相
深入禪定　見十方佛
諸佛身金色　百福相莊嚴　聞法為人說　常有是好夢
又夢作國王　捨宮殿眷屬　及上妙五欲　行詣於道場
在菩提樹下　而處師子座　求道過七日　得諸佛之智
成无上道已　起而轉法輪　為四衆說法　經千萬億劫
說无漏妙法　度无量衆生　後當入涅槃　如烟盡燈滅
若後惡世中　說是第一法　是人得大利　如上諸功德

BD00340號　妙法蓮華經卷五　（4–1）

在菩提樹下　而處師子座　求道過七日　得諸佛之智
成无上道已　起而轉法輪　為四衆說法　經千万億劫
說无漏妙法　度无量衆生　後當入涅槃　如烟盡燈滅
若後惡世中　說是第一法　是人得大利　如上諸功德
妙法蓮華經從地踊出品第十五
尒時他方國土諸來菩薩摩訶薩過八恒河
沙數於大衆中起立合掌作礼而白佛言世尊
若聽我等於佛滅後在此娑婆世界勤加精
進護持讀誦書寫供養是經典者當於此土
而廣說之尒時佛告諸菩薩摩訶薩衆止善
男子不須汝等護持此經所以者何我娑婆
世界自有六万恒河沙等菩薩摩訶薩一一
菩薩各有六万恒河沙眷屬是諸人等能於
我滅後護持讀誦廣說此經佛說是娑婆
世界三千大千國土地皆震裂而於其中有
无量千万億菩薩摩訶薩同時踊出是諸菩
薩身皆金色三十二相无量光明先盡在此
娑婆世界之下此界虛空中住是諸菩薩聞
釋迦牟尼佛所說音聲從下發來一一菩薩
皆是大衆唱導之首各將六万恒河沙眷屬
况將五万四万三万二万一万恒河沙等眷
屬者况復乃至一恒河沙半恒河沙四分之
一乃至千万億那由他分之一况復千万億
那由他眷屬况復億万眷屬况復千万百万
乃至一万况復一千一百乃至一十况復將
五四三二一弟子者况復單己樂遠離行如
是等比无量无邊

BD00340號　妙法蓮華經卷五　（4–2）

乃至一万况復一千一百乃至一十况復將
五四三二一弟子者况復單己樂遠離行如
是等比无量无邊筭數譬喻所不能知是諸
菩薩從地出已各詣虛空七寶妙塔多寶如
來釋迦牟尼佛所到已向二世尊頭面礼足
及至諸寶樹下師子座上佛所亦皆作礼右
繞三帀合掌恭敬以諸菩薩種種讚法而以
讚歎住在一面欣樂瞻仰於二世尊是諸菩
薩摩訶薩從初踊出以諸菩薩種種讚法而
讚於佛如是時間經五十小劫是時釋迦牟
尼佛嘿然而坐及諸四衆亦皆嘿然五十小
劫佛神力故令諸大衆謂如半日尒時四衆
亦以佛神力故見諸菩薩遍滿无量百千万
億國土虛空是菩薩衆中有四導師一名上
行二名无邊行三名淨行四名安立行是四
菩薩於其衆中最為上首唱導之師在大衆
前各共合掌觀釋迦牟尼佛而問訊言世尊
少病少惱安樂行不所應度者受教易不不
令世尊生疲勞耶尒時四大菩薩而說偈言
世尊安樂　少病少惱　教化衆生　得无疲惓
又諸衆生　受化易不　不令世尊　生疲勞耶
尒時世尊於菩薩大衆中而作是言如是如
是諸善男子如來安樂少病少惱諸衆
易可化度无有疲勞所以者何是諸衆
世已來常受我化亦於過去諸佛供養
種諸善根此諸衆生始見我身聞我
皆信受入如來慧

BD00340號　妙法蓮華經卷五　（4–3）

世尊安樂 少病少惱 教化衆生 得无疲惓
又諸衆生 受化易不 不令世尊 生疲勞耶
尒時世尊於菩薩大衆中而作是言 如是如
是諸善男子如來安樂少病少惱諸衆
易可化度无有疲勞所以者何是諸衆
世已來常受我化亦於過去諸佛供養
種諸善根此諸衆生始見我身聞我
皆信受入如來慧除先脩習學小乘
之人我今亦令得聞是經入於佛慧
天菩薩而說偈言
善哉善哉 大雄世尊 諸衆生等
能問諸佛 甚深智慧 聞已信行
於時世尊讚歎上首諸大菩薩
男子汝等能於如來發隨喜
薩及八千恒河沙諸菩薩衆
從昔已來不見不聞如是
從地踊出住世尊前合掌
弥勒菩薩摩訶薩知八千
心之所念幷欲自決所
无量千万億 大衆諸
是從何所來 以
其志念堅

BD00340號　妙法蓮華經卷五

（4–4）

……可以身相
世尊不可以身相得見如來何以故
說身相即非身相佛告須菩提凡
是虛妄若見諸相非相則見如來
須菩提白佛言世尊頗有衆生得聞如是言
說章句生實信不佛告須菩提莫作是說如
來滅後後五百歲有持戒脩福者於此章句
能生信心以此為實當知是人不於一佛二
佛三四五佛而種善根已於无量千万佛所
種諸善根聞是章句乃至一念生淨信者須
菩提如來悉知悉見是諸衆生得如是无量
福德何以故是諸衆生无復我相人相衆生
相壽者相无法相亦无非法相何以故是諸
衆生若心取相則為着我人衆生壽者若取
法相即着我人衆生壽者何以故若取非法
相即着我人衆生壽者是故不應取法不應
取非法以是義故如來常說汝等比丘知我
說法如筏喻者法尚應捨何況非法
須菩提於意云何如來得阿耨多羅三藐三
菩提耶如來有所說法耶須菩提言如我解
佛所說義无有定法名阿耨多羅三藐三菩
提亦无有定法如來可說何以故如來所說
法皆不可取不可說非法非非法所以者何
……聖皆以无為法而有差別

BD00341號　金剛般若波羅蜜經

（4–1）

佛所說義无有定法名阿耨多羅三藐三菩
提亦无有定法如來可說何以故如來所說
法皆不可取不可說非法非非法所以者何
一切賢聖皆以无為法而有差別
須菩提於意云何若人滿三千大千世界七
寶以用布施是人所得福德寧為多不須菩
提言甚多世尊何以故是福德即非福德性
是故如來說福德多若復有人於此經中受
持乃至四句偈等為他人說其福勝彼何以
故須菩提一切諸佛及諸佛阿耨多羅三藐
三菩提法皆從此經出須菩提所謂佛法者
即非佛法
須菩提於意云何須陀洹能作是念我得
須陀洹果不須菩提言不也世尊何以故須陀
洹名為入流而无所入不入色聲香味觸法是
名須陀洹須菩提於意云何斯陀含能作
是念我得斯陀含果不須菩提言不也世尊
何以故斯陀含名一往來而實无往來是名
斯陀含須菩提於意云何阿那含能作是念
我得阿那含果不須菩提言不也世尊何以
故阿那含名為不來而實无來是故名阿那
含須菩提於意云何阿羅漢能作是念我得
阿羅漢道不須菩提言不也世尊何以故實
无有法名阿羅漢世尊若阿羅漢作是念我
得阿羅漢道即為著我人衆生壽者世尊佛
說我得无諍三昧人中最為第一是第一離
欲阿羅漢我不作是念我是離欲阿羅漢世

BD00341號　金剛般若波羅蜜經　（4–2）

得阿羅漢道即為著我人衆生壽者世尊佛
說我得无諍三昧人中最為第一是第一離
欲阿羅漢我不作是念我是離欲阿羅漢世
尊我若作是念我得阿羅漢道世尊則不說
須菩提是樂阿蘭那行者以須菩提實无所
行而名須菩提是樂阿蘭那行
佛告須菩提於意云何如來昔在然燈佛所
於法有所得不世尊如來在然燈佛所於法
實无所得
須菩提於意云何菩薩莊嚴佛土不不也世
尊何以故莊嚴佛土者則非莊嚴是名莊嚴
是故須菩提諸菩薩摩訶薩應如是生清淨
心不應住色生心不應住聲香味觸法生心
應无所住而生其心須菩提譬如有人身
如須弥山王於意云何是身為大不須菩提
言甚大世尊何以故佛說非身是名大身
須菩提如恒河中所有沙數如是沙等恒河
於意云何是諸恒河沙寧為多不須菩提言
甚多世尊但諸恒河尚多无數何況其沙須
菩提我今實言告汝若有善男子善女人以
七寶滿尒所恒河沙數三千大千世界以用
布施得福多不須菩提言甚多世尊佛告須
菩提若善男子善女人於此經中乃至受持
四句偈等為他人說而此福德勝前福德
復次須菩提隨說是經乃至四句偈等當知
此處一切世間天人阿修羅皆應供養如佛

BD00341號　金剛般若波羅蜜經　（4–3）

如須弥山王於意云何是身為大不須菩提
言甚大世尊何以故佛說非身是名大身
須菩提如恒河中所有沙數如是沙等恒河
於意云何是諸恒河尚多無數不須菩提言
甚多世尊但諸恒河尚多無數何況其沙須
菩提我今實言告汝若有善男子善女人以
七寶滿尒所恒河沙數三千大千世界以用
布施得福多不須菩提言甚多世尊佛告須
菩提若善男子善女人於此經中乃至受持
四句偈等為他人說而此福德勝前福德
復次須菩提隨說是經乃至四句偈等當知
此處一切世間天人阿修羅皆應供養如佛
塔廟何況有人盡能受持讀誦須菩提當
知是人成就最上第一希有之法若是經
典所在之處則為有佛若尊重弟子
尒時須菩提白佛言世尊當何名此經我等
云何奉持佛告須菩提是經名為金剛般
若波羅蜜以是名字汝當奉持所以者何須菩
提佛說般若波羅蜜則非般若波羅蜜須菩
提於意云何如來有所說法不須菩提白佛
言世尊如來無所說須菩提於意云何三千
大千世界所有微塵是為多不須菩提言甚
多世尊須菩提諸微塵如來說非微塵是名

BD00341 號　金剛般若波羅蜜經　（4–4）

字我不脩無志無語無業無命無方便無念無
定故於他生瞋生瞋恚故口說惡言他為
性名字是故我今當捨瞋恚罰殘度

吴

無學勝利唯學無學復次靜慮或見所斷或脩
所斷或非所斷勝利唯非所斷復次靜慮通
染不染勝利唯不染復次靜慮通有異熟無
異熟勝利唯無異熟復次靜慮三諦攝除滅
諦勝利唯道諦攝是謂靜慮勝利差別
如契經說初靜慮憂根滅第二靜慮苦根滅
問離欲染時斷憂及苦契經何故作是說耶
答依過對治故作是說謂離欲染位雖斷苦
根而未名為過苦對治於初靜慮得離染時
過苦對治故說苦滅苦對治者謂初靜慮猶
次依過族姓及苦所依故作是說謂離欲染位
雖斷苦根而未過苦所依族姓於初靜慮得
雖斷苦根而未過苦所依族姓

彼覺苦覺已惡不善法轉減善法轉增邪命
濕貝弗那婆脩荅曰唯然我等如是知世尊
說法若有覺樂覺者彼覺樂覺已不善法轉
增善法轉減若有覺苦覺者彼覺苦覺已
不善法轉減善法轉增世尊訶阿濕貝弗那
婆脩比丘汝等癡人何由知我如是說法汝
等癡人從何口聞知如是說法汝等癡人我

BD00342 號 1　雜阿含經（兑廢稿）卷三二　（6–1）
BD00342 號 2　阿毗達磨大毗婆沙論（兑廢稿）卷八一
BD00342 號 3　中阿含經（兑廢稿）卷五一

增善法轉減若有覺苦覺者彼覺苦覺已
不善法轉減善法轉增世尊訶阿濕貝弗那
婆修比丘汝等癡人何由知我如是說法汝
等癡人從何口聞知如是說法汝等癡人我
不一向說汝等一向受持汝等癡人為衆多
比丘語時應如是如法答我等未知當問諸
比丘尒時世尊告諸比丘汝等亦如是知我
說法若有覺樂覺者彼覺樂覺已不善法轉
增善法轉減若有覺苦覺者彼覺苦覺已不
善法轉減善法轉增邪衆多比丘答曰不也
世尊世尊復問曰汝等云何知我說法衆多
比丘答曰世尊我等如是知世尊說法或有
覺樂覺者惡不善法轉增善法轉減或有
覺樂覺者惡不善法轉減善法轉增或有覺
苦覺者惡不善法轉增善法轉減或有覺苦
覺者惡不善法轉減善法轉增世尊我等如是
知世尊所說法世尊聞已歎諸比丘曰善
哉善哉若汝如是說或有覺樂覺者惡不善法
轉增善法轉減或有覺樂覺者惡不善法轉
減善法轉增或有覺苦覺者惡不善法轉增
法轉增所以者何我亦如是說或有覺樂覺
王法律
者惡不善法轉增善法轉減或有覺樂覺者
者惡不善法轉增善法轉減或有覺樂覺者
佛佛說八種聖道經
練根至不動以是事故彼名退法乃至名堪
達法若作是說依六作用建立六種阿羅漢

BD00342 號 3　中阿含經（兌廢稿）卷五一　　（6–2）

佛佛說八種聖道經
練根至不動以是事故彼名退法乃至名堪
達法若作是說依六作用建立六種阿羅漢
名彼說欲界具有六種色無色界唯有二種
謂安住及不動法如是說者退法阿羅漢不
名退乃至堪達法阿羅漢不名練根至不動
法問若尒何故彼名退法乃至彼名堪達法
雜增
耶答阿羅漢中退法者不名退若退從此種
姓非餘乃至堪達法者不退名練根至不動
此世及他世　明智善顯現　諸魔得未得　乃至於死魔
一切悉知者　三藐三佛智　破壞令消亡
雜阿含經卷第廿二　如是我聞
雜阿含經卷第廿二
如是我聞一時佛在舍衛國祇樹給孤獨園時
有一天子容色絕妙於後夜時來詣佛所稽首
獨園時彼天子而說偈言
沉沒於睡眠　欠呿不欣樂　飽食心憒悶
懈怠不精勤　斯十處衆生　聖道不顯現
尒時世尊說偈答言
心沒於睡眠　欠呿不欣樂　飽食心憒悶
懈怠不精勤　精勤修習者　能開發聖道
又見婆羅門　速得般涅槃　一切怖已過　永超世恩愛
時彼天子聞佛所說歡喜隨喜稽首佛足即
沒不現
如是我聞一時佛住舍衛國祇樹給孤獨園

BD00342 號 4　阿毗達磨大毗婆沙論（兌廢稿）卷六二　　（6–3）
BD00342 號 5　雜阿含經（兌廢稿）卷四七
BD00342 號 6　雜阿含經（兌廢稿）卷二二

迷失

時彼苾芻聞佛所說歡喜隨喜稽首佛足卽
沒不現
如是我聞一時佛住舍衛國祇樹給孤獨園
時有一苾芻容色絕妙於後夜時來詣佛所
稽首佛足退坐一面身諸光明遍照祇樹給
孤獨園時彼苾芻而說偈言
外纏結非纏　內纏纏眾生　今問於瞿曇　誰於纏離纏
尒時世尊說偈答言
智者建立戒　內心脩智慧　苾芻勤脩習　於纏能解纏
時彼苾芻復說偈言
久見婆羅門　逮得般涅槃　一切怖已過　永超世恩愛
時彼苾芻聞佛所說歡喜隨喜稽首佛足卽
沒不現
如是我聞一時佛住舍衛國祇樹給孤獨園
時有一苾芻容色絕妙於後夜時來詣佛所
稽首佛足退坐一面身諸光明遍照祇樹給
稽首佛足退坐一面身諸光明遍照祇樹給
阿達　阿毗達磨大毗婆沙言
阿毗達磨大毗婆沙論卷第一百六十一
尒時世尊妙

阿毗達

阿毗達磨大毗婆沙論卷第一百六十一　五百大阿羅漢等造
捨時先緣中品謂於彼趣捨置意樂中品有
情處易捨故緣親發愛緣怨發親故緣害

BD00342 號 6　雜阿含經（兌廢稿）卷二二　（6–4）
BD00342 號 7　阿毗達磨大毗婆沙論（兌廢稿）卷八二

吳頁目

阿毗達磨大毗婆沙論卷第一百六十一　五百大阿羅漢等造
捨時先緣中品謂於彼趣捨置意樂中品有
情處易捨故緣親發愛緣怨發親故緣害
處脩捨捨中品已次捨下怨次捨中怨次
捨上怨次捨下親次捨中親後捨上親先捨
其怨後捨親者瞋心易捨非愛心故漸次脩
習至成滿時普於欲界一切有情捨置意樂
平等相續無異分別猶如持秤緣有情類如
怱觀林薺此名為脩捨究竟問何等有情能
脩無量答有情種姓略有二種一於有情樂
求過失二於有情樂求功德若於有情樂求
失者於四無量多不能脩所以者何阿羅漢
等欲求其失亦可得故彼於先時亦有瑕隙
故今我等今輕毀之誰能於彼作饒益事若
於有情樂求德者於四無量多分能脩所以
者何斷善根者欲求其德亦可得故彼於先
時多脩善業故今感得尊貴家生形貌端嚴
眾所樂見言辭威肅聞皆敬愛智慧多聞產
皆推仰我應於彼作饒益事
問此四無量次第云何為如說而生為別有
次第有作是說如說而生謂瑜伽師先於欲
界諸有情類欲與饒益與饒益者卽是慈相
故佛說慈以為第一次於欲界諸有情類欲
除衰損除衰損者卽是悲相故佛說悲以為
第二彼諸有情既得饒益復離衰損次應求
彼而生慶慰慶慰彼者卽是喜相故佛說喜
以為第三既於有情生慶慰已次應於彼平

BD00342 號 7　阿毗達磨大毗婆沙論（兌廢稿）卷八二　（6–5）

說此四無量次第云何為如說而生為別有
次第有住是說如說而生謂瑜伽師先於欲
界諸有情類欲與饒益與饒益者即是慈相
故佛說慈以為第一次於欲界諸有情類欲
除衰損除衰損者即是悲相故佛說悲以為
第二彼諸有情既得饒益復離衰損次應求
彼而生慶慰慶慰彼者即是喜相故佛說喜
以為第三既於有情生慶慰已次應於彼平
等捨置等捨置者即是捨相故佛說捨以為
第四故四無量如說而生復說者此四無

楊

阿毗曇婆沙雜揵度無義品第七　　卷第廿一
阿毗曇毗婆沙雜揵度無義品第七
諸他衜苦行　當知無義俱　畢竟無有利　如陸地舩楫
如此章及解章義此中應廣說優婆提舍問
曰何故作此論答曰雖一切阿毗曇盡皆說佛
經然此品偏多所以者何此論品多以經為
論復次所以作此論者此是佛經佛經中說
佛在優樓頻螺村尼連禪河邊菩提樹下
成佛未久尒時世尊告諸比丘我遠離苦行
於此苦行快得解脫以自願力故今得第一
菩提時諸比丘聞佛所說深生愛樂一心不

BD00342 號 8　阿毗曇毗婆沙論（兌廢稿）卷二一　（6–6）

如是說此斷應立理遍知名謂遍了知勝義
諦理究竟諦理鑒得故脇尊者言此斷應
立捨遍知名謂遍了知生死過失永捨生死
而鑒得故如是二說雖不違理而經但說斷
遍知名故三說中說為善
然斷自性亦名為斷亦名為離亦名為滅亦
名為諦亦名遍知亦名沙門果亦名有餘依
涅槃果亦名無餘依涅槃果如是八種於諸位
中有具不具謂苦法智忍滅苦法智生時
彼所得斷名斷名離名滅名諦未名遍知未
名沙門果未名有餘依涅槃果未名無餘依
涅槃果苦智忍滅苦智生時彼所得斷名
斷名離名滅名諦未名遍知未名沙門果
未名有餘依涅槃果未名無餘依涅槃果集
法智忍滅集法智生時彼所得斷名斷名離
名滅名諦名遍知謂欲界見苦集所斷結盡
遍知未名沙門果未名有餘依涅槃果未名
所得斷名斷名離名滅名諦名遍知謂色無
色界見苦集所斷結盡遍知未名沙門果未名
雜阿含經卷第卌
如是我聞一時佛住王舍城迦蘭陁竹園尒
雜阿含經卷第一　雜阿含經卷第一　雜阿含經卷第一
名為諦亦名遍知亦名沙門果亦名有依

BD00342 號背 1　阿毗達磨大毗婆沙論（兌廢稿）卷六二　（2–1）

中有具不具謂苦法智忍滅苦法智生時
彼所得斷名斷名離名滅名諦未名遍知未
名沙門果未名有餘依涅槃果未名無餘依
涅槃果苦智忍滅苦智生時彼所得斷名
斷名離名滅名諦未名遍知未名沙門果
未名有餘依涅槃果未名無餘依涅槃果集
法智忍滅集法智生時彼所得斷名斷名離
名滅名諦名遍知謂欲界見苦集所斷結盡
遍知未名沙門果未名有餘依涅槃果未名
所得斷名斷名離名滅名諦名遍知謂色無
色見苦集所斷結盡遍知未名沙門果未名
雜阿含經卷第卌
如是我聞一時佛住王舍城迦蘭陀竹園尒
雜阿含經卷第一　雜阿含經卷第一　雜阿含經卷第一
名爲諦亦名遍知亦名沙門果亦名有依
彼所得名斷名滅諦未遍知未
名沙門果未名有依涅槃果未名無餘
涅槃果苦類智忍滅苦類智生時彼所得
依中有具不具謂苦法智忍滅苦法智
名沙門果未名有依涅槃果未名無

BD00342 號背 1　阿毗達磨大毗婆沙論（兑廢稿）卷六二　（2–2）
BD00342 號背 2　雜阿含經（兑廢稿）卷四〇
BD00342 號背 3　阿毗達磨大毗婆沙論（兑廢稿）卷六二

樂世
佛國土一
土爲一日一夜若袈
不退輪吼世界善快光明□頭
如來佛國土爲一日一夜若不退輪吼世
界一劫於无垢世界法憧如來佛國土
爲一日一夜若无垢世界一劫於善燃
燈世界師子如來佛國土一日一夜若善
燃燈世界一劫於善光明世界盧舍那
藏如來佛國土爲一日一夜若善光明
世界一劫於難過世界法光明波頭摩
敷身如來佛國土爲一日一夜若難過世
界一劫於莊嚴慧世界一切通光如來
佛國爲一日一夜若莊嚴慧世界一劫
於鏡輪光世界月智如來佛國土爲一
日一夜比丘入如是數满足過千阿僧祇
百千万世界最後波頭摩勝世界於賢勝
如來佛國土爲一日一夜比丘如是等
世界无量无邊長短不等諸佛如來
壽命住世亦復如是諸比丘汝等應當
稱諸佛名作如是言
南无如是等諸佛如來

BD00343 號　佛名經（十六卷本）卷九　（31–1）

世界无量无邊長短不等諸佛如来
壽命住世亦復如是諸比丘汝等應當
稱諸佛名作如是言
南无如是等諸佛如来
南无不動智佛 南无阿㞐羅智佛
南无阿私吔智佛 南无行智佛
南无阿樓那智佛 南无常智佛
南无妙智佛 南无樂自在天佛
南无梵天佛 南无勝智天佛
南无菴摩羅月佛 南无不退月佛
南无不動月佛 南无阿㞐羅月佛
南无婆留那月佛 南无阿私月佛
南无勝月佛 南无阿樓那月佛
南无无垢月佛 南无勝智月佛
南无不退眼佛 南无第一眼佛
南无阿尼羅眼佛 南无不動眼佛
南无阿私吔眼佛 南无行眼佛
南无婆留那眼佛 南无勝眼佛
南无微妙清眼佛 南无不退幢佛
南无阿㞐羅幢佛 南无阿私吔幢佛
南无行幢佛 南无阿樓那幢佛
南无常幢佛 南无妙幢佛
南无自在幢佛 南无梵幢佛
南无勝幢佛 南无弥留勝佛

BD00343號　佛名經（十六卷本）卷九　（31-2）

南无常幢佛 南无妙幢佛
南无自在幢佛 南无梵幢佛
南无勝幢佛 南无弥留勝佛
從此以上七千二百佛十二部經一切賢聖
南无波頭摩勝藏佛 南无普眼佛
南无梵眼佛 南无金剛齊佛
南无婆藪天佛 南无一切法決定王佛
南无弥留幢家眼勝佛 南无智沙佛
南无非沙佛 南无波頭摩勝佛
南无火光明佛 南无法意佛
南无善法佛 南无稱勝佛
南无寶慧佛 南无微眼佛
南无燈佛 南无擇義佛
南无自在佛 南无婆藪天佛
南无不去佛 南无擇勝佛
南无妙行佛 南无昇月佛
南无无邊上智首佛 南无普眼佛
南无厚波婆羅佛 南无妙勝佛
南无日佛 南无无邊光佛
南无法幢佛 南无无邊智然燈佛
南无普功德觀然燈佛 南无功德佛
南无金剛幢佛
南无普智寶炎勝功德幢佛
南无因世羅幢家幢佛

BD00343號　佛名經（十六卷本）卷九　（31-3）

南无金剛幢佛
南无普智寶炎勝功德幢佛
南无因陁羅幢勝幢佛
南无普智寶炎勝功德雞都佛
南无无垢輪大悲雲幢佛
南无金剛那羅延幢佛　南无无导勝行佛
南无火炎佛　南无山勝莊嚴佛
南无一切法海上莊嚴速任佛
南无深法海妙光佛　南无寶炎圍然燈佛
南无功德海光明輪勝佛　南无盧遮勝那藏佛
南无滿虛空法界尸法羅勝然燈佛
南无不退然燈佛　南无法界吼佛
南无妙法樹山王威德佛　南无一切法海吼王佛
南无寶光明然燈幢佛　南无須弥功德光威德佛
南无法雲吼王佛　南无智炬然燈王佛
南无法雷速幢勝佛　南无法然燈奮迅師子佛
南无智力威德山王佛　南无退法界吼佛
南无電光明劫善眼世界初放旃檀香
光明眼佛
南无善決定清淨劫无垢世界初盧舍那佛
南无甘露莊嚴劫善清淨世界初旃檀
然燈王佛
南无善住劫妙香世界初須弥光明勝王佛

BD00343號　佛名經（十六卷本）卷九　（31–4）

然燈王佛
南无善住劫妙香世界初須弥光明勝王佛
南无善見劫莊嚴世界初无邊功德種種
寶莊嚴王佛
南无炎清淨劫清淨世界初金剛奮迅佛
南无不可燃劫不可燃世界初毗沙門佛
南无不可燃劫不可燃世界初寶月佛
南无不可訶劫稱財世界不可思議光明佛
南无清淨莊嚴劫清淨世界初觀世王佛
南无真塵劫光明塵世界初火光明佛
南无梵讚歎劫清淨世界初力莊嚴王佛
南无德光明莊嚴劫月幢世界初善眼佛
南无旃檀香行平等勝成就佛
南无法海吼光明王佛　南无无垢轉法輪佛
南无寂靜威德王佛　南无虛空劫然燈佛
南无天自在藏佛　南无日羅幢雞都王佛
南无信威德佛　南无寶華藏佛
南无妙日身佛　南无不濁身佛
南无一切身智光明佛　南无閻浮檀威德王佛
南无相莊嚴身佛　南无種種光明大月佛
南无善觀智雞都佛　南无无垢智光明王佛
南无金剛那羅延精進佛　南无不可降伏智處佛
南无普无垢智通佛　南无无垢眼勝雲佛

BD00343號　佛名經（十六卷本）卷九　（31–5）

南无善觀智雞者佛　南无无垢智光明王佛
南无金剛那羅延精進佛　南无不可降伏智處佛
南无普无垢智通佛　南无无垢眼勝雲佛
南无師子智佛　南无金剛菩提光佛
南无燈火髻佛　南无智日雞都佛
南无寶波頭摩敷身佛
從此以上七千三百佛十二部經一切賢聖
南无得切德佛　南无智光明雲光佛
南无普明月佛　南无无障蓋吼佛
南无普光明奮迅師子佛
南无法界境界慧月佛
南无一切虛空樂說覺佛
南无初香善名佛
南无普聲寂靜吼佛　南无法海吼聲佛
南无甘露山威德佛　南无佛虛空鏡像髻佛
南无善堅羅網堅佛　南无善智滿月面佛
南无光明月微塵佛　南无寶炎山勝王佛
南无清淨智華光明佛
南无无垢功德火光明佛
南无寶月幢佛　南无三昧輪身佛
南无寶勝光明威德王佛
南无普智行佛　南无炎海熱燈佛
南无法无垢吼王佛　南无不可比德稱幢佛
南无長髀本願无垢月佛

BD00343 號　佛名經（十六卷本）卷九　（31–6）

南无法无垢吼王佛　南无不可比德稱幢佛
南无長髀本願无垢月佛
南无相智義慾燈佛　南无法起寶齋聲佛
南无勝照藏王佛　南无乘幢佛
南无法海波頭摩廣信无畏天佛
南无法海吼光王佛　南无无垢法山佛
南无法輪光明髻佛　南无法日勝雲佛
南无法海說聲王佛　南无法日智輪然燈佛
南无法華雞都幢王佛　南无法炎山雞都王佛
南无法行深勝月佛　南无法智普鏡佛
南无藏普智作照佛　南无山勝藏王佛
南无普門曜照佛　南无連一切精進幢佛
南无法寶華勝雲佛　南无寂光明深髻佛
南无法光明慈樂說光明月佛
南无珠海佛　南无智日普光明佛
南无普輪頂佛　南无智光明王佛
南无福德光華燈佛　南无智師子雞都幢佛
南无日光明王佛　南无寶相山佛
南无莊嚴山佛　南无日步普照佛
南无法羅網覺勝月佛　南无畏那羅延師子佛
南无普智不二勇猛佛
南无法波頭摩敷身佛
南无功德華勝海佛　南无菩提輪善覺勝月佛
南无熱法炬勝月佛

BD00343 號　佛名經（十六卷本）卷九　（31–7）

南无一切德華勝海佛　南无菩提輪善覺勝月佛
南无然法炬勝月佛
南无普賢鏡像髻佛　南无法幢然燈佛
南无金剛海幢王佛　南无稱勝山雲佛
南无栴檀勝月佛　南无普切德華威德光佛
南无照衆生王佛　南无勝波頭摩華藏佛
南无香炎光明勝佛　南无因波頭摩佛
南无相山盧舍那佛　南无普聞名稱幢佛
南无普門光明須弥佛　南无法城光勝佛
南无普切德威德佛
南无相勝法力勇猛幢佛
南无輪轉法光明吼佛
南无光明切德山波若照佛
南无轉法輪月妙勝佛
南无法華盧舍那清淨雞都佛
南无寶波頭摩光明藏佛
南无寶山雲燈佛　南无普覺華佛
南无種種光明勝弥留藏佛　南无福德雲蓋佛
南无光明輪峯王佛　南无切德威德佛
南无法峯雲幢佛　南无香解幢智威德佛
南无法日雲燈王佛　南无法雲稱勝月佛
南无法輪力雲佛
南无賢首弥留威德佛

BD00343號　佛名經（十六卷本）卷九　（31–8）

南无法輪力雲佛　南无法雲稱勝月佛
南无賢首弥留威德佛
從此以上七千四百佛十二部經一切賢聖
南无普慧雲吼佛　南无法力勝山佛
南无香炎勝王佛
南无伽那迦摩尼山聲佛
南无須藏一切法光明輪佛
次礼十二部尊經大法輪
南无諸法本經　南无大淨法門經
南无漏分布經　南无諸方佛經
南无十善十惡經　南无九擴經
南无度集經　南无十五德經
南无轉法輪經　南无生死變化經
南无十地經　南无明度經
南无生闍婆羅門經　南无十執經
南无玄起經
南无自見自智爲能盡結經
南无十遍和七言禪利經
南无猛施經　南无金輪王輪經
南无有三使方經　南无持人菩薩經
南无金益長者子經　南无有賢者法經
南无波達王經　南无比丘所求色經
南无有陁竭署社楽波羅經

BD00343號　佛名經（十六卷本）卷九　（31–9）

南无波達王經　南无比丘所求色經
南无有陁竭署社柰波羅經
南无興調經　南无憂多羅母經
次礼十方諸大菩薩
南无大明菩薩　南无无盡意菩薩
南无意王菩薩　南无无邊意菩薩
南无日意菩薩　南无月音菩薩
南无美音菩薩　南无美音聲菩薩
南无大音菩薩　南无賢精進菩薩
南无常堅菩薩　南无堅發菩薩
南无堅狂菩薩　南无常悲菩薩
南无常輕菩薩　南无法上菩薩
南无法首菩薩　南无法喜菩薩
南无法意菩薩　南无法積菩薩
南无發精進菩薩　南无智慧菩薩
南无淨威德菩薩　南无那羅延菩薩
南无善思惟菩薩　南无法思惟菩薩
南无跋陁波羅菩薩　南无法益菩薩
南无高德菩薩　南无師子遊行菩薩
次礼聲聞緣覺一切賢聖
南无阿若憍陳如　南无摩訶迦葉
南无優樓頻螺迦葉　南无伽耶迦葉
南无那提迦葉　南无舍利弗
南无大目揵連　南无摩訶迦旃延

BD00343號　佛名經（十六卷本）卷九　（31–10）

南无優樓頻螺迦葉　南无伽耶迦葉
南无那提迦葉　南无舍利弗
南无大目揵連　南无摩訶迦旃延
南无阿㝹樓馱　南无劫賓那
南无憍梵波提
礼三寶已次復懺悔
弟子等略懺煩惱障竟今當次第懺悔
業障夫業能莊飾世趣在在處處是以思
惟求離世解脫所以六道果報種種不同
形類各異當知皆是業力所作所以佛十方
中業力甚深凡夫之人多於此中好起疑惑
何以故今現見世間行善之者觸向轗軻
為惡之者是事諧偶謂言天下善惡无
如此計者皆是不能深達業理何以
故今經中說言有三種業何等為三一者
現報二者生報三者後報現報業者現
在作善作惡現身受報生報業者此生
作善作惡來生受報後報業者或是過
去无量生中作善作惡或於此生中受
或在未來无量生中方受其報向者行
惡之人現在見好此是過去生報後報善
業熟故所以現在有此樂果豈關現在作
諸惡業而得好報行善之人現在見苦者
是過去生中生報後報惡業熟故現在善

BD00343號　佛名經（十六卷本）卷九　（31–11）

是過去生中生報後報惡業孰故現在善
根力弱不能排遣是故得此苦報豈闕現
在作善而招惡報何以知然現在世間為善
之者為人所讚歎人所尊重故知未來必招
樂果過去既有如此惡業所以諸佛菩薩
教令親近善友共行懺悔善知識者於得
道中則為全利是故弟子等今日至誠歸
依於佛
南无東方无量離垢佛　南无南方樹花王佛
南无西方蓮華自在佛　南无北方金剛能破佛
南无東南方志檀義勝佛
南无西南方金海自在王佛
南无西北方
南无東北方无㝵書爲王佛
南无下方无㝵惠幢佛　南无上方甘露上王佛
如是十方盡虛空界一切三寶
弟子等无始以來至於今日積惡如恒沙
造罪滿天地捨身與受身不覺亦不知或作
五逆深厚濁纏无間罪業或造一闡提斷善
根業輕誣佛語謗方等業破滅三寶毀正
法業不信罪福起十惡業迷真返正癡或
之業不孝二親反戾之業輕慢師長无礼
敬業朋友无信不義之業或作四重六重

BD00343號　佛名經（十六卷本）卷九

（31–12）

之業不孝二親反戾之業輕慢師長无礼
敬業朋友无信不義之業或作四重六重
八重障聖道業毀犯五戒破八齋業五篇
七聚多缺犯業優婆塞戒輕重垢業或菩
薩戒不能清淨如說行業前後方便汙梵行
業月无六齋解怠之業年三長齋不常脩
脩業三千威儀不如法業八万律儀微細罪
業不脩身戒心慧之業春秋八王造衆罪業
行十六種惡律儀業於苦衆生无愍傷業
不矜不念无矜隱業不拔不濟不救護業
心懷嫉恚无瘦彼業於怨親境不平等業
躭荒五欲不猒離業或因衣食園林池沼生
蕩逸業或以盛年放恣情欲造衆罪業
或善有漏迴向三有障出世業如是等業
无量无邊今日發露向十方佛尊法聖衆
皆悉懺悔
願弟子等承是懺悔无間諸業所生福善
願生生世世滅五逆罪除闡提惑如是輕重
諸罪從今以去乃至道場誓更不犯恒習出
世清淨善法精持律行守護威儀如渡海
者愛惜浮囊六度四等常標行首戒定慧
品轉得增明速成如來卅二相八十種好十
力无畏大悲三念常樂妙智八自在我（礼一拜）

BD00343號　佛名經（十六卷本）卷九

（31–13）

者愛惜淨囊六度四等常撫行首戒定慧
品轉得增明速成如來卅二相八十種好十
力无畏大悲三念常樂妙智八自在我　礼一拜
南无然法輪威德佛　南无山峯勝威德佛
南无普精進炬光明雲佛
南无三昧賢寶天冠光明佛
南无勝寶光佛　南无法炬寶帳聲佛
南无樂法光明師子佛　南无莊嚴相月幢佛
南无光明山雷電雲佛　南无无垢幢佛
南无无导法虛空光明佛
南无仗智華敷身　南无世間妙光明聲佛
南无法三昧光明聲佛
從此以上七千五百佛十二部經一切賢聖
南无法聲々藏佛　南无法大海聲佛
南无三世相鏡像威德佛
南无高法輪光明佛
南无法界師子光佛　南无盧舍那勝須弥佛
南无一切三昧海師子佛
南无普光慧然燈佛
南无法界城然燈佛　南无普門吼光王佛
南无賢首佛　南无普光音佛
南无胎王佛　南无法界燈佛
南无虛空山照佛　南无阿尼羅有眼佛
南无龍自在王佛　南无普照勝須弥王佛

BD00343號　佛名經（十六卷本）卷九　（31–14）

南无胎王佛　南无法界燈佛
南无虛空山照佛　南无阿尼羅有眼佛
南无龍自在王佛　南无普照勝須弥王佛
南无无导虛空智雞都幢王佛
南无普智光明照十方吼佛
南无雲王吼聲佛　南无不空見佛
南无普照佛　南无寶聲佛
南无妙聲佛　南无金色寶作界妙佛
南无金閻浮幢千遮那光明佛
南无金色百光明佛　南无寶稱佛
南无不空稱佛　南无日愛佛
南无成就智義佛　南无普賢佛
南无无垢光明雞都王佛
南无寶炎佛　南无日月佛
南无海勝佛　南无法幢佛
南无无邊功德王佛　南无寶藏佛
南无无垢面佛　南无无量壽華佛
南无寶聚佛　南无智起佛
南无普讃佛
尒時憂波摩那比丘從坐而起偏袒右肩
右膝著地白佛言世尊世尊幾佛過去
佛告優波摩那比丘辟如恒河沙世界
下至水際上盡有頂滿中微塵比丘有人
於中取[illegible]

BD00343號　佛名經（十六卷本）卷九　（31–15）

右膝著地白佛言世尊世尊與佛過去
佛告優波摩那比丘辟如恒河沙世界
下至水際上盡有頂滿中微塵比丘有人
於中取尒所微塵過恒沙世界下一微塵
如是過恒河沙世界復下一塵如是盡尒所微
塵比丘於意云何若著微塵若不著者
微塵是微塵數可知數不比丘不也世尊
佛告比丘彼微塵可知其數而彼過去
同名釋迦牟尼佛已入涅槃者不可數知
我知彼過去諸佛如現前見彼諸佛母同
名摩訶摩耶父同名輸頭檀王城同名迦毗
羅彼諸佛第一聲聞弟子同名舍利弗
目揵連侍者弟子同名阿難何況種種
異名母異名父異名城異名弟子異名侍
者比丘彼若干世界彼人於何等世界著
微塵何等世界不著微塵彼諸世界若著
微塵不著微塵下至水際上至有頂比丘
復有第二人取一微塵過彼若干微塵
數世界尒數佛國土阿僧祇億百千万
那由他世界為一步比丘彼人如過百千万
億那由他阿僧祇劫行乃下一塵如是盡諸
微塵比丘如是若干世界滿中微塵復更
著十方世界比丘復過是世界著微塵彼
者[illegible]

著十方世界比丘復過是世界著微塵彼
諸世界下至水際上至有頂滿中微塵比丘
於意云何彼微塵可知數不比丘言不也
世尊佛告比丘彼諸微塵可知其數彼同
名母同名父同名弟子同名侍者同名釋
迦牟尼佛不可知數如釋迦牟尼不勝憶
佛亦如是盧舍那佛亦如是无垢勝眼佛
亦如是无垢光明眼佛亦如是光明清淨
王佛亦如是善无垢清淨佛亦如是成
就无邊功德勝王佛亦如是寶光明佛亦
如是寂脩佛亦如是聲德佛亦如是波頭
摩勝佛亦如是日月佛亦如是普寶蓋佛亦如
是比丘汝當歸命如是等阿僧祇同名佛
南无普照佛　南无藥王佛
南无弥留燈王佛　南无寶莊嚴佛
南无智成就佛　南无寶蓋佛
南无放炎佛　南无物成就佛
南无稱佛　南无三昧勝佛
南无寶觀佛　南无寶雞都佛
南无尸羅施佛　南无莎羅王佛
南无寶雞兜王佛　南无大嚴佛
南无山自在王佛　南无旃陁佛
南无見義佛　南无自在幢佛

南无山自在王佛　南无旃陁佛
南无見義佛　南无自在幢佛
南无大弥留佛　南无无光勝佛
南无大莊嚴佛　南无大智幢佛
南无日藏佛　南无无畏上勝山王佛
南无梵自在佛　南无餘依山點聲王佛
南无智難勝佛　南无智炬住持佛
南无一切世間佛　南无法胎佛
南无无垢光佛　南无普光佛
南无一切勝佛　南无寂靜妙聲佛
南无普明佛　南无勝山王師子佛
南无奮迅境界聲佛　南无地住持佛
南无切德王光佛　南无住持智達燎佛
南无樂説勝王佛
南无金色波頭摩成王佛
南无難勝佛　南无寶作佛
南无无量聲佛　南无觀光佛
南无龍天佛　南无天力佛
南无師子佛　南无離諍光佛
南无世天佛　南无勝積佛
從此以上七千六百佛十二部經一切賢聖
南无人王佛　南无華王佛
南无華勝佛　南无發精進佛

BD00343號　佛名經（十六卷本）卷九　（31–18）

南无人王佛　南无華王佛
南无華勝佛　南无發精進佛
南无因陁羅雞兜佛　南无清淨无垢光佛
南无菩提寶華不斷絶光明王佛
南无薝蔔上佛　南无意福德日王佛
南无觀聲王佛　南无无垢威德佛
南无切德寶集吼佛　南无成就意佛
南无成就勝佛　南无斯何佛
南无威德佛
南无向輸迦世界賢妙勝佛
若善男子善女人受持是佛名念不退
菩提
南无難陁世界旃檀勝佛
若善男子善女人受持是佛名畢竟
清淨心
南无跋陁世界寂滅佛　南无意智雞兜佛
南无世界破魔力佛　南无滿月世界无憂佛
南无雞兜意勝世界寶杖佛
南无語吼聲勝世界華勝佛
南无差摩世界三奮迅佛
南无廣世界樹提勝佛
南无月勝世界金剛切德身佛
南无過去无量无邊海勝佛

BD00343號　佛名經（十六卷本）卷九　（31–19）

南无月勝世界金剛切德身佛
南无過去无量无邊海勝佛
若善男子稱彼佛名得畢竟不退菩提心
南无弥留勝王佛
彼佛初成佛第一會八十億百千万那
由他聲聞衆第二會七十那由他第
四會廿五億百千万那由他如是菩薩
无量无邊百千万億那由他
南无師子妙聲王佛
彼如来初會有九十億聲聞第二會
九十億第三會九十三億第四會九十
九億如是菩薩摩訶薩衆无量无邊
南无華勝佛
彼佛初會八十億聲聞菩薩僧亦如是
南无妙行佛
南无无量大莊嚴佛
彼佛初會八十億聲聞第二會七十億乃
至第十會亦如是菩薩僧亦如是无量
无邊
南无放奚佛
彼佛初會有九十億聲聞如是第二
乃至第十亦如是菩薩摩訶薩僧无量
无邊

乃至第十亦如是菩薩摩訶薩僧无量
无邊
南无一切光明佛
彼佛初會有那由他億聲聞菩薩僧
亦如是
南无无量光明佛
彼佛初會聲聞有九十六億第二會
九十四億第三會九十二億菩薩僧亦如
是
南无聲德佛
彼佛初會聲聞有八十億第二會七十億
第三會六十億菩薩僧亦如是應當歸
命如是等
復次比丘應當敬礼
南无清淨无垢世界菩薩佛謂文殊師利
現在普見如来國土中
復次比丘應敬礼四大士菩薩佛一名
光明憶現在東方无畏如来佛國土中
第二名智勝現在南方智聚如来佛國土
中第三名寂根現在西方智山如来國土
中第四名願意成就現在北方那羅延
如来佛國土中復次摩訶男比丘重聞
如来世尊過去幾佛入涅槃佛告摩訶

中苐四名願意成就現在北方那羅延
如來佛國上中復次摩訶男比丘重聞
如來世尊過去幾佛入涅槃佛告摩訶
男汝今諦聽當為汝說比丘東方恒河
沙世界南方恒河沙世界西方恒河沙
世界北方恒河沙世界上下四維 恒河
沙世界彼一切世界下至水際上至有
頂滿中微塵比丘於意云何彼如是微
塵可知數不比丘言不也世尊佛告比
丘如是同名釋迦牟尼佛過去入涅槃
我知過去諸佛如現在前彼諸佛母同
名摩訶摩耶父同名輸頭檀王城同名迦
毗羅彼佛苐一聲聞弟子同名舍利弗目揵
連侍者弟子同名阿難陀何况種種異名
母異名父異名城異名弟子異名侍者異
名比丘彼若干世界彼人於何等世界著
微塵何等世界不著微塵彼諸世界若著
微塵及不著者下至水際上至有頂比丘
復有苐二人取彼微塵彼若干微塵數世
界尒所佛國土阿僧祇億百千万那由他
世界過尒所世界為一步比丘彼人復過若
千微塵數世界一步彼人如是過百千万
億那由他阿僧祇行乃下一塵 如是盡諸

BD00343號　佛名經（十六卷本）卷九　（31–22）

千微塵數世界一步彼人如是過百千万
億那由他阿僧祇行乃下一塵 如是盡諸
微塵比丘如是若干世界若著微塵及不
著者滿中微塵復更著十方世界比丘復
過是世界若著微塵及不著者彼諸世界
下至水際上至有頂滿中微塵比丘於意
云何彼諸微塵可知數不比丘言不也世尊
佛告比丘彼諸微塵可知其數彼同名釋
迦牟尼佛母同名摩訶摩耶父同名輸頭檀
城同名迦毗羅苐一弟子同名舍利弗目揵
連侍者弟子同名阿難陀不可知數復次
比丘復有苐三人取彼尒所世界微塵
過彼尒所微塵數世界為過若千百千万
億那由他阿僧祇行乃下一塵 如是盡諸
微塵復有苐四人彼若干微塵數世界若
着若不著下至水際上至有頂滿中微
塵比丘於意云何彼微塵可知數不
比丘言不也世尊佛告比丘彼若 千微塵
可知其數然彼同名釋迦牟尼 佛母
同名同名父世界同名弟子同 名侍者同
名佛不可數比丘如是苐五人苐六苐
七苐八苐九苐十人復次比丘復有苐
十一人是人彼若干微塵中取一微塵破

BD00343號　佛名經（十六卷本）卷九　（31–23）

七苐八苐九苐十人復次比丘復有苐
十一人是人被若千微塵中取一微塵破
爲十方若千世界微塵數分如一微塵
破爲若千分如是餘微塵亦悉破爲
若千世界微塵分比丘於意云何彼微
塵可知數不比丘言不也世尊
佛告比丘復有人彼若千微塵佛國
土爲過一步如是速疾神通行東方
世界无量无邊劫行行如是東方世界
下一微塵東方盡如是微塵若着微塵
及不著者下至水際上至有頂滿中微
塵如是南方乃至十方下至水際上至
有頂滿中微塵比丘於意云何彼微
塵可知數不比丘言不也世尊佛告
比丘若千微塵分可知其數然現今
在世同名釋迦牟尼佛入涅槃不可數
知母同名摩訶摩耶父同名輸頭檀城
同名迦毗羅弟子同名舍利弗目揵連侍
者弟子同名阿難陁何况種種異名比丘
我若千微塵數劫住世說一同名釋迦牟
尼佛不可窮盡如是同名然燈佛同名
提波延佛同名燈光明佛同名一切勝佛
同名稱佛同名波頭摩頭佛同名毗婆

BD00343號　佛名經（十六卷本）卷九　（31–24）

提波延佛同名燈光明佛同名一切勝佛
同名稱佛同名波頭摩頭佛同名毗婆
尸佛同名尸棄佛同名毗舍浮佛同名拘
留孫佛同名拘那含佛同名迦葉佛如
是等異名母乃至異名侍者入涅槃我
知彼佛如現在前應當敬礼如是等
次礼十二部尊經大藏法輪
南无有三力經　南无造浴佛時經
南无憂多羅經　南无有五力經
南无河中大聚沫經　南无首達經
南无四性長者難經　南无折佛經
南无舍利弗誨疾經　南无四无畏經
南无車匿本末經　南无舍利弗經
南无四不可得經　南无百六十二品經
南无四飯經　南无頼吒和羅經
南无不退轉經　南无寶積經
南无救鉢經　南无梵魔難經
南无梵皇經　南无寶結經
南无寶施女經　南无藍達王經
南无天上釋爲故世在人中經
南无道德舍利日經
南无隨迦羅門菩薩經
南无中要語章經

BD00343號　佛名經（十六卷本）卷九　（31–25）

南无天上釋爲故世在人中經
南无道德舍利日經
南无隨迦羅門菩薩經
南无中要語章經
次礼十方諸大菩薩摩訶薩
南无善根菩薩　南无上實月菩薩
南无不虚德菩薩　南无龍德菩薩
南无文殊師利菩薩　南无妙音菩薩
南无雲音菩薩　南无勝意菩薩
南无照照菩薩　南无勇衆菩薩
南无勝衆菩薩　南无威儀菩薩
南无師子菩薩　南无上意菩薩
南无益意菩薩　南无增意菩薩
南无寶明菩薩　南无慧頂菩薩
南无樂說頂菩薩　南无有德菩薩
南无觀世自在王菩薩　南无陁羅尼自在王菩薩
南无大自在王菩薩　南无无憂德菩薩
南无不虚見菩薩　南无離惡道菩薩
南无一切勇健菩薩　南无破闇菩薩
南无切德寶菩薩　南无華威德菩薩
次礼聲聞緣覺一切賢聖
南无畢陵伽婆蹉　南无薄拘羅
南无摩訶拘絺羅　南无難陁

BD00343 號　佛名經（十六卷本）卷九　（31–26）

[illegible]
次礼聲聞緣覺一切賢聖
南无畢陵伽婆蹉　南无薄拘羅
南无摩訶拘絺羅　南无難陁
從此以上七千百佛十二部經一切賢聖
南无孫陁羅難陁　南无富樓那
南无弥多羅尼子　南无阿難羅睺羅
南无須菩提
礼三寶已次復懺悔
弟子今以惣相懺悔一切諸業今當次第
更復一一別相懺悔若揔若別若麁若
細若輕若重若說若不說品類相從願
皆消滅別相懺者先懺身三次懺口四
其餘諸障次苐稽顙身三業者苐一煞
害如經所明恕己可為喻勿煞勿行杖雖
復禽獸之殊保命畏死其事是一若尋此
衆生无始以来或是我父母兄弟六親眷
屬以業因緣輪迴六道出生入死改形易
報不復相識而今興害食噉其肉傷慈
之甚是故佛言設得餘食當如飢世食
子肉想何況食噉此魚肉耶又言為利煞
衆生以錢納衆肉二俱是惡業死墮叫呼
地獄故知煞害及以食噉罪深河海過
重丘岳然我等无始以来不遇善友

BD00343 號　佛名經（十六卷本）卷九　（31–27）

衆生以錢納衆肉二俱是悪業死墮叫呼
地獄故知煞害及以食噉罪深何海過
重丘岳然弟子等无始以来不遇善友
皆為此業是故經言殺害之罪能令衆生
墮於地獄餓鬼受苦若在畜生則受虎
豹豺狼鷹鷂等身或受毒虵蝮蝎等身
常懷悪心或受麞鹿羆熊等身常懷恐
怖若生人中得二種果報一者多病二者
短命煞害食噉既有如是无量種種諸
悪果報是故弟子稽顙歸依於佛
南无東方滅諸怖畏佛　南无南方日月燈明佛
南无西方覺華光佛　南无北方發一切德佛
南无東南方除衆感冥佛
南无西南方无生自在佛
南无西北方大神通王佛
南无東北方空離垢心佛
南无下方同像空无佛　南无上方瑠璃藏勝佛
如是十方盡虛空界一切三寶
弟子自從无始以来至於今日有此心識常
懷慘毒无慈愍心或因貪起煞因瞋因癡
及以㥦煞或興悪方便誓煞願煞及以呪
煞或破決湖池焚燒山野田獵魚捕或因
風放火飛鷹放犬惱害一切如是等罪今
悉懺悔或以檻弶挽撥叉戟弓弩彈射

煞或破決湖池焚燒山野田獵魚捕或因
風放火飛鷹放犬惱害一切如是等罪今
悉懺悔或以檻弶挽撥叉戟弓弩彈射
飛鳥走獸之類或以罛網罾鉤撩捕水
性魚鱉黿鼉蝦蜆螺蚌濕居之屬使水
陸之與空行藏竄无地或畜養雞猪牛
羊犬豕鵝鴨之屬自供庖廚或貨他宰
煞使其哀聲未盡毛羽脫落鱗甲傷毀
身首分離骨肉銷碎剝裂屠割炮燒煑
炙楚毒酸切横加无辜但取一時之快口得
味甚寡不過三寸舌根而已其罪報殃
累永劫如是等罪今日至誠皆悉懺悔又
復无始以来至於今日或復興師相伐疆
埸交諍兩陣相向更相煞害或自煞教煞
聞煞歡喜或習屠膾債為刑戮烹宰他命
行於不忍或恣怒揮戈擲刃或斬或剌或
推著坑塹或以水沉溺或塞穴壞巢土石
磓𥓌或以車馬雷轢踐蹋一切衆生如是
等罪无量无邊今日發露皆悉懺悔
又復无始以来至於今日或墮胎破卵毒
藥蠱道傷煞衆生墾土掘地種殖田園
養蠶煑繭傷煞滋甚或打撲蚊蚋掐嚙
蚤虱或燒除糞掃開決溝渠枉害一切

養蠶煑爾傷煞滋甚或打樸蚊蚋掐嚙
蚤虱或焼除糞掃開决溝渠枉害一切
或噉菓實或用穀米或水或菜摘煞衆
生或然燋薪或露燈燭焼諸虫類或食
醤酢不看揺動或寫湯水澆煞虫蟻如
是乃至行住坐卧四威儀中恒常傷煞飛
空着地細微衆生弟子凡夫識闇不覺
不知今日發露皆悉懺悔
又復弟子无始以来至於今日或以鞭杖
枷鎻桁械壓立考掠打擲手脚蹴蹹的縛
籠繫斷絶水穀如是種種諸惡方便苦惱
衆生今日至誠向十方佛尊法聖衆皆悉
懺悔願弟子等承是懺悔殺害等罪所
生功德生生世世得金剛身壽命无窮永
離怨憎无煞害想於諸衆生得一子地若
見危難急戹之者不惜身命方便救解令
得解脱然後為説微妙正法使諸衆生
覩形見影皆蒙其樂聞名聲恐怖
悉除 礼一拜

佛名經卷苐九

BD00343 號　佛名經（十六卷本）卷九　（31–30）

悉除 礼一拜

佛名經卷苐九

BD00343 號　佛名經（十六卷本）卷九　（31–31）

善現無際空清淨故預流
故一切智智清淨何以故若無
流果清淨若一切智智清淨無二無二分無
別無斷故無際空清淨故一來不還阿
羅漢果清淨一來不還阿羅漢果清淨故一
切智智清淨何以故若無際空清淨若一來
不還阿羅漢果清淨若一切智智清淨無二
無二分無別無斷故善現無際空清淨故獨
覺菩提清淨獨覺菩提清淨故一切智智
清淨何以故若無際空清淨若獨覺菩提清淨
若一切智智清淨無二無二分無別無斷故
善現無際空清淨故一切菩薩摩訶薩行清
淨一切菩薩摩訶薩行清淨故一切智智清
淨何以故若無際空清淨若一切菩薩摩訶
薩行清淨若一切智智清淨無二無二分無
別無斷故善現無際空清淨故諸佛無上正
等菩提清淨諸佛無上正等菩提清淨故一
切智智清淨何以故若無際空清淨若諸佛
無上正等菩提清淨若一切智智清淨無二
無二分無別無斷故
復次善現散空清淨故色清淨色清淨故一
切智智清淨何以故若散空清淨若色清淨
若一切智智清淨無二無二分無別無斷故
散空清淨故受想行識清淨受想行識清淨
故一切智智清淨何以故若散空清淨若受想

若一切智智清淨無二無二分無別無斷故
散空清淨故受想行識清淨受想行識清淨
故一切智智清淨何以故若散空清淨若受想
行識清淨若一切智智清淨無二無二分無別
別無斷故善現散空清淨故眼處清淨眼處
清淨故一切智智清淨何以故若散空清淨
若眼處清淨若一切智智清淨無二無二
分無別無斷故散空清淨故耳鼻舌身意
處清淨耳鼻舌身意處清淨故一切智智清淨
何以故若散空清淨若耳鼻舌身意處清淨
若一切智智清淨無二無二分無別無斷故
善現散空清淨故色處清淨色處清淨故一
切智智清淨何以故若散空清淨若色處清
淨若一切智智清淨無二無二分無別無斷
故散空清淨故聲香味觸法處清淨聲香味
觸法處清淨故一切智智清淨何以故若散
空清淨若聲香味觸法處清淨若一切智智
清淨無二無二分無別無斷故善現散空清
淨故眼界清淨眼界清淨故一切智智清淨何
以故若散空清淨若眼界清淨若一切智智
清淨無二無二分無別無斷故散空清淨故
色界眼識界及眼觸眼觸為緣所生諸受清
淨色界乃至眼觸為緣所生諸受清淨故一
切智智清淨何以故若散空清淨若色界乃
至眼觸為緣所生諸受清淨若一切智智清
淨無二無二分無別無斷故善現散空清淨
故耳界清淨耳界清淨故一切智智清淨何

至眼觸為緣所生諸受清淨若一切智智清
淨無二無二分無別無斷故善現散空清淨
故耳界清淨耳界清淨故一切智智清淨何
以故若散空清淨若耳界清淨若一切智智清
淨無二無二分無別無斷故散空清淨故聲
界耳識界及耳觸耳觸為緣所生諸受清淨
聲界乃至耳觸為緣所生諸受清淨故一切
智智清淨何以故若散空清淨若聲界乃至
耳觸為緣所生諸受清淨若一切智智清淨
無二無二分無別無斷故善現散空清淨
故鼻界清淨鼻界清淨故一切智智清淨何
以故若散空清淨若鼻界清淨若一切智智
清淨無二無二分無別無斷故散空清淨故
香界鼻識界及鼻觸鼻觸為緣所生諸受清
淨香界乃至鼻觸為緣所生諸受清淨故一
切智智清淨何以故若散空清淨若香界乃
至鼻觸為緣所生諸受清淨若一切智智清淨
無二無二分無別無斷故善現散空清淨
故舌界清淨舌界清淨故一切智智清淨何
以故若散空清淨若舌界清淨若一切智智
清淨無二無二分無別無斷故散空清淨故
味界舌識界及舌觸舌觸為緣所生諸受清
淨味界乃至舌觸為緣所生諸受清淨故一
切智智清淨何以故若散空清淨若味界乃
至舌觸為緣所生諸受清淨若一切智智清
淨無二無二分無別無斷故善現散空清淨
故身界清淨身界清淨故一切智智清淨何
以故若散空清淨若身界清淨若一切智智

BD00345 號　大般若波羅蜜多經卷二一二　（7–3）

淨無二無二分無別無斷故善現散空清淨
故身界清淨身界清淨故一切智智清淨何
以故若散空清淨若身界清淨若一切智智
清淨無二無二分無別無斷故散空清淨故
觸界身識界及身觸身觸為緣所生諸受清
淨觸界乃至身觸為緣所生諸受清淨故一
切智智清淨何以故若散空清淨若觸界乃
至身觸為緣所生諸受清淨若一切智智清淨
無二無二分無別無斷故善現散空清淨
故意界清淨意界清淨故一切智智清淨何
以故若散空清淨若意界清淨若一切智智清
淨無二無二分無別無斷故散空清淨故法
界意識界及意觸意觸為緣所生諸受清淨
法界乃至意觸為緣所生諸受清淨故一切
智智清淨何以故若散空清淨若法界乃至
意觸為緣所生諸受清淨若一切智智清淨
無二無二分無別無斷故善現散空清淨
故地界清淨地界清淨故一切智智清淨何
以故若散空清淨若地界清淨若一切智智
清淨無二無二分無別無斷故散空清淨故
水火風空識界清淨水火風空識界清淨故一
切智智清淨何以故若散空清淨若水火風
空識界清淨若一切智智清淨無二無二
分無別無斷故善現散空清淨故無明清淨
無明清淨故一切智智清淨何以故若散空
清淨若無明清淨若一切智智清淨無二無
二分無別無斷故散空清淨故行識名色六

BD00345 號　大般若波羅蜜多經卷二一二　（7–4）

分無別無斷故善現散空清淨故無明清淨
無明清淨故一切智智清淨何以故若散空
清淨若無明清淨若一切智智清淨無二無
二分無別無斷故散空清淨故行識名色六
處觸受愛取有生老死愁歎苦憂惱清淨行
乃至老死愁歎苦憂惱清淨故一切智智清
淨何以故若散空清淨若行乃至老死愁歎
苦憂惱清淨若一切智智清淨無二無二分
無別無斷故
善現散空清淨故布施波羅蜜多清淨布施
波羅蜜多清淨故一切智智清淨何以故若散
空清淨若布施波羅蜜多清淨若一切智
智清淨無二無二分無別無斷故散空清淨
故淨戒安忍精進靜慮般若波羅蜜多清淨
淨戒乃至般若波羅蜜多清淨故一切智智清
淨何以故若散空清淨若淨戒乃至般若波
羅蜜多清淨若一切智智清淨無二無二分
無別無斷故善現散空清淨故內空清淨
內空清淨故一切智智清淨何以故若散空
清淨若內空清淨若一切智智清淨無二無
二分無別無斷故散空清淨故外空內外空
空空大空勝義空有為空無為空畢竟空無
際空無變異空本性空自相空共相空一切
法空不可得空無性空自性空無性自性空清
淨外空乃至無性自性空清淨故一切智智
清淨何以故若散空清淨若外空乃至無性
自性空清淨若一切智智清淨無二無二分

淨外空乃至無性自性空清淨故一切智智
清淨何以故若散空清淨若外空乃至無性
自性空清淨若一切智智清淨無二無二分
無別無斷故善現散空清淨故真如清淨真
如清淨故一切智智清淨何以故若散空清
淨若真如清淨若一切智智清淨無二無二
分無別無斷故散空清淨故法界法性不虛
妄性不變異性平等性離生性法定法住實
際虛空界不思議界清淨法界乃至不思議界
清淨故一切智智清淨何以故若散空清淨
若法界乃至不思議界清淨若一切智智
清淨無二無二分無別無斷故善現散空清
淨故苦聖諦清淨苦聖諦清淨故一切智智
清淨何以故若散空清淨若苦聖諦清淨若
一切智智清淨無二無二分無別無斷故散
空清淨故集滅道聖諦清淨集滅道聖諦
清淨故一切智智清淨何以故若散空清淨若
集滅道聖諦清淨若一切智智清淨無二無
二分無別無斷故善現散空清淨故四靜
慮清淨四靜慮清淨故一切智智清淨何以故
若散空清淨若四靜慮清淨若一切智智清
淨無二無二分無別無斷故散空清淨故四
無量四無色定清淨四無量四無色定清淨故
一切智智清淨何以故若散空清淨若四無
量四無色定清淨若一切智智清淨無無
二分無別無斷故善現散空清淨故八解
脫清淨八解脫清淨故一切智智清淨何

無量四無色定清淨四無量四無色定清淨故
一切智智清淨何以故若散空清淨若四無
量四無色定清淨若一切智智清淨無二無
二分無別無斷故善現散空清淨故八解
脫清淨八解脫清淨故一切智智清淨何
以故若散空清淨若八解脫清淨若一切智
智清淨無二無二分無別無斷故散空清淨
故八勝處九次第定十遍處清淨八勝處九
次第定十遍處清淨故一切智智清淨何以故
若散空清淨若八勝處九次第定十遍處清
淨若一切智智清淨無二無二分無別無斷故
善現散空清淨故四念住清淨四念住清淨
故一切智智清淨何以故若散空清淨若四
念住清淨若一切智智清淨無二無二分無別
無斷故散空清淨故四正斷四神足五根五
力七等覺支八聖道支清淨四正斷乃至八
聖道支清淨故一切智智清淨何以故若散
空清淨若四正斷乃至八聖道支清淨若一
切智智清淨無二無二分無別無斷故善現
散空清淨故空解脫門清淨空解脫門清淨
故一切智智清淨何以故若散空清淨若空
解脫門清淨若一切智智清淨無二無二分
無別無斷故散空清淨故無相無願解脫門

BD00345 號　大般若波羅蜜多經卷二一二　（7–7）

BD00345 號背　勘記　（1–1）

兌

不應住八勝處九次第定十遍處若我若無
我不應住八解脫若淨若不淨不應住八勝
處九次第定十遍處若淨若不淨不應住八
解脫若寂靜若不寂靜不應住八勝處九次
第定十遍處若寂靜若不寂靜不應住八解
脫若遠離若不遠離不應住八勝處九次第
定十遍處若遠離若不遠離不應住八解脫
若空若不空不應住八勝處九次第定十遍
處若空若不空不應住八解脫若有相若無
相不應住八勝處九次第定十遍處若有相
若無相不應住八解脫若有願若無願不應
住八勝處九次第定十遍處若有願若無願
何以故以有所得為方便故
復次憍尸迦菩薩摩訶薩行般若波羅蜜多
時不應住四念住若常若無常不應住四正
斷四神足五根五力七等覺支八聖道支若
常若無常不應住四念住若樂若苦不應住
四正斷乃至八聖道支若樂若苦不應住四
念住若我若無我不應住四正斷乃至八聖

BD00346 號　大般若波羅蜜多經（兌廢稿）卷七九　　（2–1）

處若空若不空不應住八解脫若有相若無
相不應住八勝處九次第定十遍處若有相
若無相不應住八解脫若有願若無願不應
住八勝處九次第定十遍處若有願若無願
何以故以有所得為方便故
復次憍尸迦菩薩摩訶薩行般若波羅蜜多
時不應住四念住若常若無常不應住四正
斷四神足五根五力七等覺支八聖道支若
常若無常不應住四念住若樂若苦不應住
四正斷乃至八聖道支若樂若苦不應住四
念住若我若無我不應住四正斷乃至八聖
道支若我若無我不應住四念住若淨若不
淨不應住四念住若寂靜若不寂靜不應住
四正斷乃至八聖道支若寂靜若不寂靜不
應住四念住若遠離若不遠離不應住四正
斷乃至八聖道支若遠離若不遠離不應住
四念住若空若不空不應住四正斷乃至八

BD00346 號　大般若波羅蜜多經（兌廢稿）卷七九　　（2–2）

[illegible]
義而說偈言
若於大衆中　以无所畏心　說
是人得八百　功德殊勝眼　以是
父母所生眼　悉見三千界　內外
并諸餘山林　大海江河水　下至
其中諸衆生　一切皆悉見　雖未
復次常精進若善男子善
讀若誦若解說若書寫得
是清淨耳聞三千大千世
上至有頂其中內外種種
聲牛聲車聲啼哭聲愁歎
鈴聲咲聲語聲男聲女聲
聲非法聲苦聲樂聲凡夫
惠聲天聲龍聲夜叉聲乹闥
迦樓羅聲緊那羅聲摩睺羅
風聲地獄聲畜生聲餓鬼聲比
聲聲聞聲辟支佛聲菩薩聲佛聲
三千大千世界中一切內外所有諸聲雖
得天耳以父母所生清淨常耳皆悉聞知如
是分別種種音聲而不壞耳根尒時世尊欲
重宣此義而說偈言
父母所生耳　清淨无濁穢　以此常耳聞　三千世界聲
象馬車牛聲　鍾鈴螺鼓聲　琴瑟箜篌聲　簫笛之音聲
清淨好歌聲　聽之而不著　无數種人聲　聞悉能解了

象馬車牛聲　鍾鈴螺鼓聲　琴瑟箜篌聲　簫笛之音聲
清淨好歌聲　聽之而不著　无數種人聲　聞悉能解了
又聞諸天聲　微妙之歌音　及聞男女聲　童男童女聲
山川嶮谷中　迦陵頻伽聲　命命等諸鳥　悉聞其音聲
地獄衆苦痛　種種楚毒聲　餓鬼飢渴逼　求索飲食聲
諸阿脩羅等　居在大海邊　自共語言時　出于大音聲
如是說法者　安住於此間　遙聞是衆聲　而不壞耳根
十方世界中　禽獸鳴相呼　其說法之人　於此悉聞之
其諸梵天上　光音及遍淨　乃至有頂天　言語之音聲
法師住於此　悉皆得聞之　一切比丘衆　及諸比丘尼
若讀誦經典　若為他人說　法師住於此　悉皆得聞之
復有諸菩薩　讀誦於經法　若為他人說　撰集解其義
如是諸音聲　悉皆得聞之　諸佛大聖尊　教化衆生者
於諸大衆中　演說微妙法　持此法華者　悉皆得聞之
三千大千界　內外諸音聲　下至阿鼻獄　上至有頂天
皆聞其音聲　而不壞耳根　其耳聰利故　悉能分別知
持是法華者　雖未得天耳　但用所生耳　功德已如是
復次常精進若善男子善女人受持是經若
讀若誦若解說若書寫成就八百鼻功德以
是清淨鼻根聞於三千大千世界上下內外
種種諸香須曼那華香闍提華香末利華香
瞻蔔華香波羅羅華香赤蓮華香青蓮華香
白蓮華香華樹香菓樹香栴檀香沉水香多
摩羅跋香多伽羅香及千万種和香若末若
丸若塗香持是經者於此間住悉能分別又
復別知衆生之香象香馬香牛羊等香男香
女香童子香童女香及草木叢林香若近若
遠所有諸香悉皆得聞分別不錯持是經者

如若塗香持是經者於此間住悉能分別又
復別知衆生之香象香馬香牛羊等香男香
女香童子香童女香及草木叢林香若近若
遠所有諸香悉皆得聞分別不錯持是經者
雖住於此亦聞天上諸天之香波利質多羅
拘鞞陁羅樹香及曼陁羅華香摩訶曼陁羅
華香曼殊沙華香摩訶曼殊沙華香栴檀沉
水種種末香諸雜華香如是等天香和合所
出之香无不聞知又聞諸天身香釋提桓因
在勝殿上五欲娛樂嬉戲時香若在妙法堂
上為忉利諸天說法時香若於諸園遊戲時
香及餘天等男女身香皆悉遙聞如是展轉
乃至梵世上至有頂諸天身香亦皆聞之并
聞諸天所燒之香及聲聞香辟支佛香菩薩
香諸佛身香亦皆遙聞知其所在雖聞此香
然於鼻根不壞不錯若欲分別為他人說憶
念不謬尒時世尊欲重宣此義而說偈言
是人鼻清淨　於此世界中　若香若臭物　種種悉聞知
須曼那闍提　多摩羅栴檀　沉水及桂香　種種華菓香
及知衆生香　男子女人香　說法者遠住　聞香知所在
大勢轉輪王　小轉輪及子　群臣諸宮人　聞香知所在
身所著珍寶　及地中寶藏　轉輪王寶女　聞香知所在
諸人嚴身具　衣服及瓔珞　種種所塗香　聞則知其身
諸天若行坐　遊戲及神變　持是法華者　聞香悉能知
諸樹華菓實　及穌油香氣　持經者住此　悉知其所在
諸山深險處　栴檀樹華敷　衆生在中者　聞香皆能知
鐵圍山大海　地中諸衆生　持經者聞香　悉知其所在
阿脩羅男女　及其諸眷屬　鬪諍遊戲時　聞香皆能知
曠野險隘處　師子象虎狼　野牛水牛等　聞香知所在

BD00347號　妙法蓮華經卷六　（21-3）

諸山深險處　栴檀樹華敷　衆生在中者　聞香皆能知
鐵圍山大海　地中諸衆生　持經者聞香　悉知其所在
阿脩羅男女　及其諸眷屬　鬪諍遊戲時　聞香皆能知
曠野險隘處　師子象虎狼　野牛水牛等　聞香知所在
若有懷妊者　未辯其男女　无根及非人　聞香悉能知
以聞香力故　知其初懷妊　成就不成就　安樂產福子
以聞香力故　知男女所念　染欲癡恚心　亦知脩善者
地中衆伏藏　金銀諸珍寶　銅器之所盛　聞香悉能知
種種諸瓔珞　无能識其價　聞香知貴賤　出處及所在
天上諸華等　曼陁曼殊沙　波利質多樹　聞香悉能知
天上諸宮殿　上中下差別　衆寶華莊嚴　聞香悉能知
天園林勝殿　諸觀妙法堂　在中而娛樂　聞香悉能知
諸天若聽法　或受五欲時　來往行坐臥　聞香悉能知
天女所著衣　好華香莊嚴　周旋遊戲時　聞香悉能知
如是展轉上　乃至於梵世　入禪出禪者　聞香悉能知
光音遍淨天　乃至于有頂　初生及退沒　聞香悉能知
諸比丘衆等　於法常精進　若坐若經行　及讀誦經法
或在林樹下　專精而坐禪　持經者聞香　悉知其所在
菩薩志堅固　坐禪若讀誦　或為人說法　聞香悉能知
在在方世尊　一切所恭敬　愍衆而說法　聞香悉能知
衆生在佛前　聞經皆歡喜　如法而脩行　聞香悉能知
雖未得菩薩　无漏法生鼻　而是持經者　先得此鼻相
復次常精進若善男子善女人受持是經若
讀若誦若解說若書寫得千二百舌功德若
好若醜若美不美及諸苦澀物在其舌根皆
變成上味如天甘露无不美者若以舌根於
大衆中有所演說出深妙聲能入其心皆令
歡喜快樂又諸天子天女釋梵諸天聞是深

BD00347號　妙法蓮華經卷六　（21-4）

變成上味如天甘露无不美者若以舌根於
大衆中有所演說出深妙聲能入其心皆令
歡喜快樂又諸天子天女釋梵諸天聞是深
妙音聲有所演說言論次第皆悉來聽及諸
龍龍女夜叉夜叉女乾闥婆乾闥婆女阿脩
羅阿脩羅女迦樓羅迦樓羅女緊那羅緊那
羅女摩睺羅伽摩睺羅伽女為聽法故皆來
親近恭敬供養及比丘比丘尼優婆塞優婆
夷國王王子群臣眷屬小轉輪王大轉輪王
七寶千子內外眷屬乘其宮殿俱來聽法以
是菩薩善說法故婆門居士國內人民盡
其形壽隨侍供養又諸聲聞辟支佛菩薩諸
佛常樂見之是人所在方面諸佛皆向其處
說法悉能受持一切佛法又能出於深妙法
音尒時世尊欲重宣此義而說偈言
是人舌根淨　終不受惡味　其有所食噉　悉皆成甘露
以深淨妙音　於大衆說法　以諸因緣喻　引導衆生心
聞者皆歡喜　設諸上供養　諸天龍夜叉　及阿脩羅等
皆以恭敬心　而共來聽法　是說法之人　若欲以妙音
遍滿三千界　隨意即能至　大小轉輪王　及千子眷屬
合掌恭敬心　常來聽受法　諸天龍夜叉　羅刹毗舍闍
亦以歡喜心　常樂來供養　梵天王魔王　自在大自在
如是諸天衆　常來至其所　諸佛及弟子　聞其說法音
常念而守護　或時為現身
復次常精進若善男子善女人受持是經若
讀若誦若解說若書寫得八百身功德得清
淨身如淨瑠璃衆生憙見其身淨故三千大

BD00347號　妙法蓮華經卷六　(21-5)

復次常精進若善男子善女人受持是經若
讀若誦若解說若書寫得八百身功德得清
淨身如淨瑠璃衆生憙見其身淨故三千大
千世界衆生生時死時上下好醜生善處惡
處悉於中現及鐵圍山大鐵圍山弥樓山摩
訶弥樓山等諸山及其中衆生悉於中現下
至阿鼻地獄上至有頂所有及衆生悉於中
現若聲聞辟支佛菩薩諸佛說法皆於身中
現其色像尒時世尊欲重宣此義而說偈言
若持法華者　其身甚清淨　如彼淨瑠璃　衆生皆憙見
又如淨明鏡　悉見諸色像　菩薩於淨身　皆見世所有
唯獨自明了　餘人所不見　三千世界中　一切諸群萌
天人阿脩羅　地獄鬼畜生　如是諸色像　皆於身中現
諸天等宮殿　乃至於有頂　鐵圍及弥樓　摩訶弥樓山
諸大海水等　皆於身中現　諸佛及聲聞　佛子菩薩等
若獨若在衆　說法悉皆現　雖未得无漏　法性之妙身
以清淨常體　一切於中現
復次常精進若善男子善女人如來滅後受
持是經若讀若誦若解說若書寫得千二百
意功德以是清淨意根乃至聞一偈一句通
達无量无邊之義解是義已能演說一句一
偈至於一月四月乃至一歲諸所說法隨其
義趣皆與實相不相違背若說俗間經書治
世語言資生業等皆順正法三千大千世界
六趣衆生心之所行心所動作心所戲論皆
悉知之雖未得无漏智慧而其意根清淨如
此是人有所思惟籌量言說皆是佛法无不
真實亦是先佛經中所說尒時世尊欲重宣
此義而說偈言

BD00347號　妙法蓮華經卷六　(21-6)

此是人有所思惟籌量言說皆是佛法无不真實亦是先佛經中所說尒時世尊欲重宣此義而說偈言

是人意清淨　明利无穢濁　以此妙意根　知上中下法
乃至聞一偈　通達无量義　次第如法說　月四月至歲
是世界內外　一切諸衆生　若天龍及人　夜叉鬼神等
其在六趣中　所念若干種　持法華之報　一時皆悉知
十方无數佛　百福莊嚴相　為衆生說法　悉聞能受持
思惟无量義　說法亦无量　終始不忘錯　以持法華故
悉知諸法相　隨義識次第　達名字語言　如所知演說
此人有所說　皆是先佛法　以演此法故　於衆无所畏
持法華經者　意根淨若斯　雖未得无漏　先有如是相
是人持此經　安住希有地　為一切衆生　歡喜而愛敬
能以千万種　善巧之語言　分別而說法　持法華經故

妙法蓮華經常不輕菩薩品第二十

尒時佛告得大勢菩薩摩訶薩汝今當知若比丘比丘尼優婆塞優婆夷持法華經者若有惡口罵詈誹謗獲大罪報如前所說其所得功德如向所說眼耳鼻舌身意清淨得大勢乃往古昔過无量无邊不可思議阿僧祇劫有佛名威音王如來應供正遍知明行足善逝世間解无上士調御丈夫天人師佛世尊劫名離衰國名大成其威音王佛於彼世中為天人阿脩羅說法為求聲聞者說應四諦法度生老病死究竟涅槃為求辟支佛者說應十二因緣法為諸菩薩因阿耨多羅三藐三菩提說應六波羅蜜法究竟佛慧得大勢是威音王佛壽四十万億那由他恒河沙

BD00347號　妙法蓮華經卷六

（21–7）

說應十二因緣法為諸菩薩因阿耨多羅三藐三菩提說應六波羅蜜法究竟佛慧得大勢是威音王佛壽四十万億那由他恒河沙劫正法住世劫數如一閻浮提微塵像法住世劫數如四天下微塵其佛饒益衆生已然後滅度正法像法滅盡之後於此國土復有佛出亦号威音王如來應供正遍知明行足善逝世間解无上士調御丈夫天人師佛世尊如是次第有二万億佛皆同一号最初威音王如來既已滅度正法滅後於像法中增上慢比丘有大勢力尒時有一菩薩比丘名常不輕得大勢以何因緣名常不輕是比丘凡有所見若比丘比丘尼優婆塞優婆夷皆悉礼拜讚歎而作是言我深敬汝等不敢輕慢所以者何汝等皆行菩薩道當得作佛而是比丘不專讀誦經典但行礼拜乃至遠見四衆亦復故往礼拜讚歎而作是言我不敢輕於汝等汝等皆當作佛故四衆之中有生瞋恚心不淨者惡口罵詈言是无智比丘從何所來自言我不輕汝而與我等受記當得作佛我等不用如是虛妄受記如此經歷多年常被罵詈不生瞋恚常作是言汝當作佛說是語時衆人或以杖木瓦石而打擲之避走遠住猶高聲唱言我不敢輕於汝等汝等皆當作佛以其常作是語故增上慢比丘比丘尼優婆塞優婆夷号之為常不輕是比丘臨欲終時於虛空中具聞威音王佛先所說法華經二十千万億偈悉能受持即得如上

BD00347號　妙法蓮華經卷六

（21–8）

丘尼優婆塞優婆夷号之為常不輕是比丘
臨欲終時於虛空中具聞威音王佛先所說
法華經二十千万億偈悉能受持即得如上
眼根清淨耳鼻舌身意根清淨得是六根清
淨已更增壽命二百万億那由他歲廣為人
說是法華經於時增上慢四衆比丘比丘尼
優婆塞優婆夷輕賤是人為作不輕名者見
其得大神通力樂說辯力大善寂力聞其所
說皆信伏隨從是菩薩復化千万億衆令住
阿耨多羅三藐三菩提命終之後得值二千
億佛皆号日月燈明於其法中說是法華經
以是因緣復值二千億佛同号雲自在燈王
於此諸佛法中受持讀誦為諸四衆說此經
典故得是常眼清淨耳鼻舌身意諸根清淨
於四衆中說法心无所畏得大勢是常不輕
菩薩摩訶薩供養如是若干諸佛恭敬尊重
讚嘆種諸善根於後復值千万億佛亦於諸
佛法中說是經典功德成就當得作佛得大
勢於意云何尒時常不輕菩薩豈異人乎則
我身是若我於宿世不受持讀誦此經為他
人說者不能疾得阿耨多羅三藐三菩提我
於先佛所受持讀誦此經為人說故疾得阿
耨多羅三藐三菩提得大勢彼時四衆比丘
比丘尼優婆塞優婆夷以瞋恚意輕賤我故
二百億劫常不值佛不聞法不見僧千劫於阿
鼻地獄受大苦惱畢是罪已復遇常不輕菩
薩教化阿耨多羅三藐三菩提得大勢於

二百億劫常不值佛不聞法不見僧千劫於阿
鼻地獄受大苦惱畢是罪已復遇常不輕菩
薩教化阿耨多羅三藐三菩提得大勢於
汝意云何尒時四衆常輕是菩薩者豈異人
乎今此會中跋陀婆羅等五百菩薩師子月
等五百比丘尼思佛等五百優婆塞皆於阿
耨多羅三藐三菩提不退轉者是得大勢當
知是法華經大饒益諸菩薩摩訶薩能令至
於阿耨多羅三藐三菩提是故諸菩薩摩訶
薩於如來滅後常應受持讀誦解說書寫是
經尒時世尊欲重宣此義而說偈言
過去有佛　号威音王　神智无量　將導一切
天人龍神　所共供養　是佛滅後　法欲盡時
有一菩薩　名常不輕　時諸四衆　計着於法
不輕菩薩　往到其所　而語之言　我不輕汝
汝等行道　皆當作佛　諸人聞已　輕毀罵詈
不輕菩薩　能忍受之　其罪畢已　臨命終時
得聞此經　六根清淨　神通力故　增益壽命
復為諸人　廣說是經　諸着法衆　皆蒙菩薩
教化成就　令住佛道　不輕命終　值无數佛
說是經故　得无量福　漸具功德　疾成佛道
彼時不輕　則我身是　時四部衆　着法之者
聞不輕言　汝當作佛　以是因緣　值无數佛
此會菩薩　五百之衆　并及四部　清信士女
今於我前　聽法者是　我於前世　勸是諸人
聽受斯經　第一之法　開示教人　令住涅槃
世世受持　如是經典　億億万劫　至不可議
時乃得聞　是法華經　億億万劫　至不可議

世世受持　如是經典　億億万劫　至不可議
時乃得聞　是法華經　億億万劫　至不可議
諸佛世尊　時說是經　是故行者　於佛滅後
聞如是經　勿生疑惑　應當一心　廣說此經
世世值佛　疾成佛道
妙法蓮華經如來神力品第二十一
尒時千世界微塵等菩薩摩訶薩從地踊出
者皆於佛前一心合掌瞻仰尊顏而白佛言
世尊我等於佛滅後世尊分身所在國土滅
度之處當廣說此經所以者何我等亦自欲
得是真淨大法受持讀誦解說書寫而供養
之尒時世尊於文殊師利等无量百千万億
舊住娑婆世界菩薩摩訶薩及諸比丘比丘
尼優婆塞優婆夷天龍夜叉乾闥婆阿脩羅
迦樓羅緊那羅摩睺羅伽人非人等一切衆
前現大神力出廣長舌上至梵世一切毛孔
放於无量无數色光皆悉遍照十方世界衆
寶樹下師子座上諸佛亦復如是出廣長舌
放无量光釋迦牟尼佛及寶樹下諸佛現神
力時滿百千歲然後還攝舌相一時謦欬俱
共彈指是二音聲遍至十方諸佛世界地皆
六種震動其中衆生天龍夜叉乾闥婆阿脩
羅迦樓羅緊那羅摩睺羅伽人非人等以佛
神力故皆見此娑婆世界无量无邊百千万
億衆寶樹下師子座上諸佛及見釋迦牟尼
佛共多寶如來在寶塔中坐師子座又見无
量无邊百千万億菩薩摩訶薩及諸四衆恭
敬圍繞釋迦牟尼佛既見是已皆大歡喜得

BD00347號　妙法蓮華經卷六　(21-11)

佛共多寶如來在寶塔中坐師子座又見无
量无邊百千万億菩薩摩訶薩及諸四衆恭
敬圍繞釋迦牟尼佛既見是已皆大歡喜得
未曾有即時諸天於虛空中高聲唱言過此
无量无邊百千万億阿僧祇世界有國名娑
婆是中有佛名釋迦牟尼今為諸菩薩摩訶
薩說大乘經名妙法蓮華教菩薩法佛所護
念汝等當深心隨喜亦當礼拜供養釋迦牟
尼佛彼諸衆生聞虛空中聲已合掌向娑婆
世界作如是言南无釋迦牟尼佛南无釋迦
牟尼佛以種種華香瓔珞幡蓋及諸嚴身之
具珎寶妙物皆共遙散娑婆世界所散諸物
從十方來譬如雲集變成寶帳遍覆此間諸
佛之上于時十方世界通達无礙如一佛土
尒時佛告上行等菩薩大衆諸佛神力如是
无量无邊不可思議若我以是神力於无量
无邊百千万億阿僧祇劫為囑累故說此經
功德猶不能盡以要言之如來一切所有之
法如來一切自在神力如來一切祕要之藏
如來一切甚深之事皆於此經宣示顯說是
故汝等於如來滅後應一心受持讀誦解說
書寫如說脩行所在國土若有受持讀誦解
說書寫如說脩行若經卷所住之處若於園
中若於林中若於樹下若於僧坊若白衣舍
若在殿堂若山谷曠野是中皆應起塔供養
所以者何當知是處即是道場諸佛於此得
阿耨多羅三藐三菩提諸佛於此轉于法輪
諸佛於此而般涅槃尒時世尊欲重宣此義

BD00347號　妙法蓮華經卷六　(21-12)

所以者何當知是處即是道場諸佛於此得
阿耨多羅三藐三菩提諸佛於此轉于法輪
諸佛於此而般涅槃尒時世尊欲重宣此義
而說偈言
諸佛救世者　住於大神通　為悅衆生故　現无量神力
舌相至梵天　身放无數光　為求佛道者　現此希有事
諸佛謦欬聲　及彈指之聲　周聞十方國　地皆六種動
以佛滅度後　能持是經故　諸佛皆歡喜　現无量神力
囑累是經故　讚美受持者　於无量劫中　猶故不能盡
是人之功德　无邊无有窮　如十方虛空　不可得邊際
能持是經者　則為已見我　亦見多寶佛　及諸分身者
又見我今日　教化諸菩薩　能持是經者　令我及分身
滅度多寶佛　一切皆歡喜　十方現在佛　并過去未來
亦見亦供養　亦令得歡喜　諸佛坐道場　所得秘要法
能持是經者　不久亦當得　能持是經者　於諸法之義
名字及言辭　樂說无窮盡　如風於空中　一切无障礙
於如來滅後　知佛所說經　因緣及次第　隨義如實說
如日月光明　能除諸幽冥　斯人行世間　能滅衆生暗
教无量菩薩　畢竟住一乘　是故有智者　聞此功德利
於我滅度後　應受持斯經　是人於佛道　決定无有疑

妙法蓮華經囑累品第二十二

尒時釋迦牟尼佛從法座起現大神力以右
手摩无量菩薩摩訶薩頂而作是言我於无
量百千万億阿僧祇劫脩習是難得阿耨多
羅三藐三菩提法今以付囑汝等汝等應當
一心流布此法廣令增益如是三摩諸菩薩
摩訶薩頂而作是言我於无量百千万億阿
僧祇劫脩習是難得阿耨多羅三藐三菩提

BD00347號　妙法蓮華經卷六　（21–13）

一心流布此法廣令增益如是三摩諸菩薩
摩訶薩頂而作是言我於无量百千万億阿
僧祇劫脩習是難得阿耨多羅三藐三菩提
法今以付囑汝等汝等當受持讀誦廣宣此
法令一切衆生普得聞知所以者何如來有
大慈悲无諸慳悋亦无所畏能與衆生佛之
智慧如來智慧自然智慧如來是一切衆生
之大施主汝等亦應隨學如來之法勿生慳
悋於未來世若有善男子善女人信如來智
慧者當為演說此法華經使得聞知為令其
人得佛慧故若有衆生不信受者當於如來
餘深法中示教利喜汝等若能如是則為已
報諸佛之恩時諸菩薩摩訶薩聞佛作是說
已皆大歡喜遍滿其身益加恭敬曲躬低頭
合掌向佛俱發聲言如世尊勑當具奉行唯
然世尊願不有慮諸菩薩摩訶薩衆如是三
反俱發聲言如世尊勑當具奉行唯然世尊
願不有慮尒時釋迦牟尼佛令十方來諸分
身佛各還本土而作是言諸佛各隨所安多
寶佛塔還可如故說是語時十方无量分身
諸佛坐寶樹下師子座上者及多寶佛并上
行等无邊阿僧祇菩薩大衆舍利弗等聲聞
四衆及一切世間天人阿脩羅等聞佛所說
皆大歡喜

妙法蓮華經藥王菩薩本事品第二十三

尒時宿王華菩薩白佛言世尊藥王菩薩云
何遊於娑婆世界世尊是藥王菩薩有若干

BD00347號　妙法蓮華經卷六　（21–14）

尒時宿王華菩薩白佛言世尊藥王菩薩云
何遊於娑婆世界世尊是藥王菩薩有若干
百千万億那由他難行苦行善哉世尊願少
解說諸天龍神夜叉乾闥婆阿脩羅迦樓羅
緊那羅摩睺羅伽人非人等又他國土諸來
菩薩及此聲聞衆聞皆歡喜尒時佛告宿王
華菩薩乃往過去无量恒河沙劫有佛号日
月淨明德如來應供正遍知明行足善逝世
間解无上士調御丈夫天人師佛世尊其佛
有八十億大菩薩摩訶薩七十二恒河沙大
聲聞衆佛壽四万二千劫菩薩壽命亦等彼
國无有女人地獄餓鬼畜生阿脩羅等及以
諸難地平如掌琉璃所成寶樹莊嚴寶帳覆
上垂寶華幡寶瓶香爐周遍國界七寶爲臺
一樹一臺其樹去臺盡一箭道此諸寶樹皆
有菩薩聲聞而坐其下諸寶臺上各有百億
諸天作天伎樂歌嘆於佛以爲供養尒時彼
佛爲一切衆生憙見菩薩及衆菩薩諸聲
聞衆說法華經是一切衆生憙見菩薩樂習苦
行於日月淨明德佛法中精進經行一心求
佛滿万二千歲已得現一切色身三昧得此
三昧已心大歡憙即作念言我得現一切色
身三昧皆是得聞法華經力我今當供養日
月淨明德佛及法華經即時入是三昧於虚
空中雨曼陁羅華摩訶曼陁羅華細末堅黑
栴檀滿虚空中如雲而下又雨海此岸栴檀
之香此香六銖價直娑婆世界以供養佛作
是供養已從三昧起而自念言我雖以神力

之香此香六銖價直娑婆世界以供養佛作
是供養已從三昧起而自念言我雖以神力
供養於佛不如以身供養即服諸香栴檀薰
陸兜樓婆畢力迦沈水膠香又飲瞻蔔諸華
香油滿千二百歲已香油塗身於日月淨明
德佛前以天寶衣而自纏身灌諸香油以神
通力願而自然身光明遍照八十億恒河沙
世界其中諸佛同時讚言善哉善哉善男子
是真精進是名真法供養如來若以華香瓔
珞燒香末香塗香天繒幡蓋及海此岸栴檀
之香如是等種種諸物供養所不能及假使
國城妻子布施亦所不及善男子是名第一
之施於諸施中最尊最上以法供養諸如來
故作是語已而各嘿然其身火然千二百歲
過是已後其身乃盡一切衆生憙見菩薩作
如是法供養已命終之後復生日月淨明德
佛國中於淨德王家結加趺坐忽然化生即
爲其父而說偈言
大王今當知　我經行彼處　即時得一切　現諸身三昧
勤行大精進　捨所愛之身
說是偈已而白父言日月淨明德佛今故現
在我先供養佛已得解一切衆生語言陁羅
尼復聞是法華經八百千万億那由他甄迦
羅頻婆羅阿閦婆等偈大王我今當還供養
此佛白已即坐七寶之臺上升虚空高七多
羅樹往到佛所頭面礼足合十指爪以偈讚
佛
容顏甚奇妙　光明照十方　我適曾供養　今復還親近

佛
容顔甚奇妙　光明照十方　我適曾供養　今復還親近
尒時一切衆生憙見菩薩說是偈已而白佛
言世尊世尊猶故在世尒時日月淨明德佛
告一切衆生憙見菩薩善男子我涅槃時到
滅盡時至汝可安施床座我於今夜當般涅
槃又勅一切衆生憙見菩薩善男子我以佛
法囑累於汝及諸菩薩大弟子并阿耨多羅
三藐三菩提法亦以三千大千七寶世界諸
寶樹寶臺及給侍諸天悉付於汝我滅度後
所有舍利亦付囑汝當令流布廣設供養應
起若干千塔如是日月淨明德佛勅一切衆
生憙見菩薩已於夜後分入於涅槃尒時一
切衆生憙見菩薩見佛滅度悲感懊惱戀慕
於佛即以海此岸栴檀為積供養佛身而以
燒之火滅已後收取舍利作八万四千寶瓶
以起八万四千塔高三世界表刹莊嚴垂諸
幡蓋懸衆寶鈴尒時一切衆生憙見菩薩復
自念言我雖作是供養心猶未足我今當更
供養舍利便語諸菩薩大弟子及天龍夜叉
等一切大衆汝等當一心念我今供養日月
淨明德佛舍利作是語已即於八万四千塔
前然百福莊嚴臂七万二千歲而以供養令
无數求聲聞衆无量阿僧祇人發阿耨多羅
三藐三菩提心皆使得住現一切色身三昧
尒時諸菩薩天人阿脩羅等見其无臂憂惱
悲哀而作是言此一切衆生憙見菩薩是我

BD00347號　妙法蓮華經卷六　（21–17）

尒時諸菩薩天人阿脩羅等見其无臂憂惱
悲哀而作是言此一切衆生憙見菩薩是我
等師教化我者而今燒臂身不具足于時一
切衆生憙見菩薩於大衆中立此誓言我捨
兩臂必當得佛金色之身若實不虛令我兩
臂還復如故作是誓已自然還復由斯菩薩
福德智慧淳厚所致當尒之時三千大千世
界六種震動天雨寶華一切人天得未曾有
佛告宿王華菩薩於汝意云何一切衆生憙
見菩薩豈異人乎今藥王菩薩是也其所捨
身布施如是无量百千万億那由他數宿王
華若有發心欲得阿耨多羅三藐三菩提者
能然手指乃至足一指供養佛塔勝以國城
妻子及三千大千國土山林河池諸珎寶物
而供養者若復有人以七寶滿三千大千世
界供養於佛及大菩薩辟支佛阿羅漢是人
所得功德不如受持此法華經乃至一四句
偈其福冣多宿王華譬如一切川流江河諸
水之中海為第一此法華經亦復如是於諸
如来所說經中冣為深大又如土山黑山小
鐵圍山大鐵圍山及十寶山衆山之中須弥
山為第一此法華經亦復如是於諸經中冣
為其上又如衆星之中月天子冣為第一此
法華經亦復如是於千万億種諸經法中冣
為照明又如日天子能除諸闇此經亦復如
是能破一切不善之闇又如諸小王中轉輪
聖王冣為第一此經亦復如是於衆經中冣
為其尊又如帝釋於三十三天中王此經亦
復如是諸經中王又如大梵天王一切衆生

BD00347號　妙法蓮華經卷六　（21–18）

為其尊又如帝釋於三十三天中王此經亦
復如是諸經中王又如大梵天王一切衆生
之父此經亦復如是一切賢聖學无學及發
菩薩心者之父又如一切凡夫人中湏陁洹
斯陁含阿那含阿羅漢辟支佛為第一此經
亦復如是一切如来所說若菩薩所說若聲
聞所說諸經法中㝡為第一有能受持是經
典者亦復如是於一切衆生中亦為第一一
切聲聞辟支佛中菩薩為第一此經亦復如
是於一切諸經法中㝡為第一如佛為諸法
王此經亦復如是諸經中王宿王華此經能
救一切衆生者此經能令一切衆生離諸苦
惱此經能大饒益一切衆生充滿其願如清
涼池能滿一切諸渴之者如寒者得火如裸
者得衣如商人得主如子得母如渡得船如
病得醫如暗得燈如貧得寶如民得王如賈
客得海如炬除暗此法華經亦復如是能令
衆生離一切苦一切病痛能解一切生死之
縛若人得聞此法華經若自書若使人書所
得功德以佛智慧籌量多少不得其邊若書
是經卷華香瓔珞燒香末香塗香幡蓋衣服
種種之燈蘇燈油燈諸香油燈瞻蔔油燈湏
曼油燈波羅羅油燈婆利師迦油燈那婆摩
利油燈供養所得功德亦復无量宿王華若
有人聞是藥王菩薩本事品者亦得无量无
邊功德若有女人聞是藥王菩薩本事品能
受持者盡是女身後不復受若如来滅後後
五百歲中若有女人聞是經典如說脩行於

邊功德若有女人聞是藥王菩薩本事品能
受持者盡是女身後不復受若如来滅後後
五百歲中若有女人聞是經典如說脩行於
此命終即往安樂世界阿弥陁佛大菩薩衆
圍繞住處生蓮華中寶座之上不復為貪欲
所惱亦復不為瞋恚愚癡所惱亦復不為憍
慢嫉妬諸垢所惱得菩薩神通无生法忍得
是忍已眼根清淨以是清淨眼根見七百万
二千億那由他恒河沙等諸佛如来是時諸
佛遥共讚言善㦲善㦲善男子汝能於釋迦
牟尼佛法中受持讀誦思惟是經為他人說
所得福德无量无邊火不能燒水不能漂汝
之功德千佛共說不能令盡汝今已能破諸魔
賊壞生死軍諸餘怨敵皆悉摧滅善男子百
千諸佛以神通力共守護汝於一切世間天
人之中无如汝者唯除如来其諸聲聞辟
支佛乃至菩薩智慧禪定无有與汝等者宿
王華此菩薩成就如是功德智慧之力若有
人聞是藥王菩薩本事品能隨喜讚善者是
人現世口中常出青蓮華香身毛孔中常出
牛頭栴檀香所得功德如上所說是故宿王華
以此藥王菩薩本事品囑累於汝我滅度
後後五百歲中廣宣流布於閻浮提无令斷
絕惡魔魔民諸天龍夜叉鳩槃荼等得其便
也宿王華汝當以神通之力守護是經所以
者何此經則為閻浮提人病之良藥若人有
病得聞是經病即消滅不老不死宿王華汝
若見有受持是經者應以青蓮華盛滿末香

人間是藥王菩薩本事品能隨喜讚善者是
人現世口中常出青蓮華香身毛孔中常出
牛頭栴檀香所得功德如上所說是故宿王華
以此藥王菩薩本事品囑累於汝我滅度
後後五百歲中廣宣流布於閻浮提无令斷
絕惡魔魔民諸天龍夜叉鳩槃荼等得其便
也宿王華汝當以神通之力守護是經所以
者何此經則為閻浮提人病之良藥若人有
病得聞是經病即消滅不老不死宿王華汝
若見有受持是經者應以青蓮華盛滿末香
供散其上散已作是念言此人不久必當取
草坐於道場破諸魔軍當吹法螺擊大法鼓
度脫一切衆生老病死海是故求佛道者見
有受持是經典人應當如是生恭敬心說是
藥王菩薩本事品時八万四千菩薩得解一
切衆生語言陁羅尼多寶如來於寶塔中讚
宿王華菩薩言善哉善哉宿王華汝成就不
可思議功德乃能問釋迦牟尼佛如此之事
利益无量一切衆生

妙法蓮華經卷第六

BD00347號　妙法蓮華經卷六　（21–21）

世无我相无人相无衆生相无壽者相是故
須菩提菩薩應離一切相發阿耨多羅三藐
三菩提心不應住色生心不應住聲香味觸
法生心應生无所住心若心有住則為非住
是故佛說菩薩心不應住色布施須菩提菩
薩為利益一切衆生應如是布施如來說一
切諸相即是非相又說一切衆生則非衆生
須菩提如來是真語者實語者如語者不誑
語者不異語者須菩提如來所得法此法无
實无虛
須菩提若菩薩心住於法而行布施如人入
闇則无所見若菩薩心不住法而行布施如人
有目日光明照見種種色須菩提當來之世若
有善男子善女人能於此經受持讀誦則為如
來以佛智慧悉知是人悉見是人皆得成
就无量无邊功德
須菩提若有善男子善女人初日分以恒河
沙等身布施中日分復以恒河沙等身布施
後日分亦以恒河沙等身布施如是无量百千万
億劫以身布施若復有人聞此經典信心不
逆其福勝彼何況書寫受持讀誦為人解說
須菩提以要言之是經有不可思議不可稱
量无邊功德如來為發大乘者說為發最

BD00348號　金剛般若波羅蜜經　（9–1）

後日分亦以恒河沙等身布施如是无量百千万
億劫以身布施若復有人聞此經典信心不
逆其福勝彼何况書寫受持讀誦為人解說
須菩提以要言之是經有不可思議不可稱
量无邊功德如來為發大乘者說為發最
上乘者說若有人能受持讀誦廣為人說
如來悉知是人悉見是人皆得成就不可量
不可稱无有邊不可思議功德如是人等則
為荷擔如來阿耨多羅三藐三菩提何以故
須菩提若樂小法者著我見人見眾生見壽
者見則於此經不能聽受讀誦為人解說
須菩提在在處處若有此經一切世間天人阿
脩羅所應供養當知此處則為是塔皆應
恭敬作禮圍遶以諸華香而散其處
復次須菩提善男子善女人受持讀誦此經
若為人輕賤是人先世罪業應墮惡道以今
世人輕賤故先世罪業則為消滅當得阿耨
多羅三藐三菩提須菩提我念過去无量阿
僧祇劫於然燈佛前得值八百四千万億那
由他諸佛悉皆供養承事无空過者若復
有人於後末世能受持讀誦此經所得功
德於我所供養諸佛功德百分不及一千万
億分乃至筭數譬喻所不能及
須菩提若善男子善女人於後末世有受持
讀誦此經所得功德我若具說者或有人聞

須菩提若善男子善女人於後末世有受持
讀誦此經所得功德我若具說者或有人聞
心則狂亂狐疑不信須菩提當知是經義
不可思議果報亦不可思議
尒時須菩提白佛言世尊善男子善女人發
阿耨多羅三藐三菩提心云何應住云何降
伏其心佛告須菩提善男子善女人發阿耨
多羅三藐三菩提者當生如是心我應滅度
一切眾生滅度一切眾生已而无有一切眾生
實滅度者何以故若菩薩有我相人相眾生
相壽者相則非菩薩所以者何須菩提實无
有法發阿耨多羅三藐三菩提者
須菩提於意云何如來於然燈佛所有法得
阿耨多羅三藐三菩提不不也世尊如我解佛
所說義佛於然燈佛所實无有法得阿耨多
羅三藐三菩提佛言如是如是須菩提實无
有法如來得阿耨多羅三藐三菩提須菩提
若有法如來得阿耨多羅三藐三菩提者然
燈佛則不與我授記汝於來世當得作佛號
釋迦牟尼以實无有法得阿耨多羅三藐
三菩提是故然燈佛與我授記作是言汝於來
世當得作佛號釋迦牟尼何以故如來者即
諸法如義若有人言如來得阿耨多羅三藐
三菩提須菩提實无有法佛得阿耨多羅三
藐三菩提須菩提如來所得阿耨多羅三藐

諸法如義若有人言如來得阿耨多羅三藐
三菩提須菩提實无有法佛得阿耨多羅三
藐三菩提須菩提如來所得阿耨多羅三藐
三菩提於是中无實无虛是故如來說一切
法皆是佛法須菩提所言一切法者即非一
切法是故名一切法須菩提譬如人身長大
須菩提言世尊如來說人身長大則為非大
身是名大身須菩提菩薩亦如是若作是言
我當滅度无量衆生則不名菩薩何以故須
菩提實无有法名為菩薩是故佛說一切
法无我无人无衆生无壽者須菩提若菩
薩作是言我當莊嚴佛土是不名菩薩何
以故如來說莊嚴佛土者即非莊嚴是名莊
嚴須菩提若菩薩通達无我法者如來說
名真是菩薩
須菩提於意云何如來有肉眼不如是世尊
如來有肉眼須菩提於意云何如來有天眼不
如是世尊如來有天眼須菩提於意云何如
來有慧眼不如是世尊如來有慧眼須菩提
於意云何如來有法眼不如是世尊如來有
法眼須菩提於意云何如來有佛眼不如是
世尊如來有佛眼須菩提於意云何恒河中
所有沙佛說是沙不如是世尊如來說是沙
須菩提於意云何如一恒河中所有沙有如
是等恒河是諸恒河所有沙數佛世界如是

BD00348號　金剛般若波羅蜜經　（9–4）

須菩提於意云何如一恒河中所有沙有如
是等恒河是諸恒河所有沙數佛世界如是
寧為多不甚多世尊佛告須菩提尒所國土
中所有衆生若干種心如來悉知何以故如
來說諸心皆為非心是名為心所以者何須
菩提過去心不可得現在心不可得未來心
不可得須菩提於意云何若有人滿三千大
千世界七寶以用布施是人以是因緣得福
多不如是世尊此人以是因緣得福甚多須
菩提若福德有實如來不說得福德多以福
德无故如來說得福德多
須菩提於意云何佛可以具足色身見不不
也世尊如來不應以具足色身見何以故如
來說具足色身即非具足色身是名具足色
身須菩提於意云何如來可以具足諸相見
不不也世尊如來不應以具足諸相見何以
故如來說諸相具足即非具足是名諸相具
足須菩提汝勿謂如來作是念我當有所說
法莫作是念何以故若人言如來有所說法
即為謗佛不能解我所說故須菩提說法者
无法可說是名說法
須菩提白佛言世尊佛得阿耨多羅三藐三
菩提為无所得耶如是如是須菩提我於阿
耨多羅三藐三菩提乃至无有少法可得是
名阿耨多羅三藐三菩提復次須菩提是法
平等无有高下是名阿耨多羅三藐三菩提

BD00348號　金剛般若波羅蜜經　（9–5）

耨多羅三藐三菩提乃至无有少法可得是
名阿耨多羅三藐三菩提復次須菩提是法
平等无有高下是名阿耨多羅三藐三菩提
以无我无人无衆生无壽者脩一切善法則
得阿耨多羅三藐三菩提須菩提所言善法
者如來說非善法是名善法
須菩提若三千大千世界中所有諸須弥山
王如是等七寶聚有人持用布施若人以此
般若波羅蜜經乃至四句偈等受持讀誦為
他人說於前福德百分不及一百千万億分乃
至筭數譬喻所不能及
須菩提於意云何汝等勿謂如來作是念我
當度衆生須菩提莫作是念何以故實无
有衆生如來度者若有衆生如來度者如來則
有我人衆生壽者須菩提如來說有我者則
非有我而凡夫之人以為有我須菩提凡夫者
如來說則非凡夫須菩提於意云何可以卅
二相觀如來不須菩提言如是如是以卅二相
觀如來佛言須菩提若以卅二相觀如來者轉
輪聖王則是如來須菩提白佛言世尊如我
解佛所說義不應以卅二相觀如來尒時世
尊而說偈言
若以色見我　以音聲求我　是人行邪道　不能見如來
須菩提汝若作是念如來不以具足相故得
阿耨多羅三藐三菩提須菩提莫作是念
如來不以具足相故得阿耨多羅三藐三菩

BD00348 號　金剛般若波羅蜜經

（9–6）

是人行邪道　不能見如來
須菩提汝若作是念如來不以具足相故得
阿耨多羅三藐三菩提須菩提莫作是念
如來不以具足相故得阿耨多羅三藐三菩
提須菩提汝若作是念發阿耨多羅三藐三
菩提者說諸法斷滅相莫作是念何以故發
阿耨多羅三藐三菩提者於法不說斷滅相
須菩提若菩薩以滿恒河沙等世界七寶布
施若復有人知一切法无我得成於忍此菩
薩勝前菩薩所得功德須菩提以諸菩薩
不受福德故須菩提白佛言世尊云何菩薩
不受福德須菩提菩薩所作福德不應貪着
是故說不受福德須菩提若有人言如來
若來若去若坐若卧是人不解我所說義
何以故如來者无所從來亦无所去故名如來
須菩提若善男子善女人以三千大千世界
碎為微塵於意云何是微塵衆寧為多不
甚多世尊何以故若微塵衆實有者佛則
不說是微塵衆所以者何佛說微塵衆則
非微塵衆是名微塵衆世尊如來所說三千
大千世界則非世界是名世界何以故若世界
實有者則是一合相如來說一合相則非一
合相是名一合相須菩提一合相者則是不
可說但凡夫之人貪着其事
須菩提若人言佛說我見人見衆生見壽
者見須菩提於意云何是人解我所說義

BD00348 號　金剛般若波羅蜜經

（9–7）

合相是名一合相須菩提一合相者即是不
可說但凡夫之人貪著其事
須菩提若人言佛說我見人見衆生見壽
者見須菩提於意云何是人解我所說義
不世尊是人不解如來所說義何以故世
尊說我見人見衆生見壽者見即非我見
人見衆生見壽者見是名我見人見衆生
見壽者見須菩提發阿耨多羅三藐三菩
提心者於一切法應如是知如是見如是信
解不生法相須菩提所言法相者如來說
即非法相是名法相須菩提若有人以滿
无量阿僧祇世界七寶持用布施若有
善男子善女人發菩薩心者持於此經
乃至四句偈等受持讀誦為人演說其福勝
彼云何為人演說不取於相如如不動何以
故
一切有為法　如夢幻泡影　如露亦如電　應作如是觀
佛說是經已長老須菩提及諸比丘比丘尼
優婆塞優婆夷一切世間天人阿脩羅聞
佛所說皆大歡喜信受奉行
金剛般若波羅蜜經

BD00348號　金剛般若波羅蜜經　（9–8）

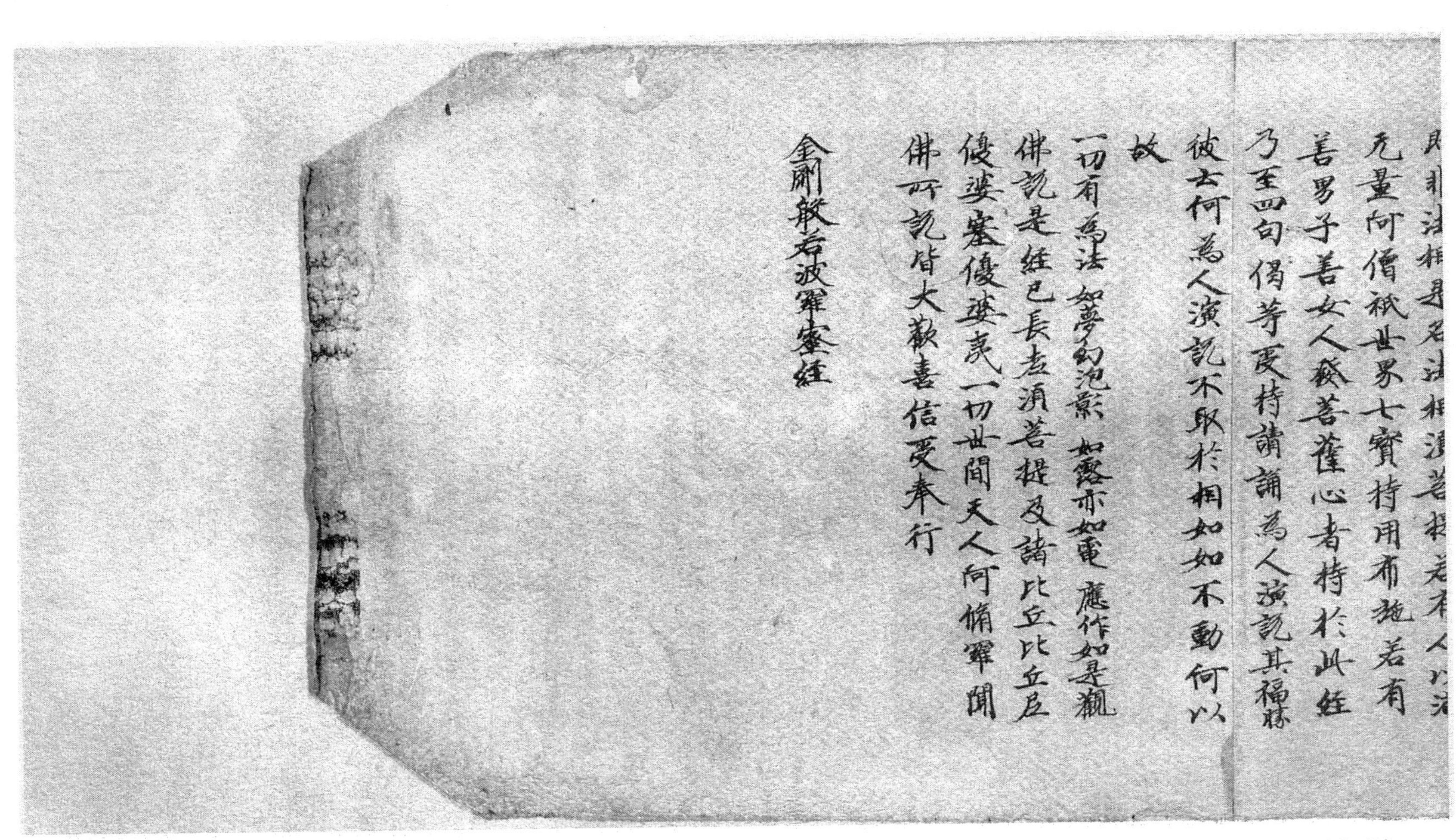
即非法相是名法相須菩提若有人以滿
无量阿僧祇世界七寶持用布施若有
善男子善女人發菩薩心者持於此經
乃至四句偈等受持讀誦為人演說其福勝
彼云何為人演說不取於相如如不動何以
故
一切有為法　如夢幻泡影　如露亦如電　應作如是觀
佛說是經已長老須菩提及諸比丘比丘尼
優婆塞優婆夷一切世間天人阿脩羅聞
佛所說皆大歡喜信受奉行
金剛般若波羅蜜經

BD00348號　金剛般若波羅蜜經　（9–9）

恭敬尊重歎喜供養修諸功德具足圓滿復
起於塔種種嚴飾於諸天宮龍宮夜叉宮乾
闥婆阿脩羅迦樓羅緊那羅摩睺羅伽人非
人等諸宮殿中以爲供養牙齒爪髮咸以起
塔令其見者皆悉念佛念法念僧信樂不迴
誠敬尊重在在處處布施供養修諸功德以
是福故或生天上或處人間種族尊榮財產
備足所有眷屬悉皆清淨不入惡趣常生善
道恒得見佛具衆白法於三有中速得出離
各隨所願獲自乘果於如來所知恩報恩永
與世間作所歸依佛子諸佛世尊雖般涅槃
仍與衆生作不思議清淨福田無盡功德最
上福田令諸衆生善根具足福德圓滿是爲
第十廣大佛事佛子此諸佛事無量廣大
不可思議一切世間諸天及人及去來今聲聞
獨覺皆不能知唯除如來威神所加佛子諸
佛世尊有十種无二行自在法何等爲十所
謂一切諸佛悉能善說授記言辭決定无二
一切諸佛悉能隨順衆生心念令其意滿決
定无二一切諸佛悉能現覺一切諸法演說
其義決定无二一切諸佛悉能具足去來
今世諸佛智慧決定无二一切諸佛悉知三世
一切剎那即一剎那決定无二一切諸佛悉

BD00349 號　大方廣佛華嚴經（唐譯八十卷本　兌廢稿）卷四七　（2–1）

知三世一切佛剎入一佛剎決定无二一切諸

BD00349 號背　大方廣佛華嚴經（唐譯八十卷本　兌廢稿）卷四七　（2–2）

脫於汝意云何是大施主所得功德寧為多
不弥勒白佛言世尊是人功德甚多无量无
邊若是施主但施衆生一切樂具功德无量
何況令得阿羅漢果佛告弥勒我今分明語
汝是人以一切樂具施於四百万億阿僧祇世
界六趣衆生又令得阿羅漢果所得功德不
如是第五十人聞法華經一偈隨喜功德百
分千分百千万億分不及其一乃至筭數譬
喻所不能知阿逸多如是第五十人展轉聞
法華經隨喜功德尚无量无邊阿僧祇何
況最初於會中聞而隨喜者其福復勝无量
无邊阿僧祇不可得比又阿逸多若人為是
經故往詣僧坊若坐若立須臾聽受緣是功
德轉身所生得好上妙象馬車乘珎寶輦轝
及乘天宮若復有人於講法處坐更有人來
勸令坐聽若分座令坐是人功德轉身得帝
釋坐處若梵王坐處若轉輪聖王所坐之處
阿逸多若復有人語餘人言有經名法華可
共往聽即受其教乃至須臾聞是人功德
轉身得與陀羅尼菩薩共生一處利根智
慧百千万世終不瘖瘂口氣不臭舌常無病
口亦无病齒不垢黑不黃不踈亦不缺落不差
不曲脣不下垂亦不褰縮不麁澀不瘡緊亦

BD00350 號　妙法蓮華經卷六　（27–1）

轉身得與陀羅尼菩薩共生一處利根智
慧百千万世終不瘖瘂口氣不臭舌常無病
口亦无病齒不垢黑不黃不踈亦不缺落不差
不曲脣不下垂亦不褰縮不麁澀不瘡緊亦
不缺壞亦不喎斜不厚不大亦不黧黑无諸
可惡鼻不㔸䏲亦不曲戾面色不黑亦不狹
長亦不窊曲无有一切不可喜相脣舌牙齒
悉皆嚴好鼻脩高直面貌圓滿眉高而長額
廣平正人相具足世世所生見佛聞法信受
教誨阿逸多汝且觀是勸於一人令往聽法
功德如此何況一心聽說讀誦而於大衆為
人分別如說脩行尒時世尊欲重宣此義而
說偈言
若人於法會　得聞是經典　乃至於一偈　隨喜為他說
如是展轉教　至于第五十　最後人獲福　今當分別之
如有大施主　供給无量衆　具滿八十歲　隨意之所欲
見彼衰老相　髮白而面皺　齒踈形枯竭　念其死不久
我今應當教　令得於道果　即為方便說　涅槃真實法
世皆不牢固　如水沫泡焰　汝等咸應當　疾生猒離心
諸人聞是法　皆得阿羅漢　具足六神通　三明八解脫
最後第五十　聞一偈隨喜　是人福勝彼　不可為譬喻
如是展轉聞　其福尚无量　何況於法會　初聞隨喜者
若有勸一人　將引聽法華　言此經深妙　千万劫難遇
即受教往聽　乃至須臾聞　斯人之福報　今當分別說
世世无口患　齒不踈黃黑　脣不厚褰缺　无有可惡相

BD00350 號　妙法蓮華經卷六　（27–2）

若有勸一人　將引聽法華　言此經深妙　千万劫難遇
即受教往聽　乃至須臾聞　斯人之福報　今當分別說
世世无口患　齒不疏黃黑　脣不厚褰缺　无有可惡相
舌不乾黑短　鼻高脩且直　額廣而平正　面目悉端嚴
為人所喜見　口氣无臭穢　優鉢華之香　常從其口出
若故詣僧坊　欲聽法華經　須臾聞歡喜　今當說其福
後生天人中　得妙象馬車　珎寶之輦輿　及乘天宮殿
若於講法處　勸人坐聽經　是福因緣得　釋梵轉輪座
何況一心聽　解說其義趣　如說而脩行　其福不可限

妙法蓮華經法師功德品第十九

尒時佛告常精進菩薩摩訶薩若善男子善女人受持是法華經若讀若誦若解說若書冩是人當得八百眼功德千二百耳功德八百鼻功德千二百舌功德八百身功德千二百意功德以是功德莊嚴六根皆令清淨是善男子善女人父母所生清淨肉眼見於三千大千世界內外所有山林河海下至阿鼻地獄上至有頂亦見其中一切衆生及業因緣果報生處悉見悉知尒時世尊欲重宣此義而說偈言

若於大衆中　以无所畏心　說是法華經　汝聽其功德
是人得八百　功德殊勝眼　以是莊嚴故　其目甚清淨
父母所生眼　悉見三千界　內外彌樓山　須彌及鐵圍
并諸餘山林　大海江河水　下至阿鼻獄　上至有頂處
其中諸衆生　一切皆悉見　雖未得天眼　肉眼力如是

BD00350號　妙法蓮華經卷六　（27–3）

并諸餘山林　大海江河水　下至阿鼻獄　上至有頂處
其中諸衆生　一切皆悉見　雖未得天眼　肉眼力如是

復次常精進若善男子善女人受持此經若讀若誦若解說若書冩得千二百耳功德以是清淨耳聞三千大千世界下至阿鼻地獄上至有頂其中內外種種語言音聲象聲馬聲牛聲車聲啼哭聲愁歎聲螺聲鼓聲鍾聲鈴聲咲聲語聲男聲女聲童子聲童女聲法聲非法聲苦聲樂聲凡夫聲聖人聲喜聲不喜聲天聲龍聲夜叉聲乾闥婆聲阿脩羅聲迦樓羅聲緊那羅聲摩睺羅伽聲火聲水聲風聲地獄聲畜生聲餓鬼聲比丘聲比丘尼聲聲聞聲辟支佛聲菩薩聲佛聲以要言之三千大千世界中一切內外所有諸聲雖未得天耳以父母所生清淨常耳皆悉聞知如是分別種種音聲而不壞耳根尒時世尊欲重宣此義而說偈言

父母所生耳　清淨无濁穢　以此常耳聞　三千世界聲
象馬車牛聲　鍾鈴螺鼓聲　琴瑟箜篌聲　簫笛之音聲
清淨好歌聲　聽之而不著　无數種人聲　聞悉能解了
又聞諸天聲　微妙之歌音　及聞男女聲　童男童女聲
山川險谷中　迦陵頻伽聲　命命等諸鳥　悉聞其音聲
地獄衆苦痛　種種楚毒聲　餓鬼飢渴逼　求索飲食聲
諸阿脩羅等　居在大海邊　自共語言時　出于大音聲

BD00350號　妙法蓮華經卷六　（27–4）

山川險谷中　迦陵頻伽聲　命命等諸鳥　悉聞其音聲
地獄衆苦痛　種種楚毒聲　餓鬼飢渴逼　求索飲食聲
諸阿脩羅等　居在大海邊　自共語言時　出于大音聲
如是說法者　安住於此間　遙聞是衆聲　而不壞耳根
十方世界中　禽獸鳴相呼　其說法之人　於此悉聞之
其諸梵天上　光音及遍淨　乃至有頂天　言語之音聲
法師住於此　悉皆得聞之　一切比丘衆　及諸比丘尼
若讀誦經典　若為他人說　法師住於此　悉皆得聞之
復有諸菩薩　讀誦於經法　若為他人說　撰集解其義
如是諸音聲　悉皆得聞之　諸佛大聖尊　教化衆生者
於諸大衆中　演說微妙法　持此法華者　悉皆得聞之
三千大千界　內外諸音聲　下至阿鼻獄　上至有頂天
皆聞其音聲　而不壞耳根　其耳聰利故　悉能分別知
持是法華者　雖未得天耳　但用所生耳　功德已如是
復次常精進若善男子善女人受持是經若
讀若誦若解說若書寫成就八百鼻功德以
是清淨鼻根聞於三千大千世界上下內外
種種諸香須曼那華香闍提華香末利華
香瞻蔔華香波羅羅華香赤蓮華香青蓮華
香白蓮華香華樹香菓樹香栴檀香沉水香多
摩羅跋香多伽羅香及千万種和香若末若
丸若塗香持是經者於此間住悉能分別又
復別知衆生之香象香馬香牛羊等香男香
女香童子香童女香及草木叢林香若近若
遠所有諸香悉皆得聞分別不錯持是經者

BD00350號　妙法蓮華經卷六　（27–5）

女香童子香童女香及草木叢林香若近若
遠所有諸香悉皆得聞分別不錯持是經者
雖住於此亦聞天上諸天之香波利質多羅
拘鞞陀羅樹香及曼陀羅華香摩訶曼陀
羅華香曼殊沙華香摩訶曼殊沙華香栴檀
沉水種種末香諸雜華香如是等天香和合所
出之香无不聞知又聞諸天身香釋提桓因
在勝殿上五欲娛樂嬉戲時香若在妙法堂
上為忉利諸天說法時香若於諸園遊戲時
香及餘天等男女身香皆悉遙聞如是展轉
乃至梵世上至有頂諸天身香亦皆聞之并
聞諸天所燒之香及聲聞香辟支佛香菩薩
香諸佛身香亦皆遙聞知其所在雖聞此香
然於鼻根不壞不錯若欲分別為他人說憶
念不謬尒時世尊欲重宣此義而說偈言
是人鼻清淨　於此世界中　若香若臭物　種種悉聞知
須曼那闍提　多摩羅栴檀　沉水及桂香　種種華菓香
及知衆生香　男子女人香　說法者遠住　聞香知所在
大勢轉輪王　小轉輪及子　群臣諸宮人　聞香知所在
身所著珍寶　及地中寶藏　轉輪王寶女　聞香知所在
諸人嚴身具　衣服及瓔珞　種種所塗香　聞則知其身
諸天若行坐　遊戲及神變　持是法華者　聞香悉能知
諸樹華菓實　及酥油香氣　持經者住此　悉知其所在
諸山深險處　栴檀樹華敷　衆生在中者　聞香皆能知
鐵圍山大海　地中諸衆生　持經者聞香　悉知其所在

BD00350號　妙法蓮華經卷六　（27–6）

諸山深嶮處　栴檀樹華敷　衆生在中者　聞香皆能知
鐵圍山大海　地中諸衆生　持經者聞香　悉知其所在
阿脩羅男女　及其諸眷屬　鬪諍遊戲時　聞香皆能知
曠野險隘處　師子象虎狼　野牛水牛等　聞香知所在
若有懷妊者　未辯其男女　无根及非人　聞香悉能知
以聞香力故　知其初懷妊　成就不成就　安樂產福子
以聞香力故　知男女所念　染欲癡恚心　亦知脩善者
地中衆伏藏　金銀諸珎寶　銅器之所盛　聞香悉能知
種種諸瓔珞　无能識其價　聞香知貴賤　出處及所在
天上諸華等　曼陁曼殊沙　波利質多樹　聞香悉能知
天上諸宮殿　上中下差別　衆寶華莊嚴　聞香悉能知
天園林勝殿　諸觀妙法堂　在中而娛樂　聞香悉能知
諸天若聽法　或受五欲時　來往行坐卧　聞香悉能知
天女所著衣　好華香莊嚴　周旋遊戲時　聞香悉能知
如是展轉上　乃至於梵世　入禪出禪者　聞香悉能知
光音遍淨天　乃至于有頂　初生及退沒　聞香悉能知
諸比丘衆等　於法常精進　若坐若經行　及讀誦經法
或在林樹下　專精而坐禪　持經者聞香　悉知其所在
菩薩志堅固　坐禪若讀誦　或為人說法　聞香悉能知
在在方世尊　一切所恭敬　愍衆而說法　聞香悉能知
衆生在佛前　聞經皆歡喜　如法而脩行　聞香悉能知
雖未得菩薩　无漏法生鼻　而是持經者　先得此鼻相
復次常精進若善男子善女人受持是經若
讀若誦若解說若書寫得千二百舌功德若

復次常精進若善男子善女人受持是經若
讀若誦若解說若書寫得千二百舌功德若
好若醜若美不美及諸苦澀物在其舌根皆
變成上味如天甘露无不美者若以舌根於
大衆中有所演說出深妙聲能入其心皆令
歡喜快樂又諸天子天女釋梵諸天聞是深
妙音聲有所演說言論次第皆悉來聽及諸
龍龍女夜叉夜叉女乾闥婆乾闥婆女阿脩
羅阿脩羅女迦樓羅迦樓羅女緊那羅緊那
羅女摩睺羅伽摩睺羅伽女為聽法故皆來
親近恭敬供養及比丘比丘尼優婆塞優婆
夷國王王子羣臣眷屬小轉輪王大轉輪王
七寶千子內外眷屬乘其宮殿俱來聽法以
是菩薩善說法故婆羅門居士國內人民盡
其形壽隨侍供養又諸聲聞辟支佛菩薩諸
佛常樂見之是人所在方面諸佛皆向其處
說法悉能受持一切佛法又能出於深妙法
音尒時世尊欲重宣此義而說偈言
是人舌根淨　終不受惡味　其有所食噉　悉皆成甘露
以深淨妙音　於大衆說法　以諸因緣喻　引導衆生心
聞者皆歡喜　設諸上供養　諸天龍夜叉　及阿脩羅等
皆以恭敬心　而共來聽法　是說法之人　若欲以妙音
遍滿三千界　隨意即能至　大小轉輪王　及千子眷屬
合掌恭敬心　常來聽受法　諸天龍夜叉　羅剎毗舍闍
亦以歡喜心　常樂來供養　梵天王魔王　自在大自在

合掌恭敬心　常来聽受法　諸天龍夜叉　羅刹毗舍闍
亦以歡喜心　常樂来供養　梵天王魔王　自在大自在
如是諸天衆　常来至其所　諸佛及弟子　聞其說法音
常念而守護　或時為現身
復次常精進若善男子善女人受持是經若
讀若誦若解說若書寫得八百身功德得清
淨身如淨瑠璃衆生憙見其身淨故三千大
千世界衆生生時死時上下好醜生善處惡
處悉於中現及鐵圍山大鐵圍山弥樓山摩
訶弥樓山等諸山及其中衆生悉於中現下
至阿鼻地獄上至有頂所有及衆生悉於中
現若聲聞辟支佛菩薩諸佛說法皆於身中
現其色像尒時世尊欲重宣此義而說偈言
若持法華者　其身甚清淨　如彼淨瑠璃　衆生皆憙見
又如淨明鏡　悉見諸色像　菩薩於淨身　皆見世所有
唯獨自明了　餘人所不見　三千世界中　一切諸群萌
天人阿脩羅　地獄鬼畜生　如是諸色像　皆於身中現
諸天等宮殿　乃至於有頂　鐵圍及弥樓　摩訶弥樓山
諸大海水等　皆於身中現　諸佛及聲聞　佛子菩薩等
若獨若在衆　說法悉皆現　雖未得无漏　法性之妙身
以清淨常體　一切於中現
復次常精進若善男子善女人如来滅後受
持是經若讀若誦若解說若書寫得千二百
意功德以是清淨意根乃至聞一偈一句通
達无量无邊之義解是義已能演說一句一

BD00350號　妙法蓮華經卷六　（27-9）

復次常精進若善男子善女人如来滅後受
持是經若讀若誦若解說若書寫得千二百
意功德以是清淨意根乃至聞一偈一句通
達无量无邊之義解是義已能演說一句一
偈至於一月四月乃至一歲諸所說法隨其義
趣皆與實相不相違背若說俗間經書治
世語言資生業等皆順正法三千大千世界
六趣衆生心之所行心所動作心所戲論皆
悉知之雖未得无漏智慧而其意根清淨如
此是人有所思惟籌量言說皆是佛法无不
真實亦是先佛經中所說尒時世尊欲重宣
此義而說偈言
是人意清淨　明利无穢濁　以此妙意根　知上中下法
乃至聞一偈　通達无量義　次第如法說　月四月至歲
是世界內外　一切諸衆生　若天龍及人　夜叉鬼神等
其在六趣中　所念若干種　持法華之報　一時皆悉知
十方无數佛　百福莊嚴相　為衆生說法　悉聞能受持
思惟无量義　說法亦无量　終始不忘錯　以持法華故
悉知諸法相　隨義識次第　達名字語言　如所知演說
此人有所說　皆是先佛法　以演此法故　於衆无所畏
持法華經者　意根淨若斯　雖未得无漏　先有如是相
是人持此經　安住希有地　為一切衆生　歡喜而愛敬
能以千万種　善巧之語言　分別而說法　持法華經故
妙法蓮華經常不輕菩薩品第二十
尒時佛告得大勢菩薩摩訶薩汝今當知若

BD00350號　妙法蓮華經卷六　（27-10）

妙法蓮華經常不輕菩薩品第二十
尒時佛告得大勢菩薩摩訶薩汝今當知若
比丘比丘尼優婆塞優婆夷持法華經者若
有惡口罵詈誹謗獲大罪報如前所說其所
得功德如向所說眼耳鼻舌身意清淨得大
勢乃往古昔過无量无邊不可思議阿僧祇
劫有佛名威音王如來應供正遍知明行足
善逝世間解无上士調御丈夫天人師佛世
尊劫名離衰國名大成其威音王佛於彼世
中為天人阿脩羅說法為求聲聞者說應四
諦法度生老病死究竟涅槃為求辟支佛者
說應十二因緣法為諸菩薩因阿耨多羅三
藐三菩提說應六波羅蜜法究竟佛慧得大
勢是威音王佛壽四十万億那由他恒河沙
劫正法住世劫數如一閻浮提微塵像法住
世劫數如四天下微塵其佛饒益衆生已然
後滅度正法像法滅盡之後於此國土復有
佛出亦号威音王如來應供正遍知明行足
善逝世間解无上士調御丈夫天人師佛世
尊如是次第有二万億佛皆同一号最初威
音王如來既已滅度正法滅後於像法中增
上慢比丘有大勢力尒時有一菩薩比丘名
常不輕得大勢以何因緣名常不輕是比丘
凡有所見若比丘比丘尼優婆塞優婆夷皆
悉礼拜讚歎而作是言我深敬汝等不敢輕

BD00350號　妙法蓮華經卷六　（27–11）

上慢比丘有大勢力尒時有一菩薩比丘名
常不輕得大勢以何因緣名常不輕是比丘
凡有所見若比丘比丘尼優婆塞優婆夷皆
悉礼拜讚歎而作是言我深敬汝等不敢輕
慢所以者何汝等皆行菩薩道當得作佛而
是比丘不專讀誦經典但行礼拜乃至遠見
四衆亦復故往礼拜讚歎而作是言我不敢
輕於汝等汝等皆當作佛故四衆之中有生
瞋恚心不淨者惡口罵詈言是无智比丘從
何所來自言我不輕汝而與我等受記當得
作佛我等不用如是虛妄受記如此經歷多
年常被罵詈不生瞋恚常作是言汝當作佛
說是語時衆人或以杖木瓦石而打擲之避走
遠住猶高聲唱言我不敢輕於汝等汝等皆
當作佛以其常作是語故增上慢比丘比丘
尼優婆塞優婆夷号之為常不輕是比丘臨
欲終時於虛空中具聞威音王佛先所說法
華經二十千万億偈悉能受持即得如上眼
根清淨耳鼻舌身意根清淨得是六根清淨
已更增壽命二百万億那由他歲廣為人說
是法華經於時增上慢四衆比丘比丘尼優
婆塞優婆夷輕賤是人為作不輕名者見其
得大神通力樂說辯力大善寂力聞其所說
皆信伏隨從是菩薩復化千万億衆令住阿
耨多羅三藐三菩提命終之後得值二千

BD00350號　妙法蓮華經卷六　（27–12）

皆信伏隨從是菩薩復化千万億衆令住阿
耨多羅三藐三菩提命終之後得值二千
億佛皆号日月燈明於其法中說是法華經以
是因緣復值二千億佛同号雲自在燈王於
此諸佛法中受持讀誦為諸四衆說此經典
故得是常眼清淨耳鼻舌身意諸根清淨於
四衆中說法心无所畏得大勢是常不輕菩
薩摩訶薩供養如是若干諸佛恭敬尊重讚
歎種諸善根於後復值千万億佛亦於諸佛
法中說是經典功德成就當得作佛得大勢於
意云何尒時常不輕菩薩豈異人乎則我身
是若我於宿世不受持讀誦此經為他人說
者不能疾得阿耨多羅三藐三菩提我於
先佛所受持讀誦此經為人說故疾得阿耨
多羅三藐三菩提得大勢彼時四衆比丘比
丘尼優婆塞優婆夷以瞋恚意輕賤我故二
百億劫常不值佛不聞法不見僧千劫於阿
鼻地獄受大苦惱畢是罪已復遇常不輕菩
薩教化阿耨多羅三藐三菩提得大勢於汝
意云何尒時四衆常輕是菩薩者豈異人乎
今此會中䟦陁婆羅等五百菩薩師子月等
五百比丘尼思佛等五百優婆塞皆於阿耨
多羅三藐三菩提不退轉者是得大勢當知
是法華經大饒益諸菩薩摩訶薩能令至於
阿耨多羅三藐三菩提是故諸菩薩摩訶薩

BD00350號　妙法蓮華經卷六　（27–13）

多羅三藐三菩提不退轉者是得大勢當知
是法華經大饒益諸菩薩摩訶薩能令至於
阿耨多羅三藐三菩提是故諸菩薩摩訶薩
於如來滅後常應受持讀誦解說書寫是經
尒時世尊欲重宣此義而說偈言
過去有佛 号威音王 神智无量 將導一切
天人龍神 所共供養 是佛滅後 法欲盡時
有一菩薩 名常不輕 時諸四衆 計著於法
不輕菩薩 往到其所 而語之言 我不輕汝
汝等行道 皆當作佛 諸人聞已 輕毀罵詈
不輕菩薩 能忍受之 其罪畢已 臨命終時
得聞此經 六根清淨 神通力故 增益壽命
復為諸人 廣說是經 諸著法衆 皆蒙菩薩
教化成就 令住佛道 不輕命終 值无數佛
說是經故 得无量福 漸具功德 疾成佛道
彼時不輕 則我身是 時四部衆 著法之者
聞不輕言 汝當作佛 以是因緣 值无數佛
此會菩薩 五百之衆 并及四部 清信士女
今於我前 聽法者是 我於前世 勸是諸人
聽受斯經 第一之法 開示教人 令住涅槃
世世受持 如是經典 億億万劫 至不可議
時乃得聞 是法華經 億億万劫 至不可議
諸佛世尊 時說是經 是故行者 於佛滅後
聞如是經 勿生疑惑 應當一心 廣說此經
世世值佛 疾成佛道

BD00350號　妙法蓮華經卷六　（27–14）

諸佛世尊 時說是經 是故行者 於佛滅後
聞如是經 勿生疑惑 應當一心 廣說此經
世世值佛 疾成佛道
妙法蓮華經如來神力品第二十一
尒時千世界微塵等菩薩摩訶薩從地踊出
者皆於佛前一心合掌瞻仰尊顏而白佛言
世尊我等於佛滅後世尊分身所在國土滅
度之處當廣說此經所以者何我等亦自欲
得是真淨大法受持讀誦解說書寫而供
養之尒時世尊於文殊師利等无量百千万億
舊住娑婆世界菩薩摩訶薩及諸比丘比丘
尼優婆塞優婆夷天龍夜叉乾闥婆阿脩羅
迦樓羅緊那羅摩睺羅伽人非人等一切衆
前現大神力出廣長舌上至梵世一切毛孔
放於无量无數色光皆悉遍照十方世界衆
寶樹下師子座上諸佛亦復如是出廣長舌
放无量光釋迦牟尼佛及寶樹下諸佛現神
力時滿百千歲然後還攝舌相一時謦欬俱共
彈指是二音聲遍至十方諸佛世界地皆六
種震動其中衆生天龍夜叉乾闥婆阿脩
羅迦樓羅緊那羅摩睺羅伽人非人等以佛
神力故皆見此娑婆世界无量无邊百千萬
億衆寶樹下師子座上諸佛及見釋迦牟尼
佛共多寶如來在寶塔中坐師子座又見无
量无邊百千万億菩薩摩訶薩及諸四衆恭

BD00350號 妙法蓮華經卷六

（27–15）

佛共多寶如來在寶塔中坐師子座又見无
量无邊百千万億菩薩摩訶薩及諸四衆恭
敬圍繞釋迦牟尼佛既見是已皆大歡喜得
未曾有即時諸天於虛空中高聲唱言過此
无量无邊百千万億阿僧祇世界有國名娑
婆是中有佛名釋迦牟尼今為諸菩薩摩訶
薩說大乘經名妙法蓮華教菩薩法佛所護
念汝等當深心隨喜亦當礼拜供養釋迦牟
尼佛彼諸衆生聞虛空中聲已合掌向娑婆
世界作如是言南无釋迦牟尼佛南无釋迦
牟尼佛以種種華香瓔珞幡蓋及諸嚴身之
具珎寶妙物皆共遙散娑婆世界所散諸物
從十方來譬如雲集變成寶帳遍覆此間諸
佛之上于時十方世界通達无礙如一佛土尒
時佛告上行等菩薩大衆諸佛神力如是
无量无邊不可思議若我以是神力於无量
无邊百千万億阿僧祇劫為囑累故說此經
功德猶不能盡以要言之如來一切所有之法
如來一切自在神力如來一切秘要之藏如
來一切甚深之事皆於此經宣示顯說是
故汝等於如來滅後應一心受持讀誦解說
書寫如說脩行所在國土若有受持讀誦解
說書寫如說脩行若經卷所住之處若於園
中若於林中若於樹下若於僧坊若白衣舍
若在殿堂若山谷曠野是中皆應起塔供養

BD00350號 妙法蓮華經卷六

（27–16）

說書寫如說脩行若經卷所住之處若於園
中若於林中若於樹下若於僧坊若白衣舍
若在殿堂若山谷曠野是中皆應起塔供養
所以者何當知是處即是道場諸佛於此得
阿耨多羅三藐三菩提諸佛於此轉于法輪
諸佛於此而般涅槃尒時世尊欲重宣此義
而說偈言
諸佛救世者　住於大神通　為悅衆生故　現无量神力
舌相至梵天　身放无數光　為求佛道者　現此希有事
諸佛謦欬聲　及彈指之聲　周聞十方國　地皆六種動
以佛滅度後　能持是經故　諸佛皆歡喜　現无量神力
囑累是經故　讚美受持者　於无量劫中　猶故不能盡
是人之功德　无邊无有窮　如十方虛空　不可得邊際
能持是經者　則為已見我　亦見多寶佛　及諸分身者
又見我今日　教化諸菩薩　能持是經者　令我及分身
滅度多寶佛　一切皆歡喜　十方現在佛　并過去未來
亦見亦供養　亦令得歡喜　諸佛坐道場　所得祕要法
能持是經者　不久亦當得　能持是經者　於諸法之義
名字及言辭　樂說无窮盡　如風於空中　一切无障礙
於如來滅後　知佛所說經　因緣及次第　隨義如實說
如日月光明　能除諸幽冥　斯人行世間　能滅衆生闇
教无量菩薩　畢竟住一乘　是故有智者　聞此功德利
於我滅度後　應受持斯經　是人於佛道　決定无有疑
妙法蓮華經囑累品第二十二
尒時釋迦牟尼佛從法座起現大神力以右

於我滅度後　應受持斯經　是人於佛道　決定无有疑
妙法蓮華經囑累品第二十二
尒時釋迦牟尼佛從法座起現大神力以右
手摩无量菩薩摩訶薩頂而作是言我於无
量百千万億阿僧祇劫脩習是難得阿耨多
羅三藐三菩提法今以付囑汝等汝等應當
一心流布此法廣令增益如是三摩諸菩薩
摩訶薩頂而作是言我於无量百千万億阿
僧祇劫脩習是難得阿耨多羅三藐三菩提
法今以付囑汝等汝等當受持讀誦廣宣此
法令一切衆生普得聞知所以者何如來有
大慈悲无諸慳悋亦无所畏能與衆生佛之
智慧如來智慧自然智慧如來是一切衆生
之大施主汝等亦應隨學如來之法勿生慳
悋於未來世若有善男子善女人信如來智
慧者當為演說此法華經使得聞知為令
其人得佛慧故若有衆生不信受者當於如
來餘深法中示教利喜汝等若能如是則為
已報諸佛之恩時諸菩薩摩訶薩聞佛作是
說已皆大歡喜遍滿其身益加恭敬曲躬低頭
合掌向佛俱發聲言如世尊勅當具奉行唯
然世尊願不有慮諸菩薩摩訶薩衆如是
三反俱發聲言如世尊勅當具奉行唯然世
尊願不有慮尒時釋迦牟尼佛令十方來諸
分身佛各還本土而作是言諸佛各隨所安

三反俱發聲言如世尊勅當具奉行唯然世
尊願不有慮尒時釋迦牟尼佛令十方来諸
分身佛各還本土而作是言諸佛各隨所安
多寶佛塔還可如故說是語時十方无量分身
諸佛坐寶樹下師子座上者及多寶佛并上
行等无邊阿僧祇菩薩大衆舍利弗等聲聞
四衆及一切世間天人阿脩羅等聞佛所說
皆大歡喜

妙法蓮華經藥王菩薩本事品第二十三

尒時宿王華菩薩白佛言世尊藥王菩薩云
何遊於娑婆世界世尊是藥王菩薩有若干
百千万億那由他難行苦行善哉世尊願少
解說諸天龍神夜叉乹闥婆阿脩羅迦樓羅
緊那羅摩睺羅伽人非人等又他國土諸来
菩薩及此聲聞衆聞皆歡喜尒時佛告宿王
華菩薩乃往過去无量恒河沙劫有佛号日
月淨明德如来應供正遍知明行足善逝世
間解无上士調御丈夫天人師佛世尊其佛
有八十億大菩薩摩訶薩七十二恒河沙大
聲聞衆佛壽四万二千劫菩薩壽命亦等彼
國无有女人地獄餓鬼畜生阿脩羅等及以
諸難地平如掌瑠璃所成寶樹莊嚴寶帳覆
上垂寶華幡寶瓶香爐周遍國界七寶為臺
一樹一臺其樹去臺盡一箭道此諸寶樹
皆有菩薩聲聞而坐其下諸寶臺上各有百

BD00350 號　妙法蓮華經卷六　（27–19）

上垂寶華幡寶瓶香爐周遍國界七寶為臺
一樹一臺其樹去臺盡一箭道此諸寶樹
皆有菩薩聲聞而坐其下諸寶臺上各有百
億諸天作天伎樂歌歎於佛以為供養尒時
彼佛為一切衆生憙見菩薩及衆菩薩諸聲
聞衆說法華經是一切衆生憙見菩薩樂習
苦行於日月淨明德佛法中精進經行一心求
佛滿万二千歲已得現一切色身三昧得此
三昧已心大歡喜即作念言我得現一切色
身三昧皆是得聞法華經力我今當供養日
月淨明德佛及法華經即時入是三昧於虛
空中雨曼陁羅華摩訶曼陁羅華細末堅
黑栴檀滿虛空中如雲而下又雨海此岸栴檀
之香此香六銖價直娑婆世界以供養佛作
是供養已從三昧起而自念言我雖以神力
供養於佛不如以身供養即服諸香栴檀薰
陸兜樓婆畢力迦沉水膠香又飲瞻蔔諸華
香油滿千二百歲已香油塗身於日月淨明
德佛前以天寶衣而自纏身灌諸香油以神
通力願而自然身光明遍照八十億恒河沙
世界其中諸佛同時讚言善哉善哉善男子
是真精進是名真法供養如来若以華香瓔
珞燒香末香塗香天繒幡蓋及海此岸栴檀
之香如是等種種諸物供養所不能及假使
國城妻子布施亦所不及善男子是名第一

BD00350 號　妙法蓮華經卷六　（27–20）

珞燒香末香塗香天繒幡蓋及海此岸栴檀
之香如是等種種諸物供養所不能及假使
國城妻子布施亦所不及善男子是名第一
之施於諸施中最尊最上以法供養諸如來
故作是語已而各嘿然其身火然千二百歲
過是已後其身乃盡一切衆生憙見菩薩作
如是法供養已命終之後復生日月淨明德
佛國中於淨德王家結加趺坐忽然化生即
為其父而說偈言
大王今當知　我經行彼處　即時得一切　現諸身三昧
勤行大精進　捨所愛之身
說是偈已而白父言日月淨明德佛今故現在
我先供養佛已得解一切衆生語言陁羅尼
復聞是法華經八百千万億那由他甄迦羅
頻婆羅阿閦婆等偈大王我今當還供養
此佛白已即坐七寶之臺上昇虛空高七多
羅樹往到佛所頭面礼足合十指爪以偈讚
佛
容顏甚奇妙　光明照十方　我適曾供養　今復還親近
尒時一切衆生憙見菩薩說是偈已而白佛
言世尊世尊猶故在世尒時日月淨明德佛
告一切衆生憙見菩薩善男子我涅槃時到
滅盡時至汝可安施床座我於今夜當般涅
槃又勅一切衆生憙見菩薩善男子我以佛
法囑累於汝及諸菩薩大弟子并阿耨多羅

BD00350號　妙法蓮華經卷六　（27–21）

槃又勅一切衆生憙見菩薩善男子我以佛
法囑累於汝及諸菩薩大弟子并阿耨多羅
三藐三菩提法亦以三千大千七寶世界諸
寶樹寶臺及給侍諸天悉付於汝我滅度後
所有舍利亦付囑汝當令流布廣設供養應
起若干千塔如是日月淨明德佛勅一切衆
生憙見菩薩已於夜後分入於涅槃尒時一
切衆生憙見菩薩見佛滅度悲感懊惱戀慕
於佛即以海此岸栴檀為積供養佛身而以
燒之火滅已後收取舍利作八万四千寶瓶以
起八万四千塔高三世界表刹莊嚴垂諸幡
蓋懸衆寶鈴尒時一切衆生憙見菩薩復
自念言我雖作是供養心猶未足我今當更
供養舍利便語諸菩薩大弟子及天龍夜叉
等一切大衆汝等當一心念我今供養日月
淨明德佛舍利作是語已即於八万四千塔
前然百福莊嚴臂七万二千歲而以供養令
无數求聲聞衆无量阿僧祇人發阿耨多羅
三藐三菩提心皆使得住現一切色身三昧
尒時諸菩薩天人阿脩羅等見其无臂憂惱
悲哀而作是言此一切衆生憙見菩薩是我
等師教化我者而今燒臂身不具足于時一
切衆生憙見菩薩於大衆中立此誓言我捨
兩臂必當得佛金色之身若實不虛令我兩
臂還復如故作是誓已自然還復由斯菩薩

BD00350號　妙法蓮華經卷六　（27–22）

切衆生憙見菩薩於大衆中立此誓言我捨
兩臂必當得佛金色之身若實不虛令我兩
臂還復如故作是誓已自然還復由斯菩薩
福德智慧淳厚所致當尒之時三千大千世
界六種震動天雨寶華一切人天得未曾有
佛告宿王華菩薩於汝意云何一切衆生憙
見菩薩豈異人乎今藥王菩薩是也其所捨
身布施如是无量百千万億那由他數宿王
華若有發心欲得阿耨多羅三藐三菩提者
能然手指乃至足一指供養佛塔勝以國城
妻子及三千大千國土山林河池諸珍寶物
而供養者若復有人以七寶滿三千大千世
界供養於佛及大菩薩辟支佛阿羅漢是人
所得功德不如受持此法華經乃至一四句
偈其福最多宿王華譬如一切川流江河諸
水之中海為第一此法華經亦復如是於諸
如來所說經中最為深大又如土山黑山小
鐵圍山大鐵圍山及十寶山衆山之中須彌
山為第一此法華經亦復如是於諸經中最
為其上又如衆星之中月天子最為第一此
法華經亦復如是於千万億種諸經法中最
為照明又如日天子能除諸闇此經亦復如
是能破一切不善之闇又如諸小王中轉輪聖
王最為第一此經亦復如是於衆經中最
為其尊又如帝釋於三十三天中王此經亦

BD00350 號　妙法蓮華經卷六

(27-23)

王最為第一此經亦復如是於衆經中最
為其尊又如帝釋於三十三天中王此經亦
復如是諸經中王又如大梵天王一切衆生
之父此經亦復如是一切賢聖學无學及發
菩薩心者之父又如一切凡夫人中須陁洹
斯陁含阿那含阿羅漢辟支佛為第一此經
亦復如是一切如來所說若菩薩所說若聲
聞所說諸經法中最為第一有能受持是經
典者亦復如是於一切衆生中亦為第一一
切聲聞辟支佛中菩薩為第一此經亦復如
是於一切諸經法中最為第一如佛為諸法
王此經亦復如是諸經中王宿王華此經能
救一切衆生者此經能令一切衆生離諸苦
惱此經能大饒益一切衆生充滿其願如清
涼池能滿一切諸渴之者如寒者得火如裸
者得衣如商人得主如子得母如渡得船如
病得醫如闇得燈如貧得寶如民得王如賈
客得海如炬除闇此法華經亦復如是能令
衆生離一切苦一切病痛能解一切生死之
縛若人得聞此法華經若自書若使人書所
得功德以佛智慧籌量多少不得邊若書
是經卷華香瓔珞燒香末香塗香幡蓋衣服
種種之燈蘇燈油燈諸香油燈瞻蔔油燈須
曼那油燈波羅羅油燈婆利師迦油燈那婆摩
利油燈供養所得功德亦復无量宿王華若

BD00350 號　妙法蓮華經卷六

(27-24)

是經卷華香瓔珞燒香末香塗香幡蓋衣服
種種之燈蘇燈油燈諸香油燈瞻蔔油燈須
曼那油燈波羅羅油燈婆利師迦油燈那婆摩
利油燈供養所得功德亦復无量宿王華若
有人聞是藥王菩薩本事品者亦得无量无
邊功德若有女人聞是藥王菩薩本事品能
受持者盡是女身後不復受若如來滅後後
五百歲中若有女人聞是經典如說脩行於
此命終即往安樂世界阿彌陁佛大菩薩衆
圍繞住處生蓮華中寶座之上不復爲貪欲
所惱亦復不爲瞋恚愚癡所惱亦復不爲憍
慢嫉妬諸垢所惱得菩薩神通无生法忍得
是忍已眼根清淨以是清淨眼根見七百万
二千億那由他恒河沙等諸佛如來是時諸
佛遥共讚言善哉善哉善男子汝能於釋迦
牟尼佛法中受持讀誦思惟是經爲他人說
所得福德无量无邊火不能燒水不能漂汝
之功德千佛共說不能令盡汝今已能破諸
魔賊壞生死軍諸餘怨敵皆悉摧滅善男
子百千諸佛以神通力共守護汝於一切世間
天人之中无如汝者唯除如來其諸聲聞辟
支佛乃至菩薩智慧禪定无有與汝等者宿
王華此菩薩成就如是功德智慧之力若有
人聞是藥王菩薩本事品能隨喜讚善者
是人現世口中常出青蓮華香身毛孔中常

BD00350號　妙法蓮華經卷六　(27–25)

子百千諸佛以神通力共守護汝於一切世間
天人之中无如汝者唯除如來其諸聲聞辟
支佛乃至菩薩智慧禪定无有與汝等者宿
王華此菩薩成就如是功德智慧之力若有
人聞是藥王菩薩本事品能隨喜讚善者
是人現世口中常出青蓮華香身毛孔中常
出牛頭栴檀香所得功德如上所說是故宿
王華以此藥王菩薩本事品囑累於汝我滅
度後後五百歲中廣宣流布於閻浮提无令
斷絕惡魔魔民諸天龍夜叉鳩槃荼等得其
便也宿王華汝當以神通之力守護是經所以
者何此經則爲閻浮提人病之良藥若人有
病得聞是經病即消滅不老不死宿王華
汝若見有受持是經者應以青蓮華盛滿末香
供散其上散已作是念言此人不久必當取草
坐於道場破諸魔軍當吹法螺擊大法鼓
度脫一切衆生老病死海是故求佛道者見
有受持是經典人應當如是生恭敬心說是
藥王菩薩本事品時八万四千菩薩得解一
切衆生語言陁羅尼多寶如來於寶塔中讚
宿王華菩薩言善哉善哉宿王華汝成就
不可思議功德乃能問釋迦牟尼佛如此之
事利益无量一切衆生

妙法蓮華經卷第六

BD00350號　妙法蓮華經卷六　(27–26)

王華以此藥王菩薩本事品囑累於汝我滅
度後後五百歲中廣宣流布於閻浮提无令
斷絕惡魔魔民諸天龍夜叉鳩槃荼等得其
便也宿王華汝當以神通之力守護是經所以
者何此經則為閻浮提人病之良藥若人有
病得聞是經病即消滅不老不死宿王華
汝若見有受持是經者應以青蓮華盛滿末香
供散其上散已作是念言此人不久必當取草
坐於道場破諸魔軍當吹法螺擊大法鼓
度脫一切衆生老病死海是故求佛道者見
有受持是經典人應當如是生恭敬心說是
藥王菩薩本事品時八万四千菩薩得解一
切衆生語言陁羅尼多寳如來於寳塔中讚
宿王華菩薩言善哉善哉宿王華汝成就
不可思議功德乃能問釋迦牟尼佛如此之
事利益无量一切衆生

妙法蓮華經卷第六

BD00350號　妙法蓮華經卷六　（27–27）

名為結阿難白佛言世尊此寳疊花緝績成
巾雖本一體如我思惟如來一綰得一結名
若百綰成終名百結何況此巾秖有六結終
不至七亦不停五云何如來秖許初時第二
第三不名為結佛告阿難此寳花巾汝知此
巾元止一條我六綰時名有六結汝審觀察
巾體是同因結有異於意云何初綰結成名
為第一如是乃至第六結生吾今欲將第六
結名成第一不不也世尊六結若存斯第六
名終非第一縱我歷生盡其明辯如何令是
六結亂名佛言六結不同循顧本因一巾所
造令其雜亂終不得成則汝六根亦復如是
畢竟同中生畢竟異佛告阿難汝必嫌此六
結不成願樂一成復云何得阿難言此結若
存是非鋒起於中自生此結非彼彼結非此
如來今日若總解除結若不生則無彼此尚
不名一六云何成佛言六解一亡亦復如是
由汝無始心性狂亂知見妄發發妄不息勞
見發塵如勞目睛則有狂花於湛精明無因
亂起一切世間山河大地生死涅槃皆即狂
勞顛倒花相阿難言此勞同結云何解除如
來以手將所結巾偏掣其左問阿難言如是
解不不也世尊旋復以手偏牽右邊又問阿
難如是解不不也世尊佛告阿難吾今以手

BD00351號　大佛頂如來密因修證了義諸菩薩萬行首楞嚴經卷五　（13–1）

勞顛倒花相何難言此勞同結云何解除如
来以手將所結巾偏掣其左問阿難言如是
解不不也世尊旋復以手偏牽右邊又問阿
難如是解不不也世尊佛告阿難吾今以手
左右各牽竟不能解汝設方便云何成解阿
難白佛言世尊當於結心解即分散佛告阿
難如是如是若欲除結當於結心阿難我說
佛法從因緣生非取世間和合麁相如来發
明世出世法知其本因隨所緣出如是乃至
恒沙界外一滴之雨亦知頭數現前種種松
直棘曲鵠白烏玄皆了元由是故阿難隨汝
心中選擇六根根結若除塵相自滅諸妄銷
亡不真何待阿難吾今問汝此劫波羅巾六
結現前同時解縈得同除不不也世尊是結
本以次第綰生今日當須次第而解六結同
體結不同時則結解時云何同除佛言六根
解除亦復如是此根初解先得人空空性圓
明成法解脫解脫法已俱空不生是名菩薩
從三摩地得無生忍
阿難及諸大衆蒙佛開示慧覺圓通得無疑
惑一時合掌頂禮雙足而白佛言我等今日
身心皎然快得無礙雖復悟知一六亡義然
猶未達圓通本根世尊我輩飄零積劫孤露
何心何慮預佛天倫如失乳兒忽遇慈母若
復因此際會道成所得密言還同本悟則與

猶未達圓通本根世尊我輩飄零積劫孤露
何心何慮預佛天倫如失乳兒忽遇慈母若
復因此際會道成所得密言還同本悟則與
未聞無有差別唯垂大悲惠我祕嚴成就如
来最後開示作是語已五體投地退藏密機
兾佛冥授
尒時世尊普告衆中諸大菩薩及諸漏盡大
阿羅漢汝等菩薩及阿羅漢生我法中得成
無學吾今問汝最初發心悟十八界誰為圓
通從何方便入三摩地
憍陳那五比丘即從座起頂礼佛足而白佛
言我在鹿苑及於雞園觀見如来最初成道
於佛音聲悟明四諦佛問比丘我初稱解如
来印我名阿若多妙音密圓我於音聲得阿
羅漢佛問圓通如我所證音聲為上
優波尼沙陁即從座起頂礼佛足而白佛言
我亦觀佛最初成道觀不淨相生大猒離悟
諸色性以從不淨白骨微塵歸於虛空空色
二無成無學道如来印我名尼沙陁塵色既
盡妙色密圓我從色相得阿羅漢佛問圓通
如我所證色因為上
香嚴童子即從座起頂礼佛足而白佛言我
聞如来教我諦觀諸有為相我時辭佛宴晦
清齋見諸比丘燒沉水香香氣寂然来入鼻
中我觀此氣非木非空非煙非火去無所著

清齋見諸比丘燒沉水香香氣寂然來入鼻
中我觀此氣非木非空非煙非火去無所著
來無所從由是意銷發明無漏如來印我得
香嚴號塵氣倏滅妙香密圓我從香嚴得阿
羅漢佛問圓通如我所證香嚴為上
藥王藥上二法王子并在會中五百梵天即
從座起頂礼佛足而白佛言我無始劫為世
良醫口中嘗此娑婆世界草木金石名數凡
有十万八千如是悉知苦酢鹹淡甘辛等味
并諸和合俱生變異是冷是熱有毒無毒悉
能遍知承事如來了知味性非空非有非即
身心非離身心分別味因從是開悟蒙佛如
來印我昆季藥王藥上二菩薩名今於會中
為法王子因味覺明位登菩薩佛問圓通如
我所證味因為上
跋陀婆羅并其同伴十六開士即從座起頂
礼佛足而白佛言我等先於威音王佛聞法
出家於浴僧時隨例入室忽悟水因既不洗
塵亦不洗體中間安然得無所有宿習無忘
乃至今時從佛出家今得無學彼佛名我跋
陀婆羅妙觸宣明成佛子住佛問圓通如我
所證觸因為上
摩訶迦葉及紫金光比丘尼等即從座起頂
礼佛足而白佛言我於往劫於此界中有佛
出世名日月燈我得親近聞法脩學佛滅度

BD00351 號　大佛頂如來密因修證了義諸菩薩萬行首楞嚴經卷五　（13–4）

礼佛足而白佛言我於往劫於此界中有佛
出世名日月燈我得親近聞法脩學佛滅度
後供養舍利然燈續明以紫光金塗佛形像
自尒已來世世生生身常圓滿紫金光聚此
紫金光比丘尼等即我眷屬同時發心我觀
世間六塵變壞唯以空寂脩於滅盡身心乃
能度百千劫猶如彈指我以空法成阿羅漢
世尊說我頭陀為最妙法開明銷滅諸漏佛
問圓通如我所證法因為上
阿那律陀即從座起頂礼佛足而白佛言我
初出家常樂睡眠如來訶我為畜生類我聞
佛訶啼泣自責七日不眠失其雙目世尊示
我樂見照明金剛三昧我不因眼觀見十方
精真洞然如觀掌果如來印我成阿羅漢佛
問圓通如我所證旋見循元斯為第一
周利槃特迦即從座起頂礼佛足而白佛言
我闕誦持無多聞性最初值佛聞法出家憶
持如來一句伽陀於一百日得前遺後得後
遺前佛愍我愚教我安居調出入息我時觀
息微細窮盡生住異滅諸行刹那其心豁然
得大無礙乃至漏盡成阿羅漢住佛座下印
成無學佛問圓通如我所證返息循空斯為
第一
憍梵鉢提即從座起頂礼佛足而白佛言我
有口業於過去劫輕弄沙門世世生生有牛

BD00351 號　大佛頂如來密因修證了義諸菩薩萬行首楞嚴經卷五　（13–5）

驕梵鉢提即從座起頂礼佛足而白佛言我
有口業於過去劫輕弄沙門世世生生有牛
呞病如來示我一味清淨心地法門我得滅
心入三摩地觀味之知非體非物應念得超
世間諸漏內脱身心外遺世界遠離三有如
鳥出籠離垢銷塵法眼清淨成阿羅漢如來
親印登無學道佛問圓通如我所證還味旋
知斯為第一
畢陵伽婆蹉即從座起頂礼佛足而白佛言
我初發心從佛入道數聞如來說諸世間不
可樂事乞食城中心思法門不覺路中毒刺
傷足舉身疼痛我念有知知此深痛雖覺覺
痛覺清淨心無痛痛覺我又思惟如是一身
寧有雙覺攝念未久身心忽空三七日中諸
漏虛盡成阿羅漢得親印記發明無學佛
問圓通如我所證純覺遺身斯為第一
須菩提即從座起頂礼佛足而白佛言我曠
劫來心得無礙自憶受生如恒河沙初在母
胎即知空寂如是乃至十方成空亦令衆生
證得空性蒙如來發性覺真空空性圓明得
阿羅漢頓入如來寶明空海同佛知見印成
無學解脱性空我為無上佛問圓通如我所
證諸相入非非所非盡旋法歸無斯為第一
舍利弗即從座起頂礼佛足而白佛言我曠
劫來心見清淨如是受生如恒河沙世出世

BD00351號　大佛頂如來密因修證了義諸菩薩萬行首楞嚴經卷五　（13–6）

舍利弗即從座起頂礼佛足而白佛言我曠
劫來心見清淨如是受生如恒河沙世出世
間種種變化一見則通獲無障㝵我於路中
逢迦葉波兄弟相逐宣說因緣悟心無際從
佛出家見覺明圓得大無畏成阿羅漢為佛
長子從佛口生從法化生佛問圓通如我所
證心見發光光極知見斯為第一
普賢菩薩即從座起頂礼佛足而白佛言我
已曾與恒沙如來為法王子十方如來教其
弟子菩薩根者脩普賢行從我立名世尊我
用心聞分別衆生所有知見若於他方恒沙
界外有一衆生心中發明普賢行者我於介
時乘六牙象分身百千皆至其處縱彼障深
未合見我我與其人暗中摩頂擁護安慰令
其成就佛問圓通我說本因心聞發明分別
自在斯為第一
孫陀羅難陀即從座起頂礼佛足而白佛言
我初出家從佛入道雖具戒律於三摩提心
常散動未獲無漏世尊教我及俱絺羅觀鼻
端白我初諦觀經三七日見鼻中氣出入如
煙身心內明圓洞世界遍成虛淨猶如瑠璃
煙相漸銷鼻息成白心開漏盡諸出入息化
為光明照十方界得阿羅漢世尊記我當得
菩提佛問圓通我以銷息息久發明明圓滅
漏斯為第一

BD00351號　大佛頂如來密因修證了義諸菩薩萬行首楞嚴經卷五　（13–7）

菩提佛問圓通我以銷息息久發明明圓滅
漏斯為第一
富樓那彌多羅尼子即從座起頂礼佛足而
白佛言我曠劫來辯才無礙宣說苦空深達
實相如是乃至恒沙如來秘密法門我於衆
中微妙開示得無所畏世尊知我有大辯才
以音聲輪教我發揚我於佛前助佛轉輪因
師子吼成阿羅漢世尊印我說法無上佛問
圓通我以法音降伏魔怨銷滅諸漏斯為第
一
優婆離即從座起頂礼佛足而白佛言我親
隨佛踰城出家親觀如來六年懃苦親見如
來降伏諸魔制諸外道解脫世間貪欲諸漏
承佛教戒如是乃至三千威儀八万微細性
業遮業悉皆清淨身心寂滅成阿羅漢我是
如來衆中綱紀親印我心持戒脩身衆推無
上佛問圓通我以執身身得自在次第執心
心得通達然後身心一切通利斯為第一
大目揵連即從座起頂礼佛足而白佛言我
初於路乞食逢遇優樓頻螺伽耶那提三迦
葉波宣說如來因緣深義我頓發心得大通
達如來惠我袈裟著身鬚髮自落我遊十方
得無罣礙神通發明推為無上阿羅漢寧唯
世尊十方如來歎我神力圓明清淨自在無
畏佛問圓通我以旋湛心光發宣如澄濁流

世尊十方如來歎我神力圓明清淨自在無
畏佛問圓通我以旋湛心光發宣如澄濁流
久成清瑩斯為第一
烏芻瑟摩於如來前合掌頂礼佛之雙足而
白佛言我常先憶久遠劫前性多貪欲有佛
出世名曰空王說多婬人成猛火聚教我遍
觀百骸四肢諸冷煖氣神光內凝化多婬心
成智慧火從是諸佛皆呼召我名為火頭我
以火光三昧力故成阿羅漢心發大願諸佛
成道我為力士親伏魔怨佛問圓通我以諦
觀身心煖觸無礙流通諸漏既銷生大寶焰
登無上覺斯為第一
持地菩薩即從座起頂礼佛足而白佛言我
念往昔普光如來出現於世我為比丘常於
一切要路津口田地險隘有不如法妨損車
馬我皆平填或作橋梁或負沙土如是懃苦
經無量佛出現於世或有衆生於闤闠處要
人擎物我先為擎至其所詣放物即行不取
其直毗舍浮佛現在世時世多飢荒我為負
人無問遠近唯取一錢或有車牛被於泥溺
我有神力為其推輪拔其苦惱時國大王延
佛設齋我於爾時平地待佛毗舍如來摩頂
謂我當平心地則世界地一切皆平我即心
開見身微塵造世界所有微塵等無差別微
塵自性不相觸摩乃至刀兵亦無所觸我於

謂我當平心地則世界地一切皆平我即心
開見身微塵造世界所有微塵等無差別微
塵自性不相觸摩乃至刀兵亦無所觸我於
法性悟無生忍成阿羅漢迴心今入菩薩位
中聞諸如來宣妙蓮花佛知見地我先證明
而為上首佛問圓通我以諦觀身界二塵等
無差別本如來藏虛妄發塵塵銷智圓成
無上道斯為第一
月光童子即從座起頂禮佛足而白佛言我
憶往昔恒河沙劫有佛出世名為水天教諸
菩薩修習水精入三摩地觀於身中水性無
奪初從涕唾如是窮盡津液精血大小便痢
身中旋復水性一同見水身中與世界外浮
幢王剎諸香水海等無差別我於是時初成
此觀但見其水未得無身當為比丘室中安
禪我有弟子窺窗觀室唯見清水遍在屋
中了無所見童稚無知取一瓦礫投於水內
激水作聲顧盼而去我出定後頓覺心痛如
舍利弗遭違害鬼我自思惟今我已得阿羅
漢道久離病緣云何今日忽生心痛將無退
失爾時童子捷來我前說如上事我則告言
汝更見水可即開門入此水中除去瓦礫童
子奉教後入定時還復見水瓦礫宛然開門
除出我後出定身質如初逢無量佛如是至
於山海自在通王如來方得亡身與十方界
諸香水海性合真空無二無別今於如來得

除出我後出定身質如初逢無量佛如是至
於山海自在通王如來方得亡身與十方界
諸香水海性合真空無二無別今於如來得
童真名預菩薩會佛問圓通我以水性一味
流通得無生忍圓滿菩提斯為第一
瑠璃光法王子即從座起頂禮佛足而白佛
言我憶往昔經恒沙劫有佛出世名無量聲
開示菩薩本覺妙明觀此世界及眾生身皆
是妄緣風力所轉我於爾時觀界安立觀世
動時觀身動止觀心動念諸動無二等無差
別我時覺了此群動性來無所從去無所至
十方微塵顛倒眾生同一虛妄如是乃至三
千大千一世界內所有眾生如一器中貯百
蚊蚋啾啾亂鳴於分寸中鼓發狂鬧逢佛未
幾得無生忍爾時心開乃見東方不動佛國
為法王子事十方佛身心發光洞徹無礙佛
問圓通我以觀察風力無依悟菩提心入三
摩地合十方佛傳一妙心斯為第一
虛空藏菩薩即從座起頂禮佛足而白佛言
我與如來定光佛所得無邊身爾時手執四
大寶珠照明十方微塵佛剎化成虛空又於
自心現大圓鏡內放十種微妙寶光流灌十
方盡虛空際諸幢王剎來入鏡內涉入我身
身同虛空不相妨礙身能善入微塵國土廣
行佛事得大隨順此大神力由我諦觀四大
無依妄想生滅虛空無二佛國本同於同發

身同虛空不相妨礙身能善入微塵國土廣
行佛事得大隨順此大神力由我諦觀四大
無依忘想生滅虛空無二佛國本同於同發
明得無生忍佛問圓通我以觀察虛空無邊
入三摩地妙力圓明斯為第一
弥勒菩薩即從座起頂礼佛足而白佛言我
憶往昔經微塵劫有佛出世名日月燈明我
從彼佛而得出家心重世名好遊族姓爾時世
尊教我脩習唯心識定入三摩地歷劫已來
以此三昧事恒沙佛求世名心歇滅無有至
然燈佛出現於世我乃得成無上妙圓識心
三昧乃至盡空如來國土淨穢有無皆是我
心變化所現世尊我了如是唯心識故識性
流出無量如來今得授記次補佛處佛問圓
通我以諦觀十方唯識識心圓明入圓成實
遠離依他及遍計執得無生忍斯為第一
大勢至法王子與其同倫五十二菩薩即從
座起頂礼佛足而白佛言我憶往昔恒河沙
劫有佛出世名無量光十二如來相繼一劫
其最後佛名超日月光彼佛教我念佛三昧
譬如有人一專為憶一人專忘如是二人若
逢不逢或見非見二人相憶二憶念深如是
乃至從生至生同於形影不相乖異十方如
來憐念眾生如母憶子若子逃逝雖憶何為
子若憶母如母憶時母子歷生不相違遠若

BD00351號　大佛頂如來密因修證了義諸菩薩萬行首楞嚴經卷五　（13–12）

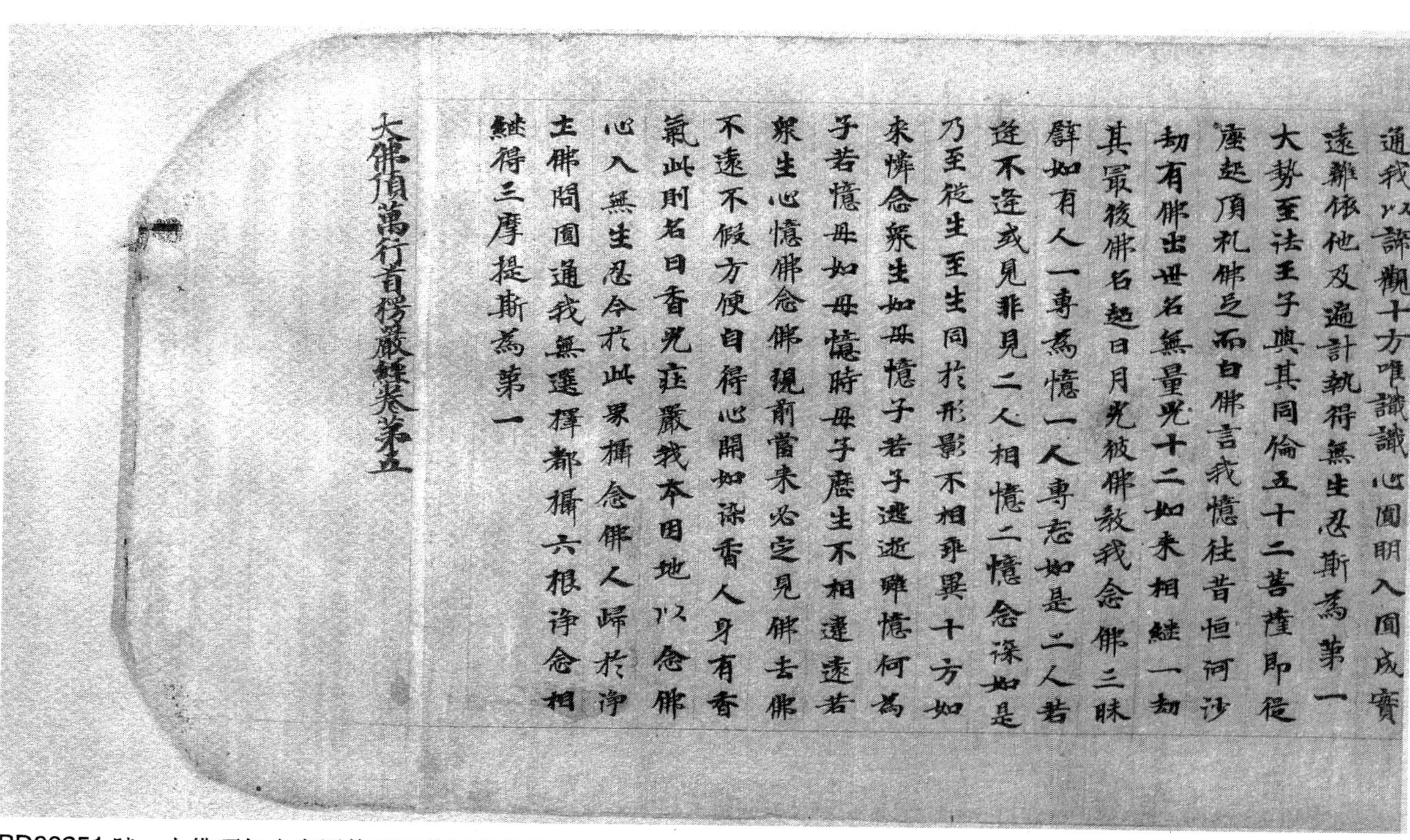

通我以諦觀十方唯識識心圓明入圓成實
遠離依他及遍計執得無生忍斯為第一
大勢至法王子與其同倫五十二菩薩即從
座起頂礼佛足而白佛言我憶往昔恒河沙
劫有佛出世名無量光十二如來相繼一劫
其最後佛名超日月光彼佛教我念佛三昧
譬如有人一專為憶一人專忘如是二人若
逢不逢或見非見二人相憶二憶念深如是
乃至從生至生同於形影不相乖異十方如
來憐念眾生如母憶子若子逃逝雖憶何為
子若憶母如母憶時母子歷生不相違遠若
眾生心憶佛念佛現前當來必定見佛去佛
不遠不假方便自得心開如染香人身有香
氣此則名曰香光莊嚴我本因地以念佛
心入無生忍今於此界攝念佛人歸於淨
土佛問圓通我無選擇都攝六根淨念相
繼得三摩提斯為第一

大佛頂萬行首楞嚴經卷第五

BD00351號　大佛頂如來密因修證了義諸菩薩萬行首楞嚴經卷五　（13–13）

說法種種無量　　善
生聞是法已現世
亦得聞法既聞法已離諸鄣礙於諸法中任
力所能漸得入道如彼大雲雨於一切卉木
叢林及諸藥草如其種性具足蒙潤各得生
長如來說法一相一味所謂解脫相離相滅
相究竟至於一切種智其有眾生聞如來法
若持讀誦如說修行所得功德不自覺知所
以者何唯有如來知此眾生種相體性念何
事思何事修何事云何念云何思云何修以
何法念以何法思以何法修以何法得何法
眾生住於種種之地唯有如來如實見之明
了無礙如彼卉木叢林諸藥草等而不自知
上中下性如來知是一相一味之法所謂解
脫相離相滅相究竟涅槃常寂滅相終歸於
空佛知是已觀眾生心欲而將護之是故不
即為說一切種智汝等迦葉甚為希有能知
如來隨宜說法能信能受所以者何諸佛世
尊隨宜說法難解難知尒時世尊欲重
宣此義而說偈言
破有法王　出現世間　隨眾生欲　種種說法
如來尊重　智慧深遠　久默斯要　不務速說
有智若聞　則能信解　無智疑悔　則為永失
是故迦葉　隨力為說　以種種緣　令得正見
迦葉當知　譬如大雲　起於世間　遍覆一切

BD00352 號　妙法蓮華經卷三　（6–1）

如來尊重　智慧深遠　久默斯要　不務速說
有智若聞　則能信解　無智疑悔　則為永失
是故迦葉　隨力為說　以種種緣　令得正見
迦葉當知　譬如大雲　起於世間　遍覆一切
慧雲含潤　電光晃曜　雷聲遠震　令眾悅豫
日光掩蔽　地上清涼　靉靆垂布　如可承攬
其雨普等　四方俱下　流澍無量　率土充洽
山川險谷　幽邃所生　卉木藥草　大小諸樹
百穀苗稼　甘蔗蒲桃　雨之所潤　無不豐足
乾地普洽　藥木並茂
其雲所出　一味之水　草木叢林　隨分受潤
一切諸樹　上中下等　稱其大小　各得生長
根莖枝葉　華菓光色　一雨所及　皆得鮮澤
如其體相　性分大小　所潤是一　而各滋茂
佛亦如是　出現於世　譬如大雲　普覆一切
既出于世　為諸眾生　分別演說　諸法之實
大聖世尊　於諸天人　一切眾中　而宣是言
我為如來　兩足之尊　出于世間　猶如大雲
充潤一切　枯槁眾生　皆令離苦　得安隱樂
世間之樂　及涅槃樂
諸天人眾　一心善聽　皆應到此　覲無上尊
我為世尊　無能及者　安隱眾生　故現於世
為大眾說　甘露淨法　其法一味　解脫涅槃
以一妙音　演暢斯義　常為大乘　而作因緣
我觀一切　普皆平等　無有彼此　愛憎之心

BD00352 號　妙法蓮華經卷三　（6–2）

為大衆說 甘露淨法 其法一味 解脫涅槃
以一妙音 演暢斯義 常為大乘 而作因緣
我觀一切 普皆平等 無有彼此 愛憎之心
我無貪著 亦無限导 恒為一切 平等說法
如為一人 衆多亦然
常演說法 曾無他事 去來坐立 終不疲厭
充足世間 如雨普潤 貴賤上下 持戒毀戒
威儀具足 及不具足 正見邪見 利根鈍根
等雨法雨 而無懈惓
一切衆生 聞我法者 隨力所受 住於諸地
或處人天 轉輪聖王 釋梵諸王 是小藥草
知無漏法 能得涅槃 起六神通 及得三明
獨處山林 常行禪定 得緣覺證 是中藥草
求世尊處 我當作佛 行精進定 是上藥草
又諸佛子 專心佛道 常行慈悲 自知作佛
決定無疑 是名小樹 安住神通 轉不退輪
度無量億 百千衆生 如是菩薩 名為大樹
佛平等說 如一味雨 隨衆生性 所受不同
如彼草木 所稟各異
佛以此喻 方便開示 種種言辭 演說一法
於佛智慧 如海一渧 我雨法雨 充滿世間
一味之法 隨力脩行 如彼叢林 藥草諸樹
隨其大小 漸增茂好 諸佛之法 常以一味
令諸世間 普得具足 漸次脩行 皆得道果
聲聞緣覺 處於山林 住最後身 聞法得果
是名藥草 各得增長 若諸菩薩 智慧堅固

BD00352號　妙法蓮華經卷三　　（6–3）

聲聞緣覺 處於山林 住最後身 聞法得果
是名藥草 各得增長 若諸菩薩 智慧堅固
了達三界 求最上乘 是名小樹 而得增長
復有住禪 得神通力 聞諸法空 心大歡喜
放無數光 度諸衆生 是名大樹 而得增長
如是迦葉 佛所說法 譬如大雲 以一味雨
潤於人華 各得成實 迦葉當知 以諸因緣
種種譬喻 開示佛道 是我方便 諸佛亦然
今為汝等 說最實事 諸聲聞衆 皆非滅度
汝等所行 是菩薩道 漸漸脩學 悉當成佛

妙法蓮華經授記品第六

尒時世尊說是偈已告諸大衆唱如是言我
此弟子摩訶迦葉於未來世當得奉覲三百
万億諸佛世尊供養恭敬尊重讚嘆廣宣
諸佛無量大法於最後身得成為佛名曰光明
如來應供正遍知明行足善逝世間解無上
士調御丈夫天人師佛世尊國名光德劫名
大莊嚴佛壽十二小劫正法住世二十小劫
像法亦住二十小劫國界嚴飾無諸穢惡瓦
礫荊棘便利不淨其土平正無有高下坑坎堆
阜瑠璃為地寶樹行列黃金為繩以界道側散
諸寶華周遍清淨其國菩薩無量千億諸聲
聞衆亦復無數無有魔事雖有魔及魔民皆
護佛法尒時世尊欲重宣此義而說偈言
告諸比丘 我以佛眼 見是迦葉 於未來世

BD00352號　妙法蓮華經卷三　　（6–4）

護佛法尒時世尊欲重宣此義而說偈言
告諸比丘　我以佛眼　見是迦葉　於未來世
過無數劫　當得作佛　而於來世　供養奉覲
三百万億　諸佛世尊　為佛智慧　淨脩梵行
供養冣上　兩足之尊已　脩集一切　無上之慧
於冣後身　得成為佛
其土清淨　瑠璃為地　多諸寶樹　行列道側
金繩界道　見者歡喜　常出好香　散衆名華
種種奇妙　以為莊嚴　其地平正　無有丘坑
諸菩薩衆　不可稱計　其心調柔　逮大神通
奉持諸佛　大乘經典　諸聲聞衆　無漏後身
法王之子　亦不可計　乃以天眼　不能數知
其佛當壽　十二小劫　正法住世　二十小劫
像法亦住　二十小劫　光明世尊　其事如是
尒時大目揵連須菩提摩訶迦旃延等皆悉
悚慄一心合掌瞻仰世尊目不暫捨即共同
聲而說偈言
大雄猛世尊　諸釋之法王　哀愍我等故　而賜佛音聲
若知我深心　見為授記者　如以甘露灑　除熱得清涼
如從飢國來　忽遇大王饍　心猶懷疑懼　未敢即便食
若復得王教　然後乃敢食　我等亦如是　每惟小乘過
不知當云何　得佛無上慧　雖聞佛音聲　言我等作佛
心尚懷憂懼　如未敢便食　若蒙佛授記　尒乃快安樂
大雄猛世尊　常欲安世間　願賜我等記　如飢須教食
尒時世尊知諸大弟子心之所念告諸比丘

BD00352號　妙法蓮華經卷三　（6–5）

大雄猛世尊　常欲安世間　願賜我等記　如飢須教食
尒時世尊知諸大弟子心之所念告諸比丘
是須菩提於當來世奉覲三百万億那由他
佛供養恭敬尊重讚歎常脩梵行具菩薩
道於冣後身得成為佛号曰名相如來應供正
遍知明行足善逝世間解無上士調御丈夫
天人師佛世尊劫名有寶國名寶生其土平
正頗梨為地寶樹莊嚴無諸丘坑沙礫荊棘
便利之穢寶華覆地周遍清淨其土人民皆
處寶臺珍妙樓閣聲聞弟子無量無邊筭數
譬喻所不能知諸菩薩衆無數千万億那由他
佛壽十二小劫正法住世二十小劫像法
亦住二十小劫其佛常處虛空為衆說法度
脫無量菩薩及聲聞衆尒時世尊欲重宣此
義而說偈言
諸比丘衆　今告汝等　皆當一心　聽我所說
我大弟子　須菩提者　當得作佛　号曰名相
當供無數　万億諸佛　隨佛所行　漸具大道
冣後身得　三十二相　端正殊妙　猶如寶山
其佛國土　嚴淨第一　衆生見者　無不愛樂
佛於其中　度無量衆　其佛法中　多諸菩薩
皆悉利根　轉不退輪　彼國常以　菩薩莊嚴
諸聲聞衆　不可稱數　皆得三明　具六神通
住八解脫　有大威德　其佛說法　現於無量
神通變化　不可思議　諸天人民　數如恒沙

BD00352號　妙法蓮華經卷三　（6–6）

數譬喻
須菩提於
當度衆生須
衆生如来度者若有
有我人衆生壽者須菩提如
非有我而凡夫之人以爲有我須菩
如来說則非凡夫
須菩提於意云何可以三十二相觀如来不
須菩提言如是如是以三十二相觀如来佛
言須菩提若以三十二相觀如来者轉輪聖
王則是如来須菩提白佛言世尊如我解佛
所說義不應以三十二相觀如来尒時世尊
而說偈言
若以色見我 以音聲求我 是人行邪道 不能見如来
須菩提汝若作是念如来不以具足相故得
阿耨多羅三藐三菩提須菩提莫作是念如
来不以具足相故得阿耨多羅三藐三菩提
須菩提汝若作是念發阿耨多羅三藐三菩
提者說諸法斷滅相莫作是念何以故發阿耨
多羅三藐三菩提者於法不說斷滅相
須菩提若菩薩以滿恒河沙等世界七寶布
施若復有人知一切法无我得成於忍此菩
薩勝前菩薩所得功德須菩提以諸菩薩不
受福德故須菩提白佛言世尊云何菩薩不
受福德須菩提菩薩所作福德不應貪著是

BD00353號　金剛般若波羅蜜經

（3–1）

薩勝前菩薩所得功德須菩提以諸菩薩不
受福德故須菩提白佛言世尊云何菩薩不
受福德須菩提菩薩所作福德不應貪著是
故說不受福德
須菩提若有人言如来若来若去若坐若卧
是人不解我所說義何以故如来者无所從
来亦无所去故名如来
須菩提若善男子善女人以三千大千世界
碎爲微塵於意云何是微塵衆寧爲多不甚
多世尊何以故若是微塵衆實有者佛則不
說是微塵衆所以者何佛說微塵衆則非微
塵衆是名微塵衆世尊如来所說三千大
千世界則非世界是名世界何以故若世界
實有則是一合相如来說一合相則非一合相
是名一合相須菩提一合相者則是不可說
但凡夫之人貪著其事須菩提若人言佛說
我見人見衆生見壽者見須菩提於意云何
是人解我所說義不世尊是人不解如来所
說義何以故世尊說我見人見衆生見壽者
見即非我見人見衆生見壽者見是名我見
人見衆生見壽者見須菩提發阿耨多羅三
藐三菩提心者於一切法應如是知如是見
如是信解不生法相須菩提所言法相如来
說即非法相是名法相
須菩提若有人以滿无量阿僧祇世界七寶
持用布施若有善男子善女人發菩薩心
於此經乃至四句偈等受持讀誦爲

BD00353號　金剛般若波羅蜜經

（3–2）

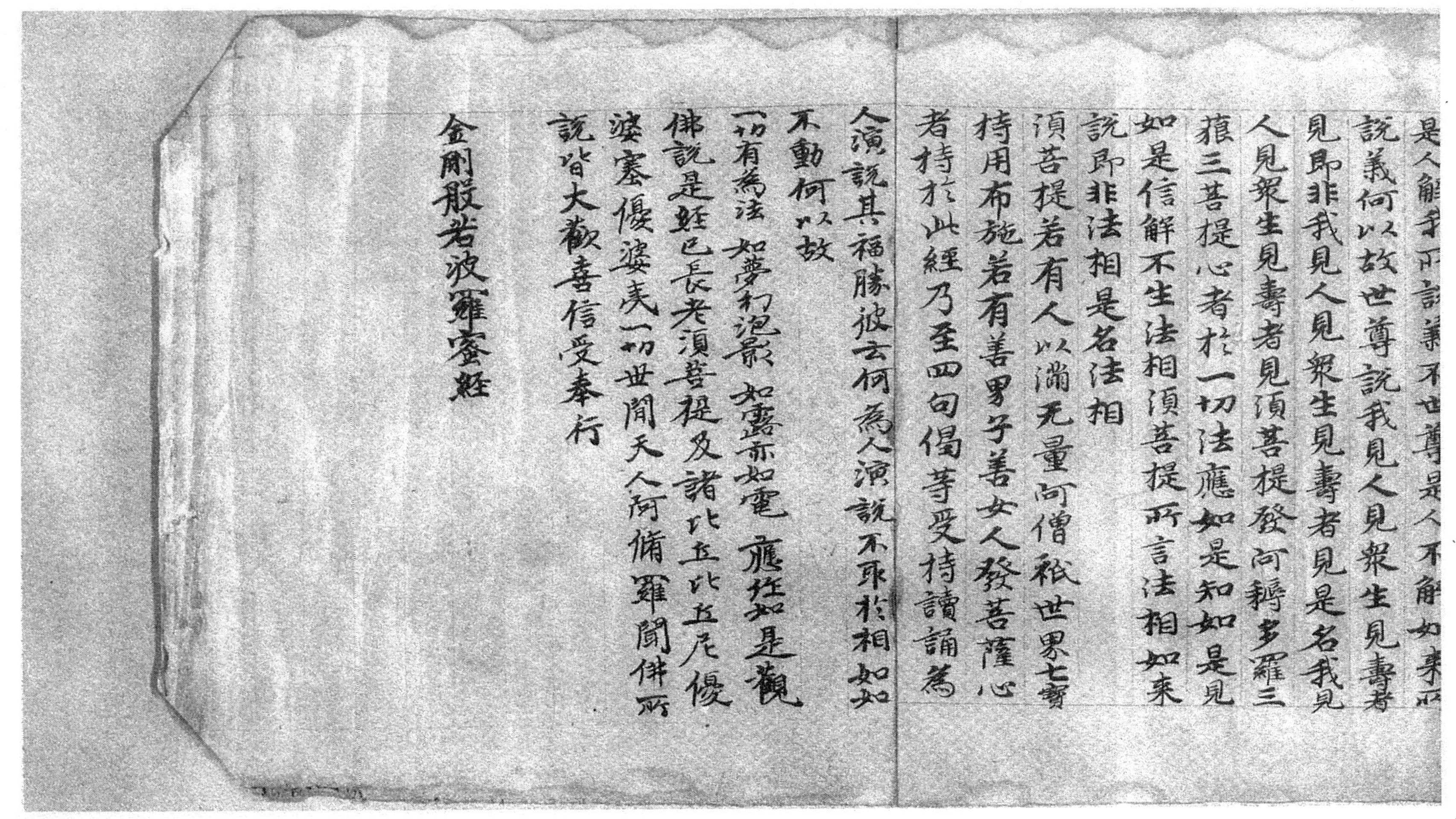
是人解我所說義不世尊是人不解如來所
說義何以故世尊說我見人見衆生見壽者
見即非我見人見衆生見壽者見是名我見
人見衆生見壽者見須菩提發阿耨多羅三
藐三菩提心者於一切法應如是知如是見
如是信解不生法相須菩提所言法相如來
說即非法相是名法相
須菩提若有人以滿无量阿僧祇世界七寶
持用布施若有善男子善女人發菩薩心
者持於此經乃至四句偈等受持讀誦爲
人演說其福勝彼云何爲人演說不取於相如如
不動何以故
一切有爲法 如夢幻泡影 如露亦如電 應作如是觀
佛說是經已長老須菩提及諸比丘比丘尼優
婆塞優婆夷一切世間天人阿修羅聞佛所
說皆大歡喜信受奉行
金剛般若波羅蜜經

BD00353 號　金剛般若波羅蜜經　（3–3）

今見此瑞與本无異是故惟忖今日如來當說
大乘經名妙法蓮華教菩薩法佛所護念
尒時文殊師利於大衆中欲重宣此義而說
偈言
我念過去世 无量无數劫 有佛人中尊 号日月燈明
世尊演說法 度无量衆生 无數億菩薩 令入佛智慧
佛未出家時 所生八王子 見大聖出家 亦隨修梵行
時佛說大乘 經名无量義 於諸大衆中 而爲廣分別
佛說此經已 即於法座上 跏趺坐三昧 名无量義處
天雨曼陀華 天鼓自然鳴 諸天龍鬼神 供養人中尊
一切諸佛土 即時大震動 佛放眉間光 現諸希有事
此光照東方 万八千佛土 示一切衆生 生死業報處
有見諸佛土 以衆寶莊嚴 琉璃頗梨色 斯由佛光照
又見諸天人 龍神夜叉衆 乾闥緊那羅 各供養其佛
又見諸如來 自然成佛道 身色如金山 端嚴甚微妙
如淨琉璃中 內現真金像 世尊在大衆 敷演深法義
一一諸佛土 聲聞衆无數 因佛光所照 悉見彼大衆
或有諸比丘 在於山林中 精進持淨戒 猶如護明珠
又見諸菩薩 行施忍辱等 其數如恒沙 斯由佛光照
又見諸菩薩 深入諸禪定 身心寂不動 以求无上道
又見諸菩薩 知法寂滅相 各於其國土 說法求佛道
尒時四部衆 見日月燈佛 現大神通力 其心皆歡喜
各各自相問 是事何因緣 天人所奉尊 適從三昧起
讚妙光菩薩 汝爲世間眼 一切所歸信 能奉持法藏
如我所說法 唯汝能證知 世尊既讚歎 令妙光歡喜
說是法華經 滿六十小劫 不起於此座 所說上妙法

BD00354 號　妙法蓮華經卷一　（13–1）

各各自相問 是事何因緣 天人所奉尊 適從三昧起
讚妙光菩薩 汝為世間眼 一切所歸信 能奉持法藏
如我所說法 唯汝能證知 世尊既讚歎 令妙光歡喜
說是法華經 滿六十小劫 不起於此座 所說上妙法
是妙光法師 悉皆能受持 佛說是法華 令眾歡喜已
尋即於是日 告於天人眾 諸法實相義 已為汝等說
我今於中夜 當入於涅槃 汝一心精進 當離於放逸
諸佛甚難值 億劫時一遇 世尊諸子等 聞佛入涅槃
各各懷悲惱 佛滅一何速 聖主法之王 安慰无量眾
我若滅度時 汝等勿憂怖 是德藏菩薩 於无漏實相
心已得通達 其次當作佛 號曰為淨身 亦度无量眾
佛此夜滅度 如薪盡火滅 分布諸舍利 而起无量塔
比丘比丘尼 其數如恒沙 倍復加精進 以求无上道
是妙光法師 奉持佛法藏 八十小劫中 廣宣法華經
是諸八王子 妙光所開化 堅固无上道 當見无數佛
供養諸佛已 隨順行大道 相繼得成佛 轉次而授記
最後天中天 號曰燃燈佛 諸仙之導師 度脫无量眾
是妙光法師 時有一弟子 心常懷懈怠 貪著於名利
求名利无厭 多遊族姓家 棄捨所習誦 廢忘不通利
以是因緣故 號之為求名 亦行眾善業 得見无數佛
供養於諸佛 隨順行大道 具六波羅蜜 今見釋師子
其後當作佛 號名曰彌勒 廣度諸眾生 其數无有量
彼佛滅度後 懈怠者汝是 妙光法師者 今則我身是
我見燈明佛 本光瑞如此 以是知今佛 欲說法華經
今相如本瑞 是諸佛方便 今佛放光明 助發實相義
諸人今當知 合掌一心待 佛當雨法雨 充足求道者
諸求三乘人 若有疑悔者 佛當為除斷 令盡无有餘
妙法蓮華經方便品第二

BD00354號　妙法蓮華經卷一　（13-2）

諸人今當知 合掌一心待 佛當雨法雨 充足求道者
諸求三乘人 若有疑悔者 佛當為除斷 令盡无有餘
妙法蓮華經方便品第二
爾時世尊從三昧安詳而起告舍利弗諸佛
智慧甚深无量其智慧門難解難入一切聲
聞辟支佛所不能知所以者何佛曾親近百
千万億无數諸佛盡行諸佛无量道法勇
猛精進名稱普聞成就甚深未曾有法隨宜
所說意趣難解舍利弗吾從成佛已種種因
緣種種譬喻廣演言教无數方便引導眾
生令離諸著所以者何如來方便知見波羅蜜
皆已具足舍利弗如來知見廣大深遠无量
无礙力无所畏禪定解脫三昧深入无際成
就一切未曾有法舍利弗如來能種種分別
巧說諸法言辭柔軟悅可眾心舍利弗取要
言之无量无邊未曾有法佛悉成就止舍利
弗不須復說所以者何佛所成就第一希有
難解之法唯佛與佛乃能究盡諸法實相
所謂諸法如是相如是性如是體如是力如是作
如是因如是緣如是果如是報如是本末究
竟等爾時世尊欲重宣此義而說偈言
世雄不可量 諸天及世人 一切眾生類 无能知佛者
佛力无所畏 解脫諸三昧 及佛諸餘法 无能測量者
本從无數佛 具足行諸道 甚深微妙法 難見難可了
於无量億劫 行此諸道已 道場得成果 我已悉知見
如是大果報 種種性相義 我及十方佛 乃能知是事
是法不可示 言辭相寂滅 諸餘眾生類 无有能得解
除諸菩薩眾 信力堅固者 諸佛弟子眾 曾供養諸佛

BD00354號　妙法蓮華經卷一　（13-3）

如是大果報　種種性相義　我及十方佛　乃能知是事
是法不可示　言辭相寂滅　諸餘衆生類　无有能得解
除諸菩薩衆　信力堅固者　諸佛弟子衆　曾供養諸佛
一切漏已盡　住是最後身　如是諸人等　其力所不堪
假使滿世間　皆如舍利弗　盡思共度量　不能測佛智
正使滿十方　皆如舍利弗　及餘諸弟子　亦滿十方剎
盡思共度量　亦復不能知　辟支佛利智　无漏最後身
亦滿十方界　其數如竹林　斯等共一心　於億无量劫
欲思佛實智　莫能知少分　新發意菩薩　供養无數佛
了達諸義趣　又能善說法　如稻麻竹葦　充滿十方剎
一心以妙智　於恒河沙劫　咸皆共思量　不能知佛智
不退諸菩薩　其數如恒沙　一心共思求　亦復不能知
又告舍利弗　无漏不思議　甚深微妙法　我今已具得
唯我知是相　十方佛亦然　舍利弗當知　諸佛語无異
於佛所說法　當生大信力　世尊法久後　要當說真實
告諸聲聞衆　及求緣覺乘　我令脫苦縛　逮得涅槃者
佛以方便力　示以三乘教　衆生處處著　引之令得出
尒時大衆中有諸聲聞漏盡阿羅漢阿若憍
陳如等千二百人及發聲聞辟支佛心比丘比
丘尼優婆塞優婆夷各作是念今者世尊何
故殷勤稱歎方便而作是言佛所得法甚深
難解有所言說意趣難知一切聲聞辟支佛
所不能及佛說一解脫義我等亦得此法到
於涅槃而今不知是義所趣尒時舍利弗知
四衆心疑自亦未了而白佛言世尊何因何
緣殷勤稱歎諸佛第一方便甚深微妙難解
之法我自昔來未曾從佛聞如是說今者四
衆咸皆有疑唯願世尊敷演斯事世尊

BD00354號　妙法蓮華經卷一　（13–4）

四衆心疑自亦未了而白佛言世尊何因何
緣殷勤稱歎諸佛第一方便甚深微妙難解
之法我自昔來未曾從佛聞如是說今者四
衆咸皆有疑唯願世尊敷演斯事世尊
何故殷勤稱歎甚深微妙難解之法尒時
舍利弗欲重宣此義而說偈言
慧日大聖尊　久乃說是法　自說得如是　力无畏三昧
禪定解脫等　不可思議法　道場所得法　无能發問者
我意難可測　亦无能問者　无問而自說　稱歎所行道
智慧甚微妙　諸佛之所得　无漏諸羅漢　及求涅槃者
今皆墮疑網　佛何故說是　其求緣覺者　比丘比丘尼
諸天龍鬼神　及乾闥婆等　相視懷猶豫　瞻仰兩足尊
是事為云何　願佛為解說　於諸聲聞衆　佛說我第一
我今自於智　疑惑不能了　為是究竟法　為是所行道
佛口所生子　合掌瞻仰待　願出微妙音　時為如實說
諸天龍神等　其數如恒沙　求佛諸菩薩　大數有八万
又諸万億國　轉輪聖王至　合掌以敬心　欲聞具足道
尒時佛告舍利弗止止不須復說若說是事一
切世間諸天及人皆當驚疑舍利弗重白佛
言世尊唯願說之唯願說之所以者何是會
无數百千万億阿僧祇衆生曾見諸佛諸根
猛利智慧明了聞佛所說則能敬信尒時舍
利弗欲重宣此義而說偈言
法王无上尊　唯說願勿慮　是會无量衆　有能敬信者
佛復止舍利弗若說是事一切世間天人阿脩
羅皆當驚疑增上慢比丘將墜於大坑尒
時世尊重說偈言
止止不須說　我法妙難思　諸增上慢者　聞必不敬信
[illegible]

BD00354號　妙法蓮華經卷一　（13–5）

羅皆當驚疑增上慢比丘將墜於大坑尒
時世尊重說偈言
止止不須說　我法妙難思　諸增上慢者　聞必不敬信
尒時舍利弗重白佛言世尊唯願說之唯願
說之今此會中如我等比百千万億世世已
曾從佛受化如此人等必能敬信長夜安隱
多所饒益尒時舍利弗欲重宣此義而說偈言
无上兩足尊　願說第一法　我為佛長子　唯垂分別說
是會无量衆　能敬信此法　佛已曾世世　教化如是等
皆一心合掌　欲聽受佛語　我等千二百　及餘求佛者
願為此衆故　唯垂分別說　是等聞此法　則生大歡喜
尒時世尊告舍利弗汝已慇勤三請豈得不
說汝今諦聽善思念之吾當為汝分別解說
說此語時會中有比丘比丘尼優婆塞優婆夷
五千人等即從座起礼佛而退所以者何此輩
罪根深重及增上慢未得謂得未證謂證
有如此失是以不住世尊嘿然而不制止
尒時佛告舍利弗我今此衆无復枝葉純有
貞實舍利弗如是增上慢人退亦佳矣汝今
善聽當為汝說舍利弗言唯然世尊願樂欲
聞佛告舍利弗如是妙法諸佛如來時乃說
之如優曇鉢華時一現耳舍利弗汝等當信
佛之所說言不虛妄舍利弗諸佛隨宜說法
意趣難解所以者何我以无數方便種種因
緣譬喻言辭演說諸法是法非思量分別之
所能解唯有諸佛乃能知之所以者何諸佛
世尊唯以一大事因緣故出現於世舍利弗云
何名諸佛世尊唯以一大事因緣故出現於世

世尊唯以一大事因緣故出現於世舍利弗云
何名諸佛世尊唯以一大事因緣故出現於世
諸佛世尊欲令衆生開佛知見使得清淨
故出現於世欲示衆生佛之知見故出現於
世欲令衆生悟佛知見故出現於世欲令衆
生入佛知見道故出現於世舍利弗是為諸
佛以一大事因緣故出現於世佛告舍利弗
諸佛如來但教化菩薩諸有所作常為一
事唯以佛之知見示悟衆生舍利弗如來但以
一佛乘故為衆生說法无有餘乘若二若三舍
利弗一切十方諸佛法亦如是舍利弗過去
諸佛以无量无數方便種種因緣譬喻言辭
而為衆生演說諸法是法皆為一佛乘故
是諸衆生從諸佛聞法究竟皆得一切種
智舍利弗未來諸佛當出於世亦以无量无
數方便種種因緣譬喻言辭而為衆生演說
諸法是法皆為一佛乘故是諸衆生從佛聞
法究竟皆得一切種智舍利弗現在十方无量
百千万億佛土中諸佛世尊多所饒益安樂
衆生是諸佛亦以无量无數方便種種因緣
譬喻言辭而為衆生演說諸法是法皆為
一佛乘故是諸衆生從佛聞法究竟皆得一切
種智舍利弗是諸佛但教化菩薩欲以佛之
知見示衆生故欲以佛之知見悟衆生故欲令衆
生入佛知見故舍利弗我今亦復如是知諸衆
生有種種欲深心所著隨其本性以種種
因緣譬喻言辭方便力故而為說法舍利

生入佛知見故舍利弗我今亦復如是知諸衆
生有種種欲深心所著隨其本性以種種
因緣譬喻言辭方便力故而為說法舍利
弗如此皆為得一佛乘一切種智故舍利弗
十方世界中尚无二乘何況有三舍利弗
諸佛出於五濁惡世所謂劫濁煩惱濁衆
生濁見濁命濁如是舍利弗劫濁亂時衆
生垢重慳貪嫉妬成就諸不善根故諸佛
以方便力於一佛乘分別說三舍利弗若我
弟子自謂阿羅漢辟支佛者不聞不知
諸佛如來但教化菩薩事此非佛弟子非阿
羅漢非辟支佛又舍利弗是諸比丘比丘尼自
謂已得阿羅漢是最後身究竟涅槃便不
復志求阿耨多羅三藐三菩提當知此輩皆
是增上慢人所以者何若有比丘實得阿羅漢若不
信此法无有是處除佛滅度後現前无佛所
以者何佛滅度後如是等經受持讀誦解其
義者是人難得若遇餘佛於此法中便得
決了舍利弗汝等當一心信解受持佛語諸
佛如來言无虛妄无有餘乘唯一佛乘尒時
世尊欲重宣此義而說偈言
比丘比丘尼　有懷增上慢　優婆塞我慢　優婆夷不信
如是四衆等　其數有五千　不自見其過　於戒有缺漏
護惜其瑕疵　是小智已出　衆中之糟糠　佛威德故去
斯人尠福德　不堪受是法　此衆无枝葉　唯有諸貞實
舍利弗善聽　諸佛所得法　无量方便力　而為衆生說
衆生心所念　種種所行道　若干諸欲性　先世善惡業
佛悉知是已　以諸緣譬喻　言辭方便力　令一切歡喜

BD00354號　妙法蓮華經卷一　（13–8）

舍利弗善聽　諸佛所得法　无量方便力　而為衆生說
衆生心所念　種種所行道　若干諸欲性　先世善惡業
佛悉知是已　以諸緣譬喻　言辭方便力　令一切歡喜
或說脩多羅　伽陁及本事　本生未曾有　亦說於因緣
譬喻并祇夜　優波提舍經　鈍根樂小法　貪著於生死
於諸无量佛　不行深妙道　衆苦所惱亂　為是說涅槃
我設是方便　令得入佛慧　未曾說汝等　當得成佛道
所以未曾說　說時未至故　今正是其時　決定說大乘
我此九部法　隨順衆生說　入大乘為本　以故說是經
有佛子心淨　柔軟亦利根　无量諸佛所　而行深妙道
為此諸佛子　說是大乘經　我記如是人　來世成佛道
以深心念佛　脩持淨戒故　此等聞得佛　大喜充遍身
佛知彼心行　故為說大乘　聲聞若菩薩　聞我所說法
乃至於一偈　皆成佛无疑　十方佛土中　唯有一乘法
无二亦无三　除佛方便說　但以假名字　引導於衆生
說佛智慧故　諸佛出於世　唯此一事實　餘二則非真
終不以小乘　濟度於衆生　佛自住大乘　如其所得法
定慧力莊嚴　以此度衆生　自證无上道　大乘平等法
若以小乘化　乃至於一人　我則墮慳貪　此事為不可
若人信歸佛　如來不欺誑　亦无貪嫉意　斷諸法中惡
故佛於十方　而獨无所畏　我以相嚴身　光明照世間
无量衆所尊　為說實相印　舍利弗當知　我本立誓願
欲令一切衆　如我等无異　如我昔所願　今者已滿足
化一切衆生　皆令入佛道　若我遇衆生　盡教以佛道
无智者錯乱　迷惑不受教　我知此衆生　未曾脩善本
堅著於五欲　癡愛故生惱　以諸欲因緣　墜墮三惡道
輪迴六趣中　備受諸苦毒　受胎之微形　世世常增長
薄德少福人　衆苦所逼迫　入邪見稠林　若有若无等

BD00354號　妙法蓮華經卷一　（13–9）

堅著於五欲 癡愛故生惱 以諸欲因緣 墜墮三惡道
輪迴六趣中 備受諸苦毒 受胎之微形 世世常增長
薄德少福人 衆苦所逼迫 入邪見稠林 若有若无等
依止此諸見 具足六十二 深著虛妄法 堅受不可捨
我慢自矜高 諂曲心不實 於千万億劫 不聞佛名字
亦不聞正法 如是人難度 是故舍利弗 我為設方便
說諸盡苦道 示之以涅槃 我雖說涅槃 是亦非真滅
諸法從本來 常自寂滅相 佛子行道已 來世得作佛
我有方便力 開示三乘法 一切諸世尊 皆說一乘道
今此諸大衆 皆應除疑惑 諸佛語無異 唯一无二乘
過去无數劫 无量滅度佛 百千万億種 其數不可量
如是諸世尊 種種緣譬喻 无數方便力 演說諸法相
是諸世尊等 皆說一乘法 化无量衆生 令入於佛道
又諸大聖主 知一切世間 天人群生類 深心之所欲
更以異方便 助顯第一義 若有衆生類 值諸過去佛
若聞法布施 或持戒忍辱 精進禪智等 種種脩福德
如是諸人等 皆已成佛道 諸佛滅度已 若人善軟心
如是諸衆生 皆已成佛道 諸佛滅度已 供養舍利者
起万億種塔 金銀及頗梨 車𤦲與馬瑙 玫瑰琉璃珠
清淨廣嚴飾 莊校於諸塔 或有起石廟 栴檀及沈水
木櫁并餘材 塼瓦泥土等 若於曠野中 積土成佛廟
乃至童子戲 聚沙為佛塔 如是諸人等 皆已成佛道
若人為佛故 建立諸形像 刻彫成衆相 皆已成佛道
或以七寶成 鍮石赤白銅 白鑞及鉛錫 鐵木及与泥
或以膠漆布 嚴飾作佛像 如是諸人等 皆已成佛道
綵畫作佛像 百福莊嚴相 自作若使人 皆已成佛道
乃至童子戲 若草木及筆 或以指爪甲 而畫作佛像
如是諸人等 漸漸積功德 具足大悲心 皆已成佛道

BD00354號　妙法蓮華經卷一　（13–10）

綵畫作佛像 百福莊嚴相 自作若使人 皆已成佛道
乃至童子戲 若草木及筆 或以指爪甲 而畫作佛像
如是諸人等 漸漸積功德 具足大悲心 皆已成佛道
但化諸菩薩 度脫无量衆 若人於塔廟 寶像及畫像
以華香幡蓋 敬心而供養 若使人作樂 擊鼓吹角貝
簫笛琴箜篌 琵琶鐃銅鈸 如是衆妙音 盡持以供養
或以歡喜心 歌唄頌佛德 乃至一小音 皆已成佛道
若人散亂心 乃至以一華 供養於畫像 漸見无數佛
或有人礼拜 或復但合掌 乃至舉一手 或復小低頭
以此供養像 漸見无量佛 自成无上道 廣度无數衆
入无餘涅槃 如薪盡火滅 若人散亂心 入於塔廟中
一稱南无佛 皆已成佛道 於諸過去佛 在世或滅後
若有聞是法 皆已成佛道 未來諸世尊 其數无有量
是諸如來等 亦方便說法 一切諸如來 以无量方便
度脫諸衆生 入佛无漏智 若有聞法者 无一不成佛
諸佛本誓願 我所行佛道 普欲令衆生 亦同得此道
未來世諸佛 雖說百千億 无數諸法門 其實為一乘
諸佛兩足尊 知法常无性 佛種從緣起 是故說一乘
是法住法位 世間相常住 於道場知已 導師方便說
天人所供養 現在十方佛 其數如恒沙 出現於世間
安隱衆生故 亦說如是法 知第一寂滅 以方便力故
雖示種種道 其實為佛乘 知衆生諸行 深心之所念
過去所習業 欲性精進力 及諸根利鈍 以種種因緣
譬喻亦言辭 隨應方便說 今我亦如是 安隱衆生故
以種種法門 宣示於佛道 我以智慧力 知衆生性欲
方便說諸法 皆令得歡喜 舍利弗當知 我以佛眼觀
見六道衆生 貧窮无福慧 入生死險道 相續苦不斷
深著於五欲 如犛牛愛尾 以貪愛自蔽 盲瞑无所見

BD00354號　妙法蓮華經卷一　（13–11）

見六道衆生　貧窮无福慧　入生死險道　相續苦不斷
深著於五欲　如犛牛愛尾　以貪愛自蔽　盲瞑无所見
不求大勢佛　及與斷苦法　深入諸邪見　以苦欲捨苦
為是衆生故　而起大悲心　我始坐道場　觀樹亦經行
於三七日中　思惟如是事　我所得智慧　微妙最第一
衆生諸根鈍　著樂癡所盲　如斯之等類　云何而可度
尒時諸梵王　及諸天帝釋　護世四天王　及大自在天
并餘諸天衆　眷屬百千万　恭敬合掌礼　請我轉法輪
我即自思惟　若但讚佛乘　衆生沒在苦　不能信是法
破法不信故　墜於三惡道　我寧不說法　疾入於涅槃
尋念過去佛　所行方便力　我今所得道　亦應說三乘
作是思惟時　十方佛皆現　梵音慰喻我　善哉釋迦文
第一之導師　得是无上法　隨諸一切佛　而用方便力
我等亦皆得　最妙第一法　為諸衆生類　分別說三乘
少智樂小法　不自信作佛　是故以方便　分別說諸果
雖復說三乘　但為教菩薩　舍利弗當知　我聞聖師子
深淨微妙音　喜稱南无佛　復作如是念　我出濁惡世
如諸佛所說　我亦隨順行　思惟是事已　即趣波羅奈
諸法寂滅相　不可以言宣　以方便力故　為五比丘說
是名轉法輪　便有涅槃音　及以阿羅漢　法僧差別名
從久遠劫來　讚示涅槃法　生死苦永盡　我常如是說
舍利弗當知　我見佛子等　志求佛道者　无量千万億
咸以恭敬心　皆來至佛所　曾從諸佛聞　方便所說法
我即作是念　所以出於世　為說佛慧故　今正是其時
舍利弗當知　鈍根小智人　著相憍慢者　不能信是法
今我喜无畏　於諸菩薩中　正直捨方便　但說无上道
菩薩聞是法　疑網皆已除　千二百羅漢　悉亦當作佛
如三世諸佛　說法之儀式　我今亦如是　說无分別法

BD00354號　妙法蓮華經卷一　　（13–12）

咸以恭敬心　皆來至佛所　曾從諸佛聞　方便所說法
我即作是念　所以出於世　為說佛慧故　今正是其時
舍利弗當知　鈍根小智人　著相憍慢者　不能信是法
今我喜无畏　於諸菩薩中　正直捨方便　但說无上道
菩薩聞是法　疑網皆已除　千二百羅漢　悉亦當作佛
如三世諸佛　說法之儀式　我今亦如是　說无分別法
諸佛興出世　懸遠值遇難　正使出于世　說是法復難
无量无數劫　聞是法亦難　能聽是法者　斯人亦復難
譬如優曇華　一切皆愛樂　天人所希有　時時乃一出
聞法歡喜讚　乃至發一言　則為已供養　一切三世佛
是人甚希有　過於優曇華　汝等勿有疑　我為諸法王
普告諸大衆　但以一乘道　教化諸菩薩　无聲聞弟子
汝等舍利弗　聲聞及菩薩　當知是妙法　諸佛之秘要
以五濁惡世　但樂著諸欲　如是等衆生　終不求佛道
當來世惡人　聞佛說一乘　迷惑不信受　破法墮惡道
有慚愧清淨　志求佛道者　當為如是等　廣讚一乘道
舍利弗當知　諸佛法如是　以万億方便　隨宜而說法
其不習學者　不能曉了此　汝等既已知　諸佛世之師
隨宜方便事　无復諸疑惑　心生大歡喜　自知當作佛

妙法蓮華經卷第一

BD00354號　妙法蓮華經卷一　　（13–13）

大乘無量壽經
如是我聞一時薄伽梵在舍衛國祇樹給孤獨園與大苾芻僧千二百五十人大菩
薩摩訶薩眾俱爾時世尊告曼殊室利童子曼殊上方有世界名無量功
德聚彼土有佛号無量智決定王如來阿耨多羅三藐三菩提現為眾生開示
說法曼殊諦聽南閻浮提人皆短壽大限百年於中夭枉橫死者眾曼殊如來功
德名稱法要若有眾生得聞名号若自書或使人書能為經卷受持讀誦
若於舍宅所住之處以種種花鬘瓔珞塗香末香而為供養如其命盡復得
延年滿足百歲如是曼殊若有眾生得聞是無量壽智決定王如來一百八名号
者益其長壽若有眾生大命將盡憶念是如來名号更得增壽如是曼殊若
有善男子善女人欲求長壽者於是無量壽如來一百八名号有得聞者或自書若使
人書受持讀誦得如是等果報福德具足陀羅尼曰 南謨薄伽勃底一 阿波唎蜜多二
阿喻紇硯娜三 須毗你悉指陀四 囉佐耶五 怛他羯他耶六 怛姪他唵七 薩婆桑悉迦囉八
波唎輸底九 達磨底十 伽迦娜十一 莎訶某特迦底十二 莎婆婆毗輸底十三 摩訶娜耶十四
波唎婆唎莎訶十五 世尊復告曼殊室利如是如來一百八名号若有自書或
使人書為經卷受持讀誦如壽命盡復滿百年壽終此身後得往生無量福
智世界無量壽淨土陀羅尼曰 南謨薄伽勃底一 阿波唎蜜多二 阿喻紇硯娜三
須毗你悉指陀四 囉佐耶五 怛他羯他耶六 怛姪他唵七 薩婆桑悉迦囉八 波唎輸底九
達磨底十 伽迦娜十一 莎訶某特迦底十二 莎婆婆毗輸底十三 摩訶娜耶十四 波唎婆唎莎
訶十五 爾時有九十九俱胝佛等一時同聲說是無量壽宗要經陀羅尼曰
南謨薄伽勃底一 阿波唎蜜多二 阿喻紇硯娜三 須毗你悉指陀四 怛他羯他耶六 怛姪他唵七
薩婆桑悉迦囉八 波唎輸底九 達磨底十 伽迦娜十一 莎訶某特迦底十二 莎婆婆毗輸底十三
摩訶娜耶十四 波唎婆唎莎訶十五 爾時復有一百四俱胝佛同聲說是無量壽宗
要經陀羅尼曰 南謨薄伽勃底一 阿波唎蜜多二 阿喻紇硯娜三 須毗你悉指陀四 囉佐耶五
怛他羯他耶六 怛姪他唵七 薩婆桑悉迦囉八 波唎輸底九 達磨底十 伽迦娜十一 莎訶某特
迦底十二 薩婆婆毗輸底十三 摩訶娜耶十四 波唎婆唎莎訶十五
爾時復有七俱胝佛一時同聲說是無量壽宗要經陀羅尼曰
南謨薄伽勃底一 阿波唎蜜多二 阿喻紇硯娜三 須毗你悉指陀四 囉佐耶五 怛他羯他耶六

BD00355號　無量壽宗要經

（5–1）

迦底十二 薩婆婆毗輸底十三 摩訶娜耶十四 波唎婆唎莎訶十五
爾時復有七俱胝佛一時同聲說是無量壽宗要經陀羅尼曰
南謨薄伽勃底一 阿波唎蜜多二 阿喻紇硯娜三 須毗你悉指陀四 囉佐耶五 怛他羯他耶六
怛姪他唵七 薩婆桑悉迦囉八 波唎輸底九 達磨底十 伽迦娜十一 莎訶某特迦底十二
薩婆婆毗輸底十三 摩訶娜耶十四 波唎婆唎莎訶十五 爾時復有六十五俱胝佛
一時同聲說是無量壽宗要經陀羅尼曰 南謨薄伽勃底一 阿波唎蜜多
阿喻紇硯娜三 須毗你悉指陀四 囉佐耶五 怛他羯他耶六 怛姪他唵七 薩婆桑悉迦
囉八 波唎輸底九 達磨底十 伽迦娜十一 莎訶某特迦底十二 莎婆婆毗輸底十三 摩
訶娜耶十四 波唎婆唎莎訶十五 爾時復有五十五俱胝佛一時同聲說是無量壽宗
要經陀羅尼曰 南謨薄伽勃底一 阿波唎蜜多二 阿喻紇硯娜三 須毗你悉指陀四
囉佐耶五 怛他羯他耶六 怛姪他唵七 薩婆桑悉迦囉八 波唎輸底九 達磨底十 伽迦娜十一
薩訶某特迦底十二 薩婆婆毗輸底十三 摩訶娜耶十四 波唎婆唎莎訶十五
爾時復有四十五俱胝佛一時同聲說是無量壽宗要經陀羅尼曰 南謨薄伽勃底一 阿波唎蜜
多二 阿喻紇硯娜三 須毗你悉指陀四 囉佐耶五 怛他羯他耶六 怛姪他唵七 薩婆桑悉迦囉八 波唎輸
底九 達磨底十 伽迦娜十一 莎訶某特伽底十二 薩婆婆毗輸底十三 摩訶娜耶十四 波唎婆唎莎
訶十五 爾時復有三十六俱胝佛一時同聲說是無量壽宗要經陀羅尼曰
南謨薄伽勃底一 阿波唎蜜多二 阿喻紇硯娜三 須毗你悉指陀四 囉佐耶五 怛他羯他耶六
怛姪他唵七 薩婆桑悉迦囉八 波唎輸底九 達磨底十 伽迦娜十一 莎訶某特迦底十二 莎婆婆毗輸
底十三 摩訶娜耶十四 波唎婆唎莎訶十五 爾時復有二十五俱胝佛一時同聲說是無量壽宗要
經陀羅尼曰 南謨薄伽勃底一 阿波唎蜜多二 阿喻紇硯娜三 須毗你悉指陀四 囉佐耶五 怛他羯他耶六
怛姪他唵七 薩婆桑悉迦囉八 波唎輸底九 達磨底十 伽迦娜十一 莎訶某特迦底十二 薩婆
婆毗輸底十三 摩訶娜耶十四 波唎婆唎莎訶十五 爾時復有恒河沙俱胝佛一時同聲說
是無量壽宗要經陀羅尼曰 南謨薄伽勃底一 阿波唎蜜多二 阿喻紇硯娜三
須毗你悉指陀四 囉佐耶五 怛他羯他耶六 怛姪他唵七 薩婆桑悉迦囉八 波唎輸底九 達磨
底十 伽迦娜十一 莎訶某特迦底十二 薩婆婆毗輸底十三 摩訶娜耶十四 波唎婆唎莎訶十五
善男子若有自書寫教人書寫是無量壽宗要經如其命盡復得長壽而滿百年陀羅
尼曰 南謨薄伽勃底一 阿波唎蜜多二 阿喻紇硯娜三 須毗你悉指陀四 囉佐耶五 怛他
羯他耶六 怛姪他唵七 薩婆桑悉迦囉八 波唎輸底九 達磨底十 伽迦娜十一 莎訶某特迦底十二
薩婆婆毗輸底十三 摩訶娜耶十四 波唎婆唎莎訶十五 爾 若有自書寫教人書寫是
無量壽宗要經讀誦受持畢竟不墮地獄在在所生得宿命智陀羅尼曰

BD00355號　無量壽宗要經

（5–2）

羅尼日 南謨薄伽勃底一 阿波唎蜜多二 阿喻紇硯那三 須毗你悉指陀四 囉佐耶五 怛他
羯他耶六 怛姪他唵七 薩婆桑悉迦囉八 波唎輸底九 達磨底十 伽迦娜十一 莎訶某特迦底十二
薩婆婆毗輸底十三 摩訶娜耶十四 波唎婆唎莎訶十五 本 若有自書寫教人書寫是
无量壽宗要經讀誦受持畢竟不墮地獄在在所生得宿命智陀羅尼日
南謨薄伽勃底一 阿波唎蜜多二 阿喻紇硯那三 須毗你悉指陀四 囉佐耶五 怛他羯他耶六
怛姪他唵七 薩婆桑悉迦囉八 波唎輸底九 達磨底十 伽迦娜十一 莎訶某特迦底十二
薩婆婆毗輸底十三 摩訶娜耶十四 波唎婆唎莎訶十五
若有自書寫教人書寫是无量壽宗要經受持讀誦如同書寫八万四千一切經典陀羅
尼日 南謨薄伽勃底一 阿波唎蜜多二 阿喻紇硯那三 須毗你悉指陀四 囉佐耶五 怛他羯他耶六
怛姪他唵七 薩婆桑悉迦囉八 波唎輸底九 達磨底十 伽迦娜十一 莎訶某特迦底十二 薩婆婆
毗輸底十三 摩訶娜耶十四 波唎婆唎莎訶十五 若有自書寫教人書寫是无量壽宗要經所
是書寫八万四千部建立塔廟陀羅尼日 南謨薄伽勃底一 阿波唎蜜多二 阿喻紇硯那三
須毗你悉指陀四 囉佐耶五 怛他羯他耶六 怛姪他唵七 薩婆桑悉迦囉八 波唎輸底九 達磨底十
伽迦娜十一 莎訶某特迦底十二 薩婆婆毗輸底十三 摩訶娜耶十四 波唎婆唎莎訶十五
若有自書寫教人書寫是无量壽宗要經能消五无間等一切重罪陀羅尼日
南謨薄伽勃底一 阿波唎蜜多二 阿喻紇硯那三 須毗你悉指陀四 囉佐耶五 怛他羯他耶六 怛姪他唵七
薩婆桑悉迦囉八 波唎輸底九 達磨底十 伽迦娜十一 莎訶某特迦底十二 薩婆婆毗輸底十三
摩訶娜耶十四 波唎婆唎莎訶十五 若有自書寫教人書寫是无量壽宗要經受持讀
誦設有重罪猶如須弥盡能除滅陀羅尼日 南謨薄伽勃底一 阿波唎蜜多二 阿喻紇硯
那三 須毗你悉指陀四 囉佐耶五 怛他羯他耶六 怛姪他唵七 薩婆桑悉迦囉八 波唎輸底九
達磨底十 伽迦娜十一 莎訶某特迦底十二 薩婆婆毗輸底十三 摩訶娜耶十四 波唎婆唎莎訶
若有自書寫教人書寫是无量壽宗要經受持讀誦者魔魔之眷屬夜叉羅剎不得其
便終无枉死者陀羅尼日 南謨薄伽勃底一 阿波唎蜜多二 阿喻紇硯那三 須毗你悉指陀四
囉佐耶五 怛他羯他耶六 怛姪他唵七 薩婆桑悉迦囉八 波唎輸底九 達磨底十 伽迦娜十一 莎訶
某特迦底十二 薩婆婆毗輸底十三 摩訶娜耶十四 波唎婆唎莎訶十五
若有自書寫教人書寫是无量壽宗要經受持讀誦當命終時有九十九㤠佛現其人
前来千佛授手能遊一切佛剎莫於此經生於疑惑陀羅尼日 南謨薄伽勃底一 阿波唎
蜜多二 阿喻紇硯那三 須毗你悉指陀四 囉佐耶五 怛他羯他耶六 怛姪他唵七 薩婆桑悉迦
囉八 波唎輸底九 達磨底十 伽迦娜十一 莎訶某特迦底十二 薩婆婆毗輸底十三
摩訶娜耶十四 波唎婆唎莎訶十五 若有自書寫教人書寫是无量壽宗要經受持讀誦來

BD00355號　無量壽宗要經　　（5–3）

蜜多二 阿喻紇硯那三 須毗你悉指陀四 囉佐耶五 怛他羯他耶六 怛姪他唵七 薩婆桑悉迦
囉八 波唎輸底九 達磨底十 伽迦娜十一 莎訶某特迦底十二 薩婆婆毗輸底十三
摩訶娜耶十四 波唎婆唎莎訶十五 若有自書寫教人書寫是无量壽宗要經受持讀誦常
得四天大王隨其衛護陀羅尼日 南謨薄伽勃底一 阿波唎蜜多二 阿喻紇硯那三 須毗你
悉指陀四 囉佐耶五 怛他羯他耶六 怛姪他唵七 薩婆桑悉迦囉八 波唎輸底九 達磨底十
伽迦娜十一 莎訶某特迦底十二 薩婆婆毗輸底十三 摩訶娜耶十四 波唎婆唎莎訶十五
若有自書寫教人書寫是无量壽宗要經受持讀誦當得往生西方極樂世界阿弥
陀淨土陀羅尼日 南謨薄伽勃底一 阿波唎蜜多二 阿喻紇硯那三 須毗你悉指
陀四 囉佐耶五 怛他羯他耶六 怛姪他唵七 薩婆桑悉迦囉八 波唎輸底九 達磨底十
伽迦娜十一 莎訶某特迦底十二 薩婆婆毗輸底十三 摩訶娜耶十四 波唎婆唎莎訶十五
若有方所自書寫使人書寫是无量壽經典之處則為是塔皆應恭敬作礼若
畜生或為鳥獸得聞是經如是等類皆當不久得成一切種智陀羅尼日
南謨薄伽勃底一 阿波唎蜜多二 阿紇喻硯那三 須毗你悉指陀四 囉佐耶五 怛他羯他耶六
怛姪他唵七 薩婆桑悉迦囉八 波唎輸底九 達磨底十 伽迦娜十一 莎訶某特迦底十二
薩婆婆毗輸底十三 摩訶娜耶十四 波唎婆唎莎訶十五 若有於是无量壽經自書寫若
使人書寫畢竟不受女人之身陀羅尼日 南謨薄伽勃底一 阿波唎蜜多二 阿喻紇硯那三
須毗你悉指陀四 囉佐耶五 怛他羯他耶六 怛姪他唵七 薩婆桑悉迦囉八 波唎輸底九 達磨底十
伽迦娜十一 莎訶某特迦底十二 薩婆婆毗輸底十三 摩訶娜耶十四 波唎婆唎莎訶十五
若有能於是經少分能惠施者等於三千大千世界滿中七寶布施陀羅尼日
南謨薄伽勃底一 阿波唎蜜多二 阿喻紇硯那三 須毗你悉指陀四 囉佐耶五 怛他羯他耶六 怛姪
他唵七 薩婆桑悉迦囉八 波唎輸底九 達磨底十 伽迦娜十一 莎訶某特迦底十二 薩婆婆毗
輸底十三 摩訶娜耶十四 波唎婆唎莎訶十五 若有能供養一切諸經等无有異陀羅
尼日 南謨薄伽勃底一 阿波唎蜜多二 阿喻紇硯那三 須毗你悉指陀四 囉佐耶五 怛他羯他耶六
怛姪他唵七 薩婆桑悉迦囉八 波唎輸底九 達磨底十 伽迦娜十一 莎訶某特迦底十二 薩婆婆
毗輸底十三 摩訶娜耶十四 波唎婆唎莎訶十五 如是毗婆尸佛尸弃佛毗舍浮佛俱留孫佛
俱那含牟尼佛加葉佛釋迦牟尼佛 若有人以七寶供養如是七佛其福有限
書寫受持是无量壽經典所有功德不可限量陀羅尼日
南謨薄伽勃底一 阿波唎蜜多二 阿喻紇硯那三 須毗你悉指陀四 囉佐耶五 怛他羯他
耶六 怛姪他唵七 薩婆桑悉迦囉八 波唎輸底九 達磨底十 伽迦娜十一 莎訶某特迦底十二
薩婆婆毗輸底十三 摩訶娜耶十四 波唎婆唎莎訶十五 若有七寶等於須弥以用布施
其福上能知其限量是无量壽宗要經其福不可知數陀羅尼日

BD00355號　無量壽宗要經　　（5–4）

薩婆娑嚩毗輸底十三　摩訶娜耶十四　波唎婆唎莎訶十五　若有七寶等於須彌以用布施
其福上能知其限量是无量壽經典其福不可知數陀羅尼曰
南謨薄伽勃底一　阿波唎蜜多二　阿喻紇硯那三　須毗你悉指陀四　囉佐耶五　怛他羯他耶六
怛姪他唵七　薩婆桑悉迦囉八　波唎輸底九　達磨底十　伽迦那十一　莎訶某特伽底十二
薩婆娑嚩毗輸底十三　摩訶娜耶十四　波唎婆唎莎訶十五
如是四大海水可知渧數是无量壽經典所生果報不可數量陀羅尼曰
南謨薄伽勃底一　阿波唎蜜多二　阿喻紇硯那三　須毗你悉指陀四　怛他羯他耶五　怛姪他唵七
薩婆桑悉迦囉八　波唎輸底九　達磨底十　伽迦那十一　莎訶某特伽底十二　薩婆娑嚩毗輸
底十三　摩訶娜耶十四　波唎婆唎莎訶十五　若有自書使人書寫是无量壽經典又能
護持供養禮拜恭敬供養一切十方佛土如來无有別異陀羅尼曰
南謨薄伽勃底一　阿波唎蜜多二　阿喻紇硯那三　須毗你悉指陀四　囉佐耶五　怛他羯他耶
怛姪他唵七　薩婆桑悉迦囉八　波唎輸底九　達磨底十　伽迦那十一　莎訶某特伽底十二
薩婆娑嚩毗輸底十三　摩訶娜耶十四　波唎婆唎莎訶十五
布施力能成正覺　悟布施力入師子　布施力能聲普聞　慈悲階漸最能入
持戒力能成正覺　悟持戒力入師子　持戒力能聲普聞　慈悲階漸最能入
忍辱力能成正覺　悟忍辱力入師子　忍辱力能聲普聞　慈悲階漸最能入
精進力能成正覺　悟精進力入師子　精進力能聲普聞　慈悲階漸最能入
禪定力能成正覺　悟禪定力入師子　禪定力能聲普聞　慈悲階漸最能入
智慧力能成正覺　悟智慧力入師子　智慧力能聲普聞　慈悲階漸力能入
爾時如來說是經已一切世間天人阿脩羅揵闥婆等聞佛所說皆大歡喜信受奉行

佛說无量壽宗要經

馬豐

BD00355號　無量壽宗要經

（5–5）

如來以小[...]
[...]所以者[...]等待說所因成就
羅三藐三菩提者必以大乘而得度脫
等不解方便隨宜說法初聞佛法遇信受
思惟取證世尊我從昔來終日竟夜每自剋
責而今從佛聞所未聞未曾有法斷諸疑悔
身意泰然快得安隱今日乃知真是佛子從
佛口生從法化生得佛法分爾時舍利弗欲
重宣此義而說偈言
我聞是法音　得所未曾有　心懷大歡喜　疑網皆已除
昔來蒙佛教　不失於大乘　佛音甚希有　能除眾生惱
我已得漏盡　聞亦除憂惱　我處於山谷　或在林樹下
若坐若經行　常思惟是事　嗚呼深自責　云何而自欺
我等亦佛子　同入无漏法　不能於未來　演說无上道
金色三十二　十力諸解脫　同共一法中　而不得此事
八十種妙好　十八不共法　如是等功德　而我皆已失
我獨經行時　見佛在大眾　名聞滿十方　廣饒益眾生
自惟失此利　我為自欺誑　我常於日夜　每思惟是事
欲以問世尊　為失為不失　我常見世尊　稱讚諸菩薩
以是於日夜　籌量如此事　今聞佛音聲　隨宜而說法
无漏難思議　令眾至道場　我本著邪見　為諸梵志師
世尊知我心　拔邪說涅槃　我悉除邪見　於空法得證
爾時心自謂　得至於滅度　而今乃自覺　非是實滅度
若得作佛時　具三十二相　天人夜叉眾　龍神等恭敬
是時乃可謂　永盡滅无餘　佛於大眾中　說我當作佛
[illegible]

BD00356號　妙法蓮華經（十卷本）卷二

（17–1）

无漏難思議 令衆至道場 我本著邪見 為諸梵志師
世尊知我心 拔邪說涅槃 我悉除邪見 於空法得證
尒時心自謂 得至於滅度 而今乃自覺 非是實滅度
若得作佛時 具三十二相 天人夜叉衆 龍神等恭敬
是時乃可謂 永盡滅无餘 佛於大衆中 說我當作佛
聞如是法音 疑悔悉已除 初聞佛所說 心中大驚疑
將非魔作佛 惱亂我心耶 佛以種種緣 譬喻巧言說
其心安如海 我聞疑網斷 佛說過去世 无量滅度佛
安住方便中 亦皆說是法 現在未來佛 其數无有量
亦以諸方便 演說如是法 如今者世尊 從生及出家
得道轉法輪 亦以方便說 世尊說實道 波旬无此事
以是我定知 非是魔作佛 我墮疑網故 謂是魔所為
聞佛柔軟音 深遠甚微妙 演暢清淨法 我心大歡喜
疑悔永已盡 安住實智中 我定當作佛 為天人所敬
轉无上法輪 教化諸菩薩
尒時佛告舍利弗 吾今於天人沙門婆羅門
等大衆中說 我昔曾於二万億佛所為无上
道故常教化汝 汝亦長夜隨我受學 我以方
便引導汝故 生我法中 舍利弗 我昔教汝志
願佛道 汝今悉忘 而便自謂已得滅度 我今
還欲令汝憶念本願所行道故 為諸聲聞說
是大乘經 名妙法蓮華教菩薩法佛所護念
舍利弗 汝於未來世過无量无邊不可思議
劫 供養若干千万億佛 奉持正法 具足菩薩
所行之道 當得作佛 号曰華光如來應供正遍
知明行足善逝世間解无上士調御丈夫天
人師佛世尊 國名離垢 其土平正 清淨嚴飾
安隱豐樂 天人熾盛 瑠璃為地 有八交道 黃
金為繩以界其側 其傍各有七寶行樹 常有

BD00356號 妙法蓮華經(十卷本)卷二 (17–2)

人師佛世尊 國名離垢 其土平正 清淨嚴飾
安隱豐樂 天人熾盛 瑠璃為地 有八交道 黃
金為繩以界其側 其傍各有七寶行樹 常有
華菓 華光如來亦以三乘教化衆生 舍利弗
彼佛出時雖非惡世 以本願故說三乘法 其
劫名大寶莊嚴 何故名曰大寶莊嚴 其國中
以菩薩為大寶故 彼諸菩薩无量无邊不可
思議 筭數譬喻所不能及 非佛智力无能知
者 若欲行時 寶華承足 此諸菩薩非初發意
皆久殖德本 於无量百千万億佛所淨脩梵
行 恒為諸佛之所稱歎 常脩佛慧 具大神
通 善知一切諸法之門 質直无偽 志念堅固 如
是菩薩充滿其國 舍利弗 華光佛壽十二小
劫 除為王子未作佛時 其國人民壽八小劫
華光如來過十二小劫 授堅滿菩薩阿耨多
羅三藐三菩提記 告諸比丘 是堅滿菩薩次
當作佛 号曰華足安行多陀阿伽度阿羅呵
三藐三佛陀 其佛國土亦復如是 舍利弗 是
華光佛滅度之後 正法住世三十二小劫 像
法住世亦三十二小劫 尒時世尊欲重宣此
義 而說偈言
舍利弗來世 成佛普智尊 号名曰華光 當度无量衆
供養无數佛 具足菩薩行 十力等功德 證於无上道
過无量劫已 劫名大寶嚴 世界名離垢 清淨无瑕穢
以瑠璃為地 金繩界其道 七寶雜色樹 常有華菓實
彼國諸菩薩 志念常堅固 神通波羅蜜 皆已悉具足
於无數佛所 善學菩薩道 如是等大士 華光佛所化
佛為王子時 棄國捨世榮 於最末後身 出家成佛道

BD00356號 妙法蓮華經(十卷本)卷二 (17–3)

於无數佛所　善學菩薩道　如是等大士　華光佛所化
佛為王子時　棄國捨世榮　於最末後身　出家成佛道
華光佛住世　壽十二小劫　其國人民衆　壽命八小劫
佛滅度之後　正法住於世　三十二小劫　廣度諸衆生
正法滅盡已　像法三十二　舍利廣流布　天人普供養
華光佛所為　其事皆如是　其兩足世尊　最勝无倫匹
彼即是汝身　宜應自欣慶
尒時四部衆比丘比丘尼優婆塞優婆夷天
龍夜叉乾闥婆阿脩羅迦樓羅緊那羅摩睺
羅伽等大衆中見舍利弗於佛前受阿耨多
羅三藐三菩提記心大歡喜踊躍无量各各
脫身所著衣服以供養佛釋提桓因梵天王
等與无數天子亦以天妙衣天曼陀羅華摩
訶曼陀羅華等供養於佛所散天衣住虛空
中而自迴轉諸天伎樂百千万種於虛空中
一時俱作雨衆天華而作是言佛昔於波羅
㮈初轉法輪今乃復轉无上最大法輪尒時
諸天子欲重宣此義而說偈言
昔於波羅㮈　轉四諦法輪　分別說諸法　五衆之生滅
今復轉最妙　无上大法輪　是法甚深奧　少有能信者
我等從昔來　數聞世尊說　未曾聞如是　深妙之上法
世尊說是法　我等皆隨喜　大智舍利弗　今得受尊記
我等亦如是　必當得作佛　於一切世間　最尊无有上
佛道叵思議　方便隨宜說
我所有福業　今世若過世　及見佛功德　盡迴向佛道
尒時舍利弗白佛言世尊我今无復疑悔親
於佛前得受阿耨多羅三藐三菩提記是諸

BD00356 號　妙法蓮華經（十卷本）卷二　（17–4）

尒時舍利弗白佛言世尊我今无復疑悔親
於佛前得受阿耨多羅三藐三菩提記是諸
千二百心自在者昔住學地佛常教化言我
法能離生老病死究竟涅槃是學无學人亦
各自以離我見及有无見等謂得涅槃而今
於世尊前聞所未聞皆墮疑惑善哉世尊願
為四衆說其因緣令離疑悔尒時佛告舍利
弗我先不言諸佛世尊以種種因緣譬喻言
辭方便說法皆為阿耨多羅三藐三菩提
耶是諸所說皆為化菩薩故然舍利弗我今
當復以譬喻更明此義諸有智者以譬喻得
解舍利弗若國邑聚落有大長者其年衰邁
財富无量多有田宅及諸僮僕其家廣大唯
有一門多諸人衆一百二百乃至五百人止
住其中堂閣朽故墻壁隤落柱根腐敗梁棟
傾危周匝俱時欻然火起焚燒舍宅長者諸
子若十廿或至卅在此宅中長者見是大火
從四面起即大驚怖而作是念我雖能於此所
此
燒之門安隱得出而諸子等於火宅內樂著
嬉戲不覺不知不驚不怖火來逼身苦痛切
己心不猒患无求出意舍利弗是長者作是
思惟我身手有力當以衣裓若以机案從舍
出之復更思惟是舍唯有一門而復狹小諸
子幼稚未有所識戀著戲處或當墮落為火
所燒我當為說怖畏之事此舍已燒宜時疾
出无令為火之所燒害作是念已如所思惟

BD00356 號　妙法蓮華經（十卷本）卷二　（17–5）

子幼稚未有所識戀著戲處或當墮落為火
所燒我當為說怖畏之事此舍已燒宜時疾
出无令為火之所燒害作是念已如所思惟
具告諸子汝等速出父雖憐愍善言誘喻而
諸子等樂著嬉戲不肯信受不驚不畏了无
出心亦復不知何者是火何者為舍云何為
失但東西走戲視父而已尒時長者即作是
念此舍已為大火所燒我及諸子若不時出
必為所焚我今當設方便令諸子等得免斯
害父知諸子先心各有所好種種珍玩奇異
之物情必樂著而告之言汝等所可玩好希
有難得汝若不取後必有悔如是種種羊車
鹿車牛車今在門外可以遊戲汝等於此火
宅宜速出來隨汝所欲皆當与汝尒時諸子
聞父所說珍玩之物適其願故心各勇悅互
相推排競共馳走諍出火宅是時長者見諸
子等安隱得出皆於四衢道中露地而坐无
復鄣㝵其心泰然歡喜踊躍時諸子等各白
父言父先所許玩好之具羊車鹿車牛車願
時賜與舍利弗尒時長者各賜諸子等一大車
其車高廣衆寶莊校周匝欄楯四面懸鈴又
於其上張設軒蓋亦以珍奇雜寶而嚴飾之
寶繩交絡垂諸華纓重敷綩綖安置丹枕駕
以白牛膚色充潔形體姝好有大筋力行步
平正其疾如風又多僕從而侍衛之所以者何
是大長者財富无量種種諸藏悉皆充溢而
作是念我財物无極不應以下劣小車与諸
子等今此幼童皆是吾子愛无偏黨我有如

BD00356號　妙法蓮華經（十卷本）卷二　（17–6）

是大長者財富无量種種諸藏悉皆充溢而
作是念我財物无極不應以下劣小車与諸
子等今此幼童皆是吾子愛无偏黨我有如
是七寶大車其數无量應當等心各各與之
不宜差別所以者何以我此物周給一國猶
尚不匱何況諸子是時諸子各乘大車得未
曾有非本所望舍利弗於汝意云何是長者
等與諸子珍寶大車寧有虛妄不舍利弗言
不也世尊是長者但令諸子得免火難全其
軀命非為虛妄何以故若全身命便為已得
玩好之具況復方便於彼火宅而拔濟之世
尊若是長者乃至不與最小一車猶不虛妄
何以故是長者先作是意我以方便令子得
出以是因緣无虛妄耶何況長者自知財富
无量欲饒益諸子等与大車佛告舍利弗善
哉善哉如汝所言舍利弗如來亦復如是則
為一切世間之父於諸怖畏衰惱憂患无明
闇蔽永盡无餘而悉成就无量知見力无所
畏有大神力及智慧力具足方便智慧波羅
蜜大慈大悲常无懈惓恒求善事利益一切
而生三界朽故火宅為度衆生生老病死憂
悲苦惱愚癡闇蔽三毒之火教化令得阿耨
多羅三藐三菩提見諸衆生為生老病死憂
悲苦惱之所燒煑亦以五欲財利故受種種
苦又以貪著追求故現受衆苦後受地獄畜
生餓鬼之苦若生天上及在人間貧窮困苦
愛別離苦怨憎會苦如是等種種諸苦衆生
沒在其中歡喜遊戲不覺不知不驚不怖亦

BD00356號　妙法蓮華經（十卷本）卷二　（17–7）

生餓鬼之苦若生天上及在人間貧窮困苦
愛別離苦怨憎會苦如是等種種諸苦衆生
沒在其中歡喜遊戲不覺不知不驚不怖亦
不生猒不求解脫於此三界火宅東西馳走
雖遭大苦不以為患舍利弗佛見此已便作
是念我為衆生之父應拔其苦難與无量无
邊佛智慧樂令其遊戲舍利弗如來復作是
念若我但以神力及智慧力捨於方便為諸
衆生讚如來知見力无所畏者衆生不能以
是得度所以者何是諸衆生未免生老病死
憂悲苦惱而為三界火宅所燒何由能解佛
之智慧舍利弗如彼長者雖復身手有力而
不用之但以慇懃方便勉濟諸子火宅之難
然後各與珍寶大車如來亦復如是雖有力
无所畏而不用之但以智慧方便於三界火
宅拔濟衆生為說三乘聲聞辟支佛佛乘而
作是言汝等莫得樂住三界火宅勿貪麁弊
色聲香味觸耶若貪著生愛則為所燒汝等速
出三界當得三乘聲聞辟支佛佛乘我今為
汝保任此事終不虛也汝等但當懃脩精進
如來以是方便誘進衆生復作是言汝等當
知此三乘法皆是聖所稱歎自在无繫无所
依求乘是三乘以无漏根力覺道禪定解脫三
昧等而自娛樂便得无量安隱快樂舍利弗
若有衆生內有智性從佛世尊聞法信受慇
懃精進欲速出三界自求涅槃是名聲聞乘
如彼諸子為求羊車出於火宅若有衆生從
佛世尊聞法信受慇懃精進求自然慧樂獨

BD00356號　妙法蓮華經（十卷本）卷二　（17–8）

若有衆生內有智性從佛世尊聞法信受慇
懃精進欲速出三界自求涅槃是名聲聞乘
如彼諸子為求羊車出於火宅若有衆生從
佛世尊聞法信受慇懃精進求自然慧樂獨
善寂深知諸法因緣是名辟支佛乘如彼諸
子為求鹿車出於火宅若有衆生從佛世尊
聞法信受懃脩精進求一切智佛智自然智
无師智如來知見力无所畏愍念安樂无量
衆生利益天人度脫一切是名大乘菩薩求
此乘故名為摩訶薩如彼諸子為求牛車出
於火宅舍利弗如彼長者見諸子等安隱得
出火宅到无畏處自惟財富无量等以大車
而賜諸子如來亦復如是為一切衆生之父
若見无量億千衆生以佛教門出三界苦怖
畏嶮道得涅槃樂如來尒時便作是念我有
无量无邊智慧力无畏等諸佛法藏是諸衆生
皆是我子等與大乘不令有人獨得滅度皆
以如來滅度而滅度之是諸衆生脫三界者
悉與諸佛禪定解脫三昧等娛樂之具皆是
一相一種聖所稱歎能生淨妙第一之樂舍
利弗如彼長者以三種車誘引諸子然後但
與大車寶物莊嚴安隱第一然彼長者无虛
妄之咎如來亦復如是无有虛妄初說三乘
引導衆生然後但以大乘而度脫之何以故
如來有无量智慧力无所畏諸法之藏能與
一切衆生大乘之法但不能盡受舍利弗以
是因緣當知諸佛以方便力故於一佛乘分
別說三佛欲重宣此義而說偈言

BD00356號　妙法蓮華經（十卷本）卷二　（17–9）

一切眾生大乘之法但不能盡受舍利弗以
是因緣當知諸佛以方便力故於一佛乘分
別說三佛欲重宣此義而說偈言
譬如長者 有一大宅 其宅朽故 而復頓弊
堂舍高危 柱根摧朽 梁棟傾斜 基陛頹毀
牆壁圮坼 泥塗褫落 覆苫亂墜 椽梠差脫
周障屈曲 雜穢充遍 有五百人 止住其中
鵄梟鵰鷲 烏鵲鳩鴿 蚖蛇蝮蠍 蜈蚣蚰蜒
守宮百足 狖狸鼷鼠 諸惡蟲輩 交橫馳走
屎尿臭處 不淨流溢 蜣蜋諸蟲 而集其上
狐狼野干 咀嚼踐蹋 嚌齧死屍 骨肉狼藉
由是群狗 競來搏撮 飢羸慞惶 處處求食
鬪諍𪙊掣 啀喍嗥吠 其舍恐怖 變狀如是
處處皆有 魑魅魍魎 夜叉惡鬼 食噉人肉
毒蟲之屬 諸惡禽獸 孚乳產生 各自藏護
夜叉競來 爭取食之 食之既飽 惡心轉熾
鬪諍之聲 甚可怖畏 鳩槃荼鬼 蹲踞土埵
或時離地 一尺二尺 往返遊行 縱逸嬉戲
捉狗兩足 撲令失聲 以腳加頸 怖狗自樂
復有諸鬼 其身長大 裸形黑瘦 常住其中
發大惡聲 叫呼求食 復有諸鬼 其咽如針
復有諸鬼 首如牛頭 或食人肉 或復噉狗
頭髮蓬亂 殘害凶險 飢渴所逼 叫喚馳走
夜叉餓鬼 諸惡鳥獸 飢急四向 窺看窗牖
如是諸難 恐畏無量 是朽故宅 屬于一人
其人近出 未久之間 於後宅舍 忽然火起
四面一時 其炎俱熾 棟梁椽柱 爆聲震裂
摧折墮落 牆壁崩倒 諸鬼神等 揚聲大叫
鵰鷲諸鳥 鳩槃荼等 周章惶怖 不能自出

BD00356號 妙法蓮華經（十卷本）卷二 （17-10）

四面一時 其炎俱熾 棟梁椽柱 爆聲震裂
摧折墮落 牆壁崩倒 諸鬼神等 揚聲大叫
鵰鷲諸鳥 鳩槃荼等 周章惶怖 不能自出
惡獸毒蟲 藏竄孔穴 毗舍闍鬼 亦住其中
薄福德故 為火所逼 共相殘害 飲血噉肉
野干之屬 並已前死 諸大惡獸 競來食噉
臭烟熢㶿 四面充塞 蜈蚣蚰蜒 毒蛇之類
為火所燒 爭走出穴 鳩槃荼鬼 隨取而食
又諸餓鬼 頭上火然 飢渴熱惱 周章悶走
其宅如是 甚可怖畏 毒害火災 眾難非一
是時宅主 在門外立 聞有人言 汝諸子等
先因遊戲 來入此宅 稚小無知 歡娛樂著
長者聞已 驚入火宅 方宜救濟 令無燒害
告喻諸子 說眾患難 惡鬼毒蟲 災火蔓延
眾苦次第 相續不絕 毒蛇蚖蝮 及諸夜叉
鳩槃荼鬼 野干狐狗 鵰鷲鵄梟 百足之屬
飢渴惱急 甚可怖畏 此苦難處 況復大火
諸子無知 雖聞父誨 猶故樂著 嬉戲不已
是時長者 而作是念 諸子如此 益我愁惱
今此舍宅 無一可樂 而諸子等 耽湎嬉戲
不受我教 將為火害 即便思惟 設諸方便
告諸子等 我有種種 珍玩之具 妙寶好車
羊車鹿車 大牛之車 今在門外 汝等出來
吾為汝等 造作此車 隨意所樂 可以遊戲
諸子聞說 如此諸車 即時奔競 馳走而出
到於空地 離諸苦難 長者見子 得出火宅
住於四衢 坐師子座 而自慶言 我今快樂
此諸子等 生育甚難 愚小無知 而入險宅

BD00356號 妙法蓮華經（十卷本）卷二 （17-11）

吾為汝等 造作此車 隨意所樂 可以遊戲
諸子聞說 如此諸車 即時奔競 馳走而出
到於空地 離諸苦難 長者見子 得出火宅
住於四衢 坐師子座 而自慶言 我今快樂
此諸子等 生育甚難 愚小無智 而入險宅
多諸毒蟲 魑魅可畏 大火猛炎 四面俱起
而此諸子 貪著嬉戲 我已救之 令得脫難
是故諸人 我今快樂 爾時諸子 知父安坐
皆詣父所 而白父言 願賜我等 三種寶車
如前所許 諸子出來 當以三車 隨汝所欲
今正是時 唯垂給與 長者大富 庫藏眾多
金銀琉璃 車𤦲馬瑙 以眾寶物 造諸大車
莊校嚴飾 周匝欄楯 四面懸鈴 金繩交絡
真珠羅網 張施其上 金華諸瓔 處處垂下
眾綵雜飾 周匝圍繞 柔軟繒纊 以為茵蓐
上妙細㲲 價直千億 鮮白淨潔 以覆其上
有大白牛 肥壯多力 形體姝好 以駕寶車
多諸儐從 而侍衛之 如是妙車 等賜諸子
諸子是時 歡喜踊躍 乘是寶車 遊於四方
遊戲快樂 自在無导
告舍利弗 我亦如是 眾聖中尊 世間之父
一切眾生 皆是吾子 深著世樂 無有慧心
三界無安 猶如火宅 眾苦充滿 甚可怖畏
常有生老 病死憂患 如是等火 熾然不息
如來已離 三界火宅 寂然閑居 安處林野
今此三界 皆是我有 其中眾生 悉是吾子
而今此處 多諸患難 唯我一人 能為救護
雖復教詔 而不信受 於諸欲染 貪著深故
以是方便 為說三乘 令諸眾生 知三界苦

BD00356號 妙法蓮華經（十卷本）卷二 （17–12）

今此三界 皆是我有 其中眾生 悉是吾子
而今此處 多諸患難 唯我一人 能為救護
雖復教詔 而不信受 於諸欲染 貪著深故
以是方便 為說三乘 令諸眾生 知三界苦
開示演說 出世間道 是諸子等 若心決定
具足三明 及六神通 有得緣覺 不退菩薩
汝舍利弗 我為眾生 以此譬喻 說一佛乘
汝等若能 信受是語 一切皆當 成得佛道
是乘微妙 清淨第一 於諸世間 為無有上
佛所悅可 一切眾生 所應稱讚 供養禮拜
無量億千 諸力解脫 禪定智慧 及佛餘法
得如是乘 令諸子等 日夜劫數 常得遊戲
與諸菩薩 及聲聞眾 乘是寶乘 直至道場
以是因緣 十方諦求 更無餘乘 除佛方便
告舍利弗 汝諸人等 皆是吾子 我則是父
汝等累劫 眾苦所燒 我皆濟拔 令出三界
我雖先說 汝等滅度 但盡生死 而實不滅
今所應作 唯佛智慧 若有菩薩 於是眾中
能一心聽 諸佛實法 諸佛世尊 雖以方便
所化眾生 皆是菩薩 若人小智 深著愛欲
為是等故 說於苦諦 眾生心喜 得未曾有
佛說苦諦 真實無異 若有眾生 不知苦本
深著苦因 不能暫捨 為是等故 方便說道
諸苦所因 貪欲為本 若滅貪欲 無所依止
滅盡諸苦 名第三諦 為滅諦故 修行於道
離諸苦縛 名得解脫 是人於何 而得解脫
但離虛妄 名為解脫 其實未得 一切解脫
佛說是人 未實滅度 斯人未得 無上道故

BD00356號 妙法蓮華經（十卷本）卷二 （17–13）

諸苦所因　貪欲為本　若滅貪欲　无所依止
滅盡諸苦　名第三諦　為滅諦故　脩行於道
離諸苦縛　名得解脫　是人於何　而得解脫
但離虗妄　名為解脫　其實未得　一切解脫
佛說是人　未實滅度　斯人未得　无上道故
我意不欲　令至滅度　我為法王　於法自在
安隱眾生　故現於世　汝舍利弗　我此法印
為欲利益　世間故說　在所遊方　勿妄宣傳
若有聞者　隨喜頂受　當知是人　阿鞞跋致
若有信受　此經法者　是人已曾　見過去佛
恭敬供養　亦聞是法　若有人能　信汝所說
則為見我　亦見於汝　及比丘僧　并諸菩薩
斯法華經　為深智說　淺識聞之　迷惑不解
一切聲聞　及辟支佛　於此經中　力所不及
汝舍利弗　尚於此經　以信得入　況餘聲聞
其餘聲聞　信佛語故　隨順此經　非己智分
又舍利弗　憍慢懈怠　計我見者　莫說此經
凡夫淺識　深著五欲　聞不能解　亦勿為說
若人不信　毀謗此經　則斷一切　世間佛種
或復顰蹙　而懷疑惑　汝當聽說　此人罪報
若佛在世　若滅度後　其有誹謗　如斯經典
見有讀誦　書持經者　輕賤憎嫉　而懷結恨
此人罪報　汝今復聽　其人命終　入阿鼻獄
具足一劫　劫盡更生　如是展轉　至无數劫
從地獄出　當墮畜生　若狗野干　其形頓瘦
黧黮疥癩　人所觸嬈　又復為人　之所惡賤
常困飢渴　骨肉枯竭　生受楚毒　死被瓦石
斷佛種故　受斯罪報　若作駱駝　或生驢中

BD00356 號　妙法蓮華經（十卷本）卷二　　（17–14）

具足一劫　劫盡更生　如是展轉　至无數劫
從地獄出　當墮畜生　若狗野干　其形頓瘦
黧黮疥癩　人所觸嬈　又復為人　之所惡賤
常困飢渴　骨肉枯竭　生受楚毒　死被瓦石
斷佛種故　受斯罪報　若作駱駝　或生驢中
身常負重　加諸杖捶　但念水草　餘无所知
謗斯經故　獲罪如是　或作野干　來入聚落
身體疥癩　又无一目　為諸童子　之所打擲
受諸苦痛　或時致死　於此死已　更受蟒身
其形長大　五百由旬　聾騃无足　蜿轉腹行
為諸小虫　之所唼食　晝夜受苦　无有休息
謗斯經故　獲罪如是　若得為人　諸根闇鈍
矬陋攣躄　盲聾背傴　有所言說　人不信受
口氣常臭　鬼魅所著　貧窮下賤　為人所使
多病痟瘦　无所依怙　雖親附人　人不在意
若有所得　尋復忘失　若脩醫道　順方治病
更增他疾　或復致死　若自有病　无人救療
設服良藥　而復增劇　若他反逆　抄劫竊盜
如是等罪　橫羅其殃　如斯罪人　永不見佛
眾聖之王　說法教化　如斯罪人　常生難處
狂聾心亂　永不聞法　於數劫无　如恒河沙
生輒聾瘂　諸根不具　常處地獄　如遊園觀
在餘惡道　如己舍宅　駝驢猪狗　是其行處
謗斯經故　獲罪如是　若得為人　聾盲瘖瘂
貧窮諸衰　以自莊嚴　水腫乾痟　疥癩癰疽
如是等病　以為衣服　身常臭處　垢穢不淨
深著我見　增益瞋恚　婬欲熾盛　不擇禽獸
謗斯經故　獲罪如是

BD00356 號　妙法蓮華經（十卷本）卷二　　（17–15）

貧窮諸衰　以自莊嚴　水腫乾消　疥癩癰疽
如是等病　以為衣服　身常臭處　垢穢不淨
深著我見　增益瞋恚　婬欲熾盛　不擇禽獸
謗斯經故　獲罪如是
告舍利弗　謗斯經者　若說其罪　窮劫不盡
以是因緣　我故語汝　无智人中　莫說此經
若有利根　智慧明了　多聞強識　求佛道者
如是之人　乃可為說　若人精進　常脩慈心
不惜身命　乃可為說　若人恭敬　无有異心
離諸凡愚　獨處山澤　如是之人　乃可為說
又舍利弗　若見有人　捨惡知識　親近善友
如是之人　乃可為說　若見佛子　持戒淨潔
如淨明珠　求大乘經　如是之人　乃可為說
若人无瞋　質直柔濡　常愍一切　恭敬諸佛
如是之人　乃可為說　復有佛子　於大衆中
以淨清心　種種因緣　譬喻言辭　說法无㝵
如是之人　乃可為說　若有比丘　為一切智
四方求法　合掌頂受　但樂受持　大乘經典
乃至不受　餘經一偈　如是之人　乃可為說
如人至心　求佛舍利　如是求經　得已頂受
其人不復　志求餘經　亦未曾念　外道典籍
如是之人　乃可為說　告舍利弗　我說是相
求佛道者　窮劫不盡　如是等人　則能信解
汝當為說　妙法華經

妙法蓮華經卷第二

BD00356號　妙法蓮華經（十卷本）卷二

（17–16）

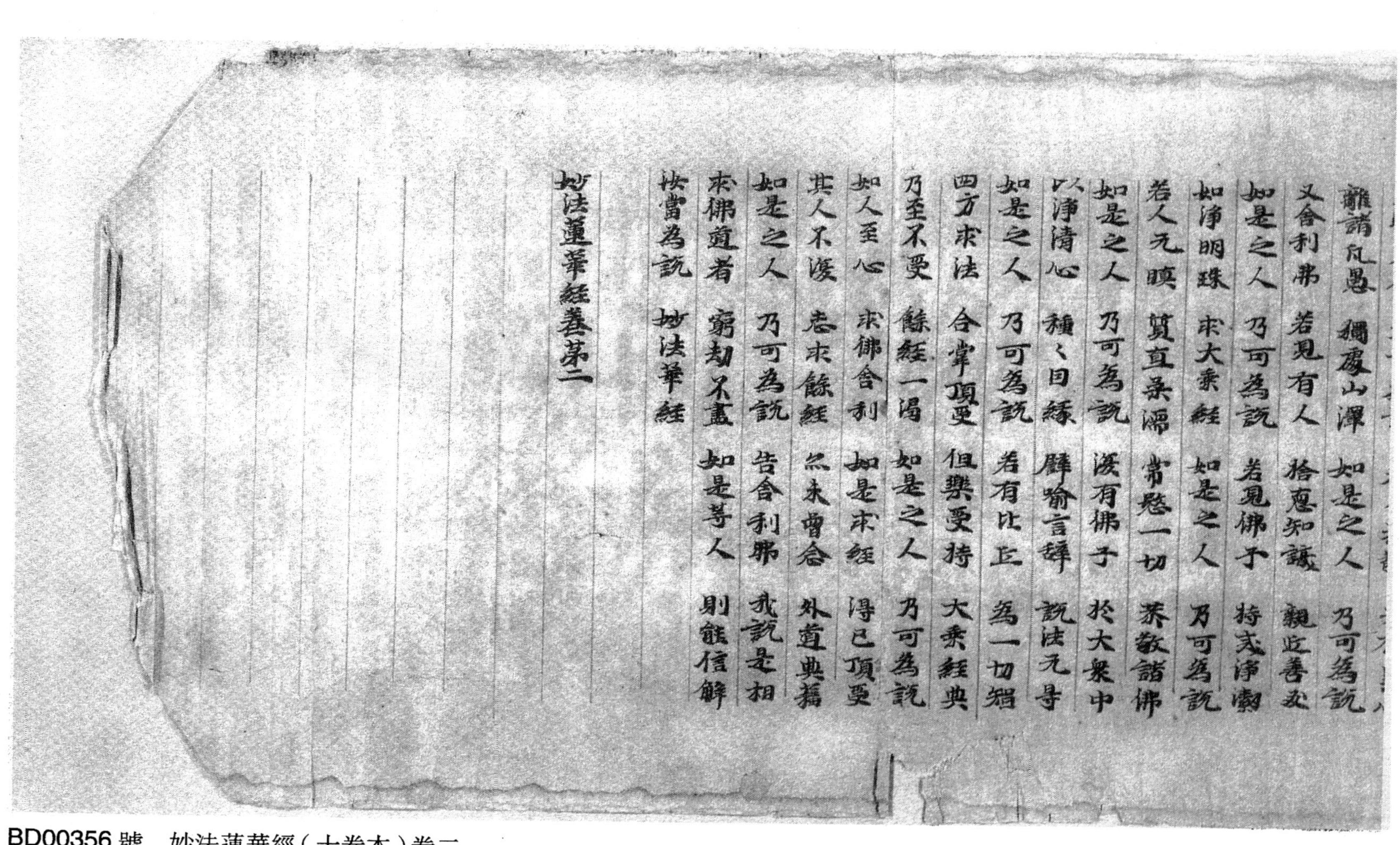
離諸凡愚　獨處山澤　如是之人　乃可為說
又舍利弗　若見有人　捨惡知識　親近善友
如是之人　乃可為說　若見佛子　持戒淨潔
如淨明珠　求大乘經　如是之人　乃可為說
若人无瞋　質直柔濡　常愍一切　恭敬諸佛
如是之人　乃可為說　復有佛子　於大衆中
以淨清心　種種因緣　譬喻言辭　說法无㝵
如是之人　乃可為說　若有比丘　為一切智
四方求法　合掌頂受　但樂受持　大乘經典
乃至不受　餘經一偈　如是之人　乃可為說
如人至心　求佛舍利　如是求經　得已頂受
其人不復　志求餘經　亦未曾念　外道典籍
如是之人　乃可為說　告舍利弗　我說是相
求佛道者　窮劫不盡　如是等人　則能信解
汝當為說　妙法華經

妙法蓮華經卷第二

BD00356號　妙法蓮華經（十卷本）卷二

（17–17）

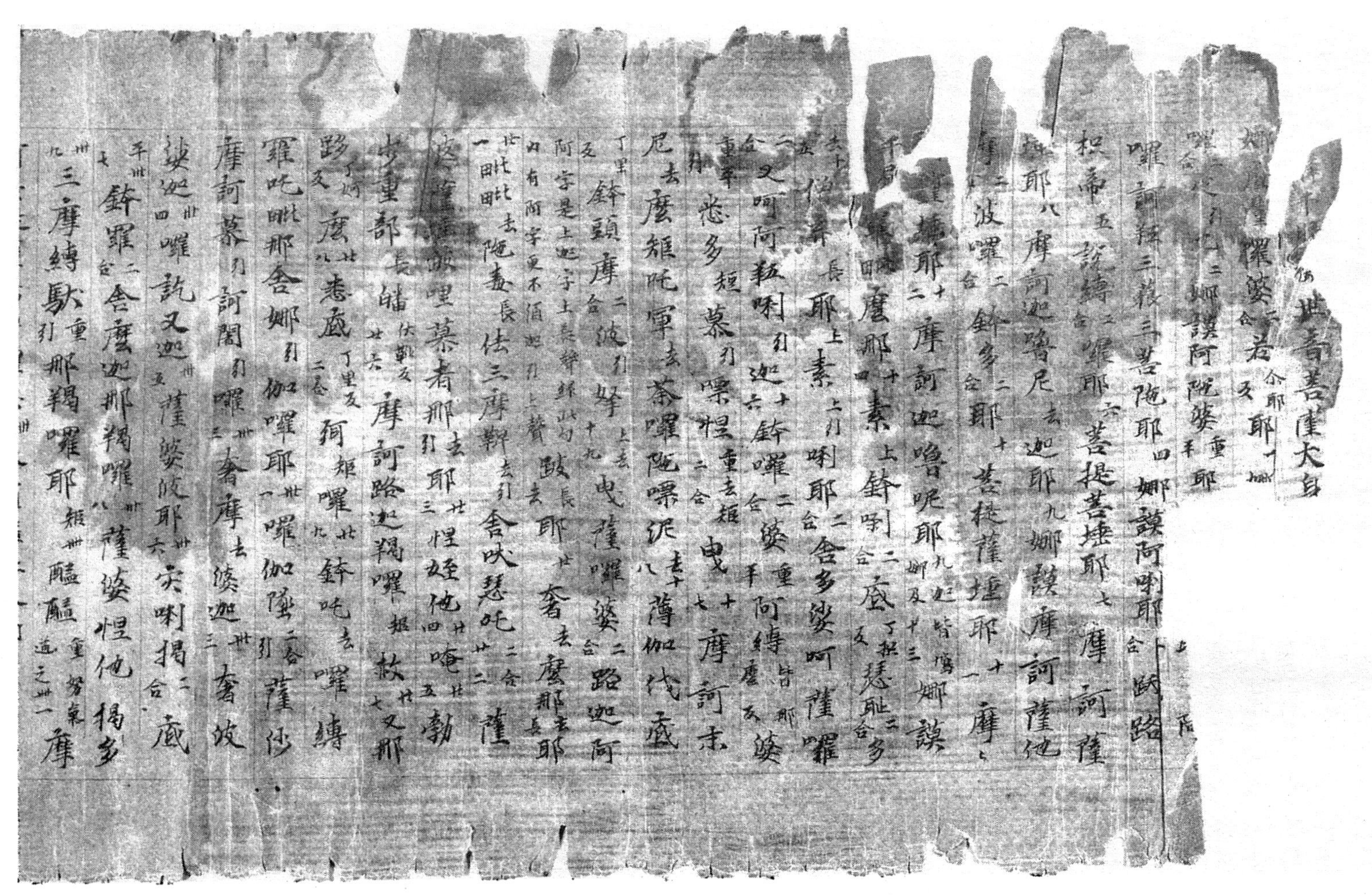

BD00357 號 1　千眼千臂觀世音菩薩陀羅尼神咒經卷上　（18–1）

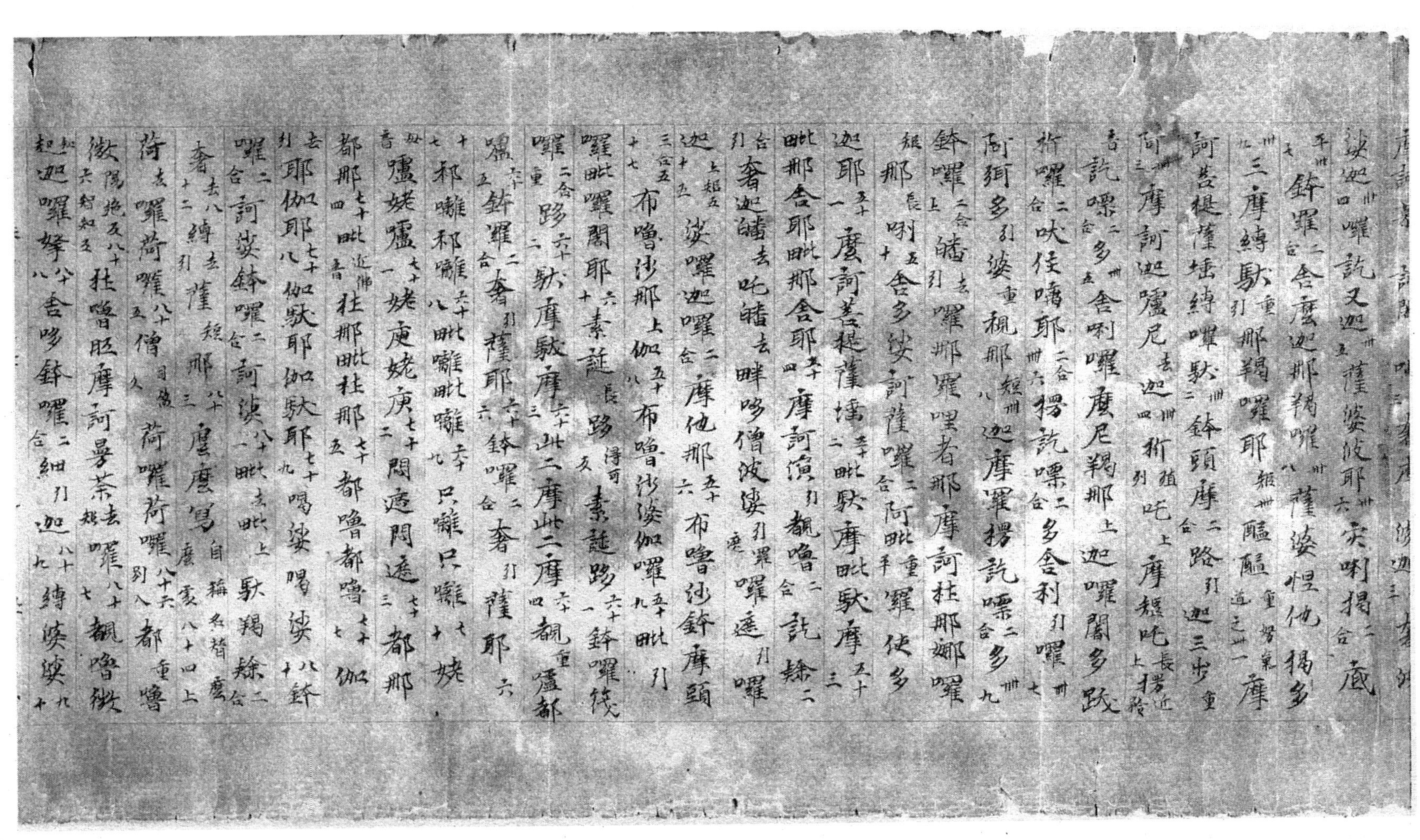

BD00357 號 1　千眼千臂觀世音菩薩陀羅尼神咒經卷上　（18–2）

徽曷蛇反八十 柱嚕肶摩訶曇荼去囉八十七 飄嚕徽
亦鉗知反 起迦囉婆八十八 舍哆鉢囉二合細刀迦八十九 縛唉婆九十
毗娑耶長 舍麼迦九十一 摩訶菩提薩埵九十二 皤囉
馱九十三 娑婆訶九十四
此陁羅尼名薄伽梵蓮花手嚴飾世尊於大
金剛歡喜殿說為尊勝菩薩及无量天龍緊
羅之所讚歎為摧壞廣大萬障山故若有得
聞者若讀若誦得睹彼人所有一切煩惱障
悉得消滅若有人於晨朝時生尊重心讀
此陁羅尼者常為觀世音菩薩恒常隨逐擁
護是人所思念事皆得成就若有求願使得
成就者當獨坐靜處心念觀世音菩薩更勿
餘緣誦此陁羅尼七遍无願不果又得一切衆
生之所愛樂不墮一切諸惡之趣若行若住心
常念佛如對目前者是人於无量百千俱胝生
所有積集諸惡罪業皆得消滅是人當得具足
千轉輪王之福生生常得與觀世音菩薩同
時出生生生貴姓家若以一掬香華散於觀世音
菩薩像前誦此陁羅尼七遍者得大千界功
德大悲法性彼人於世間得大力成就若有看
菩薩面誦此陁羅尼者即得見觀世音菩薩
微妙相見見已即得離垢地能照曜世間即於
此生當得見佛臨命終時如入禪定生生之處
得宿命智所有罪障皆悉消除若欲受持此
陁羅尼者當於白月十五日受持八戒齋着白
淨衣於有舍利塔及有舍利佛前並得作之用
白檀作壇 其白檀於石上磨取汁用塗地 以種種花散彼壇內佛前

BD00357 號 1　千眼千臂觀世音菩薩陀羅尼神咒經卷上

（18–3）

白檀作壇 其白檀於石上磨取汁用塗地 以種種花散彼壇內佛前
燒然燈即於佛所生恭敬心觀世音菩薩而
來入是壇內當誦此陁羅尼一百八遍是人、
所有一切罪障五逆重罪悉皆消滅身口意業
業皆得清淨得佛三昧力備頂力波羅蜜地
力殊勝智力悉皆成就若須雨時當視天誦
此陁羅尼廿一遍應時即下若視地誦此陁羅尼
者能令百穀皆得成熟若於枯池河泉邊
誦此陁羅尼者即水還盈滿若一切病患當誦
此陁羅尼以手摩之即得除差於失念者、
邊誦此陁羅尼還得正念若於飢渴人當視
其面誦此陁羅尼所有飢渴悉皆消除若欲
結界當入池水中寫此陁羅尼繫着幢上一
百由旬內无諸疾患即成結界擁護成就
千眼千臂觀世音菩薩總攝身印第一
先起立端身並脚齊立右脚微曲少許先以
右手頭下以无名指中指並屈著掌中小指
食指大母指散頭仰掌向上次以右手亦然
屈肘與膊齊以掌向前此是總攝身印若欲
降伏魔怨及諸外道耶見稠林令入正道者
當作印誦姥陁羅尼廿一遍必如所願呪曰
那謨曷囉二合怛那二合哆囉二合夜耶一 那謨阿唎
耶二 婆路咭帝攝伐二合囉耶三 菩提薩埵
跛耶四 摩訶薩埵跛耶五 摩訶迦盧尼迦耶
怛姪他七 阿跋陁阿跋陁八 跋唎跋帝九 埋醞
醯醞十 莎訶十一
千眼千臂觀世音菩薩總持陁羅尼印第二

BD00357 號 1　千眼千臂觀世音菩薩陀羅尼神咒經卷上

（18–4）

怛姪他 阿跢陁阿跢陁八跢唎跢帝九理醯
㝹醯十莎訶十一
千眼千臂觀世音菩薩揔持陁羅尼印第二
准前身印上合掌當心以五指相叉左押右二
頭指直竪頭指柱其大母指附頭指押第
一文上掌少開此印名揔持陁羅尼法作此印
者滅除无量生死劫來惡業罪障一時消滅
當來往生十方淨土釋迦牟尼佛臨欲成道
爲魔王之所惱乱作此揔持陁羅尼印攘
得安樂禪定呪曰
跢姪他薩婆陁羅尼一曼荼羅耶二𠺪醯㝹
醯三鉢囉底輸馱四薩跢跋耶五莎訶六
千眼千臂觀世音菩薩解脫禪定印第三
先徧禮右肩右膝著地合掌頂上屋三頭指
以頭相拄二大指附頭指第三文上此法印名
解脫禪定印過去諸佛同脩此法得禪定解
脫三摩地若當結此印供養者速十方一
切諸佛印同前呪
千眼千臂觀世音菩薩千眼印呪第四
起立並足先以二中指无名小指各以甲背相
著其二頭指竪頭相拄其二大母指側博附
頭指第二文上側腕開五寸許置於眉間此
名千眼印住此印呪法門者即得觀見百千
万億世界佛剎淨妙國土一一佛國各得百
万四千菩薩與行者爲於同侶若來經三
曼荼羅者必不得見此印法門通作此法見
驗菩薩稷與智通凡有所願皆滿足呪曰
唵一薩婆斫芻伽囉耶二陁囉尼三因去丁唎耶

曼荼羅者必不得見此印法門通作此法見
驗菩薩稷與智通凡有所願皆滿足呪曰
唵一薩婆斫芻伽囉耶二陁囉尼三因去丁唎耶
四莎訶五
千臂揔攝印第五
起立並足先仰右手掌五指各相附後以左
手掌仰押右掌上當心著此名揔攝千臂印
此印能伏三千大千世界一切魔怨呪曰
怛姪他一婆盧枳帝二攝代囉耶三薩婆咄徒納
瑟吒四烏訶耶彌五莎訶
千眼千臂觀世音菩薩通達三昧印第六
起立以腳跟相跓先以左手竪五指相博屋肘
向前託次以右手亦然屋肘向內託此名通、
達三昧印此印能令通達一切三昧智印㽵
驗八万四千法門皆因此法得阿耨多羅三藐
三菩提用前大呪
千眼千臂觀世音菩薩呼召天龍八部神鬼集會印
第七
起立並足先以左手无名指捻大母指甲上
次以右手亦如是作二小指及中指直竪頭
指合腕以頭指來去呪曰
唵一薩嚩提婆那伽二阿去耶唎三莎訶
千眼千臂觀世音菩薩呼召大梵天王及召憍尸迦
來問印第八
准前印上開腕以手側相拄仰掌以頭指來
去呪曰
唵一摩訶梵摩去耶二𠺪醯㝹醯三莎訶四

准前印上開腕以手側相拄仰掌以頭指来
去呪曰
唵一摩訶梵摩去耶二𤏙醯夷醯三莎訶四
此印呪法能攝无量无數陁羅尼印法門悉皆
来集日月蝕時呪麨一百八遍以印印麨食者
令人聡明日誦万偈此印法門曰藏如来受
與觀世音菩薩
千眼千臂觀世音菩薩歡喜摩尼隨意明珠印苐九
起立合掌當心以二大母指雙屈入掌中餘四
指直竪合掌當心誦前大身呪廿一遍决定
得入諸天宮殿遊歷十方佛國土百千珎寶隨
心皆得供養諸佛若有人能作此法門者無
於晨朝早起清淨澡嗽作此印法面見十方
恒河沙佛滅除无量刼来生死悪業重罪
是故讃歎如是功德
千眼千臂觀世音菩薩乞願隨心印苐十
准前印屈二頭指押二大母指甲上其頭指甲
背相着用前身呪若人隨所求願皆悉滿足
必定不退菩提之道
千眼千臂觀世音菩薩入滅盡定三昧印苐十一
准前印直竪散頭指大母指開掌此印我在
因地時恒沙諸佛受我此印法令我得證菩
提之道誦大身呪
千眼千臂觀世音菩薩請佛三昧印苐十二
准前印合掌當心頭指来去呪曰
唵一薩婆勃陁三摩去耶一二𤏙夷夷醯三鉢囉
摩輸陁薩埵四莎訶

BD00357 號 1　千眼千臂觀世音菩薩陀羅尼神咒經卷上　（18–7）

唵一薩婆勃陁三摩去耶一二𤏙夷夷醯三鉢囉
摩輸陁薩埵四莎訶
千眼千臂觀世音菩薩千肘曼荼羅法門
凡作一切曼荼羅法門時護案梵本去此國土
无有作曼荼羅地如彼天竺皆取上勝福
德之地以為壇場婆羅門國別有擇地方法
不能廣說且論漢地苐一山居閑靜之處掘
地去其石礫及凡器悪物然始平治以瞿摩
夷和香塗地縱廣一丈六尺壇門四門
東方門安提頭賴吒天王　南方門安毗樓勒叉天王
西方門安毗樓博叉天王　北方門安毗沙門天王
次安天王左右及其眷屬各居本位其曼荼羅
中心安千眼千臂觀世音菩薩像前置案案上
置呪法燒種種香安種種飲食散種種香花
鮮者以為供養時日別不闕如是乃至三七日
盡意供養作法呼召一切皆来其呪法師面向
東方誦身呪作前苐一苐二苐三及至十二請
佛三昧印作前印一遍各誦呪七遍乃至苐十
二印畢當自發不退堅固但作法呼召一切皆
来令菩提决定心端坐想一切呪神在其眼前一
无障難不得異境誦前大身呪滿一千八十遍尒
時觀世音菩薩現阿難身相貌来問行者所須
何法求何願耶此語智通親自供養蒙作此問
以此録之行者自言為求无上菩提陁羅尼法言
蒙受記之時唯願發慇懃心无求利養所願
救一切衆生觀同一子又願一切鬼神悉皆順伏
得如願已但自知之不得向人傳說智通翻此法

BD00357 號 1　千眼千臂觀世音菩薩陀羅尼神咒經卷上　（18–8）

救一切衆生觀同一子又願一切鬼神悉皆順伏
得如願已但自知之不得向人傳說智通翻此法
與玄𧩊一本玄𧩊學又法若欲得求一切願者
當作四肘水曼荼羅燒沉水香誦前身呪一百
八遍作前第九乞願印印得一切如滿足訖即
棄却又法若欲得一切歡喜作前第九歡喜摩
尼隨意明珠印請身呪呪烏麻廿一遍火中
燒之即得如意
若欲令曷囉合二闍歡喜者當取曷囉合二闍
園内樹枝呪廿一遍擲置園中即得歡喜若欲
得降伏惡人怨家者當呪苦楝木廿一遍火中
燒之即得歸伏
又法若有神鬼難調伏者取安悉香及白芥
子呪廿一遍擲火中燒一切神鬼病者自然瘥
伏若有疫病流行當作四肘水曼荼羅取好
牛蘇呪一百八遍火中燒之一切灾疫病悉皆
清滅昔有罽賓國疫病流行得病不過一二
日並死有婆羅門真帝將此法行疫病應時
即得清滅行病鬼王出離國境知有驗耳又
蘇取少分與疫病人食之立即除愈又法他
國侵繞盜賊逆亂起來作前第一總攝身印
呪一百八遍一切盜賊自然殄滅若一切業報
衆生命根盡者作前滅盡定印日日供養燒
沉水香誦呪滿一千八遍即得轉其業障若
有女人臨當產時受大苦惱呪蘇廿一遍令
彼食之必定安樂所生男女具大相好衆善
莊嚴宿殖德本令人愛敬常於人中受勝快
衆若有衆生眼痛皆以菩薩千眼印呪廿一

有女人臨當產時受大苦惱呪蘇廿一遍令
彼食之必定安樂所生男女具大相好衆善
莊嚴宿殖德本令人愛敬常於人中受勝快
樂若有衆生眼痛者以菩薩千眼印呪廿一
遍以娑隨羅尼印印眼眼即光明徹見上界
諸天受勝快樂次說畫像法謹案梵本造
像皆用白疊廣十肘此土一丈六尺長廿肘此
土三丈二尺菩薩身作種金色面有三眼一千
臂一一掌中有一眼綵色中不得着膠以香乳
和綵色菩薩頭着七寶冠身垂瓔珞
又一本云此无好白疊但取一幅白疊菩薩身
長五尺作兩臂依前第五千臂印法亦得供養
不要千眼千臂此法亦依梵本唯菩薩額
上更安一眼即得若欲供養此法門者先須
畫像其像畫法必須作曼荼羅如法令近
者受八戒齋日日齋出一甫上洗浴其像作成
中即須作法廣設供養滿三七日千眼千臂觀
世音像放大光明過於日月除不至心其千
眼千臂觀世音菩薩法過去毗婆尸佛亦現
作降魔身千眼中各出一佛以爲賢劫千佛
也千臂各各化出一輪王爲千代轉輪聖王
此菩薩降魔身中最爲第一
尒時世尊告觀世音菩薩我以佛力窮劫廣
說不能得盡尒時觀世音菩薩聞佛說已歡
喜信受作礼而退
佛說千眼千臂觀世音菩薩陀羅尼神呪經卷下
尒時觀世音菩薩說是呪時三千大千世界乃
至非想非非想天六反震動色究竟天摩

佛說千眼千臂觀世音菩薩陁羅尼神呪經卷下
尒時觀世音菩薩說是呪時三千大千世界乃
至非想非非想天六反震動色究竟天摩
醯首羅不安皆大怨懼一切惡鬼皆大叫喚受
大苦惱東西散走莫知所趣尒時化身語諸
大衆及諸惡鬼神等若不隨順我呪者違逆
者頭破糸碎此呪能摧破諸山乾竭大海此
呪能摧阿脩羅軍護諸國土此呪能摧伏一
切惡鬼神一切諸病一切惡毒一切惡人此呪能
摧碎卅三天皆令降伏若有善男子有能誦
持此呪者其人威力說不可盡此呪能令誦
持之者豪貴自在亦能令國王終身愛念
稱意所求悉皆滿足若欲降伏魔怨者當燒
求羅香誦我身呪廿一遍若欲令一切人愛
己者呪楊枝廿一遍口中嚼之即得愛敬若欲
令自身辯才智慧者呪昌蒲一千八遍塗其心
上即得辯才无礙作姥陁羅心呪印
千眼千臂觀世音菩薩辯才无畏印第十三
以兩手相背合掌大母指向前舒此印能自護
護他當須結界隨所遊方或呪淨水或呪淨
灰各呪七遍所往在處以手掬水掬灰先灑
自身然後向於四方四角如法散灑若有善、
男子善女人被諸惡衆耶魍魎之所或亂者
取石榴枝及楊枝陰誦此呪輕打病人无病
不差呪曰
南无薩婆勃陁達摩僧祇比耶　南无阿利耶婆
盧吉羝攝伐羅嗎　菩提薩多跛寫
南无跋折囉波尼寫　菩提薩多波寫

BD00357號2　千眼千臂觀世音菩薩陀羅尼神咒經卷下　（18–11）

南无薩婆勃陁達摩僧祇比耶　南无阿利耶婆
盧吉羝攝伐羅嗎　菩提薩多跛寫
南无跋折囉波尼寫　菩提薩多波寫
跢姪他　徒比徒比徒比迦耶徒比婆羅闍婆羅尼
馺餔訶
此呪即能降伏諸耶見外道若有善男子
善女人於晨朝時日三時一時誦一遍者即與
種種供養十億諸佛无有異也永不受七身
命終之後永離三塗即得往生阿弥陁佛國
如來授手摩頂汝莫怖懼來生我國現身不
被横死不為鬼神之所得便
千眼千臂觀世音菩薩碎大千界罪印第十四
起立以左手向前展臂五指向前散訖竪五
指次以右手大母指屈在掌中以四指把捧
當右耳上當誦身呪頭指來去此印日別須
三時結此印誦姥陁羅尼七遍能滅五逆四
重罪又於一切衆生生慈悲心即能燒一切
罪根此身滅後即得值佛於彼佛土得作轉
輪聖王復得陁羅尼名曰无盡藏復得三
昧名智等復得身中廿八種相現身不患眼去
耳鼻等痛乃至身中一切疾病悉能消滅若
有先業罪者亦得消滅若天旱時取烏麻子
和稗麻子油捻作丸呪一百八遍擲著湫水
中即得雨下若雨過多取稻穀炒作花取蔓
菁油和作丸呪之一百八遍擲著湫水中雨即止
千眼千臂觀世音菩薩降伏三千大千世界魔怨印
第十五
以五指相叉左押右急把攀當頂上著擣大身

BD00357號2　千眼千臂觀世音菩薩陀羅尼神咒經卷下　（18–12）

千眼千臂觀世音菩薩降伏三千大千世界魔怨印
第十五
以五指相叉左押右急把拳當頂上著誦大身
呪即得一切惡人而自降伏若作此法向舍利塔
前廿九日夜取白檀香作末塗地作曼荼、
羅於中散種種花澡浴清淨著新淨衣手把
香爐燒沉水香面東方結跏趺坐想千手千
眼觀世音菩薩如在頂上誦大身呪一千八遍
此是家初功德又取芥子烏麻著一處擣為
末以三指撮取少許呪之一遍擲著火中如是
別一千八遍然後所作皆悉成就
千眼千臂觀世音菩薩廣大无畏印第十六
起立並足先以右手仰乘左肘腓頭左手亦如之
於常舍利像前誦身呪一千八遍即得无畏々
施於衆生又取廻香芥子昌蒲椁多婆利外
國藥名以此等物内火中燒之火燒之時應於佛
前或在淨處誦呪廿三遍以香花供養呪法、
悉皆成就所為之者皆悉剋果若餘呪无驗
以此呪呪之亦皆成就若欲乞夢誦此呪并
作印印眼即有夢隨所欲見皆得見之若人
无福所向不諧者日誦一百八遍呪滿七日諸
有所求一切皆得尒時觀世音菩薩在娑竭
羅龍宮大海會說法見諸龍衆受大苦惱悉
諸龍衆為疲苦惱衆生悉得離苦无諸怨害
尒時龍女獻我一大如意寶珠價直娑婆世
界為求法故吾亦為彼廣說是娑陀羅尼法離
諸苦難尒時水精菩薩為欲利益護持此呪
而說呪曰

BD00357 號 2　千眼千臂觀世音菩薩陀羅尼神咒經卷下　（18–13）

諸苦難尒時水精菩薩為欲利益護持此呪
而說呪曰
水精菩薩護持千眼印第十七
毗摩隸　摩訶毗摩隸　郁呵隸　摩訶郁呵隸
休摩隸　摩訶休摩隸　薩訶隸　上隸涕　馺訶
若有善男子善女人在所遊方受持此千眼千
臂菩薩法者我當常隨衛護乃至諸魔眷屬
无惱亂者若人急難他國相侵盜賊逆亂當、
取五色縷結誦呪廿一遍一遍一結繫於左臂
又以右手无名指中指頭指把拳大母指押上
展小母指所眂者誦呪一百八遍悉皆退散不
能為害
尒時菩薩在雪山中說法觀見夜叉羅剎國中
人民唯食衆生血宍无有善心菩薩為利
益方便教化衆生以神通力尋至彼國現千
眼千臂大降魔身設成就娑陀羅尼印尒時
羅剎國王來至我所求哀頂礼我以成就印
印之即得成无上道
千眼千臂觀世音菩薩成就印第十八
起立並足合掌當心以小指相叉左押右誦身
呪廿一遍種種皆得成就若救六道苦難衆
生當用輪印以十指頭各相拄開腕掌中、
開其指間各相去一寸許即是菩薩在六
道循還度諸衆生種種苦難以此印輪迴過
者衆生悉得離苦此印法彼吒那羅迦長
年師纔翻使即歸國并將所翻之本智通畢
竟尋逐不得遇於一僧邊得梵本譯出在外
无本

BD00357 號 2　千眼千臂觀世音菩薩陀羅尼神咒經卷下　（18–14）

等師繕寫依所歸國并將所翻之本智通畢
竟尋逐不得遇於一僧邊得梵本譯出在外
无本
千眼千臂觀世音菩薩成等正覺印第十九
結跏趺坐先以左手舒五指掌仰在右膝上
次以右手舒五指覆右手捺右膝上此印與滅
印法同過去未來現在諸佛皆同此印得佛
菩提此印能除一切業障若坐禪諸法不現
前者當七日七夜於阿蘭若處誦此陀羅尼
法并作此印法至心想佛如如在目前晝夜
六時懺悔即得諸佛法現前及得福无量
无邊不可稱計
千眼千臂觀世音菩薩呼召三十三天印第廿
先以左手四指把拳次以右手握左手大母指亦
如把拳合左手大母指在右手虎口中出頭、
以右手頭指來去呪曰
唵一 俱智俱智二 俱耶利三 遮利遮利四 遮犁
鎵五 薩婆訶六
此陀羅尼印呪不可思議若善男子善女人臨
欲眠時當結此印及以此呪一呪即一印心上
滿一百八遍者心中所願於夢寐中悉得知、
見若能日日結印誦此呪者亦能滅一切罪
不失菩提心其人昏夜寐夢漸漸增廣皆得
吉祥乃至夢見如來在菩提樹下受記成道
得釋梵諸天常來侍衛
千眼千臂觀世音菩薩呼召天龍八部鬼神印第廿一
起立並足先以左手大母指屈在掌中四指把拳
當心上著次以右手亦如之以右手在右可邊

BD00357 號 2　千眼千臂觀世音菩薩陀羅尼神咒經卷下　（18–15）

起立並足先以左手大母指屈在掌中四指把拳
當心上著次以右手亦如之以右手在右可邊
以頭指來去呪曰
南无尼軋陀一 南无阿利闍波陀二 馭婆訶三
南无阿利闍羅馭婆呵四 摽醯表醯五 馭婆訶
此呪印若善男子善女人受持讀誦者知七世宿
命事毒虵不敢螫毒藥自然除刀不能害王
亦不生嗔永劫不受地獄苦若每日誦此呪、
時能令見廿八部鬼神來詣誦呪人邊坐聽
誦呪若善男子善女人為鬼魅所著當以白
縷為一遍一結如是滿卌九結繫其咽下其病
即除若國內疾疫流行國人死亡多者當取
國王園池中蓮花一百八莖一花各呪一遍擲、
置火中燒令蕩盡疾疫即除
千眼千臂觀世音菩薩解脫印第廿二
結跏趺坐先以左手中指與大母指頭相想捻仰
結跏趺坐先以右手中指與大母指頭相捻仰
掌向上餘三指散展置於左膝上次以右手
亦如之覆手置於右膝上誦身呪廿一遍所願
悉皆滿足諸有苦惱悉皆解脫若有善男子
善女人具造十惡五逆等罪如閻浮提里地
盡以為塵一一微塵成於一劫是人具造若干
等罪應墮地獄歷劫受苦永无出期是善男
子善女人能於舍利像前白月十五日一日一夜
不食於舍利像前結此印誦呪滿一千八遍如
上諸罪悉皆消滅若不滅者无有是處此呪印
智通本上先无智通於京卅逢一婆羅門僧
有此梵本遍會勘之更有此印自得受時大

BD00357 號 2　千眼千臂觀世音菩薩陀羅尼神咒經卷下　（18–16）

智通本上先无智通於京卌逢一婆羅門僧
有此梵本遇會勘之更有此印自得受持大
有功効不可思議
千眼千臂觀世音菩薩自在神足印第卅三
起立先以右手操左脚大母指如把攑次以右
手握左手腕皆上誦大身呪七遍欲進千里
不以爲難誦呪之時勿令聲出
千眼千臂觀世音菩薩神變自在印第卅四
先以左手大母指捻小指甲上次以右手亦如之
餘三指各散竪合腕相著置於頂上誦身呪
不百八遍則同飛仙遊行自在昔罽賓國僧闍
提於北天竺求得此梵本未曾翻譯自得受
持威力自在不敢流傳智通於此僧弟婆伽
邊得本依法受持功効不少唯不流行於世
此本絕无後同學得者願同功力
請千臂觀世音王心印呪此印是第一根本啓
請印兩手合掌虛掌內合腕二頭指來去
唵嚕力帝嚩路迦吉夜毗社時賀耶薩婆鑠觀嚧二
鉢囉摩馱那 迦囉耶鉢泮莎訶
千眼千臂觀世音経
生淨土陁羅尼出大悲唯経若有人誦一遍如誦阿
弥陁仏経六十万遍 唵阿蜜㗚觀 特嚩哎薩婆訶
金剛般若心中真言 唵嗚蹻泥㗶嚩賀
若有誦人持此呪一遍 如誦十二部尊経八万四千遍
亦如誦金剛経十万八千遍 亦如礼頭馬羅刹仏名八万四千
遍出藏経 出毗盧遮那経新譯経有三卷共卒低讓

BD00357號2　千眼千臂觀世音菩薩陀羅尼神咒經卷下　（18–17）

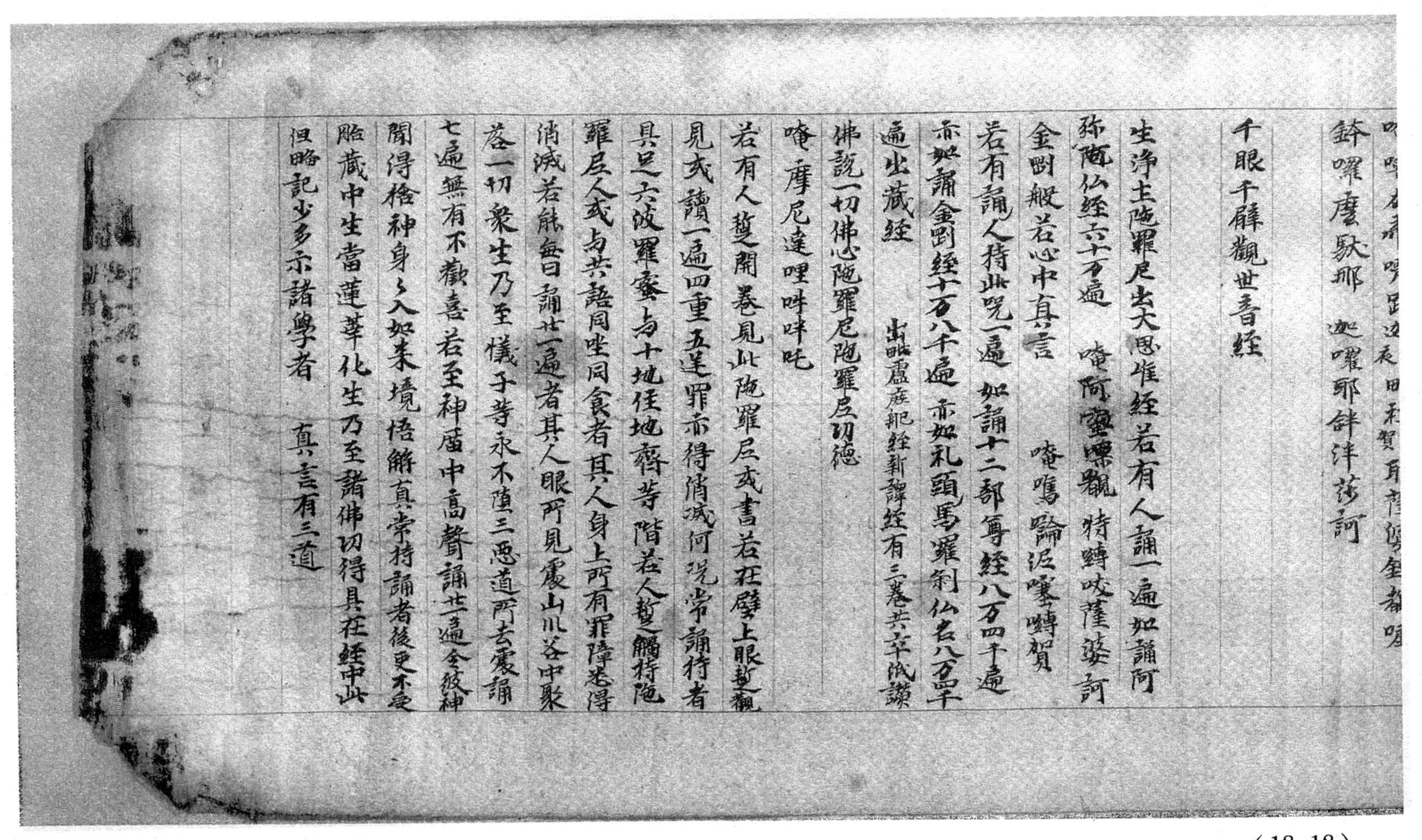
唵嚕力帝嚩路迦夜毗社賀耶薩婆鑠觀嚧
鉢囉摩馱那 迦囉耶鉢泮莎訶
千眼千臂觀世音経
生淨土陁羅尼出大悲唯経若有人誦一遍如誦阿
弥陁仏経六十万遍 唵阿蜜㗚觀 特嚩哎薩婆訶
金剛般若心中真言 唵嗚蹻泥㗶嚩賀
若有誦人持此呪一遍 如誦十二部尊経八万四千遍
亦如誦金剛経十万八千遍 亦如礼頭馬羅刹仏名八万四千
遍出藏経 出毗盧遮那経新譯経有三卷共卒低讓
佛說一切佛心陁羅尼陁羅尼功德
唵摩尼達哩吽吽吒
若有人暫聞卷見此陁羅尼或書若在壁上眼暫覩
見或讀一遍四重五逆罪亦得消滅何況常誦持者
具足六波羅蜜与十地住地齊等 皆若人暫觸持陁
羅尼人或与共語同坐同食者其人身上所有罪障悉得
消滅若能每日誦廿一遍者其人眼所見處山川谷中聚
落一切衆生乃至儀子等永不墮三惡道所去處誦
七遍無有不歡喜若至神廟中高聲誦廿一遍令彼神
聞得捨神身〻入如來境悟解真常持誦者後更不受
胎藏中生當蓮華化生乃至諸佛功得具在經中此
但略記少多示諸學者　真言有三道

BD00357號3　真言三道（擬）　（18–18）

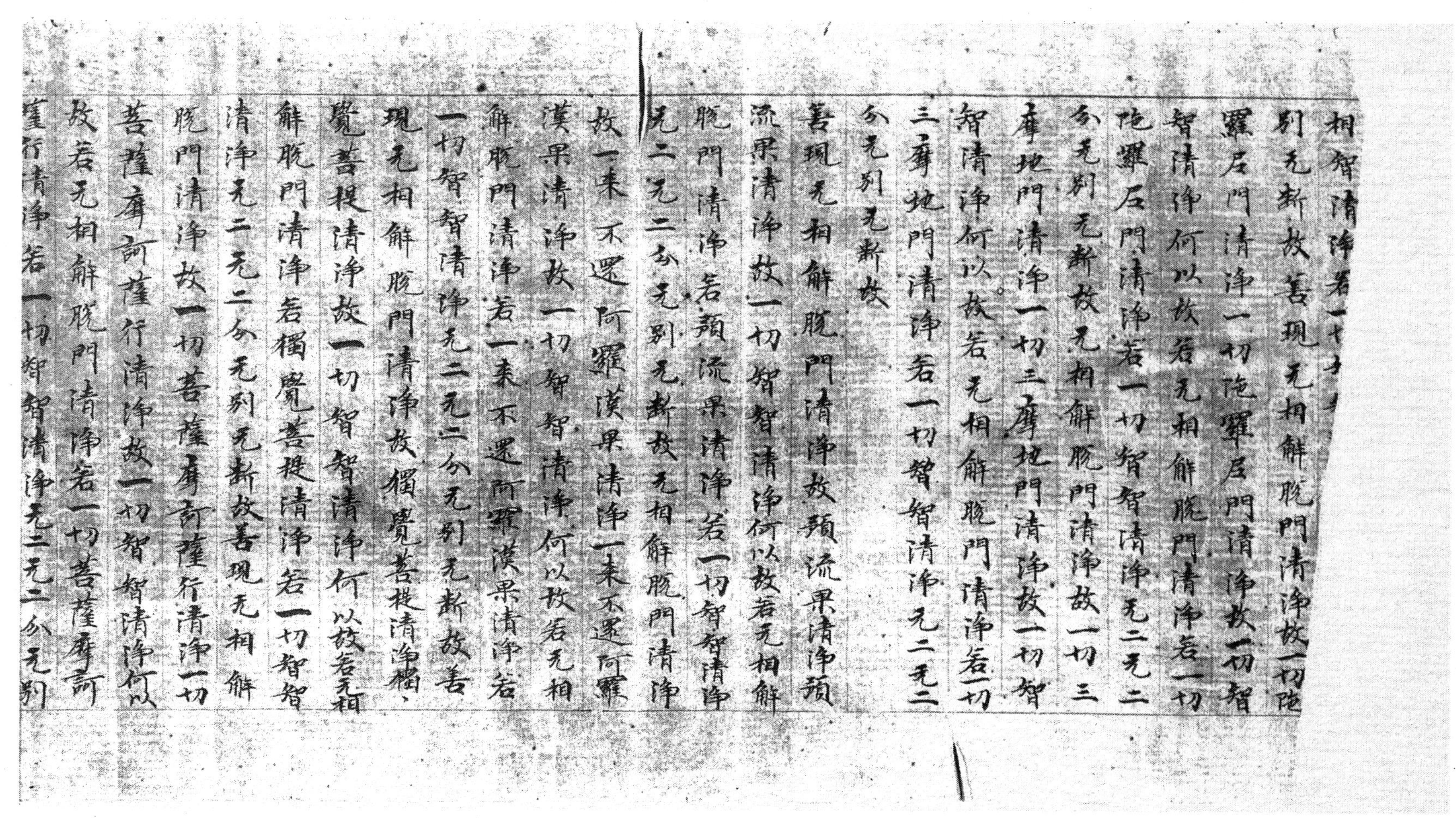

相智清淨若一切[illegible]
別无斷故善現无相解脫門清淨故一切陁
羅尼門清淨一切陁羅尼門清淨故一切智
智清淨何以故若无相解脫門清淨若一切
陁羅尼門清淨若一切智智清淨无二无二
分无別无斷故无相解脫門清淨故一切三
摩地門清淨一切三摩地門清淨故一切智
智清淨何以故若无相解脫門清淨若一切
三摩地門清淨若一切智智清淨无二无二
分无別无斷故
善現无相解脫門清淨故預流果清淨預
流果清淨故一切智智清淨何以故若无相解
脫門清淨若預流果清淨若一切智智清淨
无二无二分无別无斷故无相解脫門清淨
故一來不還阿羅漢果清淨一來不還阿羅
漢果清淨故一切智智清淨何以故若无相
解脫門清淨若一來不還阿羅漢果清淨若
一切智智清淨无二无二分无別无斷故善
現无相解脫門清淨故獨覺菩提清淨獨
覺菩提清淨故一切智智清淨何以故若无相
解脫門清淨若獨覺菩提清淨若一切智智
清淨无二无二分无別无斷故善現无相解
脫門清淨故一切菩薩摩訶薩行清淨一切
菩薩摩訶薩行清淨故一切智智清淨何以
故若无相解脫門清淨若一切菩薩摩訶
薩行清淨若一切智智清淨无二无二分无別

BD00358號　大般若波羅蜜多經卷二三二　（3–1）

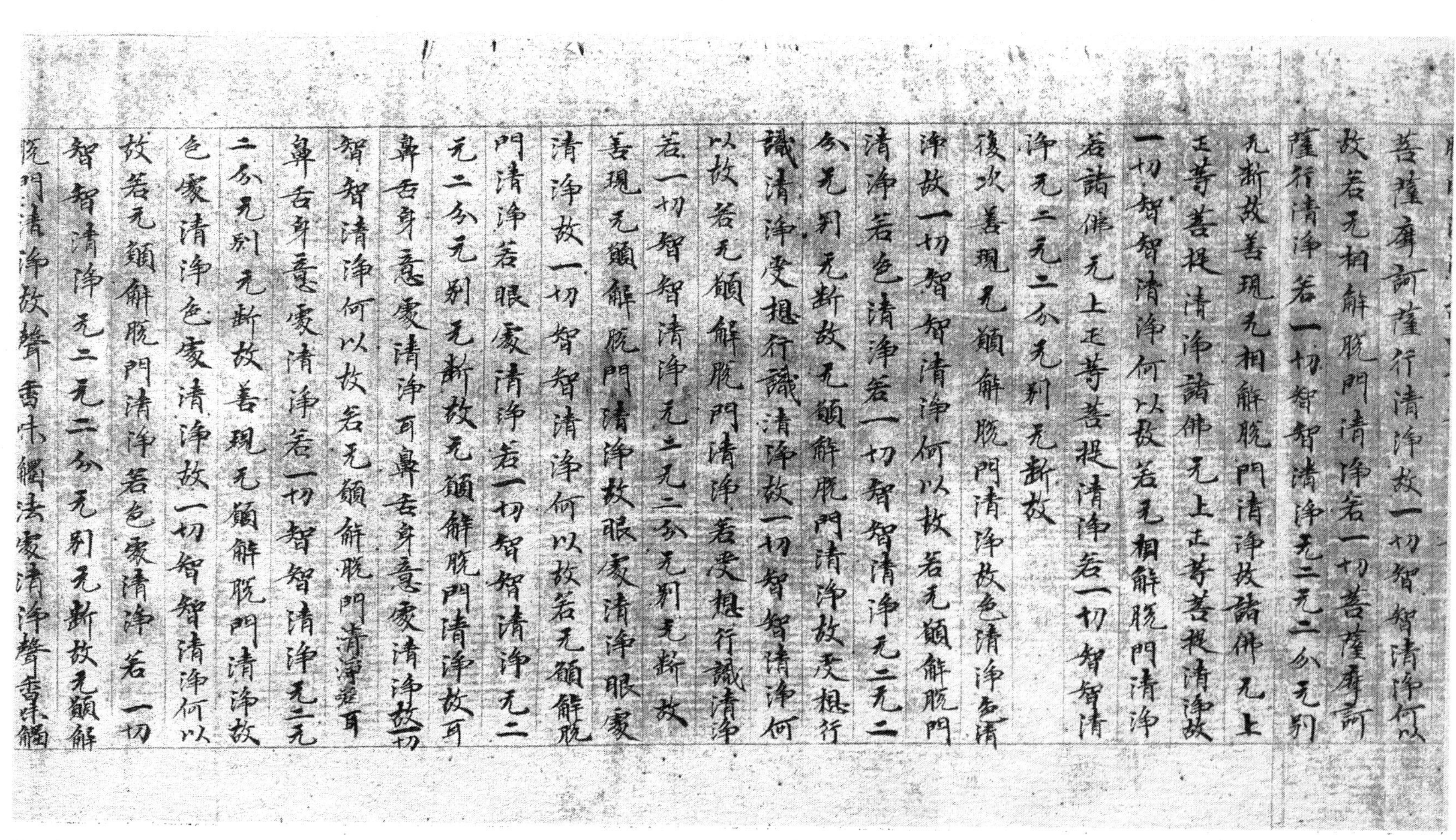

菩薩摩訶薩行清淨故一切智智清淨何以
故若无相解脫門清淨若一切菩薩摩訶
薩行清淨若一切智智清淨无二无二分无別
无斷故善現无相解脫門清淨故諸佛无上
正等菩提清淨諸佛无上正等菩提清淨故
一切智智清淨何以故若无相解脫門清淨
若諸佛无上正等菩提清淨若一切智智清
淨无二无二分无別无斷故
復次善現无願解脫門清淨故色清淨色清
淨故一切智智清淨何以故若无願解脫門
清淨若色清淨若一切智智清淨无二无二
分无別无斷故无願解脫門清淨故受想行
識清淨受想行識清淨故一切智智清淨何
以故若无願解脫門清淨若受想行識清淨
若一切智智清淨无二无二分无別无斷故
善現无願解脫門清淨故眼處清淨眼處
清淨故一切智智清淨何以故若无願解脫
門清淨若眼處清淨若一切智智清淨无二
无二分无別无斷故无願解脫門清淨故耳
鼻舌身意處清淨耳鼻舌身意處清淨故一切
智智清淨何以故若无願解脫門清淨若耳
鼻舌身意處清淨若一切智智清淨无二无
二分无別无斷故善現无願解脫門清淨故
色處清淨色處清淨故一切智智清淨何以
故若无願解脫門清淨若色處清淨若一切
智智清淨无二无二分无別无斷故无願解
脫門清淨故聲香味觸法處清淨聲香味觸

BD00358號　大般若波羅蜜多經卷二三二　（3–2）

淨故一切智智清淨何以故若无願解脫門
清淨若色清淨若一切智智清淨无二无二
分无別无斷故无願解脫門清淨故受想行
識清淨受想行識清淨故一切智智清淨何
以故若无願解脫門清淨若受想行識清淨
若一切智智清淨无二无二分无別无斷故
善現无願解脫門清淨故眼處清淨眼處
清淨故一切智智清淨何以故若无願解脫
門清淨若眼處清淨若一切智智清淨无二
无二分无別无斷故无願解脫門清淨故耳
鼻舌身意處清淨耳鼻舌身意處清淨故一切
智智清淨何以故若无願解脫門清淨若耳
鼻舌身意處清淨若一切智智清淨无二无
二分无別无斷故善現无願解脫門清淨故
色處清淨色處清淨故一切智智清淨何以
故若无願解脫門清淨若色處清淨若一切
智智清淨无二无二分无別无斷故无願解
脫門清淨故聲香味觸法處清淨聲香味觸
法處清淨故一切智智清淨何以故若无願
解脫門清淨若聲香味觸法處清淨若一切
智智清淨无二无二分无別无斷故善現无
願解脫門清淨故眼界清淨眼界清淨故一

BD00358號　大般若波羅蜜多經卷二三二　（3–3）

著　録　凡　例

本目録採用條目式著録法。諸條目意義如下：

1.1　著録編號。用漢語拼音首字"BD"表示，意為"北京圖書館藏敦煌遺書"，簡稱"北敦號"。文獻寫在背面者，標註為"背"。一件遺書上抄有多個文獻者，用數字1、2、3等標示小號。一號中包括幾件遺書，且遺書形態各自獨立者，用字母A、B、C等區別。

1.2　著録分類號。本條記目録暫不分類，該項空缺。

1.3　著録文獻的名稱、卷本、卷次。

1.4　著録千字文編號。

1.5　著録縮微膠卷號。

2.1　著録遺書的總體數據。包括長度、寬度、紙數、正面抄寫總行數與每行字數、背面抄寫總行數與每行字數。如該遺書首尾有殘破，則對殘破部分單獨度量，用加號加在總長度上。凡屬這種情況，長度用括弧標註。

2.2　著録每紙數據。包括每紙長度及抄寫行數或界欄數。

2.3　著録遺書的外觀。包括：（1）裝幀形式。（2）首尾存況。（3）護首、軸、軸頭、天竿、縹帶，經名是書寫還是貼簽，有無經名號，扉頁、扉畫。（4）卷面殘破情況及其位置。（5）尾部情況。（6）有無附加物（蟲繭、油污、線繩及其他）。（7）有無裱補及其年代。（8）界欄。（9）修整。（10）其他需要交待的問題。

2.4　著録一件遺書抄寫多個文獻的情況。

3.1　著録文獻首部文字與對照本核對的結果。

3.2　著録文獻尾部文字與對照本核對的結果。

3.3　著録録文。

3.4　著録對文獻的説明。

4.1　著録文獻首題。

4.2　著録文獻尾題。

5　著録本文獻與對照本的不同之處。

6.1　著録本遺書首部可與另一遺書綴接的編號。

6.2　著録本遺書尾部可與另一遺書綴接的編號。

7.1　著録題記、題名、勘記等。

7.2　著録印章。

7.3　著録雜寫。

7.4　著録護首及扉頁的内容。

8　著録年代。

9.1　著録字體。如有武周新字、合體字、避諱字等，予以説明。

9.2　著録卷面二次加工的情況。包括句讀、點標、科分、間隔號、行間加行、行間加字、硃筆、墨塗、倒乙、刪除、兑廢等。

10　著録敦煌遺書發現後，近現代人所加内容，裝裱、題記、印章等。

11　備註。著録揭裱互見、圖版本出處及其他需要説明的問題。

上述諸條，有則著録，無則空缺。

為避文繁，上述著録中出現的各種參考、對照文獻，暫且不列版本説明。全目結束時，將統一編制本條記目録出現的各種參考書目。

本條記目録為農曆年份標註其公曆紀年時，未經行歲頭年末之換算，請讀者使用時注意自行换算。

條　記　目　錄

BD00274—BD00358

1.1　BD00274 號
1.3　妙法蓮華經卷四
1.4　宇 074
1.5　105：5282
2.1　（17.5＋69＋4.2）×25 厘米；3 紙；55 行，行 17 字。
2.2　01：13.0，08；　02：4.5＋41，28；　03：28＋4.2，19。
2.3　卷軸裝。首尾均殘。卷中有火燒殘洞多處。紙質變脆。有烏絲欄。已修整。
3.1　首 11 行上下殘→大正 262，9/29A10～21。
3.2　尾 2 行下殘→9/29C23～24。
8　8～9 世紀。吐蕃統治時期寫本。
9.1　楷書。
11　圖版：《敦煌寶藏》，90/469A～470A。

1.1　BD00275 號
1.3　維摩詰所說經卷中
1.4　宇 075
1.5　070：1179
2.1　（9＋86.5＋1.5）×25.5 厘米；3 紙；55 行，行 17 字。
2.2　01：02.0，01；　02：7＋40.5，27；　03：46＋1.5，27。
2.3　卷軸裝。首尾均殘。通卷殘破。有殘洞。多水漬印，紙張變色。有烏絲欄。已修整。
3.1　首 5 行中下殘→大正 475，14/547B21～27。
3.2　尾行下殘→14/548A23。
8　9～10 世紀。歸義軍時期寫本。
9.1　楷書。
11　圖版：《敦煌寶藏》，65/612B～613B。

1.1　BD00276 號
1.3　金剛般若波羅蜜經
1.4　宇 076
1.5　094：4232
2.1　（5.5＋233）×26.5 厘米；6 紙；正面 129 行，行 17 字。背面 11 行，行約 17 字。
2.2　01：5.5＋27.5，20；　02：41.5，23；　03：40.0，22；　04：41.5，23；　05：41.5，23；　06：41.0，18。
2.3　卷軸裝。首殘尾全。有烏絲欄。
2.4　本遺書包括 2 個文獻：（一）《金剛般若波羅蜜經》一卷，129 行，抄寫在正面，今編爲 BD00276 號。（二）《天地八陽神咒經》，11 行，抄寫在背面，今編爲 BD00276 號背。
3.1　首 3 行下殘→大正 235，8/751A10～13。
3.2　尾全→8/752C3。
4.2　金剛般若波羅蜜經（尾）。
8　7～8 世紀。唐寫本。
9.1　楷書。
11　圖版：《敦煌寶藏》，82/461A～464B。

1.1　BD00276 號背
1.3　天地八陽神咒經
1.4　宇 076
1.5　094：4232
2.4　本遺書由 2 個文獻組成，本號爲第 2 個，11 行，餘參見 BD00276 號之第 2 項、第 11 項。
3.1　首全→大正 2897，85/1422B14；
3.2　尾缺→85/1422C1
4.1　佛說八陽神咒經
5　與《大正藏》本對照，第 5 行～第 8 行文字顛倒、雜亂。有缺文，相當於《大正藏》本 85/1422B21～23。本文獻應為經文雜寫。
8　9～10 世紀。歸義軍時期寫本。
9.1　楷書

1.1　BD00277 號
1.3　大乘入楞伽經卷四
1.4　宇 077
1.5　038：0352

2.1　(6.5+897.3)×28 厘米；19 紙；499 行，行 17 字。
2.2　01：6.5+7，08；　02：49.0，28；　03：49.5，28；
04：49.5，28；　05：49.5，28；　06：49.5，28；
07：49.5，28；　08：49.5，28；　09：49.5，28；
10：49.5，28；　11：49.5，28；　12：49.5，28；
13：49.5，28；　14：49.5，28；　15：49.5，28；
16：49.5，28；　17：49.5，28；　18：49.3，28；
19：49.5，15。
2.3　卷軸裝。首殘尾全。卷首碎裂嚴重，已修整。有烏絲欄。
3.1　首 7 行殘→大正 672，16/607C9~17。
3.2　尾全→16/614C1。
4.2　大乘入楞伽經卷第四（尾）。
8　7~8 世紀。唐寫本。
9.1　楷書。
11　圖版：《敦煌寶藏》，58/288B~299B。

1.1　BD00278 號
1.3　梵網經盧舍那佛說菩薩心地戒品第十卷下
1.4　宇 078
1.5　143：6704
2.1　(14+634.4)×29.3 厘米；19 紙；374 行，行約 22 字不等。
2.2　01：14+11，17；　02：34.6，20；　03：34.5，20；
04：34.7，20；　05：34.7，21；　06：34.6，21；
07：34.7，20；　08：34.8，20；　09：34.8，20；
10：34.8，20；　11：34.7，21；　12：34.7，20；
13：34.7，20；　14：34.6，21；　15：34.8，21；
16：34.7，20；　17：34.5，21；　18：34.5，18；
19：34.0，13。
2.3　卷軸裝。首殘尾全。未入潢。卷端破碎，餘皆完好。折疊欄。已修整。
3.1　首 10 行中下殘→大正 1484，24/1003B10~24。
3.2　尾全→24/1009C18。
4.2　梵網經盧舍那佛說菩薩心地戒品（尾）。
5　與《大正藏》本對照，本件缺尾部偈文。
8　10~11 世紀。歸義軍時期寫本。
9.1　楷書。
9.2　有行間校加字，有塗抹。有倒乙、刪除符號。第 4 紙上邊有“△”符號。
11　圖版：《敦煌寶藏》，101/246B~255A。

1.1　BD00279 號
1.3　佛名經（十六卷本）卷二
1.4　宇 079
1.5　063：0606
2.1　153×26.3 厘米；4 紙；83 行，行字不等。
2.2　01：06.0，護首；　02：49.0，27；　03：49.0，28；
04：49.0，28。
2.3　卷軸裝。首全尾脫。經黄紙。護首端有芨芨草製天竿。卷中有破損。有烏絲欄，扉頁亦劃有烏絲欄。已修整。
3.1　首全→《七寺古逸經典研究叢書》，3/第 64 頁第 1 行。
3.2　尾殘→《七寺古逸經典研究叢書》，3/第 70 頁第 88 行；
4.1　佛說佛名經第二（首）。
5　與七寺本對照，“從此以上一千佛十二部經一切賢聖”所在位置不同。
8　9~10 世紀。歸義軍時期寫本。
9.1　楷書。
9.2　有刮改。
11　圖版：《敦煌寶藏》，61/303B~305B。

1.1　BD00280 號
1.3　妙法蓮華經卷五
1.4　宇 080
1.5　105：5439
2.1　1111.5×24.6 厘米；23 紙；622 行，行 17 字。
2.2　01：45.5，26；　02：48.7，27；　03：48.6，27；
04：48.6，27；　05：48.8，27；　06：48.5，27；
07：48.8，27；　08：48.8，27；　09：48.9，27；
10：49.0，27；　11：48.9，27；　12：48.9，27；
13：50.2，30；　14：50.8，29；　15：50.0，30；
16：50.0，30；　17：50.7，29；　18：49.9，29；
19：50.5，29；　20：50.2，29；　21：50.4，29；
22：50.3，29；　23：26.5，06。
2.3　卷軸裝。首尾均全。尾有原軸，兩端塗漆，棕色。下軸頭已坏。卷中多處撕裂、開裂。首紙爲後補，與此後各紙字體不同。前部有烏絲欄，後部無烏絲欄。
3.1　首全→大正 262，9/37A5。
3.2　尾全→9/46B14。
4.1　妙法蓮華經安樂行品第十四，五（首），
4.2　妙法蓮華經卷第五（尾）。
8　9~10 世紀。歸義軍時期寫本。
9.1　楷書。
9.2　有行間校加字，
11　圖版：《敦煌寶藏》，91/480A~495A。

1.1　BD00281 號
1.3　大般若波羅蜜多經卷五九九
1.4　宇 081
1.5　084：3412
2.1　(15.6+266)×28.2 厘米；7 紙；179 行，行 17 字。
2.2　01：15.6+1.9，11；　02：43.7，28；　03：44.1，28；
04：44.3，28；　05：44.3，28；　06：44.4，28；
07：43.3，28。
2.3　卷軸裝。首殘尾斷。第 3、4 紙接縫處下開裂。有烏絲欄。

已修整。
3.1　首10行中下殘→大正220，7/1102A15～25。
3.2　尾殘→7/1104A21。
7.3　卷背有經文雜寫、習字雜寫等8行，其中有寺名“乾元”、人名“陰醜子”。
8　8～9世紀。吐蕃統治時期寫本。
9.1　楷書。
11　圖版：《敦煌寶藏》，77/517B～521B。

1.1　BD00282號
1.3　大方廣佛華嚴經（唐譯八十卷本）卷七六
1.4　宇082
1.5　002：0068
2.1　（15+760.3+9）×25.3厘米；18紙；484行，行17字。
2.2　01：15+29.5，28；　02：44.5，28；　03：44.8，28；
04：44.9，28；　05：44.8，28；　06：44.8，28；
07：44.8，28；　08：44.8，28；　09：45.0，28；
10：45.0，28；　11：44.8，28；　12：45.0，28；
13：45.0，28；　14：45.0，28；　15：45.0，28；
16：44.6，28；　17：45.0，28；　18：13+9，08。
2.3　卷軸裝。首尾均殘。卷首殘破嚴重，各紙接縫處多有開裂及破損，卷尾殘破嚴重。有水漬印。有烏絲欄。已修整。
3.1　首10行上殘→大正279，10/414A6～15。
3.2　尾全→10/419C6。
8　8世紀。唐寫本。
9.1　楷書。
11　圖版：《敦煌寶藏》，56/270A～282A。

1.1　BD00283號
1.3　妙法蓮華經卷五
1.4　宇083
1.5　105：5647
2.1　（5.8+207.2）×26.1厘米；5紙；113行，行17字。
2.2　01：5.8+33.7，24；　02：48.0，28；　03：48.5，28；
04：48.5，28；　05：28.5，05。
2.3　卷軸裝。首殘尾全。有烏絲欄。尾有餘空。
3.1　首3行上殘→大正262，9/44B20～24。
3.2　尾全→9/46B14。
4.2　妙法蓮華經卷第五（尾）。
8　8～9世紀。吐蕃統治時期寫本。
9.1　楷書。
9.2　有刮改。
11　圖版：《敦煌寶藏》，93/494A～496B。

1.1　BD00284號
1.3　妙法蓮華經卷四
1.4　宇084
1.5　105：5370
2.1　138×25.7厘米；3紙；84行，行17字。
2.2　01：46.0，28；　02：46.0，28；　03：46.0，28。
2.3　卷軸裝。首尾均脫。第2紙上下開裂。紙張變色。有烏絲欄。已修整。
3.1　首殘→大正262，9/33C29。
3.2　尾殘→9/35A18。
8　9～10世紀。歸義軍時期寫本。
9.1　楷書。
11　圖版：《敦煌寶藏》，91/227B～229B。

1.1　BD00285號
1.3　大般涅槃經（北本）卷二三
1.4　宇085
1.5　116：6558
2.1　（13+636）×26厘米；13紙；334行，行17字。
2.2　01：13+34，25；　02：50.5，27；　03：50.5，27；
04：50.5，27；　05：50.5，27；　06：50.5，27；
07：50.5，27；　08：50.5，27；　09：50.5，27；
10：50.5，27；　11：50.5，27；　12：50.5，27；
13：46.5，12。
2.3　卷軸裝。首殘尾全。卷尾殘破。有燕尾，有鳥糞。有烏絲欄。已修整。
3.1　首7行上殘→大正374，12/499C9～500A5。
3.2　尾全→12/503C24。
4.2　大般涅槃經卷第廿三（尾）。
8　6世紀。南北朝寫本。
9.1　隸楷。
9.2　有刮改。
11　圖版：《敦煌寶藏》，100/311A～319B。

1.1　BD00286號
1.3　大般若波羅蜜多經卷一八
1.4　宇086
1.5　084：2053
2.1　（17+919.8）×26厘米；21紙；555行，行17字。
2.2　01：17.5+17.3，21；　02：46.0，28；　03：46.0，28；
04：46.2，28；　05：46.0，28；　06：46.3，29；
07：46.1，28；　08：46.2，22；　09：46.3，28；
10：46.3，28；　11：46.3，27；　12：46.3，27；
13：46.2，28；　14：46.3，28；　15：46.5，28；
16：43.2，27；　17：46.2，28；　18：46.2，28；
19：46.2，28；　20：46.0，28；　21：27.7，10。
2.3　卷軸裝。首殘尾全。卷中有撕裂、開裂。第8紙中有6個空行。第14紙上邊有墨筆横畫，下有污漬。有烏絲欄。有燕尾。已修整。
3.1　首11行上下殘→大正220，5/96A14～24。

3.2　尾全→5/102A20。
4.2　大般若波羅蜜多經卷第十八（尾）。
7.1　卷端背面有墨書勘記"十八，二"，前者為本文獻卷次，後者為本文獻所屬袟次。
8　8～9世紀。吐蕃統治時期寫本。
9.1　楷書。
9.2　第8紙經文有錯，上邊有硃筆"兑"字。第9紙為正誤重抄。
11　圖版：《敦煌寶藏》，71/486A～498A。
《中國古代寫本識語集錄》第361頁宇字86號《大般若波羅蜜多經》卷一八五，應為字字86號。

1.1　BD00287號
1.3　佛頂尊勝陀羅尼經（佛陀波利本）
1.4　宇087
1.5　229：7338
2.1　（281＋3.5）×26厘米；7紙；185行，行17字。
2.2　01：19.5，12；　02：46.0，30；　03：46.0，30；
04：45.6，30；　05：45.8，30；　06：45.3，30；
07：33＋3.5，23。
2.3　卷軸裝。首尾均殘。有等距離水漬印。第6、7紙下邊殘破。卷中有1塊無字殘片。有古代裱補。有烏絲欄。已修整。
3.1　首殘→大正967，19/349C29。
3.2　尾全→19/352A26。
4.2　佛頂尊勝陀羅尼經（尾）。
5　與《大正藏》本對照，本號咒語不同，而與BD00255號2相同。參見BD00255號2第5項。
7.1　卷末粘另一紙，上寫題記，已殘，僅可辨認"□爲亡妻"四字。
8　9～10世紀。歸義軍時期寫本。
9.1　楷書。
9.2　有刮改。
11　圖版：《敦煌寶藏》，105/523B～527A。

1.1　BD00288號
1.3　金光明最勝王經卷一
1.4　宇088
1.5　083：1438
2.1　612.9×27厘米；16紙；356行，行17字。
2.2　01：13.0，護首；　02：41.0，26；　03：04.7，03；
04：31.5，19；　05：43.0，25；　06：43.4，26；
07：43.6，26；　08：44.0，26；　09：43.3，25；
10：43.5，26；　11：43.8，26；　12：43.6，26；
13：43.5，26；　14：43.7，25；　15：43.3，26；
16：44.0，25；
2.3　卷軸裝。首全尾殘。護首及第2紙爲古代補修經卷時所配。前7紙背各有古代裱補。有烏絲欄。已修整。
3.1　首全→大正665，16/403A3。
3.2　尾4行上下殘→16/408A23～26。
4.1　金光明最勝王經序品第一，三藏法師義淨奉制譯（首）。
7.3　卷背有3塊裱補紙，均殘存佛畫；另有2塊裱補紙上分別有"奴"，"李"、"五二、三一"等雜寫。
7.4　護首有"金光明經卷第一，圖武法律，不是同袟，雜遂"一行。護首經名上有經名號，扉頁有烏絲欄。第2紙背亦有與護首同樣的"金光明經卷第一，圖武法律，不是同袟，雜遂"一行。
從形態看，可能原計劃以已經抄經的第2紙為護首，但又覺不妥，便再接出一紙，以爲護首。"圖"應為敦煌靈圖寺，本遺書應為敦煌靈圖寺武法律所有。"不是同袟，雜遂"，或指本遺書不屬於某完整的《金光明最勝王經》帙，而是另本。
8　9～10世紀。歸義軍時期寫本。
9.1　楷書。
9.2　有行間校加字。
11　圖版：《敦煌寶藏》，67/564A～571B。

1.1　BD00289號
1.3　妙法蓮華經卷二
1.4　宇089
1.5　105：4798
2.1　293.8×25.6厘米；6紙；167行，行17字。
2.2　01：49.0，27；　02：49.0，28；　03：49.1，28；
04：49.0，28；　05：49.0，28；　06：48.7，28。
2.3　卷軸裝。首全尾殘。經黄紙，上部有水漬印。首紙下有1處殘損。有烏絲欄。
3.1　首全→大正262，9/10B24。
3.2　尾行殘→9/13A11。
4.1　妙法蓮華經譬喻品第三，二（首）
8　7世紀。唐寫本。
9.1　楷書。
11　圖版：《敦煌寶藏》，86/617B～621B。

1.1　BD00290號
1.3　金剛壇廣大清淨陀羅尼經
1.4　宇090
1.5　084：3416
2.1　（3.8＋200.8）×26厘米；4紙；112行，行17字。
2.2　01：3.8＋47.6，28；　02：51.1，28；　03：51.0，28；
04：51.1，28。
2.3　卷軸裝。首殘尾脱。首部殘損嚴重，上部有油污。有烏絲欄。已修整。
3.1　首2行中下殘→《敦煌佛教之研究》，第632頁第17行。
3.2　尾殘→《敦煌佛教之研究》，第635頁第13行。
6.2　尾→BD00370號。
8　9～10世紀。歸義軍時期寫本。

9.1　楷書。
11　圖版：《敦煌寶藏》，77/532B～535A。

1.1　BD00291 號 1
1.3　瑜伽師地論分門記卷一〇
1.4　宇 091
1.5　201：7186
2.1　（21.5＋387.9）×29.8 厘米；11 紙；255 行，行字不等。
2.2　01：11.5＋9，41；　02：10＋31.9，32；　03：41.8，素紙；
04：42.1，25　05：42.0，32；　06：42.2，29；
07：42.2，30；　08：41.8，30　09：42.2，29；
10：42.1，27；　11：19.6，12。
2.3　卷軸裝。首殘尾脫。首紙內有殘破，下有殘損。第 3 紙空白。第 6 紙內有殘洞。前 2 紙背面有古代裱補。
2.4　本遺書包括 2 個文獻：（一）《瑜伽師地論分門記》卷一〇，118 行，今編為 BD00291 號 1。（二）《瑜伽師地論分門記》卷一一，137 行，今編為 BD00291 號 2。
3.4　說明：
本文獻首殘尾全，爲敦煌高僧法成弟子一真的聽課筆記《瑜伽師地論分門記》卷一〇，同類筆記甚多，尚需統一整理。
4.2　第十卷終結（尾）。
7.1　卷背兩紙騎縫處有 5 處題名，其中"一真"3 處，"沙門一真"2 處。
8　8～9 世紀。吐蕃統治時期寫本。
9.1　行楷。
9.2　有行間加行，有校改。有墨筆塗抹。有硃筆句讀、科分、點標、間隔等符號。
11　圖版：《敦煌寶藏》，104/411A～415B。

1.1　BD00291 號 2
1.3　瑜伽師地論分門記卷一一
1.4　宇 091
1.5　201：7186
2.4　本遺書由 2 個文獻組成，本號為第 2 個，137 行。餘參見 BD00291 號 1 之第 2 項、第 7.1 項、第 11 項。
3.4　說明：
本文獻首殘尾全，爲敦煌高僧法成弟子一真的聽課筆記《瑜伽師地論分門記》卷一一，同類筆記甚多，尚需統一整理。
4.1　第十一卷分門圖（首）。
8　8～9 世紀。吐蕃統治時期寫本。
9.1　行楷。
9.2　有行間加行，有校改。有墨筆塗抹。有硃筆句讀、科分、點標、間隔等符號。

1.1　BD00292 號
1.3　金剛般若波羅蜜經
1.4　宇 092
1.5　094：3933
2.1　（330.4＋10.5）×25.5 厘米；7 紙；196 行，行 17 字。
2.2　01：49.0，28；　02：48.6，28；　03：48.6，28；
04：48.6，28；　05：48.7，28；　06：48.9，28；
07：38＋10.5，28。
2.3　卷軸裝。首脫尾殘。麻紙。卷中有殘洞及開裂。卷尾右上殘缺。有烏絲欄。
3.1　首殘→大正 235，8/749C20。
3.2　尾 6 行上殘→8/752A25～B3。
8　7～8 世紀。唐寫本。
9.1　楷書。
11　圖版：《敦煌寶藏》，81/248A～252A。
《中國古代寫本識語集錄》第 394 頁宇字 92 號《金有陀羅尼經》，應為字字 92 號。

1.1　BD00293 號
1.3　金剛般若波羅蜜經
1.4　宇 093
1.5　094：3796
2.1　（1＋76.5）×25 厘米；3 紙；50 行，行 17 字。
2.2　01：1＋2.5，02；　02：41.5，27；　03：32.5，21。
2.3　卷軸裝。首尾均殘。經黃紙。第 3 紙下方有殘損。第 2 紙背有古代裱補。有烏絲欄。
3.1　首 1 行殘→大正 235，8/749B14～15。
3.2　尾殘→8/750A7。
8　7～8 世紀。唐寫本。
9.1　楷書。
11　圖版：《敦煌寶藏》，80/382A～383A。

1.1　BD00294 號
1.3　妙法蓮華經卷三
1.4　宇 094
1.5　105：4978
2.1　1016.5×26.2 厘米；21 紙；556 行，行 17 字。
2.2　01：50.4，27；　02：50.8，28；　03：50.4，28；
04：50.6，28；　05：50.4，28；　06：50.3，28；
07：50.3，27；　08：50.0，28；　09：49.8，28；
10：50.5，28；　11：50.3，28；　12：50.0，27；
13：50.0，27；　14：49.8，27；　15：49.8，27；
16：49.7，27；　17：48.9，27；　18：49.0，27；
19：48.2，27；　20：45.7，26；　21：21.6，08。
2.3　卷軸裝。首尾均全。卷首有鳥糞污漬。上下邊略有殘損。有烏絲欄。上邊欄為兩道線。
3.1　首全→大正 262，9/19A14。
3.2　尾全→9/27B9。
4.1　妙法蓮華經藥草喻品第五，三（首）。
4.2　妙法蓮華經卷第三（尾）。

8　9～10 世紀。歸義軍時期寫本。
9.1　楷書。
9.2　有行間校加字。有刮改。
11　圖版：《敦煌寶藏》，87/377B～391A。

1.1　BD00295 號
1.3　金光明最勝王經卷八
1.4　宇 095
1.5　083：1892
2.1　230.8×25.2 厘米；6 紙；121 行，行 17 字。
2.2　01：42.3，25；　02：42.0，25；　03：42.0，25；
　　04：42.0，25；　05：42.0，21；　06：20.5，拖尾。
2.3　卷軸裝。首脫尾全。第 5 紙空 3 行。有烏絲欄。
3.1　首殘→大正 665，16/441C10。
3.2　尾全→16/444A9。
4.2　金光明最勝王經卷第八（尾）。
5　尾附音義。
8　8～9 世紀。吐蕃統治時期寫本。
9.1　楷書。
9.2　有倒乙。
11　圖版：《敦煌寶藏》，70/501A～503B。

1.1　BD00296 號
1.3　維摩詰所說經卷中
1.4　宇 096
1.5　070：1162
2.1　510×25.5 厘米；12 紙；306 行，行 17 字。
2.2　01：45.0，28；　02：45.5，28；　03：46.0，28；
　　04：45.5，28；　05：45.5，28；　06：45.5，28；
　　07：46.0，28；　08：46.0，28；　09：46.0，28；
　　10：46.0，28；　11：45.5，26；　12：07.5，燕尾。
2.3　卷軸裝。首脫尾全。經黃紙。首紙殘缺。上邊等距離殘缺。卷中破損較嚴重。有烏絲欄。有燕尾。已修整。
3.1　首殘→大正 475，14/547C7。
3.2　尾全→14/551C27。
4.2　維摩詰經卷中（尾）。
8　7～8 世紀。唐寫本。
9.1　楷書。
9.2　有刮改。
11　圖版：《敦煌寶藏》，65/515A～522A。

1.1　BD00297 號
1.3　妙法蓮華經（八卷本）卷六
1.4　宇 097
1.5　105：5616
2.1　192.3×24.6 厘米；5 紙；116 行，行 17 字。
2.2　01：44.0，26；　02：46.3，28；　03：46.2，28；
　　04：46.3，28；　05：09.5，06。
2.3　卷軸裝。首全尾斷。經黃紙。卷首殘破嚴重；卷中有殘破，上下邊等距殘破。第 1 紙背端有古代裱補。卷背有墨筆污痕。
3.1　首全→大正 262，9/42A29。
3.2　尾殘→9/44A4。
4.1　妙法蓮華經如來壽量品第十六，六（首）。
5　與《大正藏》本對照，分卷不同，相當於《大正藏》本卷五如來壽量品第十六全文。
8　7～8 世紀。唐寫本。
9.1　楷書。
9.2　有行間加字。
11　圖版：《敦煌寶藏》，93/382A～384B。

1.1　BD00298 號 A
1.3　大般若波羅蜜多經卷二九六
1.4　宇 098
1.5　084：2819
2.1　（1.1＋38.2＋2）×26 厘米；1 紙；25 行，行 17 字。
2.3　卷軸裝。首尾殘。上下邊殘破。有烏絲欄。
3.1　首行殘→大正 220，6/506C25。
3.2　尾行上殘→6/507A20～21。
6.1　首→BD05323 號。
6.2　尾→BD08464 號。
8　7～8 世紀。唐寫本。
9.1　楷書。
9.2　有行間校加字。
11　圖版：《敦煌寶藏》，75/175A。

1.1　BD00298 號 B
1.3　大般若波羅蜜多經卷二九六
1.4　宇 098
1.5　084：2820
2.1　（4.7＋33.3＋3.4）×26.1 厘米；1 紙；25 行，行 17 字。
2.2　卷軸裝，首殘尾脫。下邊殘破。有烏絲欄。
3.1　首 3 行上殘→大正 220，6/507C27～29。
3.2　尾 2 行下殘→6/508A21～22。
8　7～8 世紀。唐寫本。
9.1　楷書。
11　圖版：《敦煌寶藏》，75/175B。

1.1　BD00299 號
1.3　佛名經（十六卷本）卷三
1.4　宇 099
1.5　063：0619
2.1　（6.5＋125.6）×25.5 厘米；3 紙；71 行，行 17 字。
2.2　01：6.5＋32，15；　02：46.8，28；　03：46.8，28。
2.3　卷軸裝。首殘尾斷。麻紙。卷面有油污。卷中有殘破。有

烏絲欄。已修整。
3.1 首2行上中殘→《七寺古逸經典研究叢書》，3/第121頁第65行。
3.2 尾殘→《七寺古逸經典研究叢書》，3/第126頁第131行；
8 7~8世紀。唐寫本。
9.1 楷書。
11 圖版：《敦煌寶藏》，60/413B~415A。

1.1 BD00300號
1.3 無量壽宗要經
1.4 宇100
1.5 275：7963
2.1 （2+185.5）×31.5厘米；5紙；121行，行30餘字。
2.2 01：2+17.5，13； 02：42.0，29； 03：42.0，28；
04：42.0，29； 05：42.0，22。
2.3 卷軸裝。首殘尾全。卷中多處開裂、破損、油污。卷後空6行。有烏絲欄。
3.1 首行中上殘→大正936，19/82B4
3.2 尾全→19/84C29
4.2 佛說無量壽宗要經（尾）。
7.1 第5紙尾題之後有寺名題記"龍興"。
8 8~9世紀。吐蕃統治時期寫本。
9.1 行楷。
11 圖版：《敦煌寶藏》，108/379B~381B。

1.1 BD00301號
1.3 妙法蓮華經卷三
1.4 宙001
1.5 105：5150
2.1 （12.9+423）×26.1厘米；10紙；262行，行17字。
2.2 01：12.9+8.2，13； 02：46.3，28； 03：45.9，28；
04：46.1，28； 05：46.1，28； 06：46.1，28；
07：46.1，28； 08：46.0，28； 09：45.9，28；
10：46.3，25。
2.3 卷軸裝。首殘尾全。打紙。首紙尾部中下各有1處撕裂，第5紙下有1處撕裂，6紙前部有1道撕裂。首紙及第6紙背面有古代裱補。有烏絲欄。已修整。
3.1 首5行上下殘→大正262，9/23B2~6。
3.2 尾全→9/27B9。
4.2 妙法蓮華經卷第三（尾）。
8 7世紀。唐寫本。
9.1 楷書。
11 圖版：《敦煌寶藏》，89/221B~227B。

1.1 BD00302號
1.3 大方廣佛華嚴經（唐譯八十卷本）卷四
1.4 宙002
1.5 002：0037
2.1 49×26.4厘米；1紙；26行，行17字。
2.2 卷軸裝。首全尾脫。卷內有殘洞若干，尾部上有開裂。有烏絲欄。已修整。
3.1 首全→大正279，10/15C24。
3.2 尾殘→10/16A23。
4.1 大方廣佛華嚴經世主妙嚴品第一之四，卷四，新譯（首）。
8 8世紀。唐寫本。
9.1 楷書。
11 圖版：《敦煌寶藏》，56/201A~201B。

1.1 BD00303號
1.3 大般涅槃經（北本）卷四
1.4 宙003
1.5 115：6313
2.1 （276+17）×25.5厘米；9紙；182行，行17字。
2.2 01：13.5，08； 02：37.0，23； 03：37.0，23；
04：37.0，23； 05：37.0，23； 06：37.0，23；
07：37.0，23； 08：33.7，21； 09：7+17，15。
2.3 卷軸裝。首尾均殘，第1、2、7、8紙有破裂。有劃界欄針孔。有烏絲欄。已修整。
3.1 首2行上下殘→大正374，12/387A1~2。
3.2 尾9行下殘→12/388C11~19。
8 5~6世紀。南北朝寫本。
9.1 隸書。
11 圖版：《敦煌寶藏》，98/72B~76A。

1.1 BD00304號
1.3 大般涅槃經（北本）卷一四
1.4 宙004
1.5 115：6380
2.1 （5+344.4）×25.5厘米；7紙；196行，行17字。
2.2 01：5+45，28； 02：50.0，28； 03：50.0，28；
04：50.0，28； 05：49.8，28； 06：49.8，28；
07：49.8，28。
2.3 卷軸裝。首殘尾脫。首紙上部有撕裂。有烏絲欄。已修整。
3.1 首3行上下殘→大正374，12/447C24~27。
3.2 尾殘→12/450A26。
8 6~7世紀。隋寫本。
9.1 楷書。
11 圖版：《敦煌寶藏》，98/463A~467B。

1.1 BD00305號
1.3 妙法蓮華經卷四
1.4 宙005
1.5 105：5434
2.1 93×25.8厘米；2紙；40行，行17字。

2.2　01：50.0，28；　　02：43.0，12。
2.3　卷軸裝。首殘尾全。尾紙後留餘空。有烏絲欄。
3.1　首殘→大正 262，9/36A29。
3.2　尾全→9/37A2。
4.2　妙法蓮華經卷第四（尾）。
8　8 世紀。唐寫本。
9.1　楷書。
11　圖版：《敦煌寶藏》，91/473A～474A。

1.1　BD00306 號
1.3　金剛般若波羅蜜經
1.4　宙 006
1.5　094：3742
2.1　（3.2＋468.3）×27 厘米；11 紙；262 行，行 17 字。
2.2　01：3.2＋20.4，13；　02：44.7，25；　03：44.7，25；
04：45.0，25；　05：44.7，25；　06：45.0，25；
07：44.8，25；　08：45.0，25；　09：45.0，25；
10：45.0，25；　11：44.0，24。
2.3　卷軸裝。首殘尾全。第 1 紙及第 2 紙上邊有破裂，第 5 紙有殘洞，第 7、8 紙間接縫開裂。通卷上部變色。有烏絲欄。已修整。
3.1　首 2 行上殘→大正 235，8/749B1～2。
3.2　尾全→8/752C3。
4.2　金剛般若波羅蜜經（尾）。
7.3　第 3 紙背有經名雜寫“佛說八揚神經”。
8　9～10 世紀。歸義軍時期寫本。
9.1　楷書。
11　圖版：《敦煌寶藏》，80/123B～130A。

1.1　BD00307 號
1.3　金剛般若波羅蜜經
1.4　宙 007
1.5　094：4276
2.1　（1.2＋87.5＋12）×25.9 厘米；3 紙；64 行，行 17 字。
2.2　01：1.2＋27.5，23；　02：48.0，28；
03：12＋12，13。
2.3　卷軸裝。首尾均殘。經黃紙。本件殘破嚴重。首紙第 10～14 行有殘洞，第 1、2 紙接縫上半開裂，第 2、3 紙接縫上下端開裂。有烏絲欄。
3.1　首 7 行上下殘→大正 235，8/751A26～B4。
3.2　尾 6 行上殘→8/752A4～10。
8　7～8 世紀。唐寫本。
9.1　楷書。
11　圖版：《敦煌寶藏》，82/565A～566A。

1.1　BD00308 號
1.3　除恐災患經
1.4　宙 008
1.5　141：6680
2.1　724.1×26.5 厘米；15 紙；398 行，行 17 字。
2.2　01：51.0，28；　02：51.0，28；　03：50.8，28；
04：51.0，28；　05：50.5，28；　06：50.8，28；
07：51.0，28；　08：50.8，28；　09：50.8，28；
10：50.8，28；　11：50.8，28；　12：50.8，28；
13：50.8，28；　14：50.7，28；　15：12.5，06。
2.3　卷軸裝。首脱尾全。經黃紙，打紙。紙張完好。有烏絲欄。
3.1　首殘→大正 744，17/552C2。
3.2　尾全→17/557B8。
4.2　佛說除恐災患經（尾）。
8　7～8 世紀。唐寫本。
9.1　楷書。
11　圖版：《敦煌寶藏》，101/135A～145A。

1.1　BD00309 號 A
1.3　大般若波羅蜜多經卷一八六
1.4　宙 009
1.5　084：2464
2.1　108.9×25.3 厘米；4 紙；54 行，行 17 字。
2.2　01：16.7，護首；　02：24，0，12；　03：22.2，14；
04：46，0，28。
2.3　卷軸裝。首全尾脱。有護首，護首端有經名。護首當為歸義軍時代補經加裝。第 2 紙有橫向破裂，下邊有殘缺；第 3、4 紙有殘洞及橫向破裂；第 4 紙有縱向撕裂。第 2、3、4 紙背面有古代裱補。第 2 紙與其他各紙紙質、字迹不同。有烏絲欄。
3.1　首全→大正 220，5/998C9。
3.2　尾殘→5/999B7。
4.1　大般若波羅蜜多經卷第一百八十六，/初分難信解品第卅四之五，三藏法師玄奘奉詔譯/（首）。
7.1　第 2 紙背有勘記“十九袟第六”，第 3 紙背有勘記“十九袟”，餘字被裱補紙覆蓋。“十九袟”爲本遺書所屬袟次，“第六”為袟内卷次。
7.4　護首端有經名“大般若經卷第一百八十六，十九，恩”，上有經名號。旁註“下藏”。可知原卷收藏在敦煌報恩寺下藏中。
8　8～9 世紀。吐蕃統治時期寫本。
9.1　楷書。
11　圖版：《敦煌寶藏》，73/385A～386B。

1.1　BD00309 號 B
1.3　大般若波羅蜜多經卷二一九
1.4　宙 009
1.5　084：2562
2.1　135.2×25.1 厘米；3 紙；82 行，行 17 字。
2.2　01：44.0，26；　02：45.7，28；　03：45.5，28。
2.3　卷軸裝。首全尾脱。卷面有殘洞，有撕裂。第 1、3 紙背有

古代裱補。有烏絲欄。
3.1　首全→大正 220，6/96B22。
3.2　尾殘→6/97B20。
4.1　大般若波羅蜜多經卷第二百一十九，/初分難信解品第卌四之卌八，三藏法師玄奘奉詔譯/（首）。
7.1　第 1 紙背裱補紙上有題名“張貞，聖”，餘字爲另一裱補紙覆蓋。
8　8～9 世紀。吐蕃統治時期寫本。
9.1　楷書。
11　圖版：《敦煌寶藏》，74/79B～81A。

1.1　BD00310 號
1.3　妙法蓮華經卷三
1.4　宙 010
1.5　105：4989
2.1　（20.8＋422.7）×27.6 厘米；9 紙；251 行，行 17 字。
2.2　01：20.8＋28.1，27；02：49.3，28；03：49.3，28；
04：49.3，28；05：49.3，28；06：49.6，28；
07：49.7，28；08：48.6，28；09：49.5，28。
2.3　卷軸裝。首全尾脫。首紙上下殘破嚴重，中部有 1 殘洞。有烏絲欄。已修整。
3.1　首 11 行上下殘→大正 262，9/19A18～28。
3.2　尾殘→9/22C2。
4.1　□…□藥草喻品第五（首）。
8　8 世紀。唐寫本。
9.1　楷書。
11　圖版：《敦煌寶藏》，87/515B～521A。

1.1　BD00311 號
1.3　佛頂尊勝陀羅尼經（佛陀波利本）
1.4　宙 011
1.5　229：7353
2.1　（6＋214.3）×25.2 厘米；6 紙；125 行，行 17 字。
2.2　01：6＋14.8，13；02：45.8，28；03：45.9，28；
04：45.9，28；05：46.0，28；06：15.9，拖尾。
2.3　卷軸裝。首殘尾全。經黄紙。第 1、2 紙及第 2、3 紙接縫處下部開裂，第 4 紙有斜向撕裂，通卷上邊殘破，除第 3 紙外下邊均有殘破。有燕尾。有烏絲欄。
3.1　首 4 行下殘，第 21 行→大正 967，19/351A1；
3.2　尾全→19/352A25。
5　與《大正藏》本對照，本文獻前 20 行之陀羅尼文字不同。但與《大正藏》本末尾所附《資福藏》本有相似之處，參見 19/352B3～23。故本文獻首部對照項（第 3.1 項）從第 21 行起。
8　7～8 世紀。唐寫本。
9.1　楷書。
9.2　有倒乙。
11　圖版：《敦煌寶藏》，105：581B～584B。

1.1　BD00312 號
1.3　大般若波羅蜜多經卷一五三
1.4　宙 012
1.5　084：2404
2.1　（1.8＋304.3）×26.1 厘米；8 紙；175 行，行 17 字。
2.2　01：1.8＋9，06；02：46.5，28；03：46.3，28；
04：46.5，28；05：46.5，28；06：46.5，28；
07：46.5，28；08：16.5，01；
2.3　卷軸裝。首殘尾全。第 1、2 紙多殘洞，下邊有殘缺。卷尾空 7 行。卷前部下部油污較重，卷末上部油污。有烏絲欄。
3.1　首行下殘→大正 220，5/828C5。
3.2　尾全→5/830C4。
4.2　大般若波羅蜜多經卷第一百五十三（尾）。
8　8～9 世紀。吐蕃統治時期寫本。
9.1　楷書。
11　圖版：《敦煌寶藏》，73/176A～179B。

1.1　BD00313 號
1.3　佛名經（十二卷本異卷）卷八
1.4　宙 013
1.5　060：0507
2.1　（3＋443.5）×25.9 厘米；10 紙；260 行，行 17 字。
2.2　01：3＋38，24；02：50.0，30；03：50.0，30；
04：50.0，30；05：50.0，30；06：50.0，30；
07：50.0，30；08：50.0，30；09：50.0，26；
10：05.5，拖尾。
2.3　卷軸裝。首殘尾全。首紙中下部撕裂，第 3 紙中部有殘洞，第 4 紙斷開，第 5 紙上中撕裂，第 9、10 紙中部撕裂，下部破碎。卷面有等距離水漬印。卷尾空 3 行。有燕尾。有烏絲欄。已修整。
3.1　首行上殘→大正 440，14/160A21。
3.2　尾全→14/163C7。
4.2　佛名經卷第八（尾）。
5　與《大正藏》本對照分卷不同。文字亦略有不同，部分佛名上無“南無”二字。
7.3　上邊有硃筆寫“燃”字。
8　5～6 世紀。南北朝寫本。
9.1　隸楷。
11　圖版：《敦煌寶藏》，59/424B～430B。

1.1　BD00314 號
1.3　妙法蓮華經卷四
1.4　宙 014
1.5　105：5308
2.1　（12＋955）×26.4 厘米；13 紙；534 行，行 17 字。
2.2　01：2＋67，39；02：74.2，43；03：74.4，43；
04：73.3，43；05：73.3，43；06：73.5，43；

07：73.5，43；　08：73.5，43；　09：73.5，43；
10：74.3，43；　11：74.3，43；　12：74.0，42；
13：76.2，23。
2.3　卷軸裝。首殘尾脫。第1紙上部開裂，有殘洞。卷尾空23行。背有古代裱補。有烏絲欄。已修整。
3.1　首行殘→大正262，9/29B23。
3.2　尾殘→9/37A2。
4.2　妙法蓮華經卷第四（尾）。
7.1　卷尾背有勘記"第四卷廿四紙"1行。
8　9～10世紀。歸義軍時期寫本。
9.1　楷書。
11　圖版：《敦煌寶藏》，90/513A～527A。

1.1　BD00315號
1.3　究竟大悲經卷二
1.4　宙015
1.5　283：8236
2.1　（4.5+598）×26厘米；13紙；348行，行17字。
2.2　01：4.5+40，26；　02：46.5，28；　03：46.5，28；
04：46.5，28；　05：46.5，28；　06：46.5，28；
07：46.5，28；　08：46.5，28；　09：46.5，28；
10：46.5，28；　11：46.5，28；　12：46.5，28；
13：46.5，14。
2.3　卷軸裝。首尾均全。經黃紙。卷首上部殘缺，第3紙上方有火燒殘洞。卷尾空12行。有燕尾。有烏絲欄。
3.1　首第30行→大正2880，85/1368B26。
3.2　尾全→85/1372B3。
3.4　說明：
《大正藏》所收為殘本，而本遺書除卷首上部略有殘缺外，全卷基本完好。與《大正藏》本對照，本遺書多出卷首29行。故可依據本號校補《大正藏》本之缺漏。
4.1　□…□當來奉佛品第五（首）。
4.2　究竟大悲經卷第二（尾）。
8　7～8世紀。唐寫本。
9.1　楷書。
11　圖版：《敦煌寶藏》，109/375A～383A。

1.1　BD00316號
1.3　合部金光明經卷三
1.4　宙016
1.5　083：1690
2.1　（3.2+363.5）×26厘米；8紙；214行，行17字。
2.2　01：3.2+36.6，24；　02：46.7，28；　03：46.7，28；
04：46.7，28；　05：46.7，28；　06：46.7，28；
07：46.8，28；　08：46.6，22。
2.3　卷軸裝。首殘尾全。經黃紙，打紙。卷中接縫處有開裂。卷尾有蟲繭，尾後空6行。有烏絲欄。
3.1　首2行上中殘→大正664，16/374B12～13。
3.2　尾全→16/377B6。
4.2　金光明經卷第三（尾）。
8　7世紀。唐寫本。
9.1　楷書。
11　圖版：《敦煌寶藏》，69/287B～292A。

1.1　BD00317號
1.3　灌頂章句拔除過罪生死得度經
1.4　宙017
1.5　250：7487
2.1　（18.7+555）×25.7厘米；12紙；303行，行17字。
2.2　01：18.7+26.2，24；　02：51.7，28；　03：51.9，28；
04：51.9，28；　05：51.8，28；　06：51.6，28；
07：51.8，28；　08：51.6，28；　09：51.7，28；
10：49.4，28；　11：49.5，27；　12：15.9，拖尾。
2.3　卷軸裝。首殘尾全。經黃紙，打紙，研光。首紙內有數處殘裂，個別紙接縫處上部開裂。右下殘缺一塊。有燕尾。有烏絲欄。已修整，
3.1　首10行下殘→大正1331，21/532C11～20。
3.2　尾全→21/536B5。
4.2　藥師經（尾）。
8　7～8世紀。唐寫本。
9.1　楷書。
11　圖版：《敦煌寶藏》，106/448A～455A。

1.1　BD00318號A
1.3　妙法蓮華經卷三
1.4　宙018
1.5　105：5175
2.1　137.7×25.3厘米；3紙；84行，行17字。
2.2　01：45.9，28；　02：45.9，28；　03：45.9，28。
2.3　卷軸裝。首殘尾脫。經黃紙。下邊等距離殘破，多水漬印。首紙上下有撕裂殘損，內有數處殘洞。背有古代裱補；尾紙下邊有1處殘損。有烏絲欄。
3.1　首行殘→大正262，9/24B5～6。
3.2　尾殘→9/25B22。
8　7～8世紀。唐寫本。
9.1　楷書。
11　圖版：《敦煌寶藏》，89/320B～322B。

1.1　BD00318號B
1.3　妙法蓮華經卷四
1.4　宙018
1.5　105：5323
2.1　49.5×25.1厘米；1紙；28行，行17字。
2.3　卷軸裝。首尾均脫。多水漬印，紙張變色。有烏絲欄。

3.1　首殘→大正 262，9/30B14。
3.2　尾殘→9/30C19。
8　9～10 世紀。歸義軍時期寫本。
9.1　楷書。
11　圖版：《敦煌寶藏》，90/656A～B。

1.1　BD00319 號
1.3　妙法蓮華經卷七
1.4　宙 019
1.5　105：5871
2.1　（9.5＋679.8）×25.5 厘米；15 紙；377 行，行 17 字。
2.2　01：9.5＋11，11；　02：50.7，28；　03：50.4，28；
04：50.8，28；　05：50.5，28；　06：50.8，28；
07：50.8，28；　08：50.8，28；　09：50.8，28；
10：51.0，28；　11：50.8，28；　12：50.7，28；
13：51.0，28；　14：50.7，28；　15：09.0，02。
2.3　卷軸裝。首殘尾全。麻紙。接縫多處開裂。卷尾後空 3 行。首紙背有古代裱補。有烏絲欄。
3.1　首 5 行上下殘→大正 262，9/55B3～8。
3.2　尾全→9/62B1。
4.2　妙法蓮華經卷第七（尾）。
5　與《大正藏》本對照，第 4 紙和第 5 紙間缺少大段經文，缺文相當於《妙音菩薩品》第二十四尾起至《陀羅尼品》第二十六首部分，參見大正 262，9/56B18～9/58B17。
8　7～8 世紀。唐寫本。
9.1　楷書。
11　圖版：《敦煌寶藏》，95/475A～484A。

1.1　BD00320 號
1.3　大般若波羅蜜多經卷三一三
1.4　宙 020
1.5　084：2854
2.1　（7.6＋262）×26 厘米；6 紙；159 行，行 17 字。
2.2　01：7.6＋25.3，19；　02：47.0，28；　03：47.2，28；
04：47.7，28；　05：47.5，28；　06：47.3，28。
2.3　卷軸裝。首殘尾脫。第 1 紙有殘洞，縱向撕裂，上、下殘破。第 3 紙末行處斷裂爲兩段。有烏絲欄。
3.1　首 4 行上下殘→大正 220，6/595A11～15。
3.2　尾殘→6/596C19。
6.2　尾→BD00015 號。
7.1　第 1 紙背端有勘記“三百一十三，卅二”，前者為本文獻卷次，後者為所屬袟次。又有“卅□...□”1 行。
8　8～9 世紀。吐蕃統治時期寫本。
9.1　楷書。
9.2　有行間校加字，有刮改。
11　圖版：《敦煌寶藏》，75/244A～247B。

1.1　BD00321 號
1.3　金剛般若波羅蜜經
1.4　宙 021
1.5　094：4143
2.1　（21.5＋275）×26.5 厘米；7 紙；167 行，行 17 字。
2.2　01：21.5＋24.5，27；　02：48.5，28；　03：47.3，28；
04：47.3，28；　05：45.4，28；　06：53.5，28；
07：08.5，拖尾。
2.3　卷軸裝。首殘尾全。打紙。前 2 紙有等距火灼殘洞，通卷中部有橫裂。背面多處有古代裱補，燕尾繫有麻繩。有烏絲欄。已修整。
3.1　首 12 行上下殘→大正 235，8/750B22～C5。
3.2　尾全→8/752C3。
4.2　金剛般若波羅蜜經卷（尾）。
8　7～8 世紀。唐寫本。
9.1　楷書。
11　圖版：《敦煌寶藏》，82/221B～225A。

1.1　BD00322 號
1.3　大方廣十輪經卷七
1.4　宙 022
1.5　020：0228
2.1　（3.5＋601.6）×26.4 厘米；13 紙；344 行，行 17 字。
2.2　01：3.5＋39，19；　02：48.0，28；　03：47.8，28；
04：48.0，28；　05：48.0，28；　06：48.0，28；
07：48.0，28；　08：48.0，28；　09：48.0，28；
10：48.0，28；　11：47.8，28；　12：48.0，28；
13：35.0，17。
2.3　卷軸裝。首殘尾全。經黄紙。有水漬印，紙張變色。首紙有破洞。背有現代裱補。有烏絲欄。已修整。
3.1　首行上殘→大正 410，13/711A13。
3.2　尾全→13/715C29。
4.2　十輪經卷第七（尾）。
5　與《大正藏》本對照，品名不同。《大正藏》本之“布施品第十”、“持戒相品第十一”，本卷分別爲“善品之十”與“法施品之十一”。根據《大正藏》本校記，歷代諸藏品名均與《大正藏》本相同，則敦煌遺書乃自成系統。
8　7 世紀。唐寫本。
9.1　楷書。
11　圖版：《敦煌寶藏》，57/303B～311B。

1.1　BD00323 號 A
1.3　阿闍世王授決經
1.4　宙 023
1.5　057：0461
2.1　172.7×28.7 厘米；5 紙；98 行，行 17 字。
2.2　01：44.4，25；　02：44.2，25；　03：33.3，19；

04：36.8，21；　05：14.0，08。
2.3　卷軸裝。首全尾殘。第3、4紙縫背有古紙粘接，有鳥糞。有烏絲欄。
3.1　首全→大正509，14/777A17。
3.2　尾全→14/778B2。
4.1　佛說阿闍世王受決經（首）。
7.1　本遺書第3紙末行經文為“王雖頻”，第4紙首行經文爲“上曰設福”。第3紙左下邊，用硃筆標註“已下‘上曰’”，表示第3紙末行經文應接在第4紙首行經文“上曰”之前。第4紙右上邊也有硃筆標註“已上‘王雖頻’”，表示該紙首行與第3紙經文“王雖頻”相連接。
8　7~8世紀。唐寫本。
9.1　楷書。
11　圖版：《敦煌寶藏》，59/249A~251A。

1.1　BD00323號B
1.3　雜阿含經卷二三
1.4　宙023
1.5　127：6634
2.1　（3+135）×29厘米；4紙；77行，行17字。
2.2　01：3+10.5，08；　02：35.7，19；　03：44.3，25；
04：44.5，25；
2.3　卷軸裝。首殘尾脫。第1紙上下邊有殘損。第2紙斷爲兩截，後拼接。背有古代裱補。卷背有污痕，有鳥糞。有烏絲欄。
3.1　首2行上殘→大正99，2/165B5~6。
3.2　尾殘→2/166B16。
8　7~8世紀。唐寫本。
9.1　楷書。
11　圖版：《敦煌寶藏》，101/18A~19B。

1.1　BD00323號C
1.3　尸迦羅越六方禮經（兌廢稿）
1.4　宙023
1.5　129：6637
2.1　110.8×29厘米；4紙；62行，行17字。
2.2　01：29.8，17；　02：28.0，16；　03：44.2，25；
04：08.8，04。
2.3　卷軸裝。首尾均全。第2紙斷爲兩截，背有古代裱補。有烏絲欄。
3.1　首全→大正16，1/250C11。
3.2　尾缺→1/251B14。
4.1　佛說尸迦羅越六向拜經（首）。
4.2　卷之第八（尾）。
5　與《大正藏》本對照，本遺書文字多歧異、遺漏。經文並未抄完，卻加上尾題。本經原為一卷，尾題卻作“卷之第八”，亦屬不倫不類。從形態看，應為抄錯之廢卷。
7.1　本遺書第2紙左下邊有硃筆“已下至‘官’”，第3紙右上邊有硃筆“已上至‘懸’”。為古人接綴經卷時的提示，以標明第2、第3兩紙經文的銜接關係。參見BD00323號A之7.1項。
8　7~8世紀。唐寫本。
9.1　楷書。
11　圖版：《敦煌寶藏》，101/32A~33B。

1.1　BD00324號1
1.3　大般若波羅蜜多經卷五六八
1.4　宙024
1.5　084：3357
2.1　（9.2+734.8）×26.7厘米；18紙；439行，行21~24字。
2.2　01：9.2+26.4，21；　02：49.1，29；　03：48.5，29；
04：41.1，24；　05：40.0，23；　06：41.2，24；
07：40.8，24；　08：40.6，24；　09：40.8，24；
10：40.7，24；　11：40.8，24；　12：40.7，24；
13：40.9，24；　14：40.7，24；　15：40.9，24；
16：40.8，24；　17：40.7，24；　18：40.1，25。
2.3　卷軸裝。首殘尾脫。首紙上下有撕裂殘損，內有殘洞。前2紙接縫處下開裂，第2紙上有1處撕裂。有烏絲欄。已修整。
2.4　本遺書包括2個文獻：（一）《大般若波羅蜜多經》卷五六八，103行，今編爲BD00324號1。（二）《爾時最勝天王請世尊決問邪正路》，336行，今編爲BD00324號2。
3.1　首5行上下殘→大正220，7/931C8~14。
3.2　尾殘→7/933B1。
8　9~10世紀。歸義軍時期寫本。
9.1　行楷。
9.2　有行間校加字。
11　圖版：《敦煌寶藏》，77/355A~364B。

1.1　BD00324號2
1.3　爾時最勝天王請世尊決問邪正路
1.4　宙024
1.5　084：3357
2.4　本遺書由2個文獻組成，本號爲第2個，336行，餘參見BD00324號1之第2項、第11項。
3.4　說明：

本件首題爲“爾時最勝天王請世尊決問邪正路”，內容則相當於《大正藏》本《大般若波羅蜜多經》卷第五百六十八第六分“念住品”第五全部、《大般若波羅蜜多經》卷第五百七十第六分“平等品”第七全部、第六分“現相品”第八前部。詳情如下：

第104行，首題。

第105行~313行→大正220，7/933B3~936B27；

第314行~439行→大正220，7/942B07~/944B22。

第314行“是時……踴躍”14字《大正藏》本作“爾時最勝復從座起偏覆左肩右膝著地”。

本文獻屬於古代佛教目錄學家指斥的“抄經”。

4.1　爾時最勝天王請世尊決問邪正路一卷（首）。
8　9～10世紀。歸義軍時期寫本。
9.1　行楷。
9.2　有行間校加字。有合體字“菩薩”。有重文符號。

1.1　BD00325號
1.3　金剛般若波羅蜜經
1.4　宙025
1.5　094：3511
2.1　77.5×24.5厘米；2紙；50行，行17字。
2.2　01：40.0，25；　02：37.5，25。
2.3　卷軸裝。首全尾殘。本件紙張變色。卷首下部殘缺，通卷殘損嚴重。背有古代裱補，部分裱補紙已脱落。有烏絲欄。已修整。
3.1　首2行下殘→大正235，8/748C17～20。
3.2　尾殘→8/749B14。
4.1　金剛般若波羅蜜經（首）。
8　7～8世紀。唐寫本。
9.1　楷書。
11　圖版：《敦煌寶藏》，78/378B～379B。

1.1　BD00326號
1.3　維摩詰所説經卷上
1.4　宙026
1.5　070：0904
2.1　403×26厘米；9紙；217行，行17字。
2.2　01：21.0，護首；　02：46.5，26；　03：48.5，28；
04：48.5，28；　05：48.5，28；　06：48.5，28；
07：41.0，23；　08：50.5，28；　09：50.0，28。
2.3　卷軸裝。首全尾脱。有護首和竹製天竿。護首上有穿縹帶洞。第3、4紙和第7、8紙接縫處下部開裂。最後2紙為後代所補，紙質與前紙不同。卷尾殘破。有烏絲欄。
3.1　首全→大正475，14/537A1。
3.2　尾殘→14/539B27。
4.1　維摩詰所説經，一名不可思議解脱，佛國品第一（首）。
8　9～10世紀。歸義軍時期寫本。
9.1　楷書。
9.2　有行間校加字。有刮改。有倒乙。
11　圖版：《敦煌寶藏》，63/652A～657B。

1.1　BD00327號
1.3　大般涅槃經（北本異本）卷一八
1.4　宙027
1.5　117：6579
2.1　（17＋878.5）×26厘米；19紙；508行，行17字。
2.2　01：17＋11.5，17；　02：50.0，30；　03：50.0，29；
04：50.0，30；　05：46.5，26；　06：44.0，26；
07：50.0，28；　08：50.0，28；　09：50.0，29；
10：49.5，28；　11：50.0，29；　12：50.0，28；
13：50.0，29；　14：43.5，25；　15：50.0，29；
16：50.0，29；　17：50.0，29；　18：49.5，28；
19：34.0，11。
2.3　卷軸裝。首殘尾全。首紙下部殘缺，卷背有污痕。第13、14紙接縫上方開裂。有烏絲欄。已修整。
3.1　首10行下殘→大正374，12/469A7～16。
3.2　尾全→12/475A4。
4.2　大般涅槃經卷第十八（尾）。
5　與《大正藏》本對照，分卷不同。經文相當於《大正藏》本卷第十八“梵行品”第八之四的後部分至卷第十九“梵行品”第八之五的前部分。根據《大正藏》本校記，本文獻的分卷，與歷代諸藏均不相同，自成系統。
8　6世紀。南北朝寫本。
9.1　隸楷。
9.2　有刮改。
11　圖版：《敦煌寶藏》，100/387A～399A。

1.1　BD00328號
1.3　金光明最勝王經卷二
1.4　宙028
1.5　083：1509
2.1　（2＋282）×31厘米；8紙；191行，行28～29字。
2.2　01：2＋42.8，30；　02：44.7，30；　03：44.7，30；
04：44.8，30；　05：44.8，30；　06：26.5，18；
07：19.2，13；　08：14.5，10。
2.3　卷軸裝。首脱尾全。麻紙，未入潢。卷面有水漬印。有烏絲欄。
3.1　首行中殘→大正665，16/410A12～13。
3.2　尾全→16/413C6。
4.2　金光明最勝王經卷第二（尾）。
8　8世紀。唐寫本。
9.1　楷書。
11　圖版：《敦煌寶藏》，68/204B～207A。

1.1　BD00329號
1.3　無量壽宗要經
1.4　宙029
1.5　275：7694
2.1　172×30.5厘米；4紙；121行，行30餘字。
2.2　01：41.5，29；　02：45.0，33；　03：43.0，31；
04：42.5，28。
2.3　卷軸裝。首尾均全。第1、2紙下邊撕殘，第2紙上邊撕裂，第1、2紙接縫處上部開裂，第2、3紙接縫處下部開裂，第3紙下邊撕裂。有烏絲欄。
3.1　首全→大正936，19/82A3。

3.2　尾全→19/84C29。
4.1　大乘無量無量壽經（首）。
4.2　佛說無量壽宗要經卷（尾）。
7.1　第4紙尾有題名“宋良昇”。背面有寺院題名“修”，即本遺書原為敦煌靈修寺所有。
8　8～9世紀。吐蕃統治時期寫本。
9.1　行楷。
9.2　有行間校加字。有刮改。有倒乙。
11　圖版：《敦煌寶藏》，107l/336B～338B。

1.1　BD00330號
1.3　大般涅槃經（北本）卷一〇
1.4　宙030
1.5　115：6340
2.1　（10+878.1）×25.8厘米；18紙；457行，行17字。
2.2　01：10+40，26；　02：51.5，27；　03：51.5，27；
04：51.5，27；　05：51.5，27；　06：51.5，27；
07：51.5，27；　08：51.5，27；　09：51.7，27；
10：51.6，27；　11：51.5，27；　12：51.6，27；
13：51.5，27；　14：51.5，27；　15：51.5，27；
16：51.5，27；　17：51.5，26；　18：13.7，拖尾。
2.3　卷軸裝。首殘尾全。紙張變色。首紙上邊有破損，第17、18紙接縫下方撕裂破損，有燕尾。有烏絲欄。
3.1　首5行下殘→大正374，12/422C2～10。
3.2　尾全→12/428B13。
4.1　大般□…□（首）。
4.2　大般涅槃經卷第十（尾）。
8　5～6世紀。南北朝寫本。
9.1　隸書。
11　圖版：《敦煌寶藏》，98/269A～281A。

1.1　BD00331號
1.3　大般若波羅蜜多經卷五〇三
1.4　宙031
1.5　084：3256
2.1　（1.5+780.9）×25.9厘米；18紙；459行，行17字。
2.2　01：1.5+12.6，08；　02：47.4，28；　03：47.9，28；
04：47.8，28；　05：47.8，28；　06：47.2，28；
07：47.6，28；　08：47.8，28；　09：48.0，28；
10：47.6，28；　11：47.3，28；　12：47.9，28；
13：44.8，28；　14：44.9，28；　15：44.8，28；
16：44.4，28；　17：44.2，28；　18：20.9，03。
2.3　卷軸裝。首殘尾全。卷尾空9行。有烏絲欄。
3.1　首行上殘→大正220，7/560B13。
3.2　尾全→7/566A4。
4.2　大般若波羅蜜多經卷第五百三（尾）。
8　9世紀。歸義軍時期寫本。
9.1　楷書。
9.2　有武周新字“正”，使用周遍。“天”、“人”等字用通行字。有行間校加字。
11　圖版：《敦煌寶藏》，77/49A～59B。

1.1　BD00332號
1.3　金光明最勝王經卷二
1.4　宙032
1.5　083：1514
2.1　（21.7+315.7+31.5）×31.5厘米；9紙；220行，行17字。
2.2　01：21.7，13；　02：46.5，28；　03：46.5，28；
04：46.2，28；　05：46.5，28；　06：46.5，28；
07：46.5，28；　08：37+9.5，28；　09：22.0，11。
2.3　卷軸裝。首尾均殘。卷端橫向撕裂嚴重，尾2紙下部殘缺嚴重。有烏絲欄。已修整。
3.1　首13行下殘→大正665，16/408C19～409A2。
3.2　尾17行下殘→16/411B7～25。
8　8～9世紀。吐蕃統治時期寫本。
9.1　楷書。
9.2　有刮改。
11　圖版：《敦煌寶藏》，68/238A～242B。

1.1　BD00333號
1.3　思益梵天所問經卷四
1.4　宙033
1.5　387：8516
2.1　（7+125）×26厘米；4紙；76行，行17字。
2.2　01：7+34，23；　02：41.5，24；　03：41.5，24；
04：08.0，05。
2.3　卷軸裝。首尾均殘。經黄紙，打紙，砑光。有烏絲欄。
3.1　首4行殘→大正586，15/58A28～B1。
3.2　尾殘→15/59A15。
8　7世紀。唐寫本。
9.1　楷書。
11　圖版：《敦煌寶藏》，110/494B～496A。

1.1　BD00334號
1.3　大方等大集經（異卷）卷一
1.4　宙034
1.5　018：0217
2.1　（4+798.8）×26.2厘米；18紙；465行，行17字。
2.2　01：4+9.7，08；　02：48.0，28；　03：48.0，28；
04：48.0，28；　05：48.0，28；　06：48.3，28；
07：48.5，28；　08：48.2，28；　09：48.4，28；
10：48.5，28；　11：48.2，28；　12：48.3，28；
13：48.2，28；　14：48.3，28；　15：48.2，28；

16：48.0，28；　17：48.0，28；　18：18.0，09。
2.3　卷軸裝。首殘尾全。經黄紙，油污變色。第4、5、6紙有殘洞，破損處有古代裱補。有烏絲欄。已修整。
3.1　首2行下殘→大正397，13/1B24～26。
3.2　尾全→13/6C29。
4.2　大集經卷第一（尾）。
5　與《大正藏》本對照，分卷不同。本文獻分卷與正倉院聖語藏本相同。
8　7～8世紀。唐寫本。
9.1　楷書。
11　圖版：《敦煌寶藏》，57/214B～226A。

1.1　BD00335號
1.3　金剛般若波羅蜜經
1.4　宙035
1.5　094：4413
2.1　365.3×22.8厘米；8紙；193行，行17字。
2.2　01：33.6，19；　02：48.0，28；　03：48.0，28；
04：48.0，28；　05：48.0，28；　06：47.0，27；
07：43.7，25；　08：49.0，10。
2.3　卷軸裝。首殘尾全。1、2紙及5、6紙粘接處均有開裂，通卷下殘。卷尾空17行。有烏絲欄。已修整。
3.1　首9行上下殘→大正235，8/750A29～B9。
3.2　尾全→235，8/752C3。
4.2　金剛般若波羅蜜經（尾）。
5　與《大正藏》本對照，本卷經文缺少冥司偈，缺文參見大正235，8/751C16～19。
8　8～9世紀。吐蕃統治時期寫本。
9.1　楷書。
11　圖版：《敦煌寶藏》，83/131B～136A。

1.1　BD00336號
1.3　金剛般若波羅蜜經
1.4　宙036
1.5　094：3785
2.1　（4.5+478.2）×25.5厘米；11紙；262行，行17字。
2.2　01：4.5+13.5，10；　02：51.5，28；　03：51.5，28；
04：48.0，27；　05：49.5，28；　06：49.5，28；
07：49.5，28；　08：49.5，28；　09：49.5，28；
10：49.5，28；　11：16.7，01。
2.3　卷軸裝。首殘尾全。經黄紙，打紙，有水漬印，紙張變色。尾有原軸，軸頭兩端塗漆，黑色。卷首殘破嚴重，第1紙橫裂，第2紙下部破損。第4紙背有古代裱補。第11紙與前10紙不同，係後修補裝配。有烏絲欄。
3.1　首3行上下殘→大正235，8/749B10～12。
3.2　尾全→8/752C3。
4.2　金剛般若波羅蜜經（尾）。
8　7世紀。唐寫本。
9.1　楷書。
11　圖版：《敦煌寶藏》，82/329B～336A。

1.1　BD00337號
1.3　維摩詰所説經（僞卷）卷中
1.4　宙037
1.5　070：1117
3.4　説明：
該卷目前已炭化焦脆，無法展開。係僞卷。
11　圖版：《敦煌寶藏》，65/378A。

1.1　BD00338號
1.3　金光明最勝王經卷二
1.4　宙038
1.5　083：1535
2.1　（15+289）×26厘米；7紙；170行，行17字。
2.2　01：15+17，19；　02：48.8，29；　03：49.0，29；
04：48.8，29；　05：48.7，29；　06：48.5，29；
07：28.2，06。
2.3　卷軸裝。首殘尾全。本件有等距離圓形水漬印。前部油污嚴重。卷尾後空10行。尾有蟲繭。有燕尾。有烏絲欄。
3.1　首9行上下殘→大正665，16/411A28～B10。
3.2　尾全→16/413C6。
4.2　金光明最勝王經卷第二（尾）。
5　尾附音義。
8　8～9世紀。吐蕃統治時期寫本。
9.1　楷書。
11　圖版：《敦煌寶藏》，68/379A～382B。

1.1　BD00339號
1.3　妙法蓮華經卷三
1.4　宙039
1.5　105：4983
2.1　（6.8+831.7）×26.9厘米；20紙；547行，行16～18字。
2.2　01：6.8+40.3，31；　02：49.6，33；　03：49.7，33；
04：49.5，33；　05：49.7，33；　06：49.5，33；
07：20.7，14；　08：49.6，33；　09：49.8，33；
10：49.9，33；　11：50.0，33；　12：50.0，33；
13：49.8，33；　14：31.6，21；　15：13.8，09；
16：49.8，33；　17：33.1，22；　18：21.9，15；
19：24.3，16；　20：49.1，23。
2.3　卷軸裝。首殘尾全。卷尾有原軸，軸頭已脱落。首紙有多處殘洞、殘損。尾有餘空。有烏絲欄。已修整。
3.1　首4行上殘→大正262，9/19A19～22。
3.2　尾全→9/27B9。
4.2　妙法蓮華經卷第三（尾）。

8　9～10 世紀。歸義軍時期寫本。
9.1　楷書。
11　圖版：《敦煌寶藏》，87/444B～455A。

1.1　BD00340 號
1.3　妙法蓮華經卷五
1.4　宙 040
1.5　105：5502
2.1　(3.5＋117.7＋35)×25.9 厘米；4 紙；84 行，行 17 字。
2.2　01：3.5＋45.7，23；　02：48.0，28；
03：24＋23.8，28；　04：11.2，05。
2.3　卷軸裝。首尾均殘。有烏絲欄。
3.1　首 2 行上下殘→大正 262，9/39B13～15。
3.2　尾 19 行下殘→9/40B5～27。
8　9～10 世紀。歸義軍時期寫本。
9.1　楷書。
9.2　有刮改。
11　圖版：《敦煌寶藏》，92/581A～583A。

1.1　BD00341 號
1.3　金剛般若波羅蜜經
1.4　宙 041
1.5　094：3703
2.1　(5.5＋135.3)×26 厘米；3 紙；81 行，行 17 字。
2.2　01：5.5＋38，25；　02：48.8，28；　03：48.5，28。
2.3　卷軸裝。首殘尾脱。第 1 紙有橫裂，第 1、2 紙間接縫處開裂。有等距離水漬印。有烏絲欄。
3.1　首 3 行上下殘→大正 235，8/749A21～24。
3.2　尾殘→8/750A19。
8　10～11 世紀。歸義軍時期寫本。
9.1　楷書。
11　圖版：《敦煌寶藏》，79/605A～606B。

1.1　BD00342 號 1
1.3　雜阿含經（兑廢稿）卷三二
1.4　宙 042
1.5　127：6635
2.1　224.4×26.8 厘米；10 紙；正面 123 行，行 17 字。背面 27 行，行 17 字。
2.2　01：05.2，03；　02：22.0，13；　03：48.1，27；
04：13.4，08；　05：03.5，02；　06：08.2，04；
07：48.1，27；　08：05.9，02；　09：48.2，28；
10：21.8，11。
2.3　卷軸裝。首斷尾脱。第 7、8 紙接縫處脱爲 2 截。本件爲粘接諸兑廢紙而成，通卷紙質相同，字體不同。有烏絲欄。
2.4　本件由 11 個主題文獻組成，正面 8 個，背面 3 個：（一）《雜阿含經》卷三二，3 行，抄寫在正面，今編爲 BD00342 號 1。（二）《阿毗達磨大毗婆沙論》卷八一，13 行，抄寫在正面，今編爲 BD00342 號 2。（三）《中阿含經》卷五一，27 行，抄寫在正面，今編爲 BD00342 號 3。（四）《阿毗達磨大毗婆沙論》卷六二，8 行，抄寫在正面，今編爲 BD00342 號 4。（五）《雜阿含經》卷四七，2 行，抄寫在正面，今編爲 BD00342 號 5。（六）《雜阿含經》卷二二，31 行，抄寫在正面，今編爲 BD00342 號 6。（七）《阿毗達磨大毗婆沙論》卷八二，28 行，抄寫在正面，今編爲 BD00342 號 7。（八）《阿毗曇毗婆沙論》卷二一，11 行，抄寫在正面，今編爲 BD00342 號 8。（九）《阿毗達磨大毗婆沙論》卷六二，19 行，抄寫在背面，今編爲 BD00342 號背 1。（十）《雜阿含經》卷四〇，2 行，抄寫在背面，今編爲 BD00342 號背 2。（十一）《阿毗達磨大毗婆沙論》卷六二，6 行，抄寫在背面，今編爲 BD00342 號背 3。
3.1　首殘→大正 99，2/228A27。
3.2　尾殘→2/228B1。
8　7～8 世紀。唐寫本。
9.1　楷書。有武周新字“正”，使用周遍。
9.2　有刮改。
11　圖版：《敦煌寶藏》，101/20A～23B。

1.1　BD00342 號 2
1.3　阿毗達磨大毗婆沙論（兑廢稿）卷八一
1.4　宙 042
1.5　127：6635
2.4　本遺書由 11 個文獻組成，本號爲第 2 個，13 行，抄寫在正面，餘參見 BD00342 號 1 之第 2 項、第 11 項。
3.1　首殘→大正 1545，27/418C22。
3.2　尾殘→大正 27/419A6。
5　與《大正藏》本對照，尾行爲前行重複抄寫。
7.1　上邊有勘記“吳”字，應爲抄寫者姓氏。
8　7～8 世紀。唐寫本。
9.1　楷書。有武周新字“初”，使用周遍。

1.1　BD00342 號 3
1.3　中阿含經（兑廢稿）卷五一
1.4　宙 042
1.5　127：6635
2.4　本遺書由 11 個文獻組成，本號爲第 3 個，27 行，抄寫在正面，餘參見 BD00342 號 1 之第 2 項、第 11 項。
3.1　首殘→大正 26，1/750B26。
3.2　尾殘→1/750C24。
5　與《大正藏》本對照，尾行重複抄寫前行文字。
7.1　上邊有勘記“王法律”，應為抄寫者姓名。
7.3　經文末行有經名雜寫“佛佛說八種聖道經”。
8　7～8 世紀。唐寫本。
9.1　楷書。有武周新字“人”，使用周遍。

1.1　BD00342 號 4
1.3　阿毗達磨大毗婆沙論（兌廢稿）卷六二
1.4　宙 042
1.5　127：6635
2.4　本遺書由 11 個文獻組成，本號爲第 4 個，8 行，抄寫在正面，餘參見 BD00342 號 1 之第 2 項、第 11 項。
3.1　首殘→大正 1545，27/319C18。
3.2　尾殘→27/319C26。
7.1　上邊有勘記“鄧僧正”，應為抄寫者姓名。
8　7～8 世紀。唐寫本。
9.1　楷書。

1.1　BD00342 號 5
1.3　雜阿含經（兌廢稿）卷四七
1.4　宙 042
1.5　127：6635
2.4　本遺書由 11 個文獻組成，本號爲第 5 個，2 行，抄寫在正面，餘參見 BD00342 號 1 之第 2 項、第 11 項。
3.1　首殘→大正 99，2/342C4。
3.2　尾殘→2/342C7。
5　與《大正藏》本對照，卷中經文有漏抄。
8　7～8 世紀。唐寫本。
9.1　楷書。

1.1　BD00342 號 6
1.3　雜阿含經（兌廢稿）卷二二
1.4　宙 042
1.5　127：6635
2.4　本遺書由 11 個文獻組成，本號爲第 6 個，31 行，抄寫在正面，餘參見 BD00342 號 1 之第 2 項、第 11 項。
3.1　首殘→大正 99，2/160A26。
3.2　尾殘→2/160C1。
4.1　雜阿含經卷第廿二（首）。
5　與《大正藏》本對照。因經卷粘貼不當，經文有遺漏。
7.3　本件首題前“雜阿含經卷第廿二，如是我聞”爲經題及經文雜抄，尾有 4 行經名及經文雜抄。
7.1　上邊有勘記“繼輿”，應為抄寫者姓名。
8　7～8 世紀。唐寫本。
9.1　楷書。有武周新字“天”，使用不周遍；又有“聖”字，使用周遍。

1.1　BD00342 號 7
1.3　阿毗達磨大毗婆沙論（兌廢稿）卷八二
1.4　宙 042
1.5　127：6635
2.4　本遺書由 11 個文獻組成，本號爲第 7 個，28 行，抄寫在正面，餘參見 BD00342 號 1 之第 2 項、第 11 項。
3.1　首殘→大正 1545，27/422A14。
3.2　尾殘→27/422B15。
7.1　上邊有勘記“吴孔目”，應為抄寫者姓名。
7.3　卷首另粘 1 紙，有字 2 行，爲“阿毗達磨大毗婆沙論卷第一百六十一，五百大阿羅漢等造”，另 1 爲經名雜寫。
8　7～8 世紀。唐寫本。
9.1　楷書。有武周新字“初”。

1.1　BD00342 號 8
1.3　阿毗曇毗婆沙論（兌廢稿）卷二一
1.4　宙 042
1.5　127：6635
2.4　本遺書由 11 個文獻組成，本號爲第 8 個，11 行，抄寫在正面，餘參見 BD00342 號 1 之第 2 項、第 11 項。
3.1　首殘→大正 1546，28/152B2。
3.2　尾殘→28/152B17。
4.1　阿毗曇婆沙雜楗度無義品第七，卷第廿一/阿毗曇毗婆沙雜楗度無義品第七/（首）。
7.1　上邊有勘記“楊”字，應為抄寫者姓氏。
8　7～8 世紀。唐寫本。
9.1　楷書。

1.1　BD00342 號背 1
1.3　阿毗達磨大毗婆沙論（兌廢稿）卷六二
1.4　宙 042
1.5　127：6635
2.4　本遺書由 11 個文獻組成，本號爲第 9 個，19 行，抄寫在背面，餘參見 BD00342 號 1 之第 2 項、第 11 項。
3.1　首殘→大正 1545，27/321B1。
3.2　尾殘→27/321B22。
8　7～8 世紀。唐寫本。
9.1　楷書。
9.2　有武周新字“證”，使用周遍。

1.1　BD00342 號背 2
1.3　雜阿含經（兌廢稿）卷四〇
1.4　宙 042
1.5　127：6635
2.4　本遺書由 11 個文獻組成，本號爲第 10 個，2 行，抄寫在背面，餘參見 BD00342 號 1 之第 2 項、第 11 項。
3.1　首全→大正 99，2/290B16。
3.2　尾殘→2/290B20。
4.1　雜阿含經卷第卌。（首）。
7.3　本號首有經名雜抄“雜阿含經卷第一，雜阿含經卷第一，雜阿含經卷第一”。
8　7～8 世紀。唐寫本。
9.1　楷書。

1.1　BD00342 號背 3
1.3　阿毗達磨大毗婆沙論（兑廢稿）卷六二
1.4　宙 042
1.5　127：6635
2.4　本遺書由 11 個文獻組成，本號爲第 11 個，6 行，抄寫在背面，餘參見 BD00342 號 1 之第 2 項、第 11 項。
3.1　首殘→大正 1545，27/321B8。
3.2　尾殘→27/321B13。
5　與《大正藏》本對照，文字不同，應爲雜抄。
8　7～8 世紀。唐寫本。
9.1　楷書。

1.1　BD00343 號
1.3　佛名經（十六卷本）卷九
1.4　宙 043
1.5　063：0694
2.1　（8＋1236.4）×29 厘米；30 紙；623 行，行 15 字。
2.2　01：08.0，04；　02：42.0，22；　03：42.5，22；
04：42.3，22；　05：42.3，22；　06：42.5，22；
07：42.3，22；　08：42.3，22；　09：42.5，22；
10：42.5，22；　11：42.5，22；　12：42.5，22；
13：43.0，22；　14：43.0，22；　15：43.0，22；
16：42.8，22；　17：42.8，22；　18：42.8，22；
19：42.8，22；　20：43.0，22；　21：42.8，22；
22：42.8，22；　23：43.0，22；　24：42.8，22；
25：42.8，22；　26：42.8，22；　27：42.8，22；
28：42.6，22；　29：42.6，22；　30：42.0，03。
2.3　卷軸裝。首殘尾全。第 4 至 8 紙下邊有等距離殘缺，第 21、22 紙接縫處下方開裂。卷尾後空 19 行。卷背有古代裱補，有文字的一面向裏粘貼，難以辨讀。有烏絲欄。
3.1　首 4 行中下殘→《七寺古逸經典研究叢書》，3/第 432 頁第 35～38 行。
3.2　尾全→《七寺古逸經典研究叢書》，3/第 480 頁第 654 行。
4.2　佛名經卷第九（尾）。
5　與七寺本對照，文字略有出入。
8　7～8 世紀。唐寫本。
9.1　楷書。
11　圖版：《敦煌寶藏》，61/325A～342A。

1.1　BD00344 號
1.33 空號（大乘入楞伽經並序）
1.4　宙 044
3.4　説明：
該卷於民國十年（1921）提送歷史博物館。

1.1　BD00345 號
1.3　大般若波羅蜜多經卷二一二
1.4　宙 045
1.5　084：2539
2.1　（3.3＋267.1）×25.7 厘米；6 紙；163 行，行 17 字。
2.2　01：3.3＋43.3，28；　02：46.5，28；　03：46.6，28；
04：46.4，28；　05：46.5，28；　06：37.8，23。
2.3　卷軸裝。首尾均脱。首紙殘破較嚴重，有殘洞、横向撕裂；第 3 紙上邊殘缺。有烏絲欄。
3.1　首 2 行下殘→大正 220，6/61C18～20。
3.2　尾殘→6/63C8。
7.1　第 1 紙背有勘記“第二百一十二卷”、“二百十二，廿二袟”。為本文獻的卷次與所屬袟次。
8　8～9 世紀。吐蕃統治時期寫本。
9.1　楷書。
11　圖版：《敦煌寶藏》，74/18B～22A。

1.1　BD00346 號
1.3　大般若波羅蜜多經（兑廢稿）卷七九
1.4　宙 046
1.5　084：2230
2.1　48.8×26.8 厘米；1 紙；25 行，行 17 字。
2.3　卷軸裝。首尾均脱。卷尾有餘空 3 行。有烏絲欄。
3.1　首殘→大正 220，5/446B6。
3.2　尾缺→5/446C2。
8　8～9 世紀。吐蕃統治時期寫本。
9.1　楷書。
9.2　上邊有一“兑”字。
11　圖版：《敦煌寶藏》，72/365A。

1.1　BD00347 號
1.3　妙法蓮華經卷六
1.4　宙 047
1.5　105：5727
2.1　（19.5＋809.6）×25.2 厘米；19 紙；513 行，行 17 字。
2.2　01：19.5＋11.5，25；　02：45.3，28；　03：45.3，28；
04：45.3，27；　05：45.3，28；　06：45.3，28；
07：45.2，28；　08：45.4，27；　09：45.3，28；
10：45.3，28；　11：45.4，28；　12：45.3，27；
13：45.3，28；　14：45.4，28；　15：45.3，28；
16：45.4，28；　17：45.4，28；　18：45.4，28；
19：27.5，15。
2.3　卷軸裝。首殘尾全。經黄紙，打紙。右下角殘缺一大塊。有烏絲欄。已修整。
3.1　首 18 行下殘→大正 262，9/47C12～48A6。
3.2　尾全→9/55A9。
4.2　妙法蓮華經卷第六（尾）。
8　7～8 世紀。唐寫本。
9.1　楷書。

11　圖版:《敦煌寶藏》, 94/427A～438B。

1.1　BD00348 號
1.3　金剛般若波羅蜜經
1.4　宙 048
1.5　094: 4084
2.1　326×25.7 厘米; 7 紙; 174 行, 行 16 字。
2.2　01: 49.5, 28;　02: 49.5, 28;　03: 49.5, 27;
04: 49.5, 28;　05: 49.5, 28;　06: 49.5, 28;
07: 29.0, 07。
2.3　卷軸裝。首脱尾全。卷端有 1 横向撕裂。卷尾有蟲繭。有燕尾。已修整。
3.1　首殘→大正 235, 8/750B19。
3.2　尾全→8/752C3。
4.2　金剛般若波羅蜜經 (尾)。
8　9～10 世紀。歸義軍時期寫本。
9.1　楷書。
9.2　有刮改。
11　圖版:《敦煌寶藏》, 82/68A～72A。

1.1　BD00349 號
1.3　大方廣佛華嚴經 (唐譯八十卷本　兑廢稿) 卷四七
1.4　宙 049
1.5　002: 0061
2.1　43.3×25.9 厘米; 1 紙; 正面 23 行, 行 17 字。背面 1 行, 行 18 字。
2.3　卷軸裝。首斷尾脱。第 2 行下有小殘洞 2 個。有烏絲欄。已修整。
3.1　首殘→大正 279, 10/248A27。
3.2　尾殘→10/248B22。
7.3　卷尾背緊靠紙端有佛經 1 行 18 字: "知三世一切佛刹入一佛刹決定無二一切諸" 與正面末尾 "一切諸佛悉" 正好相接, 字體與正面同。
8　7～8 世紀。唐寫本。
9.1　楷書。
11　圖版:《敦煌寶藏》, 56/260B～261B。

1.1　BD00350 號
1.3　妙法蓮華經卷六
1.4　宙 050
1.5　105: 5666
2.1　1053.8×25.5 厘米; 21 紙; 573 行, 行 17 字。
2.2　01: 51.0, 28;　02: 50.8, 28;　03: 51.0, 28;
04: 51.0, 28;　05: 51.0, 28;　06: 51.0, 28;
07: 51.0, 28;　08: 51.0, 28;　09: 51.0, 28;
10: 51.0, 28;　11: 51.0, 28;　12: 51.0, 28;
13: 50.7, 28;　14: 51.3, 28;　15: 51.0, 28;
16: 51.0, 28;　17: 51.0, 28;　18: 51.0, 28;
19: 51.0, 28;　20: 51.0, 28;　21: 34.0, 13。
2.3　卷軸裝。首脱尾全。麻紙。首紙上邊有殘破。有燕尾。有烏絲欄。
3.1　首殘→大正 262, 9/46C19。
3.2　尾全→9/55A9。
4.2　妙法蓮華經卷第六 (尾)。
8　7～8 世紀。唐寫本。
9.1　楷書。
11　圖版:《敦煌寶藏》, 94/15B～30A。

1.1　BD00351 號
1.3　大佛頂如來密因修證了義諸菩薩萬行首楞嚴經卷五
1.4　宙 051
1.5　237: 7408
2.1　511.1×25.8 厘米; 11 紙; 280 行, 行 17 字。
2.2　01: 50.5, 28;　02: 50.2, 28;　03: 50.3, 28;
04: 50.3, 28;　05: 50.0, 28;　06: 50.2, 28;
07: 50.1, 28;　08: 50.2, 28;　09: 50.1, 28;
10: 50.0, 27;　11: 09.2, 01。
2.3　卷軸裝。首脱尾全。打紙, 研光。前數紙接縫處上下有開裂, 第 3 紙前方下有 1 處撕裂。有燕尾。有烏絲欄。
3.1　首殘→大正 945, 19/125A17。
3.2　尾全→19/128B7。
4.2　大佛頂萬行首楞嚴經卷第五 (尾)。
8　7～8 世紀。唐寫本。
9.1　楷書。
11　圖版:《敦煌寶藏》, 106/108B～115A。

1.1　BD00352 號
1.3　妙法蓮華經卷三
1.4　宙 052
1.5　105: 5041
2.1　(3.8+242.5)×26.3 厘米; 6 紙; 138 行, 行 17 字。
2.2　01: 3.8+28.4, 18;　02: 42.7, 24;　03: 42.8, 24;
04: 42.9, 24;　05: 42.9, 24;　06: 42.8, 24。
2.3　卷軸裝。首殘尾脱。本件變色嚴重。卷面有斑點。有烏絲欄。
3.1　首 2 行中下殘→大正 262, 9/19B18～20。
3.2　尾殘→9/21B14。
8　7～8 世紀。唐寫本。
9.1　楷書。
11　圖版:《敦煌寶藏》, 88/363B～367A。

1.1　BD00353 號
1.3　金剛般若波羅蜜經
1.4　宙 053

1.5　094：4376
2.1　(13.5+95.9)×26.2 厘米；3 紙；56 行，行 17 字。
2.2　01：13.5+24.2，21；　02：48.4，28；　03：23.3，07。
2.3　卷軸裝。首殘尾全。麻紙。有燕尾。有烏絲欄。
3.1　首 6 行下殘→大正 235，8/752A4～10。
3.2　尾全→8/752C3。
4.2　金剛般若波羅蜜經（尾）。
8　7～8 世紀。唐寫本。
9.1　楷書。
11　圖版：《敦煌寶藏》，83/77A～78A。

1.1　BD00354 號
1.3　妙法蓮華經卷一
1.4　宙 054
1.5　105：4582
2.1　515.2×25.5 厘米；12 紙；314 行，行 16～18 字。
2.2　01：45.0，28；　02：45.6，28；　03：45.3，28；
04：45.5，28；　05：45.3，28；　06：45.4，28；
07：45.4，28；　08：45.4，28；　09：45.4，28；
10：45.5，28；　11：45.3，28；　12：16.1，06。
2.3　卷軸裝。首脱尾全。經黄紙。第 1 紙下部有撕裂，1、2 紙接縫處上下開裂，4、5 紙接縫處上有開裂。有燕尾。有烏絲欄。已修整。
3.1　首殘→大正 262，9/4B16。
3.2　尾全→9/10B21。
4.2　妙法蓮華經卷第一（尾）。
8　7～8 世紀。唐寫本。
9.1　楷書。
11　圖版：《敦煌寶藏》，84/613B～620A。

1.1　BD00355 號
1.3　無量壽宗要經
1.4　宙 055
1.5　275：7695
2.1　206.5×31 厘米；5 紙；128 行，行 30 餘字。
2.2　01：43.0，26；　02：43.0，28；　03：44.5，30；
04：45.0，30；　05：31.0，14。
2.3　卷軸裝。首尾均全。第 1 紙上邊殘缺，下邊撕裂；第 1、2 紙接縫處下部開裂；第 3 紙上邊撕裂；有鳥糞污漬。有烏絲欄。
3.1　首全→大正 936，19/82A3。
3.2　尾全→19/84C29。
4.1　大乘無量壽經（首）。
4.2　佛説無量壽宗要經（尾）。
7.1　第 5 紙尾有題名“馬豊”。
8　8～9 世紀。吐蕃統治時期寫本。
9.1　楷書。
9.2　有刮改。

11　圖版：《敦煌寶藏》，107/339A～341B。

1.1　BD00356 號
1.3　妙法蓮華經（十卷本）卷二
1.4　宙 056
1.5　105：4814
2.1　(9.4+632.6)×25.9 厘米；18 紙；388 行，行 17 字。
2.2　01：9.4+12.3，14；　02：37.0，23；　03：37.0，23；
04：37.1，23；　05：37.0，23；　06：37.1，23；
07：37.1，23；　08：37.1，23；　09：37.1，23；
10：37.2，23；　11：37.2，23；　12：37.2，23；
13：37.1，23；　14：37.1，23；　15：37.0，23；
16：37.1，23；　17：36.9，23；　18：27.0，06。
2.3　卷軸裝。首殘尾全。首紙殘損嚴重，背面有古代裱補；第 2 至第 7 紙多有殘損、撕裂、裂痕及殘洞；第 17 紙下邊有 1 處撕裂。各紙均有劃界欄針孔。有燕尾。有烏絲欄。卷首已修整。
3.1　首 4 行中下殘→大正 262，9/10C6～10。
3.2　尾全→9/16B6。
4.2　妙法蓮華經卷第二（尾）。
5　與《大正藏》本對照，分卷不同。本文獻為卷二，但截止到“譬喻品第三”，故屬十卷本。
8　6 世紀。南北朝寫本。
9.1　隸書。
9.2　有行間加行及行間校加字。
11　圖版：《敦煌寶藏》，86/662B～670B。

1.1　BD00357 號 1
1.3　千眼千臂觀世音菩薩陀羅尼神咒經卷上
1.4　宙 057
1.5　235：7376
2.1　(5+718.6)×26 厘米；16 紙；435 行，行 17 字。
2.2　01：5+29.4，21；　02：46.1，28；　03：46.0，28；
04：45.9，28；　05：45.9，28；　06：45.9，28；
07：46.0，28；　08：46.1，28；　09：46.0，28；
10：46.0，28；　11：46.0，28；　12：46.0，28；
13：45.9，28；　14：45.9，28；　15：45.8，28；
16：45.7，22。
2.3　卷軸裝。首殘尾全。首紙殘破較嚴重；第 6 紙尾端上下各有 1 處撕裂。本件前部油污嚴重。有燕尾。有烏絲欄。
2.4　本遺書包括 3 個文獻：（一）《千眼千臂觀世音菩薩陀羅尼神咒經》卷上，243 行，今編爲 BD00357 號 1。（二）《千眼千臂觀世音菩薩陀羅尼神咒經》卷下，174 行，今編爲 BD00357 號 2。（三）《真言三道》（擬），18 行，今編為 BD00357 號 3。
3.1　首 3 行下殘→大正 1057，20/84A28～B2。
3.2　尾全→20/87B23。
5　與《大正藏》本對照，文字略有參差，有缺文，相當於《大正藏》本 87A10～22。末尾多 17 字。

8　8～9 世紀。吐蕃統治時期寫本。
9.1　楷書。
11　圖版：《敦煌寶藏》，105/633A～642B。

1.1　BD00357 號 2
1.3　千眼千臂觀世音菩薩陀羅尼神咒經卷下
1.4　宙 057
1.5　235：7376
2.4　本遺書由 3 個文獻組成，本號爲第 2 個，174 行，餘參見 BD00357 號 1 之第 2 項、第 11 項。
3.1　首全→大正 1057，20/87C1；
3.2　尾全→20/89B23。
4.1　佛說千眼千臂觀世音菩薩陁羅尼神咒經卷下（首）。
4.2　千眼千臂觀世音經（尾）。
5　與《大正藏》本對照，文字略有參差。
8　8～9 世紀。吐蕃統治時期寫本。
9.1　楷書。

1.1　BD00357 號 3
1.3　真言三道（擬）
1.4　宙 057
1.5　235：7376
2.4　本遺書由 3 個文獻組成，本號爲第 3 個，18 行，餘參見 BD00357 號 1 之第 2 項、第 11 項。
3.3　錄文：

生淨土陀羅尼

出《大思惟經》。若有人誦一遍如誦《阿/彌陀佛經》六十萬遍：

唵！阿蜜［嘌］覩，特［嚩］［吠］，薩婆訶。/

金剛般若心中真言

唵！◇［崘］泥［嚧］［嚩］賀。/

若有人誦持此咒一遍，如誦十二部尊經八萬四千遍；/亦如誦《金剛經》十萬八千遍；亦如禮《馬頭羅刹佛名》八萬四千/遍。出藏經。

出《毗盧庶（遮）那經》。新譯經有三卷，共六十紙讚。/

佛說一切佛心陀羅尼，陀羅尼功德/

唵！摩尼達哩［吽］［泮］吒。/

若有人暫開卷，見此陀羅尼，或書；若在壁上，眼暫觀/見，或讀一遍。四重五逆罪亦得消滅，何況常誦持者，/具足六波羅蜜，與十地住地齊等階。若人暫觸持陀/羅尼，人或與共語，同坐同食者，其人身上所有罪障悉得/消滅。若能每日誦廿一遍者，其人眼所見處，山川谷中聚/落一切衆生，乃至蟻子等，永不墮三惡道。所去處，誦/七遍，無有不歡喜。若至神廟中，高聲誦廿一遍，令彼神/聞，得捨神身，身入如來境，悟解真常。持誦者後更不受/胎藏中生，當蓮華化生。乃至諸佛功得（德），具在經中，此/但略記少多，示諸學者。

真言有三道。/

（錄文完）

8　8～9 世紀。吐蕃統治時期寫本。
9.1　楷書。
9.2　有倒乙。有重文號。

1.1　BD00358 號
1.3　大般若波羅蜜多經卷二三二
1.4　宙 058
1.5　084：2602
2.1　（1.5＋88.1）×25.7 厘米；2 紙；54 行，行 17 字。
2.2　01：1.5＋41.5，26；　　02：46.6，28。
2.3　卷軸裝。首殘尾脫。第 1 紙有縱向撕裂。有烏絲欄。
3.1　首行下殘→大正 220，6/168C4～5。
3.2　尾殘→6/169B2。
6.2　尾→BD00005 號。
8　8～9 世紀。吐蕃統治時期寫本。
9.1　楷書。
11　圖版：《敦煌寶藏》，74/200B～201B。

新舊編號對照表

一、千字文號與北敦號、縮微膠卷號對照表

千字文號	北敦號	縮微膠卷號
宇 074	BD00274 號	105:5282
宇 075	BD00275 號	070:1179
宇 076	BD00276 號	094:4232
宇 076	BD00276 號背	094:4232
宇 077	BD00277 號	038:0352
宇 078	BD00278 號	143:6704
宇 079	BD00279 號	063:0606
宇 080	BD00280 號	105:5439
宇 081	BD00281 號	084:3412
宇 082	BD00282 號	002:0068
宇 083	BD00283 號	105:5647
宇 084	BD00284 號	105:5370
宇 085	BD00285 號	116:6558
宇 086	BD00286 號	084:2053
宇 087	BD00287 號	229:7338
宇 088	BD00288 號	083:1438
宇 089	BD00289 號	105:4798
宇 090	BD00290 號	084:3416
宇 091	BD00291 號 1	201:7186
宇 091	BD00291 號 2	201:7186
宇 092	BD00292 號	094:3933
宇 093	BD00293 號	094:3796
宇 094	BD00294 號	105:4978
宇 095	BD00295 號	083:1892
宇 096	BD00296 號	070:1162
宇 097	BD00297 號	105:5616
宇 098	BD00298 號 A	084:2819
宇 098	BD00298 號 B	084:2820
宇 099	BD00299 號	063:0619
宇 100	BD00300 號	275:7963
宙 001	BD00301 號	105:5150
宙 002	BD00302 號	002:0037
宙 003	BD00303 號	115:6313
宙 004	BD00304 號	115:6380
宙 005	BD00305 號	105:5434
宙 006	BD00306 號	094:3742
宙 007	BD00307 號	094:4276
宙 008	BD00308 號	141:6680
宙 009	BD00309 號 A	084:2464
宙 009	BD00309 號 B	084:2562
宙 010	BD00310 號	105:4989
宙 011	BD00311 號	229:7353
宙 012	BD00312 號	084:2404
宙 013	BD00313 號	060:0507
宙 014	BD00314 號	105:5308
宙 015	BD00315 號	283:8236
宙 016	BD00316 號	083:1690
宙 017	BD00317 號	250:7487
宙 018	BD00318 號 A	105:5175
宙 018	BD00318 號 B	105:5323
宙 019	BD00319 號	105:5871
宙 020	BD00320 號	084:2854
宙 021	BD00321 號	094:4143
宙 022	BD00322 號	020:0228
宙 023	BD00323 號 A	057:0461
宙 023	BD00323 號 B	127:6634
宙 023	BD00323 號 C	129:6637
宙 024	BD00324 號 1	084:3357
宙 024	BD00324 號 2	084:3357
宙 025	BD00325 號	094:3511
宙 026	BD00326 號	070:0904
宙 027	BD00327 號	117:6579
宙 028	BD00328 號	083:1509
宙 029	BD00329 號	275:7694
宙 030	BD00330 號	115:6340
宙 031	BD00331 號	084:3256
宙 032	BD00332 號	083:1514
宙 033	BD00333 號	387:8516

宙 034	BD00334 號	018:0217
宙 035	BD00335 號	094:4413
宙 036	BD00336 號	094:3785
宙 037	BD00337 號	070:1117
宙 038	BD00338 號	083:1535
宙 039	BD00339 號	105:4983
宙 040	BD00340 號	105:5502
宙 041	BD00341 號	094:3703
宙 042	BD00342 號 1	127:6635
宙 042	BD00342 號 2	127:6635
宙 042	BD00342 號 3	127:6635
宙 042	BD00342 號 4	127:6635
宙 042	BD00342 號 5	127:6635
宙 042	BD00342 號 6	127:6635
宙 042	BD00342 號 7	127:6635
宙 042	BD00342 號 8	127:6635
宙 042	BD00342 號背 1	127:6635
宙 042	BD00342 號背 2	127:6635
宙 042	BD00342 號背 3	127:6635
宙 043	BD00343 號	063:0694
宙 044	BD00344 號	
宙 045	BD00345 號	084:2539
宙 046	BD00346 號	084:2230
宙 047	BD00347 號	105:5727
宙 048	BD00348 號	094:4084
宙 049	BD00349 號	002:0061
宙 050	BD00350 號	105:5666
宙 051	BD00351 號	237:7408
宙 052	BD00352 號	105:5041
宙 053	BD00353 號	094:4376
宙 054	BD00354 號	105:4582
宙 055	BD00355 號	275:7695
宙 056	BD00356 號	105:4814
宙 057	BD00357 號 1	235:7376
宙 057	BD00357 號 2	235:7376
宙 057	BD00357 號 3	235:7376
宙 058	BD00358 號	084:2602

二、縮微膠卷號與北敦號、千字文號對照表

縮微膠卷號	北敦號	千字文號
	BD00344 號	宙 044
002:0037	BD00302 號	宙 002
002:0061	BD00349 號	宙 049
002:0068	BD00282 號	宇 082
018:0217	BD00334 號	宙 034
020:0228	BD00322 號	宙 022
038:0352	BD00277 號	宇 077
057:0461	BD00323 號 A	宙 023
060:0507	BD00313 號	宙 013
063:0606	BD00279 號	宇 079
063:0619	BD00299 號	宇 099
063:0694	BD00343 號	宙 043
070:0904	BD00326 號	宙 026
070:1117	BD00337 號	宙 037
070:1162	BD00296 號	宇 096
070:1179	BD00275 號	宇 075
083:1438	BD00288 號	宇 088
083:1509	BD00328 號	宙 028
083:1514	BD00332 號	宙 032
083:1535	BD00338 號	宙 038
083:1690	BD00316 號	宙 016
083:1892	BD00295 號	宇 095
084:2053	BD00286 號	宇 086
084:2230	BD00346 號	宙 046
084:2404	BD00312 號	宙 012
084:2464	BD00309 號 A	宙 009
084:2539	BD00345 號	宙 045
084:2562	BD00309 號 B	宙 009
084:2602	BD00358 號	宙 058
084:2819	BD00298 號 A	宇 098
084:2820	BD00298 號 B	宇 098
084:2854	BD00320 號	宙 020
084:3256	BD00331 號	宙 031
084:3357	BD00324 號 1	宙 024
084:3357	BD00324 號 2	宙 024
084:3412	BD00281 號	宇 081
084:3416	BD00290 號	宇 090
094:3511	BD00325 號	宙 025
094:3703	BD00341 號	宙 041
094:3742	BD00306 號	宙 006
094:3785	BD00336 號	宙 036
094:3796	BD00293 號	宇 093
094:3933	BD00292 號	宇 092
094:4084	BD00348 號	宙 048

094:4143	BD00321 號	宙 021
094:4232	BD00276 號	宇 076
094:4232	BD00276 號背	宇 076
094:4276	BD00307 號	宙 007
094:4376	BD00353 號	宙 053
094:4413	BD00335 號	宙 035
105:4582	BD00354 號	宙 054
105:4798	BD00289 號	宇 089
105:4814	BD00356 號	宙 056
105:4978	BD00294 號	宇 094
105:4983	BD00339 號	宙 039
105:4989	BD00310 號	宙 010
105:5041	BD00352 號	宙 052
105:5150	BD00301 號	宙 001
105:5175	BD00318 號 A	宙 018
105:5282	BD00274 號	宇 074
105:5308	BD00314 號	宙 014
105:5323	BD00318 號 B	宙 018
105:5370	BD00284 號	宇 084
105:5434	BD00305 號	宙 005
105:5439	BD00280 號	宇 080
105:5502	BD00340 號	宙 040
105:5616	BD00297 號	宇 097
105:5647	BD00283 號	宇 083
105:5666	BD00350 號	宙 050
105:5727	BD00347 號	宙 047
105:5871	BD00319 號	宙 019
115:6313	BD00303 號	宙 003
115:6340	BD00330 號	宙 030
115:6380	BD00304 號	宙 004
116:6558	BD00285 號	宇 085
117:6579	BD00327 號	宙 027
127:6634	BD00323 號 B	宙 023
127:6635	BD00342 號 1	宙 042
127:6635	BD00342 號 2	宙 042
127:6635	BD00342 號 3	宙 042
127:6635	BD00342 號 4	宙 042
127:6635	BD00342 號 5	宙 042
127:6635	BD00342 號 6	宙 042
127:6635	BD00342 號 7	宙 042
127:6635	BD00342 號 8	宙 042
127:6635	BD00342 號背 1	宙 042
127:6635	BD00342 號背 2	宙 042
127:6635	BD00342 號背 3	宙 042
129:6637	BD00323 號 C	宙 023
141:6680	BD00308 號	宙 008
143:6704	BD00278 號	宇 078
201:7186	BD00291 號 1	宇 091
201:7186	BD00291 號 2	宇 091
229:7338	BD00287 號	宇 087
229:7353	BD00311 號	宙 011
235:7376	BD00357 號 1	宙 057
235:7376	BD00357 號 2	宙 057
235:7376	BD00357 號 3	宙 057
237:7408	BD00351 號	宙 051
250:7487	BD00317 號	宙 017
275:7694	BD00329 號	宙 029
275:7695	BD00355 號	宙 055
275:7963	BD00300 號	宇 100
283:8236	BD00315 號	宙 015
387:8516	BD00333 號	宙 033